A.E. Olss

KAMIENIE LIRY
POTOMEK

novae res
WYDAWNICTWO INNOWACYJNE

Dla kochanej mamy i najlepszego brata na świecie –
za ich ogromne wsparcie i cenne rady

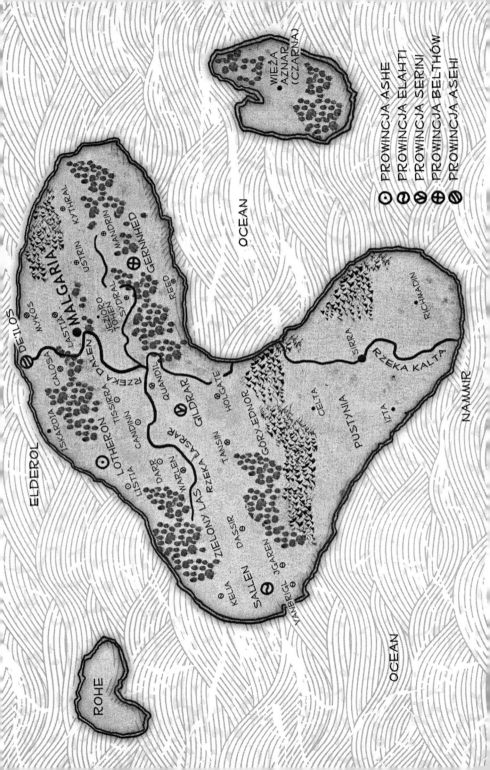

PROWINCJA ASHE
PROWINCJA ELAHTI
PROWINCJA SERINI
PROWINCJA BELTHÓW
PROWINCJA ASEHI

OCEAN

WIEŻA
AZNAR
(CZARNA)

NAMMIR

RZEKA KALTA

RICHWADIN

SIRRA

IZTA

CELTA

PUSTYNIA

GÓRY EDNOR

HOLGATE

QUANDIL

GILDRAR

REED

GERNIHED

MANDRIN

KYTHRAL

USTRIN

MALGARIA

LASTIA

MYKOS

JEZIORO
TOHEN

SYDRAL

RZEKA TISSIRRA

DALEN

CALOSA

ISKARDIA

DEILOS

ELDEROL

LOTHERON

LISTIA

DARP

CANDINN

WIAPLEN

RZEKA LASRA

ZIELONY LAS

TANSIN

DASSIR

KELIA

JGAREN

SALLEN

VANBRIGL

ROHE

OCEAN

Prolog

Argon pędził zamkowymi korytarzami. Towarzyszyło mu echo jego własnych kroków odbijające się od grubych ścian i wysokiego sklepienia. Przez całą drogę w prawej dłoni kurczowo trzymał rękojeść zwisającego u boku miecza, jakby w każdej chwili spodziewał się ataku wroga. Jego zaciśnięte usta, mocno zmarszczone czoło i upiornie blada twarz przeraziłyby każdego, nic więc dziwnego, że służba uciekała mu z drogi.

Argon nawet nie przypuszczał, że po kilkudniowej nieobecności wróci do Malgarii z tak strasznymi wieściami. Przez całą drogę walczył z zalewającą go rozpaczą, która w końcu ustąpiła miejsca wściekłości. Nawet jego twarde serce wojownika z trudem radziło sobie z tak brutalną rzeczywistością.

Między dużym holem a salą tronową skręcił gwałtownie i wpadł na jednego ze służących. Usłyszał za sobą nieśmiałe przeprosiny, ale już wspinał się po krętych schodach prowadzących na północną wieżę.

W końcu zatrzymał się zdyszany przed grubo ciosanymi drzwiami, na których widniały wyrzeźbione korona i pióro – symbol władzy i państwa. Dwaj strażnicy natychmiast stanęli na baczność.

– Czy król już wstał? – spytał szorstko.

– Tak, kapitanie – odparł jeden ze strażników.

Argon bez dalszej zwłoki wparował do sypialni. Król stał pośrodku komnaty, już ubrany. Czekał, aż służący zasznuruje ostatnie rzemienie przy nogawkach. Gdy chłopiec skończył, ukłonił się nisko obu mężczyznom i wybiegł. Dopiero gdy zostali sami, król odwrócił się do kapitana. Argon skinął nieznacznie głową, dopiero teraz pozwalając sobie na zaczerpnięcie tchu.

Władca przesunął wzrokiem po niechlujnie wyglądającym przyjacielu. Jego czupryna była zmierzwiona, a ubrania, niezmieniane od kilku dni, wisiały na nim brudne i pomięte. Było to karygodne i niespotykane, zważywszy na wręcz pedantyczny charakter tego wojownika.

Kąciki ust króla zadrżały w powstrzymywanym uśmiechu.

– Miło znów cię widzieć, Argonie – przywitał przybyłego z wyraźną radością, podsyconą lekkim rozbawieniem. – Nie wiem, czy zauważyłeś, ale ledwie nastał świt. Tak bardzo się za mną stęskniłeś, że nie mogłeś poczekać do śniadania?

To powiedziawszy, Riva podszedł do wielkiego lustra w kącie. Przyjrzał się sobie dokładnie, jakby nie dowierzał, że jego służący mógł dobrze wywiązać się ze swojego obowiązku. Dzisiaj miał na sobie czerwoną tunikę obszywaną złotą nitką, czarne obcisłe spodnie i srebrną kolczugę z takimi samymi godłami, jakie widniały na drzwiach jego komnaty. Władca dopełnił swój strój niewielkim sztyletem o błękitnej rękojeści i mieczem, które przypasał sobie do boku.

Argon tymczasem przesunął wzrok na okno i skrzywił się. Rzeczywiście na niebie dopiero wschodziło blade słońce, którego promienie nie dotarły jeszcze nawet do komnaty. Pokręcił głową z lekką irytacją, gdy przypomniał sobie, że nie spał od dwóch dni. Dopiero gdy o tym pomyślał, zdał sobie sprawę, że ze zmęczenia ledwo stoi na nogach. Ale nie to było teraz jego najważniejszym problemem. Wyszkolono go, by pokonywał własne słabości. Szkoda tylko, że nie nauczono go, jak radzić sobie z emocjami.

Riva podszedł do wojownika, położył mu rękę na ramieniu i przyjrzał się uważnie jego bladej, napiętej twarzy. W jasnoszarych oczach króla odbiły się zmartwienie i troska.

– Powinieneś najpierw się przespać. Wykończysz się, jeśli ciągle będziesz tyle podróżował.

Argon spojrzał przyjacielowi prosto w oczy, ze znużeniem, ale i niezłomną determinacją.

– Przypominam ci, że to mój obowiązek – mruknął, po czym odsunął się i opadł na krzesło. Oparł łokieć na stole, nie spuszczając wzroku z króla. – W Gernnhed wciąż przybywa nowych rekrutów. Muszę dopilnować, by w ich edukacji nie zabrakło porządnych treningów.

Riva zachichotał cicho.

– Współczuję tym dzieciakom. Nie chciałbym mieć takiego nauczyciela.

Wojownik prychnął, ale zmarszczki na jego czole nieco się wygładziły.

– Jakoś nie narzekałeś, kiedy uczyłem cię fechtunku.

– Wtedy nie, bo bałem się twojego gniewu. Teraz mogę powiedzieć, że mogłeś być bardziej delikatny.

– Jestem wojownikiem, nie nianką – odparł kwaśno Argon. – Jako król nie mogłeś walczyć jak pięcioletnie dziecko.

– I kto to mówi? – krzyknął Riva, uśmiechając się złośliwie. – Zaczęliśmy naukę w tym samym czasie. I o ile pamiętam, to ty na pierwszym treningu nie potrafiłeś nawet udźwignąć miecza i...

Błyskawicznym ruchem wydobył sztylet z pochwy, doskoczył do Argona i przystawił mu ostrze do gardła. Uśmiechnął się przy tym z figlarnym błyskiem w oczach.

– Wciąż jestem od ciebie szybszy. Poza tym jesteś tak zmęczony, że wątpię, byś uniknął tego ciosu, nawet gdyby padł z ręki wroga.

Argon zmrużył zielone oczy i przez chwilę wpatrywał się w milczeniu w szare płomyki tańczące w tęczówkach Rivy. Nawet jeśli jego słowa go ubodły i zirytowały, to musiał przyznać mu rację. W takim stanie dałby się zabić pierwszemu lepszemu napastnikowi.

– Uważaj na słowa, chłopcze. Nie zapominaj, że jestem od ciebie o rok starszy – odciął się bardziej dla zasady.

Riva roześmiał się głośno, schował sztylet do pochwy i podszedł do okna.

– A ja jestem królem. To chyba daje mi jakąś przewagę.

9

– Niewielką, ale staram się o niej pamiętać.

Obaj spojrzeli przez okno. Pierwsze promienie słońca wdarły się do komnaty, muskając stojące przy ścianach meble i oświetlając na złoto unoszący się w powietrzu kurz.

Na moment zapadło między nimi zgodne milczenie. Riva splótł dłonie za plecami i zapatrzył się na pracę ogrodników w dole. Na jego jeszcze chłopięcej twarzy trudno było wyczytać jakieś emocje, poza tym budzącym respekt spokojem. Czuł na sobie spojrzenie wojownika, mógł niemal wniknąć w jego myśli. Doskonale wiedział, że Argon wyczuwa, że tak naprawdę uwaga władcy jest skupiona na nim. Mimo to spokojnie czekał, aż to Riva pierwszy się odezwie. Mógłby tak jeszcze przez chwilę potrzymać przyjaciela w niepewności, gdyby nie nagłe drgnienie serca, przelotne ukłucie niepokoju. Zmarszczył brwi i odwrócił się gwałtownie.

– Czy nie miałeś wrócić dopiero za dwa dni?

Argon znów się nachmurzył. Opadł na oparcie krzesła z głośnym westchnieniem.

– Miałem – wymruczał i przygryzł wargę, jeszcze bardziej marszcząc czoło.

Riva przyglądał mu się z rosnącym niepokojem. Największy lęk wzbudziły w nim oczy przyjaciela – pociemniałe od bólu i tłumionej wściekłości.

– Co się stało? – Riva naprawdę zaczął się bać, zanim jeszcze usłyszał odpowiedź.

Wojownik na moment odwrócił wzrok i błądził nim po posadzce poprzecinanej smugami słonecznego światła. Wyraźnie było widać, że wiele wysiłku kosztuje go odpowiedź na to pytanie. W końcu spomiędzy jego zaciśniętych zębów wydobyły się dwa słowa.

– Przebudził się.

W komnacie zapanowała głucha cisza. Riva zamarł i pobladł gwałtownie. Popatrzył przerażony na kapitana.

– To znaczy, że Areel…

– …nie żyje – dokończył Argon niemal niedosłyszalnie.

– Sara też?

Krótkie skinięcie głową było jedyną odpowiedzią, na jaką było go stać.

Riva odwrócił się do okna. Po chwili dało się słyszeć ciche westchnienie. Znieruchomiał i zapatrzył się gdzieś w dal. Jego blada twarz stała się kamienną maską, a oczy mętne, niewidzące.

Argon zdawał sobie sprawę z każdej upływającej minuty, jednak cierpliwie trwał na swoim miejscu. Gdzieś głęboko poczuł delikatne muśnięcie umysłu swego przyjaciela i na jedną sekundę mógł odebrać jego silne emocje. To doznanie wstrząsnęło nim do głębi i sprawiło, że poczuł się śmiertelnie znużony. Zwiesił głowę i przymknął oczy, pozwalając, by czas przepływał między nimi w milczeniu.

Riva zmarszczył w skupieniu czoło, koncentrując wszystkie myśli na wyspie Aznar i Czarnej Wieży. Wokół niej były tysiące namiotów, pomiędzy którymi kręciły się drobne rozmyte postacie. Zignorował ich obecność, jak ignoruje się mrówki w trawie. Był zbyt wstrząśnięty, by w ogóle uświadamiać sobie ich istnienie. W tej chwili obchodziło go tylko jedno.

Przed nim wznosiła się w niebo czarna wieża Aznar o zwalistym kształcie i stożkowym dachu. Budziła grozę, nawet wtedy, gdy dzieliło go od niej tysiące mil lądu i wody. Riva zdusił w sobie chęć wycofania się i przeniknął dalej, poza jej czarne mury, gdzie głęboko w podziemiach kryła się w ciemnościach komnata. Pośrodku, na podwyższeniu, leżała lodowa trumna, przewyższająca długością zwykłego człowieka. Jej naturalne światło odganiało wszechobecny mrok, zaś w środku…

Obezwładnił go lodowaty strach, kiedy dostrzegł, że wieko trumny jest odrobinę uchylone. W środku kłębiła się czarna masa, jakby kawałek bezdennej pustki zamknięty w szklanym więzieniu.

Witaj, Kruczy Królu. Cieszę się, że to właśnie ty jesteś pierwszą osobą, do której mogę się odezwać po tak długim śnie. Szkoda tylko, że nie zjawiłeś się osobiście.

Riva poczuł jak coś lodowatego zaciska się wokół jego jaźni, jakby macki najgłębszej ciemności. Szarpnął się gwałtownie do tyłu i zachłysnął powietrzem, po czym wypuścił je ze świstem, gdy plecami zderzył się z twardą posadzką we własnej komnacie.

– Riva! – Argon doskoczył do niego zaledwie sekundę później.

Król jęknął głucho. Mętnym wzrokiem popatrzył na przyjaciela, jakby nie do końca zdawał sobie sprawę z jego obecności. Potem spojrzał przez okno i zamrugał gwałtownie. Otworzył usta, po chwili je zamknął i zmarszczył brwi. Gdy znów przeniósł oczy na Argona, jego tęczówki przybrały normalny odcień. Tyle że teraz wyzierał z nich autentyczny strach.

– On mnie widział – wychrypiał w końcu drżącym głosem.

– Co?! – Argon wydawał się bardziej przerażony tym faktem niż sam Riva.

Pomógł przyjacielowi wstać, doprowadził go do stolika i posadził na krześle, które sam przed chwilą zajmował. Z zaciśniętą szczęką chwycił stojący na stole dzban i nalał do kielicha wody. Podając go Rivie, zerknął na swoją dłoń, która mocno drżała.

– Czy to znaczy, że nawet w tej chwili może nas podsłuchiwać? – zapytał w końcu głucho.

Riva opróżnił zawartość pucharu jednym haustem i odstawił go z brzdękiem, ocierając usta rękawem drugiej ręki. Uniósł wzrok na przyjaciela. Jego wiecznie blada twarz zdradzała napięcie i ciężar władzy, a jasnoszare oczy zdawały być starsze niż w rzeczywistości.

– Nie sądzę. Wyczuł mnie, bo byłem zbyt blisko. Chyba na razie możemy spać spokojnie. Minie jeszcze kilka dobrych miesięcy, nim całkiem wydostanie się ze swojego lodowego więzienia – uśmiechnął się cierpko. – Areel dobrze się spisał. Jeszcze przez jakiś czas jego Moc będzie działać, ale później…

Zawiesił głos, jakby wypowiedzenie głośno dalszych słów było dla niego zbyt trudnym zadaniem.

– To będzie koniec Elderolu i całego świata – dokończył za niego Argon.

Zapadła cisza. Kapitan splótł ręce na piersi i zaczął przechadzać się po komnacie w tę i z powrotem, ze wzrokiem wbitym we własne stopy. Niezagojona blizna, ciągnąca się od prawej skroni do podbródka, zmarszczyła się brzydko, gdy spiął mięśnie szczęki w głębokim zamyśleniu.

– Gdyby tak zebrać wszystkich noszących Znak Kruka i wojowników i zaatakować teraz...

Riva szybko potrząsnął głową, bacznie obserwując każdy krok przyjaciela.

– To na nic. Widziałem obóz pod Czarną Wieżą. Są ich tysiące, choć Niezwyciężony nie odzyskał jeszcze pełni sił, a nas zaledwie garstka. W tej chwili nie mamy szans.

Argon zatrzymał się pośrodku komnaty i popatrzył na króla, przygryzając wargę.

– Chcesz więc czekać, aż jego armia nas zgniecie? Nie będziemy przecież siedzieć bezczynnie i czekać na cud.

– Oczywiście, że nie. – Riva utrzymywał godny podziwu spokój. – Nie będziemy czekać. Przed nami wojna, przyjacielu. I żeby ją wygrać, musimy to dobrze rozegrać.

– Co zamierzasz zrobić?

– Na początek zwołaj Zakon do wschodniej wieży. Natychmiast.

Argon skłonił się lekko, dotykając przy tym białego znamienia na czole. Pod wpływem dotyku tatuaż w kształcie pióra rozjarzył się na moment delikatnym światłem.

– Tak zrobię. Coś jeszcze?

– Tak. – Riva posłał mu słaby uśmiech. – Zanim do nas dołączysz, weź prysznic i ogarnij się. Wyglądasz koszmarnie.

Wojownik zbył jego słowa głośnym cmoknięciem. W jego zielonych tęczówkach mignęło rozbawienie, które równie szybko zgasło. Argon odwrócił się i wyszedł wypełnić polecenie. Na zewnątrz wciąż był tym chłodnym, dumnym kapitanem królewskiej straży. Jedynie przygarbione ramiona świadczyły o ciężarze, który nosił w sercu.

Po wyjściu przyjaciela Riva poczuł się nagle bardzo samotny i mimo wczesnej pory bardzo zmęczony. Zachwiał się przy wstawaniu i gdy dotarł do okna, oparł się ciężko o parapet. Zawroty głowy nie miały nic wspólnego z głodem czy osłabieniem. W głowie miał pustkę. Niewidzącym wzrokiem zapatrzył się w horyzont. Po błękitnym niebie sunęły leniwie białe obłoczki.

Mam nadzieję, że bogowie nie pozwolą by to wszystko, ot tak, się skończyło – pomyślał ponuro król i natychmiast przypomniał sobie to krótkie, ale wstrząsające spotkanie z Niezwyciężonym.

Gathalag.

Tak brzmiało prawdziwe imię tego półboga. Mało kto jednak miał odwagę wymówić je choćby w myślach. Nie był to ani bóg, ani człowiek, ani żadna ze znanych istot chodzących po tej ziemi. Ta czarna masa w trumnie była czymś, co wykraczało poza ludzkie pojęcie. Esencja czystej nienawiści, zła i zniszczenia. To coś, czego bogowie nie uwzględnili w swoich planach i nie potrafili ujarzmić. Riva nie znał dokładnie całej historii, ale ten twór istniał, zanim jeszcze narodzili się ludzie. Wiedział za to z całą pewnością jedno: to coś jest nieśmiertelne.

I jeśli raz na zawsze tego nie zabiją, prędzej czy później zabije ich. Pożre wszystko i wszystkich, pogrążając świat w wiecznej ciemności. Nie spodziewał się jednak, że to właśnie za jego panowania będą musieli stoczyć kolejną bitwę.

Riva spuścił wzrok, skupiając się na teraźniejszości i roztaczających się w dole widokach. Okno wychodziło na północ, ukazując starannie pielęgnowany ogród, przy którym krzątali się ogrodnicy. Zwyczajne życie zwyczajnych ludzi, które toczyło się swoim własnym, spokojnym rytmem.

Jeszcze.

Podnosząc wzrok na górującą nad miastem świątynię boga Launy, król uzmysłowił sobie, że nie jadł jeszcze śniadania. Czyżby od momentu przebudzenia naprawdę minęła zaledwie godzina? Westchnął głęboko, jak ktoś stary i bardzo zmęczony. Prawą ręką zakreślił w powietrzu znak ziemi i ognia – symbole spokoju i oczyszczenia. Znaki zawisły w powietrzu i rozbłysły brązowym i czerwonym blaskiem, po czym rozpłynęły się bez śladu.

– Żegnaj, Areelu, mój drogi druhu. Spoczywaj w pokoju. Oby twój duch szczęśliwie dotarł do Przystani, najjaśniejszego ze światów.

Riva na pozór spokojnie wyrecytował słowa pożegnania, jednak przy ostatnim zdaniu coś w nim pękło i jego głos zadrżał od gwałtownego wzruszenia. Coś ciężkiego utkwiło mu w gardle i z trudem przełknął gorzkie łzy. Choć był młody, stracił już zbyt wielu swoich bliskich, by po raz kolejny pogrążać się w rozpaczy. Wiedział, że i tym razem musi schować głęboko uczucia i skupić się na swoich obowiązkach. W najbliższej przyszłości czekał go poważny sprawdzian umiejętności. Od tego wyniku zależał los całego Elderolu. To jego pierwsza w życiu wojna i nie spodziewał się, że dojdzie do niej tak szybko.

Przez kilka sekund pozwolił sobie na chwilę słabości, po czym wyszedł z komnaty. Wciąż przygniatał go nieprzyjemny ciężar i nawet perspektywa działania nie była w stanie go zmniejszyć. Choć król znał swoje miejsce i przez te pięć lat nauczył się trzymać w ryzach emocje, to czasami, szczególnie w takich chwilach jak ta, bardzo ciężko było mu skoncentrować się na swoich zadaniach. Może i był władcą, ale w środku nadal czuł się chłopcem, który zbyt szybko dorósł, dźwigając na swoich barkach cały Elderol. Odpowiedzialność za jego bezpieczeństwo.

Nieobecny duchem, pokonywał szybko kolejne schody i korytarze, bez słowa mijając rozstawionych wszędzie strażników i kręcących się po zamku służących. Nie zwracał uwagi na ciche pozdrowienia i ukłony, pochłonięty własnymi myślami.

W końcu dotarł do komnaty na szczycie wschodniej wieży. Poza Zakonem nikt nie miał tu prawa wstępu. Komnata była niewielka, surowa i oświetlona blaskiem świec ustawionych pod ścianą na drewnianych ławach. Na środku znajdował się okrągły stół, a wokół niego krzesła dla trzynastu osób. Wszystko pokrywały pajęczyny i kurz. Kiedy Riva wszedł do środka, wszyscy siedzieli już na swoich miejscach. Mężczyźni, ubrani w identyczne czarne płaszcze, na jego widok zamierzali wstać, jednak król gestem nakazał im pozostanie na miejscach. Zamknął drzwi i powiódł wzrokiem po sali, przyzwyczajając wzrok do półmroku. Tylko Argon stał przy oknie, nieruchomy, skryty w cieniu. Król okrążył siedzących przy stole towarzyszy i zajął swoje miejsce. Chciał coś powiedzieć, gdy nagle słowa uwięzły mu w gardle. Potworny ból przeszył mu lewą rękę od znamienia aż do serca. Pobladł gwałtownie i zacisnął zęby. Pulsującą bólem dłoń szybko ukrył pod stołem.

– Panie, czy coś się stało? – spytał mężczyzna po jego prawej stronie.

Riva popatrzył na zebranych, którzy przyglądali mu się z niepokojem. Zmusił się do cierpkiego uśmiechu.

– Wszystko w porządku – odparł ochryple. – Przynajmniej ze mną. Może od razu przejdę do rzeczy. – Wziął głęboki oddech i tylko raz zerknął na Argona, który nawet nie odwrócił się w ich stronę. – Wezwałem was tak wcześnie, gdyż mam do przekazania pilną wiadomość. Biały Kruk właśnie złożył mi raport i uznałem, że nie ma na co czekać. Jak najszybciej musimy podjąć stosowne kroki, ale proszę was, aby ta informacja na razie pozostała między nami. Nie chcę wprowadzać niepotrzebnej paniki.

Mężczyźni popatrzyli po sobie ponuro, wyraźnie zaskoczeni. Nikt jednak nie śmiał się odezwać, zanim król nie skończy mówić. Przez cały czas Argon stał odwrócony do nich plecami, nieruchomy niczym posąg.

Riva odetchnął głęboko i z napięciem spojrzał każdemu w oczy.

– Areel i Sara nie żyją. Gathalag się przebudził.

W komnacie zapanowała śmiertelna cisza. Zdawało się, że wszyscy zebrani przestali nawet oddychać. Argon drgnął lekko, ale zaraz znów zamarł. Płomienie świec paliły się jasno i równo w dusznym, nieruchomym powietrzu. Tylko cienie tańczyły wesoło na ścianach, zupełnie niewzruszone i obojętne na wszystko.

Sekundy mijały, a każdy trwał w bezruchu. W komnacie czas stanął w miejscu. Jakby pod wpływem zaklęcia.

A potem nastąpiła spóźniona reakcja. Mężczyźni poruszyli się gwałtownie, pobledli i zaczęli mówić jeden przez drugiego. Riva skrzywił się nieznacznie, gdy ból zaatakował go ze zdwojoną siłą. Czuł, że dzisiaj i tak nic więcej nie osiągnie. Gestem ręki nakazał milczenie, a potem odezwał się głośno:

– Prawdziwa wojna dopiero przed nami. Miną miesiące, nim Niezwyciężony uwolni się spod Mocy Areela. Jednak już teraz wokół Czarnej Wieży zbiera się pokaźna armia. My również nie zamierzamy biernie czekać.

– To oczywiste – odezwał się Garet o okrągłej, zawsze jakby sennej twarzy. Był Mistrzem Obrony i Tarcz. Jego czarny tatuaż na czole niemal zlewał się z mrokiem sali, jak u wszystkich zebranych. – Jesteśmy na twoje rozkazy, panie.

Pozostali skinęli jedynie głowami. Ich spokój był jednak pozorny, gdyż każdym ruchem i spojrzeniem wyrażali strach i zdenerwowanie. Riva doskonale ich rozumiał. Jednak to nie na nich spoczywała cała odpowiedzialność.

– Dziękuję wam. Na początek musimy zawiadomić wszystkie prowincje i klany. W stosownym czasie zwołam zebranie hrabiów i rozpoczniemy mobilizację wojska. Wróg się obudził i wszyscy muszą być w pogotowiu. Poza przywódcami nikt nie może się o tym dowiedzieć, dopóki nie będziemy gotowi. Natychmiast trzeba też wzmocnić wszystkie bariery i tarcze. Na razie to wszystko – dokończył zmęczonym głosem, opadł na oparcie krzesła i dyskretnie przycisnął pulsującą bólem dłoń do brzucha. – Możecie wrócić do swoich zajęć i dyskretnie poinformować kogo trzeba.

Mężczyźni mieli jeszcze wiele pytań, ale nikt nie śmiał się odezwać. Wstawali kolejno, kłaniali się i w milczeniu opuszczali komnatę. Z ich twarzy można było wyczytać, że dzisiaj już żaden nie będzie mógł skupić się na swojej pracy.

Komnata w końcu opustoszała, został tylko Argon. Riva przymknął powieki i westchnął głośno. Zacisnął dłoń w pięść, żałując, że to wszystko nie jest jedynie złym snem. W przedłużającej się ciszy obaj koncentrowali się na swoim osobistym bólu. Jedynym dźwiękiem w tym małym pomieszczeniu na szczycie wieży był syk rozpuszczającego się wosku.

– Przykro mi – odezwał się w końcu Riva nie głośniej niż westchnienie. Głód ściskał mu żołądek, a skronie pulsowały tępym bólem. Ale czy cokolwiek tak trywialnego miało jeszcze w ogóle znaczenie?

Gdy nie doczekał się odpowiedzi, otworzył oczy i spojrzał na nieruchomą sylwetkę przyjaciela.

– Musimy zaczął działać. Czeka nas dużo pracy.

Znów cisza.

Riva wstał i podszedł do okna. Stanął obok Argona i dopiero teraz, w mdłym świetle świec, dostrzegł jego bladą, skrzywioną bólem i żalem twarz. Ze współczuciem poklepał przyjaciela po ramieniu.

– Możesz tu zostać, dopóki nie wyruszymy. – A po chwili dodał cichej: – Już czas, by ją sprowadzić. Teraz to nasz ostatni ratunek.

Krótkie skinięcie głową było jedyną odpowiedzią. Argon nie zaszczycił go ani jednym spojrzeniem, niewidzącym wzrokiem wpatrując się w matowe okno. Riva jeszcze raz poklepał go po ramieniu i opuścił komnatę.

* * *

Ciemność i cisza odgrodziły Argona od reszty świata. Nie poruszył się nawet po wyjściu Rivy. Tylko czasem mrugnął powiekami, jakby wbrew własnej woli.

Po bladym policzku spłynęła samotna łza.

o nie przypadek zrządził, że znaleźliśmy się na tym świecie. W nim dane jest nam wzrastać i dojrzewać, aby osiągnąć inny świat.

Matthias Claudius (Asmus)

Rozdział I

brzasku do wspólnej sypialni wdarły się pierwsze promienie słoneczne. Oświetliły ciepłym blaskiem marmurową posadzkę oraz trzydzieści łóżek ustawionych rzędem pod ścianą. Po chwili rozległ się łagodny dźwięk dzwonka zapowiadający kolejny dzień.

Dziewczyny niechętnie zwlokły się z łóżek i z jękami protestu ustawiły w kolejce do wspólnej łazienki. Ich stłumione rozmowy, chichoty i głośne ziewanie zagłuszały nawet wesołe świergotanie ptaków za oknem. Kolejka do łazienki powoli się skracała, gdy jedna po drugiej opuszczały sypialnię, spiesząc na śniadanie, a potem na lekcje. Tylko jedna dziewczyna, najstarsza w grupie, wciąż spała. Wyglądało na to, że nic nie jest w stanie zmusić ją do wstania.

Gdy do uszu Ariel doszedł świdrujący głos dzwonka, przeciągnęła się tylko i przewróciła na drugi bok, zbyt zaspana, by chociaż otworzyć jedno oko. Dziś wyjątkowo powinna wstać punktualnie i przygotować się do urodzinowego przyjęcia. Jednak wczoraj długo nie mogła zasnąć, rozmyślając nad swoim żałosnym nudnym życiem. Podczas tych bezsennych godzin nie doszła do zbyt optymistycznych wniosków, co tylko jeszcze bardziej popsuło jej nastrój. Nie miała pojęcia, która mogła być godzina, kiedy w końcu udało jej się zapaść w głęboki sen bez marzeń.

Z całą pewnością to nie wróżyło nic dobrego, gdy w dniu szesnastych urodzin od rana ma się podły nastrój. Może zresztą nie było to takie dziwne, zważywszy, że nie miała czego ani z kim świętować. W szkole z internatem pani Pixton nie była raczej popularna, mówiąc delikatnie. Uczennice albo ją nienawidziły, albo ignorowały. Poza jedną osobą.

– Lepiej wstawaj, Ariel, bo znów spóźnisz się na lekcje – usłyszała gdzieś z tyłu denerwujący głos Kiiri, jej odwiecznej rywalki. – Chociaż nie. Dobrze będzie, jeśli w ogóle zjawisz się na swoim przyjęciu.

Zapowiada się kolejny piękny dzień – pomyślała cierpko Ariel.

– Och, zamknij się. Przecież wstaję – mruknęła na głos, ze złością wygrzebując się w końcu z pościeli.

Nie miała ochoty na kłótnie z samego rana. Pospiesznie sięgnęła po swój mundurek i odprowadzana krzywymi spojrzeniami współlokatorek zamknęła się w łazience. Z ociąganiem wzięła gorący prysznic i wcisnęła na siebie stary szkolny strój, czyli białą spódnicę, przyciasną bluzkę w niebieską kratę i biały krawat. Kiedy stanęła przed dużym lustrem, by rozczesać włosy, skrzywiła się do swojego odbicia.

Płomiennorude włosy, blada cera, intensywnie zielone oczy i drobna twarz dziecka. Nic dziwnego, że ludzie reagowali na jej widok tak, jakby pochodziła z innej planety. Ariel doskonale ich rozumiała. Każdego dnia, patrząc w lustro, widziała przede wszystkim te rzucające się w oczy szczególne znamiona, które jeszcze bardziej wyróżniały ją z tłumu.

Na rudych włosach, tuż powyżej czoła, widniało jedno siwe pasemko. A na piersi miała jeszcze szare okrągłe znamię, które nie zawsze udawało jej się ukryć. Obydwa wyraźnie stanowiły jedną całość i choć miała je od urodzenia, zupełnie nie wiedziała po co. Za ich sprawą stała się odmieńcem i wyrzutkiem.

Kiedy po półgodzinie wróciła do sypialni, nikogo już w niej nie było. Podeszła do jednego z okien i spojrzała na ogród, a potem na wysoki ceglany mur oddzielający ją od reszty świata. Westchnęła głośno, jak zawsze tęskniąc za wolnością i samodzielnym życiem.

Szkoła była jej jedynym domem, jaki znała. Swój pierwszy dzień tutaj pamiętała jednak bardzo mgliście. Jedyne, co utkwiło jej w pamięci, to pogoda – było zimno i wietrznie, a deszcz zacinał, jakby chciał zalać cały świat. Pamiętała także dotyk ciepłej miękkiej dłoni na swoich przemarzniętych palcach. Zimno przenikało jej drobne ciałko, jakby chciało stworzyć z niej lodową rzeźbę. Od zawsze nienawidziła chłodu, jakby gdzieś głęboko w jej podświadomości tkwił mocno zakorzeniony uraz. Uwielbiała za to słońce i ciepły wiatr, choć przecież mieszkała w kapryśnej i deszczowej Anglii. Mimo szczerych chęci nie potrafiła przywyknąć do tutejszej pogody. Miała dokładnie pięć lat, gdy tutaj trafiła. Tyle tylko wiedziała, jeśli chodzi o jej życie. Żadnej przeszłości, żadnych wspomnień...

Z tej czarnej pustki, która towarzyszyła jej przez całe życie, wyłaniał się jedynie obraz czyichś oddalających się pleców oraz bolesne uczucie tęsknoty, za każdym razem gdy się budziła.

Minęło wiele czasu, nim Ariel przystosowała się do otoczenia. Gdy się tu znalazła, była zbyt mała, by pojąć, co się z nią dzieje. Pozostawiono ją samą w obcym miejscu, nic więc dziwnego, że bardzo długo się bała. Cały świat wydawał jej się wrogim, strasznym miejscem. Bez rodziny czy choćby znajomej twarzy każdy kolejny dzień pogłębiał jej poczucie wyobcowania i samotność, która w końcu stała się jej nieodłączną towarzyszką. Ku zaskoczeniu jej samej zamek stał się jednak azylem, domem, a w końcu całym światem. Gdy ktoś jej dokuczał lub drwił z jej nietypowego wyglądu, zawsze znajdowała jakiś ciemny kąt, o którego istnieniu wiedziała tylko ona. Jeśli chciała, potrafiła schować się tak, że nikt nie był w stanie jej znaleźć. Zdawało się, że zna każdy zakamarek tego starego średniowiecznego zamku i jego wszystkie tajemnice.

W gruncie rzeczy nie mogła narzekać na swój los. Była traktowana jak inne uczennice i oczekiwano, że już w wieku szesnastu lat stanie się wykształconą kobietą, która dokładnie wie, jak ma wyglądać jej przyszłość. Z takim zamiarem wychowywano tu wszystkie dziewczęta. Nauczycielki – bo tylko kobiety mogły tu uczyć – dbały o przekazanie im nie tylko odpowiedniego wykształcenia, ale również dobrego wychowania.

Ariel pozostały jeszcze dwa lata nauki, co było jej jedyną pociechą. Pragnienie wolności i niezależności rosło w niej od momentu pojawienia się w szkole. Nie potrafiła znieść panujących tu reguł i zasad, choć naprawdę bardzo się starała. Czuła się niczym złapany w klatkę ptak i choć kochała te stare mury, pragnęła czegoś więcej. Zobaczyć, dotknąć i zasmakować prawdziwego życia. Na początek jednak musiała uporać się ze swoim pechem. Naprawdę starała się prowadzić spokojne i przykładne życie. Jednak wcześniej czy później kłopoty same ją znajdowały.

Dziewczyna była tak pochłonięta myślami, że nie usłyszała kroków na schodach i skrzypienia otwieranych drzwi. Na dźwięk kobiecego głosu wzdrygnęła się zaskoczona.

– Tu jesteś, Ariel.

Odwróciła się gwałtownie, jakby ktoś właśnie przyłapał ją na kradzieży. Na szczęście była to tylko jedna z młodszych opiekunek, Eryl – trzydziestoletnia kobieta o figurze nastolatki i czarnych włosach, które zawsze związywała w koński ogon. Ubierała się jak inne kobiety, w zieloną spódnicę, białą bluzkę i zieloną kamizelkę, na której widniało godło szkoły: ciemnozielony wąż oplatający białego orła z rozpostartymi skrzydłami. Taki sam, który widniał również na każdej bluzce uczennic oraz przed wejściem do szkoły.

Eryl zbliżyła się do dziewczyny i opiekuńczym gestem poprawiła jej krawat, wygładziła fałdy już za krótkiej spódnicy. Kobieta zawsze poświęcała jej więcej uwagi niż wymagano tego od nauczycielki, a Ariel traktowała ją jak bliską krewną. Przynajmniej lubiła sobie wyobrażać, że tak jest.

– Znowu spóźnisz się na lekcje, Ariel. Reszta uczennic już kończy śniadanie, a ty co? Jak zwykle jesteś ostatnia – westchnęła Eryl, przyglądając się uważnie swojej podopiecznej.

– Wiem. Przepraszam – odparła automatycznie dziewczyna, zbyt przyzwyczajona do ciągłych nagan, by się nimi przejmować. Mimowolnie spojrzała na zegarek na prawej ręce. Westchnęła głęboko, przekonawszy się, że jest dawno po ósmej.

– Co mam z tobą zrobić, Ariel? Nauczycielki skarżą się, że ciągle spóźniasz się na lekcje. Może powinny stosować wobec ciebie jakieś kary, żebyś w końcu oduczyła się tego paskudnego zwyczaju. – Kobieta skrzyżowała ręce na piersi i patrzyła na nią surowo, choć Ariel nie mogła oprzeć się wrażeniu, że w jej oczach dostrzega również troskę.

– Przepraszam, pani Eryl – odparła, starając się, by w jej głosie zabrzmiała skrucha. – Naprawdę się staram.

– W to nie wątpię. Wiem, że masz dobre intencje, ale jeśli chcesz mieć też dobre wyniki w nauce, musisz postarać się bardziej. – Opiekunka nie krzyczała na Ariel, jak to robili pozostali, ale ten jej spokojny, troskliwy ton bardziej niż cokolwiek innego poruszał sumienie.

– Zapomniałaś też zapewne, że dzisiaj masz dyżur w kuchni.

– Rzeczywiście. – Ariel skrzywiła się z niezadowoleniem. Słowo „dyżur" w jej przypadku oznaczało tylko więcej kłopotów.

Eryl uśmiechnęła się do niej pokrzepiająco.

– Myślę jednak, że skoro dzisiaj są twoje urodziny, możemy zrobić mały wyjątek i zwolnić cię z tego obowiązku.

Ariel posłała kobiecie szeroki uśmiech, który rozpalił w jej oczach zielone płomyki.

– To najlepszy prezent, jaki dzisiaj mogłam dostać. Poza oczywiście nowym mundurkiem – dotknęła opiętej bluzki. – Bo w tym czuję się już strasznie staro.

Eryl roześmiała się głośno, klepiąc ją po głowie.

– Skoro prezenty mamy już za sobą, pozostaje mi tylko życzyć ci wszystkiego najlepszego. Powtarzam to co roku, ale naprawdę mam nadzieję, że szybko znajdziesz swoje szczęście.

Ariel pierwsza padła w objęcia opiekunki. Jej bezpieczne i ciepłe ramiona oraz spokojne bicie serca wprawiły ją w błogi nastrój. Właśnie tak wyobrażała sobie mamę, jeśli by ją miała. W takich chwilach nie traciła nadziei, że kiedyś odnajdzie swoją matkę.

– Chodźmy już lepiej na dół. – Eryl odsunęła ją od siebie łagodnie. – Urodziny urodzinami, ale od nauki się nie wymigasz, moja panno – mrugnęła do niej, po czym dodała ściszonym głosem: – Wieczorem możesz urządzić małe prywatne przyjęcie dla przyjaciółek.

– Dziękuję – wymruczała Ariel. Wszyscy wiedzieli, że ma tylko jedną przyjaciółkę, ale skoro dostała pozwolenie, to nie zamierzała tego zmarnować.

– Dobrze. Dosyć tego dobrego. Lepiej biegnij zjeść śniadanie i zmykaj na lekcje. Pamiętaj, że uroczystość zaczyna się o dwunastej.

Razem zeszły po krętych schodach prowadzących do dużego holu z masywnymi kolumnami z czerwonej cegły.

Nie chcąc się spóźnić na następną lekcję, Ariel zrezygnowała ze śniadania. Od razu powędrowała dziedzińcem, a potem kolejnymi korytarzami do niewielkiej salki na pierwszym piętrze. Na drugą lekcję przyszła znacznie wcześniej. Pozostałe uczennice siedziały już na swoich miejscach i rozmawiały między sobą z ożywieniem. Gdy weszła do klasy, parę głów odwróciło się w jej stronę, żeby sprawdzić, czy to przypadkiem nie nauczycielka historii. Pozostałe nawet nie zwróciły na nią uwagi, zbyt pochłonięte rozmową.

Ariel przeszła na sam koniec sali i usiadła w ostatniej ławce. Wyjęła z torby podręczniki i skuliwszy się na swoim miejscu, naturalnie wtopiła się w tło, stając się niewidzialna dla otoczenia. Już dawno doszła do wniosku, że obserwowanie ludzi jest o wiele bardziej interesujące, jeśli samemu jest się niezauważanym.

Lekcja historii zaczęła się pięć minut po dzwonku i jak zawsze była straszliwie nudna. Ariel próbowała skupić się na tym, co mówi pani Jugh i nawet udało jej się zrobić parę notatek na temat przebiegu jakiejś wojny. Dobrą stroną tych lekcji było to, że nauczycielka, gdy już zaczynała mówić, wpadała w jakiś dziwny trans i kończyła dopiero wtedy, gdy rozlegał się dzwonek na przerwę. Monotonny, cichy głos pani Jugh połączony z tymi wszystkimi nazwami i datami usypiał lepiej niż jakakolwiek kołysanka.

Ariel przez jakiś czas próbowała słuchać wykładu, jednak po trzecim ziewnięciu zrezygnowała i pozwoliła, by słowa nauczycielki swobodnie przepływały gdzieś obok. Oparła głowę na dłoniach i rozejrzała się po klasie. Wszystkie uczennice porozkładały się na swoich miejscach i z tępym wyrazem twarzy obserwowały panią Jugh. Co odważniejsze nie raczyły nawet otworzyć zeszytów i jawnie ignorowały wykład, szepcząc między sobą lub zagłębiając się w lekturę jakiegoś romansu. Każda z uczennic z niecierpliwością wyczekiwała swoich szesnastych urodzin. Ariel również odliczała kolejne minuty do oficjalnej części tego dnia, jednak z zupełnie innego powodu. Po prostu chciała to mieć jak najszybciej z głowy. Całe szczęście, że mogła liczyć na to, że nie będzie główną atrakcją na przyjęciu. Lucy również miała dzisiaj urodziny. Nie znała jej osobiście, ale często widywała na korytarzu. Choć nigdy nie zamieniła z nią ani jednego słowa, dzisiaj ta dziewczyna nieświadomie wyświadczy jej przysługę. Zresztą cały ten dzień i szum wokół urodzin nie miały dla Ariel żadnego znaczenia. Dzisiaj czekała tylko na jedno.

Na przeprowadzkę do swojego własnego pokoju. To jedyna tradycja szkoły, która jej się podobała.

Dzwonek na przerwę zadźwięczał w jej uszach tak gwałtownie, że o mało nie podskoczyła. Szybko wpakowała wszystko do torby i dołączyła do reszty, przepychając się do wyjścia. Kiedy w końcu znalazła się na zatłoczonym korytarzu, przyspieszyła kroku, by przed następną lekcją zdążyć się spakować.

Dotarła już do schodów na północną wieżę, gdy usłyszała, że ktoś ją woła. Przystanęła na pierwszym schodku i odwróciła się. Tara – jej najlepsza i jedyna przyjaciółka – stanęła przy niej zdyszana.

– Myślałam, że cię nie dogonię – wysapała, odgarniając z czoła kosmyk brązowych włosów.

– Coś się stało?

– Chciałam ci coś pokazać. – Uśmiechnęła się tajemniczo przyjaciółka.

Tara była od niej o rok młodsza i w przeciwieństwie do niej była normalną nastolatką z ładnymi brązowymi włosami i czekoladowymi oczami. Stanowiły swoje przeciwieństwa, ale wyłącznie jeśli chodzi o wygląd. Bo charaktery miały równie impulsywne i wybuchowe.

Różnica polegała na tym, że Tara miała w sobie wieczny optymizm i zaraźliwą radość. Była też nieco postrzelona. Ale Ariel za to właśnie najbardziej ją lubiła.

– Co takiego? – Ariel nie wiedziała, czy powinna być bardziej ciekawa, czy zaniepokojona.

– Chodź.

Tara poprawiła torbę i odwróciła się energicznie. Przeciskała się po zatłoczonym korytarzu i ani na moment nie przestawała mówić.

– Moi rodzice są teraz w Australii. Prawie codziennie dostaję od nich pocztówki, w których dokładnie opisują każdą swoją wyprawę. Czasem czuję, jakbym była tam razem z nimi – westchnęła teatralnie. – Szkoda, że nie poczekali na wakacje. Zawsze wyruszaliśmy razem na takie wyprawy. Jednak teraz uparli się, że pojadą sami, bo jak twierdzą, jest tam zbyt niebezpiecznie. – Tara zrobiła zbolałą minę, co rozbawiło Ariel. – Obiecali mi za to, że w wakacje pojedziemy do Egiptu. Super, co? Zobaczę piramidy i w ogóle.

Ariel mogła tylko potakiwać, bo przyjaciółka nie dała jej nawet dojść do słowa. Teraz również otworzyła usta, by o coś zapytać, ale Tara mówiła dalej z przejęciem.

Choć Ariel nigdy nie poznała jej rodziny osobiście, tyle się o niej nasłuchała, że naprawdę czuła się z nimi związana. Tara potrafiła godzinami opowiadać o swoich niezwykłych podróżach lub o jakiejś ciotce czy wujku, którzy mieli po pięcioro dzieci i wciąż przeprowadzali się z kraju do kraju. Ariel jakoś nie potrafiła uwierzyć w jej barwne historie, ale lubiła ich słuchać. Tara miała niezwykle rozwiniętą wyobraźnię i uwielbiała wszystko koloryzować.

– W każdym razie – kontynuowała Tara – rodzice mają spędzić w Australii jeszcze miesiąc. Wciąż powtarzają, jak tam jest cudownie. Zazdroszczę im – znów westchnęła przeciągle. – Byłam na nich trochę zła, ale kiedy wczoraj przysłali mi TEN prezent, od razu mi przeszło.

– I to TEN prezent chcesz mi pokazać? – udało się w końcu wtrącić Ariel.

– Tak. – Dziewczyna uśmiechnęła się szeroko. – Tydzień temu rodzice byli na wyprawie z przewodnikiem i kiedy znaleźli TO, od razu pomyśleli o mnie.

– Powiesz mi co to jest TO? – Ariel była coraz bardziej zaciekawiona. Znając dziwne upodobania całej rodziny przyjaciółki, domyślała się, że znów przysłali jej coś dziwnego i niezwykłego.

– Nie. – Tara wyglądała na uradowaną. Miała niepokojący błysk w oczach. – Sama zobaczysz.

Nie odezwała się już do momentu, gdy zatrzymały się przed półokrągłymi drzwiami dormitorium we wschodniej wieży.

– Nikt jeszcze tego nie widział – wyszeptała konspiracyjnie Tara. – Na razie nie mam tego gdzie ukryć, dziewczyny boją się tego i zagroziły mi, że jeśli się tego nie pozbędę, to zawiadomią dyrektorkę. Nie wiem, co mam robić.

Ariel patrzyła na Tarę, nic nie rozumiejąc. Czuła, że naprawdę powinna zacząć się bać. Z pewnością to coś, co jest na liście rzeczy zakazanych i niebezpiecznych.

Tara otworzyła drzwi i weszły do wspólnej sypialni. Ariel omiotła szybkim spojrzeniem pusty pokój, aż w końcu jej wzrok spoczął w kącie, przy ostatnim łóżku. Od razu spostrzegła stojącą na nocnej szafce dużych rozmiarów klatkę. Jednak z daleka nie mogła dostrzec, co jest w środku. Wciąż gnębiło ją pytanie, czym jest to „coś".

– Chodź – Tara pociągnęła ją za rękę do swojego kącika.

Przy łóżku Ariel zatrzymała się gwałtownie. Otworzyła szeroko oczy, patrząc w zdumieniu na to, co znajdowało się w klatce. W końcu spojrzała na uśmiechniętą przyjaciółkę, która zbliżyła twarz do metalowych prętów.

– Śliczny, prawda?

– Taa... Tyle, że to jest... – mruknęła, zbita z tropu.

Rodzice Tary często przysyłali jej niezwykłe prezenty; niektóre z nich, takie jak czaszka jakiegoś Indianina czy kły tygrysa, ku niezadowoleniu reszty uczennic stały na szafce. Ariel nie potępiała przyjaciółki za te drobne dziwactwa. Ale to? Nigdy by nie przypuszczała, że przyślą do szkoły coś takiego.

Na dnie klatki, wśród piasku i kamieni leżał zwinięty... wąż. Wyglądał na martwego, ale gdy Tara postukała palcem w pręt, podniósł brązowy łepek i łypnął na nią pomarańczowym okiem, po czym zasyczał głośno.

Nie spuszczając go z oczu, Ariel przysiadła na skraju łóżka jak najdalej od klatki.

– To tajpan australijski – odezwała się Tara, obserwując z uwagą swój nowy nabytek. W ogóle nie okazywała strachu, raczej entuzjazm, jakby dostała słodkiego szczeniaczka. – Jest jednym z najgroźniejszych jadowitych węży. Ten ma trzy metry długości i najdłuższe zęby, jakie widziałam. – Usiadła obok Ariel, nadal wpatrując się z uwielbieniem w pomarańczowego gada. – To najlepszy prezent, jaki dostałam. Rodzice są naprawdę super. Pozwolili mi go przechować do swojego przyjazdu. Potem oddadzą go do zoo, a taka szkoda. U nas w domu jest dużo miejsca.

– Ale to wąż – wykrztusiła wreszcie Ariel. Nie mogła uwierzyć, że Tara mówi o jadowitym wężu tak, jakby był niegroźnym i oswojonym zwierzęciem.

– Wiem. – Dziewczyna uśmiechnęła się do niej szeroko. – Zawsze uwielbiałam węże. Są takie piękne i zwinne.

– I niebezpieczne – wtrąciła Ariel.

– Daj spokój, przecież jest w klatce. Nie wydostanie się. Poza tym to tylko miesiąc.

Ariel pokręciła z rezygnacją głową. Wiedziała, że i tak nie przekona przyjaciółki. Bez względu na wszystko Tara zawsze musiała postawić na swoim.

– Nie wiem, czy to dobry pomysł – odezwała się po chwili z powątpiewaniem. – Nie można w szkole trzymać zwierząt, a tym bardziej węża. Jeśli dyrektorka się dowie...

– No właśnie. Nie dowie się, jeśli mi pomożesz. – Tara spojrzała na nią, błagalnie splatając dłonie pod brodą. – Proszę, pomóż mi go ukryć. Tylko na ciebie mogę liczyć.

Ariel westchnęła ciężko i przeniosła spojrzenie na śpiącego gada. I co powinna teraz zrobić? Wprawdzie to nie był słodki piesek czy papuga i nie mieściło jej się w głowie, że ktoś mógłby przysłać swojemu dziecku jadowitego węża. Musiała jednak przyznać w duchu, że gad ma w sobie coś drapieżnie pięknego.

– Proszę cię, Ariel – błagała Tara. Utkwiła w przyjaciółce swoje duże brązowe oczy niczym małe dziecko. Temu spojrzeniu Ariel nigdy nie była w stanie się oprzeć.

– No dobrze – odparła w końcu z rezygnacją. – Ale pomyślimy o tym później. Po przyjęciu.

– Och! – Tara podskoczyła gwałtownie. – Przecież dzisiaj są twoje urodziny!

– No... tak.

– Właśnie. – Wyszczerzyła zęby i zaczęła energicznie przeszukiwać swoją torbę. Po chwili wyciągnęła z niej małą paczuszkę owiniętą niebieskim papierem i obwiązaną żółtą wstążeczką. Podała ją zaskoczonej Ariel. – Wszystkiego najlepszego – dodała wesoło.

– Dzięki. Ale naprawdę nie musiałaś...

– Nie martw się o pieniądze. Znalazłam to kiedyś w bibliotece i pomyślałam, że ci się spodoba.

– Co to jest? – Ariel potrząsnęła paczuszką, ale ze środka nie wydobył się żaden dźwięk.

– Zobaczysz. Otwórz dopiero po ceremonii.

– Dlacze...

– Ja już muszę lecieć na lekcje – przerwała jej szybko Tara i wybiegła z pokoju.

Ariel patrzyła za nią, jak znika w drzwiach, a potem przeniosła wzrok na przedmiot owinięty niebieskim papierem. Ciekawość przez chwilę wzięła górę i już chciała otworzyć prezent, ale powstrzymała się w ostatniej chwili. Tara czasami miała dziwne pomysły, ale jej rady jeszcze nigdy nie zawiodły. Tym razem również jakieś niejasne przeczucie kazało Ariel posłuchać przyjaciółki. Schowała więc prezent do torby, po raz ostatni spojrzała na węża, po czym wyszła z pokoju.

W końcu coś zaczyna się dziać – pomyślała z rozbawieniem.

Ariel zawsze ulegała namowom przyjaciółki i często potem wynikały z tego same kłopoty. Tym razem również wyczuwała je już z daleka. Nie zamierzała jednak zamartwiać się tym na zapas. Jej życie było zbyt nudne i monotonne, by przegapić nawet najmniejszą szansę na zrobienie czegoś głupiego i szalonego. Idąc na lekcje, uśmiechnęła się pod nosem. Jakby nie patrzeć, łamanie reguł było jej specjalnością.

Rozdział II

N a angielski dotarła dziesięć minut przed dzwonkiem. Zaledwie przekroczyła próg klasy, wszystkie głowy zwróciły się w jej stronę. Udała, że tego nie widzi. Siedzące na krzesłach i ławkach dziewczyny utworzyły krąg pośrodku sali i zanim weszła, śmiały się z czegoś głośno. Teraz patrzyły na nią z tajemniczymi uśmieszkami. Niektóre szeptały coś między sobą, zerkając na nią w ten szczególny sposób, którego nie znosiła.

Dopiero gdy wśród zebranych dostrzegła jasne włosy Kiiri, przypomniała sobie, że przecież angielski zawsze miała z jej grupą. W szkole pani Pixton panowała z góry ustalona zasada, że jeśli któraś uczennica ze starszego roku miała braki w jakimś przedmiocie, przenoszono ją do niższej klasy, by mogła ponownie przyswoić sobie dany materiał i nadrobić zaległości. Na koniec roku zdawała oddzielny egzamin z tego przedmiotu, zaś jego wyniki osądzały, czy może kontynuować naukę w swojej klasie, czy też musi przejść na jeszcze niższy poziom. W ten sposób każda uczennica zdobywała pełne i solidne wykształcenie, nawet jeśli musiała pozostać dłużej w szkole. Jedna dziewczyna została nawet dwa lata dłużej, tylko po to by zaliczyć jeden przedmiot.

Ariel niestety należała do tych mniej szczęśliwych i w najlepszym razie czekały ją jeszcze trzy lata nauki, a w najgorszym... Cóż, na razie wolała o tym nie myśleć.

Pozostaje mi jeszcze ucieczka. Wszędzie będzie lepiej, jeśli nie będę musiała codziennie oglądać tej nadętej jędzy Kiiri. Wracała do tej myśli co najmniej kilkanaście razy dziennie, co pozwalało jej jakoś przeżyć.

Kiiri stała się jej najbardziej zaciekłą rywalką. Były śmiertelnymi wrogami, od kiedy pamiętała, choć zupełnie nie wiedziała dlaczego. Dziewczyna należała do ulubienic całej szkoły. Piękna, bogata, popularna i inteligentna. Była kompletnym przeciwieństwem Ariel i esencją tego, czego dziewczyna najbardziej nienawidziła na świecie – podłości i zakłamania.

Ariel uniosła dumnie głowę i odwzajemniła ich spojrzenia, zerkając wyzywająco. Lubiła wprowadzać innych w zakłopotanie i wzbudzać poczucie niepewności, a już tym bardziej obserwować, jak ludziom pod jej przenikliwym wzrokiem rzedną miny. Podobno w jej spojrzeniu było coś, co wzbudzało lęk. Jakiś drapieżny ogień, którego sama jakoś nigdy nie dostrzegała w lustrze.

Zaczyna się – pomyślała ponuro, gdy ruszyła między ławkami na koniec sali. Kątem oka dostrzegła, że Kiiri wstaje z miejsca i rusza w jej stronę. Ariel całkowicie ją zignorowała, czym – doskonale o tym wiedziała – wzbudziła w niej jeszcze większą furię.

Spokojnie zajęła ostatnią ławkę pod ścianą. Czując na sobie ciężar kilkunastu par oczu, zajęła się wyjmowaniem książek z torby, niemal rozbawiona otaczającą ją napiętą ciszą. Jak cisza przed burzą. Z piorunami.

Do lekcji pozostało jeszcze parę minut. Aby nie marnować czasu, dziewczyna otworzyła zeszyt z ćwiczeniami i skupiła się na zadaniu domowym, którego nie skończyła poprzedniego wieczoru. Po sekundzie w skupieniu zaczęła skubać koniec długopisu, drugą dłonią nerwowo zaginając i odginając róg kartki. Skoro przez dwa dni nie udało jej się zrobić tego zadania, to nie miała co liczyć, że przed samą lekcją nagle stanie się cud i wypracowanie samo się napisze. Jeszcze raz przebiegła wzrokiem po tych kilku zdaniach, które z takim trudem udało jej się do tej pory nabazgrać. Skrzywiła się, niezadowolona z rezultatów kilkugodzinnego ślęczenia. To dlatego między innymi nie lubiła angielskiego. Po prostu nie umiała pisać. Nie miała do tego głowy. Bo czyż nie lepiej zatopić się w porywającej powieści, gdzie słowa w cudowny, wręcz magiczny sposób przechodziły zgrabnie w całe zdania, tworzyły porywający świat? O wiele prościej podziwiać słowa innych niż własne. Wiedziała jednak, że jeśli zawali następny sprawdzian, to długo nie opuści tej szkoły. Pochylona nad kartkami, nie zauważyła, że ktoś stanął przy jej stoliku. Dopiero kiedy dostrzegła cień padający na jej wypracowanie, uniosła głowę. Było już jednak za późno.

Kiiri z paskudnym uśmiechem zabrała jej zeszyt sprzed nosa, zanim Ariel zdążyła choćby mrugnąć okiem.

– Proszę, proszę. – Kiiri spojrzała na ostatnią stronę, gdzie widniało parę pospiesznie nabazgranych koślawym pismem zdań. – Co też nasza kochana Ariel przygotowała na dzisiejszą lekcję? – Przesadnie niskim tonem naśladowała głos nauczycielki.

– Przeczytaj – rzuciła do niej czarnowłosa piękność siedząca na stoliku i z zapałem machająca nogami.

Ariel posłała im wściekłe spojrzenie. Zerwała się z krzesła i próbowała wyrwać Kiiri zeszyt. Ta jednak odsunęła się w porę, stanąwszy w wąskim przejściu między ławkami.

– Lepiej to oddaj, Kiiri – warknęła dziewczyna przez zaciśnięte zęby.

Przeciwniczka zerknęła na rozwścieczoną Ariel i zmrużyła oczy niczym zadowolona kotka, po czym uśmiechnęła się szeroko.

– Bo co mi zrobisz? – zakpiła. – Poskarżysz się mamusi? Och, przepraszam – udała zakłopotanie, zasłaniając dłonią usta. – Zapomniałam, że jesteś sierotą.

Ariel zacisnęła pięści tak mocno, aż pobielały jej kłykcie. Czuła, jak paznokcie wbijają się jej w skórę, ale w tej chwili ból był dla niej zbawienny. Dzięki niemu udało jej się zapanować nad chęcią zabicia wszystkiego, co ruszało się w tej klasie. Nic bardziej nie doprowadzało jej do furii, jak ciągłe przypominanie, że jest sierotą. Kiiri doskonale o tym wiedziała i robiła wszystko, by prowokować ją do czynów, których potem żałowała. Najwidoczniej igranie z ogniem sprawiało jej jakąś trudną do zrozumienia przyjemność.

Ciałem Ariel wstrząsnęły dreszcze, co było symptomem nadchodzących kłopotów. Pod zmarszczonymi brwiami jej oczy zapłonęły zielonym ogniem. Na Kiiri i jej przyjaciółkach nie zrobiło to jednak najmniejszego wrażenia. W ogóle zachowywały się tak, jakby z trudem dostrzegały obecność Ariel. Kiiri, nie patrząc nawet w jej stronę, zaczerpnęła tchu, po czym uniosła głowę na zgromadzone wokół dziewczyny.

– Słuchajcie tego – zachichotała z rozbawieniem i zaczęła głośno czytać z przesadnym przejęciem:

MÓJ AUTORYTET

Moim autorytetem zawsze był mój brat. W dzieciństwie był moim rycerzem. Bawił się ze mną, kiedy miałam ochotę, pomagał wstać, gdy upadałam i nigdy, ale to nigdy na mnie nie krzyczał. Był łagodny, ciepły i dobry. Cierpliwie znosił moje humory. Często razem wykradaliśmy się na długie spacery po lesie. Zawsze wtedy dbał, by nic mi się nie stało. Czasem…

Kiiri skończyła czytać. W ciszy, jaka nagle zapanowała w sali, Ariel stała jak sparaliżowana, niezdolna do jakiejkolwiek reakcji. Wstrzymała oddech, czekając na to, co zaraz się wydarzy.

Gdy Kiiri ruszyła powoli w jej stronę, wszystkie dziewczyny natychmiast skierowały na nią oczy. Ale Ariel patrzyła jedynie na swoją rywalkę. Jej świat skurczył się do tej drobnej, ale wysokiej postaci, do tych niebieskich oczu i zjadliwego uśmieszku wzbudzającego mdłości.

– Jedynka – oznajmiła niespodziewanie Kiiri, z głośnym trzaskiem rzucając zeszyt na ławkę.

Ariel drgnęła, odzyskując zdolność poruszania się. Ze zmarszczonym czołem patrzyła wprost w te lazurowe oczy, w myślach wyliczając tortury, jakie mogłaby na niej zastosować. Milczała nawet wtedy, gdy Kiiri oparła dłonie o blat stolika i pochyliła się do przodu, świdrując ją pogardliwym spojrzeniem.

– Kłamczucha. – Na kilka uderzeń serca zapadła pełna napięcia cisza i nikt nawet nie śmiał westchnąć. Na twarzy Kiiri powaga mieszała się z zimnym okrucieństwem, gdy z jej ust padały kolejne pełne jadu słowa. – Sądzisz, że Leret uwierzy w ten stek kłamstw? – postukała palcem w otwarty zeszyt, ani na moment nie odwracając wzroku od Ariel. – „Moim autorytetem jest mój brat" – zaszydziła wysokim głosem, po czym zmrużyła oczy, pochylając się ku niej jeszcze niżej. – Wszyscy wiemy, że nigdy nie miałaś brata. Nigdy nie miałaś żadnej rodziny. Pewnie oddali cię, bo nie mogli patrzeć na taką rudą pokrakę. I wiesz co? Zawsze będziesz sama, bo takich dziwolągów ludzie omijają z daleka. Założę się, że twoja matka była najgorszą...

Stało się. Płomień w końcu eksplodował, boleśnie uderzając o skronie i wywołując czarne plamki przed oczami. Ariel pobladła, zupełnie przestając nad sobą panować. Jej umysł zalała czarna fala nienawiści i gniewu.

Nie mogła pozwolić Kiiri dokończyć zdania. Tylko to liczyło się w tej chwili. Dlatego nawet nie wiedziała, kiedy jej ręka wystrzeliła do przodu. Zaciśniętą pięścią wymierzyła Kiiri mocny cios w twarz, aż rywalka poleciała do tyłu, wpadając na ławki.

Po sali niczym fala rozszedł się chóralny jęk, a potem nerwowe głosy. Parę dziewczyn ruszyło w stronę Kiiri, by pomóc jej wstać. Ta jednak nakazała gestem dłoni, by pozostały na miejscach. Niechętnie, ale w końcu posłuchały, zerkając niepewnie na obie dziewczyny.

Tymczasem Kiiri zdołała się wyprostować. Z determinacją, zachowując resztki godności, uniosła dumnie głowę, jedną dłonią rozcierając czerwony policzek. Jej oczy płonęły dziką zawziętością.

– Jesteś naiwna, jeśli myślisz, że dzisiejszy dzień coś zmieni. Zapłacisz mi za to, mała jędzo. Twoi rodzice byli śmieciami, a ty nie jesteś od nich lepsza. Nigdy nie byłaś i nie będziesz jedną z nas. Nigdy nam nie dorównasz, nie musisz się wysilać.

Zabolało. Jednak to był taki ból, który rozpalał jeszcze większy gniew. Ariel wyszła zza ławki, zaciskając kurczowo pięści.

– Nie boję się ciebie – odezwała się dziwnie opanowanym głosem, w którym pobrzmiewała ostrzegawcza nuta. – Możesz mi grozić do woli, ale wiem, że i tak nic mi nie zrobisz. – Krok po kroku zbliżała się w stronę Kiiri, aż ta zaczęła mimowolnie się cofać z coraz bardziej nietęgą miną. Reszta klasy obserwowała je w milczeniu, ciekawa, jak daleko rozwinie się ta sytuacja. – A wiesz, dlaczego się ciebie nie boję? – Ariel stanęła dwa kroki przed Kiiri i zmierzyła ją od stóp do głów takim spojrzeniem, jakby była najmniejszym z nędznych robaków. Spojrzeniem, które było jej największą bronią. – Ponieważ potrafisz tylko gadać i obrażać innych. Ale sama nigdy nic nie zrobisz. Nie ośmielisz się. Jesteś na to zbyt tchórzliwa.

Kiiri postąpiła krok do przodu, kipiąc z ledwo powstrzymywanej wściekłości. Już się nie uśmiechała. Ariel z satysfakcją przyglądała się jej ponuremu wyrazowi twarzy i zaciśniętym szczękom.

– Nie lekceważ mnie – wycedziła z sykiem Kiiri. – Jeśli będę chciała, to mogę...

– Co? – przerwała jej Ariel. – Postraszysz mnie swoimi przyjaciółeczkami? – Zerknęła na boki, a gdy dziewczyny natychmiast poodwracały oczy, uśmiechnęła się cierpko. – Nie jesteś dla mnie zagrożeniem, Kiiri. Ja za to...

– Może przemienisz mnie w żabę? – zakpiła przeciwniczka, jednak po jej twarzy przemknął cień niepewności.

Ariel ta perspektywa bardzo się spodobała, więc uśmiechnęła się szeroko.

– Kto wie? – wzniosła oczy ku sufitowi, udając zamyślenie. – Może lepiej w mysz albo ślimaka. Wtedy łatwo niechcący nadepnąć na tak malutkie stworzonko.

Kiiri straciła już cały rezon, choć wciąż próbowała sprawiać wrażenie, że to ona kontroluje sytuację.

– Ale prościej będzie, jak użyję tego – uniosła zaciśniętą pięść tuż przed oczy Kiiri. – To najbardziej wypróbowany sposób.

Nie doczekała się odpowiedzi, gdyż w tym momencie rozległ się dzwonek na lekcje. Ariel odwróciła się na pięcie i spokojnie zajęła swoje miejsce. Po sali rozeszła się seria westchnień, po czym wszystkie dziewczęta wróciły za swoje ławki.

Tylko Kiiri stała jak wcześniej. Gdy umilkł dzwonek, podeszła do stolika Ariel, odprowadzana wzrokiem przyjaciółek. Ponownie odebrała dziewczynie zeszyt.

– Jak mi przykro – udała rozczarowanie. – Ariel znów nie ma pracy domowej. – Po sali rozszedł się nieprzyjemny dźwięk rozrywania papieru. Niektóre dziewczyny pokręciły głową z niesmakiem i odwróciły wzrok, jednak reszta zdawała się być zachwycona czynem przyjaciółki.

Ariel wstała gwałtownie i wyrwała jej z rąk zeszyt. Niestety nie udało się odzyskać brakującej strony, którą Kiiri zwinęła w kulkę i wepchnęła do kieszeni.

– Zapłacisz za to – syknęła Ariel przez zaciśnięte zęby.

– Już nie mogę się doczekać.

W tym momencie do sali wkroczyła nauczycielka i od razu zaległa absolutna cisza. Kobieta zatrzymała się na progu i przesunęła wzrokiem po całej sali, zatrzymując spojrzenie na plecach Kiiri. Zmarszczyła brwi, ruszając do swojego biurka.

– Co się tu dzieje? – zapytała szorstko, patrząc kolejno na zwieszone głowy i szukając winnej zamieszania.

– Nic takiego, pani profesor – odezwała się słodko Kiiri, zajmując swoje miejsce z przodu sali. – Ariel nie ma pracy domowej, więc pomyślałam, że może zdążyłabym jej pomóc przed lekcją.

Nauczycielka spojrzała na Ariel, która wcisnęła się w krzesło i spuściła głowę, zaciskając pod stolikiem pięści.

– Czy to prawda, Ariel? Nie masz na dzisiaj pracy domowej? – zwróciła się do niej ostro.

– Nie mam – odparła głucho zapytana, nie podnosząc wzroku.

– Możesz mi w takim razie łaskawie wyjaśnić dlaczego? – Nauczycielka usiadła za biurkiem i otworzyła dziennik, po czym znów skupiła chłodne spojrzenie na uczennicy.

Ariel zerknęła na Kiiri, która odwróciła głowę i posłała jeden ze swoich niewinnych, czarujących uśmiechów.

Jeśli powiem prawdę, nie da mi żyć do końca życia. Z drugiej strony komu uwierzą? Jej czy biednej sierocie? Przełknęła nerwowo ślinę i uniosła wzrok na nauczycielkę.

– Niechcący wylałam wodę na stronę z zadaniami, więc musiałam ją wyrwać, by nie zalać reszty kartek. Przepraszam, to się więcej nie powtórzy.

Pani Leret przez chwilę przeszywała ją wzrokiem, po czym cmoknęła z niezadowoleniem i wpisała coś do dziennika.

– Mam nadzieję, że to ostatni raz – powiedziała oschle. – Jeszcze jedna jedynka i będę musiała zastanowić się nad wysłaniem cię do klasy początkowej. – Po tych słowach uniosła głowę i na szczęście dla Ariel skupiła się na reszcie klasy. – Teraz przypomnijcie mi, co omawialiśmy na ostatnich zajęciach.

Ariel zsunęła się na sam brzeg krzesła i oparła czoło na zaciśniętych pięściach. Niemal widziała przed oczami triumfujący uśmiech Kiiri. Do końca lekcji wyłączyła się całkowicie, przebywając myślami z dala od klasy. Jeśli rano miała podły nastrój, to teraz po prostu straciła chęć do życia.

Gdy rozległ się dzwonek, w klasie zapanowało ożywione poruszenie. Ariel poczekała w swojej ławce, aż wszystkie dziewczyny wyjdą. Dopiero wtedy spakowała torbę i ze zwieszoną głową ruszyła do drzwi. Przechodząc koło biurka, z ponurą miną skinęła głową nauczycielce.

– Ariel.

Zatrzymała się niechętnie w progu i odwróciła się. Kobieta przypatrywała jej się uważnie. Po chwili westchnęła cicho.

– Co się z tobą dzieje, Ariel? Wiem, że jesteś dobrą uczennicą. Na początku szło ci tak dobrze, a teraz... – pokręciła wolno głową. – Coraz więcej nauczycielek skarży się na twoje marne oceny. Nie wiem, dlaczego się opuściłaś w nauce, ale jeśli chcesz skończyć tę szkołę, powinnaś bardziej się przyłożyć.

Cóż, to nie ja się opuściłam, ale Kiiri stała się bardziej pomysłowa w tym, jak uprzykrzyć mi życie. Nawet jeśli powiedziałabym komuś prawdę, ona zaprzeczyłaby każdemu mojemu słowu – pomyślała ze smutkiem, a głośno odparła:

– Obiecuję, że się poprawię. – I zanim pani Leret zdążyła coś jeszcze dodać, wybiegła z klasy.

Popędziła zatłoczonym korytarzem, nie patrząc na boki i nie słysząc niczego. W drodze do stołówki nie natknęła się na Kiiri ani na żadną z jej towarzyszek. Ich szczęście. W obecnym nastroju dziewczyna nie mogła ręczyć za siebie, gdyby któraś pojawiła się teraz w polu jej widzenia. Ariel zdawała sobie sprawę z tego, że jej ognisty temperament i brak umiejętności trzymania emocji na wodzy kiedyś wpędzą ją w znacznie poważniejsze kłopoty. Nie mogła jednak nic poradzić na to, że każda wzmianka o rodzicach wywoływała w niej tak silną reakcję. A najgorsze było to, że Kiiri miała rację. Dlatego tak bardzo jej nienawidziła. Nie miała rodziców, do których mogłaby dzwonić trzy razy dziennie i chwalić się swoimi sukcesami. Ani brata, który śmiałby się z jej żartów. Nie miała nawet pojęcia, kim byli i czy w ogóle jeszcze żyją. Nie wiedziała, dlaczego nie pamięta niczego sprzed przyjazdu do tej szkoły. Nawet inni nic o niej nie wiedzieli. To wszystko było dziwne i niepokojące. Jednak zadręczanie się tymi myślami nie wpływało najlepiej na jej samopoczucie. Dlatego nauczyła się ukrywać głęboko wszystko, co przykre i bolesne. A Kiiri skutecznie wydobywała to na powierzchnię, niwecząc jednym zdaniem cały wysiłek Ariel.

Sala jadalna była największym pomieszczeniem w zamku. Okrągłe metalowe stoliki zupełnie nie pasowały do surowych czerwonych ścian, lśniącej posadzki i potężnych kolumn. Ariel stanowczo nie podobało się takie połączenie współczesności z historią. Z łatwością potrafiła sobie wyobrazić salę tronową z dębowymi ławami i bogato zdobiony królewski tron. Nawet samego króla w złotej koronie na kruczoczarnych włosach…

Nawet przy jej rozwiniętej wyobraźni czasem przerażały ją tak wyraźnie realne wizje. Pojedyncze obrazy pojawiały się w jej głowie i natychmiast zacierały, zanim w ogóle mogła je zrozumieć. I z pewnością nie miały nic wspólnego z tym, co do tej pory widziała.

Gdyby wierzyła w magię i te wszystkie mistyczne rzeczy, pewnie uwierzyłaby również w to, że nawiedzają ją wizje z przeszłości. Jednak jak mogła nie uwierzyć w niewytłumaczalne, skoro całe jej życie było już i tak dostatecznie dziwne?

Z początku nie zastanawiała się nad tym, dlaczego tak dobrze zna zamek i wszystkie jego zakamarki. Bez trudu potrafiła znaleźć każdą skrytkę i każde tajne pomieszczenie, o którym nikt inny nie mógł wiedzieć. Nikt też nie wspominał jej o tych miejscach. Znajdowała je instynktownie, jakby były głęboko zakorzenione w jej umyśle.

Nie wiem, czy to dobrze, że czuję się tu jak w domu. Jak w prawdziwym domu. Ciekawe, czy gdybym powiedziała o tym Tarze, też uznałaby mnie za wariatkę. Sama czasem wątpię, czy nią nie jestem. A może mam jakieś przebłyski pamięci z poprzedniego życia? W czasie reinkarnacji coś poszło nie tak i teraz mieszają mi się wspomnienia.

Rozbawiły ją własne myśli i szybko potrząsnęła z naganą głową. Zwariowała i tyle. Musi się skupić na nauce, a nie głupotach.

Zatrzymała się przed dwuskrzydłowymi wrotami i odetchnęła głęboko, a potem jeszcze kilka razy powtórzyła to ćwiczenie. Zawsze w ten sposób sprowadzała siebie na ziemię i odzyskiwała spokój.

Wślizgnęła się przez uchylone skrzydło do sali i przystanęła w progu. Wystarczyła jej sekunda, by ogarnąć wzrokiem zgromadzonych. Wśród młodszych klas, oblegających kilka stolików przy ścianie, nie zauważyła żadnej z przyjaciółek Kiiri ani jej samej. Odetchnęła z ulgą, niedbale obrzuciwszy wzrokiem kilkoro pierwszoroczniaków. Dziewczyny, napotkawszy jej spojrzenie, natychmiast odwracały głowy, nagle pochłonięte niezwykle pilną rozmową. Ariel bez pośpiechu przecisnęła się do kuchennego okienka.

Otworzyła usta, by złożyć zamówienie, po czym zamrugała ze

zdziwienia, gdy okazało się zamknięte. W porze lunchu było to naprawdę niespotykane. Kucharki musiały mieć bardzo dużo pracy, skoro pozostawiły kuchnię bez nadzoru.

– Super – mruknęła pod nosem i przycisnęła dłoń do brzucha, który od jakiegoś czasu głośnym burczeniem domagał się jedzenia.

Rozejrzała się szybko po sali, sprawdzając, czy nikt tego nie słyszał. Wokół panował jednak taki gwar, że pewnie nawet jej krzyk nie zostałby usłyszany. Nigdzie też nie zauważyła charakterystycznego stroju kucharki. Wprawdzie kuchnia była cały czas otwarta, jednak uczennicom nie wolno było wchodzić do niej bez wcześniejszego pozwolenia. Tylko dlatego że kiedyś jakieś dziewczyny podkradały jedzenie. Ariel przyłożyła palec do podbródka z krzywym półuśmiechem. Ach, prawda. Była jeszcze taka, która ukradła nóż, by się zabić. Ale kto mógł przypuszczać, że miała problemy w domu? Ariel jednak była zbyt głodna, by czekać. W tym przypadku mogła zrobić tylko jedno.

Podeszła do niskich drewnianych drzwi, otworzyła je szybkim ruchem, po czym zupełnie niezauważona wślizgnęła się do środka. Gdy tylko zamknęła za sobą drzwi, szmer dobiegający z sali natychmiast ucichł, jakby ktoś wyłączył dźwięk. Ariel oparła się plecami o wrota i przymknęła oczy, delektując się krótką chwilą ciszy. Chowanie się w nikomu nieznanych i pustych miejscach było jej specjalnością. Prawdę mówiąc, lubiła się chować, choć nikomu by się do tego nie przyznała. Po prostu potrzebowała czasem pobyć sama ze sobą.

Lubiła się chować, bo wtedy choć na chwilę uwalniała się od tych niechętnych i pogardliwych spojrzeń. W dzieciństwie w ten sposób bawiła się sama ze sobą w chowanego. I choć wiedziała, że nikt jej nie szuka, z łatwością to sobie wyobrażała. Czasem jej wyobraźnia potrafiła naprawdę na coś się przydać.

Otworzyła oczy i rozejrzała się po kuchni. Wprost przed nią znajdowały się drugie drzwi, wychodzące bezpośrednio do ogrodu. Przez wysoko zawieszone podłużne okna wpadały do środka smugi słonecznego światła, tworząc na podłodze i meblach przecinające się pręgi i wesołe

43

wzory. Pośrodku stał dębowy stół, nad którym unosił się srebrny kurz. Poza tym wszędzie panował nienaganny porządek. Blaty szafek, półki i wszystko inne, co znajdowało się w tym pomieszczeniu, wręcz lśniło czystością, jakby te wszystkie sprzęty były jedynie dekoracją. To na pewno zasługa Mary. Nie wyszłaby z kuchni, nim nie wysprzątałaby jej na błysk.

Ariel czuła się tutaj jak u siebie. Właściwie to spędzała w kuchni więcej czasu niż powinna. Ciężko jej było wytrzymać bez długich rozmów z kucharkami i podskubywania przy okazji przygotowywanych przez nich dań. Lubiła tutaj przebywać, gdyż zawsze mogła liczyć na jakiś smaczny kąsek i miłe towarzystwo. Najbardziej zaprzyjaźniła się z Mary, najstarszą kucharką. Ta tęga starsza kobieta o dobrotliwym uśmiechu traktowała ją po macierzyńsku i zawsze dawała dobre rady. Z Eve, o kilka lat starszą dziewczyną, Ariel miała dobry kontakt, choć ta kucharka skrupulatnie ukrywała przed nią jedzenie i nigdy nie dawała jej dokończyć resztek deseru.

Najgorsza była Rose. Czasem nawet Ariel miała wrażenie, że to łagodniejsza wersja Kiiri. Miała tak samo jasne blond włosy i ten sam zjadliwy uśmieszek. Patrzyła na wszystkich z góry i ledwo tolerowała obecność dziewczyny w kuchni. Kilka razy Ariel widziała ją nawet z Kiiri i miała niedobre przeczucie, że te dwie wciąż knuły przeciwko niej. Może zaczynała już mieć paranoję, ale tak na wszelki wypadek wolała trzymać się od Rose z daleka.

W lodówce, między półmiskami różnych sałatek, dań i deserów na przyjęcie, znalazła masło i ser. Z górnej szafki wzięła trzy kromki świeżego chleba, w innej zaś odnalazła talerz i nóż. Nie musiała niczego szukać. Od lat wszystko miało swoje miejsce, a ona znała je na pamięć. Podśpiewując pod nosem prostą piosenkę, której nauczyła się w dzieciństwie, szybko przygotowała sobie kanapki. Przyjęcie przyjęciem, ale jej żołądek nie mógł już dłużej czekać.

Kucharki z pewnością poszły do spiżarni po resztę wcześniej przyrządzonych potraw. Nie rozumiała tylko, dlaczego akurat teraz, a nie w czasie lekcji. Rzadko się zdarzało, by w kuchni nie było chociaż jednej z nich. Tak na wszelki wypadek, bo Pixton po prostu bała się, że incydent sprzed lat może się znów powtórzyć. W końcu dojrzewające nastolatki były nieprzewidywalne.

Nagle Ariel przerwała nucenie i zastygła w bezruchu z uniesionym nożem. Przez chwilę wydawało jej się, że coś usłyszała, jakby ciche kliknięcie. Ze wzrokiem wbitym w ścianę nasłuchiwała jeszcze przez moment. Jednak prócz cichego burczenia lodówki w kuchni panowała cisza.

– Chyba zaczynam mieć omamy – powiedziała do siebie cicho pod nosem, odłożyła nóż i ułożyła kanapki na talerzu. Nie minęło kilka sekund, gdy ponownie zesztywniała. Jej serce zabiło gwałtowniej.

Tym razem nie miała żadnych wątpliwości.

Kolejne kliknięcie, a potem dźwięk przekręcanego klucza.

Ariel nagle straciła ochotę na jedzenie. W ogóle zapomniała o kanapkach. Rzuciła się do drzwi prowadzących do jadalni i szarpnęła za klamkę.

Zamknięte.

– Cholera – zawołała w próżnię, wcale niezaskoczona, że tak to się skończyło.

Odwróciła się na pięcie, aż jej włosy zafurkotały w powietrzu, i pobiegła do drugich drzwi. Szarpała klamką kilkakrotnie, jednak bezskutecznie.

Została uwięziona.

Z jej ust wyrwało się przekleństwo, które z pewnością nie przystało młodej kobiecie. Wzięła kilka głębokich wdechów, głośno wypuszczając powietrze z płuc. Starając się uspokoić, stanęła pośrodku kuchni. Rozglądała się uważnie wokół, jak zawsze w takich sytuacjach zdając się na swój zdrowy rozsądek.

Przecież nie mogę tutaj siedzieć do wieczora. Za chwilę zaczną się lekcje, a potem będzie przyjęcie. Nawet jeśli wcześniej zjawi się Mary czy inna kucharka, to już nie zdążę się przygotować. Dopiero będą miały uciechę, gdy spóźnię się na własne przyjęcie! – myślała gorączkowo. Wodząc wzrokiem po meblach, rozmyślała tylko o tym, żeby zjawić się w sali jadalnej na czas. Nie panikowała, za bardzo nawykła do takich sytuacji.

Była jedynie coraz bardziej poirytowana, bo doskonale wiedziała, kto za tym stoi. Tylko jedna osoba mogła zamknąć ją w kuchni. Zaczęła nasłuchiwać wszelkich odgłosów z zewnątrz. Jej twarz przybrała ponury wyraz, gdy w końcu usłyszała przytłumione głosy, najpierw po lewej, potem po prawej stronie. Ze zmarszczonym czołem podeszła do drzwi wychodzących do jadalni i walnęła w nie zaciśniętą pięścią, aż wydały z siebie głuchy pomruk.

– Kiiri! – wrzasnęła, uderzając wprost w drewnianą powierzchnię. – Wiem, że to ty! Myślałam, że wyrosłaś z głupich żartów. – Nie usłyszała odpowiedzi, jedynie zbiorowy chichot po obu stronach. Oparła ręce na biodrach, wpatrując się w drzwi, jakby chciała prześwietlić je wzrokiem i zabić stojące za nimi dziewczyny. – To przestało być śmieszne lata temu! Kto ci jeszcze pomaga?! Rose?! – Ariel zerknęła na drugie drzwi, ale tam panowała cisza. Pewnie uciekła. Tchórz. – Wiesz, że ci nie daruję i nawet twoja obstawa ci nie pomoże! Skoro chcesz wojny, to proszę bardzo! Jak tylko stąd wyjdę…

– Nie łudź się, ruda wiedźmo! – usłyszała w końcu głos Kirri, jak zwykle pełen pogardy. – Twoje miejsce jest w kuchni i tu powinnaś zostać. Pogódź się z tym w końcu. Nikt nie ma ochoty oglądać takiego dziwadła.

– Jeszcze nie wiesz, do czego jestem zdolna. Ale w jednym się zgadzamy: w tej szkole nie ma miejsca dla nas obydwu!

– Doskonale. Jednak twoje groźby na mnie nie działają. Dopóki mieszkamy tutaj, nie możesz mnie tknąć. Zresztą nie potrafisz nawet zabić pająka, więc nie udawaj takiej wojowniczej. Potrafisz tylko się chować. Jak mysz, która liczy, że jakimś cudem uda jej się przeżyć.

– Nie prowokuj mnie, Kiiri! Wiesz, że uwielbiam łamać zasady. Jeśli doprowadzisz mnie do ostateczności, mogę zaryzykować nawet wydalenie ze szkoły.

– Z chęcią się przekonam! Już nie mogę się doczekać, kiedy pokażesz swoją prawdziwą twarz. W końcu wszyscy dowiedzą się, że odziedziczyłaś skłonności patologiczne po tatusiu kryminaliście.

Ariel zacisnęła pięści, słysząc po drugiej stronie drwiący śmiech. Po chwili zaległa cisza i dziewczyna domyśliła się, że odeszły. Odwróciła się plecami do drzwi, biorąc głęboki wdech i wydech.

– Przysięgam, że kiedyś naprawdę jej coś zrobię. Ale najpierw muszę się stąd wydostać. – Na jej wargach pojawił się krzywy uśmiech. O to nie musiała się martwić. W końcu w znajdowaniu kryjówek i tajnych przejść była najlepsza.

Jeszcze raz przebiegła wzrokiem całe pomieszczenie, myśląc intensywnie. Kuchnia... kuchnia... Jak jeszcze można się stąd wydostać? Zrobiła kilka kroków do przodu, po czym zatrzymała się i spojrzała na ścianę po lewej. Uśmiechnęła się do siebie szeroko.

Za dużą metalową skrzynią znajdowały się tajne drzwiczki. Przejście musiało prowadzić gdzieś na korytarz albo do innego pokoju. Nie wiedziała o nim, dopóki nie spojrzała na ścianę. Jakby w tej właśnie chwili ktoś odsłonił przed nią kurtynę. Działo się tak zawsze, ilekroć odkrywała nowe tajemnice zamku.

Ariel od razu przystąpiła do działania. Jeśli chciała zdążyć na lekcję, to musiała się spieszyć. W biegu chwyciła jedną kanapkę i pochłonęła ją w dwóch kęsach, resztę zaś schowała do lodówki. Następnie zabrała się za odsuwanie skrzyni. Była dość ciężka, toteż dziewczyna mocowała się z nią dłuższą chwilę. W końcu jednak wyprostowała się z triumfem i sapiąc ciężko, otarła dłonią spocone czoło. Tak jak się spodziewała, przed nią znajdowały się malutkie czarne drzwi. Nie było mowy, by zmieścił się przez nie dorosły człowiek, ale ktoś z jej posturą i wzrostem mógł się nimi prześlizgnąć.

Odsunęła żelazny rygiel, który wydał z siebie przeciągły, pełen protestu jęk. Drewno było tak stare, że zaczynało próchnieć, a zawiasy zaskrzypiały przeraźliwie, kiedy otworzyła szeroko drzwiczki.

Ze środka buchnął duszny odór rozkładu i kurzu. Ciemność była tak głęboka, że Ariel nie potrafiła nawet stwierdzić, jak szerokie jest to przejście i gdzie się kończy. Bez namysłu opadła na kolana i na czworakach wczołgała się do tunelu. Szorstka podłoga drapała ją w kolana, kiedy odwróciła się na klęczkach w miejscu i zamknęła za sobą drzwiczki. Nie było możliwości, żeby z powrotem przysunąć skrzynię i zamaskować przejście. Mogła tylko liczyć na to, że żadna z kucharek nie wpadnie na pomysł, by zaglądać do środka. Do tej pory jeszcze nikt nie odkrył jej tajnych przejść i wolała, by nadal pozostały jej tajemnicą.

Kiedy w końcu jej wzrok przywykł do mroku, dostrzegła wąskie ścianki, do których przylegały jej ramiona, a nad głową nisko zawieszony strop, który nie pozwalał nawet na wyprostowanie szyi. Musiała pochylić głowę i trzymać łokcie mocno przyciśnięte do boków, by zmieścić się w wąskim przejściu. Pod dłońmi i nogami wyczuwała kłęby kurzu, kawałki cegieł i jakieś niezidentyfikowane małe obiekty. Powoli, ale uparcie zaczęła posuwać się naprzód. Zachichotała cicho, kiedy zdała sobie sprawę z tego, że znajduje się wewnątrz ściany. Była uwięziona między grubymi murami zamku i chyba jeszcze nigdy nie czuła się tak mocno z nimi związana. Nawet jeśli jego wnętrze okazało się klaustrofobicznie ciasne, duszne i oblepione pajęczynami.

Po jakichś pięciu minutach wyczuła, że tunel nieznacznie zakręca. Co raz krzywiła się z bólu, gdy coś ostrego wbijało się w jej odsłonięte kolana i wewnętrzną stronę dłoni. Zaczynały ją boleć plecy i kark. Kurz wdzierał się dosłownie wszędzie, utrudniając oddychanie i potęgując napady kichania. Pomimo całej tej niewygody i bólu chciało jej się śmiać. To dopiero zrobi niespodziankę Kiiri i jej bandzie. Już nie mogła się doczekać, by zrelacjonować wszystko Tarze. W końcu dostrzegła przed sobą słabe światło. Przyspieszyła z niecierpliwością, aż z nieuwagi zaczęła ocierać ramionami o chropowate ściany.

Zatrzymała się przed kwadratowym zakratowanym okienkiem. Wydobywające się z zewnątrz światło na moment ją oślepiło. Mrużąc oczy, dostrzegła połyskujący granit posadzki i fragment czerwonej kolumny. A więc to przejście prowadzi bezpośrednio na główny korytarz. Ciekawe.

Dwie dziewczyny przeszły tuż obok miejsca, gdzie siedziała skulona, więc szybko cofnęła głowę. Teraz musiała jedynie poczekać na odpowiedni moment, by wyjść stąd niezauważona.

Nagle mignęły jej czerwone skarpetki i znajome czarne trzewiki z kokardką na boku. Przysunęła się bliżej okratowanego okienka, przyciskając nos do żelaznych prętów.

– Tara – szepnęła.

Dziewczyna zatrzymała się gwałtownie i rozejrzała wokół. Po chwili pokręciła głową, jakby próbowała czemuś zaprzeczyć. Ariel odezwała się ponownie, tym razem nieco głośniej.

– Tara, to ja.

– Ariel? – Dziewczyna znów zaczęła obracać głową na wszystkie strony, z wyraźną konsternacją. – Gdzie jesteś?

– Spójrz w dół.

Tara natychmiast usłuchała. Jej wzrok zatrzymał się na ścianie, po czym dziewczyna ze zdumienia otworzyła szeroko oczy. Wpatrywała się w umazaną brudem twarz przyjaciółki, jakby zobaczyła ducha. Ariel uśmiechnęła się szeroko.

– Cześć – odezwała się niedbałym tonem, jakby siedziała w tym ciasnym brudnym tunelu dla zabawy.

Tara podeszła bliżej i kucnęła.

– Co ty tam robisz?

– To dość długa historia.

– Znowu masz kłopoty, tak? Słyszałam, że ta świnia Kiiri wycięła ci niezły numer na angielskim.

– Och, to. – Ariel machnęła ręką. O tamtym incydencie dawno już zapomniałam. – To stara historia.

– Więc jest nowsza? – Tara uniosła brwi. – Z twoją zdolnością do wpadania w kłopoty powinnaś już dawno pobić rekord Guinessa w tej dziedzinie.

Ariel prychnęła, widząc, że Tara zaczyna się śmiać.

– Dobra, rozumiem. Opowiem ci wszystko, ale najpierw pomóż mi stąd wyjść. Trochę tu niewygodnie.

Tara skinęła głową, z trudem zachowując powagę.

– Co mam robić?

Ariel wytarła ręce o spódnicę i zacisnęła palce na prętach.

– Najpierw zobacz, czy nikt nie nadchodzi. – Tara rozejrzała się wokół uważnie, po czym pokazała uniesiony w górę kciuk.

– Droga wolna.

– W takim razie pomóż mi to odsunąć.

Tara przerzuciła torbę na plecy i chwyciła za kratkę. Jedno wspólne szarpnięcie i okienko odskoczyło z cichym zgrzytem.

Ariel wyczołgała się z otworu i wsunęła kratę na miejsce. Potem wstała i z westchnieniem ulgi wyprostowała obolałe plecy. Na pytające spojrzenie przyjaciółki wzruszyła ramionami z niewinną miną.

– No co? Nie znasz mnie? Dzień bez kłopotów to dzień stracony.

Rozdział III

ara wzięła się pod boki i przewróciła oczami. Chciała chyba coś powiedzieć, bo otworzyła już usta, ale w końcu zrezygnowała. Ariel tymczasem stanęła do niej tyłem i dopiero wtedy się odezwała.

– Dzięki za pomoc. Za chwilę zaczną się lekcje, więc zobaczymy się później.

Zamierzała odejść, kiedy Tara chwyciła ją za łokieć i obróciła w swoją stronę. Przyjrzała jej się od stóp do głów, krzywiąc się przy tym z rozbawieniem.

– Chyba nie zamierzasz tak paradować po szkole?

– Jak? Och.

Ariel jakoś zapomniała, że jest cała w kurzu i pyle. Tara pogrzebała w swojej torbie i podała jej czystą chusteczkę.

– Doprowadź się do porządku, zanim ktoś cię zobaczy.

– Dzięki.

Ariel pospiesznie usunęła z siebie największy brud, jednak na czerwone zadrapania na dłoniach i kolanach nie mogła nic poradzić. Musiała mieć po prostu nadzieję, że nikt nie zwróci na to uwagi.

– Teraz lepiej?

Tara tłumiąc chichot, wskazała na jej głowę.

– Jeszcze włosy.

Ariel szybko wygładziła je palcami. Tara skinęła głową, unosząc do góry kciuk.

– Teraz wyglądasz jak człowiek.

Ruszyły pustym korytarzem. Tara wzięła Ariel pod ramię i przysunęła się do niej.

– Nie wiem, jak możesz znosić Kiiri i mieszkać z nią w jednym pokoju.

Ariel wzruszyła ramionami.

– Przyzwyczaiłam się.

– Ale z tym angielskim to przegięcie – kontynuowała przyjaciółka, kręcąc z oburzeniem głową. – Przez nią nigdy nie zaliczysz tego przedmiotu.

Ariel westchnęła przeciągle.

– Domyślam się, że cała szkoła już wie...

– Zapewne. – Tara spojrzała na nią z ponurym wyrazem twarzy. – Widziałam, jak Kiiri przechadzała się po korytarzu ze swoją bandą i czytała na głos twoje wypracowanie każdemu, kto chciał słuchać.

Ariel jęknęła głucho. Pięknie. Czego innego mogła się po niej spodziewać.

– Ale nie martw się. – Tara poklepała ją po ramieniu. – Pojutrze wszyscy o tym zapomną.

– Tak, i znajdą sobie nowy temat do plotek o biednej sierocie.

– Nie mów tak! Nie możesz załamywać się z powodu kilku głupich słów.

– Głupich, ale prawdziwych. Obie wiemy, że Kiiri ma rację.

Tara prychnęła, obdarzając przyjaciółkę niedowierzającym spojrzeniem.

– Nie zamierzasz chyba teraz się załamywać, co? Ariel, którą znam, nigdy nie płacze, choć to pewnie byłby interesujący widok.

Ariel zerknęła na nią z krzywym uśmiechem.

– Dzięki za wsparcie. Ja...

Przerwała raptownie, gdy z naprzeciwka dostrzegła zbliżające się trzy kobiety. Mary, Eve i Rose spieszyły w ich kierunku, obładowane słoikami i miskami z daniami na dzisiejsze przyjęcie. Gdy się zbliżyły, Ariel posłała najstarszej kobiecie ciepły uśmiech.

– Dzień dobry, pani Mary.

Kucharka odwzajemniła uśmiech. Miała srebrne włosy, spięte w elegancki kok, łagodną, pomarszczoną twarz i bystre oczy. Zgarbiona pod ciężarem kartonu wcale nie wyglądała na zmęczoną.

– Witajcie, Ariel, Taro. Pewnie nie możesz doczekać się przyjęcia?

Ariel skinęła głową z przyklejonym do twarzy uśmiechem, choć cała jej uwaga skupiona była na Rose. Dziewczyna pobladła wyraźnie i otworzyła szeroko oczy, jakby zobaczyła ducha. Ten widok warty był poobcieranych kolan i zniszczonego mundurka. Pewnie teraz zachodziła w głowę, jakim cudem udało jej się wydostać z kuchni tak szybko. Ale Ariel wiedziała dobrze, że to nie to tak ją przeraziło. Skoro była już na wolności i wiedziała, kto za tym stoi, Rose mogła spodziewać się rychłego odwetu. I słusznie się obawiała. Ariel jeszcze nie wiedziała, co to będzie, ale z pewnością tak tego nie zostawi.

– Aha, wszystkiego najlepszego – rzuciła Mary, gdy się mijały.

– Dziękuję. – Ariel zerknęła przelotnie na kobietę, po czym puściła oko do Rose, która zagryzła wargi i przyspieszyła kroku.

Upewniwszy się, że znalazły się poza zasięgiem słuchu, Ariel roześmiała się cicho. Tara pociągnęła ją za rękaw i nachyliła się ku niej, kątem oka zerkając za odchodzącymi kobietami.

– O co chodziło? – zapytała szeptem.

W tym momencie rozległ się dzwonek.

– Powinnaś iść na lekcję – krzyknęła do jej ucha Ariel.

Dziewczyna pokręciła szybko głową i lekceważąco machnęła ręką.

– Od wagarów jeszcze nikt nie umarł – odkrzyknęła, gdyż korytarz zapełniły tłumy dziewczyn spieszących do swoich klas. – Lepiej opowiadaj.

– Wiedziałam, że tak będzie. Skoro i tak ominie mnie ta lekcja, to po co się tak męczyłam, żeby wydostać się z kuchni? Mogłam równie dobrze poczekać na kucharki – z żartobliwą rezygnacją skwitowała Ariel.

I przeciskając się między uczennicami, pospiesznie streściła przyjaciółce, jak Kiiri i jej banda zamknęły ją w kuchni. Opowiedziała też, jak udało jej się wydostać tajnym tunelem. Potem z całkowitym spokojem zrelacjonowała incydent w klasie. Gdy skończyła, Tara zmierzyła ją długim, współczującym spojrzeniem.

– Myślę, że z tą żmiją trzeba coś zrobić. Nie może tak bezkarnie cię nękać. Gdybyś opowiedziała wszystko dyrektorce albo Eryl, skończyłyby się twoje problemy.

– Daj spokój – Ariel uśmiechnęła się posępnie. Dotarły już do strony północnej i zaczęły wspinać się po schodach, pokonując kolejne puste piętra. – To i tak nic by nie dało. Nauczycielki, nawet jeśli mnie lubią, to i tak prędzej uwierzą Kiiri. Ona jest bogata i ma wpływowych rodziców. A ja... nie. To moja wojna i muszę wygrać ją sama.

– Masz już jedną wygraną bitwę za sobą. – W oczach Tary zapaliły się złośliwe ogniki. – Jej ruch już był, teraz kolej na twój.

Ariel zerknęła na przyjaciółkę, po czym w zamyśleniu zapatrzyła się na stopnie.

– Na razie nie mam żadnego pomysłu. Zresztą na dzisiaj mam już dosyć kłopotów. Nie minęło nawet południe i czeka nas jeszcze przyjęcie.

– I przede wszystkim dobra zabawa. – Tara, rozmarzona, chwyciła niespodziewanie Ariel za ręce i wykonała z nią szalony piruet na środku schodów. – I dobre jedzenie. – Po chwili westchnęła teatralnie, puszczając śmiejącą się przyjaciółkę. – Brakuje tylko chłopców.

– O tym możesz tylko pomarzyć. Dyrektorka nigdy by nie pozwoliła, aby jakiś chłopak przekroczył próg tej szkoły. „Mężczyźni mącą w głowach młodym damom i prowadzą na złą drogę. To czas, byście skupiły się na nauce i zdobywaniu wiedzy. Gdy dorośniecie, miłość przyjdzie sama" – zacytowała słowa dyrektorki, naśladując ton jej głosu i śmiertelnie poważny wyraz twarzy.

Tara machnęła ręką, krzywiąc się z irytacją.

– Tak, tak. Słyszałam to już co najmniej dziesiątki razy. Ale mam nadzieję, że nie podzielasz jej zdania?

Ariel wzruszyła ramionami.

– Nie wiem. Nie interesują mnie chłopcy.

– No coś ty! – Tara wbiła w nią niedowierzające spojrzenie. Jednocześnie na jej usta wypełzł tajemniczy uśmieszek. – Bo jeszcze żadnego nie poznałaś. A gdybyś tak spotkała jakiegoś przystojnego bruneta o ciemnych oczach i uwodzicielskim uśmiechu? – Wsunęła rękę w ramię przyjaciółki, nie spuszczając z niej wzroku. – Nikt nie zabronił nam spotykać się z chłopakami. Byle nie wchodzili do szkoły.

Ariel przewróciła oczami.

– Gadasz bzdury. Jak mamy spotykać się z chłopakami, skoro żadnych nie znamy?

– No właśnie. A dlaczego nie znamy? Bo nigdzie nie możemy same wychodzić. Nawet do głupiego sklepu. Ograniczają naszą wolność, a za taką niesprawiedliwość należy nam się jakieś zadośćuczynienie.

Ma rację. Dobrze, że chociaż jedna osoba to zauważa – pomyślała Ariel.

– Teraz trochę przesadzasz – odezwała się głośno, nie mając ochoty wdawać się dłużej w tę dyskusję. Z Tarą można było pożartować, ale w przypadku rozmowy na poważne tematy trzeba przygotować się na dłuższą debatę, która pochłaniała za dużo czasu i energii. – Jeśli chodzi o przepisy, nic nie wskóramy. Zresztą zostały mi już tylko dwa, góra trzy lata nauki, a tobie cztery. A tu znowu nie jest tak źle, żeby narzekać.

Tara przygasła na sekundę. Zaraz jednak zmrużyła oczy i uśmiechnęła się przebiegle.

– Wiem, że jednak chciałabyś poznać jakiegoś chłopaka. No, powiedz. Jaki typ najbardziej ci się podoba?

Przyjaciółka wpatrywała się w nią tak intensywnie, że Ariel w końcu nie wytrzymała. Przystanęła o stopień wyżej, przewróciła oczami i odwróciła się do Tary.

– Podobają mi się czarnowłosi tajemniczy mężczyźni – powiedziała z przesadzoną powagą, dźgając ją przy tym palcem w pierś – którzy tyle nie gadają i są na tyle silni, żeby nosić mnie na rękach, jak długo zechcę. Wystarczy? – Po tych słowach odwróciła się na pięcie i pokonała resztę schodów w biegu, zwalniając dopiero na krótkim korytarzu, na samym szczycie wieży.

– W zupełności – mruknęła do siebie Tara, uśmiechając się pod nosem.

Dogoniła Ariel, klepiąc ją po ramieniu. – Słuchaj, to może...

– Ciii.

Zatrzymały się przed drzwiami jej dormitorium. Ariel zamarła z dłonią na klamce. Przed chwilą wyraźnie słyszała dochodzące ze środka głosy. Położyła palec na ustach, nakazując przyjaciółce milczenie, i obie stały teraz nieruchomo, nasłuchując. Nie musiały długo czekać. Wymieniły porozumiewawcze spojrzenia.

Głosy należały do Kiiri i jej przyjaciółek.

– Co one tu robią? Nie powinny być na lekcjach? – wyszeptała Tara.

Ariel skinęła głową, przysuwając się do drzwi. Zmarszczyła brwi, próbując wyłapać strzępki rozmowy. Tara poszła za jej przykładem, ale już po chwili zrezygnowała.

– Nie powinnyśmy podsłuchiwać – szepnęła, wpatrując się niepewnie w drzwi.

– Chcę wiedzieć, co knuje za moimi plecami – odparła równie cicho Ariel.

– Jak chcesz, ja tam... – Nagle Tara klasnęła bezgłośnie w dłonie i wyszczerzyła zęby. – Tak! To jest nasza szansa, by się odegrać.

– Co?

– Poczekaj tu, zaraz wracam.

Tara okręciła się na pięcie i popędziła z powrotem schodami.

Ariel patrzyła za nią, zastanawiając się, co takiego wymyśliła przyjaciółka.

Muszę przyznać, że czasami jest bardziej pomysłowa ode mnie – pomyślała, czując jednocześnie lekki niepokój. Potem przytknęła ucho do drzwi i przymknęła oczy, skupiając się niemal do granic możliwości. Już po chwili zaczynała rozróżniać pojedyncze głosy.

– Zadziera nosa, jakby mogła się z nami równać – usłyszała szyderczy ton Kiiri. – Chyba nie sądzi, że po dzisiejszym dniu cokolwiek się zmieni?

– Jest taka ważna, bo jest od nas starsza. Powinna całować Pixton po stopach, że zgodziła się ją przyjąć. Nauczycielki traktują ją tak ulgowo, bo jest sierotą. Mnie tam jej nie żal. Może niektóre litują się nad nią, bo nie dość, że jest żebraczką, to jeszcze ten koszmarny wygląd – rzekła druga dziewczyna.

– A jej maniery! – odezwała się inna. – Przeklina i rzuca się na każdego, kto krzywo na nią spojrzy. Gdyby nie te szkaradne włosy, mogłaby być chłopakiem.

Ariel przygryzła wargi, ale nie ruszyła się z miejsca. Głośny zbiorowy śmiech był gorszy niż same słowa.

– Takich sierot nie powinni nawet wpuszczać do szkoły. – Kiiri kontynuowała temat, z okrutną przyjemnością delektując się każdym kolejnym zdaniem. – Jest zbyt biedna i głupia, by na równi z nami pobierać nauki. Swoją obecnością plami dobre imię szkoły. Gdyby ludzie dowiedzieli się, że Pixton bierze pod swoje skrzydła żebraków, jutro przed drzwiami zebrałaby się cała kolejka jej podobnych, by za darmo łyknąć trochę wiedzy.

– Zastanawia mnie, dlaczego jeszcze jej nie wyrzucili. Z nauką ledwo dogania innych, a z tym angielskim to niedługo spadnie do początkowej klasy. W tym tempie jeszcze długo nie opuści szkoły.

– Myślę, że Pixton trzyma ją nie tylko z litości. – Po tych słowach w pokoju na moment zapanowała cisza. Teraz pewnie dziewczyny zebrały się wokół Kiiri, by posłuchać, co ma do powiedzenia. Ariel z niechęcią przyznawała to sama przed sobą, ale również umierała z ciekawości. Kto wie? Może przez przypadek dowie się czegoś nowego o sobie.

Z powrotem nadstawiła uszu, by nie uronić ani słowa.

– Słyszałam, że dyrektorka musiała złożyć obietnicę, że zrobi wszystko, by ta mała ukończyła szkołę.

– Komu? Przecież to sierota.

– Owszem. Nie ma żadnych krewnych. Ale gdy tu przybyła, towarzyszył jej jakiś chłopak, wiele od niej starszy. Wypytywałam nauczycielki, ale one nic nie wiedzą. Widziały tylko, jak ją przyprowadził i potem na długo zamknął się z dyrektorką w jej gabinecie. Gdy wyszedł, Pixton była dla niej nienaturalnie miła … Jakby bardzo zależało jej na przypodobaniu się tej dwójce. Słyszałam też – Kiiri znów przerwała na chwilę, zapewne po to, by zrobić większe wrażenie na swoich słuchaczkach – że przy pożegnaniu ta przybłęda w ogóle nie chciała puścić jego dłoni. Musiał być dla niej kimś ważnym, bo potem płakała wiele dni. Eryl mówiła, że często w nocy wzywała jego imię, ale już nie pamięta, jak ono brzmiało.

– Kto to mógł być? Jakiś krewny, może przyjaciel?

– Kto wie? Ona twierdzi, że nic nie pamięta. Moim zdaniem to trochę dziwne. Ale gdybym ja …

Ariel dalej już nie słuchała. Stała sztywno przed drzwiami i w osłupieniu wpatrywała się w swoje dłonie. Czemu nigdy nie przyszło jej do głowy, by zapytać którąś z nauczycielek o to, jak się tu znalazła? Może wtedy dowiedziałaby się tego samego, a nawet jeszcze więcej. Może nawet tego, kim byli jej rodzice i czy w ogóle jeszcze żyją …

A ten chłopak? Może brat? Ta myśl była tak zdumiewająca, że ciałem dziewczyny wstrząsnął dreszcz ekscytacji. Przypomniała sobie swoje sny, pełne bolesnej tęsknoty, oraz ciepły dotyk dłoni.

I oddalające się od niej plecy.

Musiał należeć do rodziny lub był bliskim przyjacielem. Nawet jeśli był to brat, nie wiedziała, czy jeszcze żyje i dlaczego nigdy jej nie odwiedzał. Nie brała nawet pod uwagę tego, że jej rodzina oddała ją, bo jej nie chcieli. Musieli mieć jakiś ważny powód.

Oddali mnie do szkoły Pixton, bo chcieli zapewnić mi wykształcenie i dobre wychowanie. A to znaczy, że mnie kochali – podsumowała w myślach z mocą.

Wciąż była oszołomiona zasłyszanymi informacjami i skrzętnie zanotowała je w pamięci. Później będzie miała czas, by spokojnie się nad tym zastanowić, a także przedyskutować to z Tarą. Każdy szczegół z jej przeszłości dawał nadzieję, że pewnego dnia odkryje, kim jest i może wreszcie coś sobie przypomni. Teraz była pewna dwóch rzeczy: w jej przeszłości był jakiś chłopak, może krewny. I nie spocznie, póki go nie odnajdzie.

– ...posiedzi tam, to może w końcu zrozumie, gdzie jest jej miejsce. Ariel powróciła do rzeczywistości i zmarszczyła brwi. Przysunęła się do drzwi, zaintrygowana, że wciąż o niej rozmawiają. Czy naprawdę nie mają lepszych tematów? Zaraz, zaraz... Co ona powiedziała? Posiedzi? Pewnie gratulowały sobie, że udało im się zamknąć ją w kuchni. Ariel uśmiechnęła się do siebie triumfalnie. Kiiri mogła sobie gadać, ale i tak nigdy jej nie pokona.

– Powinnyśmy dać jej wyraźnie do zrozumienia, że nie wypada jej paradować z podniesioną głową. Ktoś, kto ma podejrzaną przeszłość i Bóg wie, jakich starych...

Ariel pobladła, choć krew w jej żyłach zawrzała, boleśnie uderzając o skronie. Nie zamierzała tego słuchać ani minuty dłużej. Nacisnęła gwałtownie na klamkę i wparowała do wspólnej sypialni.

Siedzące na łóżkach dziewczyny odwróciły się gwałtownie w jej stronę. Przez chwilę wpatrywały się w nią bez ruchu, jakby zobaczyły przed sobą ducha. Ariel przeniosła wzrok na Kiiri, która otworzyła szeroko oczy i usta w szczerym zdumieniu. Trwało to nie dłużej niż kilka uderzeń serca, ale i tak na wargi Ariel wypełzł pełen samozadowolenia uśmieszek. Musiała użyć dużo silnej woli, by się nie roześmiać. No proszę. Najpierw Rose, teraz ta żmija. Jednak ten dzień nie jest stracony.

Kiiri pierwsza doszła do siebie. Skrzyżowała ręce na piersi, pogardliwie wyginając usta.

– Proszę, proszę, kogo my tu mamy. Właśnie o tobie rozmawiałyśmy.

– Och, naprawdę? – Ariel uśmiechnęła się słodko. – W takim razie nie przeszkadzajcie sobie. Nie wiedziałam, że stanowię tak interesujący obiekt dyskusji.

– Nie? Myślałam, że wiedźmy wiedzą i słyszą wszystko, co się wokół nich dzieje. – Kiiri założyła nogę na nogę, nonszalancko opierając się o ramę łóżka. – Jakiego zaklęcia użyłaś, by wydostać się z kuchni? Przeszłaś przez ścianę czy prześlizgnęłaś się przez szparę w drzwiach? Jej przyjaciółki zachichotały głupkowato. Ariel uśmiechnęła się kwaśno, obrzucając je obojętnym spojrzeniem, po czym spokojnie podeszła do swojego łóżka.

– To moja słodka tajemnica, jak się wydostałam. Choć możliwe, że Rose już się domyśliła – odpowiedziała. Otworzyła stojący w nogach łóżka metalowy kuferek zawierający cały jej dobytek.

Czuła na sobie spojrzenia całej czwórki, jakby chciały wydrzeć z niej wszystkie myśli. Kątem oka zerknęła na Kiiri, która zacisnęła szczęki i poczerwieniała ze złości.

I dobrze jej tak. Zaraz pewnie pobiegnie do Rose, by się dowiedzieć, jak udało mi się uciec. Idiotki. Nie mają ze mną szans.

Wygrzebała ze sterty książek potrzebne podręczniki. Otworzyła swoją torbę i zaczęła wykładać jej zawartość do kuferka, kiedy niechcący zawadziła zeszytem o pasek. Torba ześlizgnęła jej się z ramienia i upadła na podłogę. Ze środka wysypała się reszta przedmiotów, a także prezent od Tary. Ariel chciała go podnieść, jednak zamarła w pół kroku.

Przyglądała się bezradnie, jak niebieska paczuszka zatrzymuje się przy nogach łóżka, na którym siedziała Kiiri. Ta podniosła się w mgnieniu oka i chwyciła przedmiot.

– No, no. Co my tu mamy? Prezent? – spojrzała na Ariel drwiąco. – Od kogo?

– Nie twoja sprawa – warknęła Ariel.

– Pewnie od Tary. Ale dlaczego jest taki mały? Skoro stać ją na podróże po świecie, to chyba mogła postarać się bardziej i dać przyjaciółce coś większego. Nie sądzisz?

Przysięgam, że zaraz jej coś zrobię...

– Oddawaj to, Kiiri! Ja nie żartuję.

– Wygląda jednak na to, że szkoda jej było pieniędzy na ciebie i postanowiła wygrzebać coś ze śmietnika. Cóż, liczy się pamięć i pomysłowość.

Ariel zacisnęła pięści, aż pobielały jej kłykcie. Kiiri spojrzała jej prosto w oczy z nieokreślonym wyrazem twarzy.

– Ciekawe, co jest w środku. Może otworzymy?

– Nie! Nawet się nie waż! Jeśli zaraz mi tego nie oddasz…

Kiiri uniosła brwi.

– Co? Popłaczesz się?

Ariel prychnęła, uśmiechając się ponuro.

– Nawet o tym nie marz. Już chyba udowodniłam dzisiaj, że mogę użyć tego – uniosła do góry zaciśniętą pięść. – I uwierz mi, mam wielką ochotę to powtórzyć. Tylko tym razem postaram się włożyć w to więcej siły.

Kiiri zerknęła na swoje przyjaciółki, ale te zaczynały tracić pewność siebie. Próbowały nawet dać jej znak, by się stąd wynosić. Kiiri pokręciła głową i ze zmarszczonym czołem zwróciła się do znów do Ariel. Jednak na wszelki wypadek cofnęła się o dwa kroki.

– Jeśli jeszcze raz mnie uderzysz, zgłoszę to do dyrektorki – powiedziała dobitnie, w tym samym czasie sięgając palcami do żółtej wstążeczki.

– Sądzisz, że tym mnie wystraszysz? – syknęła Ariel, ruszając w jej stronę z zaciśniętymi pięściami.

Dziewczyny, które do tej pory siedziały na łóżkach, zerwały się i zajęły pozycje po bokach swojej liderki. W tym momencie na korytarzu rozległy się kroki. Obejrzały się na drzwi i zamarły, nasłuchując.

– Ariel?!

Ta cofnęła się, rozluźniając mięsnie rąk. Na jej ustach wykwitł radosny uśmiech, gdy w drzwiach pojawiła się Tara. Przyjaciółka jednym spojrzeniem oceniła całą sytuację. Jej uwadze nie uszedł też niebieski przedmiot w dłoniach Kiiri. Jak gdyby nigdy nic, ruszyła w stronę Ariel, dźwigając w rękach dużą klatkę.

– Wszędzie cię szukałam – rzekła wesołym tonem. – Już zapomniałaś? W wolnej chwili chciałaś pobawić się z Tajpkiem.

Ariel uniosła brwi. Tajpkiem? Imię w sam raz dla szczeniaczka.

– Ach, tak – odezwała się głośno, z entuzjazmem. – Twój Tajpek jest taaki słodki.

Obie udawały, że nie zwracają uwagi na pozostałe dziewczyny, ale przez cały czas bacznie rejestrowały ich zachowanie.

Punkt dla ciebie, Tara. Sama lepiej bym tego nie wymyśliła – pomyślała, gdy Kiiri i jej nierozłączne towarzyszki chwyciły przynętę. Nie zbliżyły się, ale wyraźnie zaciekawione wpatrywały w klatkę, uznając, że w środku musi znajdować się naprawdę jakieś urocze zwierzątko.

Tymczasem Tara postawiła klatkę na łóżku i zdjęła zakrywający ją materiał. W pokoju natychmiast rozległy się przerażone piski. Tylko Kiiri zamarła w bezruchu, wlepiając wzrok w to, co znajdowało się wewnątrz klatki.

Ariel kątem oka zerknęła na jej twarz, z trudem panując nad rozbawieniem. Pokonując głęboki wstręt, pochyliła się nad klatką i dotknęła palcami metalowych prętów, jakby chciała pogłaskać śliskiego gada.

– Śliczny – westchnęła teatralnie, wpatrując się w duże ślepia węża, który uniósł swój łeb i zasyczał groźnie.

Usłyszała zbiorowy jęk i zdążyła zarejestrować trzy sylwetki znikające szybko w drzwiach. Wymieniła z Tarą ukradkowe spojrzenia. Jej przyjaciółka uśmiechała się szeroko, a w jej brązowych oczach tańczyły diabelskie ogniki.

I pomyśleć, że zawsze powtarzała, że to ja mam na nią zły wpływ.

– To jest wąż – stwierdziła z niedowierzaniem Kiiri, nie kryjąc swojego przerażenia.

– Trudno nie zauważyć. Dostałam go od rodziców. Prawda, że cudowny? – Tara uśmiechnęła się słodko do Kiiri, jakby w ogóle nie dostrzegała jej coraz bardziej zdegustowanej miny.

– W szkole nie wolno trzymać zwierząt, a już tym bardziej... czegoś takiego. Jeśli dyrektorka się dowie...

– Pixton wie o Tajpku – skłamała lekko Tara. – Moi rodzice wszystko z nią omówili. Ale jeśli chcesz, możesz do niej iść i sama się o tym przekonać. Choć – obrzuciła dziewczynę wyniosłym spojrzeniem – wątpię, żeby dyrektorka miała czas na takie głupoty.

Kiiri nie odpowiedziała, lecz jej wściekłość była niemal namacalna. Trudno było w to uwierzyć, ale sposób, w jaki Tara skłamała, zupełnie wystarczył, by stłumić w dziewczynie chęć natychmiastowego udania się do Pixton. Nie ruszała się z miejsca i choć wąż wzbudzał w niej obrzydzenie, trzeba było czegoś więcej, by naprawdę ją wystraszyć. Tara otworzyła drzwiczki klatki. Ariel, domyślając się, co zamierza, wyprostowała się i cofnęła nieznacznie, modląc się w duchu, by przyjaciółka naprawdę wiedziała, co robi.

Tymczasem dziewczyna bardzo ostrożnie pochwyciła w obie ręce długie cielsko gada. Nie przestając mamrotać łagodnie pod nosem, wyjęła go z klatki i jak gdyby nigdy nic położyła go sobie na ramionach. Ariel z przerażenia aż wstrzymała oddech. Jednak sposób, w jaki Tara trzymała węża, i łagodność, z jaką do niego przemawiała, uspokoiły ją na tyle, że powstrzymała się od nawrzeszczenia na nią. Mogłaby też przysiąc, że ciche mruczenie brzmiało zupełnie tak, jakby przyjaciółka przemawiała w jakimś obcym języku.

Ariel poczuła nagle głęboki szacunek do Tary. Jakkolwiek było to ryzykowne i niebezpieczne posunięcie, chyba odnosiło w końcu rezultaty. Kiiri zbladła gwałtownie i z przerażeniem na twarzy zaczęła cofać się ku wyjściu. Ariel postanowiła poświęcić się ten jeden raz. Pokonując w sobie obrzydzenie i strach, podeszła do Tary i drżącą ręką dotknęła śliskiej skóry węża. Zerknęła jednocześnie na Kiiri i w tej chwili zrozumiała, że wszystko warte było tego, by zobaczyć jej minę.

– Chodź, Kiiri, przywitaj się z Tajpkiem – odezwała się z nutą rozbawienia i czułości, po czym dodała wyzywająco: – Chyba nie boisz się węży?

Kiiri bardzo wolno pokręciła głową. Tara zrobiła krok do przodu, kierując w jej stronę łeb węża.

– Nie bój się, on nie gryzie… przeważnie.

Kiiri była już niemal przy drzwiach. Jeszcze nigdy nie miała tak rozszerzonych oczu i bladej twarzy. Patrzyła to na jedną, to na drugą dziewczynę z autentycznym strachem.

– Wiedziałam – odezwała się nagle głośno, celując w nie oskarżycielsko palec. – Obie jesteście czarownicami. Wiedźmy! – krzyknęła, po czym rzuciła w nie paczuszką, odwróciła się na pięcie i wybiegła z pokoju.

Przez chwilę nasłuchiwały jej szybkich kroków na schodach, upewniając się, że nie zawróci. Ariel w końcu nie musiała dłużej się powstrzymywać i wybuchnęła głośnym, niekontrolowanym śmiechem. Opadła na łóżko i chwyciła się za brzuch, a po jej policzkach popłynęły łzy. Tara tymczasem ostrożnie włożyła węża do klatki i przykryła ją materiałem.

– Widziałaś jej minę? Nie powiesz mi teraz, że nie było warto.

Ariel otarła oczy wierzchem dłoni i popatrzyła na przyjaciółkę z szerokim uśmiechem.

– To był naprawdę genialny pomysł z tym wężem. Byłaś niesamowita, Tara. Ty się go naprawdę nie boisz, co?

– Tajpka? – Tara prychnęła. Jej oczy wciąż dziwnie błyszczały. – To tylko wąż. Pamiętaj, Ariel, że strach jest naszym największym wrogiem.

– Myślisz, że nikomu o nim nie powie?

Dziewczyna machnęła lekceważąco ręką, po czym zachichotała cicho.

– Jestem pewna, że będzie milczała. A nawet jeśli nie, to potrzebne jej będą dowody.

Ariel wstała i skrzyżowawszy ramiona, popatrzyła na klatkę. Westchnęła cicho. Już dawno było po dzwonku, więc nie było sensu biec na końcówkę lekcji. Miały zresztą teraz dużo pilniejszy problem.

– To co z nim zrobimy? – zapytała. – Nie możesz trzymać dalej swojego ulubieńca w sypialni, bo jeśli Kiiri postanowi jednak się wygadać, w pierwszej kolejności będą go szukać u ciebie.

Tara spojrzała na nią, a na ustach błąkał jej się chytry uśmieszek.

– W takim razie musimy go teraz gdzieś ukryć, dopóki nie znajdziemy dla niego odpowiedniego miejsca.

Ariel bezradnie wzniosła oczy ku sufitowi.

– A czy nie możesz go po prostu oddać gdzieś do zoo albo do sklepu zoologicznego i wytłumaczyć rodzicom? Z pewnością zrozumieją, że w szkole nie wolno trzymać jadowitych węży.

– Nie – odparła dobitnie. Chwyciła Ariel za obie dłonie i wbiła w nią błagalne spojrzenie. – Proszę cię, Ariel. Tylko ty możesz mi pomóc. Z pewnością wiesz, gdzie mogłabym tymczasowo ukryć tajpana.

Ariel patrzyła w oczy swojej przyjaciółki i wiedziała, że jak zwykle nie jest w stanie jej odmówić. Nagle w jej głowie pojawił się obraz i uśmiechnęła się lekko.

– Znam jedno dobre miejsce.

Tara klasnęła z radością w dłonie, po czym chwyciła klatkę i ruszyła za Ariel do drzwi, a potem krętymi schodami w dół. Wszyscy byli teraz na lekcjach, więc na korytarzu nie było żywego ducha. Ich kroki odbijały się echem od starych zamkowych ścian, w ciszy, która była niemal cudem o tej porze dnia.

Po krótkiej chwili milczenia Tara trąciła Ariel w bark.

– To co tam ciekawego podsłuchałaś? Coś mnie ominęło?

Ariel nie odpowiedziała od razu. Wpatrywała się w gdzieś w dal z zamyślonym wyrazem twarzy. W końcu odezwała się napiętym głosem:

– Kiiri wypytywała o mnie nauczycielki i...

– Serio to robiła? – przerwała jej z oburzeniem Tara. – Co za bezczelna...

– Nie o to chodzi. Ona... dowiadywała się o tym dniu, kiedy tu się zjawiłam. Podobno przyprowadził mnie do szkoły jakiś chłopak.

– Naprawdę? A mówiłaś, że takie rzeczy cię nie interesują. Ile miał lat? Był chociaż przystojny?

– Tara! – Ariel przystanęła i obrzuciła przyjaciółkę karcącym spojrzeniem. – To nie o to chodzi – kontynuowała z rozdrażnieniem i niecierpliwością. – Nie wiem, jak on wyglądał. Nie wiem nawet, jak miał na imię ani kim był. Ja... nie pamiętam tego dnia. – Nagle chwyciła przyjaciółkę za ramiona i niemal boleśnie zacisnęła na nich palce. – Ale wiesz, co to oznacza?

Tara patrzyła na Ariel ze smutkiem. W jej oczach czaiło się współczucie.

– Wiem – westchnęła krótko, wolno kręcąc głową. – Nie wiesz, gdzie mieszka i czy nadal żyje.

– Ale mogę się dowiedzieć, prawda? – Ariel zaczęła potrząsać przyjaciółką, jakby w ten sposób chciała dać ujście swoim emocjom. – Jeśli jest moim bratem, krewnym albo przyjacielem, to muszę go odnaleźć. Jestem pewna, że dzięki niemu w końcu dowiem się, kim jestem.

Tara delikatnie odsunęła się od przyjaciółki. Przełożyła klatkę do drugiej ręki i pogłaskała Ariel po włosach. Jej uśmiech był blady, niepewny.

– Lepiej się pospieszmy, bo spóźnimy się na przyjęcie. Później jeszcze o tym pogadamy, dobrze?

Ariel skinęła posępnie głową i spuściła wzrok. Ruszyła wolno mrocznym korytarzem, jakby straciła chęć do życia. Tara patrzyła za nią z nieokreślonym wyrazem twarzy, jakby chciała coś jeszcze powiedzieć. Zamiast tego podbiegła do przyjaciółki z szerokim uśmiechem. W jej oczach znów płonęły brązowe diabelskie ogniki.

– To gdzie jest to tajemnicze miejsce? – zapytała wesoło.

Ariel obejrzała się przez ramię i tylko mrugnęła tajemniczo. Z niewiadomych przyczyn obecność Tary działała na nią kojąco. Przy niej nie mogła... nie potrafiła długo się martwić. Jak zwykle Tara ma rację. Ariel myślami na chwilę wróciła do tajemniczego chłopaka z przeszłości. Na pewno wszystko rozwiąże się w swoim czasie. Musi być tylko trochę bardziej cierpliwa.

Korytarz zakręcał w dwie strony. Ariel wybrała prawą odnogę, wąską i mroczną. Z lśniących posadzek i wiekowych ścian wyzierała jakaś złowroga atmosfera. Wszechobecny kurz oraz zamknięte drzwi przypominały, jak stary jest ten zamek i jak wiele historii się w nim kryje.

Ariel szła tak pewnie, jakby przemierzała tę drogę już tysiące razy. Nie zamierzała jednak przyznawać się Tarze, że nigdy wcześniej tu nie była.

Skąd więc ta pewność, że coś tu jest? Nie pamiętała niczego ze swojej przeszłości, a zamek znała jak własną kieszeń, choć nawet nie zwiedziła go jeszcze w całości.

Po jakichś pięciu minutach zatrzymała się w połowie korytarza. Odwróciła się do Tary, która ledwo dysząc, postawiła klatkę na podłodze, a sama złapała się za serce.

– Mogłaś mnie uprzedzić, że to na samym dole – wysapała, ocierając rękawem spocone czoło. – Przynajmniej mogłaś pomóc dźwigać klatkę. Może tego nie widać, ale jest cholernie ciężka.

– Przepraszam. Myślałam, że nie chcesz rozstawać się ze swoim Tajpkiem.

Tara przewróciła oczami.

– Dobrze już, dobrze. To gdzie jest ta kryjówka?

Ariel rozejrzała się po mrocznym korytarzu, gdzie nie docierało nawet światło dnia. Ze zmarszczonym czołem zrobiła kilka kroków do przodu. Zatrzymała się nagle, szukając czegoś wzrokiem, po czym odwróciła się twarzą do prawej ściany i kucnęła.

– To tutaj – rzekła, dotykając palcami zimnego muru.

Tara przybliżyła się z niepewną miną.

– Jesteś pewna? To zwykła ściana.

Przez kilka uderzeń serca Ariel wpatrywała się ze skupieniem w czerwone cegły przed sobą.

– To tutaj – rzekła w końcu, sama zaskoczona tą pewnością. Przejechała dłonią po szorstkiej, poprzecinanej bruzdami ścianie, marszcząc w skupieniu czoło. W końcu wsunęła palce między jedną cegłę, odnajdując niewielką i niemal niewidzialną szczelinę. Pociągnęła. Cegła z łatwością wyskoczyła ze ściany, ukazując niewielki otwór. Czując na karku oddech przyjaciółki, Ariel zabrała się za wysuwanie kolejnych cegieł. W końcu ukazała się przed nimi wnęka, w której z powodzeniem zmieściłby się człowiek.

Tara gwizdnęła z podziwem.

– Nie miałam pojęcia, że coś takiego tu jest.

Ariel mimowolnie uśmiechnęła się do siebie.

– Jak znalazłaś to miejsce? – spytała Tara, zaglądając w czarny otwór.

– W sumie to jestem tu pierwszy raz. – Ariel wyprostowała się, zerkając na nią ostrożnie.

Tara natychmiast odwróciła głowę w jej stronę.

– Naprawdę? W takim razie jak...

Wzruszyła ramionami.

– Po prostu wiedziałam, że coś takiego tu jest. Kiedy chciałaś, bym pomogła ci ukryć gdzieś węża, od razu pomyślałam o tym – wskazała ręką wnękę. – To może dziwnie zabrzmi, ale o tej kryjówce wiem tylko ja, choć tak naprawdę nigdy wcześniej nie zapuszczałam się w tę część zamku.

Tara kiwnęła głową. W tym momencie usłyszały w oddali dzwonek na przerwę.

– Rozumiem. Lepiej się pospieszmy, bo zaraz zacznie się przyjęcie.

Dźwignęły klatkę i ostrożnie wsunęły ją we wnękę. Potem szybko włożyły cegły na miejsce.

– Zostawię mały otwór, żeby tajpan miał czym oddychać. Później i tak musimy po niego wrócić i znaleźć miejsce, gdzie będzie miał więcej przestrzeni. A przede wszystkim takie, gdzie nikt go nie znajdzie.

Ariel nawet nie oponowała. Tara nawet i bez niej zrobiłaby to, co już zaplanowała. Pod tym względem były takie same.

Rozdział IV

Wróciły do głównego holu i pożegnały się w cieniu kolumny. Ariel pędem udała się do swojego dormitorium, by zostawić torbę. We wspólnej sypialni zastała kilka współlokatorek, które ledwo zauważyły jej obecność. Pospiesznie spakowała wszystkie rzeczy do kuferka, który później miał zostać przeniesiony do jej nowego pokoju. Wychodząc na schody, napotkała tłum uczennic z przejęciem rozprawiających o przyjęciu. Jak zwykle nie obyło się bez ukradkowych spojrzeń i szeptów. Ariel odpowiadała im zaczepnym wzrokiem, który wyraźnie mówił: „Spróbuj ze mną zadrzeć, a pożałujesz".

Intrygowało ją, co teraz porabia jej droga współlokatorka.

Pewnie naradza się ze swoją bandą, jak odegrać się za tego węża. Dzisiaj dwie bitwy mam wygrane, więc mogę spokojnie poczekać na jej ruch – pomyślała dziewczyna.

– Ariel.

Odwróciła głowę i dostrzegła zbliżającą się ku niej Eryl. Długa spódnica furkotała przy każdym kroku. Kobieta uśmiechnęła się ciepło do Ariel.

– Jesteś gotowa na przyjęcie?

– Chyba tak – odparła bez entuzjazmu.

– Moja kochana. Powinnaś bardziej cieszyć się ze swoich urodzin.

– Chyba tak.

Eryl zaśmiała się krótko.

– Naprawdę jesteś dziwną dziewczynką. – Rozejrzała się na boki i lekko popchnęła podopieczną w stronę głównych wrót. Sama ruszyła tuż za nią. – Zaprowadzę cię do pani Pixton, gdzie przed przyjęciem przebierzesz się w nowy mundurek.

W milczeniu szły rozległym korytarzem, lawirując między tłumem uczennic. W końcu kobieta spojrzała na Ariel z uwagą.

– Słyszałam, że nie było cię na ostatniej lekcji – odezwała się z wyrzutem.

– Tak. – Ariel odwróciła wzrok, nagle bardzo zainteresowana zawiłymi wzorami na mijanych kolumnach.

– Możesz mi powiedzieć dlaczego? W twojej obecnej sytuacji nie powinnaś opuszczać żadnej lekcji, jeśli chcesz mieć lepsze oceny.

– Tak, wiem. Przepraszam.

Ciekawe, jak by zareagowała, gdybym powiedziała prawdę. Najpierw przepychałam się zatęchłym tunelem, by wydostać się z zamkniętej kuchni, a potem przedstawiłam Kiiri śmiertelnie jadowitego węża Tary, która próbuje zataić jego obecność w szkole. Dzień jak co dzień.

Eryl pozdrowiła przechodzące uczennice, po czym znów skupiła zatroskany wzrok na swojej podopiecznej.

– Słyszałam też, że znów zapomniałaś pracy domowej z angielskiego. Ariel skinęła krótko głową, odrywając się od własnych myśli.

– Ariel, co się z tobą dzieje? – Eryl przystanęła i położyła dłoń na jej ramieniu. – Pani Leret mówiła, że jeszcze jedna jedynka i będzie zmuszona przenieść cię do początkującej klasy. Wiesz, co to oznacza? – Uścisk jej dłoni stał się mocniejszy. – Nie będziesz mogła ukończyć szkoły, dopóki nie zaliczysz wszystkich przedmiotów.

Ariel przełknęła z trudem ślinę, spuszczając wzrok. Bardzo chciała wybrnąć z tej krępującej sytuacji, ale jakoś nic nie przychodziło jej do głowy. W takim przypadku małe kłamstwo czy wymijająca odpowiedź zawsze wystarczyły. Jednak w obecności Eryl miała z tym trudności. Pewnie dlatego, że naprawdę lubiła swoją opiekunkę. Jednak w jej położeniu, nawet jeśli czuła się z tym bardzo źle, nie mogła sobie pozwolić na mówienie prawdy. Może kobieta by jej uwierzyła, ale pozostali już nie. Bo czymże były słowa sieroty wobec słów panienki z dobrego domu?

Ludzie przykleili mi etykietkę żebraczki, bo muszą mieć jakąś ofiarę. Ale gdybym odnalazła tego chłopaka, może wtedy moje życie choć trochę by się polepszyło – pomyślała z nagłym dreszczem. Otwierała już usta do odpowiedzi, gdy poczuła na drugim ramieniu czyjąś dłoń. Odetchnęła z ulgą i z uśmiechem spojrzała na Tarę. *Jak zwykle w samą porę.*

– Idziesz po nowy mundurek? – zapytała Tara. Wychyliła się i skinęła głową opiekunce. – Dzień dobry, pani Eryl.

– Witaj, Taro. Jak się mają twoi rodzice?

– Dobrze. Teraz są w Australii. Wracają dopiero za miesiąc.

– Podziwiam ich. Wciąż gdzieś podróżują. To musi być niezwykle ciekawe życie.

– Tak – mruknęła krótko w odpowiedzi Tara i natychmiast zwróciła się do Ariel. – Ale z ciebie szczęściara. W końcu będziesz miała swój pokój i odczepisz się wreszcie od tej... – zerknęła na Eryl, w ostatniej chwili gryząc się w język, po czym dodała: – Ciekawa jestem, jak wygląda twoje królestwo. Mam nadzieję, że będę twoim pierwszym gościem.

– Oczywiście. Zaraz po przyjęciu możesz czuć się oficjalnie zaproszona. I tak byś przyszła, więc przynajmniej pomożesz mi w rozpakowywaniu.

Tara natychmiast się rozpromieniła.

– Jasne. W takim razie widzimy się w sali jadalnej. – Odchodząc, szturchnęła żartobliwie Ariel w ramię. – Tylko się nie potknij – rzuciła i już jej nie było.

Eryl przyglądała się całej scenie z lekkim uśmiechem.

– Twoja przyjaciółka jest naprawdę niezwykłą osobą.

– To prawda. – Ariel nagle straciła humor i ochotę na rozmowę. Tę nagłą zmianę nastroju wytłumaczyła sobie stresem, ale i tak nie potrafiła pozbyć się dziwnego uczucia, które w niej zakiełkowało.

Wymiana zdań się urwała. Resztę drogi obydwie milczały, z trudem słysząc własne myśli w tym gwarze.

Pokój pani Pixton mieścił się między głównym wejściem a salą jadalną. Była to prawdziwa komnata, jakby przeniesiona ze średniowiecza.

Tuż nad biurkiem wisiały dwa skrzyżowane miecze, które połyskiwały zimno i groźnie we wpadających do środka promieniach słonecznych. Krzesło z czerwonym obiciem i taka sama sofa dopełniały wystroju komnaty. Pustą ścianę zajmowały regały i półki z niezliczoną ilością książek i grubych teczek, zaś na ścianach z czerwonej cegły wisiały dyplomy i obrazy.

Coś w tym pokoju sprawiało, że Ariel od zawsze czuła się z nim wyjątkowo mocno związana. Najbardziej zaś fascynowały ją te zawieszone nad biurkiem miecze, jakby przyciągały ją do siebie tajemną mocą. Kiedy patrzyła na lśniącą stal, wręcz czuła w dłoni ich ciężar i dokładnie znała ten charakterystyczny metaliczny szczęk i zapach. Mimo że teraz były tylko ozdobą, kiedyś musiały mieć swojego właściciela, który potrafił ich używać. Dziewczyna wiedziała, że pewnego dnia nie będzie w stanie się oprzeć. Nawet jeśli tylko przez chwilę, będzie musiała ich dotknąć.

Eryl weszła do gabinetu, a Ariel kroczyła tuż za nią niczym jej cień. Dzisiaj tylko przelotnie spojrzała na skrzyżowane miecze. Jej serce biło jakoś dziwnie nierówno i niespokojnie. To przecież niemożliwe, żeby stresowała się tym głupim przyjęciem.

– Witaj, Ariel. Dzisiaj w końcu twój wielki dzień. – Stanowczy, lecz łagodny głos Pixton oderwał ją od ponurych myśli.

– Tak – odparła krótko.

Dyrektorka była już starszą kobietą, ale niezmiennie elegancką, o władczym wyrazie twarzy i piwnych oczach.

– Powoli stajesz się kobietą, a ten okres jest najważniejszym etapem w życiu. Mam nadzieję, że nie zmarnujesz tego czasu, jaki pozostał ci w szkole, i dobrze wybierzesz swoją drogę życiową.

Po tych słowach dyrektorka wyszła zza biurka i wskazała leżący na sofie starannie ułożony mundurek.

– Przebierz się teraz szybko. Pani Eryl poczeka na ciebie na korytarzu i razem przyjdziecie do sali. – Z uśmiechem pogroziła Ariel palcem. – Postaraj się nie spóźnić na własne przyjęcie.

Jak tylko została sama, dziewczyna nie traciła ani sekundy. Uwolniła się ze swojego starego mundurku i sięgnęła po elegancko złożony nowy. Ten sam zestaw, tyle że z elementami czerni, co było oznaką statusu starszej uczennicy. Ale przede wszystkim dopasowany do niej rozmiarem. Stroju dopełniał wiszący na oparciu sofy czarny płaszczyk z kolorowym godłem szkoły.

Ariel z przyjemnością dotknęła nowego, jeszcze nierozchodzonego materiału. Włożyła spódnicę, która sięgała jej trochę poniżej kolan, i idealnie dopasowaną bluzkę. Wsunęła stopy w pantofelki i podeszła do dużego lustra w kącie. Uśmiechnęła się z satysfakcją do swojego odbicia. Już nie wyglądała tak dziecinnie i żałośnie. Wprawdzie wciąż miała tak samo bladą cerę i rude włosy, ale przynajmniej wyglądała odrobinę poważniej. Z lubością obracała się na wszystkie strony i wtedy przez mgnienie oka dostrzegła w odbiciu jakiś słaby blask, jakby na bluzce osiadł promień światła. Zamarła, wlepiając w to miejsce wzrok. Po krótkiej chwili znów coś zajaśniało lekko i tym razem natychmiast zlokalizowała źródło tego dziwnego światła. Szybko podwinęła bluzkę i oniemiała.

Szare okrągłe znamię powyżej piersi jaśniało delikatnym blaskiem.

Zaskoczona Ariel wpatrywała się długo w swoje odbicie, marszcząc coraz bardziej brwi, które w końcu zetknęły się u nasady nosa. Miała teraz wrażenie, że i pasemko włosów nad czołem pulsuje lekkim światłem.

Chyba naprawdę zaczynam tracić rozum – pomyślała nieco wystraszona. Jednak światło było jak najbardziej prawdziwe. Nie potrafiła oprzeć się jego hipnotyzującemu przyciąganiu. Jak w transie powoli wyciągnęła rękę i dotknęła palcami szarego tatuażu.

Natychmiast zalała ją fala gorąca i pulsujące światło dosłownie ją wchłonęło. Zarówno pokój, jak i jej odbicie w lustrze rozpłynęły się w dziwnej, wszechobecnej mgle. Z początku dziewczyna nie widziała nic prócz ciemności, która napierała na nią z każdej strony, jakby chciała ją pożreć.

A potem zaczęła spadać.

Leciała w dół tak szybko, że z jej płuc zaczęło uchodzić powietrze. W panice próbowała otworzyć usta, by się nie udusić. Nie była w stanie krzyknąć ani wykonać żadnego ruchu. Spadała coraz szybciej i coraz niżej w bezdenną nicość bez końca. Wokół siebie czuła jedynie pustkę, straszną i paraliżującą wszelkie zmysły. Do jej umysłu wtargnęła przerażająca myśl: *Czyżby to był koniec? Umrę w dzień swoich urodzin?* Zacisnęła mocno powieki, modląc się, by to, co się działo, było tylko snem.

Miała wrażenie, że spada tak całą wieczność. Była w pełni świadoma swojego ciała, choć nie miała nad nim władzy. Zaraz... Czy to na pewno jej ciało...?

Otworzyła gwałtownie oczy. I od razu zrozumiała, że to nie ona spada.

Jej oczom ukazała się osoba, która bez śladu życia wciąż leciała w dół. Coś boleśnie chwyciło ją za gardło.

Nawet z daleka rozpoznała blond włosy i przez moment mignęła jej znajoma twarz.

Zaraz... zaraz... To przecież...

Kiiri!

Ariel otworzyła oczy. Wciąż znajdowała się w pokoju dyrektorki i wpatrywała się w swoje śmiertelnie blade odbicie w zwierciadle. Zachłysnęła się powietrzem, a jej ciałem targnął lodowaty dreszcz. Opadła ciężko na sofę, gdyż nogi omówiły jej posłuszeństwa.

Co to było? Jakaś wizja? Kompletnie oszołomiona gapiła się w przeciwległą ścianę, nieruchoma niczym kamienny posąg. Nadal miała to straszne poczucie pustki i spadania, od których kręciło jej się w głowie.

Drżącą ręką dotknęła znamienia na ciele, ale nic nie wyczuła. Choć nie miała zielonego pojęcia, co się właściwie przed chwilą stało, jednego była pewna:

Kiiri – dziewczynie, której tak nienawidziła – miało się przytrafić coś niedobrego... Może nawet śmierć... Ale w szkole nie grozi jej żadne niebezpieczeństwo, chyba że...

– Ariel! Jesteś gotowa?

Podskoczyła na dźwięk swojego imienia i zamrugała gwałtownie. Spojrzała na zegarek, którego wskazówki wskazywały za pięć dwunastą. A więc siedziała tu tylko dziesięć minut. Tylko tyle, a jej świat obrócił się do góry nogami.

To prawda, że szczerze nienawidziła Kiiri i czasem wyobrażała sobie, że robi jej różne naprawdę paskudne rzeczy, ale to przecież nic nie znaczyło. Tak naprawdę nigdy nikomu nie życzyła śmierci. Nigdy. I co miała z tym teraz zrobić? Nawet nie wiedziała, czy to, co przed chwilą zobaczyła, naprawdę się zdarzy. A jeśli tak, to kiedy i gdzie? Była zdruzgotana, miała mętlik w głowie. Dlaczego musiało się to zdarzyć akurat teraz?

– Ariel, pospiesz się!

Dziewczyna poderwała się gwałtownie, narzuciła na siebie płaszczyk i wybiegła z gabinetu. Eryl przyjrzała jej się od stóp do głów. Na szczęście nie zwróciła uwagi na śmiertelnie bladą twarz i wystraszone spojrzenie.

– Wyglądasz idealnie – stwierdziła z zadowoleniem. – Po ceremonii dostaniesz drugi na zmianę, a teraz chodźmy, bo pani Pixton zmyje nam głowy, jeśli się spóźnimy.

Ariel bez słowa powlokła się za nauczycielką do sali jadalnej. Przy wejściu dostrzegła machającą do niej Tarę. Przeprosiła szybko opiekunkę i przyspieszyła kroku.

– Nareszcie jesteś! Myślałam, że znów się spóźnisz.

Ariel rozejrzała się wokół nerwowo.

– Lucy już jest? – spytała tylko.

– Tam – Tara wskazała ruchem głowy grupkę dziewczyn stojącą zaledwie kilka metrów dalej. Skrzywiła się. – Potrafi tylko zadzierać nosa. Czemu o nią pytasz? Przecież nawet z nią nie rozmawiamy.

Ariel wzruszyła ramionami, przypatrując się Lucy otoczonej przyjaciółkami. Kiedy ich spojrzenia spotkały się na moment, dziewczyna zmarszczyła lekko brwi i szybko odwróciła głowę.

– Chciałam mieć tylko pewność, że nie będę musiała wygłaszać żadnego przemówienia. Wiesz jak tego nie cierpię – odparła obojętnie.

Tara poklepała ją po ramieniu.

– O to nie musisz się martwić. I tak wszyscy będą wpatrzeni w naszą gwiazdę.

– No tak – mruknęła Ariel. I pomyślała: *A mnie jak zwykle potraktują jak powietrze.*

Wszyscy zaczęli wchodzić do sali, więc obie dołączyły do tłumu. Część uczennic i nauczycielek siedziała już na swoich miejscach. W powietrzu unosiła się aromatyczna woń potraw, od których uginały się okrągłe stoliki.

Zmierzając do miejsca, gdzie siedziały już koleżanki Tary, natknęły się na Eryl i Burnn. Kobiety złożyły Ariel pospieszne życzenia i oddaliły się ku podłużnemu nauczycielskiemu stołowi.

Ariel rozejrzała się po sali i dostrzegła przy następnym stole Kiiri, a obok niej Lucy. Pochylały się ku sobie w przyciszonej rozmowie, niczym najlepsze przyjaciółki. Ten widok wcale nie dziwił. Lucy była dość bogata by zasłużyć sobie na przyjaźń Kiiri.

Ariel wpatrywała się w nie tak długo, aż Kiiri wyczuła, że są obserwowane. Rozejrzała się na boki i gdy napotkała wzrok rywalki, posłała jej wyniosły uśmieszek. By zagłuszyć powracające wspomnienia wizji, Ariel natychmiast odwróciła głowę. Popatrzyła na porozstawiane na stołach potrawy i przypomniała sobie, że od rana miała w ustach jedynie kromkę chleba. Z niechęcią więc oderwała wzrok od tych wszystkich talerzy i półmisków, czekając na oficjalne rozpoczęcie przyjęcia.

Tara za to nie mogła się napatrzeć i z tęskną miną pożerała potrawy spojrzeniem.

– Dlaczego tak nie gotują na co dzień? – jęknęła.

Siedząca naprzeciwko nich Arianna roześmiała się głośno.

– Gdyby codziennie nam tak dogadzali, w końcu byśmy nie zmieściły się w drzwiach klasy. Dbają o naszą linię, żarłoku. Osobiście jestem im za to ogromnie wdzięczna.

Tara posłała jej krzywy uśmiech.

– A więc smakują ci owsianka i warzywa, które serwują nam codziennie?

– I to bardzo. Przynajmniej są zdrowe i pożywne. – Koleżanka spojrzała na Ariel i mrugnęła porozumiewawczo. – Wszak w zdrowym ciele zdrowy duch.

Dziewczyny zachichotały zgodnie na widok posępnej miny Tary. Ariel wreszcie zrobiło się żal przyjaciółki, więc szepnęła do niej:

– Nie słuchaj ich i jedz dzisiaj, ile chcesz. To moje urodziny i pozwalam ci na to.

Siedząca między nimi Angela przewróciła oczami.

– Lepiej jej nie zachęcaj, bo jeszcze parę takich przyjęć i własna matka jej nie rozpozna.

Uczestnicząc w tym beztroskim przekomarzaniu się, Ariel na chwilę zapomniała o swoich problemach. Kątem oka zerknęła na Kiiri i serce zabiło jej szybciej.

Nieważne, że jej nie cierpię. Muszę ją ostrzec, zanim wydarzy się coś złego. Albo przekonać, żeby trzymała się ode mnie z daleka. Choć to akurat nie powinno być takie trudne.

– Hej, Ariel.

Arianna podała jej nad stołem niewielką paczuszkę, uśmiechając się ciepło.

– Proszę. Wszystkiego najlepszego.

Ariel podziękowała pospiesznie i przyjęła prezent z nieco wymuszonym uśmiechem. Czując na sobie spojrzenia kilku par oczu, szybko odwinęła papier. Jej oczom ukazała się cieniutka książka w czerwonej okładce. Złote litery układały się w tytuł: „Jak dosięgnąć gwiazd".

Ariel spojrzała pytająco na dziewczynę, a ta znów się uśmiechnęła, odgarniając włosy.

– Moi rodzice wyszperali ją w antykwariacie i pomyślałam, że może ci się spodobać.

Solenizantka podziękowała jeszcze raz. Ściskając w dłoniach książeczkę, powiodła kolejno po twarzach dziewczyn, które również złożyły jej życzenia. Ich przyjazne uśmiechy sprawiły, że coś ścisnęło ją za gardło. Nie rozmawiała z nimi za często i prawdę mówiąc, prawie ich nie znała. Nagle pożałowała, że nigdy nie próbowała się z nimi zaprzyjaźnić. Tak bardzo nawykła do samotności, że poza Tarą nie szukała towarzystwa.

Na sali zapadła cisza, gdy dyrektorka wstała z miejsca i gestem dłoni dała do zrozumienia zebranym, że pora zacząć uroczystość. Ariel zerknęła na Lucy, która również patrzyła w tamtą stronę, a jej upudrowaną twarz rozjaśniał pełen samozadowolenia uśmiech.

– Jak wiecie, obchodzimy dzisiaj szczególny dzień w naszej szkole. Dwie z was kończą szesnaście lat. Lucy, Ariel, możecie podejść?

– Będzie dobrze – szepnęła Tara, gdy Ariel wstawała od stołu.

Kiwnęła sztywno głową. Czując na sobie spojrzenia setek par oczu, zrównała się z Lucy, która nawet na nią nie spojrzała, i razem ruszyły ku podwyższeniu. Ariel rozejrzała się po twarzach nauczycielek i ujrzała zachęcający uśmiech Eryl.

Gdy obie dziewczęta stanęły przodem do zebranych, Pixton skinęła na nie głową, po czym znów odezwała się głośno.

– Lucy i Ariel kończą dzisiaj szesnaście lat. Naszym zwyczajem jest obchodzić ten dzień szczególnie. Przyjęcie, przywdzianie nowego mundurku starszej uczennicy, nowe obowiązki, ale i przywileje. Te dwie młode kobiety niedługo ukończą naukę w tej szkole i opuszczą ją jako wykształcone inteligentne damy. Wejdą w dorosły świat i dalej podążą obraną ścieżką. Dlatego tak bardzo dbamy, by dostały tu odpowiednie wykształcenie i wychowanie. Kiedy opuszczą mury naszej szkoły, rozpoczną nowe życie, a nauki, które stąd wyniosą, będą im towarzyszyć do końca życia. Czas leci bardzo szybko, dlatego tak ważne jest, aby już teraz zastanowiły się, co chcą robić w życiu. Wybranie dodatkowego zajęcia i konkretnej dziedziny nauki pozwoli im sprecyzować, co będą chciały robić po ukończeniu szkoły.

Dyrektorka zwróciła się teraz do Lucy.

– Jakie zajęcie obierasz sobie do końca nauki?

– Zajęcia plastyczne z pierwszym rokiem – odpowiedziała bez zająknięcia zapytana, posyłając zebranym zniewalający uśmiech.

Teraz Pixton odwróciła się w stronę Ariel.

– A ty, Ariel, jakie zajęcie obierasz do końca nauki?

– Pracę w bibliotece – odpowiedziała najgłośniej, jak potrafiła, nie spuszczając wzroku i starając się, by wyraz jej twarzy wyrażał pełne zdecydowanie.

– Dobrze. – Pani Pixton znów zwróciła się do zebranych. – Od jutra dziewczęta rozpoczną dodatkowe zajęcia i wybiorą sobie przedmioty, które będą przydatne w ich specjalizacji. A teraz – uśmiechnęła się – może któraś z was chce coś powiedzieć?

Ariel rozejrzała się ukradkiem po sali, ale na szczęście wszyscy wpatrywali się wyczekująco w Lucy. Cisza, jaka zapadła, była prawie doskonała. Ariel nawet nie musiała się martwić, że będzie zmuszona przemówić. Zerknęła na dyrektorkę, która również patrzyła na Lucy. Dziewczyna w końcu zabrała głos, a Ariel odetchnęła z ulgą.

Przez chwilę słuchała przesłodzonej mowy pełnej górnolotnych zwrotów i frazesów, po czym ostrożnie zeszła z podwyższenia i chyłkiem wróciła na swoje miejsce. Tara podchwyciła jej spojrzenie i mrugnęła tylko okiem.

Przez kolejne piętnaście minut Lucy przemawiała. Ariel bardziej jednak interesowało otoczenie i rozglądała się po sali z mimowolnym rozbawieniem. Większość dziewczyn słuchała z ciekawością, a nawet z zachwytem, ale były też takie, które zerkały zniecierpliwione na swoje puste talerze. Gdy odszukała wzrokiem Kiiri, która oczywiście jak urzeczona wpatrywała się w swoją przyjaciółkę, poczuła nieprzyjemny ucisk w żołądku. Co prawda w tej chwili to, co przeżyła w gabinecie dyrektorki, wydawało jej się bardzo odległe i nierealne, mimo to nie potrafiła tego zignorować. Jeśli naprawdę Kiiri coś się stanie, to będzie obwiniać wyłącznie siebie.

– Dziękuję ci, Lucy. – W rozmyślania Ariel wdarł się głos pani Pixton. Dziewczyna skończyła swoją mowę wdzięcznym ukłonem. Wśród oklasków i wiwatów wróciła rozpromieniona na swoje miejsce. Dyrektorka uniosła dłoń, by uciszyć uczennice. Gdy na powrót zapanowała cisza, uśmiechnęła się przyzwalająco.

– Uważam przyjęcie za rozpoczęte. Możecie jeść. – Po tych słowach zajęła swoje miejsce wśród reszty nauczycielek, za suto zastawionym stołem.

Po sali rozeszło się westchnienie pełne ulgi i radości. Zapanował zwykły harmider, słychać było gwar podniesionych głosów, stukot kieliszków i naczyń. Ariel odwróciła się twarzą do swojego stolika. Tara już nakładała sobie spore porcje na talerz i wyglądała przy tym jak dziecko dostające wymarzony prezent. Arianna zdusiła chichot, po czym sama nałożyła sobie sałatki. Ariel poszła za ich przykładem. Była zbyt wygłodniała i nie zamierzała odmawiać sobie takich smakołyków. Trudno. Zamartwianie się będzie musiała odłożyć na później. W trakcie posiłku przysłuchiwała się rozmowom, sama rzadko jednak zabierała głos. Zamieniła tylko parę słów z Tarą, resztę czasu poświęcając na rozmyślanie i jedzenie. Wszystko okazało się tak pyszne, że nawet dręczące ją problemy nie były w stanie odebrać jej apetytu. Co prawda jadła niewiele, ale próbowała każdego dania i powoli zaczynała żałować, że nie mogą jeść takich rzeczy na co dzień. Kiedy gorące potrawy zastąpiono deserami, czuła, że niczego więcej nie zmieści. Skusiła się tylko na kawałeczek tortu owocowego i odrobinę czekoladowego musu.

Na sali większość wciąż siedziała na swoich miejscach, jedząc lub rozmawiając. Ariel zauważyła jednak, że niektóre stoliki były już puste. Kiedy dostrzegła, że Kiiri i Lucy już odeszły, jej serce zabiło gwałtownie. Spojrzała na Tarę, która właśnie zabierała się za czekoladowe ciasto, i szepnęła jej do ucha:

– Ja już idę.

Dziewczyna podniosła na nią zaskoczone spojrzenie.

– Już? Jeszcze nie skończyłam deseru. Obiecałaś, że razem obejrzymy twój pokój.

– Wiem, ale muszę coś najpierw załatwić. Dokończ spokojnie, poczekam na ciebie na korytarzu.

Tara otwierała już usta, by coś powiedzieć, ale Ariel wstała pospiesznie i ruszyła między stołami do wyjścia. Zatrzymała się na pustym korytarzu i rozejrzała. Dokąd mogły pójść? Nie chciała rozmawiać z Kiiri przy Lucy, ale musiała ostrzec ją jak najszybciej. Gdy wyobraziła sobie, że nawet w tej chwili może się coś zdarzyć, zrobiło jej się słabo. Nie. Nie może do tego dopuścić.

Ruszyła szybko w stronę dziedzińca i skręcając w następny korytarz, zatrzymała się gwałtownie. Dostrzegła je w cieniu kolumny. Wzięła głęboki wdech i bez namysłu ruszyła w ich stronę.

Bułka z masłem. Po prostu powiem jej, co mam do powiedzenia, i spokojnie odejdę. Tylko bez żadnych awantur – ostrzegła w myślach samą siebie.

Chrząknęła nieznacznie, gdy znalazła się za plecami Lucy. Obie dziewczyny zamilkły natychmiast i spojrzały na nią zdziwione.

– Proszę, proszę. Nasza druga solenizantka – odezwała się zjadliwie Lucy, krzyżując przed sobą ramiona. – Czyżbyś chciała się przyłączyć? Właśnie rozmawiałyśmy o tobie.

Ze spokojem wytrzymała ich pogardliwe spojrzenia. Następnie zwróciła się do Kiiri, całkowicie ignorując jej towarzyszkę.

– Możemy porozmawiać na osobności?

– Ariel. – Słodki głos Lucy był nie do zniesienia. – Jeśli chcesz coś powiedzieć, to się nie krępuj. Kiiri na pewno się ze mną zgodzi, że wśród przyjaciół nie powinno być tajemnic.

Ariel otworzyła usta, ale tamta przerwała jej szybko z krzywym uśmieszkiem.

– Ach, prawda. Zapomniałam. My się nie przyjaźnimy. Nie zadajemy się z wybrykami natury. Z żebraczkami również nie.

Ariel zerknęła na nią groźnie. Starała się zachować spokój, ale naprawdę zaczynała tracić cierpliwość. Nagle jakoś straciła ochotę, żeby ostrzegać Kiiri przed czymkolwiek. Zacisnęła pięści, poddając się znajomej fali złości. Kącik jej ust uniósł się w zimnym uśmiechu.

– Nie jesteś ciekawa, jak miewa się Tajpek? Może pójdziemy go odwiedzić?

Kiiri zrobiła krok do przodu i zmarszczyła brwi. Po jej twarzy przebiegł ledwo dostrzegalny cień.

– Czego chcesz? – warknęła przez zaciśnięte zęby. – Jak masz coś ważnego do zakomunikowania, to gadaj tutaj.

– Chciałam tylko cię ostrzec, żebyś uważała na siebie – powiedziała spokojnie Ariel.

– Ty mi grozisz? – parsknęła tamta, przyglądając się uważnie rywalce spod przymrużonych powiek. Jednak jej twarz nieco zbladła.

– Nie, tylko ostrzegam. Ja... mam przeczucie i...

– Dobre sobie – Lucy zaśmiała się cynicznie. – A więc jednak jesteś wiedźmą? Potrafisz też latać na miotle i rzucać klątwy?

Ariel przeniosła na nią wściekłe spojrzenie. Lucy była od niej wyższa, ale gdyby chciała, dałaby sobie z nią radę. Zerknęła na boki, czy nikogo nie ma w pobliżu, i zrobiła krok w jej stronę.

– Jeśli się nie zamkniesz, to mogę ci pokazać, co jeszcze potrafię – syknęła przez zaciśnięte zęby.

– Jeśli myślisz, że tym mnie przestraszysz, to się mylisz. – Lucy zachowała godny podziwu spokój. – Nie możesz mi nic zrobić. Jesteś nikim. Przyszłaś tu jako sierota i żebraczka i nadal nią jesteś. W ogóle nie powinno cię tu być. – Jej wargi wykrzywił paskudny uśmiech. – No, proszę. Dalej, uderz mnie. Wyrzucą cię ze szkoły i wrócisz na swoje miejsce. Nie krępuj się. Widzę, że masz na to wielką ochotę. Uwierz mi, że wszystkie na tym skorzystamy.

Kiiri stała za plecami przyjaciółki z niewyraźną miną i lękiem w oczach. Ariel postanowiła później się z nią rozliczyć. Co do Lucy, to na poważnie rozważała, jakie ma wobec niej szanse. Oczywiście wiedziała, do czego służy pięść i potrafiła jej użyć. Miała już w tym niezłą wprawę. Ale bójka na korytarzu nie była najlepszym pomysłem.

Agresja w szkole była surowo karana, a Ariel wolała aż tak bardzo nie ryzykować. Jednak nie mogła dłużej znieść sposobu, w jaki patrzyła na nią Lucy. Zacisnęła mocniej pięści, aż pobielały jej kostki, i wyzywająco unosząc głowę, postąpiła kolejny krok naprzód.

W spojrzeniu dziewczyny dostrzegła w końcu lęk oraz zielony ogień własnych tęczówek.

Chyba w końcu zrozumiała, że ja nigdy nie żartuję.

Z satysfakcją obserwowała, jak na twarzy Lucy pojawia się wahanie. Kątem oka zarejestrowała, że Kiiri zajmuje pozycję przy boku przyjaciółki, choć jej mina mówiła, że wolałaby stąd jak najszybciej uciec.

Obydwie wpatrywały się w siebie w napięciu, a każda minuta wydłużała się w nieskończoność. Ariel pochyliła się lekko do przodu i napięła mięśnie ramion, gotowa zaatakować. Nagle korytarz napełnił się gwarem wychodzących z sali uczennic. Ariel wyprostowała się natychmiast i odwróciła. Po chwili zza zakrętu wysypał się tłum dziewczyn. Wśród nich była Tara, która przecisnęła się ku przyjaciółce.

– Czego one od ciebie chciały? – zapytała, wskazując podbródkiem na oddalające się szybko Lucy i Kiiri.

– Nic takiego. Po prostu ucięłyśmy sobie pogawędkę. – Ariel machnęła lekceważąco ręką, starając się zapanować nad resztkami gniewu.

– Wyglądały na niezadowolone.

– Delikatnie powiedziane. Zamierzałam złamać jedną z zasad szkoły, ale akurat skończyło się przyjęcie. Uznałam więc, że byłoby za dużo świadków.

Tara westchnęła i wzniosła oczy ku wysokiemu sklepieniu.

– Znowu chciałaś się bić. Jesteś niemożliwa, Ariel. Rozumiem, że te dwie to żmije i tak dalej, nie możesz jednak każdemu, kto...

– Ciszej – syknęła, rozglądając się po korytarzu. Przechodzące obok nich dziewczyny zerknęły zaciekawione, ale napotkawszy groźne spojrzenie Ariel, szybko odwróciły głowy. – Posłuchaj, nie wiem, czemu znowu dałam się sprowokować – dodała szybko, uprzedzając pytanie przyjaciółki. – Postaram się lepiej nad sobą panować. Możemy o tym zapomnieć?

– No, nie wiem…

– Może w końcu pójdziemy do mojego pokoju? Chyba chciałaś go obejrzeć?

Tara rozpromieniła się w jednej chwili.

– Super! – A kiedy ruszyły zatłoczonym korytarzem, kierując się do północnej wieży, dodała tylko: – Mam nadzieję, że już dzisiaj nie wpakujesz się w kolejne kłopoty.

– Ja również.

Jak na jeden dzień chyba rzeczywiście wystarczy.

Ariel z niechęcią powróciła myślami do zdarzenia w gabinecie dyrektorki, jakby to był jakiś nierzeczywisty sen.

Choć coś czuję, że to dopiero początek.

Zatrzymały się w wąskim pustym korytarzu na drugim piętrze, gdzie znajdowały się pokoje dla starszych uczennic. Podeszły do ostatnich drzwi po lewej i solenizantka otworzyła je kluczem, który wcześniej dostała od dyrektorki.

Pokój nie był duży, ale za to jasny i przestronny. Przez półokrągłe okno wpadały do środka promienie słoneczne, rysując na lśniącej posadzce fantazyjne wzory. Umeblowanie stanowiły duże łóżko z baldachimem, nocna szafka, stojące przy oknie biurko z jasnego drewna oraz szafa na ubrania. Gołe ściany nadawały pokojowi nieco surowy wygląd, ale zawsze można było udekorować go według własnego gustu.

Ariel podeszła do swojego kuferka, który stał już przy łóżku, i zaczęła go rozpakowywać. Tara tymczasem przechadzała się po pokoju i dotykała wszystkiego, aż w końcu stanęła przy oknie, podziwiając rozpościerającą się w dole panoramę.

– Fajnie. Masz stąd widok na część miasta i ogród – odwróciła się do Ariel. – Co będziesz robiła przez resztę dnia? Dzisiaj już nie masz lekcji, a pracę w bibliotece zaczynasz jutro.

– Jeszcze nie wiem – odparła przyjaciółka, układając na stoliku porcelanowe figurki.

– To może razem pomyślimy, gdzie ukryć wiesz co. – Tara podeszła do łóżka z drugiej strony i bez pytania zaczęła pomagać w wypakowywaniu ubrań, kładąc je na łóżko w idealnie złożone kosteczki.

Ariel wzruszyła ramionami. I tak nie miała teraz nic lepszego do roboty, a w końcu obietnica to obietnica. Wszystko było lepsze od myślenia o Kiiri i o tym, co może jej się stać.

– Może być – odpowiedziała w końcu. Zaniosła ubrania do szafy i z wręcz pedantyczną dokładnością zaczęła je przekładać i układać. – Ale nadal nie mam pomysłu, gdzie można go ukryć.

– To musi być jakieś miejsce, gdzie nikt nie zagląda. I najlepiej jakieś ciemne.

– W zamku dużo jest takich miejsc, ale chyba najlepsza byłaby... – urwała, po czym odwróciła się do przyjaciółki i wykrzyknęły już jednocześnie: – ...piwnica!

– Oczywiście. To wymarzona kryjówka dla mojego Tajpka.

Ariel zaświeciły się oczy. W końcu będzie miała okazję zwiedzić to tajemnicze i mroczne miejsce. Jeszcze nigdy tam nie zawędrowała. Piwnica to były właściwie prawdziwe podziemia, które podobno ciągnęły się pod całym zamkiem. Nikt tam nigdy nie schodził i nikt tak naprawdę nie wiedział, co się tam kryje. O tym miejscu krążyło już tak wiele plotek, opowieści i legend, że wszyscy zaczęli traktować piwnicę z nabożnym lękiem. Ariel nigdy nie wierzyła w ani jedno słowo i zawsze pragnęła tam zejść, wyłącznie z czystej ciekawości. Jedyne, czego mogła się tam bać, to szczury i pająki.

Usiadła w zamyśleniu na łóżku, obserwując, jak Tara wypakowuje resztę jej kuferka.

– Nikt nie może nas zobaczyć – powiedziała poważnie. – Pixton kategorycznie zabroniła tam choćby zaglądać. Jeśli nas złapią, to tym razem nie wymigamy się tak łatwo od surowej kary.

– Wiem.

– Nie mówiąc już o tym, że będziemy musiały się tam włamać. Swoją drogą ciekawe, czemu tak bardzo bronią dostępu do podziemi. Jakby próbowali uchronić nas przed jakimś czającym się tam okropieństwem. Kto wie? Może rzeczywiście ukrywają się tam jakieś mityczne stwory. Wcale bym się jednak nie zdziwiła, gdyby któraś plotka okazała się prawdziwa.

Tara z westchnieniem opadła na krzesło przy biurku.

– Nie wiem, jak możesz mówić o tym tak spokojnie. Może to jednak nie jest dobry pomysł. Dużo ryzykujemy.

Ariel uważnie przyjrzała się przyjaciółce.

– Co ja słyszę? – zakpiła, unosząc nieznacznie kącik ust. – Tchórzysz? A mówię to tak spokojnie, bo oczywiście żartuję. Nie wierzę w żadne duchy ani potwory. A poza tym to nie ja jeszcze przed chwilą błagałam, by ukryć jadowitego węża. Jeśli chcesz, możemy zrezygnować i jutro zadzwonić do najbliższego zoo.

Tara spojrzała na nią z niepewną miną.

– Nie chcę po prostu wpakować cię w kolejne kłopoty.

Ariel prychnęła, podeszła do niej i poklepała po ramieniu.

– Ja zawsze spadam na cztery łapy. Nie wiedziałaś o tym? Mną się nie przejmuj. Teraz najważniejsze jest, żeby nikt nie odkrył obecności twojego Tajpka, prawda?

– Tak. – Tara obdarzyła ją spojrzeniem pełnym wdzięczności. – Co ja bym bez ciebie zrobiła?

Ariel ze śmiechem pacnęła ją zeszytem po głowie.

– Z pewnością nie dałabyś rady ukryć swojego pupila. I miałabyś strasznie nudne życie. – A gdy zobaczyła, że Tara zamierza coś powiedzieć, dodała szybko: – Tylko nie próbuj mi dziękować. Od tego jestem. I pamiętaj, żeby zabrać ze sobą latarkę.

Odwróciła się, by wziąć resztę rzeczy z łóżka, i wtedy przyjaciółka uwiesiła się jej u szyi i zanim Ariel zdążyła zaprotestować, pocałowała ją w policzek.

– Wiesz, że cię kocham.

Ariel zaśmiała się, uwalniając się z uścisku.

– Wiem. Dlatego jeszcze znoszę twoje towarzystwo.

– Nie masz innego wyboru. Jestem twoją jedyną przyjaciółką.

Ariel nie skomentowała tego, choć słowo „jedyną" w jakiś sposób ją zakłuło. Bez słowa sprzątnęła resztę rzeczy, po czym usadowiła się wygodnie na łóżku, opierając plecy o stos miękkich poduszek.

– Myślę, że dzisiejsza noc będzie najlepsza. Nie ma co zwlekać. Będziemy musiały się tylko zastanowić, jak otworzyć drzwi.

– O to nie musisz się martwić. – Tara wyciągnęła się po przeciwnej stronie łóżka i oparła o drewnianą ramę. – Zwykła spinka do włosów wystarczy. – Ariel uniosła brwi, na co Tara uśmiechnęła się z dumą. – Może trudno w to uwierzyć, ale potrafię więcej, niż sądzisz. Po prostu się tym nie chwalę. A teraz, skoro już moją sprawę mamy za sobą – zrobiła pauzę, by zerknąć na drzwi, po czym spojrzała na Ariel – to możemy spokojnie porozmawiać o tym, czego dowiedziała się na twój temat Kiiri.

– A ty czasem nie powinnaś być teraz na lekcji? Chyba przed chwilą słyszałam dzwonek.

– Są ważniejsze sprawy niż nauka – Tara mrugnęła do niej okiem. – Nie mogę pozwolić, by przyjaciółka spędziła samotnie popołudnie.

– Od kiedy tak bardzo się o mnie troszczysz?

– Od kiedy po raz pierwszy pomogłam ci wydostać się z toalety, po tym jak Kiiri cię tam zamknęła – odpowiedziała rezolutnie, szturchając nogą stopę przyjaciółki. – A teraz opowiadaj.

Ariel uśmiechnęła się na wspomnienie tamtego incydentu sprzed lat. Wtedy rozpoczęła się jej wojna z Kiiri i wtedy też po raz pierwszy ją pobiła. Miała zaledwie sześć lat i równie gwałtowny temperament co teraz. Tamtego dnia poznała też Tarę i tak zaczęła się ich wielka przyjaźń.

Popatrzyła na siedzącą przed nią przyjaciółkę. Niemal na pamięć znała ten jej wyraz twarzy, jakby Tara urodziła się już z uśmiechem. Następnie na spokojnie jeszcze raz powtórzyła dokładnie to, co mówiła

Kiiri. Kusiło ją też, by podzielić się z nią tym, co wydarzyło się w gabinecie Pixton. Uznała jednak, że nie jest jeszcze na to gotowa. Po części sama do końca nie była pewna, czy to nie był po prostu jeden z tych dziwnych snów na jawie. Zresztą teraz, gdy do jej myśli na powrót wkradł się tajemniczy nieznajomy z przeszłości, nie potrafiła skupić się na czymś innym.

Gdy skończyła mówić, Tara wyglądała na zamyśloną.

– Rozumiem. – Przyjaciółka odezwała się dopiero po chwili ciszy. – Więc co o nim wiemy?

Ariel wzruszyła ramionami.

– Jak na razie nic.

– I tu się mylisz. – Tara uniosła dłoń i zgięła pierwszy palec. – Po pierwsze wiemy, że był od ciebie starszy. Po drugie w jakiś sposób był z tobą lub twoją rodziną związany. I po trzecie musiał nieźle nagadać Pixton, żeby cię przyjęła. Więc albo ją czymś nastraszył, albo pochodzisz z tak wpływowej rodziny, że kazał to zachować w sekrecie.

Wiem również, że miał ciepłe dłonie i szerokie plecy. I że co noc próbuję go dogonić – pomyślała Ariel. Głośno zaś rzekła:

– No dobrze. Tyle wiemy. I co dalej? Te wskazówki nic nam nie mówią, poza tym że wracamy do punktu wyjścia. Nie wiemy, jak on wyglądał, jak się nazywa, gdzie mieszka...

– Właśnie. I tego trzeba się dowiedzieć. Warto też zdobyć informacje o tym, czy wcześniej mieszkaliście w Anglii, czy w innym kraju.

– Jak mam niby dowiedzieć się tego wszystkiego?

– Och, Ariel. – Tara cmoknęła i pokręciła wolno głową, jakby przemawiała do wyjątkowo tępego ucznia. – To bardzo proste. W tamtym dniu tylko Pixton z nim rozmawiała, prawda? – Ariel kiwnęła głową. – I tylko ona widziała go dłużej niż dziesięć minut, prawda? – Znów skinięcie głową. – Więc co musisz zrobić?

Ariel znała odpowiedź, choć gdy się odezwała, w jej głosie pobrzmiewała niepewność.

– Muszę porozmawiać z Pixton.

– Otóż to. – Tara wyglądała na bardzo z siebie zadowoloną. – Wypytasz się o tamten dzień. Kto cię przyprowadził i skąd pochodzisz. Dziwię się, że wcześniej o tym nie pomyślałaś. Przecież Pixton musi mieć na twój temat jakieś dane.

Serce Ariel zabiło szybciej z podekscytowania, choć wciąż miała mieszane uczucia co do tego pomysłu. Targały nią wątpliwości, których sama do końca nie potrafiła sprecyzować. W dodatku nie mogła zapomnieć słów Kiiri: „Potem Pixton była bardzo dla niej miła, jakby chciała im się przypodobać". Co takiego jej wtedy powiedział? Groził jej? Szantażował? *Bo w tę teorię o bogatej rodzinie jakoś nie wierzę. Kim byli moi rodzice? A jeśli to naprawdę byli jacyś kryminaliści?*

Ariel przymknęła powieki, wzdychając przeciągle.

– Porozmawiam z dyrektorką – powiedziała w końcu.

Nawet jeśli niczego się nie dowiem, to przynajmniej nikt mi nie zarzuci, że nie próbowałam. A jeśli dowiem się czegoś złego na ich temat, to będę musiała się z tym pogodzić.

– Świetnie. Jeśli będziemy miały kolejny trop, to zastanowimy się, co dalej.

Tara obserwowała, jak Ariel wpatruje się w swoje dłonie z przygaszoną miną. Po chwili cichym głosem, w którym brzmiał żal, dodała:

– Szkoda, że nic nie pamiętasz ze swojego dzieciństwa.

– Szkoda.

– Nigdy nie miałaś żadnych przebłysków czy czegoś takiego? Nie śniły ci się obce twarze?

– Nie.

– Musi być ci ciężko, jeśli nie znasz swojej przeszłości. Bardzo mi przykro, że spotkało to akurat ciebie.

– Dzięki.

Tara znów trąciła jej stopę i Ariel uniosła głowę. Napotkała pełne współczucia spojrzenie i ciepły uśmiech przyjaciółki.

– Wiesz, że cokolwiek się stanie, zawsze będę po twojej stronie. Możesz na mnie liczyć w każdej sytuacji.

Ariel udało się ułożyć usta w blady uśmiech.

– Wiesz co, Tara?

– Co?

– Kocham cię, dziewczyno.

Rozdział V

o południu Tara miała lekcje i w tym czasie Ariel śmiertelnie się nudziła. Przechadzała się po pustych korytarzach, słuchając własnych kroków odbijających się echem od zamkowych murów. Sprawa Kiiri wciąż nie dawała jej spokoju, ale nie miała ochoty ponownie zaczepiać dziewczyny. Parę razy widziała ją z daleka, zatem na razie raczej nic jej nie groziło. Doszła do wniosku, że tak na wszelki wypadek będzie po prostu dyskretnie ją obserwować. Usilnie liczyła zresztą na to, że nic się nie wydarzy, a tamta wizja okaże się zwykłym złudzeniem spowodowanym prawdopodobnie stresem. Nie było więc sensu zawracać sobie tym dłużej głowy.

Ogrzany słońcem dziedziniec o tej porze dnia był pusty. Ariel przeszła przez równo skoszony trawnik i przysiadła na brzegu fontanny. Za plecami szumiał jej miniaturowy wodospad wylewający się z otwartych ust kamiennej kobiety. Kropelki wody, niczym maleńkie kryształki, osiadały na karku i odsłoniętych ramionach dziewczyny. Pogoda była tak piękna, że Ariel odsunęła na bok ponure myśli, w końcu się rozluźniła i poddała słodkiemu lenistwu w to wolne popołudnie.

Zaledwie jednak przymknęła powieki, w pobliżu rozległy się szybkie kroki. Gdy Ariel otworzyła oczy, zobaczyła zbliżającą się ku niej Ariannę.

– Wszędzie cię szukałam – odezwała się zdyszana.

– Coś się stało?

– Nie. TylkoTara kazała ci to przekazać – podała jej złożoną na pół kartkę.

– A sama nie mogła przyjć?

– Poszła zobaczyć, czy z wiesz z czym wszystko w porządku. –
Arianna pokręciła głową z grymasem na zaróżowionej twarzy. – Ona
całkiem zwariowała. Mogę zrozumieć jej zamiłowanie do tych wszystkich dziwnych rzeczy, które trzyma na szafce, ale nie mam zamiaru
spać kolejnej nocy razem z tym jadowitym czymś – westchnęła ciężko
i niecierpliwym ruchem odgarnęła włosy z czoła.

– Nie martw się. Już więcej nie będziesz musiała oglądać tajpana.

– Serio?! – Arianna od razu się rozpromieniła. – Nie wiem, co za-
mierzacie z nim zrobić, ale ogromnie mi ulżyło. Lecę na lekcję. I dziękuję – pomachała radośnie ręką i pobiegła z powrotem do szkoły.

Ariel obserwowała jej drobną sylwetkę i rozwiane włosy, żałując, że
nie poświęciła więcej czasu, by lepiej poznać koleżanki Tary.

Pospiesznie rozwinęła świstek papieru i od razu rozpoznała trochę
koślawe pismo przyjaciółki. Wiadomość ograniczona była do jednego
zdania.

Mam szlaban u Kalet. Nie wiem, jak długo mi to zajmie, więc czekaj
na mnie w pokoju.
Tara

Ariel uśmiechnęła się pod nosem.

*To zupełnie do niej podobne. Może ma więcej rozsądku ode mnie, ale
w sumie dobrałyśmy się jak w korcu maku. Ciekawy zbieg okoliczności, że
jest tak do mnie podobna. Gdyby nie wygląd, pomyślałabym nawet, że jesteśmy bliźniaczkami.*

Przypomniała sobie te wszystkie wspólne lata spędzone w szkole.
Razem i osobno tyle razy wpadały w tarapaty, że w ich życiu kłopoty
i kary po prostu były na porządku dziennym.

Zgniotła papier w kulkę i schowała do wewnętrznej kieszeni spódnicy. Rozmyślała właśnie nad tym, co tym razem przeskrobała Tara,
kiedy na dziedzińcu pojawiła się kolejna osoba. Eryl przysiadła obok,
na brzegu fontanny. Mrużąc od słońca oczy, spojrzała na lazurowe

niebo, po którym płynęły wystrzępione białe obłoczki. Przez dobre pięć minut panowało między nimi zgodne milczenie.

– Przyjęcie było bardzo udane. Dobrze się bawiłaś? – zagadnęła w końcu Eryl.

– Tak.

– A jak tam twoja sypialnia? Podoba ci się?

– Tak, bardzo. Dziękuję.

– Na pewno się cieszysz, że będziesz miała teraz więcej czasu dla siebie – kontynuowała nauczycielka, nadal spoglądając w niebo.

– Tak. – Ariel zastanawiała się, do czego prowadzi ta rozmowa.

– Bo widzisz... – Kobieta w końcu przeniosła wzrok na uczennicę. Miała poważny, wręcz smutny wyraz twarzy. – Jedenaście lat temu obiecałam pani Pixton, że w dniu twoich szesnastych urodzin przekażę ci coś, co należało do twojej rodziny.

Ariel w zdumieniu spojrzała na Eryl. Dopiero teraz zauważyła, że nauczycielka trzyma coś w dłoni. Czarny materiał skrywał małe kwadratowe pudełeczko. Przyłapała się na tym, że przygląda mu się zbyt natarczywie, zapominając nawet o obecności Eryl.

Przedmiot, który należał do jej rodziny... Bez słowa przyjęła pudełko i przez chwilę w zamyśleniu obracała je w palcach. Potem ostrożnie zapytała:

– Czy... Czy pamięta pani tamten dzień, gdy zjawiłam się w szkole? Eryl uśmiechnęła się czule.

– Oczywiście. Byłaś wtedy taka wystraszona i zmarznięta. Przez kilka dni do nikogo się nie odzywałaś i często miałaś koszmary. Byłaś zupełnie jak dzikie zwierzątko.

Ariel dostrzegła promyk nadziei. Jej puls przyspieszył gwałtownie, gdyż w końcu mogła zdobyć informacje, na które tak czekała!

– Miałam koszmary? – spytała z pozoru lekkim tonem.

– Tak. Biedactwo, potrzebowałaś dużo ciepła i zrozumienia, nim w końcu zaaklimatyzowałaś się na tyle, by rozpocząć normalne życie, nie mówiąc już o nauce.

Ariel nie potrafiła przypomnieć sobie nic z tamtego okresu, ale wierzyła opiekunce. Teraz musiała tylko wyciągnąć z niej więcej informacji.

– Wie pani, o czym były te koszmary? – Nie była pewna, czy udało jej się ukryć palącą niecierpliwość.

Kobieta przeniosła wzrok na paczuszkę, a dopiero potem na Ariel. Jej współczujący wyraz twarzy mówił sam za siebie.

– Nigdy nie chciałaś mi powiedzieć, a potem twierdziłaś, że nie pamiętasz. Od początku byłaś taką tajemniczą dziewczynką...

– A czy... – Ariel przełknęła ślinę – mówiłam coś przez sen?

Eryl namyślała się przez chwilę, nim w końcu odpowiedziała.

– Wydaje mi się, że czasem wołałaś czyjeś imię. Ale – położyła dłoń na ramieniu dziewczyny i ścisnęła je lekko – minęło tyle lat. Nie ma potrzeby rozpamiętywać przeszłości. Wyrastasz na silną, mądrą kobietę i to jest najważniejsze.

Ariel skinęła sztywno głową, zaciskając kurczowo palce na paczuszce. Przygryzła wargę, aż w końcu odważyła się zadać następne pytanie.

– Wie pani, kim był chłopak, który mnie wtedy przyprowadził?

Wewnątrz szkoły rozległ się przytłumiony dźwięk dzwonka, jednak miały jeszcze chwilę, nim dziedziniec wypełni się gwarem dziewczęcych głosów. Gdzieś między drzewami ptaki urządziły sobie popołudniowy koncert. Delikatne podmuchy wiatru rysowały kręgi na wodzie i targały im włosy.

– Przykro mi, Ariel, ale nie. Nie było mnie, gdy zjawiliście się w szkole, więc nawet nie potrafię ci powiedzieć, jak wyglądał.

Ariel nie zdawała sobie sprawy z tego, że wstrzymuje oddech. Dopiero po tych słowach powoli wypuściła powietrze z płuc. Poczuła ukłucie rozczarowania. Spuściła wzrok na pudełeczko.

– Myśli pani, że oni w ogóle żyją? Moi rodzice? – zapytała cicho, prawie szeptem.

Eryl pogłaskała ją po rudych włosach.

– Nie wiem. Mam jednak głęboką nadzieję, że kiedyś odnajdziesz prawdziwe szczęście i swoje miejsce na ziemi.

Po tych słowach wstała i szeleszcząc swoją spódnicą, ruszyła do zamku. Ariel siedziała przez chwilę bez ruchu, wpatrując się w prezent. Na jeden krótki moment dała się ponieść bolesnej pustce w sercu i jej oczy napełniły się łzami. Pociągnęła nosem, pospiesznie wycierając ręką twarz, po czym wróciła do swojego pokoju.

Zamknęła dokładnie drzwi i usiadła wygodnie na łóżku, kładąc obok zawiniątko. Chwilę trwało, nim drżącą ręką odwinęła delikatny materiał. Przed sobą miała proste czarne pudełeczko. Odetchnęła głęboko i z bijącym sercem, w napięciu, otworzyła wieczko.

W środku spoczywał wisiorek zawieszony na cienkim sznureczku. Ariel ostrożnie chwyciła go w palce i uniosła pod światło, by lepiej mu się przyjrzeć. Był nie większy niż mały palec u dłoni i miał kształt pióra. Dokładniej mówiąc, było to prawdziwe pióro. Śnieżnobiałe. Choć nic nie ważyło, było wyjątkowo sztywne i zdawało się być niezniszczalne. Dziewczyna miała nawet wrażenie, że wisiorek lśni lekko własnym światłem.

To, że należał kiedyś do jej rodziny, wydawało jej się jakimś nieprawdopodobnym, cudownym snem. Z nabożną wręcz czcią zawiesiła go na szyi, przyrzekając sobie, że nigdy go nie zdejmie. Kiedy piórko dotknęło skóry, Ariel nie poczuła zimna, jak się spodziewała. Nieoczekiwanie przyjemne ciepło rozlało się po jej ciele, sprawiając, że jej serce zabiło mocniej i żywiej. Spuściła wzrok i spostrzegła, że białe światło wisiorka prześwieca przez materiał bluzki, pulsując w rytm jej serca. Przymknęła oczy, zakrywając dłonią jaśniejący medalion. Doznała uczucia, jakby ona i pióro stały się jednym... Słyszała jednostajne pulsowanie, które powoli wypełniało ją od środka, aż w końcu zagłuszyło zewnętrzny świat. W jakiś niepojęty, niewyjaśniony sposób medalion wypełnił ją swoim ciepłem... i stał się jej nierozerwalną częścią.

W końcu otworzyła oczy i odetchnęła głęboko, jakby bardzo długo wstrzymywała oddech. Kiedy dotknęła pióra, wciąż było ciepłe, choć jego światło przygasło.

Podeszła do okna i spojrzała w dal, nadal ściskając w prawej dłoni medalion. Nie miała wątpliwości, że nie jest to wyłącznie drobna ozdoba. Tylko dlaczego miała to dostać dopiero dzisiaj? I o co chodzi z tymi znamionami na ciele? Kim jest tajemniczy chłopak, którego nikt nie pamięta? Dlaczego niczego nie pamięta ze swojej przeszłości? Czemu rodzice oddali ją bez słowa wyjaśnienia?

Pytań wciąż przybywało i zamiast odpowiedzi Ariel miała coraz większy mętlik w głowie.

* * *

Do wieczora Ariel siedziała w swoim pokoju. Tak bardzo pochłonęła ją lektura książki, którą dostała od Arianny, że przegapiła porę kolacji. Dopiero gdy na korytarzu rozległy się przytłumione kroki uczennic wracających do swoich pokoi, Ariel oderwała wzrok od kartki. Przeciągnęła się leniwie i ziewając, zerknęła za okno. Na granatowym niebie pojawiły się pierwsze gwiazdy i cienki sierp księżyca.

Już czas.

Odłożyła książkę na nocną szafkę i dopiero teraz poczuła, jak bardzo zgłodniała od urodzinowego przyjęcia. I tak Tara będzie mogła wymknąć się dopiero wtedy, gdy wszyscy zasną, więc Ariel miała jeszcze trochę czasu dla siebie. Postanowiła zejść do kuchni i zobaczyć, czy zostało coś jeszcze do jedzenia.

Wyszła z pokoju i gdy zamykała drzwi na klucz, obok przeszły dwie starsze dziewczyny. Pożegnały się na korytarzu i zniknęły w swoich pokojach. Żadna nie zwróciła najmniejszej uwagi na Ariel.

Jakbym była niewidzialna – pomyślała z goryczą.

To jej o czymś przypomniało. Przecież wąż Tary wciąż był ukryty w schowku na pierwszym piętrze. Zupełnie zapomniała, że będą musiały najpierw go stamtąd przemycić. A z doświadczenia wiedziała, że po nocy lepiej nie błąkać się po zamku bez potrzeby. Jeśli teraz przetransportuje tajpana do swojego pokoju, oszczędzi im to czasu.

W całym gmaszysku pogaszono już światła, zostawiając tylko kilka lampek na głównym korytarzu i przy wejściu. Reszta wnętrz pogrążona

była w mroku, jednak nawet po ciemku Ariel bez trudu odnalazła
właściwe miejsce. Pospiesznie wysunęła cegły ze ściany i wyciągnęła
z wnęki klatkę. Przybliżyła twarz do prętów, aby się upewnić, że ulu-
bieniec Tary jeszcze żyje. Chociaż w duchu pomyślała, że gdyby zdechł,
ona wcale by po nim nie płakała.

Wyglądało jednak na to, że gad ma się całkiem dobrze. Leżał zwinięty na dnie klatki, ale gdy tylko wyczuł poruszenie, uniósł łeb i zasyczał ostrzegawczo.

– Lepiej, żeby cię nikt nie zobaczył, mały. Dopiero wtedy byśmy
mieli prawdziwe kłopoty – wyszeptała do niego dziewczyna, po czym
kręcąc głową, dodała do siebie: – Zaczynam już gadać do węża. To
zły znak.

Wsunęła dokładnie cegły na swoje miejsce. Chwyciła ciężką klatkę
i wróciła do pokoju, nasłuchując czujnie, czy nikt jej nie śledzi. Nie
miała ochoty oglądać tajpana dłużej niż to konieczne, więc z szuflady
wygrzebała czarny materiał, w który owinięty był jej wisior.

– Czekaj na nas – mruknęła do węża, przykryła klatkę tkaniną i wsunęła ją pod łóżko.

Im szybciej pozbędziemy się tego gada, tym lepiej – przemknęło jej
przez myśl, gdy wychodziła z pokoju. Przekręcając w zamku klucz,
przypomniała sobie nagle o Kiiri. Kiiri... Ciekawe, czy wszystko z nią
w porządku. Ale chyba gdyby coś się stało, cała szkoła już by o tym
wiedziała. Jednak może warto do niej zajrzeć i tylko upewnić się, że
nic jej nie jest...

Niezdecydowana zatrzymała się na rozwidleniu korytarzy. Po chwili
westchnęła ciężko, jakby z rezygnacją, i zaczęła się wspinać na szczyt
wieży. Postanowiła jednocześnie, że jeśli nic już dzisiaj się nie wydarzy,
przestanie się martwić o Kiiri i zapomni o tej dziwnej wizji.

Muszę w końcu zacząć normalnie żyć. Od jutra koniec z dziwactwami.
Może nawet częściej zacznę rozmawiać ze znajomymi Tary.

Zanim dotarła do swojego dawnego dormitorium, była już nieźle
zdyszana. Przystanęła w mroku przed drzwiami i pomyślała, że nie

licząc złośliwości Kiiri, wcale nie było jej tutaj tak źle. Towarzystwo rówieśniczek stanowiło dla niej pewną terapię na chroniczne uciekanie w samotność. Teraz, gdy została odizolowana od reszty dziewczyn, jeszcze bardziej musiała uczepić się Tary, żeby całkiem nie zdziczeć.

Uchyliła cicho drzwi, wsunęła głowę w wąską szparę i szybkim spojrzeniem objęła całą sypialnię, wypatrując znajomych blond włosów. Niektóre dziewczyny leżały już w łóżkach, inne w piżamach siedziały w niewielkich grupkach. Kiiri królowała otoczona swoimi przyjaciółeczkami. Była zbyt pochłonięta rozmową, by zwracać uwagę na resztę współlokatorek.

Ariel wycofała się z ulgą. Kiiri wyglądała na całą i zdrową i dzisiaj z pewnością nic już jej nie groziło. Zadowolona z wypełnionego obowiązku, dziewczyna zbiegła po schodach, kierując się prosto do kuchni.

W sali jadalnej było ciemno i pusto. Musiała skradać się na palcach, by jej kroki nie odbijały się echem od wysokiego sklepienia. Gdyby któraś z nauczycielek przyłapała ją teraz, musiałaby od razu wracać do pokoju. A potem przez kolejny tydzień miałaby zakaz wychodzenia po kolacji…

Przez szparę w drzwiach kuchennych sączyło się światło, więc kucharki jeszcze pracowały. Ariel uśmiechnęła się do siebie. Mary nigdy by jej nie wydała, a rozmowy z nią zawsze podnosiły na duchu. Właśnie teraz czuła, że potrzebuje towarzystwa tej ciepłej kobiety.

Gdy weszła do jasno oświetlonej kuchni, na dźwięk otwieranych drzwi wszystkie trzy jednocześnie odwróciły głowy.

– Witaj, skarbie. Tak myślałam, że wpadniesz – serdecznie przywitała ją Mary.

Ariel uśmiechnęła się do niej, a potem przeniosła wzrok na Eve.

– Cześć.

– Cześć. – Dziewczyna zerknęła tylko przez ramię, zajęta zmywaniem. W zlewie piętrzył się stos brudnych naczyń, drugie tyle leżało już w suszarce.

– Może ci pomóc?

– Chętnie. Od tego stania bolą mnie już plecy.

– Biedna staruszka – zakpiła Ariel, przechodząc obok stołu uginającego się od jedzenia.

– I kto to mówi? – Gdy podeszła do zlewu, Eve uśmiechnęła się do niej z wdzięcznością, opadając na najbliżej stojące krzesło. – Jestem tylko cztery lata od ciebie starsza. Wychodzi więc na to, że jesteś w kwiecie wieku.

Ariel odkręciła kran, umoczyła rękę i opryskała dziewczynę kilkoma kroplami wody.

– Mogę się zgodzić na określenie „dojrzała" – zawołała przy tym ze śmiechem.

Gdy spojrzała w stronę drzwi prowadzących na ogród, dostrzegła Rose. Dziewczyna właśnie zakładała płaszcz, kiedy ich spojrzenia się spotkały. Skrzywiła się i zmarszczyła brwi, jakby zjadła coś kwaśnego. Bez słowa odwróciła się na pięcie i wyszła z kuchni, trzaskając drzwiami. Uśmiechając się pod nosem, Ariel wzięła się za zmywanie.

Eve w tym czasie przenosiła wzrok z jednej na drugą z coraz bardziej zaintrygowaną miną.

– Czy coś mnie ominęło? – zapytała w końcu. – Nie zamieniłyście ze sobą ani jednego słowa, a Rose wyglądała, jakby miała ochotę cię udusić.

Ariel nie mogła powstrzymać się od chichotu.

– W pewnym sensie.

– Pokłóciłyście się czy co?

– Ach, to długa i raczej skomplikowana historia.

Eve wymieniła z Mary spojrzenia. Podparła brodę na dłoni, obserwując, jak kobieta pakuje resztki jedzenia do toreb. Ziewała co chwilę, pocierając zmęczone powieki.

– Nigdy chyba nie zrozumiem, czemu nie lubisz Rose – kontynuowała temat. – Czasami zadziera nosa, ale w sumie to miła dziewczyna.

Ariel prychnęła pod nosem i ledwie słyszalnie wymamrotała: – W to nie wątpię. Jej jedyną wadą jest to, że przyjaźni się z Kiiri.

– Coś mówiłaś? – zapytała ją Eve.

– Nie. – Zakręciła kran, włożyła ostatnie naczynie do suszarki i odwróciła się, wycierając ręce. – Nie twierdzę, że Rose nie jest miła. Po prostu nie przepadamy za sobą, a poza tym nie mamy zbyt wiele wspólnych tematów.

– To w takim razie o co wam poszło?

Ariel okrążyła stół i usiadła na krześle po przeciwnej stronie.

– Już mówiłam, to długa historia.

– Daj już Ariel spokój – wtrąciła się Mary, karcąc Eve. – Dziewczyna jest zmęczona i ma dość odpowiadania na wścibskie pytania. – Po czym zwróciła się bezpośrednio do Ariel: – Pewnie jesteś głodna, skarbie?

Dziewczyna energicznie pokiwała głową. Kucharka wyjęła z kredensu czyste talerze i nałożyła jej sałatki. Na drugim ułożyła kawałek ciasta.

– Po prostu jestem ciekawa – broniła się Eve. – Znając zdolność Ariel do pakowania się w kłopoty, zastanawiałam się, co tym razem przeskrobała.

– Wielkie dzięki. – Ariel wyłuskała z sałatki zielony groszek, po czym rzuciła nim w dziewczynę. Eve uchyliła się ze śmiechem, ale napotykając surowe spojrzenie Mary, natychmiast spoważniała.

– Dobrze, już dobrze. O nic więcej nie zapytam. Przykro mi jednak, że Ariel nie chce nam się zwierzać. Po tylu latach dokarmiania jej między posiłkami zasługujemy chyba na jakąś wdzięczność.

Ariel zignorowała ją i zwróciła się do starszej kucharki.

– Co pani robi z tym całym jedzeniem?

– To, co nie zmieści się do lodówki, dzielę między nas trzy – posłała Ariel szeroki uśmiech, zabierając się za pakowanie trzeciej torby. – To jest jeden z plusów tej pracy. Kiedy zostaje za dużo jedzenia, jak teraz po przyjęciu, możemy zabrać resztki do domu. Pani Pixton nie znosi, gdy się coś marnuje, a zależy jej, by uczennice odżywiały się zdrowo.

– To dlatego tak niewiele zostaje po przyjęciach – zauważyła Ariel. – A zawsze się zastanawiałam, co dzieje się z tym całym jedzeniem.

Eve wstała i szczerząc zęby, zdjęła fartuch.

– Mój mąż ucieszy się, że będzie mógł zjeść porządną kolację. Na co dzień nie mam czasu tak mu dogadzać.

– Nie rozumiem tego. – Ariel przyjrzała jej się krytycznie. – Po co w ogóle wychodzić za mąż w tak młodym wieku i obarczać się jeszcze większymi obowiązkami?

Mary podała Eve torbę.

– Pozdrów go ode mnie.

– Na pewno. – Dziewczyna pochyliła nad stołem, posyłając Ariel tajemniczy uśmieszek. – Miłość, moja droga. Kiedy spotkasz tego jedynego, będziesz wiedziała.

– Wątpię – mruknęła do siebie szesnastolatka, uciekając wzrokiem gdzieś w bok.

Eve założyła kurtkę i ruszyła do drzwi.

– To do jutra.

– Miłego wieczoru.

Gdy zostały same, Mary popatrzyła uważnie na Ariel.

– No dobrze. To może teraz powiesz, co cię trapi? – Widząc zaskoczoną minę dziewczyny, uśmiechnęła się tym szczególnym uśmiechem osoby, która ma już za sobą wszystkie niespodzianki życia. – Za długo się znamy, skarbie, żebyś mogła mnie okłamać. Potrafię dostrzec, kiedy coś leży ci na sercu. Ale jeśli nie chcesz, to oczywiście nie musisz nic mówić. Pozwolisz jednak, że zanim pójdę, dam odpocząć trochę starym kościom.

Zajęła krzesło, na którym przed chwilą siedziała Eve. Opadła na oparcie z westchnieniem ulgi i wyciągnęła przed siebie nogi.

Ariel w milczeniu zjadła ciasto i odsunęła od siebie talerz. Popatrzyła na kucharkę w zamyśleniu. Potarła dłonią zmarszczone czoło, odczuwając pierwsze oznaki zmęczenia. To miejsce działało na nią odprężająco. Nastrajało także do zwierzeń.

– Nie lubisz obchodzić urodzin, prawda? – odezwała się Mary, nie spuszczając uważnego spojrzenia mądrych oczu.

Ariel wzruszyła ramionami, ale zaraz uśmiechnęła się blado.

– W sumie jest mi to obojętne. To taki sam dzień jak każdy inny. Tylko w tej szkole robią z urodzin za dużo szumu.

– Dziewczyny w twoim wieku wykorzystują każdą okazję do zabawy. Wolą towarzystwo przyjaciół niż rodziny i mają dość… wyzwolone podejście do życia.

– A więc jestem nienormalna.

– Nie. Dojrzalsza. To miałam na myśli. To, że wolisz spędzać czas w kuchni ze starą kucharką zamiast plotkować z rówieśnicami, oznacza tylko, że masz inne priorytety. A to wcale nie znaczy, że coś z tobą nie tak. – Mary pochyliła się nad stołem, opierając na nim obie ręce. – Jestem także pewna, że nie bez powodu nie przepadasz za tym dniem.

– Właściwie to…

Ariel była pełna podziwu dla spostrzegawczości kobiety, dlatego nie było sensu czegokolwiek przed nią ukrywać. Ze zdenerwowania zaczęła bawić się krawatem, zwijając go i rozwijając w palcach. Takie szczere zwierzenia nigdy nie przychodziły jej łatwo. Czuła jednak, że ta rozmowa jest jej potrzebna.

– Ma pani rację. Nigdy nie lubiłam urodzin i tego całego szumu wokół tego dnia. – Kobieta pokiwała ze zrozumieniem głową na te słowa, pozwalając jej mówić. – Wiem, że to może trochę głupie. Ale… Tego dnia bardziej niż kiedykolwiek czuję się… samotna.

Ariel odetchnęła głęboko. Po raz pierwszy powiedziała to na głos i stwierdziła, że wcale nie było tak źle. Nabrała powietrza, spoglądając ukradkiem na Mary. Gdy napotkała jej zachęcający uśmiech, kontynuowała:

– To nie tak, że w tym dniu mam depresję i w ogóle. Czasem… Czasem po prostu dopadają mnie takie myśli… Wie pani. O tym, że poza Tarą nie mam nikogo na świecie. Żałuję, że nie pamiętam swoich rodziców ani w ogóle niczego z dzieciństwa. Nie wiem, kim jestem, skąd pochodzę. Jakbym nie należała do tego świata…

– Tak myślisz, ale to nieprawda. Twoi rodzice z pewnością cię kochali.

– Nie wiem, nawet czy żyją – spojrzała ponuro na Mary. – Dlaczego oddali mnie do tej szkoły? Dlaczego przez te wszystkie lata nie odezwali się ani słowem?

Starsza kobieta pokręciła ze smutkiem głową.

– Och, Ariel. Nie myślisz chyba, że cię porzucili?

– Nie... chyba nie.

– I dobrze. Nie powinnaś nawet brać tego pod uwagę. – Zmarszczki wokół oczu i ust kobiety pogłębiły się od uśmiechu. – Nie chcę podrzucać ci gotowych rozwiązań i odpowiedzi. Ale myślę, że sama znasz już powód, dlaczego tak postąpili.

– Może nie mieli pieniędzy albo... – Nagle dziewczyna otworzyła szerzej oczy, kładąc dłoń na swoim szarym znamieniu. – Chcieli mnie chronić.

– Domyślasz się dlaczego?

Ariel pokręciła głową, opadając na oparcie krzesła.

– Nie wiem. Boże, gdybym chociaż pamiętała tego chłopaka – westchnęła.

Kucharka zmarszczyła brwi.

– Jakiego chłopaka?

– Podobno jedenaście lat temu przyprowadził mnie do szkoły jakiś chłopak. Niestety, jest równie nieznany jak cała moja przeszłość.

– Och, mówisz o TYM dniu...

Ariel wyprostowała się, wlepiając w Mary błyszczące oczy, ta zaś zmrużyła powieki, jakby chciała zobaczyć coś, co znajdowało się bardzo daleko.

– Czy pani... pamięta tamten dzień? – zapytała w końcu z niecierpliwością w głosie dziewczyna.

– A jakże. – Mary przeniosła na nią swoje wszystkowiedzące spojrzenie. Milczała przez chwilę, jakby z premedytacją przedłużając tę chwilę. – Nie wszystko oczywiście – odezwała się w końcu, na moment przygaszając podekscytowanie Ariel. – Przechodziłam akurat korytarzem, kiedy się zjawiliście. Widziałam was tylko z daleka i przelotnie. Jednak od razu rzuciło mi się w oczy, jaka byłaś wtedy przemoczona i przerażona. Zanim weszłam do sali jadalnej, zamknęliście się w gabinecie pani Pixton.

Ariel chłonęła każde jej słowo z zapartym tchem. Wierciła się na krześle, splatając i rozplatając palce. Kiedy Mary przerwała na chwilę, pytanie samo wyrwało się z ust.

– A on?

– No cóż... – Mary zamyśliła się na chwilę, próbując sobie przypomnieć szczegóły tamtego dnia. – Tak naprawdę nie widziałam jego twarzy. O ile dobrze pamiętam, miał na sobie płaszcz, a głowę ukrytą w kapturze. – Widząc rozczarowanie na twarzy Ariel, dodała szybko z nieznacznym uśmiechem: – Zauważyłam jednak, że był od ciebie sporo wyższy i starszy. I dobrze zbudowany jak na takiego młodzieńca. Na pierwszy rzut oka dało się ocenić, że był do ciebie bardzo przywiązany. Przez cały czas nie puszczał twojej dłoni, a gdy zaczęłaś płakać, wziął cię na ręce i tulił do siebie jak najcenniejszy skarb. Coś musiał ci powiedzieć do ucha, bo szybko się uspokoiłaś. Przykro mi, ale to wszystko, co wiem.

Ariel pokiwała głową. Relacja kobiety zgadzała się z tym, co wcześniej słyszała. Jednak tak naprawdę nie dowiedziała się niczego nowego ani istotnego. To, że była dla niego ważna, z pewnością nie pomoże jej go odnaleźć.

– Czy kiedykolwiek o nim wspominałam lub wymieniałam jego imię? – Wiedziała już, jaka będzie odpowiedź, ale musiała spróbować.

– Nie. Przynajmniej nigdy nie słyszałam. Z początku bardzo tęskniłaś za domem i prawie cały czas płakałaś. Gdy ktoś obiecywał ci, że pojedziesz na święta do domu, powtarzałaś, że mieszkasz bardzo daleko i rodzice zabronili ci wracać. Potem już w ogóle przestałaś o nich wspominać. Nigdy jednak nie podałaś żadnego imienia ani innych szczegółów ze swojego życia.

Ariel zagryzła wargi, wpatrując się w swoje dłonie. A więc na początku coś tam jeszcze pamiętała. Ciekawe, dlaczego się to zmieniło.

Dlaczego tak nagle o nich zapomniałam? Zupełnie jakby... – szybko pokręciła głową, sama nie wierząc w to, co przyszło jej nagle na myśl. – *...jakby ktoś wymazał moją pamięć. Ale to przecież niemożliwe... Kto by miał to zrobić i w jakim celu?*

Czuła, że po tej rozmowie ma jeszcze większy mętlik w głowie. Spojrzała na Mary i rozciągnęła wargi w przymuszonym uśmiechu. Nagle zaczęła mieć wątpliwości, czy dalsze grzebanie w przeszłości to jednak dobry pomysł.

Rozdział VI

Dochodziła północ, kiedy zasapana Tara wślizgnęła się bez pukania do pokoju. Ariel siedziała na parapecie, w swoim ulubionym miejscu, i wpatrywała się w ciemność za oknem. Gdy weszła przyjaciółka, odwróciła głowę.

– Co tak długo? – zapytała.

Tara opadła na łóżko z dramatycznym westchnieniem.

– Musiałam odbyć karę. Ta wiedźma Kalet trzymała mnie prawie do dziesiątej – mówiła ze złością. – Kazała mi odrabiać przy niej wszystkie lekcje i jeszcze napisać wypracowanie na temat literatury angielskiej. – Dziewczyna pokręciła głową, demonstrując swoje wyczerpanie i frustrację. – Ależ ta kobieta jest złośliwa! Najpierw kazała mi je napisać na dwie strony, a potem prawie wszystko wykreśliła i musiałam poprawić na cztery strony! Wyobrażasz to sobie? Istny koszmar. A skąd niby mam tyle wiedzieć o... – przerwała, dostrzegając nieobecny wyraz twarzy przyjaciółki. – Coś się stało?

Ariel wzruszyła ramionami.

– Nie... W sumie nie.

– Więc jednak coś się stało.

Ariel odwróciła głowę, znów wyglądając przez okno. Podkurczyła nogi do samej brody, splatając na nich ręce. W odbiciu szyby Tara widziała jej przygnębioną minę, więc sama się nachmurzyła, marszcząc czoło. Usiadła tak, by lepiej widzieć Ariel i oparła łokcie na ramie łóżka.

– Taka mina do ciebie nie pasuje – powiedziała pół żartem, pół serio. – I mówię ci to ja, twoja najlepsza przyjaciółka. – Dziewczyna zaczekała, aż Ariel w końcu odwróci do niej głowę i wtedy uśmiechnęła się zachęcająco. – No to gadaj. Dowiedziałaś się czegoś?

– Rozmawiałam z Eryl i Mary.

– I...?

– I nic. Powiedziały mi tyle, co już sama wiedziałam. Eryl nawet go nie widziała, a Mary jedynie z daleka. Powiedziała, że był w płaszczu, więc nie zauważyła twarzy. Tyle.

– Zostaje więc Pixton – stwierdziła Tara wcale niezniechęcona. – Jeśli ktoś ma coś wiedzieć, to tylko ona.

– Pogadam z nią przy najbliższej okazji. – Ariel westchnęła, zeskakując z parapetu. – Lepiej już chodźmy.

Gdy pochyliła się, by wyciągnąć spod łóżka klatkę, wisior na jej szyi zamigotał białym światłem. Tara natychmiast znalazła się przy niej, tak blisko, by móc uważnie przyjrzeć się nowej ozdobie – białemu piórku zawieszonemu na cienkim rzemyku.

Gdy napotkała spojrzenie Ariel, wskazała na niego palcem.

– Ładny wisior. Nowy?

– Tak. Dostałam go od Eryl.

– Bardzo oryginalny.

– Też tak uważam.

Ariel postawiła klatkę na łóżku, odgarniając włosy do tyłu. Zmięła w dłoni czarny materiał, kiedy Tara nagle wyrwała go z jej ręki.

– Uważaj, jest kosztowny! – zrugała przyjaciółkę, delikatnie prostując tkaninę.

Ariel spojrzała na nią, unosząc brwi.

– Skąd wiesz? Znasz się na tym?

– Och. Trochę. Moi rodzice kiedyś handlowali różnymi szmatkami.

– Więc wiesz, co to za materiał?

– Zefir – odparła Tara bez mrugnięcia okiem.

– Nigdy o takim nie słyszałam. Jesteś pewna?

Tara obracała tkaninę w palcach z obojętną miną.

– Nie mam wątpliwości. To bardzo rzadki materiał i występuje tylko w niektórych miejscach. Tutaj go nie spotkasz, dlatego o nim nie słyszałaś. Skąd go masz?

– Było w to zawinięte pudełko z wisiorem.

– Rozumiem – odparła wolno i jakby w zamyśleniu.

Ariel przewróciła oczami i westchnęła.

– O co ci chodzi? Dziwnie się zachowujesz.

– O nic. – Tara postąpiła ku niej dwa kroki, mrużąc oczy. Jej wzrok na krótką sekundę prześlizgnął się do miejsca, gdzie znajdowało się szare znamię ukryte pod bluzką. Potem znów spojrzała przyjaciółce w oczy. – Po prostu odnoszę wrażenie, że nie mówisz mi wszystkiego.

Nie umknęło jej uwagi, że Ariel wyglądała na skrępowaną. Trwało to jednak tak krótko, że równie dobrze mogło jej się wydawać. Przyjaciółka skrzywiła się, wzięła od niej materiał i odwróciła się, by schować go do szuflady. Tara wpatrywała się w jej plecy z uśmieszkiem rozbawienia.

– W takim razie masz złe wrażenie – odparła Ariel, wciąż odwrócona do niej tyłem. – Wiesz przecież, że zawsze wszystko ci mówię. Przez te lata poznałaś mnie lepiej niż ja sama. To raczej ja powinnam mieć do ciebie pretensje. Zawsze namawiasz mnie do zwierzeń, a o sobie mało mówisz. Wiem, wiem – dodała szybko. – Ciągle nawijasz o swojej rodzinie i tych waszych niesamowitych przygodach. Ale kto by tak naprawdę w to uwierzył? Przecież wszyscy wiedzą, że to zwykłe bajki. Twoi rodzice to pewnie jacyś nudni urzędnicy, którzy nie mogą rozstać się ze swoją pracą i toną w papierkowej robocie. Dlaczego zawsze zostajesz ze mną na wszystkie wakacje i święta? Myślisz, że się nie domyślam?

– Ariel…

– Naprawdę nie musisz ciągle się dla mnie tak poświęcać. Wiem, że za nimi tęsknisz, dlatego nie będę cię zatrzymywać. Masz szczęście, że w ogóle możesz gdzieś wrócić po ukończeniu szkoły…

– Ariel!

Zamilkła i odwróciła się gwałtownie. Tara uśmiechała się szeroko. Naprawdę bardzo niewiele brakowało jej do wybuchnięcia śmiechem.

– Możesz w końcu się zamknąć?

– Przepraszam. – Ariel zwiesiła głowę. Jej ramiona opadły jakby pod wpływem niewidzialnego ciężaru. – Przepraszam – powtórzyła.

– Daj spokój. Chociaż mam wrażenie, że powinnyśmy się teraz pokłócić. Wiesz,... żeby oczyścić atmosferę. To podobno działa. Albo nie... – Tara w zamyśleniu popukała się palcem w skroń. – Coś pokręciłam. To chyba dotyczy zakochanych.

Ariel nie potrafiła się powstrzymać i parsknęła śmiechem.

– Dlaczego przy tobie nie mogę nawet przez pięć minut mieć depresji?

– Ponieważ, moja droga... – Tara podeszła do niej z błyszczącymi oczami i poklepała po plecach – po pierwsze to do ciebie nie pasuje. Po drugie – uniosła do góry palec, by podkreślić wagę swoich słów – jestem twoim aniołem stróżem i moim zadaniem jest pilnować, aby twój dobry humor nigdzie nie uciekł. A gdyby tak się stało, to mam go złapać nawet za cenę życia.

Wciąż się śmiejąc, Ariel popukała palcem w jej czoło.

– Jesteś niemożliwa.

– Wiem. Ale i tak mnie kochasz.

– A czy mam jakiś wybór?

Tara udała, że się zastanawiała i w końcu pokręciła głową.

– Nie masz. Jesteś na mnie skazana, więc lepiej, żebyś do tego przywykła.

– Nie będzie łatwo, ale spróbuję.

Tara pochyliła się nad prętami klatki, z czułym uśmiechem spoglądając na węża.

– Witaj, kochany. Mam nadzieję, że nie stęskniłeś się za bardzo za swoją panią? – Tajpan zasyczał w odpowiedzi. *Mam nadzieję, że mnie nie zawiedziesz i dobrze spełnisz swoje zadanie* – dodała w myślach, prostując się.

– To co, idziemy? – Chwyciła za uchwyt klatki i ruszyła do wyjścia. Obejrzała się na Ariel. – Swoją drogą, nie poznaję cię. Taki wybuch szczerości... To chyba twój pierwszy raz, co?

– I obiecuję, że ostatni – mruknęła przyjaciółka, zamykając za nimi pokój.

Opuściły wieżę, cicho zeszły po marmurowych schodach i ruszyły szerokim korytarzem. Tara kluczyła między kolumnami, wybierając najbardziej ocienione miejsca. Co rusz oglądała się na Ariel, czy ta za nią nadąża. Uśmiechała się pod nosem, po raz tysięczny podziwiając swoją podopieczną.

Myślę, że jednak dałaby sobie radę beze mnie – przemknęło jej przez myśl, jednak zaraz potem sama sobie zaprzeczyła. *Jednak nie. Potrzebuje więcej zdrowego rozsądku i kogoś, kto będzie wyciągał ją z kłopotów.*

W milczeniu minęły salę jadalną, skręcając w wąską wnękę kończącą się ślepym zaułkiem. Zatrzymały się przed prostymi drewnianymi drzwiami. Już na pierwszy rzut oka było widać, że od wieków nikt ich nie otwierał. Zardzewiały zamek, staromodny żelazny rygiel oraz próchniejące drewno – wrota zdawały się być tak stare, że jedno dmuchnięcie mogło zamienić je w pył.

Tara postawiła ostrożnie klatkę na podłodze i wyjęła z kieszeni spódnicy zwykłą wsuwkę do włosów.

– Poświeć mi latarką – szepnęła, pochylając się nad zamkiem.

Ariel stanęła za przyjaciółką, kierując strumień światła we wskazane miejsce.

– Na pewno wiesz, jak to się robi? – spytała szeptem.

– Oczywiście. Zaufaj mi. – Tara włożyła jeden koniec spinki do zamka i sprawnie zaczęła nią obracać i kręcić we wszystkie strony. – Aha! – krzyknęła cicho z triumfem, kiedy w środku coś pstryknęło.

Wyprostowała się, schowała spinkę i podniosła klatkę. Odwróciła się do Ariel, która wciąż trzymała zapaloną latarkę i patrzyła na drzwi z niepewną miną.

– Chyba nie chcesz się teraz wycofać? – spytała ostro, jakby czytając w jej myślach.

Ariel spojrzała na nią, a potem skierowała światło na węża, który poruszył się leniwe. Na jej twarzy pojawił się wyraz determinacji.

– Chodźmy – powiedziała stanowczo.

Tara kiwnęła głową z lekkim uśmiechem. Odwróciła się w stronę drzwi i otworzyła je zdecydowanym ruchem.

W pierwszej chwili zobaczyły jedynie głęboką ciemność. Ze środka wydobywał się nieprzyjemny odór stęchlizny, wilgoci i ziemi.

Tara zamierzała już wkroczyć w tę ciemność, gdy Ariel złapała ją niespodziewanie za ramię i przytrzymała w miejscu. Dziewczyna obejrzała się ze zdziwieniem. W przyćmionym świetle latarki dostrzegła pełen podekscytowania uśmiech przyjaciółki.

– Mogę zejść pierwsza?

Tara przewróciła oczami i skinęła głową. *Co za dziewczyna. Ona chyba naprawdę niczego się nie boi.* Westchnęła bezgłośnie, przesuwając się na bok. Ariel stanęła w progu, kierując światło latarki prosto w ciemność.

Ich oczom ukazały się kamienne schody, opadające stromo gdzieś w dół. Każdy schodek pokrywał mech, było okropnie ślisko. Ariel zrobiła pierwszy krok.

Krzyk zamarł jej na ustach. Tara zdążyła jedynie zarejestrować, jak stopa przyjaciółki ześlizgnęła się po kamiennym stopniu, a potem dziewczynę pochłonęła ciemność.

– Ariel!!!

Tara próbowała chwycić ją za ubranie, ale było już za późno. Widziała jeszcze, jak Ariel upada na schody i znika gdzieś na dole. Latarka wypadła z jej dłoni i zgasła. Przez długą chwilę słychać było ciężki odgłos upadającego ciała. I zapanowała śmiertelna cisza, zakłócana jedynie przez dudniące wściekle serce Tary.

– Ariel! – krzyknęła ponownie, na tyle głośno, na ile się odważyła.

Brak odpowiedzi śmiertelnie ją przeraził. Natychmiast chciała rzucić się przyjaciółce na pomoc, ale powstrzymała się w ostatniej chwili. Po krótkim namyśle przylgnęła do zimnego muru i bardzo ostrożnie zaczęła schodzić, z każdym krokiem starannie badając grunt pod nogami. Przez całą drogę mamrotała przekleństwa, wściekła na samą siebie.

W ciemności potknęła się o ciało Ariel. Z jękiem opadła na kolana, wzbijając chmurę szarego kurzu. Z sercem w gardle pochyliła się nad nieprzytomną przyjaciółką. Bała się jej dotknąć, by nie potwierdziły się najgorsze obawy. Z trudem powstrzymała cisnące się do oczu łzy. *To wszystko moja wina. Miałam ją chronić, a co najlepszego zrobiłam?!* Drżącą ręką dotknęła dłoni Ariel, modląc się, by... Odetchnęła głęboko, gdy wyczuła puls.

– Czy ja żyję? – jęknęła Ariel, podnosząc powieki.

– Tak! – krzyknęła radośnie Tara.

Rzuciła się dziewczynie na szyję i natychmiast zaniosła się kaszlem. Tym gwałtownym ruchem sprawiła, że wokół nich zawirował kurz i niczym płatki śniegu opadł na ich ubrania. Ariel usiadła z trudem i rozejrzała się wokół, przyzwyczajając wzrok do mroku. Dopiero po paru chwilach udało jej się dostrzec niewyraźną sylwetkę Tary, jakby ciemniejszą plamę pośród i tak gęstej ciemności.

– Nic ci nie jest? – spytała ją przyjaciółka z troską w głosie.

– Chyba... chyba nie – stęknęła, rozmasowując obolałe plecy. – Będę miała tylko siniaki.

– Całe szczęście, że na tym się skończy! To wyglądało naprawdę groźnie, kiedy tak spadałaś. – Tara niespodziewanie spochmurniała. – Cholera, Ariel! Wiesz, że mogłaś zginąć? Jesteś nieodpowiedzialnie...

– Aha. Więc teraz to jest moja wina? – Ariel prychnęła z sarkazmem.

– Po części tak. Zawsze pchasz się pierwsza tam, gdzie nie trzeba.

– Jakbym o tym nie wiedziała – mruknęła.

Tara wymacała na podłodze latarkę i skierowała wąski snop światła w ciągnący się przed nimi korytarz. W mdłym blasku odkryły, że zarówno podłoga, jak i ściany z cegły są pokryte grubą warstwą szarego kurzu. Na końcu schodów majaczyło sączące się do środka słabe światełko.

– Przez twoją nadgorliwość zapomniałyśmy o Tajpku – westchnęła ciężko Tara.

– Jak zwykle wszystko przeze mnie.

Przyjaciółka zerknęła na nią z zaciśniętymi ustami.

– Chodźmy po prostu po niego i wracajmy do łóżek.

Wyciągnęła rękę, by pomóc jej wstać. Ariel przez chwilę jeszcze się dąsała, ale w końcu przyjęła pomoc. Wstając, jęknęła z bólu.

Tara zmarszczyła z niepokojem brwi.

– Wszystko w porządku?

– Tak. Nie przejmuj się mną – skrzywiła się cierpko. – Po prostu spadłam ze schodów. Jutro nie będę mogła się ruszać, ale to żaden problem. Zwykły uroczy wieczór spędzony w zatęchłej piwnicy. Co do... – Ariel dotknęła dłonią ściany i natychmiast wyczuła między palcami coś lepkiego i delikatnego. Odskoczyła gwałtownie, z obrzydzeniem strzepując z siebie pajęczynę.

Tara skierowała na nią strumień światła.

– Co się stało?

– Tu są pająki – stwierdziła z obrzydzeniem dziewczyna, przesłaniając oczy.

– Oczywiście, że są. W końcu to podziemie. Idealne dla pająków i szczurów. Tutaj mój tajpan przynajmniej nie umrze z głodu.

Ariel przeszyła ją lodowatym spojrzeniem. Tara nachyliła się ku niej, a na jej usta wypełzł ironiczny uśmieszek.

– Och... – zanuciła, otwierając przesadnie szeroko oczy. – A więc nasza nieustraszona Ariel czegoś się boi. Miło wiedzieć, że masz jednak jakieś słabości. Nie sądziłam jednak, że lękasz się tak malutkich niewinnych stworzonek.

Ariel syknęła z irytacją, odwracając wzrok.

– Wcale się nie boję – warknęła. – Po prostu są obrzydliwe. Ale jeśli komukolwiek o tym powiesz... – zwróciła na przyjaciółkę groźne spojrzenie.

Tara uniosła obie ręce, krzyżując przed sobą palce.

– Będę milczała jak grób – wyszczerzyła zęby, po czym popchnęła Ariel w stronę schodów. – A teraz pospieszmy się.

Tym razem były bardziej ostrożne. Trzymając się za ręce i przyświecając sobie latarką, powoli pokonywały kolejne śliskie stopnie. Tara kątem oka obserwowała uważnie Ariel. Widząc, że ta uparcie trzyma się z dala od ściany, zmarszczyła lekko brwi. *Czasem naprawdę jej nie rozumiem...*

Na górze przystanęły dla zaczerpnięcia tchu. Potem Tara chwyciła klatkę, a latarkę oddała towarzyszce. Wróciły z powrotem do tunelu w całkowitym milczeniu. Gdy w końcu postawiły klatkę na zakurzonej podłodze, wyprostowały się z westchnieniem ulgi.

– Wracamy? – zapytała Tara, od razu kierując się do wyjścia.

Nie doczekała się odpowiedzi, więc odwróciła się ze zmarszczonym czołem. Ariel stała kilka kroków dalej, niemal skryta w ciemności. Tara podeszła do niej, przystając w kręgu słabego światła. Powiodła wzrokiem za przyjaciółką, w głąb tunelu.

– Skoro już tu jesteśmy... – Ariel mówiła z tym uśmiechem, który mógł oznaczać tylko jedno. – Nie sądziłaś chyba, że zeszłam tu w środku nocy na darmo.

– Daj spokój. Tam jest ciemno, pełno pająków i w ogóle nie wiadomo, jak daleko ciągną się korytarze. – Tara starała się mówić rzeczowym, rozsądnym tonem. – Lepiej wracajmy do łóżek.

Ariel zmrużyła oczy z chytrym uśmiechem.

– Nie wiedziałam, że boisz się ciemności. Ale dobrze – wzruszyła ramionami. – Sama pójdę, a ty wracaj do swojego ciepłego, przytulnego pokoju.

Kierując wąski snop światła pod nogi, stanowczym krokiem zagłębiła się w korytarz.

Tara patrzyła w osłupieniu, jak jedyne źródło światła oddala się od niej niepokojąco szybko. Mruknęła do siebie pod nosem, wznosząc oczy ku sufitowi.

– Ta dziewczyna kiedyś wpędzi siebie w poważne kłopoty. I przysięgam, że wtedy nawet nie kiwnę palcem, by jej pomóc.

Dogoniła pospiesznie Ariel i w milczeniu spojrzały sobie w oczy. Dostrzegła zadowolenie i wdzięczność malujące się na twarzy przyjaciółki. To jej w zupełności wystarczało. Czyż kiedykolwiek była w stanie czegokolwiek jej odmówić? Po tych wszystkich latach stała się dla niej niemal jak siostra. Gdyby coś jej się stało...

Ramię przy ramieniu przemierzały kolejne długie i wąskie korytarze. Malutki promień światła, który je prowadził, oświetlał zaledwie skrawek drogi przed nimi. Z każdym krokiem wzbijały grubą warstwę kurzu, który osadzał się na ich ubraniach, włosach i rękach. Za sobą pozostawiały wąski jaśniejszy pasek na podłodze.

Ariel musiała zakryć dłonią usta i nos, by choć trochę odciąć się od otaczającego ich odoru. Tara poszła za jej przykładem, zaczerpując powietrza tylko wtedy, kiedy było to konieczne. Zauważyła jednocześnie, że Ariel przez cały czas trzymała się bardzo blisko niej – niemal stykały się ramionami. Najwyraźniej przyjaciółka unikała zetknięcia ze ścianą. Co rusz wzdrygała się z obrzydzeniem, wykonując gest, jakby próbowała strzepać z siebie niewidzialne robactwo.

Jednak nie jest taka odważna, na jaką wygląda. Choć naprawdę bardzo niewiele jej brakuje, by stać się taka jak...

Nie dokończyła myśli, gdyż skręciły w kolejną odnogę tunelu. Tara próbowała przypomnieć sobie rozkład zamku. Zastanawiała się, pod jaką jego częścią mogą się znajdować. *O ile się nie mylę, powinnyśmy być gdzieś pod południową stroną dziedzińca.*

Kątem oka zerknęła na Ariel. Skupienie na jej twarzy świadczyło o tym, że ona również próbuje to ustalić. Nagle przyjaciółka o coś się potknęła. Tara zareagowała błyskawicznie, łapiąc ją z tyłu za bluzkę i pociągając do siebie. Dziewczynie udało się zachować równowagę, ale głośno zachłysnęła się powietrzem.

– Dzięki.

– Co się stało?

– Wydawało mi się, że... Hej...

W tym momencie latarka zamigotała kilka razy i zgasła, pogrążając tunel w całkowitych ciemnościach. Ariel zaklęła głośno.

– No pięknie, cholera!

Tara usłyszała, jak stuka latarką o dłoń, ale wyglądało na to, że baterie wyczerpały się na dobre.

– Widzisz? – Tara odszukała jej dłoń i uścisnęła mocno. – To znak, że powinnyśmy wracać.

– Z przyjemnością. Tylko jak zamierzasz to zrobić w tych ciemnościach?

– Nie wiem. Przypominam, że to ty uparłaś się na tę wyprawę. Ja tylko próbuję myśleć trzeźwo.

– Aha, ja panikuję, tak? – usłyszała warknięcie w ciemności.

– Nie kłóćmy się teraz, dobrze? Wcale mi nie jest do śmiechu.

– Uwierz, że mi też nie. – Głos Ariel złagodniał. – To co robimy?

– Musimy posuwać się wzdłuż ściany, aż dojdziemy do wyjścia. – Tara domyślała się, że jej pewny siebie, wręcz rozkazujący ton może zaskoczyć przyjaciółkę, ale nie miała teraz czasu o tym myśleć. Musiała ją stąd wyciągnąć. – Liczyłaś zakręty?

– N... nie.

– A ja tak i uważam...

– Naprawdę liczyłaś? – w głosie Ariel zabrzmiało szczere zdumienie. – Jest coś, czego nie potrafisz?

Tara uśmiechnęła się do siebie. To właściwe pytanie. Mniej do wyliczania.

– Kilka rzeczy się znajdzie – odparła na głos.

Nagle Ariel puściła jej dłoń, wydając z siebie jakiś nieartykułowany dźwięk. Przez jedno uderzenie serca Tarę dopadła panika. Błyskawicznie wzięła się w garść i wyciągnęła przed siebie ręce, po omacku posuwając się do przodu.

– Ariel?! Gdzie jesteś?

Nagle natrafiła na przeszkodę. Zanim zorientowała się, że to przyjaciółka, straciła równowagę i razem wylądowały na ścianie.

– Aua! Tu... jestem. Możesz... wreszcie... zejść... ze mnie? Nie mogę... oddychać.

Tara zdała sobie sprawę z tego, że przygniata Ariel do ściany, więc pospiesznie się odsunęła.

– Przepraszam. Nic ci nie jest?

– Nie.

– Dlaczego puściłaś moją dłoń?

– Bo... No... – Ariel zaczęła się zacinać, wyraźnie zakłopotana własnym zachowaniem. – Koło mnie przebiegł szczur. Tak mi się wydawało...

Tara westchnęła ciężko. Położyła rękę na jej ramieniu, by wiedzieć, gdzie się znajduje. Wolała mieć ją cały czas w swoim zasięgu.

– No dobrze – powiedziała spokojnie. – Obiecaj mi tylko, że cokolwiek się stanie, więcej tego nie zrobisz. Musimy trzymać się blisko siebie, jeśli chcemy się stąd wydostać.

– Obiecuję.

– To przeze mnie się zgubiłyśmy – stwierdziła po dłuższej chwili Ariel. – Może będziemy tu uwięzione tak długo, aż ktoś zauważy naszą nieobecność i rozpoczną poszukiwania.

Tara zmarszczyła brwi i przygryzła wargi. Po krótkiej chwili wahania zbliżyła się do Ariel, aż mogła dostrzec niewyraźne kontury jej twarzy.

– Wyjdziemy stąd – obiecała łagodnie. – Musisz tylko mnie słuchać.

– Dlaczego mam wrażenie, że znów dziwnie się zachowujesz?

Tara przewróciła oczami.

– Nie czas teraz na żarty. Chcesz się stąd wydostać czy nie?

– Oczywiście, że chcę. – Ciepły oddech przyjaciółki owionął jej policzek, gdy ta westchnęła z rezygnacją. – To co mam robić?

– Po pierwsze wyjmij swój wisior.

– Co? Po co?

– Ariel!

– Dobrze już, dobrze.

Wykonała polecenie. A Tara uśmiechnęła się szeroko.

Tak jak podejrzewałam.

– Patrz! – wykrzyknęła głośno.

Między palcami Ariel prześwitywało białe światło. W jego blasku mogły w końcu dostrzec swoje twarze. Spojrzały na siebie i parsknęły śmiechem. Obie wyglądały równie żałośnie, z warstwą kurzu na całym ciele.

– A teraz puść medalion – rozkazała Tara z tą samą stanowczością. Ariel wyglądała tak, jakby bardzo chciała coś powiedzieć, ale się powstrzymywała. Tara spokojnie wytrzymała jej spojrzenie, jednak na jej czole pojawiła się pojedyncza bruzda. Kiedy w końcu przyjaciółka usłuchała, rozluźniła się z ulgą.

Jak tylko medalion spoczął na bluzce, eksplodował falą światła. W pierwszej chwili oślepił je zbyt intensywny blask, aż musiały zacisnąć powieki. Kiedy ból minął i mogły otworzyć oczy, okazało się, że białe światło z medalionu jest skuteczniejsze od latarki, gdyż oświetliło znaczną część korytarza. Mogły teraz dostrzec każdą pajęczynę i wgłębienie na ścianach.

Znów spojrzały na siebie. Ariel była zaskoczona, choć może nie tak jak powinna.

– Wiedziałaś, że to się stanie, prawda? Że ten medalion nie jest zwykłą ozdobą. – Wbiła wyczekujące spojrzenie w towarzyszkę. A ta obojętnie wzruszyła ramionami.

– W tym momencie wydawało mi się to właściwe. Skąd miałam niby wiedzieć, że ma taką moc?

– To czemu tak nalegałaś, bym go wyjęła?

– Nie wiem, okej? Miałam przeczucie. – Tara odsunęła się, oglądając Ariel uważnie od stóp do głów. – Nieźle się urządziłaś.

– My się urządziłyśmy. – Ariel spuściła wzrok na swój mundurek. Aż trudno było uwierzyć, że jeszcze niedawno był biały. – To się nim nacieszyłam – rzuciła smętnie. – Pierwszy dzień i już do wyrzucenia. Co ja powiem Eryl?

– Jak zwykle coś wymyślisz. Jesteś w tym całkiem dobra.

Ariel nagle spojrzała w górę, gdzieś nad głowę przyjaciółki. Ta również się odwróciła i zamarła.

Wpatrywały się w ścianę kolejnego korytarza, gdzie znajdowały się...

– Cele! – wykrzyknęła z podekscytowaniem Ariel. – Wiedziałaś, że tu są?! Chodź, rozejrzyjmy się.

Tara chwyciła ją gwałtownie za ramię, zatrzymując w miejscu. Sama dosłownie zdrętwiała. Przybrała ponurą minę i zmarszczyła czoło.

– Co? Boisz się? – Ariel obejrzała się na nią przez ramię i uniosła brwi. – Co się stało? Wyglądasz, jakbyś zobaczyła ducha.

Tara bardzo powoli przeniosła na nią wzrok. Przełknęła ślinę i wyciągnęła rękę, wskazując na coś palcem.

– Spójrz – wyszeptała.

Ariel posłusznie popatrzyła we wskazane miejsce. Z początku nie wiedziała dokładnie, na co ma zwracać uwagę, ale w końcu to dostrzegła.

Światło z medalionu rzucało jedynie słaby blask na to, co znajdowało się wewnątrz celi, ale to wystarczyło.

Na podłodze, tuż przy żelaznych kratach, leżał oparty o ścianę ludzki szkielet. Drugi znajdował się nieco dalej, rozłożony na sienniku, ukryty pod grubą warstwą kurzu. Musiały przeleżeć tu już setki lat, jeśli nie dłużej. Ich białe kości odcinały się w mroku, jakby świeciły jakimś własnym pośmiertnym światłem.

– To tylko zwykłe kości. Przecież nas nie zjedzą – zażartowała Ariel.

Tara jęknęła w duchu.

No tak, zapomniałam. Ona nic nie widzi. Ona nic nie widzi!

Uświadomiwszy to sobie, poczuła się w pewien sposób zawiedziona. Jeszcze raz spojrzała w głąb celi. Nawet mrugając ciągle powiekami, nie mogła wymazać tego widoku. Wiedziała, że to nie jest żadna iluzja.

Szkielety się poruszały.

Obserwowała, jak ruszają palcami, a potem niezgrabnie próbują zgiąć kolana, by wstać. Niedobrze.

Bez słowa chwyciła Ariel za rękę i odwróciła się na pięcie. Rzuciła się biegiem korytarzem, ciągnąc przyjaciółkę za sobą.

– Hej! Co robisz? Puść mnie!

Ariel próbowała się wyrwać, ale bezskutecznie. Tara wiedziała, że za wszelką cenę musi ją stąd wyprowadzić.

– Po prostu biegnij! – krzyknęła przez ramię. – Choć ten jeden raz nie zadawaj pytań!

Biegły tak szybko, jakby goniła ich sama śmierć. Pamięć Tary jej nie zawiodła, dzięki czemu dziewczyna bez zastanawiania wybierała odpowiednie zakręty i korytarze, nie zatrzymując się ani na moment. Uparcie ciągnęła za sobą Ariel, świadoma, że przyjaciółka jest na skraju wyczerpania. Słyszała jej przyspieszony oddech, ale wiedziała, że nie mogą sobie pozwolić nawet na sekundę odpoczynku. Jej samej zaczynało brakować tchu, a palący ból rozsadzał klatkę piersiową.

Skąd one się tu wzięły? Dlaczego tu są? To przecież niemożliwe… Gorączkowe myśli towarzyszyły jej przez cały ten szaleńczy bieg. Lecz jej instynkt zadziałał automatycznie i teraz najważniejsze było zapewnić Ariel bezpieczeństwo. Tylko to się teraz liczyło. Tak została wyszkolona. Strach, wahanie czy nawet jej życie – to wszystko nie miało znaczenia.

Samo zamknięcie drzwi nie wystarczy. Muszę coś zrobić.

Medalion Ariel obijał się o jej szyję, a jego podrygujące światło wskazywało im drogę. Tara oglądała się na towarzyszkę kilka razy i za każdym razem napotykała to samo pytające spojrzenie. Choć bardzo chciała, na razie nie mogła nic powiedzieć. To również nie zależało od niej.

I tak byś nie zrozumiała – przepraszała ją w myślach, usprawiedliwiając jednocześnie samą siebie. *Jeszcze za wcześnie.*

Przed nimi w oddali zamajaczyło światełko i w końcu dostrzegły wyłaniające się z mroku schody. Zatrzymały się dopiero przy klatce z wężem. Tara, dysząc ciężko, oparła się jedną dłonią o ścianę. Zerknęła na Ariel, która wcale nie wyglądała lepiej. Stała kilka kroków za nią, zbyt zasapana, by cokolwiek powiedzieć. Pochyliła się, opierając dłonie o kolana i próbując odzyskać oddech.

Tara nie miała wiele czasu. Podeszła do Ariel i chwyciła ją boleśnie za ramiona. Czekała, aż ta w końcu spojrzała jej prosto w oczy.

– Posłuchaj mnie, Ariel – odezwała się poważnie. – Idź teraz prosto do swojego pokoju. Jak najszybciej.

Ariel zamrugała gwałtownie powiekami, po czym zmarszczyła brwi.

– Powiesz mi wreszcie, o co tu chodzi? Nie możesz tak po prostu…

– Ariel! – Tara potrząsnęła nią niczym szmacianą lalką. Jeszcze nigdy nie była tak mocno wytrącona z równowagi.

Nie, to nie to. Nigdy nie bała się aż tak bardzo.

To dlatego, że nie jestem przygotowana. Bo takie rzeczy nie powinny tu istnieć. Nie ostrzeżono mnie…

Spojrzała uważnie na przyjaciółkę.

– Wracaj do pokoju – powtórzyła głucho, lecz stanowczo.

– Jak chcesz. – Ariel wyglądała na lekko zaniepokojoną, ale w końcu posłusznie ruszyła w stronę schodów. Na drugim stopniu zatrzymała się i odwróciła. – A ty nie idziesz?

– Nie. – Tara stała już do niej tyłem, wpatrując się w głąb ciemnego tunelu. – Upewnię się tylko, że tajpanowi będzie tu dobrze i wracam.

Stała w bezruchu, nasłuchując za sobą kroków, a potem dźwięku przymykanych drzwi. W korytarzu nagle zapanowały ciemności. W ciszy słyszała jedynie bicie własnego serca.

Odetchnęła głęboko i powoli. *Dobra, dziewczyno, weź się w garść.* Wyciągnęła przed siebie dłoń, z której wypłynęła łagodnie iskierka światła. Powiększała się stopniowo, aż przybrała idealnie okrągły kształt miniaturowego słońca. Tara popchnęła ją lekko ku górze, aż zawisła tuż nad jej głową. Następnie uklękła na zakurzonej podłodze i w sztucznym świetle zaczęła rysować wskazującym palcem skomplikowany wzór. Przeplatające się ze sobą i krzyżujące linie rozbłysły niebieskim, zielonym i złotym światłem. Dziewczyna pochyliła się nad rysunkiem, a jej twarz mieniła się niczym tęcza od gry świateł. Ze skupienia na czoło wystąpił pot. Tara ćwiczyła to wiele razy, ale jeszcze nigdy nie musiała wykorzystywać tej umiejętności w praktyce. Wiedziała dlaczego i wiedziała, że nigdy nie powinna tego tu robić. Ostrzegano ją, że na tym poziomie energii musi się liczyć z przykrymi konsekwencjami.

Ale przecież nie mam innego wyjścia – przekonywała samą siebie. To była jedna z tych sytuacji, gdy spryt i szczęście nie pomagały. W końcu to był jej obowiązek. Chronić swoją Panią, nawet za cenę własnego życia.

Linie wzoru zaczęły się obracać i pulsować. W wyrysowanym pośrodku kręgu pojawił się zarys miecza, który z każdą sekundą nabierał coraz realniejszych kształtów. Jego obraz falował i zacierał się jak źle nastrojony telewizor. Tara pochyliła się nad nim z widocznym wysiłkiem. W końcu jej oczom ukazała się srebrna rękojeść miecza oraz lśniąca stal pokryta czarnym zawiłym pismem.

Jeszcze tylko kilka sekund i zaklęcie przywołujące dobiegło końca.

Dziewczyna wyciągnęła drżącą rękę, by chwycić za rękojeść, kiedy nagle linie zadrgały i zniknęły. A razem z nimi broń i światła. Tara wpatrywała się w to miejsce niedowierzająco. Gdy macała dłońmi zimną podłogę, kula światła obniżyła się na wysokość jej oczu. *Cholera. Wiedziałam, że tak to się skończy!*

Była zawiedziona, że jej się nie udało, ale przecież mogła się tego spodziewać. Nie po to jednak poświęciła całe swoje życie, by poddawać się w takiej sytuacji. Zawsze miała w zanadrzu plan awaryjny.

– W takim razie trzeba będzie załatwić to inaczej – mruknęła do siebie.

Wstała, otrzepując się z kurzu. Z kieszeni wyjęła spinkę do włosów i bez wahania wbiła ją głęboko we wskazujący palec. Krew od razu popłynęła wąskim strumyczkiem. Dziewczyna szybko podeszła do ściany, odciskając na niej czerwony ślad. To samo zrobiła przy drugiej ścianie, na podłodze i suficie, do którego musiała podskoczyć, zostawiając na nim jedynie szkarłatną smugę.

Upewniwszy się, że oznaczone miejsca znajdują się w prostej linii od siebie, cofnęła się o dwa kroki. Tę samą dłoń wyciągnęła przed siebie i przymknęła powieki, skupiając resztki energii. Sztuczne światło rozpłynęło się zupełnie, pogrążając ją w ciemnościach. Zaraz potem plamki krwi rozjarzyły się na czerwono. Zaczęły się rozciągać i rozwijać, ściekać po zamkowych murach i układać w skomplikowane wzory. Trwało to tak długo, aż połączyły się ze sobą, tworząc idealny kwadrat. Tara otworzyła oczy i uśmiechnęła się. Mignął jej obraz czerwonej ściany, a potem zniknął. Kiedy wyciągnęła dłoń, natrafiła na niewidzialną barierę, wytrzymałą niczym żelazny mur.

– To powinno wystarczyć – mruknęła z zadowoleniem.

Zanim wspięła się na schody, pochyliła się i otworzyła drzwiczki klatki. I ledwie znalazła się w swoim dormitorium, zemdlała.

Rozdział VII

już z daleka dostrzegła światło wylewające się zza uchylonych drzwi. Gdy stanęła w progu, rozpostarta na jej łóżku Kiiri uśmiechnęła się szeroko. Ariel jęknęła w duchu.

– W końcu się zjawiłaś – odezwała się Kiiri swoim wyniosłym tonem. Przyjrzała się rywalce od stóp do głów i na jej usta wypełzł pogardliwy uśmiech. – W końcu wyglądasz jak człowiek na twoim poziomie. Ciekawe, co porabiałaś przez całą noc. Bawiłaś się ze szczurami? – zaśmiała się z własnych słów. – Dobrze się składa. Mam dla ciebie odpowiedni prezent.

Po tych słowach rzuciła czymś w stronę Ariel, a ta odruchowo złapała owinięty w papier przedmiot. W dłoniach trzymała martwą mysz. Zdusiła przekleństwo, przełykając obrzydzenie i chęć rozsmarowania gryzonia na twarzy Kiiri. Zamiast tego otworzyła okno i wyrzuciła zawiniątko na zewnątrz. Odwróciła się, posyłając dziewczynie wściekłe spojrzenie.

– Wynoś się stąd, zanim…

– Zanim co? – Dziewczyna wstała, nie spuszczając z niej oczu. – Wymamroczesz coś pod nosem i zamienisz mnie w żabę?

Ariel zacisnęła pięści.

– Myślę, że włochaty łeb pająka bardziej by do ciebie pasował – warknęła. Była tak zmęczona, że wcale nie było jej do śmiechu.

Kiiri bezwiednie zrobiła krok do tyłu i dopiero po upływie kilku chwil zdała sobie sprawę z tego, że to miał być żart. Jednak po jej twarzy przemknął cień strachu. Z niezadowoleniem przygryzła wargę, próbując ukryć swoją reakcję.

– Nie pozwolę, byś ze mnie kpiła – wysyczała ze złością.

– Doprawdy? – Ariel uniosła brew. – To nie było...

Przerwała nagle, gdy jej wzrok zatrzymał się na lewej dłoni Kiiri. Rozpoznała niebieską paczuszkę – prezent od Tary, o którym przez to całe zamieszanie zupełnie zapomniała.

Dziewczyna natychmiast dostrzegła przemykający po jej twarzy cień niepokoju i uniosła rękę, demonstracyjnie obracając przedmiot w palcach.

– Nie potrafię zrozumieć, czemu jeszcze tego nie otworzyłaś. Nie jesteś ciekawa, co to jest? Bo ja tak. I to tak bardzo, że nie mogłam zasnąć. Pomyślałam, że o tej porze nikt nam nie przeszkodzi.

– Dlaczego tak bardzo interesuje cię mój prezent? – Ariel mówiła przez zaciśnięte zęby, starając się zachować spokój.

Kiiri wzruszyła niedbale ramionami.

– Wszyscy wiedzą, że Tara jest twoją jedyną przyjaciółką. Zawsze jesteście nierozłączne, aż niektórzy mówią o was różne rzeczy. – Uśmiechnęła się znacząco i nie zważając na pochmurną minę Ariel, ciągnęła niewinnym tonem: – Spodziewałam się, że w tak ważnym dniu podaruje ci coś drogiego i dużego. – Zerknęła na paczuszkę i prychnęła. – Widocznie jednak Tara nie kocha cię tak bardzo, by z twojego powodu wydawać pieniądze. Znając wasz gust, to nie jest żadna biżuteria. Czujesz się zawiedziona i dlatego jeszcze tego nie otworzyłaś? A mnie właśnie interesuje twój prezent, bo zaskoczyła mnie jego wielkość. – Kiiri przerwała, by przez chwilę napawać się gniewem, jaki ujrzała w zielonych oczach Ariel. – W jakiś sposób nawet mi ciebie żal. Podobno prawdziwego przyjaciela poznaje się w biedzie, więc wychodzi na to, że wroga w szczęściu. Nie chcę nic sugerować, ale...

– Skończyłaś?

Kiiri nie przestawała się uśmiechać, podrzucając w ręku paczuszkę, jakby to była piłka.

– Niech będzie, że tak. Może w końcu przejdziemy do czynu i otworzymy to badziewie.

Ariel nie zamierzała stać bezczynnie i tolerować tej wiedźmy w swoim pokoju, w dodatku w środku nocy. Dzisiejszy dzień obfitował w zbyt wiele wydarzeń i nawet dla niej było już tego za dużo. Już nie mogła się doczekać, by wreszcie się skończył. Jedynie buzująca w żyłach adrenalina pozwalała jej jeszcze stać na nogach. Może nawet darowałaby Kiiri, ale sam jej widok dziewczyny działał na nią jak płachta na byka. Tym razem przegięła i to wszystko sprawiło, że Ariel przestała się hamować.

Rzuciła się na Kiiri, popychając ją na łóżko. Upadły razem na miękki materac, szarpiąc się za ubrania i włosy. Ariel syknęła głośno, gdy oberwała w żebra, jednak sama nie pozostawała dłużna. Uderzyła Kiiri w twarz, po czym wbiła paznokcie w jej rękę, próbując odebrać od niej paczuszkę. Z zaskakującą siłą dziewczyna pociągnęła Ariel za włosy, aż ta z głośnym krzykiem opadła obok na łóżko. Kiiri natychmiast to wykorzystała, odsuwając się na bezpieczną odległość. Nawet w pomiętej koszuli nocnej i z potarganymi włosami potrafiła uśmiechać się w ten okrutny, wyrafinowany sposób.

Zanim Ariel zdążyła wstać, jej prześladowczyni jednym ruchem zerwała papier z paczuszki. Ich oczom ukazało się zwykłe drewniane pudełeczko. Kiiri prychnęła pogardliwe.

– Mogłam się tego spodziewać.

W Ariel zamarło serce, choć zupełnie nie wiedziała dlaczego. I już nie chodziło o tę sytuację, choć czuła głęboko, że Kiiri naprawdę nie powinna tego otwierać.

Tymczasem dziewczyna spokojnie otworzyła pudełko i niemal natychmiast jej oczy rozbłysły niepokojąco. Ariel nie była w stanie zobaczyć, co takiego znajduje się w środku, poczuła jednak na plecach nagły chłód. Coś… Jakaś myśl przemknęła jej przez głowę tak szybko, że ledwo ją wychwyciła. A jednak w ostatniej chwili powstrzymała się, by ostrzec Kiiri.

Jestem potworem. Nie powinnam jej życzyć źle, nawet jeśli jej nienawidzę.

Było już za późno na gniew, krzyki i w ogóle cokolwiek. Właściwie to Ariel nie rozumiała nawet, co się wydarzyło.

Z chwilą gdy Kiiri dotknęła przedmiotu w pudełku, przez pokój przeszła gwałtowna fala ciepła. Zanim Ariel zdążyła mrugnąć okiem, Kiiri... zniknęła.

Dziewczyna przetarła niedowierzająco oczy, a potem zamrugała szybko. Jednak nie było wątpliwości, że rywalka po prostu rozpłynęła się w powietrzu. Ariel siedziała na łóżku, kompletnie odrętwiała i zdezorientowana. Pudełeczko, które jeszcze przed chwilą trzymała Kiiri, upadło głośno na posadzkę. Ze środka wytoczyło się coś żółtego, okrągłego i potoczyło na drugi koniec pokoju.

Przez kilka bardzo długich minut dziewczyna siedziała w ciszy, bez ruchu, z pustką w głowie. Wciąż nie mogła pojąć tego, co się stało. Przed sekundą Kiiri stała tuż przed nią, a teraz jej nie było. Zrobiła ciche „bum" i po prostu zniknęła. Czy ten przedmiot...?

Ariel wpatrywała się w kąt pokoju tak długo, aż ciekawość zwyciężyła. Na drżących nogach zbliżyła się do miejsca, gdzie leżało to okrągłe coś. Ukucnęła w pewnej odległości, zachowując bezpieczny dystans.

Była to najpiękniejsza rzecz, jaką widziała w życiu. Miała przed sobą idealnie okrągły złoty kamień, który nawet w cieniu mienił się wszystkimi odcieniami żółci. Nie wiedziała, co to jest, ale z pewnością nie było to złoto. Bił od tego delikatny, ciepły blask, który przyciągał i hipnotyzował. Ariel zrozumiała teraz zachwyt Kiiri. Sama zastygła w bezruchu, ciesząc oczy tym mieniącym się cudeńkiem. Doznała gwałtownej chęci, by dotknąć kamienia, poczuć jego kształt, ciężar i konsystencję. Już nawet wyciągnęła rękę, ale zatrzymała ją w pół drogi. A co jeśli zniknie jak Kiiri? Co się wtedy z nią stanie? Czy to może zabić? Zadrżała gwałtownie i cofnęła rękę. Nie chciała ryzykować, jeśli w grę wchodziło życie. Choć z drugiej strony ciepły blask kamienia jakby ją wzywał, wołał...

Nawet jeśli wciąż miała wątpliwości, to w następnej sekundzie reszta świata po prostu przestała się liczyć. Im dłużej wpatrywała się w złoty kamień, tym większa narastała w niej pewność, że nie stanie się jej żadna krzywda, że należy do niej i tylko do niej.

Wyciągnęła rękę.

Kamień okazał się przyjemnie ciepły i idealnie gładki. Gdy zacisnęła na nim palce, przez jej ciało przeszła fala, której siła zwaliła ją z nóg. Ariel upadła na posadzkę z głośnym jękiem. A kiedy doszła do siebie, zorientowała się, że kamień po prostu zniknął. Zupełnie jak wcześniej Kiiri. Omiotła spojrzeniem cały pokój, ale z pewnością zauważyłaby gdzieś złoty blask. Nerwowym ruchem przeczesała palcami włosy.

To już przestało być zabawne. Ja to mam szczęście. Jeszcze chyba nikt nie miał tak dziwnych urodzin. Bardzo chciałabym wiedzieć, dlaczego to wszystko spotyka akurat mnie – pomyślała zmęczona i zniechęcona.

Z rezygnacją obserwowała, jak za oknem wstaje blady świt. Westchnęła przeciągle, kiedy zdała sobie sprawę z tego, że jest już za późno na sen. Tak bardzo chciała, żeby ten dzień w końcu się skończył, mając nadzieję, że następny będzie mniej zwariowany. Tymczasem zapowiadało się na to, że nowy będzie po prostu przedłużeniem poprzedniego.

Wymruczała pod nosem przekleństwo i znów przejechała ręką po włosach. Niechcący dotknęła siwego kosmyka nad czołem, który w tej samej chwili rozjarzył się delikatnym szarym światłem. Pokój zaczął rozmazywać się dziewczynie przed oczami i zamiast ścian z czerwonej cegły ujrzała inną scenę, jakby oglądała film.

Pustym korytarzem szła Tara, a jej wydłużony cień drżał i migotał w wpadających przez długie okna promieniach słonecznych. W całym zamku panowała nienaturalna, niepokojąca cisza. Jedynym dźwiękiem było echo jej kroków.

Ariel od razu wiedziała, że to nie dzieje się naprawdę, a jedynie w jej umyśle. Ta wizja różniła się od wczorajszej, ale towarzyszącego jej uczucia nie mogłaby pomylić z niczym innym. I w dodatku dotyczyła Tary. Serce Ariel ścisnęło się z przerażenia. O Boże… Tylko nie Tara… Jednak było już za późno. Nie umiała tego powstrzymać.

Zamknęła gwałtownie oczy w głupiej nadziei, że uda jej się uwolnić z tego snu na jawie. Jednak to w żaden sposób nie wpłynęło na doznania, które zawładnęły jej umysłem.

Obraz zamazał się na moment i gdy ponownie się wyostrzył, ujrzała skąpany w słonecznym świetle dziedziniec. Tara siedziała nieruchomo na skraju fontanny, jakby na chwilę przysnęła. Ariel nie miała pojęcia, co robi jej przyjaciółka. Mogła jedynie obserwować ją z boku z przerażającym przeczuciem, że zaraz wydarzy się coś strasznego, a ona nie może temu zapobiec. Nie musiała długo czekać.

Obok fontanny przemknął jakiś cień. Nie miał wyraźnego kształtu, był jakby czarną mgłą unoszącą się w powietrzu. Tara wciąż miała zamknięte oczy, więc nie była nawet świadoma nadchodzącego niebezpieczeństwa. Ariel rozpaczliwie pragnęła ostrzec przyjaciółkę, lecz było już za późno.

Poczuła to. Najpierw jej ciałem wstrząsnął przerażający ból, jakby ktoś chciał siłą wyrwać jej duszę. A potem cały świat zawirował i przed oczami zamigotały jej czarne plamy. Jednocześnie otoczył ją duszący gorzki odór. Powietrze wokół stało się ciężkie, jakby suche. Z trudem walczyła o każdy oddech, a po jej ciele przebiegł lodowaty chłód. Starając się zapanować nad obezwładniającym strachem, spojrzała na Tarę.

I zamarła.

Jej przyjaciółka leżała teraz na trawie, a nad nią unosił się czarny cień. Ariel, zapominając o tym, że to jedynie wizja, krzyknęła rozpaczliwie, choć z jej ust nie wydostał się żaden dźwięk. Jednak bezkształtna istota musiała ją w jakiś sposób usłyszeć. Powoli odwrócił się w jej stronę i spojrzał wprost na nią, zupełnie jakby fizycznie znajdowała się na dziedzińcu. Tam, gdzie powinna być głowa, widniały dwa bezdenne otwory przypominające oczy. Ariel wstrzymała oddech, zbyt przerażona, by zaczerpnąć tchu. Gdzieś na granicy umysłu poczuła muśnięcie obcej świadomości. Odległej i słabej, ale potężniejszej niż cokolwiek, co do tej pory spotkała.

Witaj, Ariel. W końcu się spotkaliśmy – usłyszała w głowie cichy, rozbawiony szept.

Jej oczy zasnuły się mgłą. Czarna masa powoli ruszyła w jej stronę. Bijący od niej ciężki odór wywołał u dziewczyny falę mdłości.

Kim jesteś? Skąd znasz moje imię? Pytania same ukształtowały się w jej umyśle, zanim zdała sobie sprawę, że je zadaje.

Jestem tym, dzięki któremu istniejesz. Twoim bogiem, ojcem i stworzycielem. To bardzo interesujące. Lira pozostawiła ci w spadku cenny prezent. Nie spodziewałem się, że akurat ty posiądziesz Trzecie Oko. Jednak rad jestem z tego, gdyż możemy nawiązać bezpośrednią więź. To wszystko ułatwia.

Przerwał na sekundę. Zdawał się przeszywać ją spojrzeniem na wskroś, jakby zaglądał prosto w jej duszę.

Jesteś moja, Ariel. Czas, byś wróciła na swoje miejsce i zmazała hańbę zdrady swoich przodków.

Nie rozumiała jego słów i wydawały jej się nieważne. Kątem oka spojrzała na leżącą bez ruchu Tarę i nagle wezbrał w niej gniew. Zmusiła istotę do wycofania się ze swojego umysłu i szarpnęła się gwałtownie. Poczuła, że leci do tyłu, a potem otworzyła oczy. Leżała na podłodze we własnym pokoju i dyszała z wysiłkiem. Resztkami sił podczołgała się do łóżka i padła na nie kompletnie wyczerpana. Jej czoło oblepiał zimny pot, a po całym ciele przechodziły lodowate dreszcze. Szumiało jej w głowie, jakby zaraz miała eksplodować. Zapomniała nawet o tej dziwnej istocie. Pusty umysł wypełniała tylko jedna przerażająca myśl: Tara, jej jedyna przyjaciółka, miała umrzeć...

* * *

Ariel wkroczyła do sali jadalnej wyczerpana i zbyt przybita, by zwracać uwagę na cokolwiek. Było dość późno, więc większość kończyła już śniadanie i spieszyła na lekcje.

Dziewczyna usiadła przy pustym stoliku i ziewnęła po raz kolejny w ciągu ostatniej minuty. Kiedy Eve postawiła przed nią miskę z owsianką, skinęła tylko głową, nie siląc się nawet, by się przywitać. Przełknęła ślinę i odetchnęła głęboko, czując, jak żółć zatyka jej gardło. Za każdym razem, gdy pomyślała o ostatnich przeżyciach, coś ściskało jej żołądek. Nagle wszystko inne wydawało się nieważne. Jak to w ogóle możliwe, że przez jeden dzień wydarzyło się tak wiele dziwnych rzeczy? I to jakimś zbiegiem okoliczności akurat w jej szesnaste urodziny.

Po pierwsze: Kiiri.

Zniknęła i ona, Ariel, nie miała pojęcia, co się z nią stało. Umarła? Czy może przeniosła się w jakieś inne miejsce? A może zjawi się na lekcjach, cała i zdrowa, a to całe zajście w jej pokoju okaże się tylko złym snem?

Ale to się wydarzyło naprawdę. Widziałam to na własne oczy – pozbawiła się od razu złudzeń. Od natłoku myśli nieustannie pulsowało jej w głowie.

Jednak to jeszcze nie było najgorsze.

Kolejna wizja, w której widziała, jak coś złego dzieje się z Tarą... Wizja, w której jakiś tajemniczy cień mówił coś o tym, że jest jej bogiem...

Więc jednak pobiłam swój rekord w byciu dziwadłem. Czy to oznacza, że normalne życie nie jest mi pisane?

Dziewczyna westchnęła ciężko, z niechęcią spoglądając na stygnącą owsiankę. W ogóle nie czuła głodu.

No dobrze. Zamiast użalać się nad sobą powinnam jakoś to ogarnąć i zastanowić się, co dalej.

Tyle że próbowała to robić przez ostatnie dwie godziny. Po krótkiej i niespokojnej drzemce nie mogła już zmrużyć oka. Wciąż od nowa analizowała ostatnie wydarzenia i jak do tej pory nic mądrego nie przyszło jej do głowy.

Jedyne, co mogę zrobić w tej sytuacji, to ostrzec Tarę. Mam nadzieję, że mnie wysłucha i nie weźmie za wariatkę. Bo sama już zaczynam wierzyć, że nią jestem.

– Ariel.

Niemal podskoczyła na dźwięk swojego imienia. Wyrwana z ponurych rozmyślań uniosła wzrok na Tarę. Uśmiechając się beztrosko, przyjaciółka zajęła miejsce obok. Postawiła na stole tacę ze śniadaniem, rzucając swoją torbę pod krzesło. Ariel spróbowała się do niej uśmiechnąć, ale na jej twarzy pojawił się tylko jakiś niewyraźny grymas. Dostrzegła, że Tara przesunęła wzrokiem po jej włosach, po czym spojrzała w jej oczy i szybko odwróciła głowę. Bez słowa zabrała się za śniadanie, ale Ariel i tak wiedziała, na co dziewczyna patrzyła.

Na jej włosach pojawiło się nowe pasemko. Przez chwilę o nim zapomniała, ale teraz mimowolnie przeciągnęła po nim palcami. Sama odkryła je zaledwie przed chwilą, gdy przeglądała się w lustrze. Złote pasemko w niewyjaśniony sposób pojawiło się tuż obok siwego. Tak samo jak złote okrągłe znamię na brzuchu.

Wciąż czuła się zbyt zmęczona i wstrząśnięta ostatnimi wydarzeniami, by zastanawiać się na razie, jak złoty kamień znalazł się w jej ciele.

– Słuchaj, Ariel, chciałam cię przeprosić...

– Za co?

– No wiesz... – Przez te wszystkie lata Tara jeszcze nigdy nie była tak zmieszana i niepewna. – Za wczoraj. Ja... wiem, że mogłam cię wystraszyć.

– Owszem. Zachowywałaś się dość dziwnie.

– Wiem. – Tara spuściła głowę. – Przepraszam. Bardzo chciałabym ci to wszystko wyjaśnić, ale...

– Niech zgadnę. Nie możesz, prawda?

Przyjaciółka uniosła głowę i uśmiechnęła się przepraszająco.

– Nie mogę. Mam nadzieję, że to zrozumiesz.

– Właśnie próbuję. – Ariel zmrużyła oczy, przeszywając dziewczynę uważnym spojrzeniem. – Jeszcze wczoraj zarzucałaś mi, że nie jestem wobec ciebie szczera, a teraz widzę, że ty również masz swoje tajemnice.

– Ariel, czy uwierzysz, jeśli powiem, że to wszystko wyłącznie dla twojego dobra?

Brązowe oczy Tary miały w sobie tyle skruchy, że Ariel w końcu uśmiechnęła się szczerze. Odnosiła czasem wrażenie, że ta dziewczyna używa wobec niej jakiegoś zaklęcia, które powoduje, że nie potrafi oprzeć się jej urokowi.

– A czy mam inne wyjście? – zapytała, po czym dodała, nie czekając na odpowiedź: – Więc nie zdradzisz mi również, co robiłaś tam po moim wyjściu?

– Och. – Tara machnęła ręką. – Nic takiego. Szukałam dla Tajpka jedzenia.

– Jedzenia?

– No, wiesz. Dużych pająków, szczurów...

Ariel skrzywiła się z obrzydzeniem, a Tara spokojnie skończyła kanapkę i wzięła się za drugą.

– Skoro już tę kwestię mamy za sobą – odezwała się między jednym kęsem, a drugim – to może powiesz mi, co tobie się stało? Wybacz, że to mówię, ale wyglądasz gorzej niż wczoraj. Jakbyś zobaczyła ducha.

Można tak powiedzieć – pomyślała ponuro Ariel.

– Aż tak widać?

– Trochę pudru może zatuszować te sińce pod oczami – zażartowała Tara. Widząc jednak ponurą minę przyjaciółki, sama szybko spoważniała. – Stało się coś złego? To chyba nie przez naszą nocną wycieczkę?

– Nie... Miałam... – zerknęła na Tarę, przygryzając wargę, po czym spuściła głowę. – Miałam ciężką noc. Czy wybaczysz mi, że na razie nie chcę o tym mówić?

Tara westchnęła przesadnie głośno.

– A czy mam inne wyjście?

– Nie... Tara...?

– Słucham?

– Spełnisz moją prośbę?

– Jaką?

– Wiem, że to może głupio zabrzmieć, ale czy... czy możesz na siebie uważać?

– Przecież zawsze na siebie uważam. – Tara uniosła brwi w niemym zdziwieniu.

– Tak, wiem, ale... Bo widzisz... Ja miałam taki dziwny sen i... no wiesz... Martwię się o ciebie.

Nie doczekała się odpowiedzi, więc uniosła głowę. Tara wpatrywała się w nią ze zmarszczonymi brwiami i nieodgadnionym wyrazem twarzy. Gdy ich spojrzenia się spotkały, twarz dziewczyny natychmiast się rozpogodziła. Poklepała Ariel po ręce z wesołym uśmiechem.

– Nie martw się. Naprawdę umiem o siebie zadbać. Jednak będę pamiętać o twoich słowach, jeśli to cię uspokoi. – Sięgnęła po torbę i wstała. – A ty powinnaś trochę się przespać.

Ariel puściła jej ostatnie słowa mimo uszu. Dopiero teraz zauważyła, że przyjaciółka ma zabandażowany palec lewej dłoni. Złapała ją za przegub, by lepiej przyjrzeć się ranie.

– Skaleczyłaś się?

– To niewielka ranka. Do wesela się zagoi – odpowiedziała lekkim tonem.

– Kiedy się skaleczyłaś? Chyba nie w podziemiach? Może powinna to obejrzeć pielęgniarka? – Pewnie reagowała zbyt przesadnie, ale po ostatniej wizji stała się za bardzo przewrażliwiona. Tara delikatnie wysunęła dłoń i przycisnęła ją do piersi.

– To nic takiego. Naprawdę. – Zamierzała już odejść, ale po pierwszym kroku coś sobie przypomniała. Nie odwracając się, rzuciła przez ramię: – Spotkałam na korytarzu Eryl. Szuka cię.

Ariel spoglądała, jak dziewczyna szybkim krokiem opuszcza salę. Westchnęła cicho, czując, że ten dzień również nie będzie należał do najłatwiejszych.

Moja przyjaciółka ma przede mną sekrety, a ja nie jestem od niej lepsza. Co się z nami dzieje?

W końcu i ona opuściła salę. Idąc korytarzem, przypomniała sobie, że właściwie ma wolny dzień, musi się tylko stawić w bibliotece. I bardzo dobrze. Czuła, że i tak nie potrafiłaby się na niczym skupić. W zamyśleniu skierowała się na pusty dziedziniec, gdy spostrzegła zmierzającą w jej stronę Eryl.

– Jesteś w końcu. Właśnie cię szukałam. – Kobieta zatrzymała się i bacznie przyjrzała podopiecznej. – Zrobiłaś sobie pasemko? – spytała, przyglądając się jej włosom.

– Eee… – Ariel szybkim ruchem odgarnęła włosy do tyłu. – Tak – odparła jedynie.

Nie miała ochoty ani kłamać, ani się tłumaczyć. Na szczęście Eryl nie zamierzała dłużej ciągnąć tego tematu.

– Mam teraz wolną godzinę, więc może pójdziemy do mnie i wybierzesz sobie przedmioty?

– Dobrze.

Pokoje nauczycielek znajdowały się w południowej części zamku, na drugim piętrze. Pokój Eryl był prosty i schludny, właściwie nie różnił się zbytnio od tego, w którym od wczoraj mieszkała Ariel. Duże łóżko, kominek, szafy oraz stojące pod oknem masywne biurko z jasnego mahoniu. Dziewczyna odwiedzała nauczycielkę tak często, że czuła się tu jak u siebie.

Weszła za kobietą do pokoju i zamknęła drzwi. Eryl dała jej znać, by usiadła, więc zagłębiła się w miękki fotel. W milczeniu obserwowała, jak opiekunka szuka czegoś na biurku. W pokoju było dość ciepło, ostatnie promienie letniego słońca ogrzewały stare mury i wlewały się przez okno, kładąc się na podłodze i łóżku jasnymi smugami.

Eryl w końcu znalazła to, czego szukała. Podeszła do Ariel i wręczyła jej pojedynczą kartkę i długopis.

– Zastanów się i wybierz interesujące cię przedmioty. Potem zaniosę to do pani Pixton i od jutra będziesz mogła zacząć lekcje.

Dziewczyna skinęła głową i spojrzała na listę. Przejrzała ją pobieżnie, po czym szybko zaznaczyła sześć przedmiotów, nie przywiązując większej wagi do ich wyboru. Wpatrywała się tępo w kartkę, powracając myślami do wizji, która wciąż nie dawała jej spokoju. Stanowczo różniła się od tej pierwszej. Za drugim razem Ariel widziała otoczenie oraz wszystkie szczegóły, jakby sama tam była.

W dodatku ten dziwny niepokojący cień…

Co to znaczy, że to dzięki niemu istnieję? Mówił coś o Lirze i Trzecim Oku, ale żadna z tych nazw nic mi nie mówi. Czy jeśli będę miała kolejne wizje, to będą jeszcze gorsze od poprzednich?

Pytania rodziły się w jej umyśle zbyt szybko, by miała czas zastanowić się nad odpowiedzią choćby na jedno z nich. Wszystko działo się w tak zawrotnym tempie, że nie wiedziała już, co o tym wszystkim myśleć. Sposępniała, nawet nie zdając sobie sprawy z tego, że od pewnego czasu kurczowo zaciska palce na długopisie, jakby próbowała go złamać.

Była jeszcze ta rzecz, której w ogóle nie rozumiała.

Przycisnęła dłoń do brzucha, gdzie od kilku godzin znajdował się złoty kamień.

Co te dziwne znamiona mają ze sobą wspólnego?

Nie wiedziała dlaczego, ale właśnie to pytanie wydawało jej się w tym wszystkim najważniejsze. Jakby było kluczem do rozwiązania całej zagadki jej istnienia.

Nigdy szczególnie nie wierzyła w magię ani w te wszystkie niewyjaśnione zjawiska. Teraz jednak znalazła się w samym centrum dziwnych zdarzeń, niczym jedna z bohaterek fantastycznych książek, których się tyle naczytała.

– Ariel, dobrze się czujesz?

Szybko uniosła głowę. Zmusiła się do uśmiechu pod zatroskanym spojrzeniem Eryl.

– Wszystko w porządku.

Widząc, że kobieta nadal jej się przygląda, wstała i podała kartkę z zaznaczonymi przedmiotami.

– Mogę już iść?

Opiekunka zerknęła na listę i uśmiechnęła się z aprobatą.

– Dobry wybór – pochwaliła. – Jeśli w przyszłości będziesz chciała pracować w szkole lub w bibliotece, te przedmioty ci się przydadzą. Nie są zbyt trudne, jednak nie zapominaj, że jeśli chcesz uzyskać dobre oceny, musisz wziąć się do nauki.

Ariel kiwnęła niecierpliwie głową. Eryl podziękowała jej i ruchem dłoni pozwoliła odejść.

– Ariel – zawołała jeszcze, gdy ta była już w drzwiach. – Widziałaś może dziś Kiiri?

Coś lodowatego chwyciło dziewczynę za gardło, a serce wykonało podwójne salto. Obróciła się powoli i wytrzymała spojrzenie Eryl, zachowując kamienny spokój. Zwilżyła językiem zaschnięte nagle wargi.

– Nie.

Kobieta westchnęła ciężko.

– Miałam nadzieję. Wiem, że nie przepadacie za sobą, ale w końcu mieszkałyście w jednym pokoju. Martwię się, gdyż nie widziałam jej na śniadaniu i nie zjawiła się na pierwszej lekcji, a to jej się jeszcze nigdy nie zdarzyło. Gdyby miała problemy, zgłosiłaby to nauczycielkom.

– Może zaszyła się gdzieś z koleżankami. – Ariel przywołała obojętną minę.

– Może. No nic, sprawdzę to. Możesz odejść.

Wróciła do przeglądania dokumentów, więc dziewczyna wymknęła się cicho z pokoju. Na korytarzu wciągnęła głęboko w płuca powietrze, a potem powoli je wypuściła. Krzyżując na piersi drżące ręce, postanowiła, że jednak opowie o wszystkim Tarze. Czuła, że jeśli komuś się nie zwierzy, to po prostu zwariuje.

* * *

Tara usiadła na brzegu fontanny i po raz kolejny rozejrzała się uważnie, czy nikogo nie ma w pobliżu. Wyszła z lekcji tylko na chwilę, więc musiała się spieszyć.

Odetchnęła głęboko, przymykając oczy.

– Estor – wymamrotała pod nosem nasiąknięte Mocą słowo, jednocześnie dotykając wskazującym palcem czoła i ust. Natychmiast poczuła w umyśle tak dobrze znaną świadomość. Uśmiechnęła się do siebie z czułością.

Witaj, ojcze.

Tara, kochanie. Czy coś się stało? Męski głos, sprawił, że w jej oczach pojawiły się łzy wzruszenia.

Nie... nie wiem. Tak bardzo chciałabym już wrócić do domu.

137

Wiem, córko, lecz twoje zadanie wymaga poświęcenia. Po to zostałaś wychowana i nie możesz zrezygnować. Wiesz, że jesteśmy z ciebie dumni.

Wiem o tym, ojcze, i rozumiem. Sama przyjęłam na siebie rolę jej strażniczki. To był mój własny wybór, jeszcze zanim przyszłam na świat. Wolałabym umrzeć niż wyrzec się tego zaszczytu. A tutaj jest lepiej, niż sądziłam.

Cieszę się, że tak uważasz, ale to chyba nie jedyny powód tej rozmowy?

Nie. Tara westchnęła głośno. Miała obawy, czy powinna o tym wspominać. *Wczoraj pokazałam jej podziemia.*

Przez chwilę panowała cisza. Dziewczyna starała się stłumić narastający lęk. Wiedziała, że popełniła błąd i oczekiwała na zasłużoną reprymendę.

Nie powinnaś tego robić. Ku jej zaskoczeniu głos ojca wciąż był cichy i łagodny, jedynie lekka nuta dezaprobaty zdradzała, że nie pochwalał jej czynu.

Wiem i teraz żałuję. To był tylko mały test. Chciałam też sprawdzić, czy coś sobie przypomni.

I jak poszło?

Wygląda na to, że pamięć sama jej nie wróci, ale, ojcze…

Tak?

Jest jeszcze coś.

W jej głosie pojawił się lęk. Mężczyzna natychmiast stał się czujny. Teraz już tym bardziej nie było sensu niczego przed nim ukrywać. Wcześniej czy później i tak wyczytałby wszystko z jej otwartego umysłu. A jej obowiązkiem było meldowanie o wszystkim, co się tu działo.

W podziemiach odnalazłyśmy cele. W jednej leżały dwa ludzkie szkielety. One… poruszały się…

Jesteś pewna? On również stał się niespokojny, a jego emocje przepływały przez nią niczym wzburzone morze w czasie sztormu.

Tak. Na własne oczy widziałam.

A Ariel…?

Nie. Wydostałam ją stamtąd, zanim domyśliłaby się, że coś jest nie tak. Ojcze… Co to jest? Nigdy nie widziałam, by kości same się poruszały.

Ja też nie, choć słyszałem, że to możliwe. Jeśli to rzeczywiście to, o czym myślę... Zamilkł na chwilę, jakby zbierał myśli. *Ale to, co powiedziałaś, potwierdza, że tam również nie jesteście bezpieczne. Co z nimi zrobiłaś? Próbowałam przywołać miecz, by z nimi walczyć, ale to miejsce bardzo mnie osłabia i nie udało się. Utworzyłam barierę tak, jak mnie uczyłeś. Nie powinny stwarzać problemu.*

Dobrze się spisałaś. Duma w głosie ojca bardziej ją uradowała niż same słowa. *Przekażę twoją wiadomość dalej i sprawdzimy to. A teraz opowiedz trochę o Ariel. Minęło już tyle lat.*

Tara uśmiechnęła się lekko.

Dostała medalion i odkryła część jego Mocy. Przekazałam jej też Kamień. Na razie nie zna jego przeznaczenia, ale jeśli chcesz...

Nie. Jeszcze nie teraz. Lepiej opowiedz o niej samej.

Tara musiała chwilę się zastanowić, by dobrać odpowiednie słowa.

Ariel wciąż zachowuje się jak dziecko. Ma jednak odwagę po ojcu i dumę po matce. Jest też uparta, roztrzepana i czasem niezdarna. Jednak jej temperament się nie zmienił. Wciąż nie zastanawia się nad tym, co robi i często pakuje się w kłopoty. Aż czasem myślę, czy to jej aby nie sprawia za dużo przyjemności. Jakby nie potrafiła przeżyć dnia bez odrobiny dreszczyku.

Myślała, że swoimi słowami rozbawi ojca. Tymczasem już dawno nie było w nim tyle smutku. Czuła, że coś przed nią ukrywa, choć nie wiedziała dokładnie, o co może chodzić. Z tak dużej odległości odczytywanie jego myśli było trudniejsze niż zazwyczaj. Poza tym zawsze tworzył silniejsze bariery, co czasem ją deprymowało.

Cieszę się, że ma tak silny charakter. Teraz, kiedy jej rodzice zginęli...

Co?! Ta wiadomość tak nią wstrząsnęła, że o mało nie spadła z fontanny. *Jak? Kiedy?*

Zabił ich sługa Niezwyciężonego. To stało się niedawno.

Tara potrzebowała dłuższej chwili, by dojść do siebie po tej wiadomości.

Taka strata... Ariel nawet ich nie pamięta, chociaż tak bardzo pragnie ich odnaleźć.

Nas wszystkich zasmuciła ta wiadomość. Wiesz jednak, córko, co to dla nas oznacza… Przebudził się…

Słysząc to, Tara zadrżała gwałtownie. Przez chwilę nie była w stanie nic odpowiedzieć.

Miną miesiące, zanim się uwolni i zbierze armię. W tym czasie zdążymy się przygotować.

Chciałabym wrócić już do domu. Jak mogła żyć tu beztrosko, podczas gdy los jej najbliższych był taki niepewny?

Tam będziesz bezpieczniejsza. Pamiętaj, Taro, że cię kochamy i będziemy na ciebie czekać. Już niedługo się zobaczymy.

Ja też was kocham. Przekaż mamie, że…

Nie zdążyła dokończyć, gdyż jakiś dźwięk wyrwał ją z transu. Otworzyła oczy i spojrzała wprost w okrągłe ślepia gada.

– Och – wyrwało jej się tylko, zanim jego ociekające jadem kły zatopiły się w jej nodze.

Trucizna błyskawicznie rozprzestrzeniła się po ciele. Tara osunęła się na kolana, czując, jak mięśnie odmawiają jej posłuszeństwa. Ani na moment nie odwróciła oczu od tajpana. Zdobyła się nawet na nieznaczny uśmiech.

– Dobrze się spisałeś, przyjacielu. A teraz wybacz mi – wymamrotała, bo każde słowo wydobywało się z jej ust z coraz większym trudem.

Zmuszając się do ostatniego wysiłku, wyciągnęła rękę i koniuszkami palców dotknęła skóry węża. Wokół jej dłoni z cichym sykiem zatańczyły iskry. W miejscu gada pojawiła się kupka popiołów, którą gwałtowny podmuch wiatru rozsypał po dziedzińcu. Tara zamknęła oczy i pozwoliła w końcu, by trucizna zrobiła swoje.

* * *

Ariel krążyła niespokojnie między grupami uczennic, starając się dojrzeć wśród nich Tarę. Była przerwa, więc na korytarzach panował tłok i głośny harmider.

Choć ostrzegła przyjaciółkę, wcale nie czuła się spokojniejsza. Miała nadzieję, że spotka ją na tej przerwie, gdyż później miała iść do biblioteki i nie wiedziała, kiedy będzie miała następną okazję, by porozmawiać z Tarą. A musiała ją teraz zobaczyć, upewnić się, że nic jej nie jest.

Zmęczona ciągłym przeciskaniem się i krążeniem w tę i z powrotem, przystanęła na chwilę w cieniu kolumny. Rozglądając się uważnie po korytarzu, dostrzegła w oddali nerwowe poruszenie. Ponad ogólny zgiełk wybił się czyjś krzyk, a potem kolejne.

Pełna najgorszych obaw, Ariel rzuciła się w tamtą stronę z sercem w gardle. Odpychając stojące jej na drodze dziewczyny, dotarła na dziedziniec.

Zamarła gwałtownie, a z twarzy odpłynęła jej cała krew.

Tara…

Koło fontanny zebrał się już spory tłum, który nagle stał się dziwnie milczący. Nie miała odwagi podejść bliżej. Nie była nawet w stanie się ruszyć, jakby jej nogi wrosły w ziemię. Słyszała wokół siebie głosy, czuła, jak jej ciałem szarpie silny wiatr, ale miała wrażenie, że ona sama znajduje się gdzieś daleko, poza swoim ciałem i tą rzeczywistością. Tylko jej serce waliło tak mocno, jakby zaraz miało wyskoczyć z piersi. Cały świat skurczył się do tej jednej chwili.

Do tej pory miała nadzieję… Cały czas wierzyła, że wszystko będzie dobrze… Przecież Tarze nie mogło stać się nic złego. To tylko jakiś zły sen…

Coś mokrego i chłodnego kapnęło na jej twarz. To pomogło jej wrócić do rzeczywistości. Zimne powietrze przeniknęło przez jej cienki mundurek, a uszy wypełnił gwar podniesionych głosów. Druga kropla zmoczyła jej dłoń. Ariel spojrzała w niebo zasnute ciężkimi chmurami. W następnej chwili lunął rzęsisty deszcz. W okamgnieniu przemokła do suchej nitki.

Nie zważając na zimno i zacinający deszcz, przepchnęła się do leżącej bez ruchu Tary i upadła na mokrą trawę. Pochyliła się nad przyjaciółką, a jej dłonie drżały gwałtownie, gdy dotykała jej bladej twarzy.

– Tara! Tara! – szeptała z rozpaczą. Ból w piersiach był nie do zniesienia.

Delikatnie położyła głowę przyjaciółki na kolanach, głaszcząc ją po włosach i wciąż powtarzając jej imię, jakby to miało przywrócić ją do życia. Nie wiedziała, ile czasu tak siedziała. Wszystko przestało mieć znaczenie. Bez Tary jej życie nie miało sensu.

– Ariel...

Głos Tary nie był głośniejszy od szeptu. Rozchyliła powieki, zdobywając się nawet na blady cień uśmiechu. Ariel pochyliła się nad nią, próbując osłonić przed deszczem, czule głaszcząc jej zimy policzek.

– Cicho. Nic nie mów. Wszystko będzie dobrze. – Gardło miała tak ściśnięte, że ledwo mogła mówić.

– Ariel... Przepraszam. – Ich oczy spotkały się na krótką chwilę, po czym dziewczyna westchnęła po raz ostatni i zamknęła powieki.

Jej ciało stało się nagle zbyt ciężkie i sztywne, by Ariel mogła je utrzymać. Położyła przyjaciółkę na trawie i długą chwilę po prostu patrzyła na jej bladą spokojną twarz. W końcu przylgnęła do niej kurczowo i rozpłakała się.

ie możesz iść ze mną, prawda?

 – Nie.

 – Ale będziesz o mnie pamiętał?

– Zawsze.

– Obiecujesz?

– Będę myślał o tobie codziennie.

Nagle został wyrwany z głębokiego snu. Jego umysł musnęła odległa iskierka Mocy albo raczej jej zamierające echo. Riva otworzył gwałtownie oczy i usiadł. Płaszcz zsunął się z jego ramion, gdy przeciągnął się i ziewnął. Przez gęste konary drzew prześwitywały pierwsze blade promienie wschodzącego słońca. Ognisko, które rozpalili poprzedniego wieczoru w niewielkim zagajniku, dawno już wygasło i ostygło. Riva specjalnie wybrał to miejsce z dala od głównego traktu. Nikt nie powinien wiedzieć, że król podróżuje samotnie po kraju. Ale o to raczej nie musiał się martwić. Tyle razy wymykał się z zamku, że posiadł już chyba wszystkie tajniki bycia niewidzialnym. Często żartował, że byłby z niego lepszy złodziej niż król. Znał w tym kraju takie przejścia i kryjówki, że pozazdrościliby mu najlepsi szpiedzy.

Przez dłuższą chwilę próbował zrozumieć, co takiego zakłóciło jego piękny sen. Ze zmarszczonym czołem obserwował jaśniejące niebo, wcale go jednak nie dostrzegając. To było zaledwie muśnięcie, ale nie mógł pomylić tego z niczym innym. Choć minęło tyle lat, wciąż pamiętał tę Moc…

Poderwał się zwinnie z posłania, obszedł popielisko i pochylił się nad śpiącym jeszcze towarzyszem. Ledwo dotknął lekko jego ramienia, a Argon otworzył oczy i usiadł, całkiem już przebudzony i czujny. Riva zawsze zazdrościł mu tej umiejętności. Wojownik potrafił wyjść z głębokiego snu na najcichsze westchnienie i po błyskawicznej ocenie sytuacji przejść do działania.

Argon rozejrzał się wokół i dopiero gdy nie dostrzegł żadnego zagrożenia, pozwolił swojemu ciału się odprężyć. Popatrzył na Rivę i zmrużył zielone oczy.

– Coś się stało? Jest jeszcze wcześnie. – Zerknął na skrawek nieba prześwitujący między gałęziami drzew, po czym wstał, otrzepał swój płaszcz, zarzucił go na ramiona i przeciągnął się. – Tak szybko chcesz się mnie pozbyć? Zakon Kruka wyraźnie...

Riva prychnął gniewnie.

– Tylko nie zaczynaj znowu tej gadki o odpowiedzialności. To irytujące, że wszyscy wciąż traktują mnie jak dziecko. Nie mam już piętnastu lat i potrafię o siebie zadbać. Mogliby o tym nie zapominać. – Posłał wojownikowi krzywe spojrzenie. – To dotyczy także ciebie.

Argon wygrzebał z popieliska zimne resztki kolacji. Wgryzł się w porcję mięsa, rzucając towarzyszowi jego część. Riva wepchnął sobie do ust całe śniadanie i ze złością zaczął je przeżuwać. Argon popatrzył na niego, z trudem tłumiąc rozbawienie.

– To nie tak, że traktujemy cię jak dziecko – odezwał się w końcu łagodnie. – Po prostu wszyscy się o ciebie martwią. Jesteś naszym królem, najważniejszą osobą w Elderolu. – Spochmurniał, zerkając na jego lewą dłoń. – A ja boję się o ciebie bardziej niż ktokolwiek inny. Oddałbym za ciebie życie, więc tym bardziej cierpię, że nie jestem w stanie ci pomóc.

Riva przez chwilę mierzył go spojrzeniem w całkowitym milczeniu. Następnie odwrócił się na pięcie, podniósł z ziemi płaszcz i narzucił go na siebie, spinając pod szyją czarną klamrą w kształcie pióra.

Stojąc tyłem do wojownika, zapatrzył się na grę złotego światła między listowiem. Złość ulotniła się w jednej chwili, pozostały jedynie pretensje do samego siebie. Za jego plecami rozległo się przeciągłe westchnienie i Riva w końcu się odwrócił. Gdy ich spojrzenia się spotkały, pojawiło się między nimi milczące porozumienie, które było częścią silnej, nierozerwalnej więzi.

Towarzysz króla miał surowy i nieprzenikniony wyraz twarzy, jak zawsze gdy coś go trapiło. Riva bał się wchodzić na grząski grunt, więc pospiesznie zmienił temat.

– Jej Moc się przebudziła.

Argon drgnął nieznacznie i uniósł brwi.

– Jesteś pewny?

Riva uśmiechnął się leciutko.

– Nie mam żadnych wątpliwości, że to ona. Obudziła mnie z pięknego snu, ale cieszę się, że ją wyczułem. To znaczy, że nic jej nie jest i że jest gotowa.

– Jednak skoro użyła Mocy Kamienia…

– Wiem. – Riva przerwał mu szybko i zmarszczył czoło. – W tamtym świecie może tylko zaszkodzić sobie i innym. Musi więc wrócić jak najszybciej i nauczyć się kontrolować swoją Moc. Zapewne teraz jest przestraszona i zdezorientowana. Mimo wszystko zawsze byłem przeciwny tej przeprowadzce.

– Na pewno? – Argon uśmiechnął się z błyskiem w oczach. – Moim zdaniem świetnie się bawi. O ile dobrze pamiętam, lubiła wszystkim sprawiać problemy. Aż boję się pomyśleć, co z niej wyrosło.

Riva roześmiał się głośno, a potem w zamyśleniu przejechał dłonią po czarnej czuprynie.

– Ale nie dało się jej nie kochać. Sądzisz, że za nami tęskni?

– Wątpisz w to?

– Już nie wiem, co myśleć. – Riva przestąpił z nogi na nogę, przygryzając wargę. Po chwili roześmiał się krótko, nerwowo. – Chyba boję się tego spotkania. Boję się, że mogła zapomnieć o naszej obietnicy. I jak my jej powiemy…

Argon podszedł do niego i ścisnął za ramię.

– Tchórzysz, Wasza Wysokość? – zakpił bez uśmiechu, zaraz jednak dodał całkiem poważnie: – W jej żyłach płynie krew bogów i wojowników i nie wątpię w jej potężnego ducha. Wszystkich czekają teraz trudne chwile, ale myślę, że nie powinniśmy martwić się na zapas.

Riva rozluźnił się nieco i zdobył na nikły uśmiech. Musiał unieść głowę, by spojrzeć wojownikowi w oczy. Płonął w nich zielony ogień, który każdego dnia przypominał mu o złożonej dawno temu obietnicy. Tamta noc, jasny księżyc i zapach jaśminu nawiedzały go w każdym śnie. W tamtej chwili cały świat płonął zielonym ogniem jej tęczówek.

Riva odchrząknął głośno i zamrugał gwałtownie wilgotnymi oczami.

– Sprowadź ją bezpiecznie do domu – mruknął ze ściśniętym gardłem.

– Nie martw się. – Argon z powagą dotknął palcami znamienia na czole. – Wrócimy, zanim się obejrzysz.

Riva sięgnął pod tunikę i zdjął z szyi cienki rzemyk, na którym zawieszony był malutki złoty kluczyk. Podał go wojownikowi, a ten przyjął wisior z nabożnym szacunkiem.

– Pilnuj go – upomniał go Riva. – W tamtym świecie będziesz osłabiony. To twoja jedyna droga do domu. – I dodał łagodniej: – Uważaj na siebie, mój przyjacielu.

Argon zacisnął palce na kluczu, po czym skłonił się lekko.

– Obiecuję, że wrócę… Wrócimy oboje. To jednak ja powinienem się o ciebie martwić. Tyle czasu pozostaniesz bez mojej opieki.

Riva poklepał go ze śmiechem po plecach.

– Nie schlebiaj sobie, Biały Kruku. Elderol jakoś bez ciebie przetrwa.

Zamiast się uśmiechnąć Argon popatrzył jeszcze poważniej.

– Przyrzeknij mi, że będziesz na siebie uważał.

– Przysięgam. – Riva wyszczerzył zęby w uśmiechu. – Daję słowo Kruczego Króla, że pod twoją nieobecność włos mi z głowy nie spadnie.

– To mnie i tak nie uspokaja. – Argon zmarszczył brwi. – Szczególnie nie podoba mi się twój uśmiech. Czuję, że beze mnie znowu wpakujesz się w jakieś kłopoty. Czasem odnoszę wrażenie, że jesteś za bardzo podobny do Ariel.

– Uznam to za komplement. I naprawdę nie musisz się martwić. Przecież idę tylko odwiedzić przyjaciela. Na jego dworze jest prawie tyle samo straży, co w zamku. Czeka mnie dużo pracy, więc zaraz potem wracam grzecznie do domu, a tam już będę pod czujnym okiem Zakonu.

– Pamiętaj, że nawet we własnej komnacie nie możesz stracić czujności.

– A ty w końcu przestań pouczać mnie tym tonem.

– Po prostu obawiam się o twoje bezpieczeństwo.

– To naprawdę niepotrzebne. Nie jesteś moim ojcem, a nie będziesz mnie przecież niańczył do końca życia.

Argon chciał powiedzieć coś jeszcze, ale zrezygnował i zamknął usta. Przewrócił jedynie oczami, gdy dostrzegł na wargach przyjaciela przekorny uśmieszek.

W milczeniu stanął pośrodku polanki i chwycił kluczyk w palce. Zamarł z ręką w powietrzu i zerknął na Rivę. Król stanął z boku, oparty niedbale o pień młodego drzewa. Jego szare oczy zaślniły wewnętrznym światłem. Skinął przyzwalająco głową. W tej chwili jego serce i myśli galopowały jak szalone, przyprawiając o dreszcz ekscytacji.

Ciekawe, jak teraz wygląda. Nie ma już pięciu lat, a jednak... Obserwował, jak Argon obrysowuje kluczykiem kontury drzwi w powietrzu. Linie rozjarzyły się złotym blaskiem. Wojownik włożył kluczyk do niewidzialnego zamka i przekręcił.

Zagajnik zatonął w morzu światła, na chwilę oślepiając obu mężczyzn. Riva zamrugał gwałtownie, odsuwając dłoń od oczu.

– Argonie! – zawołał, gdy jasność już prawie pochłonęła przyjaciela.

Wojownik odwrócił się, jedną nogą stojąc już po drugiej stronie. Riva widział teraz jedynie ciemny zarys jego sylwetki. To nie była może najlepsza pora, ale to pytanie samo cisnęło mu się na usta.

– Cieszysz się, że w końcu wróci do domu?

Nie mógł zobaczyć uśmiechu na twarzy wojownika, ale coś mu mówiło, że się pojawił. I to szeroki.

– Nie bardziej niż ty – odparł zapytany, po czym zniknął po drugiej stronie.

Riva stał w bezruchu, aż złote drzwi zniknęły, pogrążając zagajnik w cieniu. Dopiero wtedy odbił się od drzewa i niespiesznie opuścił polankę. Znamię na lewej dłoni zapulsowało w rytm serca, gdy uwolnił Moc. Zanim zagłębił się między drzewa, całe jego ciało pokryły cieniutkie czarne żyłki, które wiły się i splatały ze sobą, rozpoczynając jego przemianę.

Po chwili ciszę uśpionej jeszcze doliny przerwało głośne krakanie oraz trzepot skrzydeł. Czarny kruk wzleciał ponad wierzchołki drzew, zataczając koło na bezchmurnym niebie. Zaraz potem wzbił się jeszcze wyżej i odleciał na północ.

* * *

Ciche pukanie do drzwi przerwało jej bezmyślne gapienie się w niebo. Ariel odwróciła głowę, gdy do pokoju weszła Arianna. Dziewczyna uśmiechnęła się do niej słabo i podeszła do okna. Bez słowa spojrzały na dziedziniec, gdzie zebrała się już niemal cała szkoła. Wokół panowała posępna i napięta atmosfera. Nawet słońce z trudem przebijało się przez zasłonę szarych deszczowych chmur.

Dziewczęta milczały zgodnie przez dłuższy czas, każda pogrążona we własnych myślach. W końcu Arianna odchrząknęła i spojrzała na Ariel.

– Nie idziesz na pogrzeb? – spytała cicho.

– Nie. Nie mam na to siły.

– To twoja przyjaciółka.

Ariel popatrzyła na dziewczynę ze smutkiem. Przez ostatnie dni nie była w stanie jeść ani spać. Nawet oddychanie było dla niej ogromnym wysiłkiem. Właściwie to niewiele pamiętała z tego czasu poza tym, że płakała, płakała, płakała...

A teraz, gdy wypłakała już wszystkie łzy, była zbyt znużona i pusta w środku. Nie miała siły zmierzyć się z rzeczywistością. Miałaby zejść tam na dół, spojrzeć tym ludziom w oczy i udawać, że wszystko jest w porządku? Dla nich Tara była tylko jedną z uczennic, dobrą koleżanką. Dla niej – siostrą, przyjaciółką i całym światem. To wciąż zdawało jej się tylko jakimś okropnym koszmarem. Bo jeśli to nie był koszmar, to jakim prawem świat się jeszcze nie rozsypał w proch?

– Po prostu nie mogę – odparła po dłuższej chwili, znów spoglądając na dziedziniec. – Nie chcę teraz nikogo widzieć – dodała ciszej.

Arianna spuściła głowę i zacisnęła usta. Jej blada twarz i czerwone oczy mówiły same za siebie. Ona też przeżywała tragedię. Tara dzieliła z nią pokój i była również jej przyjaciółką.

– Myślę... Myślę, że ona by tego chciała. Żebyśmy ją pożegnały. – W oczach dziewczyny zalśniły łzy. – Mnie też jest ciężko, ale pamiętasz, co zawsze mawiała?

Ariel kiwnęła głową, a na jej ustach pojawił się słaby, mimowolny uśmiech.

– Po burzy zawsze wychodzi słońce, a po deszczu tęcza. Nawet po śmierci będę się uśmiechać, bo na tym świecie są rzeczy, które nigdy się nie zmienią – zacytowała słowa, które znała na pamięć.

– Chyba powinnyśmy brać przykład z jej podejścia do życia, nie sądzisz? Obawiam się, że jeśli dalej będziemy tylko rozpaczać, to zacznie nas nawiedzać nocami i jęczeć do ucha te swoje mądrości. – Arianna wzdrygnęła się z komicznie wykrzywionymi ustami. – Tara potrafiła być nieznośnie uparta. A jeśli będzie nas nękać do końca życia? Prędzej osiwieję i trafię na oddział zamknięty. – Chwyciła Ariel za rękę i ścisnęła mocno. – Musimy teraz trzymać się razem i jakoś żyć dalej, wspominając ją dobrze i pamiętając, jaka zawsze była radosna. Może wtedy zostawi nas w spokoju i sama zazna ukojenia.

Ariel spojrzała na dziewczynę w zamyśleniu. W końcu się rozluźniła i po raz pierwszy od śmierci Tary zdobyła na blady uśmiech. Zeskoczyła z parapetu, chwyciła z szafy swój płaszcz i ruszyła do drzwi.

– Chodźmy. Nie możemy się spóźnić.

Przebiegły puste korytarze, dołączając do reszty na dziedzińcu. Wmieszały się w tłum, przysłuchując przyciszonym rozmowom. Kiedy Ariel kilka razy usłyszała imię Tary, na nowo wezbrała w niej ogromna gorycz, zaraz jednak stłumiła ją w zarodku. Nie przejmowała się ukradkowymi spojrzeniami, a już na pewno nie zamierzała się rozklejać przy całej szkole.

Arianna ma rację. Tara z pewnością by chciała, żeby nauczyła się żyć bez niej.

Coraz bardziej cieszyła się z obecności Arianny. Nie znała jej za dobrze, ale zmarła przyjaciółka stanowiła fundament łączącej ich słabej więzi. Dzięki niej, w końcu wyszła z pokoju i po raz pierwszy od paru dni udało jej się uśmiechnąć. Świeże powietrze oraz obecność innych ludzi były najlepszymi dowodami tego, że świat kręci się dalej i nic się nie zmieniło. Poza tym, że w jej życiu zabrakło jedynej osoby, którą kochała.

– Dyrektorka i Eryl chyba cię wołają. – Głos Arianny przyciągnął ją z powrotem do rzeczywistości.

Rozejrzała się po dziedzińcu i w końcu dostrzegła obie kobiety machające do niej ponad głowami uczennic. Cokolwiek od niej chciały, czuła, że to nie będzie łatwa rozmowa. Przez te kilka dni unikała jakiegokolwiek towarzystwa, nawet Eryl. Miała lekkie poczucie winy, że tak bardzo oddaliła się od opiekunki, ale chyba było jej to potrzebne. Ostatnio tyle się działo i teraz tajemnice, z którymi chciała podzielić się z Tarą, będzie musiała zachować wyłącznie dla siebie.

– W takim razie spotkamy się później. – Arianna pokrzepiająco ścisnęła jej ramię i odeszła, znikając w tłumie.

Ariel westchnęła ciężko, po czym odwróciła się i podeszła do fontanny, gdzie stały kobiety. Przywitała się z nimi sztywno i od razu zmieszała pod ich współczującymi spojrzeniami.

– Przykro mi, Ariel, z powodu tego, co się stało – odezwała się Eryl.

Dziewczyna kiwnęła tylko głową, usilnie próbując zapanować nad nową falą rozpaczy.

– W naszej szkole jeszcze nikt nie umarł. – Dyrektorka pokręciła ze smutkiem głową. – To potworne zdarzenie nie powinno mieć nigdy miejsca.

Ariel podniosła oczy na kobietę. Coś w niej drgnęło. Dopiero teraz zdała sobie sprawę z tego, że do tej pory tak naprawdę nie znała przyczyny śmierci Tary. Była tak zajęta własnymi uczuciami, że po prostu o tym nie pomyślała.

– Co się właściwie stało? Jak...

Kobiety wymieniły spojrzenia, po czym to Eryl udzieliła jej odpowiedzi.

– Znaleźliśmy na jej nodze ranę po ukąszeniu. Lekarz oznajmił, że był to niezwykle jadowity wąż, niewystępujący w tym rejonie. Jad szybko rozprzestrzenił się w organizmie. Nie było szans, by ją uratować.

– Wąż? – Ariel ze zdumienia otworzyła szeroko oczy. A kiedy dotarło do niej znaczenie tych słów, wszystko w niej zamarło.

Tajpan! Ale jak się wydostał? Przecież klatka była zamknięta!

– Czy... czy go złapano? – wykształusiła ze ściśniętego gardła.

Dyrektorka pokręciła głową.

– Niestety nie. Przeszukaliśmy cały teren szkoły, ale nigdzie go nie było. Musiał prześlizgnąć się przez mur.

– Ale to znaczy, że teraz jest gdzieś w mieście!

– To całkiem możliwe. – Eryl spojrzała na nią z posępną miną. – Zawiadomiliśmy już odpowiednie władze. Zajmą się tym. Mam nadzieję, że szybko go znajdą, zanim wyrządzi więcej szkód.

Ariel pokiwała głową, niezbyt uspokojona. To była jej wina. Pomogła Tarze ukryć węża, mimo że wiedziała, że jest niebezpieczny. Powinien trafić do zoo albo z powrotem do Australii. Teraz Tara nie żyła, a jadowity gad grasował po mieście.

Gdyby zachowała się tak, jak podpowiadał zdrowy rozsądek, Tara nadal byłaby wśród nich i teraz nie musiałyby zbierać się na jej pogrzebie. *Ale czy kiedykolwiek kierowałam się rozsądkiem?*

– Ariel?

Uniosła głowę i zobaczyła, że kobiety wpatrują się w nią z niepokojem i troską.

– To nie twoja wina. – Eryl uśmiechała się łagodnie, jakby doskonale znała jej myśli. – Wąż musiał wydostać się ze sklepu zoologicznego albo ktoś niedaleko prowadził prywatną hodowlę. Nie powinnaś się obwiniać, że jej nie uratowałaś. Tara na pewno by ci powiedziała to samo.

Tara miała rację. W końcu płacę za swoją lekkomyślność. A raczej ona zapłaciła. Tylko ta cena jest o wiele za wysoka…

Żadna nie powiedziała już ani słowa i ta przedłużająca się cisza zaczęła przeszkadzać. Dziewczyna zastanawiała się właśnie, czy nie odejść, gdy spostrzegła niedaleko Ariannę i Angelę. Z ulgą przeprosiła Eryl i Pixton i podeszła do dziewczyn.

– Cześć, Ariel. – Angela obdarzyła ją ciepłym uśmiechem, choć w jej oczach również czaił się smutek. – Bardzo mi przykro… No wiesz…

W odróżnieniu od Ariel Tara miała wiele znajomych.

– Dzięki – wymamrotała.

Przez kilka minut panowała między nimi krępująca cisza. Stały w tłumie rozgadanych dziewczyn, popatrując wokół, każda zamknięta w swoich myślach. Ariel miała ochotę ponownie zaszyć się w pokoju, ale przecież obiecała sobie i Tarze, że się postara.

– A właśnie. – Angela nagle klasnęła w dłonie, aż obie się wzdrygnęły. Popatrzyła na nie błyszczącymi oczami i nachyliła się ku nim konspiracyjnie. – Dzisiaj rano widziałam, jak z gabinetu dyrektorki wychodzi trzech policjantów.

– Policja? Tutaj? – Arianna uniosła brwi i popatrzyła na boki, sprawdzając, czy nikt nie podsłuchuje. – Wiesz, czego chcieli?

Dziewczyna wzruszyła ramionami.

– Nie wiem, o czym rozmawiali, ale zapewne chodzi o Kiiri.

Ariel poczuła, jak jej serce zaczyna szybciej bić. Ostatnio zdarzało jej się to niepokojąco często. Jak również zapominanie o istotnych sprawach.

– Jeszcze jej nie znaleźli? – spytała, siląc się na spokój.

– Z tego, co wiem, to nie. Zawiadomili jej rodziców. Wczoraj nawet widziałam ich z dyrektorką. – Angela pokręciła wolno głową. – Biedna kobieta. Wyglądała na kompletnie załamaną. Słyszałam, że podejrzewają najgorsze.

Po prostu pięknie. Najpierw wiedźma, teraz morderczyni. Szkoda tylko, że nie mam pojęcia, jak ja to wszystko robię.

Ariel zaschło w gardle. Nagle zapragnęła uciec stąd jak najdalej albo po prostu zapaść się pod ziemię.

Nie miały okazji dłużej porozmawiać, gdyż Pixton ogłosiła rozpoczęcie uroczystości pogrzebowej. Wszystkie dziewczyny umilkły zgodnie i całą grupą ruszyły w głąb niewielkiego lasku przy zachodnim murze.

Zatrzymały się przed świeżo wykopanym grobem. Ariel zerknęła na niego i szybko odwróciła wzrok. Cała szkoła zgromadziła się w ciasnym kręgu z uroczystymi, poważnymi twarzami. Ariel jakoś nie potrafiła przyjąć do wiadomości, że tam na dnie leży trumna z martwym ciałem jej przyjaciółki. Nie umiała nawet wyobrazić sobie żywiołowej Tary w stanie wiecznego snu.

Dopiero niedawno dowiedziała się, że życzeniem Tary było, aby w razie śmierci pochowano ją w tym miejscu. Wolała zostać na terenie zamku niż w rodzinnym mieście. Ariel w pewnym sensie doskonale ją rozumiała.

– Zauważyłaś, że nie ma rodziców Tary? – szepnęła do niej ukradkiem Arianna.

Rzeczywiście. Dziewczyna zmarszczyła brwi i ponownie powiodła po twarzach zgromadzonych. Wcześniej umknęło to jej uwadze, ale nigdzie nie dostrzegła rodziców ani innych krewnych Tary. Przygryzła wargę i w zamyśleniu spuściła głowę. Rodzice przebywali w Australii, ale przecież powinni się zjawić na ostatnim pożegnaniu córki. To wszystko było nieco zastanawiające.

Może rzeczywiście te wszystkie opowieści Tary były kłamstwem? Teraz już nigdy nie dowiem się prawdy.

Pixton rozpoczęła krótką przemowę na cześć zmarłej. Żałobną ciszę przerywał jedynie śpiew ptaków i ciche westchnienia zebranych. Chyba nikt z tu obecnych nie spodziewał się, że będzie uczestniczył w tak ponurej uroczystości. Śmierć zawsze budziła niepokój, zwłaszcza gdy zabierała tak młodą dziewczynę. To uświadamiało ludziom, że nikt nie ucieknie przed końcem i w ostateczności wszystkich czeka ten sam los.

Po skończonej ceremonii wszyscy w milczeniu wrócili do szkoły. Przy boku Ariel zostały tylko Arianna i Angela, jednak w końcu i one rzuciły pożegnalne słowa, po czym ruszyły w stronę zamku.

Ariel nie ruszała się z miejsca jeszcze przez kilka długich minut. Potem zbliżyła się do usypanego z ziemi pagórka, uklękła i położyła dłoń na wilgotnej ziemi.

– Cześć, Tara – szepnęła z trudem. – Zawsze kochałaś to miejsce. A teraz zostaniesz tu na zawsze. Szkoda tylko, że w taki sposób. – Przymknęła oczy i westchnęła przeciągle. – Byłaś dla mnie jak siostra. Przepraszam, że cię nie uratowałam.

Klęczała tak bez ruchu całą wieczność, po czym wstała i wolnym krokiem skierowała się w stronę szkoły. *Żegnaj.* Posłała w stronę przyjaciółki ostatnią myśl i wyszła z cienia rzucanego przez drzewa. Była pewna, że wszyscy rozeszli się na lekcje, więc tym bardziej zaskoczył ją tłum zgromadzony na korytarzu. Dziewczyny wyglądały na zaniepokojone, szeptały między sobą i rzucały jedna na drugą nerwowe spojrzenia.

Ariel przepchnęła się między nimi, starając się wyłapać coś ze strzępów rozmów. W końcu dostrzegła Ariannę i Angelę. Szybko ruszyła w ich kierunku.

– Co się tu dzieje? – zapytała zdyszana.

– Dyrektorka wszystkie przesłuchuje. – Angela wskazała ręką drzwi gabinetu, z którego akurat wyszła jakaś dziewczyna.

– Przesłuchanie? – Ariel to słowo bardzo się nie spodobało.

– Tak. W sprawie zniknięcia Kiiri. No wiesz... Pixton przesłuchuje wszystkich, by zebrać jak najwięcej informacji. Jeśli Kiiri nie znajdzie się na terenie szkoły, policja zacznie poszukiwania w mieście.

– Może ktoś ją porwał? – zasugerowała Arianna z całkowicie poważną miną. – Tak jak w filmach zażądają okupu od szkoły i rodziny.

– Nie wymyślaj głupot. – Angela skrzywiła się, kręcąc sceptycznie głową. – Kto chciałby ją porwać? A poza tym cały czas była w zamku, który jest dobrze strzeżony. Jeszcze nikt nigdy się tu nie włamał, bo jest to absolutnie niemożliwe. A jak ty myślisz, Ariel?

Ariel milczała. Coś boleśnie ścisnęło ją w żołądku, jakby zaraz miała zwymiotować.

To przeze mnie zniknęła. To wina tego kamienia, ja tego nie chciałam! – krzyczał każdy nerw jej ciała, ale zdołała tylko wzruszyć ramionami.

– Nie wiem. Może trzeba zapytać dyrektorkę.

– Akurat – prychnęła Arianna. – Ona nic nie powie uczennicom. Zresztą gdyby sama coś wiedziała, nie robiłaby tego przesłuchania.

– Może i tak – mruknęła cicho Ariel.

A gdybym tak powiedziała im prawdę? Przecież nie zrobiłam tego specjalnie.

Przygryzła wargę, przyglądając się przyjaciółkom Tary. Miała mnóstwo wątpliwości, ale jednocześnie tak bardzo pragnęła podzielić się z kimś swoją tajemnicą... Z kimkolwiek, a miała przeczucie, że dziewczyny by ją zrozumiały.

– Słuchajcie, muszę wam...

– Ariel, chyba teraz twoja kolej – wpadła jej w słowo Arianna.

Nawet nie zauważyła, kiedy znalazły się przy samych drzwiach. Kiwnęła sztywno głową i bez namysłu weszła do środka.

Pixton siedziała za swoim biurkiem z ponurym wyrazem twarzy. Na widok uczennicy przez jej wargi przemknął cień uśmiechu, który natychmiast zgasł. Wskazała ręką krzesło.

– Usiądź, Ariel. – Gdy wykonała polecenie, kobieta oparła brodę na złożonych dłoniach i popatrzyła uważnie na dziewczynę. – Wiesz, po co tu jesteś?

Ariel skinęła głową, starając się nie odwracać wzroku. Wstrzymała oddech i nawet przestała mrugać powiekami.

Uspokój się. Zachowuj się normalnie, a wszystko będzie dobrze – pouczyła samą siebie, jednocześnie biorąc głęboki wdech i rozluźniając mięśnie.

– Więc słyszałaś, że Kiiri zniknęła?

– Tak.

– Wiesz może coś na ten temat?

Ariel potrząsnęła głową. Zwilżyła zaschnięte wargi i spojrzała kobiecie prosto w oczy.

– Nic nie wiem – odparła tak spokojnie, jak tylko potrafiła. – Czy... czy już coś wiadomo? – Na szczęście nie musiała udawać troski w głosie.

Dyrektorka spochmurniała jeszcze bardziej.

– Nie. Dlatego postanowiłam wypytać wszystkie uczennice. Może któraś z was coś wie, cokolwiek. Kiedy ostatnio widziałaś Kiiri? Może w jej zachowaniu zauważyłaś coś dziwnego?

Ariel zaczerpnęła tchu. Przez jedną krótką chwilę ogarnęły ją wątpliwości. Teraz miała szansę, by wyznać całą prawdę, zakończyć to zamieszanie i pozbyć się ciężaru winy.

Tylko jest jeden mały problem. Przy okazji zrobiłabym z siebie wariatkę. Wszyscy wiedzieli, że nie cierpiały się z Kiiri. Więc to naturalne, że znajdowała się w kręgu podejrzeń. Teraz już nie pozostawało jej nic innego, jak wymyślić kolejne zgrabne kłamstwo. *Boże! Już sama o sobie myślę jak o przestępczyni.*

– Ostatnio widziałam się z nią tego wieczoru po przyjęciu. Rozmawiałyśmy i... – zaczęła tłumaczyć i zaraz przerwała. Przypomniała sobie, jak Kiiri dotknęła kamienia, a potem po prostu zniknęła. Przeszły ją dreszcze, jednak szybko zapanowała nad sobą. Dyrektorka nie mogła zobaczyć jej strachu czy wahania. – Rozmawiałyśmy przez chwilę. Kiiri przepraszała mnie za to, że wcześniej tak mi dokuczała. Potem wyszła i więcej jej nie widziałam.

Pixton wpatrywała się w nią dłuższą chwilę. W końcu kiwnęła głową.

– Rozumiem. Dziękuję, Ariel.

Teraz. Zapytaj ją.

Ze zdumienia Ariel otworzyła szerzej oczy. Przysięgłaby, że głos w jej głowie należał do Tary. Musiało minąć parę sekund, nim dotarło do niej, że to tylko jej własne myśli. Przez ostatnie wydarzenia całkowicie zapomniała o tej sprawie, która zresztą teraz wydała jej się zupełnie nieważna. Jednak obiecała Tarze. Dziewczyna zapewne zdrowo by jej nagadała, gdyby dowiedziała się, że zmarnowała swoją być może jedyną szansę. Niemal słyszała, jak ją strofuje tym poważnym tonem: „Jeśli nic nie zrobisz, potem będziesz żałować. Szanse są po to, żeby z nich korzystać".

Na taki argument nie miała żadnej odpowiedzi.

– Coś jeszcze, Ariel?

Zamrugała gwałtownie, uświadamiając sobie, że od paru minut gapi się natarczywie na Pixton. Odchrząknęła głośno i poprawiła się na krześle.

– Tak. Chciałam o coś zapytać – odezwała się w końcu.

Kobieta zmarszczyła czoło, ukrywając zniecierpliwienie. Gęsta siatka zmarszczek na jej czole i wokół oczu świadczyła o wieku. Oczy miała czujne i emanowała z nich życiowa mądrość. Właśnie w te oczy zajrzała teraz Ariel, próbując odnaleźć tam odpowiedzi na dręczące ją pytania.

– Mam jeszcze sporo uczennic do przesłuchania. Ale jeśli to coś pilnego, to słucham.

– Właściwie to nie jest takie ważne. – Gdy zauważyła lekkie niezadowolenie na twarzy dyrektorki, nabrała powietrza i dokończyła jednym tchem: – Wiem, że to najmniej odpowiednia chwila, ale już dawno chciałam z panią o tym porozmawiać i raczej nie mogę dłużej czekać.

Pixton wyprostowała się, opierając plecy o oparcie fotela. Zmarszczki na jej czole nieco się wygładziły.

– No dobrze – powiedziała już znacznie łagodniejszym tonem. – O co chcesz zapytać?

– Czy pamięta pani dzień, gdy zjawiłam się w szkole, jedenaście lat temu?

Była pewna, że twarz kobiety stężała w napięciu. To wrażenie jednak szybko się ulotniło. Pixton nawet się do niej uśmiechnęła, choć wyraźnie był to pełen rezerwy, wymuszony uśmiech.

– Mam pod swoją opieką ponad trzysta uczennic. Trudno, bym każdą pamiętała.

– Przecież ma pani jakieś dane każdej dziewczyny. A mnie na pewno musi pani pamiętać. Jako jedyna w szkole jestem sierotą i mieszkam tu przez cały rok.

– Może coś pamiętam z tamtego dnia… – Kobieta zamyśliła się na chwilę, przenosząc wzrok gdzieś ponad jej głowę. – Faktycznie, teraz sobie przypominam. – Ponownie spojrzała na uczennicę, uważnie, z ledwo dostrzegalną rezerwą. – Nie wiem, jak mogłabym ci pomóc.

Coś mi się tu nie podoba – przemknęło Ariel przez myśl, gdy przypatrywała się kobiecie. Może była przewrażliwiona, ale czyżby dostrzegła czający się na dnie jej oczu… lęk?

Pixton nigdy jeszcze nie zachowywała się przy niej w ten sposób, choć może trudno było jej to ocenić, skoro rzadko ze sobą rozmawiały. Mimo wszystko dziewczyna postanowiła kontynuować temat, ciekawa, co dalej z tego wyniknie.

– Chciałam się dowiedzieć czegoś więcej o tym dniu, ponieważ sama nic nie pamiętam. Na przykład o chłopaku, który mnie przyprowadził.

– Chłopaku? – Pixton uniosła brwi, wyraźnie zaskoczona.

– Tak. Słyszałam, że tego dnia przyszłam razem z jakimś starszym ode mnie chłopcem. To może być mój krewny i bardzo chciałabym go odszukać. Miałam nadzieję, że uzyskam od pani więcej informacji.

Kobieta szybko pokręciła głową. Za szybko.

– Przykro mi, Ariel, ale nie mogę ci pomóc. Choć bardzo bym chciała, nie pamiętam nikogo takiego.

– Na pewno? – Ariel pochyliła się do przodu z błagalnym wyrazem twarzy. Wiedziała już jednak, że nic z tego nie będzie. Z jakichś powodów Pixton nie zamierzała jej niczego mówić.

To jakaś cholerna tajemnica czy co? Przecież to ja jestem tutaj główną zainteresowaną.

Pixton ponownie pokręciła głową, po czym wstała i stanęła tyłem przy oknie. Splotła dłonie za sobą, wbijając wzrok gdzieś w horyzont. Na kilka uderzeń serca zapanowała napięta cisza, która dla Ariel była wręcz boleśnie nie do zniesienia. Wpatrywała się w kobietę z naiwną nadzieją, że może jednak...

– Naprawdę mi przykro, Ariel – odezwała się w końcu dyrektorka, nawet się nie odwracając. – A teraz, jeśli pozwolisz, chciałabym przesłuchać resztę uczennic.

Ariel wstała powoli i bez słowa skierowała się do drzwi. Zatrzymała się w progu i odwróciła, ale Pixton pozostała na swoim miejscu, w zamyśleniu spoglądając przez okno.

Dziewczyna wyszła cicho z gabinetu, z przygniatającym ją ciężarem rozczarowania. *Nie udało się, Tara. Ale przynajmniej wiesz, że próbowałam.*

Na zatłoczonym korytarzu natknęła się na Ariannę. Posłała jej krótki uśmiech, nie zatrzymując się nawet wtedy, gdy ta ją zawołała. Nie miała ochoty teraz z nią rozmawiać, nie chciała też być sama. Przesłuchanie pewnie potrwa jeszcze co najmniej do obiadu, więc postanowiła w tym czasie w końcu zameldować się w bibliotece.

Wspięła się na południową wieżę, gdzie mogła w końcu uwolnić się od hałaśliwego tłumu, i zatrzymała się przed dwuskrzydłowymi wrotami. Przez chwilę przyglądała się wyrytym na nich symbolom, po raz tysięczny zastanawiając się nad ich znaczeniem. Musnęła palcem szorstką wypukłość w kształcie pióra i korony. Pomimo tragicznych okoliczności poczuła przyjemny dreszcz podniecenia, że już niedługo będzie miała dostęp do wszystkich ksiąg i tajemnic szkolnej biblioteki.

Zacisnęła palce na metalowej ozdobnej kołatce i zastukała. Głuche echo odbiło się od murów, powodując drobne wibracje w powietrzu. Jedno skrzydło natychmiast uchyliło się bezgłośnie, jakby za sprawą niewidzialnej siły. W progu stanęła dziewczyna, tylko trochę starsza od Ariel. Była ubrana w granatową kamizelkę ze szkolnym emblematem – oznaką pełnionej przez siebie funkcji Starszej Strażniczki Ksiąg. Miała ładne, czekoladowe oczy, ciemnoblond włosy i miły uśmiech. Ariel z trudem wydobyła z pamięci jej imię. Rzadko rozmawiała z kimś poza Tarą, ale Alex zawsze była wobec niej serdeczna i często pomagała odnajdywać odpowiednie książki.

– Witaj, Ariel. Czekałyśmy na ciebie. – Dziewczyna cofnęła się, by ją przepuścić, po czym zamknęła ciężkie drzwi.

Ariel lubiła tę ciszę, gdy w sali nie było jeszcze rozgadanych czytelniczek. Przyglądając się sięgającym sufitu regałom i obrazom zawieszonym na ścianach, po raz pierwszy od bardzo dawna w jej oczach zapalił się zielony ogień. Uniosła głowę i spojrzała na kulisty sufit, który w całości pokrywały fantastyczne malowidła, niezwykle misterna robota mistrza.

Biblioteka od zawsze była jej drugim domem. Te wszystkie książki oprawione w skórę, mosiężne elementy, zapach drewna i papieru działały na nią kojąco. Za każdym razem powracała tu jak do starych przyjaciół, na których zawsze mogła liczyć.

Po lewej stronie od drzwi stało ogromne biurko z jasnego drewna, a za nim siedziała główna bibliotekarka – kobieta w średnim wieku, o pooranej zmarszczkami twarzy i czujnych granatowych oczach. Po szkole krążyły różne plotki na temat Kaghet. I to niezbyt pochlebne. Jej opinia starej zrzędliwej wiedźmy wzięła się z tego, że wiecznie na kogoś krzyczała i nigdy się nie uśmiechała. Nigdy. Ale Ariel ją lubiła. Być może dlatego, że znała kobietę od całkiem innej strony i rozumiała ją jak mało kto. Nawet więcej. Szanowała Kaghet za to, że z takim oddaniem poświęciła się pracy, broniąc książek przed ignorantami i miłośnikami niszczenia cudzej własności.

Podczas gdy Alex stanęła z boku, Ariel podeszła do bibliotekarki z uśmiechem.

– Pani Pixton mówiła mi, że chcesz tu pracować – odezwała się Kaghet z radością, po czym spoważniała, przyglądając jej się z troską. –

Przykro mi z powodu śmierci twojej przyjaciółki. Wiem, jak bardzo byłyście zżyte.

– Dziękuję. – Ariel spuściła głowę.

– Jeśli potrzebujesz więcej czasu, możesz zacząć pracę później. Zrozumiem, jeśli nie jesteś jeszcze gotowa.

– Nie. – Dziewczyna spojrzała na kobietę z zaciętym wyrazem twarzy. – Chcę zacząć od dzisiaj. Potrzebuję tego.

– Skoro tak, to bardzo się cieszę, że zdecydowałaś się dołączyć do naszego zespołu.

Ariel uśmiechnęła się znacząco.

– Oczywiście. Chyba nie wątpiła pani, że nie skorzystam z takiej okazji? Poza tym kto lepiej zaopiekuje się książkami?

Kaghet zaśmiała się serdecznie, wymieniając z Alex szybkie spojrzenie.

– Niezwykła z ciebie dziewczynka, Ariel – stwierdziła. – Jesteś znacznie dojrzalsza od swoich rówieśniczek. Młodzi lekceważą słowo pisane i coraz rzadziej sięgają po książkę. Mało jest osób takich jak ty, z wyobraźnią i dobrym podejściem do życia.

Dziewczyna wzruszyła ramionami.

– To chyba dobrze.

– Jak najbardziej. – Kaghet uśmiechnęła się szeroko. – Takich ludzi właśnie poszukuję. Odpowiedzialnych i z pasją.

Wstała zza biurka i podeszła do niewielkiej szafy w kącie, z której wyjęła zielono-czarną kamizelkę i gwizdek.

– Witaj na pokładzie. Od dzisiaj jesteś Młodszą Strażniczką Ksiąg – z uśmiechem podała jej rzeczy. – Ta kamizelka będzie od dzisiaj stałym elementem twojej garderoby. A gwizdek nosimy przy sobie na wszelki wypadek. Każda praca niesie ze sobą jakieś ryzyko. Nie zawsze ktoś z tobą będzie, a w tym labiryncie regałów mogą się zdarzyć różne rzeczy. Ale ty, Ariel, wiesz to chyba najlepiej. Biegałaś po tej sali, zanim jeszcze w ogóle nauczyłaś się czytać. Czas tak szybko leci… W każdym razie jestem pewna, że będzie nam się razem świetnie pracowało.

Ariel pozwoliła sobie odsunąć na bok wszelkie problemy. Z radośnie bijącym sercem nałożyła kamizelkę i zawiesiła na szyi srebrny gwizdek. Potem spojrzała na bibliotekarkę z nieskrywaną radością i dumą.

– Obiecuję, że pani nie zawiodę. Będę starała się wykonywać swoje obowiązki najlepiej, jak potrafię.

– Jestem o tym przekonana – odparła poważnie Kaghet, po czym skinęła głową na stojącą obok dziewczynę. – Alex będzie twoją opiekunką przez jakiś czas. Wytłumaczy ci regulamin biblioteki i wszelkie zasady, a także zakres twoich obowiązków. Przez pierwsze dni będziesz ją obserwowała i pomagała we wszystkim. Kiedy będziesz gotowa, zaczniesz samodzielną pracę.

Kaghet zasiadła z powrotem za biurkiem, ale zanim wróciła do swoich papierów, obdarzyła Ariel ciepłym uśmiechem. Alex tymczasem wzięła ją pod ramię.

– Mam nadzieję, że będzie nam się dobrze razem pracowało – odezwała się zniżonym głosem, po czym mrugnęła okiem. – Ostrzegam, że lubię dużo gadać i nucić pod nosem. Jeśli będziesz miała dosyć, to po prostu powiedz. Trochę krytyki jeszcze nikomu nie zaszkodziło.

Ariel rozbawiona, przewróciła oczami. *Skąd ja to znam? Zapowiada się, że będę miała ciekawe towarzystwo.* Z przesadną powagą odpowiedziała:

– Ostrzegam, że potrafię być szczera do bólu. Jak zapewne wiesz, lubię się pakować w kłopoty i wręcz kocham być obiektem szkolnych plotek.

– Och, jakoś się dogadamy. – Alex mocniej oplotła jej ramię, a w oczach miała wesoły błysk. – Coś mi się wydaje, że będziemy stanowić niezły zespół. A teraz, chociaż znasz już to pomieszczenie na pamięć, pokażę ci całą bibliotekę i…

– Ariel.

Odwróciła się w stronę bibliotekarki.

– Pamiętaj tylko, że nie wolno ci wchodzić do pokoju na piętrze. To dotyczy także Alex, ale ona doskonale o tym wie.

– Dobrze, pani Kaghet – obiecała. A w duchu dodała: *Przepraszam z góry, że w przyszłości złamię ten zakaz.*

Tajemniczy pokój w głębi biblioteki był jednym z powodów, dla którego wybrała to zajęcie. Był jedynym miejscem, którego jeszcze nie odkryła, i zamierzała jak najszybciej to nadrobić.

Przez kolejną godzinę Alex oprowadzała ją po bibliotece, pokazując poszczególne działy i objaśniając szczegóły swojej pracy. Ariel słuchała pilnie każdego jej słowa, ale nic nie mogła poradzić na to, że w końcu zaczęła się nudzić. Wychwytując jednym uchem długą listę panujących w bibliotece zasad, rozglądała się uważnie po nieskończonym labiryncie książek, odnotowując w pamięci miejsca, do których w przyszłości zamierzała częściej zaglądać.

Po drodze zajrzały do małego pokoiku, który służył za magazyn. Zdążyła tylko pobieżnie przebiec wzrokiem po półkach uginających się od pudeł z książkami, gdy Alex już prowadziła ją dalej. Ariel mogłaby godzinami przechadzać się między półkami, wdychając zapach papieru i skóry. Jednak po jakimś czasie nie wytrzymała i przerwała Alex w pół zdania.

– Co jest takiego w pokoju na piętrze? – spytała wprost.

Dziewczyna spojrzała na nią uważnie. Przez jedną krótką chwilę Ariel zdawało się, że dostrzega w jej oczach dziwny błysk. Jednak to wrażenie trwało nie dłużej niż sekundę. Alex, chcąc zatuszować swoją reakcję, uśmiechnęła się pobłażliwie.

– Widzę, że cię to zaciekawiło – powiedziała żartem.

Ariel niedbale wzruszyła ramionami.

– Skoro mam tu pracować, powinnam chyba wszystko wiedzieć. Tak na wszelki wypadek – rzuciła od niechcenia.

– Masz rację. Jednak sama słyszałaś. Dopóki jesteś nowicjuszką, nie wolno ci samej chodzić po bibliotece, a już w szczególności wchodzić do tamtego pokoju.

– Wiem, wiem – westchnęła z rezygnacją, po czym uśmiechnęła się chytrze. – A ty? Nie chciałabyś się dowiedzieć, dlaczego to miejsce jest okryte taką tajemnicą?

– Nie wiem. W gruncie rzeczy nigdy się nad tym nie zastanawiałam.

– Na twoim miejscu już dawno bym tam zajrzała. Kaghet zachowuje się tak, jakby trzymali tam nie wiadomo jakiego potwora.

Alex zatrzymała się w końcu, obdarzając ją zaciekawionym spojrzeniem.

– Coś mi się zdaje, Ariel, że nie dasz mi spokoju, co?

– Przepraszam, ale ciekawość to moja nieuleczalna wada – zrobiła niewinną minę.

Alex zaśmiała się i znów wzięła ją pod ramię.

– Na wszystko przyjdzie czas. Musisz na razie poskromić swoją nieuleczalną ciekawość i skoro już zgłosiłaś się dobrowolnie, to zająć się pracą.

Rozdział IX

Nazajutrz Ariel zjawiła się w bibliotece zaraz po obiedzie. Jak tylko zamknęły się za nią drzwi, sześć głów natychmiast odwróciło się w jej stronę. Dziewczyna podeszła do biurka Kaghet, spoglądając na wszystkie z niemym pytaniem. Bibliotekarka wskazała jej dłonią wolne krzesło między dziewczynami.

– Dobrze, że już jesteś. Siadaj. Czekałyśmy tylko na ciebie.

Ariel zajęła swoje miejsce obok Alex, zerkając na nią nieco zaintrygowana.

– Co się dzieje? Dlaczego biblioteka jest zamknięta?

– Mamy zebranie – odpowiedziała Alex.

– Zebranie? – Ariel przeniosła wzrok na starszą bibliotekarkę.

– Tak. Przeważnie robimy je wieczorem, ale to wyjątkowa sytuacja. W związku z tym, że mamy w naszym gronie o jedną pracownicę więcej, musimy rozplanować dyżury i nowy przydział obowiązków. Zawsze omawiamy to wspólnie.

– Rozumiem.

– Zatem możemy zaczynać – oznajmiła Kaghet.

Alex trąciła Ariel łokciem, wskazując na pozostałe bibliotekarki.

– Sarę, Kate i Beth już znasz. – Trzy dziewczyny uśmiechnęły się do niej i skinęły głowami. – A to Paty i Ida.

Ariel przywitała się z nimi pospiesznie. Paty zaczęła pracę jakieś dwa miesiące temu. Jako jedyna spośród zebranych miała jasnoblond włosy i oczy koloru jasnego granatu. Trochę przypominała jej Kiiri, ale była od niej niższa i bardziej okrągła na twarzy. Za to Ida miała najciemniejszą z nich wszystkich karnację i czarne proste włosy. Gdy się uśmiechała, jej białe zęby wręcz lśniły, tak bardzo kontrastowały z kolorem skóry.

– Przyjaźniłaś się z Tarą, prawda? – zapytała Paty.

– Tak. – Na wspomnienie przyjaciółki coś zakłuło ją w sercu.

– Poznałam ją trochę. – Paty mrugnęła do niej okiem. – Jeśli to, co o was mówią, to prawda, była z was niezła para. Czy to prawda, że to ty wtedy narobiłaś takiego zamieszania z powodu pożaru w kuchni?

Ariel odwróciła wzrok, ale uśmiechnęła się pod nosem.

– Tak.

To było tak dawno temu, że niemal o tym zapomniała. Najwidoczniej jednak tamto wydarzenie wpisało się już na karty szkolnych legend. Miała wtedy tylko osiem lat. Od zawsze przyciągała kłopoty, choć naprawdę próbowała żyć spokojnie. Wtedy również nie zrobiła tego naumyślnie i nikt nie mógł jej winić za to, że zwyczajnie spanikowała.

– Och, pamiętam to – wtrąciła Sara, drobna dziewczyna z długim warkoczem i filigranową sylwetką. – Słyszałam, że to ty wtedy wywołałaś ten pożar w kuchni. Narobiłaś takiego wrzasku, że cała szkoła wyległa na dziedziniec, a dyrektorka zadzwoniła po straż, bo wszyscy myśleli, że pali się pół szkoły.

– To prawda, że wtedy spaliły się tylko twoje zeszyty? – spytała Ida.

Ariel przytaknęła, z rozbawieniem wspominając tamten incydent. Wtedy naprawdę najadła się strachu. Wystraszyła siebie i całą szkołę, a potem dodatkowo musiała znieść upokorzenie i karę. Tara zawsze śmiała się z jej niezdarności i dzięki temu Ariel nauczyła się śmiać sama z siebie.

– Moje cenne notatki z historii strawił bezlitosny ogień. – Ariel wzniosła oczu ku sufitowi z teatralnym westchnieniem. – Jednak pani Burnn nie chciała przyjąć takiego usprawiedliwienia.

Dziewczyny wybuchnęły śmiechem.

– Jednak to wszystko prawda. Sądziłam, że to tylko takie plotki. A jeśli inne opowieści na twój temat są prawdziwe, to naprawdę jesteś niesamowita – skwitowała Alex, szczerząc zęby.

– Pilnuj tylko, żebyś nie spaliła nam biblioteki – rzuciła wesoło Kate.

Ariel machnęła lekceważąco ręką.

– Nie przesadzajcie, dziewczyny. To było dawno temu. Już nie jestem dzieckiem.

– Ale nadal masz talent do ściągania na siebie kłopotów.

– Fakt.

Głośne chrząknięcie przerwało ich rozmowę. Umilkły jednocześnie i spojrzały na Kaghet, która obserwowała je z lekką dezaprobatą.

– Na pogaduszki będziecie miały jeszcze dość czasu. Niedługo musimy otworzyć bibliotekę, więc nie traćmy już ani chwili.

Przez następne pół godziny omówiły nowy grafik i zakres obowiązków. Ariel przypadły popołudniowe dyżury, co przyjęła z ogromną radością. Od razu po lekcjach będzie mogła zająć się pracą, dzięki czemu będzie miała wypełniony cały dzień. Zajmie się czymś pożytecznym, ale najważniejsze, że nie będzie miała czasu myśleć o Tarze i rozczulać się nad sobą.

Praca, praca i jeszcze raz praca. Tylko to jej teraz było potrzebne.

– Dziękuję wam za spotkanie – zakończyła Kaghet. – To wszystko. Dzisiaj macie już wolne. Możecie przedyskutować swoje nowe obowiązki we własnym gronie – uśmiechnęła się do nich znacząco. – Liczę na to, że zaopiekujecie się Ariel i wdrożycie ją do pracy. W końcu jesteście teraz jedną rodziną – odchyliła się na krześle i machnęła ręką w stronę drzwi. – Idźcie już. Dzisiaj poradzę sobie bez waszej pomocy.

Dziewczyny odpowiedziały jej okrzykami radości i pożegnawszy się z opiekunką, wybiegły z biblioteki. Ariel została w tyle. Nagle poczuła się tak beztrosko, jak chyba nigdy wcześniej. To było błogie, a zarazem bolesne doznanie.

Nie powinnam być szczęśliwa. Nie teraz. Przeze mnie zginęły dwie osoby. Nie lubiłam Kiiri, ale Tara…

– Ariel? – Alex czekała na nią przy drzwiach. – Coś się stało?

– Nie – zaprzeczyła szybko i wykrzesała z siebie cały entuzjazm, na jaki ją teraz było stać. – To co będziemy robić?

Alex wyszczerzyła zęby, wzięła ją pod ramię i wyprowadziła na korytarz. Pozostałe dziewczyny czekały na nie przy schodach, dyskutując z ożywieniem.

– Ariel właśnie zadała bardzo istotne pytanie – przerwała im Alex. – Co robimy dalej? Mamy dla siebie całe popołudnie i absolutnie nie możemy tego zmarnować.

– Właśnie o tym rozmawiałyśmy – rzuciła Kate, zerkając na przyjaciółki, a potem rozglądając się, czy w pobliżu nikt się nie kręci. – Mamy pewien pomysł – dodała ściszonym głosem.

Błysk w jej oczach powiedział Ariel wystarczająco dużo. Alex głośno wyraziła jej myśli.

– Oho. Przeczuwam, że to nie będzie nic w stylu grzecznej piżamowej imprezy.

– To coś znacznie ciekawszego. – Paty posłała im łobuzerski uśmiech, krzyżując ramiona na piersi. Przez chwilę mierzyła je wzrokiem, z premedytacją przedłużając napięcie. Po tej spektakularnej pauzie uniosła w górę palec i oznajmiła: – Idziemy do miasta.

Ariel otworzyła usta, ale to Alex znów odezwała się pierwsza.

– Czyli uciekamy.

– Idziemy się zabawić – poprawiła ją Kate. – No wiesz, zakupy, jedzenie i spacer, jak zwykłe nastolatki. Do kolacji wrócimy.

– W końcu musimy odpowiednio przywitać Ariel w naszej bibliotecznej paczce. To wyraźny nakaz Kaghet.

Alex zmarszczyła brwi z wyraźnym wahaniem.

– Wiecie, co się z nami stanie, jak nas złapią?

– Więc musimy się postarać, żeby nas nie złapali. – Sara, podobnie jak reszta, była już zdecydowana. – Należy nam się coś od życia. Jesteśmy tu zamknięte jak jakieś zakonnice, a ja nie mam ochoty marnować swojej młodości wyłącznie na naukę. To tylko krótki wypad na miasto. – Zwróciła się do Ariel, oddając jej decydujący głos: – Co ty na to, Ariel? To nasza jedyna szansa, by się zabawić. Jeśli uznasz to za zbyt ryzykowne, zrezygnujemy.

Ariel nagle poczuła się jak ich liderka. Dziewczyny wpatrywały się w nią wyczekująco, z napięciem. Zrozumiała, że naprawdę liczą się z jej zdaniem. Czy dlatego, że ciągle robiła coś głupiego, uważały ją za specjalistkę?

To prawda, że zawsze najpierw robiła, potem myślała i nie lubiła stosować się do przepisów, ale jeszcze nigdy nie wymknęła się poza teren szkoły. Dlaczego w ogóle sama wcześniej na to nie wpadła? To było przecież w jej stylu. A co zrobiłaby Tara?

Ariel błyskawicznie podjęła decyzję, zanim do głosu doszedł zdrowy rozsądek, który zresztą zawsze i tak ignorowała.

– Wchodzę w to.

Jej słowa przyjęły okrzykami radości. Poklepały ją po plecach, ostatecznie witając ją w swoim gronie.

Gdy zbiegały po schodach, Alex przytrzymała ją za ramię.

– Jesteś pewna, że to dobry pomysł? – szepnęła, by reszta jej nie usłyszała. – To poważne wykroczenie. Wątpię, by Tara...

Ariel uwolniła się z jej uścisku, posyłając szeroki uśmiech.

– Lepiej weź ze mnie przykład i nie myśl o tym za dużo. Dzisiaj po prostu chcę się zabawić. To nic złego.

Alex potrząsnęła głową.

– Znowu pakujesz się w kłopoty, Ariel. I to duże.

– Ty również, ale i tak pójdziesz z nami.

Nie czekając na jej odpowiedź, dogoniła dziewczyny i wcisnęła się pomiędzy Sarę a Paty, które wzięły ją pod łokcie. Z ożywieniem ustalały plan wycieczki, a Ariel zgadzała się na wszystko, kiwała głową i śmiała się w odpowiednich chwilach.

Zapowiada się interesujące popołudnie – pomyślała z rosnącym podekscytowaniem. *Dobrze mi zrobi taki wypad z dziewczynami. Normalność to coś, czego teraz potrzebuję. I odrobina zabawy.*

Zbiegły pustymi schodami na główny korytarz, a ich kroki odbijały się głośno od grubych murów. Zatrzymały się w progu łukowatego przejścia i przylgnęły do ściany. Kate wychyliła się, by sprawdzić, czy nikt nie nadchodzi, po czym odwróciła się w stronę dziewczyn.

– Słuchajcie – odezwała się ściszonym głosem. – Za piętnaście minut kończą się lekcje. Tyle mamy czasu, by iść po płaszcze i spotkać się przed główną bramą. I pamiętajcie – ostrzegła, wymachując im przed nosami palcem. – Lepiej, żeby nikt nas nie zobaczył. Aha. I na wszelki wypadek zdejmijcie kamizelki.

Ariel dotarła na północną wieżę w rekordowym tempie. Nie zamykając drzwi, rzuciła kamizelkę na łóżko, chwyciła z szafy płaszcz i wybiegła z powrotem na korytarz. Wrzuciła klucz do kieszeni i narzuciła na siebie płaszcz. Zbiegając po schodach, była tak zaaferowana, że nie zauważyła idącej korytarzem Eve. Wypadając zza zakrętu, wpadła wprost na kucharkę.

– Ariel? Dokąd tak się spieszysz?

– Ja? – Zdyszana dziewczyna zerkała nerwowo za jej ramię, jednocześnie próbując przybrać niewinną minę. – Umówiłam się z Arianną na dziedzińcu – odpowiedziała szybko, widząc, że Eve przygląda się jej ubraniu.

Dziewczyna uniosła brwi.

– Nie powinnaś czasem pracować teraz w bibliotece?

Ariel wzruszyła ramionami.

– Kaghet dała mi dzisiaj wolne. Obiecałam Ariannie, że pomogę jej w lekcjach.

– Aha. – Eve wystarczyło takie usprawiedliwienie. – W takim razie miłej nauki.

– Dzięki. Na razie.

Ariel minęła kucharkę i nie oglądając się, pobiegła w stronę dziedzińca. Zwolniła dopiero za następnym zakrętem, przeklinając w duchu własny pech. Teraz będzie musiała dogadać się z Arianną, żeby mówiła wszystkim, że przez resztę dnia będą się razem uczyć. Tyle że dziewczyna akurat miała lekcje, więc przecież nie mogła na nią czekać. Westchnęła ciężko i zerknęła na zegarek. Miała jeszcze niecałe dziesięć minut. Powinna coś wykombinować.

Zawróciła i skręciła w inny korytarz. Pognała między kolumnami na wschodnią wieżę. Zanim weszła do dormitorium, uchyliła lekko drzwi, by upewnić się, że w środku nikogo nie ma. Bez problemu odnalazła łóżko Arianny. W szufladzie jej stolika wygrzebała kawałek kartki i długopis. Szybko nabazgrała kilka słów wyjaśnienia, po czym złożyła liścik na pół i zostawiła na łóżku.

Opuszczenie wieży i dotarcie na dziedziniec zajęło jej kolejne pięć minut. Kiedy w końcu minęła fontannę i skierowała się w stronę głównej bramy, cała była zgrzana i ledwo łapała powietrze. Zwolniła kroku, by wyrównać oddech. Jesienny wiatr rozwiewał jej rude włosy i chłodził przyjemnie. Na błękitnym niebie leniwie dryfowały szare chmurki, które co chwilę przysłaniały wiszące wysoko słońce. Nie dawało już ono takiego ciepła jak latem, mimo to wciąż raziło w oczy i poprawiało humor.

Dziewczyny już na nią czekały. Ariel poprawiła włosy i wygładziła fałdy płaszcza. Przy okazji zerknęła na zegarek i jęknęła. Miały tylko dwie minuty, by wyjść stąd niepostrzeżenie.

Bibliotekarki stały w kręgu przy bramie i dyskutowały między sobą ściszonymi głosami. Alex uniosła głowę i pomachała do Ariel dłonią, by się pospieszyła.

– Co tak długo? Myślałyśmy już, że jednak nie przyjdziesz.

– Przepraszam. Coś… mnie zatrzymało.

Beth przyjrzała jej się podejrzliwie.

– Ktoś cię widział – stwierdziła w końcu oskarżycielsko, opierając dłonie na biodrach.

– Czyli nici z naszej wyprawy? – jęknęła Sara.

– Nie, spokojnie, dziewczyny. Na korytarzu wpadłam na Eve, kucharkę. Przyjaźnię się z nią. Powiedziałam, że idę pomóc Ariannie w nauce. Musiałam ją uprzedzić, żeby utrzymywała taką wersję, gdyby ktoś się o mnie pytał. Myślę jednak, że do czasu naszego powrotu nikt nie zainteresuje się moim miejscem pobytu.

– W takim razie wszystko w porządku – wtrąciła pospiesznie Alex, spoglądając na zamek, a potem na oddzielający je od reszty świata wysoki mur. – Nie czas teraz na gadanie. Musimy szybko wymyślić, jak się stąd wydostać, bo zaraz będzie dzwonek na przerwę.

– Z tym będzie mały problem – westchnęła Kate, kręcąc ze zniechęceniem głową. – Bramę otwiera tylko dyrektorka, a nasze przejście zamurowali. Mogłyśmy zastanowić się nad tym wcześniej.

Ariel wpatrywała się w dal ze zmarszczonym czołem. Nagle rozpogodziła się, uderzając pięścią w otwartą dłoń.

– Ja wiem, gdzie jest przejście!

Jak na komendę wszystkie spojrzały na nią z zaskoczeniem.

– Serio? – odezwały się niemal jednocześnie.

– Czemu nie mówiłaś od razu? – Alex wyszczerzyła zęby, popychając ją do przodu. – Prowadź więc.

Ariel ruszyła szybko wzdłuż muru, kierując się w stronę zachodniej części zamku. Słyszała za sobą tupot kilku par stóp, tłumiony przez równo skoszony trawnik. Nie potrafiła powstrzymać się od lekkiego uśmiechu rozbawienia, gdy wyobraziła sobie tę scenę z boku.

Nigdy bym nie pomyślała, że kiedykolwiek moja wiedza o sekretnych przejściach naprawdę się przyda. Czuję się jak liderka uciekinierów z więzienia.

Znajdowały się niedaleko zagajnika, do którego ich prowadziła, kiedy z głębi zamku dotarł do nich przytłumiony dźwięk dzwonka.

– Daleko jeszcze? – zapytała szeptem Alex depcząca jej po piętach.

Ariel obejrzała się przez ramię, wskazując ręką na lasek.

– To tam. Pospieszmy się.

Biegiem pokonały ostatni odcinek, po czym zagłębiły się między drzewami. Prowadząc je wzdłuż muru, dziewczyna torowała im drogę między zaroślami i zwisającymi nisko gałęziami. Szelest odgarnianych liści oraz odgłos ich kroków zagłuszały wszelkie dźwięki dochodzące z zamku. Gęsty zagajnik skutecznie chronił je przed niechcianymi spojrzeniami. Ariel czuła się tu całkowicie bezpieczna, jednak nie zwalniała kroku, poganiana ekscytacją i niecierpliwością.

Niewielki zagajnik nie należał do najatrakcyjniejszych miejsc na spacery. Mało kto tu zaglądał, nawet ogrodnicy. Lasek cieszył się raczej złą sławą, gdyż skrywał w swoim sercu kilka niezidentyfikowanych, tajemniczych grobów, które wydawały się nawet starsze od samego zamku. Ariel jednak często zaglądała tu z Tarą. Potrafiły godzinami leżeć pod drzewem lub bawić się w chowanego. Czuła się jakoś szczególnie związana z tym miejscem, podobnie jak z całym zamkiem. Może to ten szczególnie intensywny zapach mchu i trawy, a może specyficzna atmosfera prawdziwego lasu działały na nią z taką siłą. Tara zawsze podzielała jej opinie i uczucia, jakby była jej lustrzanym odbiciem. Dlatego też tak bardzo chciała być tu pochowana...

Ariel odegnała od siebie bolesne wspomnienie przyjaciółki, nawet nie spoglądając w stronę, gdzie znajdował się jej grób. W końcu zatrzymała się na drugim końcu zagajnika. Odgarnęła gałęzie dzikiej róży, która porastała gęsto ogrodzenie, i stanęła twarzą do muru. Pozostałe dziewczyny ustawiły się za nią lub po bokach. Przez chwilę wpatrywały się w czerwoną nadkruszoną cegłę, jakby czekały, aż przejście samo się przed nimi zmaterializuje.

– Jesteś pewna, że to tutaj? – spytała cicho Alex.

– Tak.

– Byłaś w ogóle już kiedyś w tym miejscu? – Kate nieufnie zaglądała jej przez ramię. – Nic tu nie widzę.

– Byłam tu raz. – Ariel obejrzała się na nie z tajemniczym uśmieszkiem. – Patrzcie.

Przykucnęła, po czym sprawnie wysunęła u podstawy kilka cegieł. Ich oczom ukazał się otwór, mniej więcej długi i szeroki na pół metra.

– I to jest to twoje tajne przejście? – odezwała się Paty z rozczarowaniem. – Przecież żadna z nas nie zmieści się w tej dziurze.

– Gdybyś tyle nie jadła, to spokojnie byś się przecisnęła – zakpiła Beth.

Wybuchnęły śmiechem, a Paty rzuciła im mordercze spojrzenie. Jednak Ariel uciszyła je niecierpliwym ruchem dłoni.

– Przestańcie, dziewczyny. Zapewniam was, że wszystkie spokojnie tędy przejdziemy.

Na dowód swoich słów położyła się brzuchem na trawie i podczołgała do otworu. Najpierw przecisnęła głowę i rozejrzała się po ulicy,
po czym przeszła na drugą stronę. Wyprostowała się, otrzepała z ziemi
i trawy, po czym zapukała pięścią w mur.

– Droga wolna! – krzyknęła niezbyt głośno. – Chodźcie szybko!

Odsunęła się, by zrobić im miejsce. Już po chwili w otworze pojawiła się głowa Alex, a następnie reszta jej ciała. Ariel uśmiechnęła się
do niej, gdy ta stanęła przy niej, otrzepując mundurek. Wcale się nie
zdziwiła, że to właśnie Alex jako pierwsza zdecydowała się przejść na
drugą stronę.

Dziewczyny przeciskały się po kolei przez wyrwę w murze i stawały
na chodniku. Jako ostatnia prześlizgnęła się Paty.

– Wolność! – pisnęła w euforii Sara, a reszta zawtórowała jej ze
śmiechem.

Ruszyły szybko chodnikiem w stronę miasta. Im dalej zostawiały
za sobą szkołę, tym Ariel szybciej biło serce. Dawno już nie była tak
radośnie podekscytowana. Z uśmiechem uniosła głowę i mrużąc oczy,
obejrzała się na zamek. Cztery wieże wznosiły się na tle błękitnego
nieba niczym majestatyczni strażnicy z dawnego wieku. Złote słońce
odbijało się od czerwonych murów, nadając im purpurowy odcień. Na
ten widok uśmiech dziewczyny przygasł, zastąpiony nagłym smutkiem.
W jej sercu wezbrała fala nostalgicznej tęsknoty za czymś, czego nawet
nie potrafiła nazwać. Było to tak silne uczucie, że wręcz namacalne.
Sprawiło fizyczny ból, jakby ktoś rozdrapał starą niezagojoną ranę. Ariel
bezwiednie położyła dłoń na sercu i odetchnęła głęboko.

Ktoś trącił ją ramieniem, sprowadzając do rzeczywistości. Odwróciła
głowę i napotkała uważne spojrzenie Alex.

– Wszystko w porządku? Wyglądałaś, jakbyś zobaczyła ducha.

Ariel uśmiechnęła się z przymusem, choć miała nadzieję, że prze-
konująco.

– Wszystko w porządku – zapewniła raźnym tonem.

Tymczasem Kate wyszła przed grupę i odwróciła się do nich, idąc teraz tyłem.

– Dobrze – odezwała się głośno do wszystkich. – Mamy jakieś pięć godzin do kolacji. Myślę, że dopiero wtedy ktoś może zauważyć naszą nieobecność. A do tej pory... – wyszczerzyła radośnie zęby. – Co wy na to, żeby trochę powłóczyć się po sklepach? W końcu musimy na coś wydać nasze kieszonkowe. Kupimy sobie parę ciuchów na poprawę nastroju, a potem może gorąca czekolada i duża porcja ciasta?

– Tak!!! – Ariel zawtórowała reszcie z równym entuzjazmem.

Zostawiając za sobą szkołę, szybko zapomniała o tamtym dziwnym uczuciu i w ogóle o wszystkich problemach. Właśnie zdała sobie sprawę z tego, że w jeden dzień zyskała pięć przyjaciółek. Wprawdzie żadna nie była w stanie zastąpić Tary, ale teraz jak nigdy potrzebne jej było towarzystwo innych ludzi.

Potrzebowała czegoś, co pozwoli jej nie myśleć i zabić w sobie ból po stracie przyjaciółki. Potrzebowała kogoś, kto wypełni jej puste życie.

Dlatego dzisiejszego dnia zamierzała dobrze się bawić i postanowiła, że nic nie zepsuje jej dobrego humoru. Nawet fakt, że jako jedyna nie miała pieniędzy, które mogłaby wydać.

Przez następne godziny włóczyły się po mieście. Jeszcze nigdy w swoim życiu Ariel nie bawiła się tak dobrze. Jeśli do tej pory nie wiedziała, co znaczą zakupy, to teraz w pełni pojęła znaczenie tego słowa. A oznaczało ono jedno: przymierzanie, przymierzanie i jeszcze raz przymierzanie. Zaglądały niemal do każdego napotkanego sklepu i mierzyły, co tylko się dało. Dziewczyny zaopatrzyły się w torby, a Ariel pozostawało jedynie podziwianie, jak prezentuje się w czymś innym niż mundurek. W szafie miała kilka starych ubrań, których jednak nie miała okazji zakładać. W jednym sklepie Alex koniecznie chciała zapłacić za bluzkę, która jej się podobała, ale Ariel stanowczo odmówiła. Jednak największą przyjemnością było dla niej przebywanie w gronie tych wesołych, rozgadanych dziewczyn, które tak szybko ją zaakceptowały.

Poza szkolnymi wycieczkami dziewczyna nigdy nie miała okazji zwiedzić miasta. Właściwie to nie znała innego świata poza zamkiem i jego ogrodami. Nawet teraz, patrząc na ludzi, ruchliwe ulice i sklepowe witryny, kompletnie nic nie czuła, jakby była od tego wszystkiego oderwana. Dziewczyny rozmawiały o zakupach, chłopakach i innych babskich sprawach. Choć nie obchodziły one Ariel, to włączała się do rozmowy, potakiwała i śmiała się razem z nimi. A jednocześnie tęskniła do bezpiecznych murów zamku i chwili samotności. Obserwując mijających ich ludzi, uświadomiła sobie, że to jest właśnie rzeczywistość. Nie mury średniowiecznego zamku, ale to wszystko, co ją otaczało. Prawdziwe życie. Praca, dom, rodzina. Obowiązki. Codzienność. To czekało każdą z nich. Tyle że Ariel takie życie zupełnie nie interesowało. Ten świat jej nie interesował.

I nagle się przestraszyła. *Może naprawdę coś ze mną jest nie tak? Jakoś wszystkim ludziom odpowiada takie życie. Jeszcze trochę i stanę się pustelniczką. Dlaczego mam takie dziwne wrażenie, że tu nie pasuję?*

– To co, dziewczyny? – Kate przerwała jej ponure rozmyślania. Machała wesoło swoją torbą, jakby chciała pochwalić się wszystkim swoim zakupem. – Czas na przerwę i coś słodkiego.

Rozdział X

Zachodzące słońce powoli kryło się za budynkami, kładąc długie cienie na ulice. Pomarańczowa luna zabarwiła niebo na złoto i róż. Pomimo zbliżającej się nocy zrobiło się tylko odrobinę chłodniej. Delikatne podmuchy wiatru porywały liście z drzew, które przez chwilę wirowały majestatycznie w słonecznych refleksach, by w końcu opaść miękko na ulice. Miasto powoli pustoszało. Ludzie zamykali sklepy i wracali do domów. Młode pary spacerowały powoli, trzymając się za ręce. Miało się wrażenie, że czas się zatrzymał, a świat wstrzymał oddech, jakby w oczekiwaniu na coś podniosłego.

Dziewczyny zawędrowały do parku i wolnym krokiem ruszyły żwirową ścieżką między drzewami. Poza Ariel wszystkie były obładowane zakupami. Jednak dziewczyna wcale nie czuła się przez to gorsza czy mniej szczęśliwa.

– To do której idziemy kawiarni? – zapytała Ida.

– Zaraz po drugiej stronie parku jest taka nowa knajpka. Podobno mają tam naprawdę dobre ciasta – odpowiedziała Kate, po czym spojrzała na Ariel. – Szkoda, że nie dałaś się namówić na tamtą bluzkę. Naprawdę wyglądałaś w niej świetnie. Dobrze mieć w szafie coś innego niż szkolny mundurek i stare łachy.

Ariel wzruszyła obojętnie ramionami.

– Nie szkodzi, ale dziękuję, że chciałaś mi ją kupić. Kiedyś będę miała własne pieniądze, a teraz i tak świetnie się bawiłam. Żałuję, że wcześniej sama nie wpadłam na ten pomysł.

– Żałuj, dziewczyno – zaświergotała Beth. – Szkoda, że nie poznałyśmy się wcześniej.

– Ominęła cię super impreza urodzinowa Kate – dodała Sara.

– Z chłopcami, oczywiście – podkreśliła znacząco Paty.

Ariel z wrażenia uniosła brwi.

– I co? Nikt was nie przyłapał?

– A jak sądzisz? – zachichotała Alex. – Kiedy wróciłyśmy, w progu czekała już na nas Pixton.

– Była nieźle wkurzona – wtrąciła Kate, rozbawiona tymi wspomnieniami.

– Wkurzona? – Sara teatralnie zamachała rękami. – To zdecydowanie za łagodne słowo. Była wściekła. Jak nigdy. Najpierw nawrzeszczała na nas o odpowiedzialności i takich tam bzdurach, a potem dała nam szlaban na dwa miesiące i dodatkowe zajęcia po lekcjach.

– To właśnie wtedy zamurowali nasze tajne przejście – powiedziała z żalem Beth.

Alex poklepała Ariel z szerokim uśmiechem.

– Gdybyś nie spędzała tyle czasu z Tarą lub z nosem w książkach, nie przegapiłabyś tylu ciekawych rzeczy.

– Coś słyszałam o tamtym incydencie, ale nie wiedziałam, że to wy – odparła ze śmiechem. – Tara miała różne dziwne pomysły, ale zdaje się, że bijecie ją na głowę.

– Szalone bibliotekarki w akcji. Strzeżcie się obywatele! – wykrzyknęła Ida, wyrzucając w górę zaciśniętą pięść.

Ariel zawtórowała śmiechem, dyskretnie odwracając wzrok. Wymawianie głośno imienia przyjaciółki wciąż wiele ją kosztowało. Zdławiła szybko łzy, gdyż nie chciała psuć dobrego nastroju tego dnia.

– Poczekaj, Ariel, a przekonasz się, że z nami nie będziesz się nudziła.

Kate i Alex wzięły ją za ręce i zaczęły wymachiwać nimi wesoło.

– Może następnym razem wybierzemy się do…

Ariel usłyszała za sobą szybkie kroki. Nie zdążyła się nawet odwrócić ani zareagować. Zakapturzona postać wbiegła prosto na dziewczyny, roztrącając je na boki. Sara zatoczyła się do tyłu i krzyknęła głośno, podczas gdy napastnik wyszarpnął z ręki Alex torbę i uciekł przez trawnik.

– Hej! – krzyknęła za nim Ariel.

Biegnij za nim.

Nie miała czasu się zastanawiać, do kogo należał głos w jej głowie. To był wyraźny rozkaz, a ona błyskawicznie go posłuchała.

Puściła się biegiem za złodziejem, nie zwracając uwagi na nawoływania dziewczyn. Mężczyzna znacznie ją wyprzedził, ale Ariel potrafiła szybko biegać. Drzewa i trawa rozmyły się w niewyraźną zieloną plamę. Niechcący potrąciła jakąś kobietę, ale minęła ją, nawet nie przepraszając. Stała się głucha i ślepa na wszystko poza swoim celem.

Wciąż dzieliła ich trudna do pokonania odległość. Ariel zdusiła przekleństwo, świadoma, że traci siły. Płuca paliły ją żywym ogniem, każdy oddech powodował zawroty głowy. Mimo to zmusiła swoje ciało do jeszcze większego wysiłku. Nie zastanawiała się, dlaczego to robi. Ktoś – Tara albo ona sama – dał jej wyraźny rozkaz.

Przed sobą miała jasny, konkretny cel. Odzyskać torbę Alex i dorwać złodzieja. Nieważne, jakim sposobem.

Dysząc ciężko, uparcie podążała za opryszkiem. Napastnik zdążył już minąć główny plac z fontanną i zmierzał prosto do bramy, za którą znajdowała się ulica. Jeśli pozwoli mu opuścić park, to już go nie złapie.

Zaklęła głośno z frustracji. Widziała, jak każdy kolejny krok zamiast przybliżać oddala ją od celu. Całe jej ciało buntowało się przeciw tak ogromnemu wysiłkowi. Włosy przykleiły jej się do mokrego czoła i karku, kosmyki z kolorowymi pasemkami opadły na policzek. Nagle w parku zapaliły się lampy. Oślepiona nagłą eksplozją światła Ariel upadła na trawę. Syknęła z zaskoczenia i bólu, mrugając gwałtownie powiekami. Mrużąc oczy, odszukała złodzieja. Wiedziała, że już go nie dogoni, że jej wysiłek poszedł na marne. Nie odzyskała torby Alex, choć to teraz było mało ważne. Wiedziała, że dziewczyna nie będzie miała jej tego za złe. Nie. Tutaj już chodziło o coś innego.

Ten głos. Kimkolwiek był, nie chciała go zawieść. Choć to było niezrozumiałe, nie mogła sobie pozwolić na porażkę.

Cholera. On nie może uciec. Nie może... Proszę...

Zacisnęła szczęki, wbijając paznokcie w trawiastą ziemię. Jej ciałem targały złość i poczucie klęski. Było to potężne, paraliżujące uczucie, które z siłą tsunami przejmowało nad nią kontrolę.

Wiedziała, że za wszelką cenę musi go zatrzymać. Nie dopuścić, by przekroczył bramę.

Jej serce biło coraz szybciej i szybciej. Nagle otworzyła szeroko oczy i poczuła to.

Intensywne ciepło w miejscu, gdzie znajdował się złoty kamień w ciele. Przyłożyła dłoń do brzucha i spuściła wzrok.

Spomiędzy jej palców wydobywały się smugi złotego światła, które prześwitywało nawet przez bluzkę i płaszcz. Takim samym światłem jarzyło się pasemko na jej włosach.

Poczuła, jak to ciepło ogarnia ją od środka. Rozchodziło się od brzucha i strumieniem wędrowało wzdłuż jej ciała, wypełniając każdą komórkę i każdy nerw. W tym cieple były energia i moc, jakich nigdy w życiu nie czuła. Złote światło przepływało po niej falami, od czubków palców u stóp po koniuszki włosów.

Była nim przepełniona. Oddychała nim.

Nabrała w płuca powietrza i otworzyła oczy. Trwało to nie dłużej niż sekundę, choć ta sekunda całkowicie ją zmieniła.

Czuła to w umyśle, duszy i sercu. Całym ciałem i wszystkimi zmysłami równocześnie. Powietrze, którym oddychała, stało się dla niej żywe, namacalne. Mogła je wyczuć, dotknąć, zobaczyć. Uniosła prawą dłoń i rozcapierzyła palce. W oszołomieniu wpatrywała się w wirujące drobinki, całkowicie zapominając o reszcie świata. Były ich tysiące, miliony, a nawet jeszcze więcej. Wyglądały niczym złoty piasek zdmuchnięty z pustyni. Każde ziarenko pulsowało własną energią, jakby miało malutkie serce. Dziewczyna zrozumiała, że ten złoty pył jest całkowicie zależny od jej woli. Że może bawić się tą energią i rozkazywać jej wedle własnego uznania.

Wiatr, który łaskotał ją w policzki, pachniał wolnością. Właśnie stała się tym wiatrem i powietrzem, który ją otaczał. I mogła z nim zrobić, co tylko chciała.

Uniosła wzrok i szybko odszukała złodzieja. Wciąż była oszołomiona, więc po prostu zrobiła to, co przyszło jej do głowy. Ściągnęła ku sobie tyle złotego pyłu, ile zdołała i pchnęła ku uciekającemu mężczyźnie. Przez park przeszedł gwałtowny huragan łamiący gałęzie i wyginający drzewa. Ariel klęczała dokładnie w jego epicentrum. Dopiero teraz zdała sobie sprawę z tego, że przecież nie ma pojęcia, jak nad tym zapanować. Wiatr targał gwałtownie jej włosami i smagał po twarzy. Wokół siebie widziała jedynie wirujący złoty piasek, który wcale nie był taki posłuszny, jak sądziła. Łatwiej było to wszystko wywołać niż teraz zakończyć.

Spanikowała. Pchnęła ten niszczycielski wiatr jak najdalej od siebie, a potem jeszcze raz, gdy ponownie zaczął na nią napierać. Pod jej nogami trawa falowała gwałtownie, wszystkie liście wirowały w powietrzu w obłąkańczym tańcu, a nagie gałęzie łamały się lub wyginały do samej ziemi. Uliczne lampy chwiały się na boki, a ich światło migało i syczało niebezpiecznie.

Ariel czuła, że jeśli zaraz nie powstrzyma tego szaleństwa, to zniszczy ją ono od środka. Zupełnie straciła kontrolę nad złotym kamieniem i to ją przeraziło. Poprzez złotą zasłonę dostrzegła, jak mężczyzna unosi się w powietrze i wiruje z wiatrem, jakby ważył tyle co piórko. Z przerażeniem patrzyła, jak upada ciężko koło fontanny. Zauważyła z opóźnieniem, że nie spadł na ziemię, ale na kogoś… Na osobę, której wcześniej nie zauważyła.

Przycisnęła obie dłonie do brzucha i pochyliła się do przodu, dotykając czołem ziemi. Wszystko wokół niej wirowało i drżało od nadmiaru energii. Bolesne pulsowanie w skroniach było pulsowaniem milionów złotych drobinek szalejących po całym parku.

– Proszę… Niech to się skończy… Proszę… – powtarzała w kółko, nie zdając sobie sprawy z tego, że wymawia te słowa na głos.

W końcu poczuła, jak moc ją opuszcza. Wszystko nagle ustało, a ciepło zastąpiły chłód i pustka.

Ariel nie ruszała się z miejsca, jakby zamieniła się w kamienny posąg. Klęczała w takiej pozycji jeszcze bardzo długo, próbując uspokoić nierówny oddech i drżące wciąż ciało. Była tak obolała, że miała wrażenie, jakby już nigdy nie była w stanie się podnieść. Była wyczerpana, bliska omdlenia.

Przymknęła oczy ogarnięta nagłą sennością. Pomimo niezbyt wygodnej pozycji było jej tutaj dobrze. Tak dobrze, że mogłaby nawet zasnąć…

Z tego dziwnego stanu oszołomienia wyrwał ją dotyk czyjejś dłoni na ramieniu. Bardzo powoli, z widocznym wysiłkiem, uniosła głowę i wyprostowała się na kolanach. Zamrugała powiekami, spodziewając się którejś z dziewczyn.

Ale przed nią stał chłopak, mniej więcej w jej wieku. Miał na sobie wytarte dżinsy i zwykłą koszulkę pod skórzaną kurtką. Brązowe oczy patrzyły na nią z ciekawością. Dostrzegła zadrapanie na jego czole i uświadomiła sobie, że to na niego musiał upaść złodziej.

– To chyba twoje – odezwał się łagodnie, wyciągając dłoń, w której trzymał papierową torbę Alex. Uśmiechnął się przy tym lekko i Ariel w zdumieniu zapatrzyła się na jego dołeczki w policzkach.

Zamrugała kilkakrotnie, a w jej myślach mimowolnie pojawiło się jedno słowo.

Urocze.

Parsknęła krótkim śmiechem, dostrzegając niedorzeczność całej sytuacji. Właśnie odkryła w sobie niesamowitą magiczną moc, a tymczasem jak głupia gapi się na tego całkiem obcego chłopaka. On również jej się przyglądał, więc pospiesznie ułożyła usta w wymuszony uśmiech.

– Dziękuję – zreflektowała się szybko, odbierając od niego torbę. Odwróciła wzrok z dziwnym uczuciem zażenowania. – Przepraszam – dodała ciszej, wskazując ręką na zdewastowaną okolicę. – Za tamto.

– Ach – wzruszył ramionami. – Przecież to nie twoja wina. To raczej ja powinienem przeprosić. Odebrałem tamtemu zbirowi torbę, ale nie udało mi się go powstrzymać i uciekł. Widziałem, jak próbowałaś go złapać. Ta wichura pojawiła się w samą porę. Niesamowite, co nie?

Ariel uniosła głowę i spojrzała mu w oczy. Migotały w nich chochlikowate brązowe iskierki. Wyglądało na to, że naprawdę nie ma pojęcia, co się właściwie tu stało.

– Tak. To było dziwne – mruknęła w odpowiedzi.

Dopiero teraz rozejrzała się po parku. Na widok dokonanych przez siebie zniszczeń jęknęła głucho. Drzewa pogubiły wszystkie liście, które leżały dosłownie wszędzie. Na ścieżce i ławkach walały się gałęzie i grubsze konary. Niektóre drzewa zostały wyrwane z korzeniami i pochylały się ku ziemi, grożąc przewaleniem. Prawie wszystkie lampy pogasły, tylko w kilku migało jeszcze światło.

– Niezły bałagan, co?

Przeniosła wzrok z powrotem na chłopaka i przełknęła nerwowo ślinę. Jakoś udało jej się przybrać obojętny wyraz twarzy, choć serce znów zaczęło walić niespokojnie.

– Taa.

– Dasz radę wstać?

– Co? – zmarszczyła brwi.

Znów się uśmiechnął, z wyraźną ironią.

– Wiem, że moja uroda zwaliła cię z nóg, ale nie musisz przede mną klękać.

– Bardzo śmieszne – prychnęła w odpowiedzi.

Wstała pospiesznie, by udowodnić mu, że nic jej nie jest. Zrobiła to może jednak za gwałtownie, gdyż zaledwie się wyprostowała, zakręciło jej się w głowie i to tak mocno, że zobaczyła mroczki przed oczami. Zachwiała się i poleciała wprost w ramiona nieznajomego.

Jak w jakimś tanim romansidle – przemknęło jej przez myśl.

– Dobrze się czujesz? – zapytał z troską, bez śladu wcześniejszej drwiny. – Nie wyglądasz najlepiej.

Ariel odsunęła się od niego szybko i otrzepała z ziemi.

– Tak, już w porządku. Dzięki za troskę.

Chłopak przeszywał ją uważnym spojrzeniem, jakby próbował przejrzeć ją na wylot. Zauważyła, że otwarcie przygląda się jej pasemkom. Przekrzywił lekko głowę i zmrużył oczy, niczym dziecko zainteresowane nową zabawką. Ariel uśmiechnęła się mimo woli. Wyglądał tak rozbrajająco i niewinnie, że nie było powodu, by się na niego złościć.

– Jeszcze raz dziękuję za pomoc – odezwała się i wyciągnęła do niego rękę. – Jestem Ariel.

Uścisnął jej dłoń.

– Tom.

– Ariel!!!

Oboje odwrócili się jednocześnie, odsuwając od siebie szybko. Dziewczyny zbiegły ze ścieżki i zdyszane otoczyły koleżankę kołem. Kątem oka Ariel dostrzegła, że Tom odszedł dyskretnie na bok, po czym oparł się plecami o lampę. Niedbałym ruchem wsadził ręce do kieszeni i skrzyżował przed sobą stopy, przyglądając im się z uśmieszkiem czającym się w kącikach ust.

– Co się stało?

– Po co za nim biegłaś?

– Mógł ci coś zrobić!

– Widziałaś tę wichurę?

– To było straszne!

– Ten wiatr był taki nagły...

– Uspokójcie się – uciszyła je ostro Alex, otaczając Ariel ramieniem. – Nie widzicie, w jakim jest stanie? – spojrzała na nią uważnie. – Co się właściwie stało? Wiesz, że nie musiałaś tego robić.

Ariel skinęła głową.

– Wiem, jak cieszyłaś się z tych rzeczy. Nie chciałam, by popsuł nasz wieczór.

Podała jej torbę i Alex przyjęła ją ze łzami w oczach. Nagle rzuciła jej się na szyję i pocałowała w policzek.

– Jesteś moją bohaterką.

Ariel ze śmiechem wyślizgnęła się z jej objęć. Ponownie została otoczona przez pozostałe dziewczyny.

– Jesteś strasznie blada – stwierdziła Kate. – Może powinien obejrzeć cię lekarz.

Ariel natychmiast zaprotestowała, unosząc obie ręce.

– Nic mi nie jest – uśmiechnęła się nerwowo. Widząc ich sceptyczne miny, dodała szybko: – Naprawdę dobrze się czuję. To… to ten huragan tak mnie przestraszył i tyle.

– Jak w ogóle udało ci się odzyskać torbę? – Ida w samą porę zmieniła temat.

– W sumie to nie moja zasługa.

Zanim zalała ją kolejna fala pytań, odwróciła się i wskazała ręką na chłopaka.

– Tom bardzo mi pomógł. Kiedy zerwała się ta wichura, złodziej przewrócił się prosto na niego. Udało mu się wyrwać torbę, ale mężczyzna uciekł.

Ariel z rozbawieniem dostrzegła, jak na niego patrzyły. Nie. One pożerały go wzrokiem.

Tom tylko czekał, aż zwrócą na niego uwagę. Z wdziękiem odbił się od lampy i stanął przed nimi z tym swoim zagadkowym uśmieszkiem. Ukłonił się dwornie, jednocześnie unosząc wzrok na Ariel. Gdy mrugnął do niej, wiedziała, że powinna się zarumienić. Tak przynajmniej zareagowałaby każda inna dziewczyna.

To tylko dowodzi, że naprawdę coś jest ze mną nie tak.

Przedłużająca się cisza zaczynała być krępująca. Ariel ukradkiem szturchnęła Alex łokciem, gdyż akurat stała najbliżej. Dziewczyna ocknęła się z transu, drgnęła i wystąpiła naprzód. Ariel zauważyła rumieńce na jej policzkach. Przewróciła oczami z irytacją.

Zachowują się, jakby nigdy nie widziały żadnego chłopaka. A jeszcze przed chwilą tak się przechwalały.

– Ja… To znaczy my jesteśmy ci bardzo wdzięczne – wybąkała Alex.

– Może w ramach podziękowania dasz się zaprosić na ciasto? Właśnie szłyśmy do kawiarni – zaproponowała Kate, która jako jedyna zdawała się zachowywać zdrowy rozsądek.

Tom spojrzał na Ariel ze zmarszczonym czołem.

– Sądzę, że lepiej będzie, jak odprowadzicie swoją przyjaciółkę bezpiecznie do łóżka. Nie jestem lekarzem, ale wydaje mi się, że potrzebuje odpoczynku.

Dziewczynom wyraźnie zrzedły miny. Ariel nie chciała ich rozczarować, więc znów musiała zaprzeczyć. Wciąż czuła się osłabiona, ale zaskakująco szybko dochodziła do siebie.

– Przecież mówiłam, że nic mi nie jest. Możemy iść do tej kawiarni, mamy jeszcze…

– Tom ma rację – przerwała jej Alex. – Nie będziemy ryzykować, że nagle zemdlejesz nam na środku ulicy. Wracamy.

– Ale…

– Nie kłóć się z nami – wpadła jej w słowo Beth.

Ariel westchnęła z rezygnacją, zerkając z ukosa na Toma. Znów patrzył tylko na nią i przez chwilę poczuła się naprawdę dziwnie. Szybko odwróciła wzrok.

– Może was odprowadzę – zaproponował znienacka chłopak. – Wolę się upewnić, że bezpiecznie traficie do szkoły.

– Skąd wiesz, gdzie mieszkamy? – spytała z zaskoczeniem Kate.

Wskazał palcem na jej mundurek.

– Emblemat. Poza tym wszyscy znają szkołę Pixton. I z tego, co wiem, jej uczennicom nie wolno włóczyć się samotnie po mieście – dodał z błyskiem w oczach.

Ariel posłała mu ostre spojrzenie.

– Jeśli wydasz nas komukolwiek…

Uśmiechnął się szeroko, odsłaniając rząd równiutkich, białych zębów, i skrzyżował przed sobą dwa palce.

– Obiecuję, że nie pisnę słówka. Jeśli będę mógł was odprowadzić –

dodał z przebiegłym wyrazem twarzy, zmrużywszy powieki i przechyliwszy lekko głowę.

Wszystkie oczy natychmiast zwróciły się w stronę Ariel, której nie pozostawało nic innego, jak skinąć głową na zgodę.

Cała grupa ruszyła ścieżką, opuszczając zdewastowany park. Tom dotrzymywał Ariel towarzystwa, uśmiechając się z samozadowoleniem. Za każdym razem, gdy dziewczyna na niego zerknęła, natychmiast napotykała jego śmiejące się oczy, jakby drwił z jej uparcie zaciśniętych warg. Kilka razy zakręciło jej się w głowie i tylko dzięki niemu nie lądowała na twardym chodniku. Bolało ją dosłownie wszystko i zaciskała zęby, byle tylko dojść do szkoły o własnych siłach. Byli już niedaleko. Wysokie zamkowe wieże majaczyły na tle nocnego nieba oświetlone chłodnym blaskiem księżyca.

Ariel szła na końcu grupy, dzięki czemu nie musiała tłumaczyć się dziewczynom z każdego potknięcia. Czarne mroczki przed oczami coraz bardziej utrudniały jej widzenie i często musiała potrząsać głową, by utrzymać kontakt z rzeczywistością.

Ponownie się zachwiała i ponownie wylądowała w objęciach Toma. Weszli w cień wysokiego muru i teraz wystarczyło jedynie znaleźć przejście. Dziewczyny analizowały każdą cegłę, szepcząc coś między sobą.

Tymczasem Tom pochylił się nad uchem Ariel.

– Tylko mi tu nie mdlej, okej? Naprawdę źle wyglądasz.

– Nie musisz się o mnie martwić. – Odsunęła się od niego gwałtownie, poprawiając wymięty płaszcz i wyprzedzając go o kilka kroków. – Jestem ulepiona z naprawdę twardej gliny.

W pewnym momencie jej wzrok powędrował w górę. Na murze siedział kruk.

Ariel spojrzała wprost w jego paciorkowate bezdenne oczy. Musiała być naprawdę na skraju wyczerpania, gdyż przysięgłaby, że ptak odwzajemnia jej spojrzenie... z ludzką świadomością. I chyba zaczynała już

wariować, bo w tych jego czarnych niczym kosmos oczach dostrzegła...
dumę? I jednocześnie irytację.

– Hej! To tutaj!

Okrzyk Alex przepłoszył kruka, który poderwał się z szumem skrzydeł i wtopił w granat nieba.

– Co? Podziwiasz gwiazdy? – zapytał z ironią Tom.

Ariel spojrzała na niego, jakby zobaczyła go po raz pierwszy, a potem
ze zmarszczonym czołem zerknęła w niebo. Wyglądało na to, że nikt
inny nie zauważył ptaka. *Chyba zaczynam mieć halucynacje.*

– Chodź, Ariel. Musimy wracać. – Alex znalazła się nagle między
nimi, chwyciła dziewczynę za rękę i pociągnęła za sobą. Kate kucała
na chodniku i wysuwała kolejne cegły.

Tom zajrzał przez ramię Ariel i gwizdnął z podziwem.

– Więc to jest to wasze sekretne przejście? Mało oryginalne, ale
dobre. Uważajcie tylko, żeby nikt was nie nakrył.

– Wiemy, mądralo. – Alex rzuciła mu szybkie spojrzenie, jakby pytała, co tu jeszcze robi. Potem z niepokojem przyjrzała się Ariel, która
kołysała się lekko na piętach i z roztargnieniem wpatrywała się gdzieś
w dal, a jej twarz była blada jak płótno. – Naprawdę wyglądasz okropnie, Ariel. Powinnaś zaraz iść do pielęgniarki.

Dziewczyna potrząsnęła głową, przywołując na wargi słaby uśmiech.

– Jestem po prostu zmęczona. Zresztą, co miałabym powiedzieć
pielęgniarce, gdybym o tej porze zjawiła się u niej w takim stanie?

Milczenie było najlepszym dowodem na to, że wszystkie przyznały
jej rację. Kate uniosła się z klęczek i otrzepała ręce.

– Dobra, dziewczyny – odezwała się ściszonym głosem. – Nie będziemy tu tak stać jak głupie, bo w końcu ktoś nas zgarnie. A ona musi
się porządnie wyspać – wskazała głową na towarzyszkę.

– Zaopiekujcie się nią dobrze, bo to prawdziwa bohaterka – wtrącił
Tom, muskając przelotnie ramię Ariel. – Dzisiaj po raz pierwszy byłem
świadkiem, jak dziewczyna próbuje złapać złodzieja. Na starość będę
miał co opowiadać wnukom.

Ariel spojrzała na niego ponuro, a gdy odkryła, że stoją zbyt blisko siebie, odsunęła się pospiesznie.

– Nie przesadzaj – mruknęła ze znużeniem. – Nie zrobiłam przecież niczego wielkiego.

Sara objęła ją ramieniem, natychmiast interweniując.

– Nie słuchaj jej. Ona jest zbyt skromna – nachyliła się w stronę Toma, jakby miała do przekazania pilnie strzeżony sekret. – Wiesz, że każda szkoła ma przynajmniej jednego ucznia, o którym ciągle krążą różne legendy i plotki.

Chłopak pokiwał głową z uśmiechem, który roztopił pewnie niejedno kobiece serce. Ale jego oczy wciąż utkwione były w Ariel, której serce pozostało akurat obojętne na jego urok. Być może po prostu w tym momencie była za bardzo zmęczona i senna.

Sara, jakby nie dostrzegając, że jego uwaga jest skupiona wyłącznie na jednej osobie, odwzajemniła uśmiech. Wyprostowała się, z dumą popychając przed sobą Ariel.

– To właśnie ona jest naszą żywą legendą. Nie masz pojęcia, do czego ta dziewczyna jest zdolna. Kiedyś nawet…

Alex chwyciła Sarę za kołnierz płaszcza i odciągnęła na bok.

– Jest już późno, więc musimy wracać. Natychmiast – syknęła do Sary, po czym zwróciła się do Toma i pomachała mu ręką. – To my pójdziemy pierwsze. Było nam miło cię poznać i dziękujemy za pomoc.

Nie zważając na protesty Sary, Alex pociągnęła ją za sobą do przejścia w murze, jednocześnie posyłając Ariel znaczące spojrzenie. Pozostałe dziewczyny poszły w ich ślady. Po chwili wszystkie były już na terenie szkoły.

Ariel czuła, że jeśli natychmiast się nie położy, to zaraz zemdleje. Zupełnie nie zrozumiała aluzji Alex i również ruszyła do muru.

– No to cześć, Tom – rzuciła przez ramię niezobowiązująco, bo była pewna, że nigdy więcej go nie zobaczy.

– Zaczekaj.

Odwróciła się niechętnie. W bladym księżycowym świetle jego oczy były niczym migające na niebie gwiazdy. Mimo wszystko musiała przyznać, że był przystojny i pociągający. Jednak dla niej był tylko chłopcem, który nigdy nie sprosta jej oczekiwaniom.

Postąpił ku niej dwa kroki i uśmiechnął się przekornie, chłopięco i... Tak! Dokładnie tak samo jak Tara, gdy coś od niej chciała. Te identycznie ciemne oczy, duże i lśniące... Dlaczego akurat to on musiał przypominać jej o przyjaciółce? Nagle zrobiło jej się ciężko na sercu, że jednak muszą się rozstać.

– Zobaczymy się jeszcze?

To pytanie wcale jej nie zaskoczyło. Na chwilę zapomniała o zmęczeniu i spojrzała wprost w te ciemne oczy, jakby patrzyła w oczy Tary.

– Raczej nie – odparła jednak oschle, wbrew sobie. – Nie zaryzykuję wydalenia ze szkoły, by spotkać się z chłopakiem, którego właściwie nie znam. Jestem ci wdzięczna za pomoc, ale na tym koniec naszej znajomości.

Uśmiech nie schodził z jego warg.

– A jeśli to ja przyszedłbym do ciebie?

– Nie znam cię. Nie widzę powodu, żebyśmy się jeszcze spotkali.

Postąpił kolejny krok i uniósł brwi, tylko odrobinę urażony.

– Jak to nie znasz? Jestem Tom...

– Wiem, jak masz na imię – przerwała mu ostro, jednak zaraz dodała łagodniej: – Podziękowałam ci już za pomoc. Chcesz, żebym się jakoś odwdzięczyła?

– Wystarczy, jeśli pozwolisz mi się odwiedzić w szkole.

Parsknęła krótko.

– Do zamku mają wstęp tylko kobiety. Nigdy nie uda ci się przekroczyć nawet progu bramy.

– A gdyby mi się udało?

Zmrużyła oczy.

– Ale to niemożliwe.

– Gdyby jednak? – nie dawał za wygraną z tajemniczym uśmieszkiem.

– Jak niby zamierzasz to zrobić?

Przyłożył palec do ust.

– Tajemnica.

Ariel prychnęła, po czym odwróciła się w stronę muru. Przyklękła, by przecisnąć się przez otwór, gdy chłopak ponownie się odezwał, tuż za jej plecami.

– To jak będzie?

Westchnęła ciężko, ale nie mogła powstrzymać uśmiechu. Naprawdę coraz bardziej przypominał jej Tarę.

– Pogadamy, jak będziesz po drugiej stronie – powiedziała, po czym przeszła przez otwór w murze.

Wsunęła cegły na swoje miejsce i pobiegła w stronę zamku. W zagajniku potknęła się kilka razy o niewidoczne korzenie, ale w końcu wyszła spomiędzy drzew na otwartą przestrzeń.

W nocy zamek prezentował się równie okazale, co w świetle dnia. Jego strzeliste wieże niknęły gdzieś w ciemności, przez co zdawały się jeszcze wyższe i potężniejsze. W kilku oknach paliło się światło. Wyglądało to tak, jakby mrugały do niej oczy olbrzymiej bestii. To porównanie przypadło jej do gustu.

Bestii, którą kocham – pomyślała z czułością.

Na pustych korytarzach paliło się jedynie kilka lamp na ścianach, pogłębiając ciemność i wydłużając każdy cień. Dziewczyny już dawno przemknęły do swoich pokoi, więc Ariel poszła za ich przykładem.

Nie zapalając światła, wtoczyła się do pokoju i z ulgą padła na łóżko. Zamknęła oczy, pogrążając się w całkowitej ciemności. Mimo ogromnego zmęczenia sen nie nadszedł tak szybko. W samotności mogła na spokojnie wszystko przeanalizować.

Jej umysł był chłodny i spokojny jak nigdy dotąd.

Mam dwa kamienie i dwa pasemka, które jakoś się ze sobą łączą. To dzięki nim robię i widzę te wszystkie rzeczy. Bez wątpienia to magiczne kamienie i są w moim posiadaniu. Trzecie Oko i żywioł powietrza. Jeśli nauczę się je kontrolować, mogą mi się jeszcze przydać.

Nie była tym wszystkim ani przerażona, ani wzburzona, ani tym bardziej zaskoczona. A powinna. Naprawdę powinna być choć trochę przestraszona.

Magia. To słowo od zawsze ją fascynowało i wywoływało jakąś odległą tęsknotę. Ale miała z nim styczność wyłącznie na kartach fantastycznych powieści. Tymczasem rzeczy wokół niej stawały się coraz bardziej niewiarygodne i rzeczywiste. Niebezpieczne.

Ariel w końcu odpłynęła w głęboki sen. W ciemności obserwowały ją inteligentne, rozbawione oczy kruka.

Rozdział XI

iężkie krople deszczu bębniły o szyby i spływały strugami po ceglanych murach zamku. Ariel wpatrywała się smętnie w okno. Ciemnostalowe chmury nie przepuszczały ani odrobiny słonecznego światła. Zapowiadał się ponury dzień.

Było jeszcze wcześnie, więc dziewczyna bez pośpiechu umyła się i ubrała. Zdążyła także spakować torbę i pościelić łóżko. Deszcz obudził ją wcześniej od budzika, dzięki czemu spokojnie zdąży na śniadanie i lekcje. Postanowiła zignorować kiepskie samopoczucie i wziąć się w garść. Wychodząc z pokoju, dotknęła przez bluzkę złotego znamienia na brzuchu. Czuła się już dużo lepiej i prawdę mówiąc, całkiem zwyczajnie. Cokolwiek wydarzyło się wczoraj, pozostawiło po sobie jedynie lekkie wyczerpanie. Jednak ta nowa Moc wciąż w niej była. Ariel wyczuwała jej muśnięcia gdzieś na granicy umysłu, jakby ocierające się o siebie skrzydła motyla.

Nikt nie może się o tym dowiedzieć. Wszystko będzie jak dawniej, jeśli tylko będę zachowywać się normalnie. Chociaż w moim przypadku to może być trudne.

W sali jadalnej dawno nie widziała takiego tłumu. Albo po prostu zbyt rzadko bywała na wspólnych posiłkach i zapomniała już, że w szkole jest tyle uczennic. Gwar rozmów i ogólny harmider zagłuszały nawet myśli. Prawie wszystkie stoliki były już zajęte. Ariel przeciskała się w głąb sali, szukając wzrokiem wolnego miejsca. Niektóre uczennice rzucały jej pogardliwe spojrzenia. Na szczęście przywykła już do tego tak bardzo, że po prostu nie zwracała na to uwagi.

Kątem oka dostrzegła, że ktoś macha do niej ponad rzędami głów. To była Alex, która razem z pozostałymi dziewczętami z biblioteki siedziała w cieniu szerokiej kolumny. Między nimi była też Arianna. Właśnie wkładała sobie kanapkę do ust, kiedy zauważyła Ariel i natychmiast zaczęła dawać jej znaki ręką, aby do nich dołączyła.

Ariel odmachała z przymuszonym uśmiechem. Nie miała dzisiaj zbytniej ochoty na towarzystwo, ale wiedziała, że powinna z nimi usiąść i włączyć się w pogawędkę o niczym. Jak zwykła uczennica.

Najpierw skierowała się do okienka w kuchni, przy którym akurat nie było kolejki.

– Cześć, Ariel. – Po drugiej stronie pojawiła się Eve.

– Cześć.

– Widzę, że w końcu postanowiłaś zjawić się na śniadaniu – stwierdziła kucharka z uśmiechem.

– Wcześniej się obudziłam. Dasz mi to śniadanie? – odburknęła nieco opryskliwie.

– Oczywiście. To co zwykle?

– Tak.

Eve zniknęła w kuchni, by po paru minutach zjawić się z tacą. Ariel zabrała swoje śniadanie, po czym na nowo zaczęła przeciskać się między stolikami.

W końcu z westchnieniem ulgi opadła na krzesło między Arianną a Sarą. Rzuciła torbę pod nogi i postawiła przed sobą tacę.

– Jak tam? Odpoczęłaś? – zagadnęła ją Alex.

Ariel pokiwała głową.

– Tak. Spałam jak zabita. *Ale tylko przez część nocy* – dodała w myślach, zabierając się za sałatkę.

– Hej, Ariel. – Arianna pochłonęła już swoją kanapkę i trąciła ją łokciem. – Słyszałam, że wczoraj się popisałaś.

– Co?

– Och, nie udawaj. Dziewczyny opowiadały mi właśnie, jak dzielnie goniłaś tego złodzieja. To dzięki tobie Alex odzyskała swoje rzeczy i pieniądze.

Ariel uniosła głowę i popatrzyła na nie kolejno, surowo marszcząc brwi.

– Mam nadzieję, że nie chwaliłyście się tym całej szkole?

– A co? – zapytała z ironią Kate. – Boisz się, że staniesz się popularna?

Ariel parsknęła, przewracając oczami.

– Nie. Boję się, że jeśli to się wyda, będziemy miały przechlapane na bardzo długo.

Arianna z powagą pochyliła się ku niej nad stołem.

– Oczywiście ja nic nikomu nie powiem – zapewniła ściszonym głosem, po czym jej wargi rozciągnęły się w uśmiechu. – A skoro już wspomniałaś o tym, że to nie ty odzyskałaś torbę...

– Właściwie to ten nagły huragan zatrzymał złodzieja – przerwała jej szybko, pochylając się nad swoją miską.

– A właśnie – podchwyciła Beth. – Nie zapominajmy o naszym przystojnym bohaterze. Można powiedzieć, że to on odzyskał torbę. I jeszcze odprowadził nas pod samą szkołę.

– Prawdziwy dżentelmen – westchnęła przesadnie Kate, po czym wbiła w Ariel zazdrosne spojrzenie. – A dla kogo to wszystko zrobił? Oczywiście dla Ariel.

Arianna patrzyła to na jedną, to na drugą, unosząc z zaskoczeniem brwi.

– Naprawdę?

– Oczywiście – odpowiedziała jej Alex. – Tom przez cały czas wpatrywał się wyłącznie w Ariel. Jakby reszta świata w ogóle nie istniała.

– To niesprawiedliwe. A ona prawie w ogóle się do niego nie odzywała.

– Na nas zupełnie nie zwracał uwagi.

– Że też akurat jej trafił się taki przystojniak!

Ariel zlustrowała je groźnym spojrzeniem, z coraz bardziej nachmurzoną miną. Przełknęła ostatni kęs kanapki i gwałtownie odstawiła kubek z herbatą.

– O co wam chodzi? – warknęła w końcu. – Nie wiem w ogóle, o co tyle szumu.

– No właśnie. – Kate pochyliła się nad stołem ze znaczącym uśmieszkiem. – Wiem, że udajesz. Nie chcesz się przyznać, że wpadł ci w oko.

– Co?

– Musiała wzruszyć cię jego bezinteresowna pomoc, nie mówiąc już o tym seksownym uśmiechu.

– Ja nie…

Kate uśmiechnęła się jeszcze szerzej, dyskretnie zniżając głos.

– Możesz nam teraz powiedzieć, o czym rozmawialiście, kiedy zostaliście sami? Umówił się z tobą na randkę?

Wszystkie dziewczyny zamarły i wlepiły w Ariel oczy, z niecierpliwością oczekując odpowiedzi. Poczuła się jak ofiara osaczona przez stado drapieżników. Przełknęła ślinę, spokojnie odsuwając od siebie tacę. Chwyciła torbę, wstała i z góry popatrzyła na dziewczyny z kamiennym wyrazem twarzy.

– Próbował. Ale powiedziałam, że to mnie nie interesuje.

Dostrzegła jeszcze, jak Paty i Sara otwierają usta jakby do krzyku, ale odwróciła się szybko i wymaszerowała z sali. Dopiero na korytarzu pozwoliła sobie na głębokie westchnienie. Powinna źle się z tym czuć, ale naprawdę cieszyła się, że w końcu uwolniła się od ich towarzystwa. Lubiła te dziewczyny, ale nie miała najmniejszej ochoty rozmawiać z nimi o chłopakach. Miała w końcu ważniejsze problemy na głowie. Prychnęła w duchu, zmierzając do klasy we wschodniej wieży.

Ja i randki. Jeśli już się w kimś zakocham, to na pewno za dobrych kilka lat. I na pewno nie w kimś takim jak Tom.

Oczywiście, że nic mu nie brakowało. Nie mogła zaprzeczyć, że był przystojny. Znała go jednak zaledwie godzinę, więc nie był dla niej nikim więcej jak obcym, przechodniem, który akurat zjawił się we właściwym miejscu i czasie. Ariel nie wierzyła w miłość od pierwszego wejrzenia, więc te wszystkie spekulacje dziewczyn wydawały jej się po prostu śmieszne. Bo jak niby miała się zakochać w kimś kompletnie nieznanym?

Nagle w jej wspomnieniach pojawił się dobrze znany, choć zatarty obraz oddalającej się od niej postaci. I to tak bolesne uczucie dotyku czyichś ciepłych dłoni.

Przyspieszyła kroku, zaciskając kurczowo pięść i kręcąc głową. Będzie musiała jeszcze nad sobą popracować i przestać się zadręczać przeszłością. Próbowała już przywoływać jakiekolwiek wspomnienia. Próbowała również odnaleźć tajemniczego chłopca. Wszystko na próżno. Dobrze wiedziała, że im szybciej skupi się na teraźniejszości i przyszłości, tym lepiej na tym wyjdzie.

* * *

Ariel przez całą drogę do jadalni głupio się do siebie uśmiechała. Widziała, jak dziewczyny odwracają się za nią, jakby była niespełna rozumu. Jednak nic sobie z tego nie robiła.

Nie mogła przestać się uśmiechać z dwóch powodów. Jeden właściwie nie był jeszcze pewny, ale według jej domysłów wszystko na to wskazywało. Nie była głupia, umiała połączyć ze sobą kilka prostych faktów. I nawet jeśli było to niedorzeczne i nieprawdopodobne, nie widziała powodów, by tego, co się z nią działo, nie uważać po prostu za ekscytujące.

Nie umiała przestać się uśmiechać również dlatego, że zaczynała rozumieć, jakie to może mieć konsekwencje w przyszłości. W bardzo obiecującej przyszłości.

Wkroczyła do prawie pustej sali jadalnej i od razu skierowała się do kuchni. Zajęła miejsce w kolejce za dwiema dziewczynami i nadal się uśmiechała, mimo że obie zerknęły na nią krzywo. Kiedy stanęła przy okienku, Eve przyjrzała jej się badawczo.

– Widzę, że masz znacznie lepszy humor niż rano.

– Tak.

– Coś się stało?

Ariel machnęła ręką.

– W sumie nic takiego. Nie mogę być zadowolona, ot tak?

Kucharka wzruszyła ramionami.

– Chyba możesz. Ale to do ciebie niepodobne.

– No cóż. Każdy się zmienia, prawda? – zaśmiała się rozbawiona własnymi słowami.

Eve zmrużyła oczy, lustrując ją uważnie z podejrzliwością na twarzy. Nagle oparła się o blat i pochyliła ku niej z dziwnym uśmieszkiem.

– Tylko nie mów mi, że się zakochałaś.

– Ja? Skąd ci to przyszło do głowy.

– Cóż. – Eve wyprostowała się i poprawiła kosmyki wyślizgujące się z czepka. – Słyszałam, że poznałaś jakiegoś chłopaka. Nie wiem gdzie, ale podobno przystojny i niezwykle czarujący.

Ariel spochmurniała i prychnęła z irytacją.

– Co wy wszyscy z tym chłopakiem? Jakby był jakimś ósmym cudem świata.

– A więc jednak jest jakiś chłopak? – spytała podchwytliwie Eve, przeciągając śpiewnie sylaby.

– Jest. – Ariel wydęła wargi. – Był. Zapewniam cię, że to była bardzo krótka i bardzo przelotna znajomość. Po prostu mi pomógł i tyle. Więcej go nie zobaczę.

– Och. – Eve wydawała się bardzo zawiedziona. – Szkoda. Miałam nadzieję, że go przedstawisz.

Ariel przewróciła oczami.

– Nie rozumiem was. Poza tym, o ile pamiętam, masz już męża.

Kucharka uśmiechnęła się znacząco, mrugając do niej okiem.

– Ale popatrzeć zawsze można, prawda? Ta twoja koleżanka, Alex, mówiła, że to niezłe ciacho.

– Przesadza – stwierdziła krótko.

– Więc tobie się nie podobał?

Ariel zamyśliła się przez chwilę.

– W sumie to był przystojny...

– I...

– Miał miły uśmiech...

– I to wszystko? – nie ustępowała Eve.

– Może jeszcze miał ładne oczy, ale naprawdę...

– Ariel!

Z ulgą odwróciła się do nadchodzącej Arianny.

– O czym plotkujecie? – zapytała.

Eve otwierała już usta, by odpowiedzieć, ale Ariel uprzedziła ją błyskawicznie.

– O niczym szczególnym. Zamawiałam lunch.

– Aha, no właśnie. – Arianna zwróciła się do Eve. – Poproszę bułkę z dżemem.

– Co za zbieg okoliczności – odezwała się Ariel, jednocześnie piorunując kucharkę wzrokiem. – Właśnie zamówiłam to samo.

Eve wzruszyła jedynie ramionami i zniknęła w głębi kuchni, by przygotować zamówienie.

– Jak tam lekcje? – zapytała tymczasem Arianna, opierając się niedbale o kontuar.

Ariel wyszczerzyła zęby.

– Świetnie. Dostałam piątkę z angielskiego.

– Naprawdę? – Arianna wytrzeszczyła oczy. – To niesamowite.

– Zaraz tam niesamowite. – Ariel zrobiła niewinną minę. – Uczyłam się, to dostałam zasłużoną ocenę. A potem jeszcze złapałam czwórkę z geografii.

Arianna była naprawdę zaskoczona.

– Nie poznaję cię, Ariel. Czyżbyś nagle stała się genialnym dzieckiem?

– Coś w tym stylu – zaśmiała się ironicznie. A w duchu pomyślała z rozbawieniem: *Trafiła w dziesiątkę. Jak tak dalej pójdzie, to bez trudu nadrobię wszystkie zaległości z angielskiego i podciągnę średnią z reszty przedmiotów. Ale Kiiri zrobi minę, jak się dowie...*

I znów przypomniała sobie, że przecież Kiiri zaginęła i natychmiast chwyciły ją wyrzuty sumienia. Jej najlepsza przyjaciółka nie żyła, a rywalki poszukuje policja. Ona tymczasem plotkuje o jakimś chłopaku i cieszy się z byle oceny.

Jestem podła.

Nie – odezwał się w jej głowie drugi głos. *Ty nadal żyjesz i masz jeszcze wiele do zrobienia. Ciesz się każdą chwilą szczęścia.*

Serce dziewczyny zabiło gwałtowniej, aż oblała ją fala gorąca.

Kto to? Przysięgłaby, że wyraźnie usłyszała obcy głos. Nie doczekała się jednak żadnej odpowiedzi, więc uznała, że tylko jej się wydawało. *Głupia! Jasne, że to wyobraźnia płata mi figle. Stanowczo za często gadam sama ze sobą i takie są tego skutki.*

– Dzisiaj pracujesz?

Zamrugała kilka razy i spojrzała na Ariannę. W tym czasie Eve przyniosła im tace z lunchem, więc wzięły je i przysiadły przy pierwszym wolnym stoliku. Ariel od razu zabrała się do jedzenia w obawie, że może nagle stracić apetyt.

– Tak – odpowiedziała z pełnymi ustami. – Mam popołudniowy dyżur z Alex i Sarą.

– Szkoda. Miałam nadzieję, że pomożesz mi w geografii. Skoro stałaś się taka dobra...

Ariel uśmiechnęła się lekko.

– Czemu nie. Przyjdź do biblioteki po kolacji.

– Naprawdę? – Arianna natychmiast się rozpromieniła. – Jesteś niezastąpiona. Już ktoś ci mówił, że dobra z ciebie kumpelka?

– Taa. – Ariel spuściła wzrok i odsunęła od siebie pusty talerz.

* * *

Na rachunkowości utwierdziła się w swoich przypuszczeniach. Nie tylko wszystko rozumiała, ale jeszcze nauczycielka pochwaliła ją za rozwiązanie zadania, nad którym wszyscy głowili się przez kilka lekcji. Odkrywanie w sobie tych niesamowitych zdolności było więcej niż ekscytujące. Nie mogła jednak się tym nacieszyć, gdyż przez cały dzień nie miała nawet minuty spokoju.

W trakcie obiadu była skazana na towarzystwo młodych bibliotekarek, które nie potrafiły przesiedzieć w milczeniu ani sekundy. Rozmowa z nimi, a raczej opędzanie się od ich nachalnych pytań tak bardzo ją pochłonęło, że nie wiedziała nawet, kiedy skończyła jeść. Poczekała na Alex i Sarę, po czym pożegnała się z resztą i wyprowadziła je z sali.

W bibliotece kilka uczennic kręciło się w ciszy między regałami. Kaghet zastały przy biurku.

– Och, jesteście, dziewczęta – przywitała je z uśmiechem. – Dzisiaj Sara pomoże mi tutaj, a Alex i Ariel zajmą się rozkładaniem nowych książek. Te w otwartych pudłach są już opracowane i obłożone, ale Alex wszystko wie.

– Oczywiście. – Alex skinęła głową, po czym ruszyła z Ariel w głąb sali.

Zagłębiły się w labirynt regałów, gdzie nawet odgłos kroków tłumił miękki brązowy dywan. Sala była tak rozległa, że już po paru zakrętach można było się łatwo zgubić. Jednak Ariel to akurat nie groziło. Po tych wszystkich latach znała każdy regał, każdy dział i każdy zakręt. W głowie miała rozkład całej biblioteki. Nawet bez Alex z łatwością trafiłaby do magazynu. Uważała to za coś normalnego, ale być może od zawsze była w niej jakaś wyjątkowość.

Alex zatrzymała się przed drzwiami magazynu ukrytego między rzędem regałów. Wyciągnęła klucz z kieszeni kamizelki, otworzyła drzwi i włączyła światło. Mała żarówka zakołysała się na sznurku, rzucając mdłą poświatę na rzędy półek z kartonami.

– Dobra. Roboty mamy na co najmniej kilka dni. – Zerknęła przez ramię na Ariel. – Przepraszam, ale na razie nie mam dla ciebie ciekawszego zajęcia.

Ariel podeszła do pierwszej półki i chwyciła średniej wielkości karton. Okazał się lżejszy niż przypuszczała, więc uśmiechnęła się z zadowoleniem.

– Nie przejmuj się – rzuciła, ruszywszy do wyjścia. – Książki to mój żywioł.

Alex dźwignęła drugi karton i dołączyła do Ariel. Po krótkim marszu wskazała brodą na lewo. – To chyba nasz dział.

Postawiły kartony na posadzce i zabrały się do pracy. W milczeniu wykładały książki z pudeł i ustawiały je na półkach. Takie monotonne zajęcie szybko stało się nużące, zwłaszcza dla Ariel. Kiedy ręce były zajęte, jej umysł dryfował w morzu myśli. Nie mogła na to pozwolić, więc w końcu przerwała ciszę.

– Dlaczego właściwie nikt nie może wchodzić do pokoju na piętrze?

Alex schyliła się po następną książkę, obdarzając ją długim spojrzeniem.

– Nie daje ci to spokoju, co?

– Nie – odparła szczerze, stawiając dwie książki na półkę. – Zawsze mnie ciekawiło, co jest w środku. Nigdy tam nie byłaś?

– Nie i nie mam ochoty. – Alex w zamyśleniu zapatrzyła się na trzymany w rękach tom, po czym odłożyła go na miejsce. – Nikt nie ma tam wstępu prócz głównej bibliotekarki, ale wydaje mi się, że nawet Kaghet tam nie zaglądała. Nie mam pojęcia, co tam jest i na twoim miejscu zostawiłabym tamten pokój w spokoju. Skoro nadal pozostaje zamknięty, to znaczy, że albo nic tam nie ma ciekawego, albo ktoś bardzo chciał, żeby nigdy go nie otwierano.

Ariel pracowała w milczeniu, przetrawiając usłyszane słowa. Zrozumiała, że Alex naprawdę nic nie wie i dalsze przesłuchiwanie nie miało sensu. Pozostawało jej tylko czekać spokojnie, aż okazja sama się nadarzy. Nie zamierzała wtajemniczać Alex w swoje plany, gdyż dziewczyna wyraźnie popierała Kaghet w przestrzeganiu zasad. Planowanie złamania jednej z reguł nie było czymś, czym można się chwalić.

– Czy to jest właśnie to, co chciałabyś robić w przyszłości? – nagłe pytanie Alex oderwało ją od własnych myśli.

– Co? – spojrzała na nią z zaskoczeniem.

Alex wskazała na regał z książkami.

– Mówię o tym. O pracy w bibliotece.

Ariel potrzebowała dobrej chwili, by zrozumieć jej pytanie. Nagle spojrzała na pudło z książkami, jakby zobaczyła je po raz pierwszy.

– Ja... Nie wiem – odparła szczerze, zbita z tropu. – Nie zastanawiałam się jeszcze nad przyszłością.

– Na twoim miejscu pomyślałabym już nad tym poważnie. Nie będziesz wiecznie uczennicą, a czas płynie bardzo szybko.

– Tak. Masz rację.

Dalej rozmawiały już o błahych sprawach i choć Ariel próbowała żartować, myślami była zupełnie gdzie indziej.

dy dziewczęta skończyły pracę w bibliotece, niebo za podłużnymi oknami było całkiem czarne, bez choćby jednej gwiazdy. Było już dawno po kolacji.

Ariel uśmiechnęła się do siebie nieznacznie. Czas zleciał jej szybciej, niż sądziła. A towarzystwo Alex i jej gadulstwo nie dawały dużo czasu na myślenie.

Kiedy wyszły spomiędzy regałów, Ariel ujrzała długą kolejkę przed biurkiem Kaghet. Alex przystanęła przy niej z rękami skrzyżowanymi na piersi.

– Tak jest prawie co wieczór – wytłumaczyła. – Po kolacji robi się tu największy ruch. Wtedy dziewczyny przychodzą po lektury zadane na lekcjach albo po coś lekkiego przed snem.

Ariel zauważyła Sarę, która z rozwianymi włosami wzięła od jednej z uczennic kartkę i zniknęła między półkami. Główna bibliotekarka zajęta była wydawaniem książek. Miała przy tym zaciśnięte surowo usta i zmarszczone czoło, jakby lada chwila miała na kogoś nakrzyczeć. Tak na wszelki wypadek nikt się do niej nie odzywał.

– Powinnam zostać i pomóc – westchnęła Alex. Jej niezadowolona mina mówiła, że nie ma na to najmniejszej ochoty.

Ariel popatrzyła na nią, a potem na wolno przesuwającą się kolejkę.

– Ja zostanę – zdecydowała. – Chętnie pomogę.

– Naprawdę? – Dziewczyna przyjrzała jej się uważnie. – Pracujesz tu dopiero drugi dzień. Znalezienie książek zajmie ci więcej czasu.

– Dam sobie radę. A ty podobno umierasz z głodu. – Ariel uśmiechnęła się wesoło. – Idź i się nie przejmuj.

– A ty nie chcesz jeść? Też powinnaś odpocząć.

– Nie jestem głodna. Pomogę Kaghet, a potem pójdę spać.

Alex jeszcze przez chwilę zastanawiała się, czy to dobry pomysł.
W końcu stwierdziła chyba, że i tak jej nie przekona, więc pokiwała
tylko głową i ruszyła do wyjścia.

Ariel bez dalszej zwłoki podeszła do najbliższej dziewczyny. Wzięła
od niej listę z książkami, zerknęła na nią raz i zanurkowała między regały.
Wróciła zaledwie po pięciu minutach. Podała dziewczynie książki
i kiedy chciała obsłużyć następną, zauważyła Ariannę siedzącą już przy
stoliku w kącie sali. Natychmiast do niej podbiegła.

– Przepraszam. Pracowałam do tej pory z Alex i zapomniałam o tobie. Długo już czekasz?

– Nie szkodzi. – Arianna z uśmiechem machnęła ręką. – Przyszłam
niedawno, bo miałam dodatkowe zajęcia.

Ariel zajęła drugie krzesło i nagle poczuła, jak bardzo jest głodna
i zmęczona. Koleżanka przyjrzała jej się krytycznie.

– Nie powinnam ci zawracać głowy. Potrzebujesz odpoczynku.
Jadłaś coś w ogóle, dziewczyno?

– Nie przejmuj się mną. To nie zajmie dużo czasu, a potem obiecuję,
że pójdę coś zjeść i grzecznie spać.

Arianna wyszczerzyła zęby, po czym wygrzebała z torby zawiniętą
w folię kanapkę i pomachała nią przed nosem młodej bibliotekarki.

– Najpierw kolacja. Z pozdrowieniami od pani Mary, żebyś jednak
nie zapominała o jedzeniu.

– Chyba jej posłucham.

Odwinęła kanapkę z opakowania i pochłonęła ją w sekundę, z raczej
mało wytworną żarłocznością. Zaspokoiwszy pierwszy głód, przysunęła sobie zeszyty Arianny i zabrały się do pracy. Na nauce minął im
cały wieczór.

Było już naprawdę późno, gdy się pożegnały i razem z Kaghet zamknęły bibliotekę. Ruszyły mrocznym korytarzem, a potem schodami do głównego holu. Wszyscy dawno już spali i tylko ich kroki niosły się po całym zamku.

– Cieszę się, że mamy cię w zespole – odezwała się Kaghet, gdy przystanęły w rozwidleniu korytarzy. – Alex nie może się ciebie nachwalić, a ja zauważyłam, że masz niezwykłą pamięć – poklepała Ariel po ramieniu. Po tej srogiej, wiecznie ponurej kobiecie, nie było nawet śladu. – Przypominasz mi siebie z młodości. Mam nadzieję, że twoja miłość do książek nie wypali się za szybko. Pracuj tak dalej, a już niedługo może mnie zastąpisz.

Ariel rozpromieniła się z dumą.

– Dziękuję.

Pożegnały się i dziewczyna od razu pognała do kuchni. Miała nadzieję, że może zastanie tam jeszcze Mary, która zazwyczaj przesiadywała do późnej nocy. Dawno z nią nie rozmawiała, a czuła, że bardzo by jej się to przydało.

W sali jadalnej panował półmrok. Przez wysoko zawieszone okna przedostawał się do środka chłodny blask księżyca. Wyłaniające się z mroku kolumny wyglądały jednocześnie dostojnie i groźnie.

Ariel, lawirując między stolikami, dotarła do drzwi w głębi sali. Uchyliła je cicho i mrużąc oczy od zalewającego kuchnię światła, weszła do środka.

– Czego tu chcesz? – usłyszała od progu wrogie warknięcie.

Rose odwróciła się od zmywarki i wycierając ręce, posłała jej pełne niechęci spojrzenie.

– Co ty tu w ogóle robisz? Nie wiesz, która godzina? O tej porze grzeczne małe dziewczynki już śpią.

Ariel zacisnęła palce na klamce wciąż otwartych drzwi.

– Szukałam pani Mary, ale widzę, że jej tu nie ma. W takim razie nie będę przeszkadzać.

Odwróciła się, by wyjść, kiedy usłyszała za plecami prychnięcie.

– A co? Na biedną Ariel znowu ktoś krzywo spojrzał i chciała poskarżyć się komuś po kryjomu? Nie ma mamusi, więc musi wypłakać się w fartuch starej kucharki.

Nie przejmując się hałasem, Ariel zatrzasnęła z hukiem drzwi, odwróciła się i skrzyżowała ramiona na piersi.

– Czego chcesz, Rose? – odezwała się ostro. – Szukasz zaczepki? Dziewczyna oparła się nonszalancko o blat kuchennej szafki.

– Ja? Czemu tak sądzisz?

– Ponieważ od zniknięcia Kiiri najwyraźniej jesteś nieswoja. Piesek musi być bardzo samotny bez swojej pani. Tym bardziej jeśli inne pieski nie zwracają na niego uwagi.

Rose zacisnęła wargi w wąską kreskę.

– Nie jesteśmy jej pieskami – syknęła.

– Nie? – Ariel uniosła brwi, udając szczere zdumienie. – A wydawało mi się, że ona tak was właśnie traktuje. – Uniosła dłoń i zaczęła wyliczać powoli na palcach, kolejno je zginając. – Wykonujecie każdy jej rozkaz, zgadzacie się z każdym jej słowem, wpatrujecie się w nią jak w obrazek, ślinicie się na każdy podrzucony przez nią ochłap, traktujecie ją jak boginię… Zastanówmy się… – Po krótkiej pauzie uśmiechnęła się szeroko. – Wychodzi na to, że jednak jesteście jej pieskami.

– Kiiri była naszą najlepszą przyjaciółką – fuknęła ostro. – Szanowała nas i zawsze liczyła się z naszym zdaniem… Nigdy nawet…

– Naprawdę? – Ariel spokojnie podeszła do stołu i sięgnęła do misy po jabłko. Obracając je w dłoni, uniosła wzrok na Rose. – W takim razie w porządku. Widocznie się przesłyszałam, kiedy chwaliła się komuś na korytarzu, że znalazła w szkole tak ślepo wierne pieski.

– Nie wierzę ci. Kiiri zawsze traktowała nas jak przyjaciółki. Nigdy nie robiłyśmy nic wbrew naszej woli ani pod przymusem.

Ariel uniosła owoc do ust i odgryzła kawałek.

– Skoro tak twierdzisz. Wiesz lepiej. Nie uważasz jednak, że to trochę dziwne, kiedy córka tak bogatej rodziny przyjaźni się, i to całkiem bezinteresownie, ze zwykłą kucharką?

Rose miętosiła w dłoniach ścierkę, najwyraźniej tracąc powoli pewność siebie.

– A ty skąd możesz wiedzieć o takich sprawach? – odgryzła się z gniewem. – Jesteś tylko biedną sierotą. Nie masz prawa oceniać ludzi, którzy pracują uczciwie i przynajmniej znają swoje miejsce. Jesteś tu tylko z litości, więc powinnaś siedzieć cicho i dziękować Bogu, że masz jeszcze dach nad głową.

Ariel parsknęła śmiechem, na co Rose zmarszczyła brwi i zagryzła wargę.

– Wybacz, jeśli uraziłam twoją dumę, wasza wysokość – zakpiła, kłaniając się obraźliwie. – Sądzę jednak, że to ty się zapominasz. Może nie zauważyłaś, ale ja tu jestem uczennicą, a ty kucharką.

– Czy aby na pewno? – Rose odsunęła się od szafki i wyprostowała plecy, przeszywając dziewczynę nienawistnym spojrzeniem. Jej wargi wygięły się w paskudnym uśmieszku. – A ja myślę, że jednak stanowczo różnisz się od reszty. Popatrzmy. – Teraz to ona zaczęła wyliczać na palcach, naśladując wcześniejszy ton Ariel. – Nie masz grosza przy duszy, jesteś sierotą i przybłędą. Właściwie jesteś zdana na łaskę dyrektorki. Nikt przy zdrowych zmysłach nie przyjaźni się z tobą. Nie masz żadnych perspektyw na przyszłość... – zmrużyła oczy. – Może więc podsumujemy?

Zanim zdążyła dokończyć, Ariel wpadła jej w słowo.

– Przyznaję, że możesz mieć rację. Jednak jestem w tej szkole, bo na to zasługuję. Zostałam przyjęta, bo moja rodzina chciała, bym dostała najlepsze wykształcenie. Uczę się i pracuję nie gorzej od pozostałych.

– Z pewnością szkoła jest dumna z tak wzorowej uczennicy – zaszydziła Rose. – Nie powiesz mi jednak, że Pixton przyjęła cię całkiem za darmo? Pewnie wcześniej musiałaś ostro harować, by zarobić na łapówkę. – Rose oceniła ją taksującym spojrzeniem z grymasem odrazy na twarzy. – Mogłabym podejrzewać, że sprzedawałaś swoje ciało, jak twoja matka, ale jesteś na to za brzydka. Pewnie więc żebrałaś albo nawet kradłaś. Prostytutki też nieźle zarabiają, więc z pewnością mamusia sporo dorzuciła się do twojej edukacji. Powiedz mi, ile klientów musiała zadowolić, żeby zdobyć tyle...

Niedojedzone jabłko poszybowało w jej stronę, jednak w porę zrobiła unik. Owoc odbił się do ściany, stoczył po szafce i wylądował na podłodze. Szyderczy śmiech kucharki uderzył w Ariel niczym cios w twarz.

– Dosyć – warknęła przez zaciśnięte zęby. – Nie mam zamiaru dłużej tego słuchać.

Zdecydowanym krokiem ruszyła do drzwi.

– Czyżby nieustraszona Ariel uciekała? O ile wiem, zawsze przyjmowałaś wyzwania Kiiri. Lubisz się przecież bić. Nic dziwnego, skoro wychowywałaś się na ulicy. Tak w ogóle, to zawsze zastanawiałam się, czy jesteś dziewczyną. Może pod tym mundurkiem chowasz jakiś brzydki sekret?

Ariel zatrzymała się w połowie drogi. Zacisnęła mocno pięści, aż pobielały jej kłykcie. Jej postanowienie panowania nad emocjami rozpłynęło się w jednej sekundzie.

Kiedy ktoś obrażał ją albo jej rodziców, działo się z nią coś złego. Głęboki ból przeradzał się w równie silny gniew, który przejmował nad nią całkowitą kontrolę. To było silniejsze od niej. I tym razem nie była w stanie powstrzymać płomieni rozlewających się falami od serca.

Tylko nie teraz, proszę...

Było już jednak za późno. Znajome ciepło zaczęło wypełniać ją od środka. Coraz intensywniejsze ciepło...

Doskoczyła do Rose, jednak jej nie dotknęła. Stanęła tak blisko, że dzieliły je jedynie milimetry. Dziewczyna była od niej wyższa o kilka cali, więc Ariel musiała unieść głowę, by spojrzeć jej prosto w oczy. Dostrzegła w nich autentyczny strach i dezorientację. Bez przeglądania się w lustrze wiedziała, że zarówno jej pasemko, jak i znamię pod bluzką jarzą się złotym blaskiem. Cudowne ciepło i poczucie władzy wypełniły każdą komórkę jej ciała.

I to jej się podobało.

– Co się stało? – odezwała się z wyzywającą kpiną. – Nagle zapomniałaś języka w gębie? Bo wydawało mi się, że przed chwilą sama mnie prowokowałaś. Widzę jednak, że nie jesteś lepsza od reszty. Ale wiesz, co ci powiem? – Zrobiła krótką pauzę dla podkreślenia siły swoich słów. – Teraz nawet Kiiri by cię nie obroniła. Masz rację, że ona też lubiła obrażać mnie i moich rodziców. I wiesz, jak skończyła.

Rose już nawet nie próbowała ukrywać swojego przerażenia. Może i chciała coś powiedzieć, bo otworzyła usta, ale głos uwiązł jej w gardle. Ariel nie odwracała wzroku, elektryzując ją siłą swojego spojrzenia. Kuchnia wypełniła się milionami złotych ziarenek. Wirowały wokół nich, pochłaniając całą przestrzeń. Obie dziewczyny były w nich zanurzone, oddychały nimi...

Ariel stała się powietrzem. Każdym zmysłem wyczuwała najmniejszą drobinkę i wszystkie razem. Wystarczyło wyciągnąć rękę, by je dotknąć. Wystarczyło tylko pomyśleć, by poruszyły się, gdzie i jak tego chciała.

Z trudem udawało jej się skupić wzrok na Rose. W tym oszałamiającym morzu złotych ziarenek jej postać wydawała się taka nierzeczywista. Jej spojrzenie wyrażało jedynie pustkę i całkowitą ignorancję.

Ciekawe, jak by zareagowała, gdyby widziała to co ja.

Z opóźnieniem dotarło do niej, że Rose właśnie coś powiedziała. Jednocześnie poczuła jej dłoń próbującą ją od siebie odepchnąć. Zmarszczyła brwi z niezadowoleniem.

– Co...?

Nacisk dłoni stał się bardziej natarczywy.

– Pytałam, co zrobiłaś Kiiri. Zabiłaś ją?! Od początku wiedziałam, że to twoja sprawka!

– Nie! – krzyknęła nagle Ariel, jakby nie dosłyszała do końca jej oskarżenia. – Nie dotykaj mnie!

W nagłym przypływie furii przyciągnęła do siebie złoty piasek zgromadzony w kuchni, po czym skierowała wszystko w Rose.

Dziewczyna nie zdążyła nawet krzyknąć. Przeleciała przez całą długość pomieszczenia, z głośnym łomotem zderzając się plecami ze ścianą.

Coś gruchnęło nieprzyjemnie, gdy ciężko osunęła się na podłogę. Jej lewa noga leżała pod dziwnym kątem, a sama Rose wyglądała, jakby uszło z niej całe powietrze.

Poruszyła się dopiero po dłuższej chwili i z trudem uniosła głowę. Jej twarz była śmiertelnie blada, a tęczówki zwężone dzikim strachem. Wyciągnęła przed siebie rękę i drżącą dłonią wskazała palcem na Ariel. Już sam ten gest był wystarczająco wymowny.

– Ty naprawdę jesteś czarownicą – z wyraźnym trudem wydobyła z siebie głos. – Nie podchodź, wiedźmo! – wrzasnęła, gdy Ariel zrobiła krok w jej stronę.

Zamarła, gapiąc się bezmyślnie na Rose. Jedną rękę położyła na oparciu krzesła, kurczowo zaciskając na nim palce. Nogi trzęsły jej się tak bardzo, że gdyby nie ta podpora, osunęłaby się na posadzkę. Moc opuściła ją równie nagle, jak się pojawiła i kuchnia znów wyglądała jak zawsze.

Poza Rose, której stan był jedynym dowodem jej wybuchu gniewu. Nie mogła uwierzyć, że to zrobiła.

Skorzystała z kamienia, by kogoś skrzywdzić. Celowo użyła tej mocy do tak niegodziwego czynu. W oszołomieniu mrugała powiekami tak szybko, jak szybko biło jej serce. Mogłaby tak stać w odrętwieniu całą wieczność, gdyby nie jęk bólu dobiegający spod ściany.

Drgnęła gwałtownie i powoli zaczęła wycofywać się do drzwi.

– Ja nic nie zrobiłam Kiiri. – Tylko te słowa, wypowiedziane drżącym głosem, przyszły jej teraz do głowy. – Przysięgam.

Zanim się odwróciła i wybiegła z kuchni, zauważyła jeszcze, że na parapecie siedział czarny kruk. Przeszywał ją swoimi czarnymi oczkami, z mrożącą krew w żyłach inteligencją. Jako jedyny świadek tej sceny zdawał się autentycznie rozbawiony.

* * *

Tej nocy miała bardzo dziwny sen.

Latała.

Szybowała po lazurowo czystym niebie, a ciepłe powietrze bawiło się włosami i gwizdało w uszach. Było to tak naturalne, jakby przez całe życie nie robiła nic innego. Choć nie miała skrzydeł, reagowała na każdy najdelikatniejszy ruch powierza, dostosowując się do zmieniających prądów. Żadne przyciąganie nie było w stanie ściągnąć jej na dół. A z własnej woli nie zamierzała rezygnować z tej cudownej, oszałamiającej wolności.

Leciała z szeroko rozpostartymi ramionami i śmiała się głośno.

Ale nie do siebie.

Ze wszystkich stron otaczały ją kruki. Miała wrażenie, że całe niebo wypełnione jest czarnymi punkcikami. A ona znajdowała się między nimi, jakby była jedną z nich.

Choć raczej odnosiła wrażenie, że jest kimś więcej. Kimś bardzo cennym, ważnym, kogo zamierzają chronić nawet za cenę życia.

Były jej strażnikami.

Ich czarne lśniące skrzydła miały w sobie mistyczne piękno i dzikość. Biła od nich nieokiełznana wolność i pierwotna siła, z którą żaden człowiek nie mógł się mierzyć. Ariel czuła, że przebywanie wśród nich jest zaszczytem, na który nie każdy może sobie zasłużyć.

Zaśmiała się głośno, obracając w powietrzu twarz do nieba. Jej głos przebił się przez zbiorowe krakanie, jakby pochodził z zupełnie innego świata.

Spojrzała w stronę słońca i wtedy coś czarnego przecięło niebo, rzucając na nią duży cień. Otworzyła szeroko oczy i zatrzymała się w pozycji pionowej. Nad nimi przeleciał ogromny kruk, znacznie większy od swoich braci. Jego duże czarne oczy spojrzały wprost na nią. Zakręcił gwałtownie, bijąc powietrze wielkimi skrzydłami, po czym poszybował prosto w jej stronę. Z jego gardła wydobył się nieartykułowany dźwięk, który zabrzmiał zupełnie, jakby wołał jej imię.

W tej samej chwili otaczające ją kruki stały się nerwowe. Nagle, bez żadnego ostrzeżenia, otoczyły ją ciasnym kręgiem i zaczęły unosić w przeciwną stronę. Zbite w ciasną gromadę, biły ją skrzydłami po całym ciele i skrzeczały nad jej uchem, niemal ją ogłuszając. Wszędzie wirowały czarne skrzydła, które oślepiały dziewczynę. Coraz szybciej oddalali się od dużego kruka. Wiedziała, że w tym tempie nigdy ich nie dogoni.

Właściwie to dlaczego chciała, żeby ją złapał? Czy nie powinna zaufać swoim strażnikom? Może był niebezpieczny i chciał jej zrobić krzywdę?

Nie! To one się myliły. Chciały ją chronić, ale to nie było potrzebne.

Z kłębowiska ptasich piór i skrzydeł udało jej się wyswobodzić jedną rękę. Rozpaczliwie wyciągnęła ją w stronę wielkiego kruka, choć wiedziała, że jest dla niej nieosiągalny. Krzyk uwiązł w jej gardle, jakby nie była w stanie zawołać go po imieniu.

Gdyby tylko udało jej się go dosięgnąć...

Obudziła się gwałtownie i usiadła na łóżku całkiem zdezorientowana. Przez chwilę nie wiedziała nawet, gdzie jest, dopóki nie rozpoznała swoich mebli i zamkowych ścian.

Odetchnęła głęboko, opadając na poduszki. Przycisnęła dłoń do serca, które wciąż nie potrafiło się uspokoić. Szeroko otwartymi oczami wpatrywała się w sufit, czując, że już dzisiaj nie ma co liczyć na sen. Otaczający ją mrok zdawał się skrywać wszystkie ciemne tajemnice tego świata. Właśnie teraz, gdy jej umysł powinny zalewać tysiące niepoukładanych myśli, powracało do niej tylko to jedno, jedyne pytanie.

Dlaczego?

* * *

Następny tydzień nie przyniósł żadnych nowych niespodzianek. Każdy dzień przypominał poprzedni. Ariel dzieliła czas na naukę i pracę w bibliotece, praktycznie nie zostawiając dla siebie żadnej wolnej chwili. Starała się regularnie przychodzić na posiłki do sali jadalnej i spędzać je razem z dziewczynami. Poza tymi krótkimi chwilami widywała je jedynie w bibliotece i to też przelotnie. Odmawiała wszelkich wypadów na miasto i wieczornych schadzek, tłumacząc się zmęczeniem albo nawałem lekcji.

Zresztą z tym akurat nie oszukiwała. Naprawdę wzięła się ostro za naukę. Chociaż ostatnio wszystko szło jej zaskakująco łatwo i zbierała jedną dobrą ocenę za drugą. Stała się sumienna i systematyczna, dzięki czemu jej średnia znacznie się poprawiła. Nauczycielki zaczęły ją chwalić, a koleżanki z klasy jeszcze bardziej znienawidziły.

Ariel to w zasadzie nie przeszkadzało, a nawet zdawała się tego nie dostrzegać. Pracowała tak ciężko, że nawet w nocy nie miała żadnych snów. Robiła wszystko, byle tylko nie myśleć za wiele, i skupiała się wyłącznie na chwili obecnej. Po prostu doszła do wniosku, że roztrząsanie przeszłości nie jest jednak najlepszym pomysłem. Zresztą takie użalanie się nad sobą nie było w jej charakterze.

Z każdym dniem coraz bardziej czuło się w powietrzu nadchodzącą zimę. Z drzew zlatywały ostatnie pożółkłe liście, powietrze stawało się mroźniejsze, a po porannej mgle często przez resztę dnia padał deszcz lub kapuśniaczek.

Dowiedziała się od Eve, że Rose ma poważnie złamaną nogę i nie będzie przychodzić do pracy przez co najmniej kilka miesięcy. Z trudem przyszło jej zapewnienie, że nie ma pojęcia, jak to się stało. Rose twierdziła, że do wypadku doszło na terenie szkoły, ale na szczęście nie podawała żadnych szczegółów.

Ariel czuła się podle z dwóch powodów.

Po pierwsze, miała całkowitą świadomość, że to jej wina.

Po drugie, odczuwała pewną radość i złośliwą satysfakcję z tego, że na jakiś czas pozbyła się tej wrednej dziewuchy.

Ale najgorsze było to, że doskonale wiedziała, że to jest złe. Tylko jakoś nie potrafiła pozbyć się tych uczuć.

I jakby mało miała problemów, w pewien deszczowy wieczór nawiedził ją gość z kolejną wizytą.

Po ciężkim dniu położyła się wcześniej do łóżka. Była zmęczona i nie marzyła o niczym innym, tylko o długim, regenerującym śnie. Nie fatygując się, by zapalić choćby lampkę, szybko przebrała się w koszulę nocną i po ciemku wślizgnęła pod kołdrę. Zaledwie zdążyła przyłożyć głowę do poduszki, gdy nagle pokój rozpłynął się przed jej oczami, zastąpiony przez inny obraz.

Znalazła się w bibliotece. Mimo późnego wieczoru najwyraźniej ktoś tu był, obwieszczając swoją obecność światłem lampy, to pojawiającej się, to zanikającej między regałami.

Popychana niewidzialną siłą Ariel zaczęła przeskakiwać między kolejnymi alejkami pośród półek z książkami z taką szybkością, aż zakręciło jej się w głowie. Jej serce biło szybko, coraz szybciej... Bo doskonale wiedziała, kogo zaraz ujrzy.

Znalazła ją szybciej, niż się spodziewała. Wokół panowały ciemności, więc z początku ujrzała jedynie zarys sylwetki leżącej na podłodze. Ale to było bez znaczenia, bo i tak wiedziała, że to Alex. Wyobraźnia natychmiast podsunęła jej obraz, jak dziewczyna upada na twardy drewniany regał. Wokół niej leżał stos książek, a w powietrzu rozchodził się mdły zapach krwi.

Ten widok zmroził Ariel krew w żyłach.

Tylko nie znowu to! Krzyczała bezgłośnie, wpadając w panikę. *Nie Alex!*

Lodowaty chłód przeniknął ją na wskroś i to bynajmniej nie z zimna.

Była przerażona. Po raz pierwszy była naprawdę przerażona... Spróbowała cofnąć się do wyjścia, jednak zewsząd otaczała ją nieprzenikniona ciemność.

Krzyknęła i zacisnęła mocno powieki.

Gdy odważyła się je w końcu otworzyć, siedziała na swoim łóżku i gapiła się w mrok, spazmatycznie łapiąc powietrze ustami. Mimo że w pokoju było ciepło, wciąż targały nią lodowate dreszcze.

Przez kilka minut była zupełnie odrętwiała. W końcu wstała i boso, w samej koszuli, wyszła z pokoju. Nie przejmując się, że robi wokół siebie za dużo hałasu, pobiegła ciemnymi korytarzami i ominęła dziedziniec, kierując się do pokoi nauczycielek.

Na chwilę przystanęła przed drzwiami i wzięła głęboki wdech. Czy powinna wejść? Biegnąc, nie zastanawiała się nad tym, co tak naprawdę powinna zrobić. Właściwie przyszła tu instynktownie. Czuła po prostu, że powinna kogoś zawiadomić, a Eryl jako pierwsza przyszła jej do głowy. Mimo to wciąż miała tysiące wątpliwości. Czy powinna w ogóle o tym komuś mówić? Czy Eryl jej uwierzy? Co ma powiedzieć? Jak przekonać nauczycielkę, że Alex jest w niebezpieczeństwie, nie wspominając o swojej wizji?

Ponownie zaczerpnęła powietrza, biorąc się w garść. Nie dała rady uratować Tary ani Kiiri. Obiecała sobie, że to już się więcej nie powtórzy.

Uchyliła cicho drzwi i wślizgnęła się do środka. Pokój pogrążony był w ciemnościach, ale szybko wymacała na ścianie kontakt i zapaliła światło.

Mrużąc oczy, podeszła do łóżka. Przez chwilę patrzyła na śpiącą kobietę i znów zdjęły ją wątpliwości.

Może jednak powinnam sama się tym zająć?

Natychmiast odrzuciła tę ewentualność. Jeśli Alex naprawdę coś się stało, tym razem musiała działać szybko i zdecydowanie.

– Pani Eryl – odezwała się głośno.

Z niecierpliwością czekała, aż kobieta się obudzi. Gdy ta w końcu otworzyła zaspane powieki, Ariel pochyliła się nad nią. Sztuczne światło podkreślało jej bladą twarz i podkrążone oczy.

– Dziecko… – Eryl usiała na łóżku. – Wyglądasz okropnie. Coś się stało?

– Musimy iść do biblioteki – odparła zdecydowanym tonem.

– Dlaczego? Co się stało? – Kobieta patrzyła na Ariel, nic nie rozumiejąc.

– Proszę iść ze mną – nalegała – Nie mamy czasu. – Strach, że i tym razem może być za późno, ponownie chwycił ją za gardło.

– No dobrze. – Eryl nałożyła szlafrok i kapcie. – Chodźmy.

Ariel chwyciła stojącą na szafce świecę i pognała przodem. Jej bose stopy człapały po zimnej posadzce, a odgłos ten potęgował tylko jej paniczny strach. Tak bardzo martwiła się o Alex, że prawie zapomniała o Eryl, która została gdzieś z tyłu. Zatrzymała się i odwróciła dopiero przed schodami prowadzącymi do biblioteki. Kobieta weszła w krąg światła, dysząc ciężko.

– Powiesz mi w końcu, o co chodzi? – spytała.

Ariel pokręciła głową.

– Szybko – powiedziała tylko i zaczęła wspinać się po schodach. I tym razem nie oglądała się na opiekunkę. Przeskakując po dwa stopnie na raz, błyskawicznie znalazła się na szczycie wieży. Zatrzymała się dopiero przed dwuskrzydłowymi wrotami. Płomień świecy chwiał się na boki w jej drżącej dłoni. Nagła myśl uderzyła ją z siłą gromu. Klucz! Przecież nie miała klucza. Położyła dłoń na drewnianej powierzchni i jęknęła cicho.

Uniosła wyżej świecę i ujrzała znajome symbole wyróżniające się lekką wypukłością i odcieniem czerni. Przez kilka chwil wpatrywała się w nie bez ruchu, jakby szukała tam pomocy. W końcu bezradnie pokręciła głową.

– To na nic – odezwała się głośno, gdy usłyszała za sobą przyspieszony oddech opiekunki.

– Co się stało? – Eryl stanęła za jej plecami i z niecierpliwością owinęła się szczelnie szlafrokiem, bezskutecznie próbując ochronić się przed chłodem.

Ariel była zbyt zaabsorbowana myślą o Alex, by zwracać uwagę na zimno.

– Ale jestem głupia – jęknęła bardziej do siebie. – Zapomniałam klucza. Teraz na pewno nie zdążymy jej uratować.

– Kogo uratować? Powiesz mi w końcu, dziecko, o co tu chodzi? – Eryl stanęła obok, przypatrując jej się z niecierpliwą irytacją.

– Ja… – Ariel bezradnie spuściła głowę. Obraz z wizji prześladował ją niczym koszmarny sen.

Znów zawiodłam. Po raz drugi poniosłam klęskę…

– Słucham. – Podniosła zrezygnowany wzrok, słysząc ponaglający ton opiekunki.

– I tak pani nie zrozumie.

– Spróbuj. Wiesz, że chcę ci pomóc.

– Tam… Coś się stało. Nie umiem tego wytłumaczyć, ale mam przeczucie, że Alex stało się coś złego.

– Jesteś tego pewna? – spytała ze zdumieniem nauczycielka.

Ariel skinęła tylko głową. Nie była w stanie nic więcej powiedzieć, gdyż czuła w gardle potworny ucisk.

– W takim razie trzeba iść po klucz. Poczekaj tu na mnie – rozkazała jej ostro Eryl, po czym w pośpiechu zbiegła ze schodów.

Gdy została sama, Ariel znów spojrzała na dwa symbole. Wolną ręką pogładziła rysunek pióra i korony. Tylko siłą woli powstrzymywała cisnące się do oczu łzy. Już raz pozwoliła, by jej jedyna przyjaciółka umarła, a teraz będąc tak blisko Alex, nie mogła nic zrobić.

– Głupie drzwi – syknęła ze złością i uderzyła w nie zaciśniętą pięścią.

Poczuła chłód na twarzy, a płomień świecy zamigotał gwałtownie. W tym momencie coś zgrzytnęło i jedno skrzydło uchyliło się lekko.

Jej zaskoczenie trwało krótko. Ostatnio już chyba mało co mogło ją zdziwić. Szybko prześlizgnęła się przez szparę i przyświecając sobie migoczącym płomieniem świecy, zagłębiła się w labirynt regałów. Obraz leżącej bez ruchu Alex towarzyszył jej od momentu przebudzenia i teraz zmuszał ją do pośpiechu.

Dobra pamięć w końcu na coś się przydała, a wielogodzinne krążenie między półkami nie poszło na marne. Choć w swojej wizji nie widziała dokładnie, gdzie leży dziewczyna, szła prosto do celu, jakby przyciągana niewidzialną siłą.

Płomyk świecy zadrżał gwałtownie, kiedy Ariel w końcu się zatrzymała. Jej przyspieszony oddech o mało nie zdmuchnął tej resztki światła, która jej pozostała. Mimo że wokół panowały ciemności, dostrzegła niewyraźny kształt, zaledwie kilka metrów przed sobą.

Alex leżała dokładnie tam, gdzie wskazywała wizja.

Rozdział XIII

riel bała się podejść bliżej, choć wiedziała, co zobaczy. Naprawdę nie miała ochoty po raz drugi być świadkiem czyjejś śmierci. Nie mogła zrozumieć, dlaczego nagle wokół niej dzieją się takie rzeczy. Wydało jej się to wszystko bez sensu. To, co stało się z Alex, nie miało sensu. Jakby ktoś się bawił z Ariel i zabierał każdego, do kogo za bardzo się zbliży. Stojąc tak w ciemności, przypomniała sobie umierającą Tarę i poczuła pod powiekami piekące łzy. To było wciąż zbyt bolesne wspomnienie. Znów miała przed oczami tamtą scenę, klatka po klatce. Jakby na powrót znalazła się na dziedzińcu i po raz kolejny przeżywała każdą sekundę.

W takiej chwili nie powinna ulegać emocjom, nie mogła jednak na to nic poradzić, że to wszystko po prostu ją przytłaczało. Zachłysnęła się gwałtownie powietrzem, wydając z siebie coś jak jęknięcie. W jednej chwili otoczyła ją nieprzenikniona ciemność. Upuściła świecę, bardziej z zaskoczenia niż strachu, tłumiąc jednocześnie krzyk. Poczuła się naprawdę nieswojo, kiedy zdała sobie sprawę z dwóch rzeczy.

Była zupełnie sama w ogromnej ciemnej sali. A ciało przyjaciółki leżało zaledwie kilka metrów dalej.

Zanim jednak naprawdę zaczęła się bać, z kilkunastu zwisających z sufitu lamp rozbłysło niespodziewanie światło. Ich blask na chwilę ją oślepił. Zmrużyła oczy i zaczęła powoli przesuwać się w stronę wyjścia. Na widok Eryl w towarzystwie dyrektorki i jeszcze jednej nauczycielki poczuła niewysłowioną ulgę. Teraz dorośli zajmą się

Alex, a ona będzie mogła wrócić do łóżka i w samotności ją opłaki-wać. Oczywiście o śnie nawet nie było mowy. Nie w tym stanie i nie z takim natłokiem myśli.

Kobiety zbliżały się do niej, cały czas dyskutując o czymś zawzięcie. Ariel chciała dać im znak, żeby w końcu zwróciły na nią uwagę, jednak w ostatniej chwili coś ją powstrzymało. Spojrzała w bok, a potem znów na kobiety. Podjęła decyzję w ułamku sekundy. Starając się nie hałaso-wać, wycofała się o kilka kroków i uskoczyła w bok. Przykucnęła mię-dzy regałami, dostatecznie blisko, by swobodnie wszystko obserwować.

Dyrektorka podeszła do ciała, odkopała je ze stosu książek i pochyliła się, by sprawdzić, czy Alex oddycha. W tym momencie Ariel zamarła, a jej napięte mięśnie drgały nerwowo. Obserwowała każdy ruch ko-biety, bojąc się nawet mrugnąć. Kiedy w końcu Pixton wyprostowała się i odwróciła do nauczycielek, Ariel wypuściła powietrze z płuc. Trzy uśmiechy, jedno skinięcie głową i w jednej chwili poczuła się niesamo-wicie lekko. Niemal radośnie, aż chciało jej się śpiewać.

Alex żyje! Żyje!

Mogłaby teraz tańczyć w takt tego jednego słowa, które wypełniało wszystkie zakamarki jej umysłu. Jednak nadal siedziała nieruchomo w swoim ciemnym kąciku, przylegając plecami do twardych grzbietów książek. Nie wydała z siebie ani jednego dźwięku, obserwując, jak Eryl bierze Alex na ręce, a potem wszystkie ruszają do wyjścia. Nasłuchiwała przez chwilę oddalających się kroków i przyciszonych głosów. Wyła-pała z nich słowa „pogotowie" i „szybko", a potem nastąpiło krótkie skrzypnięcie drzwi i zapanowała cisza.

Odczekała jeszcze kilka minut, zanim opuściła swoją kryjówkę. Wyprostowała się w wąskim przejściu między regałami. Jej wzrok powędrował mimowolnie ku miejscu, gdzie przed chwilą leżała Alex. W świetle lamp stos książek na podłodze wydawał się taki niewinny. Ot, ktoś po prostu trącił niechcący regał i zwalił parę tomów. Mógłby to być zwykły wypadek, gdyby nie szkarłatna plama na posadzce, która zabarwiła kilka białych kartek.

Usta Ariel rozciągnęły się w szerokim uśmiechu. Zaśmiałaby się głośno, gdyby nie obawa, że ktoś może ją usłyszeć. Jeśli do tej pory Eryl nie odkryła jej nieobecności w pokoju, to może nastąpić to lada moment. A wtedy może na zawsze pożegnać się ze swoim planem.

Jeszcze przed chwilą naprawdę chciała wrócić do siebie, by w samotności oddać się rozpaczy. Skoro jednak Alex żyła, nie miała się czym martwić. Przepełniały ją radosna ulga i pewnego rodzaju smutek. Tym razem wszystko skończyło się dobrze, ale bardzo żałowała, że nie potrafiła pomóc Tarze.

W każdym razie Alex nic nie groziło, a ona znajdowała się sama w bibliotece. Po raz pierwszy. Miała niepowtarzalną okazję, by w końcu zaspokoić swoją ciekawość i zajrzeć do jedynego miejsca w zamku, w którym jeszcze nie była. Do tajemniczego pokoju na końcu biblioteki.

Ruszyła labiryntem, pewnie wybierając kolejne zakręty. Poza biciem jej serca żaden inny dźwięk nie zakłócał nocnej ciszy. Całe szczęście, że kobiety zapomniały wyłączyć lampy. W jasnym świetle biblioteka znów była przyjaznym azylem. No prawie. Wszystko byłoby jak zawsze, gdyby nie dziwne, niepokojące uczucie czyjegoś wzroku na plecach. To z pewnością była tylko jej wybujała wyobraźnia, ale naprawdę miała wrażenie, jakby ktoś ją obserwował.

Weź się w garść, dziewczyno. To przecież twój teren i jesteś tu bezpieczna – skarciła siebie w duchu. Po tej ostrej reprymendzie poczuła się o wiele pewniej i spokojniej.

Tylko raz była w tej części biblioteki. Tam, gdzie kończył się labirynt regałów, znajdował się niewielki balkon otoczony balustradą. Wchodziło się na niego po kilku marmurowych schodkach. Weszła na pierwszy stopień i zatrzymała na chwilę w delikatnej smudze księżycowego światła wpadającego przez podłużne okna. Spojrzała na lewo, gdzie betonowe schody prowadziły wprost do ukrytego pokoiku w bibliotece. Widać było, że od dawna nikt tu nie zaglądał. Zarówno schody, jak i posadzkę wokół pokrywała gruba warstwa kurzu, który wznosił się przy najlżejszym ruchu. Ariel zmarszczyła nos, powstrzymując się od kichania. Powietrze przesiąknięte było tutaj wilgocią i kurzem. Weszła na balkon, wzięła głęboki wdech i zdecydowanie ruszyła w stronę schodów. Cokolwiek znajdowało się za tymi drzwiami, dzisiaj przestanie być w końcu dla niej tajemnicą.

Nieładnie tak buszować po nocy.

Głos rozległ się zupełnie niespodziewanie, jakby znikąd.

Świadomość, że została przyłapana akurat teraz, skutecznie rozwiała cały zapał i podekscytowanie Ariel.

Po prostu pięknie. Skrzywiła się, nawet nie chcąc sobie wyobrażać, co się z nią teraz stanie. W najgorszym razie mogą ją wyrzucić, chociaż za włóczenie się nocą po zamku nikogo jeszcze… Z kilkusekundowym opóźnieniem zdała sobie sprawę z czegoś, co było absolutnie niemożliwe.

A jednak nie mogła się mylić.

Głos wyraźnie był męski.

Ale tutaj?

Nie wzięła nawet pod uwagę, że mógłby to być jakiś złodziej. Od razu za to pomyślała o Tomie. Jednocześnie obróciła się na pięcie, wypatrując między regałami znajomej brązowej czupryny. Nie miała pojęcia, dlaczego to on przyszedł jej pierwszy na myśl. Szczerze mówiąc, jego obecność byłaby jej równie nie na rękę co obecność którejś nauczycielki.

Tutaj mnie nie znajdziesz.

Zmarszczyła brwi, nic już z tego nie rozumiejąc. Czujnie przeszukiwała wzrokiem salę, gotowa zareagować ucieczką w każdej chwili. Jednak sądząc po panującej w sali ciszy, była wręcz pewna, że prócz niej nie ma tu żywego ducha. Jednocześnie uświadomiła sobie, że to z pewnością nie Tom. Poznałaby przecież jego głos. Ten głęboki baryton należał do mężczyzny. Był pewny siebie i lekko rozbawiony.

– Pokaż się – odezwała się głośno po minucie irytującej ciszy. – Nie jesteś Tomem.

Z całą pewnością nie jestem – odezwał się niemal natychmiast.

– W takim razie kim jesteś? I gdzie się chowasz?

Nigdzie się nie chowam. Jestem tutaj – zamruczał, jakby się z niej naśmiewał. *Obróć się.*

Posłusznie wykonała polecenie, jednak na balkonie również nikogo nie było. Przygryzła wargę.

– Czy to ma być jakiś żart?

Nie. Podejdź do okna.

Wiedziona coraz większym zaciekawieniem i tym razem posłuchała od razu. Za podłużnym oknem trwała głęboka noc spowijająca świat granatowym woalem. Wzrok dziewczyny spoczął w końcu na gałęzi pobliskiego drzewa i nareszcie wszystko stało się jasne. Nawet miała do siebie pretensje, że od razu się nie domyśliła. Jakkolwiek było to nieprawdopodobne.

Na gałęzi siedział kruk, a jego czarne pióra niemal zlewały się z nocnym tłem. Wpatrywał się w nią paciorkowatymi oczkami z zatrważającą inteligencją.

– Jesteś krukiem – palnęła bez sensu i zaraz pokręciła głową, jakby próbowała czemuś zaprzeczyć.

Roześmiał się krótko. Ten dźwięk podrażnił jej zmysły, aż dostała gęsiej skórki. Jej usta, jakby wbrew jej woli, ułożyły się w uśmiech bardzo bliski śmiechu. Spodobał jej się ton jego głosu tak, jak lubi się wybrany kolor czy potrawę.

Spodziewałaś się kogoś konkretnego?

Ariel gapiła się na niego trochę zbyt nachalnie, nie mogła jednak się powstrzymać. Nagle zaczęła się głośno śmiać, nie przejmując się, że brzmi nazbyt histerycznie.

– Nie – odparła, kiedy już się uspokoiła. Dyskretnie otarła palcem samotną łzę z kącika oka. – Jesteś w mojej głowie, prawda? To znaczy korzystasz z telepatii? – Od początku wiedziała, jednak chciała mieć pewność. Ta noc przybierała zupełnie niespodziewany dla niej obrót.

Tak. Cieszę się, że jesteś taka spostrzegawcza. Spodziewałem się raczej, że będę zmuszony wszystko ci tłumaczyć.

Wydęła wargi, przyglądając się krukowi.

– Nie jestem głupia. Czytałam wystarczająco wiele książek, by orientować się w temacie.

Doprawdy? Ptak przekrzywił łepek, co miało chyba oznaczać to samo co uniesienie brwi. *To wszystko wyjaśnia.*

– Czy ja też tak mogę?

Posługiwać się telepatią?

– Tak.

Oczywiście. W jego głosie wyczuła szeroki uśmiech. Tak właśnie musiałby się uśmiechać w tej chwili, gdyby był człowiekiem. *To bardzo proste. Po prostu wyobraź sobie, co chcesz powiedzieć. Ale skup się na słowach, nie na myślach.*

– Skąd będę miała pewność, że to zadziała?

Spróbuj.

Skinęła głową i odetchnęła głęboko. Idąc za jego radą, wyobraziła sobie, jak litery układają się w słowa. Jakby rysowała je w myślach niewidzialną kredą.

Słyszysz mnie?

Tak.

To rzeczywiście jest łatwe!

Uśmiechnęła się szeroko, a wtedy ponownie usłyszała jego śmiech. Uznała, że to najpiękniejszy dźwięk na świecie.

Jestem pod wrażeniem, Ariel. Całkiem dobrze sobie poradziłaś. Nie wydajesz się również zaskoczona moim widokiem.

Ariel lekceważąco machnęła ręką. Musiała zadzierać głowę, by móc spoglądać na siedzącego samotnie na gałęzi kruka. Odczuwała dokuczliwe mrowienie w karku, więc poruszyła głową na boki.

W ostatnich dniach tak wiele się działo, że chyba już nic mnie nie zdziwi.

– Hej…! – krzyknęła nagle, gdy coś do niej dotarło. – Skąd znasz moje imię?

Wyczytałem z twoich myśli. Poza tym, jak tylko cię ujrzałem, od razu wiedziałem, że musisz być Ariel. Żadne inne imię nie pasowałoby do ciebie.

Ariel wyszczerzyła zęby, mile połechtana jego słowami. Chyba jeszcze nigdy nie uśmiechała się tak głupio i tyle razy, co w ciągu tych kilku minut.

A ty? Jak mam się do ciebie zwracać?

Przez krótką chwilę zapanowała cisza. Przez te kilka uderzeń serca naprawdę się przestraszyła, że odszedł. Kruk jednak siedział tam nadal, przystępując z nogi na nogę na cienkiej, drżącej gałązce. Jego inteligentne czarne oczka przeszywały dziewczynę niemal na wylot. Gdyby jakikolwiek człowiek tak na nią spojrzał, z pewnością spłonęłaby rumieńcem.

Riva – odpowiedział w końcu. – *Możesz nazywać mnie Riva.*

– Riva – powiedziała na głos, smakując w ustach nowe słowo.

Nie podoba ci się?

Ariel natychmiast oderwała się od swoich myśli. Pokręciła głową, aż kilka kosmyków osiadło na jej policzkach.

Jest wyjątkowe. Pasuje do ciebie.

Nawet nie wiesz, jak mi ulżyło…

To ty mnie wtedy obserwowałeś, prawda?

Kiedy?

W parku. I w kuchni. Kiedy… no wiesz… działy się te rzeczy…

Riva zachichotał cicho, jednak wcale nie poczuła się tym urażona.

Szczerze mówiąc, to nie sądziłem, że mnie zauważysz. Ale już się przekonałem, że nie można cię lekceważyć.

Dlaczego to robiłeś?

Bo obserwowanie cię jest wyjątkowo pasjonującym zajęciem. Szczególnie w akcji.

Więc wiesz, co potrafię. Nie zdradzisz tego nikomu?

Moja droga Ariel. Nawet jeśli którykolwiek z tych śmiertelnych głupców mógłby mnie usłyszeć, z pewnością nie rozprawiałbym o tobie. Uznajmy, że od tej pory to będzie nasz mały sekret. Nie mogę ci zaoferować nic poza rozmową, ale byłbym zaszczycony, gdybyś i to przyjęła.

Sekretny przyjaciel kruk, którego słyszę tylko w głowie? Uśmiechnęła

225

się, a w jej oczach zapaliły się zielone ogniki. Po chwili ziewnęła szeroko, zasłaniając dłonią usta. *To może być nawet ciekawe.*

Jesteś zmęczona – stwierdził z autentyczną troską. Kruk za oknem zatrzepotał gwałtownie skrzydłami, jakby próbował poderwać się do lotu. Kilka czarnych piór zawirowało w powietrzu, po czym zabrała je ciemność. *Wybacz, że zabrałem ci tyle czasu. Wracaj teraz do łóżka.*

Dopiero teraz uświadomił jej, że naprawdę jest nieziemsko zmęczona. Z niechęcią oderwała wzrok od ptaka i zerknęła na niebo. Gdzieś daleko na horyzoncie majaczył blady świt. Przyzwyczaiła się, że czas przeciekał przez jej palce niczym woda, ale już dawno nie spędziła go tak przyjemnie, nie żałując ani jednej sekundy.

Ze znużeniem omiotła wzrokiem jasne wnętrze biblioteki. Zerknęła na schody prowadzące do pokoju i westchnęła głośno. No cóż. Będzie musiała odłożyć swoją wyprawę na później.

Ariel. Miękki głos Rivy przywrócił ją do rzeczywistości. *Coś cię trapi?*

Nie – zaprzeczyła szybko. Wyjrzała za okno, ale gałąź była pusta. Kruk odleciał.

Potarła czoło, odetchnęła głęboko, po czym odwróciła się, zeszła z balkonu i niespiesznie zagłębiła się między regały.

Riva. Wywołała go po imieniu, obserwując, jak te cztery litery jarzą się w jej umyśle jasnym, słonecznym światłem.

Tak? – odezwał się natychmiast.

Za każdym razem jego głos wywoływał w niej nowe, obce doznania. Tak nowe, że nie miała nawet dla nich nazwy.

Skąd mam wiedzieć, że gdy się obudzę, ty i nasza rozmowa nie okażą się tylko snem?

Nie martw się – zamruczał w głębi jej umysłu, bliżej ucha. *Będę w pobliżu, chyba że znudzi cię moje towarzystwo. Wtedy odejdę.*

Ariel prychnęła krótko. Z łatwością odnalazła drogę do wyjścia, nawet nie zastanawiając się nad tym, dokąd prowadzą ją nogi.

Coś czuję, że bardzo długo mi się nie znudzisz.

Trzymam cię za słowo. A teraz miłych snów.

Dobranoc, nowy przyjacielu.

Przemykając ciemnymi, pustymi korytarzami, uśmiechała się sama do siebie. W pokoju nawet nie zapaliła światła. Wskoczyła do łóżka i szczelnie nasunęła na siebie kołdrę, by ogrzać zmarznięte ciało. Nie od razu udało jej się zasnąć, choć przecież była taka zmęczona. Dopiero teraz dostrzegła absurdalność tej sytuacji. Jednak nie czuła niedowierzania czy strachu, chciało jej się po prostu śmiać. Nikt nie uwierzyłby jej, że przed chwilą rozmawiała z krukiem. Ona sama z trudem w to wierzyła. W dodatku ten ptak chciał zostać jej przyjacielem.

No właśnie. A jeszcze dziwniejsze było to, że naprawdę miała wrażenie, jakby znała go przez całe życie. To było jednak niemożliwe, skoro przed chwilą rozmawiała z nim po raz pierwszy. Już naprawdę nie wiedziała, co o tym wszystkim myśleć. Nie miała ochoty tego roztrząsać, a już tym bardziej analizować tych wszystkich wydarzeń, które ostatnio miały miejsce.

Zapadając w końcu w upragniony sen, postanowiła sobie, że od tej pory żadnego zamartwiania się. Będzie przyjmować wszystko jakby nigdy nic.

Nie ma co. Robi się coraz bardziej interesująco.

To była jej ostatnia myśl, której nie miała zamiaru ukrywać przed Rivą, jeśli gdzieś tam był i jej słuchał.

* * *

Obudziła się o świcie, ledwo pamiętając wczorajsze wydarzenia. Usiadła na łóżku i przetarła zaspane oczy. Rozejrzała się po ciepłym wnętrzu pokoju, gdzie słoneczne smugi malowały na łóżku i podłodze wielobarwne wzory. Wpatrując się w nie, westchnęła z rozmarzeniem, roztargnionym ruchem przeczesując palcami włosy. Miała taki dziwny, ale zarazem cudowny sen. Zaraz, zaraz, co to było…?

Przeciągnęła się leniwie, po czym wstała i podeszła do dużego lustra w kącie. Spojrzała na swoje odbicie i skrzywiła się mimowolnie. Splątane włosy ułożyły się wokół jej twarzy w niesforną rudą grzywę.

Przy jej bladej cerze zielone oczy zdawały się płonąć gorączkowym, wręcz niezdrowym blaskiem. Zmarszczyła brwi i jej czoło przecięły dwie podłużne kreski. Kosmyki z kolorowymi pasemkami zsunęły się na policzek, więc szybkim ruchem odgarnęła je za ucho. Siwe pasemko zdawało się bezbarwne i wyblakłe, bez żadnego połysku. Natomiast złote było ciepłe i migotało w słońcu niczym płynny kruszec. Kojarzyło jej się z blaskiem słonecznego dnia. Z wiatrem i wolnością.

Położyła dłoń na brzuchu i zacisnęła palce w miejscu, gdzie znajdowało się znamię. Gdyby potrafiła panować nad tą mocą, jak bardzo byłaby ona niebezpieczna?

Zabójczo, jeśli mogę się tak wyrazić.

Ariel omal nie podskoczyła w miejscu. Natychmiast obróciła się do okna i spojrzała wprost w czarne mądre oczka. Za szybą na parapecie siedział kruk. Jego pióra lśniły w pełnym słońcu jakimś pierwotnym dostojeństwem. W pierwszej chwili aż zaparło jej dech w piersi, potem uśmiechnęła się szeroko.

Riva! A więc jednak to nie był sen.

Słowa wysłane ku niemu miały w sobie radość, której nie oddałaby w pełni głosem. Mimo że byli sami, wolała używać telepatii. Tak było zabawniej i mogła mieć pewność, że nikt nie podsłucha, jak gada sama do siebie.

W jej głowie rozległ się śmiech, od którego przeszył ją przyjemny dreszcz. Nie zdawała sobie sprawy z tego, jak bardzo przez te kilka godzin zdążyła się za nim stęsknić. To wrażenie znowu się pojawiło. Jakby znali się przez całe życie, a jego obecność była czymś naturalnym, niemalże koniecznym.

Wpuść mnie.

Ariel od razu posłuchała. Choć ktoś inny na jej miejscu prawdopodobnie nie chciałby mieć nic wspólnego z gadającym krukiem. Ariel nie tylko przyjęła jego obecność jako coś normalnego, ale również całkowicie mu zaufała.

Wiedziała, że łamie reguły, wpuszczając do szkoły ptaka. Nic ją to jednak nie obchodziło, podobnie jak możliwość, że ktoś może wejść bez uprzedzenia i zobaczyć ją z krukiem. Po prostu podeszła do okna i otworzyła je.

Wleciał do pokoju, przynosząc ze sobą mroźne, poranne powietrze.

Nareszcie! Na zewnątrz jest przeraźliwie zimno. Nie wiem, jak możecie funkcjonować przy takich temperaturach.

Zatoczył koło pod sufitem, po czym wylądował na wyciągniętym ramieniu dziewczyny. Jego pazury delikatnie wbiły się w skórę, a Ariel ostrożnie pogłaskała jego czarne upierzenie, zadziwiająco miękkie i jedwabiście gładkie. Miała ochotę wtulić w nie twarz i ogrzać jego zmarznięte ciałko własnym oddechem. Dlaczego wcześniej nie zauważyła, że kruki są takie piękne?

To tylko zima – odpowiedziała z roztargnieniem. *A właściwie dopiero jej początki. Najgorzej jest wtedy, kiedy spada śnieg i zaczynają się mrozy. Nigdy nie lubiłam tej pory roku, ale można się przyzwyczaić.*

Kruk wzdrygnął się autentycznie.

To niemożliwe, żeby przywyknąć do takich warunków.

Mówisz tak, jakbyś nigdy nie widział zimy.

Bo tak jest. Nie wiem, co znaczy pora roku ani zima. Słyszałem o tych zjawiskach, ale dla mnie są zupełnie obce.

Ariel w pierwszej chwili nie pojęła jego słów. Usiadła na łóżku, podczas gdy Riva usadowił się na drewnianej poręczy.

Mówisz poważnie? – zapytała z wahaniem.

Oczywiście. Przechylił łepek na bok, a czarne oczka wpatrywały się w nią z żywym zainteresowaniem. *Pochodzę ze świata, w którym nie ma czegoś takiego jak pory roku. Przez cały rok panuje niemal niezmienna pogoda. Prócz częstych deszczy i burz słońce wstaje i zachodzi o tych samych godzinach. Nie ma u nas mrozów ani śniegu. Chłodniejsze są jedynie noce, jednak nawet one nie są tak dokuczliwe.*

Ariel w milczeniu analizowała jego słowa. Po krótkim zastanowieniu odważyła się zadać – miała nadzieję – niegłupie pytanie.

Gdzie w ogóle znajduje się ten twój świat?

Bardzo daleko – odparł poważnie. *Można się do niego dostać tylko przez Złote Drzwi. Żaden człowiek z Ziemi nigdy nie postawił tam nogi.*

To równoległy świat? Więc takie jednak istnieją?

Zaśmiał się krótko, rozbawiony jej słowami.

Jeśli łatwiej ci to będzie zrozumieć, to owszem. Można tak to ująć. Choć to bardziej skomplikowane.

Jaki jest ten twój świat? To znaczy, bardzo różni się od naszego? – zapytała z podekscytowaniem.

Diametralnie. Kruk zaczął czyścić sobie dziobem skrzydła, jakby ta rozmowa kompletnie go nie interesowała.

Ariel przyglądała mu się z coraz większą fascynacją. To wciąż wydawało jej się jakimś cudownym, niewiarygodnym snem. Po tych wszystkich dziwnych historiach, jakie jej się ostatnio przytrafiły, on był najjaśniejszym punktem.

Moszcząc się wygodniej na łóżku, dotarło do niej, że naprawdę lubi Rivę. Mimo że znała go tak krótko. I nawet jeśli teraz odbierał jej myśli, nie wstydziła się tego. To była prawdziwa ulga: nie mieć przed kimś żadnych, absolutnie żadnych tajemnic. Słuchając jego ciepłego barytonu, zatracała się do tego stopnia, że wszystko inne stawało się nieważne. Nie myślała o upływającym czasie, swoich obowiązkach i zmartwieniach. Jedyne, czego pragnęła, to tego kojącego głosu w głowie. By mówił, mówił, mówił...

Mój świat różni się pod wieloma względami – zaczął opowiadać. *– Nie ma u nas samochodów, elektroniki czy nawet prądu. To wszystko należy wyłącznie do waszego wieku. My żyjemy jakby obok. Poza tym wszystkim, co znasz. Odnoszę nawet wrażenie, że mój świat jest bardziej realny od tego. Nawet ludzie są inni. Jednak to, co nas wyróżnia, jest subtelniejsze i przenigdy żaden człowiek z tego świata nie doświadczy tego, co my.*

Co to takiego? – wyrwało jej się bezwiednie, choć obiecała sobie, że ani razu mu nie przerwie.

Natychmiast ugryzła się w język, jednak rosnąca w niej ciekawość była już nie do opanowania. Pochyliła się lekko do przodu, jakby dzięki temu mogła lepiej słyszeć. Jej oczy błyszczały zielonym ogniem, jak w gorączce. Rude włosy opadły wzdłuż twarzy, ale nawet nie zwracała na nie uwagi.

Magia.

Ariel otworzyła szeroko oczy.

– Magia? – powtórzyła na głos. To jedno słowo wypłynęło z jej ust niczym westchnienie.

Tak. Zaśmiał się krótko, kiedy zobaczył te myśli, których nie zdążyła jeszcze wypowiedzieć na głos, a które krążyły już na obrzeżach jej umysłu. *Ale nie taka magia, jaką znasz z książek. My to nazywamy Mocą. Jest w powietrzu, ziemi i w skałach. Wypełnia każdy żywy organizm.*

A ty? Też masz w sobie tę Moc?

Kruk przekrzywił łepek w jedną i w drugą stronę, mrugając do niej czarnymi oczkami. Wydawało się, że on i głos byli całkiem oddzielnym organizmem, choć coś w spojrzeniu ptaka miało wręcz ludzką świadomość.

Ja? Oczywiście. I to całkiem sporo.

Czy wszyscy ludzie z twojego świata posiadają Moc?

Teoretycznie tak. Każdy ma w sobie cząstkę Mocy. Niektórzy są prawdziwymi mistrzami w posługiwaniu się nią, jednak większość ma jej zbyt mało, by rozwinąć w sobie jakąś umiejętność.

Ariel nie wiedziała nawet, kiedy znalazła się przy poręczy łóżka. Oparła się teraz o nią wygodnie, jedną rękę zanurzając w miękkie czarne upierzenie. To było od niej silniejsze. Jakby przez te wszystkie lata tylko czekała, by dotknąć tych jedwabistych piór.

Czegoś tu nie rozumiem. Skoro Moc jest wszędzie, to nie można z niej po prostu korzystać? No wiesz, przyzwać czy coś takiego.

Nie – odpowiedział poważnie. *To nie jest takie proste. Tylko ktoś, kto sam jest obdarzony Mocą, może ją dostrzec. Na ogół wykorzystujemy Moc, która jest w nas, czerpanie energii z przyrody jest dostępne tylko potężnym ludziom. I tylko w sytuacji, gdy potrzeba zwiększyć własną Moc lub gdy zostały wyczerpane wszystkie jej zapasy. Miejsce, skąd czerpie się Moc,* natychmiast zostaje zastąpione nową energią, jednak i tak traktowane jest to jak kradzież. Nie dotyczy to jednak tych, którzy potrafią kontrolować żywioły.

Ariel zmarszczyła brwi, w zamyśleniu przyglądając się Rivie.

To... Ten mój tatuaż... kamień...

Tak?

On ma w sobie jakąś Moc, prawda? Żywioł powietrza.

Wcześniej odpowiadał natychmiast i otwarcie, ale teraz milczał. Ptak błądził wzrokiem gdzieś po suficie i wnętrzu pokoju, aż ponownie skupił na niej swoje paciorkowate oczka. Ariel ta cisza w głowie wcale się nie podobała. Znów słyszała jedynie bicie swojego serca i tykanie zegara. Gdzieś tam za oknem świergotały wesoło ptaki, a jeszcze dalej miasto tętniło swoim nieprzerwanym rytmem. Świat, w którym żyła, jak nigdy wydawał się zupełnie obcy. Obcy i odległy o tysiące lat świetlnych. Jakby ona, ten pokój i kruk znajdowali się poza czasem i przestrzenią.

Przecież już znasz odpowiedź – odezwał się w końcu jakby nie swoim głosem. Była w nim nutka napięcia, której wcześniej nie słyszała. To ją zastanowiło.

Tak, ale chciałabym wiedzieć. Upewnić się, że to prawda. Użyłam tej Mocy raptem dwa razy i zupełnie nie wiem jak. Nie kontroluję tego. Nie...

– Ariel?!

Głos rozległ się jakby z daleka i w pierwszej chwili wydał jej się obcy. Z trudem powróciła do rzeczywistości. Dopiero pukanie do drzwi całkiem ją otrzeźwiło. Skoczyła na nogi i błyskawicznie zaczęła wciskać na siebie kolejne części mundurka.

– Chwileczkę! – odkrzyknęła nerwowo.

Musisz teraz iść. Wolę, żeby nikt cię nie zobaczył w pokoju.

Zerknęła przelotnie na kruka, rzucając koszulę nocną na poduszki.

Rozumiem.

Skupiona całkowicie na ubieraniu, zupełnie nie zwróciła uwagi na nutę rozbawienia w jego głosie, coś pomiędzy śmiechem a parsknięciem. Czarne oczy obserwowały ją z uwagą.

W końcu wsunęła stopy w trzewiki i poprawiając włosy, podbiegła do okna. Jak tylko je otworzyła, natychmiast do środka wdarło się mroźne powietrze. Ariel wzdrygnęła się, a kruk przeleciał obok niej z szumem skrzydeł. Musnął delikatnie jej policzek, a gdy zamykała za nim okno, dostrzegła na podłodze czarne pióro. Schyliła się bez namysłu i chwyciła je między palce. Przez chwilę bawiła się nim od niechcenia, po czym delikatnie odłożyła na szafkę i podeszła do drzwi.

W progu stała Sara. Na jej widok Ariel uśmiechnęła się lekko, a przynajmniej miała nadzieję, że lekko.

– Co ty tam robiłaś tak długo? – Sara zmarszczyła brwi, próbując zajrzeć jej przez ramię. – Wydawało mi się, że słyszałam jakieś głosy.

Ariel wyszła na korytarz, zamykając za sobą drzwi.

– Ubierałam się. Zaspałam – wytłumaczyła, na dowód swoich słów poprawiając krawat, którego w pośpiechu nie zdążyła zawiązać.

Sara przyglądała jej się uważnie, jakby chciała jeszcze o coś zapytać, ale w końcu uznała, że to niepotrzebne.

– A ty co? – zapytała ją Ariel, podejrzliwie zaglądając jej w oczy. – Ktoś cię przysłał, żeby zawlec mnie na śniadanie?

– Właściwie do śniadania zostało jeszcze kilka minut. Przyszłam w imieniu reszty dziewczyn.

– O co chodzi? – Ariel miała jakieś niedobre przeczucie.

– To nie słyszałaś? – Sara z przejęciem podzieliła się z nią najświeższymi wieściami. – Alex miała w nocy wypadek w bibliotece i teraz jest w szpitalu.

Ariel pobladła, jakby faktycznie usłyszała o tym po raz pierwszy. *Cholera. Alex. Wypadek. Czemu o tym zapomniałam?*

Ruszyły szybko do sali jadalnej, po drodze mijając resztę spóźnialskich. Przez całą drogę Ariel marszczyła czoło, poważnie zaniepokojona.

Kto to? Znasz ją?

Tak. – Ariel pokiwała nieznacznie głową, nerwowo przygryzając wargę. – *Alex to moja przyjaciółka. Wczoraj, tuż przed tym, jak cię poznałam, miała wypadek. To ja ją znalazłam. A właściwie…*

Rozumiem. Przykro mi. Mam nadzieję, że z tego wyjdzie.
Ja również.

Z sali jadalnej wydobywał się hałas setek głosów, niczym jednostajne, drażniące brzęczenie owadów. Ariel nie potrafiła powstrzymać westchnienia, które samo wyrwało się z jej zaciśniętego gardła. Tak bardzo pragnęła teraz schować się w jakimś ciemnym kącie, żeby nikt jej nie znalazł.

Ja również?

Na jej wargach osiadł cień uśmiechu.

Nie. Zostań ze mną, jeśli możesz.
Jak sobie życzysz.

– To straszne, co stało się Alex. – Ariel nie musiała nawet udawać zatroskania. Jej głos był dziwnie ochrypły i napięty, jakby nie należał do niej. Ale może po prostu była zmęczona i naprawdę tym wszystkim przejęta. Zadziwiające zresztą, jak szybko przyzwyczaiła się do komunikacji mentalnej. Otwieranie ust i słuchanie, jak wydobywa się z nich głos, było takie dziwne i męczące. – Mam nadzieję, że szybko do nas wróci.

– Z pewnością. To twarda dziewczyna. – Sara obrzuciła Ariel szybkim spojrzeniem swoich szarych oczu. Długi warkocz opadł jej z ramienia na plecy i zawisł swobodnie, podrygując w powietrzu w rytm jej kroków. – Okropne, co dzieje się ostatnio w tej szkole. Zupełnie jakby była przeklęta czy co. Nigdy wcześniej nie było tu takich poważnych wypadków, a teraz proszę – pokręciła powoli głową. – Jak w ogóle mogło jej się coś stać w bibliotece? Przecież to było jej ukochane miejsce. Najbezpieczniejsze w całym zamku.

Ariel poklepała Sarę po ramieniu. Ucisk w gardle nie był tak dokuczliwy jak to, co działo się z jej żołądkiem. To był prawdziwy cud, że udało jej się wydobyć z siebie tak opanowany, pocieszający ton.

– Nie martw się. Alex wyliże się z tego szybciej, niż sądzimy. Jak sama powiedziałaś, to twarda dziewczyna. Nie wiadomo zresztą, w jakim jest stanie.

Sara wytarła wierzchem dłoni mokre oczy. Po chwili pochyliła się ku Ariel i wyszeptała:

– Właściwie to przyszłam do ciebie z pewną propozycją.

Ariel uniosła brwi.

– Jaką?

– Chciałam cię zapytać, czy wybrałabyś się dzisiaj z nami do szpitala.

Ariel przystanęła gwałtownie obok kolumny. Jej długi cień padał w poprzek korytarza oświetlonego bladym słońcem.

– Idzie cała szkoła, tak? To chyba i tak nie mam wyboru.

– Nie. – W oczach Sary dostrzegła tajemniczy błysk. – Idziemy same. To znaczy dziewczyny z biblioteki plus Arianna. Nie chciałyśmy, żeby szła, ale nalegała. Trochę ją rozumiem, bo w końcu wszystkie lubimy Alex.

– Ale...

Słyszysz to, Riva? Odezwała się do kruka, bardziej po to, by dać sobie czas na zastanowienie. *To przecież szaleństwo.*

Nie większe od tego, że ze mną rozmawiasz. Z tego, co wiem, to już raz uciekłaś z zamku i nic się nie stało. Dlaczego się wahasz? Przecież widzę, jak pragniesz znów wyrwać się na wolność.

– Ktoś może nas przyłapać. W szpitalu mogą nas nie wpuścić – wysunęła wobec Sary pierwsze lepsze argumenty, zresztą bardzo słabe. Oczywiście dużo bezpieczniej byłoby odwiedzić Alex całą szkołą, ale to przecież i tak nie wchodziłoby w grę. A ona tak bardzo chciała zobaczyć Alex. Upewnić się, że rzeczywiście nic jej nie jest.

Czuję się, jakby to przeze mnie miała ten wypadek.

Ale to nie była twoja wina, Ariel.

Ale widziałam wcześniej co się stanie. Przewidziałam to, a jednak nie zdołałam w porę jej uratować. Tak jak Tarę.

To też twoja przyjaciółka?

Tak. Tara była dla mnie jak siostra – wyjaśniła ostrożnie, powracając do bolesnych wspomnień. Unikała ich tak długo, bo bała się tego rozrywającego bólu w sercu. *W jakiś sposób ją zawiodłam, bo nie posłuchałam swojego zdrowego rozsądku i jak zwykle dałam się ponieść jej szalonym pomysłom. Przeze mnie umarła. Bo nie potrafiłam jej ochronić.*

Przykro mi, Ariel. Żal w jego głosie był autentyczny. Aż miała ogromną ochotę się rozpłakać. *Jednak nie mogłaś jej w żaden sposób pomóc. Twoje wizje nie są zależne od ciebie i nie zmuszają cię, byś bawiła się w bohaterkę. Nie możesz obwiniać się za wszystko, co dzieje się wokół. Ta twoja przyjaciółka, Tara, nie żyje, ale Alex owszem. Odwiedziny u niej dobrze wam zrobią.*

Tak myślisz?

Jestem tego pewny. Znów to wrażenie uśmiechu. Nie wiedziała, jakim sposobem potrafi odgadnąć, kiedy Riva się uśmiecha, choć jest przecież tylko ptakiem.

– I jak będzie?

Sara nie spuszczała z niej wyczekującego spojrzenia. Jej prośba była szczera i Ariel uświadomiła sobie, że jej odpowiedź była dla nich naprawdę ważna. Wydawało jej się nawet, że jeśli odmówi, dziewczyny również zrezygnują. Choć jakoś nie wierzyła, że bez niej i tak nie odbyłyby tej wycieczki.

Dlaczego jeszcze się wahasz?

– Kiedy planujecie wyjście?

Sara natychmiast się ożywiła. Nawet jej blade policzki nabrały nieco koloru pod wpływem uśmiechu.

– Zaraz po śniadaniu. Kaghet dała nam dzisiaj wolne, a lekcje pewnie i tak w końcu zostaną odwołane.

Ariel skinęła głową. Ruszyła w stronę wysokich drzwi sali i rzuciła przez ramię.

– Zgoda. Pójdę.

– Super! – krzyknęła Sara. Jej szeroki uśmiech dotarł aż do oczu, rozświetlając radośnie szare tęczówki.

Ogólny hałas wypełniający salę w pierwszej chwili dosłownie Ariel ogłuszył. Potem już tylko stawał się coraz bardziej irytujący. Dlatego właśnie nie lubiła pory posiłków i starała się ich unikać. Dobrze było czasem pobyć wśród ludzi, ale zbyt długie obcowanie z rozgadanymi nastolatkami z pewnością nie wpływało dobrze na jej stan psychiczny.

Ruszyły najpierw ku kuchennemu kontuarowi. W okienku przywitała je Mary, która z ciepłym i cierpliwym uśmiechem podała im tace ze śniadaniem. Następnie Ariel dała się poprowadzić Sarze przez niemal całą długość sali, zmuszona do karkołomnego slalomu między zatłoczonymi stolikami.

Kiedy dotarły wreszcie do miejsca, gdzie siedziały już pozostałe dziewczyny, Ariel klapnęła na wolne krzesło z głośnym westchnieniem ulgi. Kate, Beth, Paty, Ida i Arianna kończyły już jeść. Popatrzyły na przybyłe koleżanki ponad zaśmieconym stolikiem i uśmiechnęły się na przywitanie, niektóre jeszcze z pełnymi ustami. Ariel spodziewała się, że będą równie przybite co Sara, ale najwyraźniej perspektywa wypadu do szpitala już poprawiła im humory. Kiedy Kate popatrzyła wymownie na Ariel, a potem na Sarę, ta uniosła kciuk i skinęła głową.

Ariel przyglądała im się przez chwilę, w końcu jednak zabrała się za jedzenie. Ulżyło jej, że żadna nie miała nic pilnego do powiedzenia. Zupełnie nie miała ochoty przekrzykiwać tego zgiełku.

Połykała swoją owsiankę z mechaniczną obojętnością. Nie czuła jej smaku, a jedynie ciepło i osiadające na języku grudki. Zagapiła się na łyżkę, która jakby sama poruszała się w jednostajnym, niemal hipnotyzującym rytmie, wlewając do jej ust pożywny pokarm.

Riva?

Tak?

Opowiedz mi coś więcej o Mocy.

Teraz?

To zła pora?

Im bardziej Ariel skupiała się na rozmowie mentalnej, tym mniej uciążliwe, a wręcz niesłyszalne stawały się hałasy z zewnątrz. Było to bardzo przyjemne uczucie, jakby ktoś stopniowo wyłączał dźwięk.

Riva zaśmiał się cicho w ten zmysłowy, drażniący sposób. Omal nie zakrztusiła się owsianką. Musiała udać, że wyciera usta chusteczką.

Zerknęła po twarzach dziewczyn, ale na razie żadna nie zwracała na nią uwagi. Wprawdzie nikt się nie odzywał, jednak przekazywały sobie gestami jakieś znaki, które tylko one mogły rozszyfrować. Ariel nie miała ochoty uczestniczyć w tej grze na migi. Dlatego ponownie spuściła wzrok, udając całkowite skupienie nad posiłkiem.

Nie. Sądziłem jednak, że wolisz teraz być ze swoimi znajomymi.

Jak widzisz, na razie nie ma warunków do rozmowy. Poza tym ty jesteś ciekawszy. Nie skończyliśmy naszej porannej rozmowy.

I to nie może poczekać?

Nie – odparła stanowczo. Nie zamierzała się przyznać, że po prostu chciała słuchać jego głosu. On pewnie i tak to już wiedział, ale przynajmniej tego nie komentował. Przeczuwała, że czeka ją długi dzień i że w najbliższych godzinach nie znajdzie dla niego czasu. Chciała wykorzystać każdą sekundę.

No dobrze. Westchnął z udawaną rezygnacją. *Co w takim razie chciałabyś jeszcze wiedzieć?*

Ariel uśmiechnęła się do białej papki na dnie miski.

Wszystko.

Rozdział XIV

o śniadaniu umówiły się równo za godzinę przy zagajniku. Ariel pożegnała się szybko i opuściła salę z nieobecnym wyrazem twarzy.

Nie zdążyła nawet skręcić w drugi korytarz, kiedy usłyszała za plecami czyjeś kroki.

– Ariel! – Głos należał do jednej z przyjaciółek Kiiri. Ale dziewczyna nie zatrzymała się, całkowicie ją ignorując.

– Podobno wiesz coś o tym nieszczęśliwym wypadku Alex – odezwał się drugi głos przesycony słodkim jadem.

– Słyszałyśmy, że byłaś na miejscu, gdy ją znaleziono. Co tam robiłaś w nocy? Zdradź nam, Ariel, swój sekret. Nikomu nie powiemy.

Próbowała przyspieszyć kroku, ale dziewczyny uparcie dreptały jej po piętach.

Czy one nigdy się ode mnie nie odczepią? Westchnęła w duchu. *I skąd się dowiedziały, że byłam w nocy w bibliotece? Chyba Eryl nikomu nie zdradziła, co się tam działo.*

Chcą cię tylko sprowokować – odezwał się Riva. *Pamiętaj. Nie daj się wciągnąć w ich gierki i nie rób nic głupiego. Wyczuwam w tobie za dużo agresji.*

Ariel prychnęła pod nosem.

– Nie bój się – usłyszała w tym momencie tuż za plecami. – Powiedz nam, co takiego ukrywasz? Taki dziwoląg jak ty na pewno ma coś na sumieniu.

Gdybyś tylko wiedziała jak wiele – odpowiedziała w myślach. Nie odezwała się jednak tak na wszelki wypadek. Nie zamierzała dać się sprowokować, a już tym bardziej nie na korytarzu. Przecież obiecała, że będzie bardziej nad sobą panować. Wolała więcej nie używać Mocy kamienia w przypływie złości. Bo zupełnie nie wiedziała, do czego jeszcze jest zdolna i ile szkód może wyrządzić, jeśli to wymknie się spod kontroli.

Grupki uczennic przechadzały się po szerokim korytarzu wychodzącym bezpośrednio na dziedziniec. Ariel miała jeszcze spory kawałek do przebycia, nim dotrze do północnej wieży. Chłodniejsze powietrze z zewnątrz musnęło jej policzki i rozwiało włosy. Dziewczyny wciąż dotrzymywały jej kroku i wyglądało na to, że nie pozbędzie się ich tak szybko. *Jeśli zaraz sobie nie pójdą, to naprawdę…*

– A może to ty coś zrobiłaś Alex? No, powiedz nam.

Dlaczego nie dadzą jej w końcu spokoju? Miała już naprawdę tego wszystkiego dosyć. Zatrzymała się przed spiralnymi schodami, kurczowo zaciskając pięści.

– Zamknijcie się w końcu – syknęła przez zaciśnięte zęby, wciąż odwrócona do nich plecami.

– Och, więc jednak nasza Ariel ma coś na sumieniu, inaczej tak by się nie denerwowała. Czas najwyższy, żeby ktoś zrobił tu porządek. Nie pozwolimy, byś chodziła sobie swobodnie po szkole i dopadła kogoś jeszcze. – Głos dziewczyny stał się ostry, najwyraźniej przywykły do wydawania poleceń. – Pójdziesz teraz z nami i opowiesz wszystko dyrektorce. A może ukrywasz coś jeszcze? Co? Może wiesz też, co stało się z Tarą? Podobno byłyście… blisko. A Kiiri…

Coś w niej pękło, podobnie jak wtedy w kuchni, gdy rozmawiała z Rose. Jednocześnie po jej ciele rozlała się fala ciepła, niemal przyprawiająca o zawrót głowy. To uczucie wypełniło ją od środka aż po same koniuszki palców. Mimowolnie uśmiechnęła się do siebie leciutko.

Nie rób tego, Ariel.

Świadomość Rivy była ledwo wyczuwalna. Jego głos również wydawał się jedynie słabym echem. Nie zwróciła nawet na niego uwagi, zbyt pochłonięta całą gamą doznań, które spadły na nią w jednej chwili. Nie zrezygnowałaby z tego uczucia, wiedząc nawet, że później może tego żałować.

Do wnętrza zamku napłynęło falami mroźniejsze powietrze. Zachłysnęła się nim, czując w ustach jego słodkawy posmak. Złote drobinki wypełniały cały korytarz, zamieniając go w migoczącą słońcem pustynię. Wszystko pulsowało i poruszało się w takt jej przyspieszonego pulsu.

Było tak jak poprzednio. Maleńkie ziarenka, niczym miniaturowe słońca, zdawały się całkowicie uległe jej woli. Tańczyły przed jej oczami, ciągnęły za bluzkę i poruszały jej włosami, zapraszając do wspólnej zabawy. Jak zahipnotyzowana wyciągnęła rękę i skupiła się. Drobinki zaczęły poruszać się szybciej, wirować, posłusznie gromadząc się nad jej dłonią. Utworzyły idealnie okrągłą kulę, która pęczniała z każdą chwilą. Już po chwili pochłonęła ją złota bańka, która nadal rosła. Pulsująca energia zaczęła Ariel przytłaczać, znowu przestała być jej posłuszna i zaczęła żyć własnym życiem.

Wiatr smagał dziewczynę po twarzy i odsłoniętych ramionach, jakby chciał z nią rozmawiać. W końcu odwróciła się bardzo powoli.

Trzy dziewczyny – te same, które ją zaczepiały – stały pod ścianą, kurczowo do siebie przytulone i śmiertelnie blade. Z początku nie rozumiała, co je tak przeraziło. Przecież nie mogły widzieć tego, co ona. Potem jednak zaczynało do niej docierać, co tak naprawdę działo się wokół niej.

Zamrugała parę razy, próbując zajrzeć przez zasłonę złotych ziarenek. Musiała się skupić, zignorować je, by w pełni zrozumieć, czym tak naprawdę są.

Powietrze. Powietrze miało kształt i kolor malutkich słońc. Dla reszty nieruchome i niewidzialne – dla niej stanowiło ciągły ruch i chaos. Dzięki kamieniowi potrafiła je ożywić, zobaczyć, dotknąć i poczuć. Manipulując tymi żywymi ziarenkami, wprowadzała powietrze w ruch.

Sprowadzała wiatr.

To właśnie wiatr szalał teraz w korytarzu i to z nim walczyły dziewczyny. Teraz już potrafiła dostrzec, jak bezlitosny żywioł odbijał się od ścian, wciskał się w każdą szczelinę, niosąc ze sobą dziką pieśń wolności. Atakował wszystko, co stało mu na drodze. Gwałtowny i nieczuły, był jedynie czystą formą energii, którą Ariel niechcący ożywiła. Pozbawiony kontroli, był w stanie zniszczyć wszystko.

Jedna z dziewczyn pisnęła głośno, kiedy siła wiatru zmusiła ją do gwałtownego cofnięcia się. Kurczowo chwyciła się swoich przyjaciółek, w obawie, że lada chwila może zostać uniesiona w powietrze. Włosy wirowały szaleńczo w powietrzu, a oddechy stawały się coraz cięższe. Kiedy uczennice spojrzały na Ariel, ich oczy zrobiły się wielkie z przerażenia.

Ona tymczasem zamarła w oszołomieniu. Znajdowała się w dziwnym stanie zawieszenia, zupełnie pozbawiona cielesności. Jej umysł stał się jedną z miliona żywych drobinek połączonych ze sobą w harmonijną całość. Wdzierała się w zamkowe mury, przelatywała nad posadzką. Była tą, która szarpała za włosy i ubrania przyjaciółek Kiiri. Gdzieś daleko słyszała przyspieszone bicie własnego serca, ale wcale nie czuła, że należy do niej. Było jedynie muzyką, która nadawała rytm jej tańcowi, było życiem i energią. Ekscytującą magią, w którą zanurzała się niczym w bezdenny ocean.

W tej cudownej chwili przestała cokolwiek myśleć i czuć. I nawet gdyby potrafiła to zatrzymać, nie miała na to najmniejszej ochoty. Będąc częścią złotej burzy, widziała siebie z boku – dziewczynę z rozwianą rudą czupryną, bladą twarzą i nieobecnym wzrokiem. Patrzyła również na trzy skulone postacie. Obserwowała, jak przy każdym oddechu z ich ust wydobywa się srebrna mgiełka, jak przerażenie doprowadza je niemal do obłędu.

To wszystko wydawało się takie nieważne i głupie. Nie potrafiła sobie nawet przypomnieć, dlaczego jeszcze chwilę wcześniej czuła takie wzburzenie, przecież...

Dość! Ostry głos z siłą grzmotu wdarł się nagle do jej umysłu, boleśnie przerywając ten cudowny stan.

W tej samej chwili wszystko ustało. Wiatr zniknął równie nagle, jak się pojawił. Ariel powróciła do rzeczywistości, mrugając gwałtownie powiekami. Zmarszczyła brwi z niezadowolenia i powiodła wzrokiem po korytarzu. Dotąd nie zdawała sobie sprawy z tego, że ktoś jeszcze może się tu znajdować. Tych kilka osób, które były świadkiem tej sceny, teraz wpatrywało się w nią z przerażeniem i niedowierzaniem. Wokół panowała absolutna cisza – wroga, nasączona strachem i agresją.

Ariel miała mętlik w głowie, ale powoli docierało do niej, co właśnie zrobiła. Nie patrząc na boki, na sztywnych nogach wkroczyła na schody, pokonując je najszybciej, jak potrafiła.

Zamknęła się w swoim pokoju, dokładnie przekręcając klucz w zamku. Dopiero wtedy poczuła się bezpieczna. Jednocześnie spadła na nią cała świadomość konsekwencji swojego czynu.

Jęknęła głucho i oparła się ciężko o drzwi. Do tej pory nie czuła nawet, że drżą jej kolana i ma zawroty głowy. Na miękkich nogach podeszła do łóżka i zwaliła się na poduszki. Przymknęła oczy, czekając, aż pulsowanie w skroniach ucichnie. Była potwornie wyczerpana, choć nie tak bardzo jak ostatnio.

Niepotrzebnie to zrobiłaś – odezwał się w jej umyśle znajomy baryton. Był surowy, ale nie krytyczny.

Otworzyła oczy i zerknęła w stronę okna. Kruk przysiadł na parapecie. Była zbyt zmęczona, by mu otwierać, więc na powrót przymknęła powieki i dopiero po chwili odezwała się w myślach:

To ty mnie powstrzymałeś.

Oczywiście – odparł nieco z przekąsem. *Inaczej byś tam umarła z wyczerpania.*

Ale ja nawet nie czułam zmęczenia. To było niesamowite. Westchnęła na samo wspomnienie. *Miałam wrażenie, że mogłabym zrobić wszystko.*

To tylko pozory. Nie powinnaś więcej używać tej Mocy.

Ariel zmusiła się, by usiąść, po czym spojrzała na ptaka.

– Dlaczego? Dopiero co ją odkryłam – odezwała się na głos z wyrzutem, dotykając ręką brzucha, gdzie nawet przez bluzkę nadal czuła słabe ciepło bijące od znamienia. – Ta Moc pochodzi od kamienia, a on jest we mnie. To znaczy, że mam do niej prawo.

Masz rację. Ale źle się stało, że odkryłaś ją tak wcześnie. Nie jesteś jeszcze gotowa.

Na co?

Przedłużająca się cisza zaczynała ją niepokoić. Riva wciąż siedział za oknem i przekrzywiwszy łepek, uważnie się w nią wpatrywał. Dopiero po dłuższej chwili usłyszała ponownie jego głos, jakby potrzebował czasu, by dobrać odpowiednie słowa.

Widziałaś, co się przed chwilą działo. Wiesz też, jak się teraz czujesz. Jesteś wyczerpana.

Zaraz mi przejdzie – odparła rozdrażnionym tonem.

Wiem – powiedział spokojnie, zupełnie nie przejmując się jej dąsami. *Chcę ci tylko uświadomić konsekwencje bezmyślnego korzystania z tak potężnej Mocy. Magia żywiołów to nie zabawa.*

Po co więc mam ten kamień? Dla ozdoby?

Rozumiem twój gniew, Ariel. Ale musisz być rozsądna.

W spokojnym tonie pobrzmiewała nutka poirytowania. Riva najwidoczniej bardzo się starał być delikatny, ale w tej chwili przychodziło mu to chyba z trudem. Jak do tej pory nie wykazywał ani cienia złości. Coś jej mówiło, że drażnienie kruka nie jest dobrym pomysłem.

Pomyśl – mówił dalej. *Przed chwilą wykorzystałaś niemal cały zapas energii, by spowodować małe zamieszanie na korytarzu. Może tego nie czułaś, ale wierz mi, że umarłabyś tam, gdyby nie moja interwencja. Kosztowało mnie wiele wysiłku, żeby wyciągnąć cię z tego transu i zablokować uwolnioną przez ciebie Moc. Gdybyś potrafiła to kontrolować, nigdy byś mi na to nie pozwoliła.*

Przecież właśnie chcę się tego nauczyć! – krzyknęła w myślach, siadając gwałtownie na łóżku.

Kiedyś się nauczysz.

Chcę teraz.

To nie jest najlepszy czas ani miejsce.

Proszę. Naucz mnie. Chcę kontrolować tę Moc. Chcę, żeby powietrze było mi posłuszne.

Nie!

Riva krzyknął tak gwałtownie, że przez chwilę naprawdę się go przestraszyła. Niemal podskoczyła na łóżku, marszcząc czoło. Czarne paciorki obserwowały ją z pozoru bez żadnych emocji. Jednak w umyśle wciąż huczało echo jego złości. Było gwałtowne i naprawdę niepokojące. Przez kilka gwałtownych uderzeń serca przemknęło jej przez myśl, że tak naprawdę nie zna Rivy. Bo co o nim wie? Kim jest, że tak szybko uzależniła się od jego głosu? Z jakiej racji zaufała mu bez żadnych zastrzeżeń?

Jej głowę zaczęły wypełniać nagłe wątpliwości i pytania, których jakoś wcześniej nie dostrzegała. Ale zanim dotarł do niej ich sens, poczuła, jak nagłe uczucie spokoju rozlewa się po niej niczym zbawienny leczniczy nektar. Popatrzyła na kruka, widząc w nim jedynie przyjaciela, któremu mogłaby powierzyć swoje życie.

Przepraszam. Niepotrzebnie się uniosłem.

Pod wpływem jego skruszonego tonu Ariel uśmiechnęła się ciepło, aż w jej oczach zatańczyło zielone światło.

Nie. To moja wina. Czasem jestem zbyt uparta.

Riva zaśmiał się naturalnym, wesołym śmiechem.

Nie da się ukryć. To jednak cecha, z której powinnaś być dumna. Masz w sobie siłę, jakiej brakuje wielu wojownikom w moim świecie.

Ariel usadowiła się wygodnie na poduszkach. Na tle szaroblękitnego nieba kruk wyglądał niczym sporych rozmiarów czarny kleks na szybie.

W takim razie dlaczego nie chcesz mnie nauczyć kontroli żywiołu?

Już mówiłem. To nie jest odpowiednia dla ciebie pora. Ani miejsce.

Dlaczego?

Zawahał się przez kilka sekund, ale Ariel nawet tego nie zauważyła. Jego baryton hipnotyzował, podobnie jak Moc, którą odkrywała. Kiedy z nim rozmawiała, liczył się tylko jego głos. Jakby był malutkim wszechświatem, który wciągał ją powoli, ale konsekwentnie.

Jak by to wyjaśnić… – zaczął powoli wyważonym tonem. Jak już wspominałem, ten świat różni się od mojego. Nie ma w nim ani odrobiny Mocy. A to znaczy, że nasza energia jest zakłócana i osłabiana. Jeśli chcemy korzystać tutaj z Mocy, musimy się liczyć z nieprzyjemnymi konsekwencjami lub nawet z całkowitą porażką. W twoim przypadku jest podobnie. Wprawdzie nie korzystasz bezpośrednio z własnych zapasów Mocy, a jedynie manipulujesz żywiołami, tak samo jednak musisz wykorzystywać do tego własną energię. Twoja sytuacja jest o tyle trudniejsza, że nie panujesz nad tym, a wcześniej nie miałaś nigdy do czynienia z Mocą.

Ale mogę się nauczyć, prawda?

Z pewnością nie tutaj. Niekorzystne warunki nigdy nie pozwolą ci opanować Mocy Kamienia. Za każdym razem będziesz tracić kontrolę, aż w końcu może to spowodować katastrofalne skutki.

Jego słowa wcale jej się nie spodobały. Milczała dłuższy czas, zastanawiając się nad tym wszystkim. Teraz już przynajmniej zrozumiała, dlaczego tak ciężko zapanować jej nad Kamieniem. Ulżyło jej też, że to nie do końca jej wina. Po prostu tutaj nie było odpowiednich warunków. A w takim razie…

W takim razie zabierz mnie do swojego świata i tam naucz, jak korzystać z Mocy.

To nie jest takie proste, Ariel.

Dlaczego? Skoro to jedyny sposób, żeby…

Riva zawahał się, nim udzielił odpowiedzi. W końcu usłyszała jego całkiem ludzkie westchnienie, jakby robił coś wbrew własnej woli.

Uwierz mi, że bardzo bym chciał. Jednak to nie jest najlepszy moment na odwiedziny. Bo widzisz… W moim świecie nie jest teraz bezpiecznie. Szykuje się wojna, a to, co byś zobaczyła, z pewnością by ci się nie spodobało.

Wojna? Ariel uniosła brwi na to tak groźne i zarazem znajome słowo. *A więc jednak nasze światy coś łączy.*

W pewnym sensie – przytaknął poważnie. *Ale nawet wojny wyglądają u nas inaczej. Są brutalniejsze i przepełnione magią. Bardzo niebezpieczną magią.*

Ariel zamyśliła się, przygryzając wargę. Na początku spodobał jej się pomysł, żeby odwiedzić świat Rivy, ale po jego słowach straciła na to ochotę. Mimo to wciąż kusiła ją perspektywa przeżycia jakiejś ekscytującej przygody. Czuła, że omija ją coś naprawdę interesującego.

W takim razie może kiedy indziej.

Może. Bardzo chciałbym cię tam zabrać, jednak nie wiem, kiedy będzie to możliwe. Może nawet nigdy.

To w takim razie opowiedz mi coś więcej o swoim świecie.

To też będzie musiało poczekać. Zdaje się, że powinnaś już iść.

Ariel zerknęła na zegarek i zaklęła. Zupełnie zapomniała, że przecież umówiła się z dziewczynami na dziewiątą. Miała już tylko pięć minut.

Zerwała się z łóżka, chwyciła z szafy płaszcz i szalik, po czym wybiegła z pokoju, z pośpiechu zapominając zamknąć drzwi na klucz. Zbiegła na dziedziniec, starając się nie zwracać na siebie uwagi. Spokojnym krokiem oddaliła się od zamku, opatulona szczelnie płaszczem i szalikiem. Blada plama słońca na szarym niebie była ledwo widoczna. To były już naprawdę ostatnie cieplejsze dni. Lada moment nadejdzie prawdziwa zima, której szczerze nienawidziła.

Skradając się wzdłuż muru, jej myśli wciąż obracały się wokół Rivy. Biegiem przecięła ostatni odcinek trawnika i zanurzyła się w cieniu drzew tworzących dziki zagajnik.

Dziewczyny czekały na nią przy ich tajnym przejściu. Przytupywały z zimna, więc kiedy ją zobaczyły, bez słowa przeczołgały się na drugą stronę. Zasklepiły dziurę i szybkim krokiem ruszyły w stronę jedynego w mieście szpitala.

Przechodząc przez pusty, uprzątnięty park, Ariel w zamyśleniu spojrzała na bezbarwne niebo. Bez powodzenia próbowała wypatrzyć na nim czarnej plamki.

Riva? Przywołała go ostrożnie.

Cisza.

Zupełnie jakby ktoś pozbawił ją jednego ze zmysłów. Było to bardzo dziwne, wręcz bolesne uczucie. Jakby w jej głowie mieszkał lokator, który właśnie się wyprowadził.

To było takie dziwne, że poznała Rivę zaledwie wczoraj. Zaprzyjaźniła się z nim ot tak, nie zadając żadnych pytań. Miała wrażenie, że znają się całe życie, a teraz spotkała go po prostu po bardzo długiej nieobecności. Gdyby tylko ta pustka w głowie nie była tak czarna, to może...

Coś oderwało ją od własnych myśli i przywróciło gwałtownie do rzeczywistości. Albo raczej ktoś. W pierwszej chwili bardziej wyczuła niż usłyszała to szczególne wrażenie, że jest obserwowana. Dopiero po kilku sekundach dotarł do niej odgłos kroków, tuż za plecami. Na początku pomyślała, że to jakiś przypadkowy pieszy, gdyż wokół kręciło się trochę ludzi. Mogłaby zignorować tupot ciężkich butów na chodniku, gdyby nie był on tak natarczywy i niepokojący. Ponownie spróbowała wezwać Rivę, ale i tym razem odpowiedziała jej pustka.

Miała wrażenie, że kroki są coraz bliżej. Czuła na plecach ciężar czyjegoś spojrzenia, niczym napór niewidzialnej siły. Serce podeszło jej do gardła, choć zupełnie nie wiedziała dlaczego.

Zanim o tym pomyślała, zbliżyła się do Arianny i pociągnęła ją za rękaw. Pochyliła się ku niej, ani na moment nie zwalniając kroku.

– Możesz coś dla mnie zrobić? – szepnęła, z trudem wydobywając głos z zaciśniętego gardła.

Arianna zerknęła na nią ze zdziwieniem.

– O co chodzi?

Ariel zawahała się tylko przez chwilę. Przełknęła ślinę, z całych sił starając się patrzeć przed siebie.

– Możesz się odwrócić i zobaczyć, czy ktoś za nami idzie?

– Co? – Arianna nieświadomie podniosła wyżej głos.

Ariel syknęła ostrzegawczo.

– Proszę.

Dziewczyna spojrzała na nią z dziwnym wyrazem twarzy, ale w końcu posłusznie obejrzała się przez ramię. Ariel szła niemal do niej przyklejona.

– I co?

– Nikogo tam nie ma. – Arianna znów przeniosła na nią wzrok. – Coś się stało?

Ariel błyskawicznie obejrzała się za siebie, po czym wydała głośne westchnienie ulgi.

Na chodniku nie było żywej duszy.

Odwróciła się do dziewczyn, natrafiając na spojrzenia kilku par oczu. Nagle zdała sobie sprawę, że zamilkły raptownie i wokół zawisła wyczekująca cisza.

– Wszystko w porządku? – zapytała Ida, której biały szalik powiewał za nią niczym chorągiewka. – Chcesz może wrócić?

Ariel pokręciła energicznie głową, aż wokół jej twarzy zatańczyły włosy. Uśmiechnęła się szeroko do towarzyszek.

– Absolutnie wszystko jest w porządku. Idziemy.

Na potwierdzenie swoich słów chwyciła Ariannę pod ramię i wesoło pomaszerowała za resztą.

Zaczynam powoli wariować – pomyślała jeszcze, zanim ten dziwny incydent poszedł w niepamięć.

* * *

Budynek szpitalny znajdował się w centrum miasteczka i był dokładnie taki, jaki powinien być – biały, surowy i sterylny. Dziewczyny szybko odnalazły salę, w której leżała Alex. Jakoś przekonały pielęgniarkę, że przysłała je dyrektorka szkoły i pozwolono im wejść.

Nic tak nie uspokoiło sumienia Ariel i nie uradowało jej serca, jak widok uśmiechniętej Alex. Oczywiście wszystkie zauważyły jej zagipsowaną rękę i te wszystkie kabelki, do których była podłączona, ale żadna nie skomentowała tego ani słowem. Natychmiast otoczyły jej łóżko, przysiadając, gdzie tylko się dało.

Ariel miała tak zatroskany wyraz twarzy, że Alex poklepała ją po dłoni z tym swoim całkowicie naturalnym uśmiechem. Potem musiała odpowiadać na całą serię pytań i zapewniać po tysiąc razy, że na pewno dobrze się czuje i niedługo wróci do pracy. Mimo to Ariel wciąż uważnie jej się przyglądała, czując się odpowiedzialna za jej stan.

Widziała wyraźnie, że poza złamaniem dziewczyna ma dużo więcej drobniejszych urazów. Rana na czole była zszyta i zaklejona grubym opatrunkiem. Pod szpitalną niebieską piżamą widniały dwa wielkie sińce na szyi i ramieniu. Pewnie było ich więcej, ale były zakryte.

Po godzinie zjawiła się pielęgniarka z lekami. Poprosiła, żeby pozwoliły chorej odpocząć i odwiedziły ją następnym razem. Dziewczyny zaczęły głośno protestować, ale w końcu pożegnały się niechętnie z Alex i wyszły z sali. Ariel zabrała się jako ostatnia. Zamierzała dołączyć do reszty, kiedy Alex chwyciła ją raptownie za przegub dłoni, zmuszając, by z powrotem przysiadła na brzegu łóżka.

– Poczekaj – szepnęła tylko, gdyż akurat nadeszła pielęgniarka.

Ariel bez słowa skinęła głową i cierpliwie obserwowała, jak przyjaciółka bierze posłusznie wszystkie leki. Kiedy w końcu zostały same, zapytała ściszonym głosem:

– To możesz teraz powiedzieć, jak naprawdę się czujesz?

Alex oparła wygodnie głowę o poduszki, a jej twarz i oczy rozjaśnił szeroki uśmiech, jakby te wszystkie kabelki i opatrunki nie były częścią jej ciała. Zagipsowaną rękę trzymała wyprostowaną na łóżku, niczym balast, z którym zdążyła się już oswoić.

– Przecież mówiłam, że dobrze się czuję – zapewniła, ściskając jej dłoń. – Nie kłamię. Zachowujesz się, jakbyś to ty była wszystkiemu winna.

Ariel wzruszyła ramionami z kamienną twarzą.

– Po prostu się martwię. Jak my wszystkie. Cała szkoła o tobie mówi. O tym wypadku też. Tak naprawdę nikt nie wie, co się stało.

Alex przewróciła oczami i parsknęła krótko.

– A więc w końcu stałam się obiektem plotek. Świetnie. Tylko zupełnie nie wiem dlaczego. To był przecież zwykły wypadek. Potknęłam się i tyle. To była moja wina, że wpadłam na ten regał. Wzięłam za dużo książek na raz. – Spróbowała wzruszyć ramionami, ale tylko skrzywiła się z bólem, szybko tuszując to uśmiechem. Poza tym jej oczy były tak pełne życia, że człowiek mógł się zastanawiać, czemu w ogóle tu leży. – Ale nie o tym chciałam z tobą porozmawiać.

Ariel z zainteresowaniem przysunęła się bliżej. Przyjaciółka odetchnęła głęboko, zanim znów się odezwała, jakby kolejne słowa wymagały od niej niezwykłej odwagi.

– Wiem, że znowu uciekłyście ze szkoły i że musicie szybko wracać.

– Ale… – zachęciła ją Ariel, kiedy nie usłyszała dalszego ciągu.

Alex przełknęła ślinę.

– Mam do ciebie prośbę, chociaż wiem, że nie powinnam.

– Po prostu to wykrztuś.

Dziewczyna skinęła głową. Puściła na chwilę jej dłoń, by wyjąć coś z szuflady. Podała Ariel mały zwitek papieru.

– Chciałabym, żebyś odwiedziła mojego brata w sierocińcu. Najlepiej jeszcze dziś. Miałam do niego przyjść, a jeśli nie zjawię się na czas, może się zdenerwować. Boję się, co mógłby wtedy zrobić, bo ma na moim punkcie obsesję… Wiesz – jej oczy przygasły, podobnie jak uśmiech czający się wiecznie w kącikach ust. – Ma na świecie tylko mnie. A jeśli pójdziesz tam i wytłumaczysz mu, że na razie nie mogę go odwiedzać, to powinien zrozumieć. Opowiadałam mu o tobie, więc wie, kim jesteś i uwierzy ci.

Ariel spojrzała na kartkę, gdzie widniał adres domu dziecka.

– Co mam mu powiedzieć? – zapytała po chwili. – Prawdę?

– Nie. Lepiej niech nie wie, że jestem w szpitalu. Możesz powiedzieć mu, że jestem chora i po prostu przez kilka tygodni nie mogę opuszczać szkoły.

Ariel potrzebowała tylko sekundy do namysłu.

– Dobrze – zapewniła, ściskając dłoń przyjaciółki. – Pójdę tam jeszcze dzisiaj.

riel wytłumaczyła dziewczynom, że ma coś pilnego do załatwienia na mieście i jakoś udało jej się pozbyć ich towarzystwa. Obiecała Alex, że pójdzie tam sama, gdyż zgodnie uznały, że chłopiec mógłby tylko wystraszyć się tylu obcych głośnych osób.

Gdy została w końcu sama, przysiadła na pobliskiej ławce w parku i westchnęła ciężko, zastanawiając się, jak właściwie ma znaleźć ten dom dziecka. Wpatrywanie się bezmyślnie w adres nic jej nie dawało, poza narastającą irytacją. Szkoda, że nie zapytała Alex, jak ma tam trafić.

Niespodziewanie padł na nią długi cień.

– Po raz drugi spotykamy się w tym parku. To musi być przeznaczenie.

Uniosła głowę i mrużąc oczy, uśmiechnęła się do Toma. Naprawdę nie sądziła, że jeszcze kiedykolwiek zobaczy tego chłopaka. Jednak jego widok tym razem naprawdę ją ucieszył.

– Spadłeś mi prosto z nieba.

– Oho. Więc jednak stęskniłaś się za mną? Nie powiesz mi chyba, że czekałaś tu specjalnie na mnie?

Ariel przewróciła oczami.

– Nie wyobrażaj sobie za dużo. Skoro już tu jesteś, możesz mi pomóc? – pokazała mu karteczkę. – Wiesz, gdzie to jest?

Tom tylko zerknął na adres.

– Oczywiście. To dom dziecka. Trudno tam nie trafić. To jedyny budynek w mieście, który bije po oczach żółtymi ścianami.

Ariel wstała z ławki i poprawiła szalik.

– W takim razie łatwo go znajdę. Dzięki.

Odwróciła się, by odejść, kiedy Tom zagrodził jej drogę.

– Myślisz, że tak łatwo się mnie pozbędziesz, kiedy znów się spotkaliśmy?

Ariel westchnęła.

– Chyba jednak nie.

Uśmiechnął się, pokazując wszystkie zęby.

– Dzisiaj nie pracuję, więc mogę ci towarzyszyć cały dzień.

Przyjrzała się jego wytartym spodniom i cienkiej kurtce narzuconej na letnią koszulkę.

– Nie jest ci tak zimno?

Zamrugał do niej śmiejącymi się oczami.

– Nie zmieniaj tematu. Wiesz, że i tak się nie odczepię.

Ariel podrapała się za uchem, po czym szybko poprawiła rozwiane wiatrem włosy. Tak naprawdę wciąż nie wiedziała, co ma o nim myśleć. Odnosiła ostatnio wrażenie, że zbyt szybko zaprzyjaźnia się z obcymi ludźmi. Z nieludźmi również.

– Obiecałam przyjaciółce, że sama to załatwię.

Przekrzywił lekko głowę, wpatrując się w nią błyszczącymi brązowymi oczami.

Oczami Tary.

– Chyba… – zawahała się na chwilę, ale uznała w końcu, że jego obecność nikomu nie zaszkodzi, a jej może jeszcze pomóc. – W porządku. Prowadź.

Dom dziecka stał na skraju miasta i naprawdę okazał się bardzo żółty i dość przytulny. Mały Peter tak bardzo ich polubił, że wypuścił gości dopiero późnym popołudniem. Biedne dziecko tak bardzo potrzebowało rodziny i miłości. Gdy bawili się we trójkę na placu zabaw, ktoś mógłby ich wziąć za szczęśliwą rodzinę. Przez te kilka godzin Ariel zupełnie zapomniała o szkole i wszystkich swoich problemach. Nawet o Rivie. Po prostu dobrze się bawiła.

W końcu Tom odprowadził ją do szkoły. Zamek jak zawsze prezentował się dumnie i majestatycznie na tle zapadającego zmierzchu. Wokół panowała spokojna, mroźna cisza – zwiastun zbliżającej się zimnej nocy. Przystanęli przy murze, gdzie kryło się tajne przejście. Tom przestępował z nogi na nogę, wydmuchując z ust kłęby pary. Mimo zimna dobry humor ani na chwilę go nie opuszczał. Ariel odwzajemniła jego uśmiech, jakby byli już najlepszymi przyjaciółmi. Cóż, po dzisiejszym dniu z pewnością nie był już dla niej obcy. Nie wierzyła nigdy, że można kogoś tak szybko polubić.

– Dziękuję za wszystko. Świetnie się bawiłam.

– Ja również. Więc jednak nie żałujesz, że mnie zabrałaś?

– Nie. Skoro mały Peter tak szybko cię zaakceptował, uznałam, że można mu zaufać.

Tom roześmiał się głośno.

– Chyba powinienem mu podziękować. Jakby nie patrzeć, to była nasza pierwsza randka.

Ariel szturchnęła go lekko w żebra i cmoknęła głośno.

– Jak sobie chcesz. Tylko błagam, nie rozpowiadaj o tym, bo jak dziewczyny z mojej szkoły dowiedzą się o tobie, nie dadzą mi żyć.

Udał, że zamyka sobie usta, a klucz wyrzuca za siebie.

– Lubię tajemnice.

– A ja nie. – Ariel odwróciła się do niego plecami, kucnęła i zajęła się wysuwaniem cegieł z muru.

Przez cały czas czuła na sobie jego palące spojrzenie.

– Dlaczego? Każdy w swoim życiu ma choć jedną rzecz do ukrycia. To nic złego.

– Może i tak. Kiedy jednak jest tego za dużo, człowiek zaczyna się gubić.

– Co masz na myśli?

Wzruszyła niedbale ramionami, wciąż pochylona.

– Tak tylko mówię.

– Nie wymiguj się teraz. Chodzi o te szkolne plotki na twój temat?

Ariel westchnęła ciężko.

– Co? – Tom zanucił za jej plecami. – Może ukrywasz w szafie trupa?

Ariel zamarła, zmrużyła oczy i zacisnęła wargi.

– No dobrze – odezwała się w końcu z rezygnacją. – Jestem sierotą, wiedźmą i morderczynią. Może być?

Po tych słowach wyprostowała się szybko i odwróciła.

Uniosła wzrok i zesztywniała.

Nie spodziewała się, że będzie stał tak blisko.

Za blisko.

– Stanowczo jesteś najbardziej niezwykłą istotą, jaką spotkałem – wymruczał gardłowo.

– Dzięki za potwierdzenie, że jestem dziwadłem.

Potrząsnął głową, jakby chciał zaprzeczyć, ale nic nie powiedział. Owionęła ją srebrna mgiełka jego oddechu. Uniósł dłoń, która z wahaniem zawisła w powietrzu. W końcu dotknął jej chłodnego policzka, samymi opuszkami palców. Potem musnął rude włosy, zahaczając o kolorowe pasemka, jakby koniecznie chciał sprawdzić ich fakturę. Jego nieruchomy wzrok spoczywał na jej twarzy, a blady uśmiech nie był już ani wesoły, ani ironiczny.

Wiedziała, że w tym momencie jej serce powinno szaleć, a ona spłonąć rumieńcem. Ale nic się nie stało. Stała sztywno naprzeciwko Toma i spokojnie odwzajemniała jego spojrzenie. Dłoń chłopaka była wręcz lodowata.

Podobnie jak lodowaty dreszcz, który nagle przeszedł po jej kręgosłupie.

Dziwne uczucie pojawiło się nagle znikąd. Nieznośnie dokuczliwe, wślizgnęło się gdzieś na obrzeża jej umysłu. Jakby ostrzeżenie. Irytacja. Gniew. Niezadowolenie.

Odsunęła się powoli, by go nie urazić.

– Muszę już iść – wyszeptała tylko.

Czar prysł.

Odchrząknął głośno i również się odsunął.

Kiedy uniosła wzrok, uśmiechał się jak gdyby nigdy nic.

– W takim razie do następnego razu – rzucił wesoło.

Ariel przewróciła oczami.

– Może znów na siebie wpadniemy, jak następnym razem ucieknę ze szkoły.

– Albo ja odwiedzę cię tutaj.

– Już mówiłam, że to niemożliwe. Nie znasz zasad? Żaden osobnik płci męskiej nie ma prawa przestąpić murów szkoły. Znając dyrektorkę, dotyczy to też pewnie zwierząt.

Puścił do niej oko, założył ręce za głowę i wypiął do przodu pierś.

– A ja mówiłem, że mam swoje sposoby na ominięcie regulaminu.

– W takim razie będę czekać – rzuciła, po czym odwróciła się na pięcie i pospiesznie prześlizgnęła się na drugą stronę muru.

Po korytarzu kręciło się parę osób, ale jakoś udało jej się przemknąć do swojego pokoju. Zaledwie zamknęła za sobą drzwi, oparła się o nie ciężko i wydała z siebie głuche jęknięcie. Z niedowierzaniem patrzyła na porozrzucane na podłodze ubrania, otwarte szafy i stłamszoną pościel.

Ostrożnie przeszła przez pokój, rozglądając się po tym bałaganie z pustką w głowie. Cały jej dobytek znajdował się teraz albo na łóżku, albo na podłodze. Książki i zeszyty leżały otwarte, jakby ktoś próbował znaleźć jakieś informacje.

Opadła ciężko na krzesło przy biurku, przygryzając nerwowo wargi.

Riva?

Jestem. Co się stało?

Ariel zerknęła przez okno, jednak kruka nigdzie nie było.

Pytasz, co się stało? – rzuciła oskarżycielsko, choć bez sił. Jego głos natychmiast podziałał na nią kojąco, jednak wciąż czuła się urażona tym, że zostawił ją na tak długo. *Gdzie w ogóle jesteś?*

Niedaleko. Przepraszam, że nie było mnie tak długo. Musiałem… załatwić coś ważnego.

Ariel machnęła ze zniecierpliwieniem ręką.

To teraz nieważne. Mamy problem… A właściwie ja mam.

Co się stało?

Ktoś włamał się do mojego pokoju.

Nie było cię cały dzień. Może któraś z dziewczyn zrobiła ci po prostu kawał.

Zaprzeczyła gwałtownie. Oczywiście od razu pomyślała o przyjaciółkach Kiiri, ale jakoś to do nich nie pasowało.

Nie wiem dlaczego, ale jestem pewna, że to nie one. To wygląda, jakby ktoś szukał czegoś konkretnego.

Domyślasz się, kto to mógłby być?

Ariel zaczęła zbierać rzeczy z podłogi i odkładać je na miejsce.

Raczej nie. Ale mam złe przeczucie. To może nic nie znaczyć, ale teraz przypominam sobie, że rano, kiedy wychodziłam z zamku, miałam wrażenie, że ktoś mnie śledzi. Kiedy się odwróciłam, nikogo nie było. Mogłabym jednak przysiąc, że ktoś tam był. Jeśli to ta sama osoba, to czego może ode mnie chcieć?

Czekając na odpowiedź, nie przerywała sprzątania. Kiedy po dłuższej chwili Riva wciąż milczał, przystanęła przy regale z książką w ręku i zapatrzyła się na nią w zamyśleniu.

Wiesz, kto to był, prawda?

Niechętnie, ale w końcu odpowiedział.

Mam pewne podejrzenia. I jeśli to ta osoba, to miałaś ogromne szczęście, że w tym czasie nie było cię w zamku. W ogóle powinnaś się cieszyć, że jeszcze żyjesz.

Ariel zmarszczyła brwi mocno zaniepokojona.

Jest aż tak niebezpieczny?

Tak. Na imię ma Argon. Przybył z mojego świata, zapewne po to, by cię zabić lub porwać. To bardzo okrutny wojownik, który włada potężną Mocą i służy złemu bogu.

Ariel doprowadziła w końcu swój pokój do porządku i przysiadła ciężko na łóżku porażona słowami kruka. Nawet nie chciała sobie wyobrażać, co mogło się stać, jeśli zastałby ją w tym czasie w pokoju lub dorwał gdzieś na pustej ulicy. Potarła dłonią zmarszczone czoło, zupełnie nie wiedząc, co o tym myśleć. Do tej pory wierzyła, że w szkole jest absolutnie bezpieczna. Co więc w takiej sytuacji miała zrobić?

Tak właściwie to czego on ode mnie może chcieć? Jestem tylko sierotą, nie mam pieniędzy i…

Po pierwsze, nie jesteś zwykłą sierotą. Ale to chyba sama powinnaś już zauważyć.

Riva nie tylko nie przejmował się tym, że jakiś zabójca chce ją dorwać, ale wydawał się nawet rozbawiony jej strachem.

Po drugie, masz więcej wspólnego z moim światem, niż ci się wydaje. Masz coś, czego pragnie jego bóg. Podejrzewam, że jeśli tego nie zdobędzie, będzie próbował cię zabić.

Nie rozumiem. Co takiego chce?

Nie domyślasz się?

Ze ściągniętymi brwiami wpatrywała się w przestrzeń przed sobą, myśląc intensywnie. Bezwiednie zauważyła, że czerwona cegła ścian kruszyła się w wielu miejscach. Nagle ją olśniło. Położyła dłoń na brzuchu, jakby w geście obrony.

Kamień! To jego chce?

Tak. A ponieważ tylko ty możesz korzystać z ich Mocy, będzie chciał cię dla siebie.

Korzystać? Kiedy ja nawet nie potrafię kontrolować jednego głupiego żywiołu!… Zaraz, zaraz… Ich?! Czyli tych Kamieni jest więcej? Gdzie one są? Jaką mają moc? Muszę wiedzieć, skoro grozi mi niebezpieczeństwo!

Riva znów milczał niepokojąco długo. Zaczynała się niecierpliwić, gdy w końcu się odezwał. Jednak to, co powiedział, ani trochę jej nie uspokoiło.

Wszystkiego dowiesz się w swoim czasie. Ta wiedza może ci teraz jedynie zaszkodzić. Im mniej wiesz, tym lepiej dla ciebie. Musisz uważać na tego Argona. Jeśli jeszcze raz się tu zjawi, za wszelką cenę nie daj się złapać.

Będę pamiętać – odburknęła.

Ta sprzeczka nie miała sensu. Ariel zrozumiała, że Riva nie zamierzał mówić jej nic konkretnego, a nie miała siły dłużej naciskać. Skoro twierdził, że powinna spokojnie czekać, to właśnie tak zrobi.

Wstała i ruszyła do drzwi.

Dokąd idziesz? – zapytał z niepokojem.

Do kuchni. Jestem głodna – odparła chłodno, zatrzaskując za sobą drzwi.

Jak zwykle ominęła ją pora kolacji, ale miała nadzieję wygrzebać jakieś resztki z lodówki. Po całym dniu była potwornie głodna, a przecież obiecała Mary, że będzie bardziej o siebie dbała.

W nocy zamek był dla niej równie piękny i bezpieczny, co w słoneczny dzień. Na lśniącej posadzce każdy krok odbijał się szerokim echem pod samo sklepienie. Fantazyjnie ozdobione kolumny przyciągały jej pełen podziwu wzrok.

Zamek był najbezpieczniejszym azylem, jaki znała. Jej domem. Kto chciałby się tu włamywać? I po co? Żeby ją zabić? To przecież wydawało się absurdalne. Riva pewnie przesadzał, by wzbudzić w niej większą czujność. Może faktycznie ktoś robił jej tylko głupie kawały i nie powinna się tym przejmować.

W kuchni zastała panią Mary. Na jej widok poczuła, jak uchodzi z niej całe napięcie.

– O, Ariel. – Kobieta przywitała ją ciepłym uśmiechem. – Nie byłaś na kolacji?

Ariel podeszła do stołu i opadła na krzesło, obdarzając kucharkę zmęczonym spojrzeniem.

– Nie, ja… uczyłam się i jakoś tak wyszło. Zostało coś jeszcze w lodówce? Umieram z głodu.

Kobieta roześmiała się z głębi szerokiej piersi. Drobne zmarszczki wokół oczu i ust napięły się przy uśmiechu, ale to tylko dodawało jej twarzy ciepła i uroku.

Wytarła ręce o biały fartuch i pochyliła się nad dziewczyną, klepiąc ją łagodnie po głowie.

– Tak podejrzewałam, że dzisiaj odwiedzisz starą kucharkę. Dlatego zostawiłam dla ciebie kanapki. – Podeszła do lodówki, wyjęła ze środka talerz, po czym postawiła go na stole, podsuwając zachęcająco w jej stronę. – Eve mówiła, że nie widziała cię na obiedzie – zagadała, kręcąc się po kuchni i zbierając brudne naczynia. – Wiem, że nauka jest bardzo ważna, ale nie powinnaś zaniedbywać godzin posiłków. W twoim wieku to szczególnie ważne.

Ariel miała pełne usta, więc tylko skinęła głową.

– Będę pamiętać – obiecała po dłuższej chwili, po czym wzięła się za drugą kanapkę.

Mary skończyła sprzątać i odwróciła się z rękami na biodrach, obserwując jedzącą w milczeniu. Ariel w końcu wyczuła wzrok kucharki i uniosła głowę. Zamarła na chwilę, przestając nawet przeżuwać.

Kobieta zmrużyła swoje wszystkowiedzące oczy, jakby chciała zajrzeć wprost do jej duszy.

– Nie chcę się wtrącać, ale mam takie przeczucie, że wcale nie siedziałaś w swoim pokoju.

Ariel przełknęła ślinę, próbując zachować całkowity spokój. Znów zabrała się za jedzenie, ale tym razem znacznie wolniej.

– Czemu pani tak myśli? – zapytała ostrożnie.

– Dzisiaj szukała cię pani Eryl. Mówiła, że nie było cię ani w pokoju, ani w bibliotece. Pytała o ciebie kilka razy.

Ariel zerknęła na kanapkę. Nagle poczuła, że ma dosyć i odłożyła ją na talerz.

– Byłam z koleżankami.

– Naprawdę? A gdzie?

Dziewczyna spojrzała kucharce prosto w oczy. Czemu okłamywanie tej kobiety sprawiało jej taką trudność?

Masz za miękkie serce, Ariel. Pamiętaj, że to dla twojego dobra.

Tym razem puściła jego słowa mimo uszu.

– Ariel?

– Tak?

– Czy ty przypadkiem nie wpadłaś w jakieś kłopoty?

Usłyszała śmiech, który nie należał ani do niej, ani do Mary. Nie rozległ się nawet w tym pomieszczeniu, a jedynie w jej głowie. Coś w jego brzmieniu budziło niepokój.

– Skąd taki pomysł? – wstała i podeszła do kucharki, by ją uściskać. Kochała tę kobietę jak babcię.

Kucharka westchnęła przeciągle i przytuliła ją matczynym gestem. Potem odsunęła od siebie i pogłaskała po głowie.

– Jesteś już taka duża, moje dziecko – pokręciła głową z niedowierzaniem. – Czas leci tak szybko, aż trudno w to uwierzyć, że jesteś już niemal kobietą.

– I dlatego proszę się o mnie nie martwić – odparła raźnie dziewczyna. – Umiem się o siebie zatroszczyć.

– Skoro dajesz mi słowo, to muszę wierzyć, że tak jest.

Kobieta rzuciła fartuch na oparcie krzesła i zaczęła się ubierać. Zatrzymała się przy drzwiach, posyłając Ariel ten szczególny uśmiech, który był przeznaczony tylko dla niej.

– Ja idę teraz do domu, a ty do łóżka. W końcu nie chcemy, żeby ktoś nakrył cię na szwendaniu się wieczorem po zamku.

Ariel pokiwała głową, kładąc dłoń na sercu.

– Jeszcze tylko napiję się wody i już mnie nie ma. Spokojnej nocy, pani Mary.

– Dobranoc, Ariel.

Kiedy kucharka wyszła, Ariel nalała sobie wody prosto z kranu i wypiła wszystko duszkiem. Uśmiechnęła się do siebie lekko. Żałowała, że Mary naprawdę nie jest jej babcią. Obecność kobiety choć w malutkim stopniu rekompensowała brak rodziny, za którą tak tęskniła. Bo choć nic nie pamięta, nie wątpiła, że przecież gdzieś tam ma jakąś rodzinę.

Bezwiednie bębniła palcami o marmurowy blat szafki, więc nie usłyszała krótkiego skrzypnięcia drzwi. Spokojnie umyła szklankę i odstawiła na suszarkę. Wycierała ręce o ścierkę, kiedy kątem oka zauważyła jakiś ruch. Był to ledwie cień na ścianie, lecz to wystarczyło, by wzbudzić jej czujność.

Zamarła, a jej serce zabiło gwałtowniej. Nakazując sobie spokój, bardzo powoli zaczęła się obracać. Próbowała ukradkiem wymacać palcami jakiś nóż, ale akurat żadnego nie było pod ręką. Zaklęła pod nosem.

W jasnym świetle lamp mężczyzna wcale nie prezentował się tak przerażająco, mimo to jego widok wzbudził w niej instynkt samozachowawczy. Zjawił się w kuchni, jakby po prostu się w niej zmaterializował. Dzielił ich jedynie dębowy stół.

Miał na sobie czarny długi płaszcz, a spod nasuniętego na czoło kaptura spozierały na nią surowe oczy o odcieniu głębokiej zieleni.

Ariel przez kilka długich sekund wpatrywała się w niego jak zahipnotyzowana. W pewnym momencie jednak zdała sobie sprawę, że to właściwy czas na ucieczkę.

Wydostać się z kuchni i nie dać się złapać. Teraz tylko to się liczyło.

Powoli zaczęła wycofywać się w stronę drzwi, uważnie obserwując nieznajomego. By odwrócić jego uwagę, odezwała się głośno.

– Czego chcesz?

Każdy jej krok do tyłu był odbiciem jego kroku do przodu. Niczym czający się drapieżnik spokojnie utrzymywał dzielącą ich odległość. Kiedy się odezwał, jego zachrypnięty, z pozoru obojętny głos zabrzmiał bardzo dziwnie w miejscu, gdzie żaden osobnik płci męskiej nie postawił jeszcze stopy. Ale jednocześnie nie było w nim agresji ani żadnych złych intencji. Ariel jednak wiedziała, że pozory mogą mylić.

– Ciebie.

– Dlaczego? Czego ode mnie chcecie? – zapytała. Mimo całej sytuacji, odczuwała autentyczną ciekawość.

Zrobił kolejny krok w jej stronę, tak lekki i szybki, że ledwo to zarejestrowała.

– Mój Pan wszystko ci wyjaśni. Ale oczywiście odpowiem na twoje pytania, jeśli ze mną pójdziesz.

– Nie mam ochoty nigdzie z tobą chodzić – odparła dobitnie i jak miała nadzieję, zdecydowanie.

Jeszcze tylko kilka kroków dzieliło ją od wyjścia.

„Podejrzewam, że jeśli tego nie zdobędzie, będzie próbował cię zabić". Przypomniała sobie ostrzeżenie Rivy i w tym momencie przeszył ją lodowaty dreszcz.

Ten człowiek przyszedł mnie zabić.

Dopiero teraz w pełni zrozumiała, w jak wielkim niebezpieczeństwie się znalazła. A tymczasem jakby nigdy nic, prowadziła tu sobie z nim przyciszoną konwersację.

Ale jestem głupia. Co ja tu jeszcze robię?!

Po raz ostatni spojrzała na zakapturzonego mężczyznę, wzięła się w garść i rzuciła do drzwi. Biegiem opuściła stołówkę i wybiegła na korytarz. Jej nogi jakoś same poprowadziły ją do gabinetu dyrektorki. W jej umyśle instynktownie pojawił się obraz dwóch skrzyżowanych mieczy wiszących nad biurkiem Pixton. To była prawdziwa broń, nie żadna zabawka. Jeśli już musi się bronić, to przynajmniej chciała mieć czym. Miała szczęście, że dyrektorka nigdy nie zamykała drzwi na klucz, gdyż inaczej musiałaby je wyważyć. Była tak zaaferowana, że nawet nie pomyślała, by użyć Mocy Kamienia.

W ciemności ledwo rozróżniała kontury mebli, ale jej wzrok szybko oswoił się z mrokiem. Podbiegła do biurka, chwyciła krzesło i zatarasowała nim drzwi. Następnie wróciła do ściany i wspiąwszy się na palce, zdjęła jeden z mieczy.

Jego czarna rękojeść idealnie wpasowała się w jej dłoń. Choć nigdy nie miała w ręku prawdziwego miecza i nie wiedziała, jak się z nim obchodzić, dotyk zimnej stali dodał jej odwagi.

Stanęła na środku pokoju i trzymając przed sobą oburącz klingę, skierowała jej ostrze w stronę drzwi. Czekała z sercem w gardle, gotowa bronić się, dopóki starczy jej sił.

Sekundy zdawały się przedłużać w nieskończoność. Kłykcie zbielały jej od kurczowego ściskania rękojeści, a całe ciało miała boleśnie napięte. Ta cisza i oczekiwanie doprowadzały ją do szaleństwa.

Podskoczyła, gdy ktoś szarpnął za klamkę. Pochyliła się lekko do przodu i poprawiła uchwyt miecza. Była gotowa zaatakować, jak tylko przekroczy ten próg.

– No dalej, chodź tutaj. Nie boję się ciebie – odezwała się głośno, prowokacyjnie.

Klamka znów poruszyła się gwałtownie i na moment zapanowała absolutna cisza. Ariel miała już nieśmiałą nadzieję, że jednak sobie poszedł, gdy krzesło gwałtownie przeleciało na drugi koniec pokoju. Drzwi otworzyły się z hukiem, niemal wypadając z zawiasów.

Na progu stanął mężczyzna w płaszczu. Wszedł do środka i widząc wycelowane w siebie ostrze, zaśmiał się cicho.

– Ta zabawka nic mi nie zrobi.

– To się jeszcze okaże – syknęła.

Rzuciła się w jego kierunku, na oślep tnąc mieczem powietrze wokół niego. Unikał jej ataków z niebywałą zwinnością i gracją, nie wykonując przy tym żadnego niepotrzebnego ruchu. Nie docenił jednak jej determinacji. W pewnym momencie uniosła ostrze, które ze świstem spadło na jego głowę. Zaskoczony odskoczył gwałtownie do tyłu. Zakrywający jego twarz kaptur zsunął się na plecy. Dysząc ciężko, Ariel zajęła bezpieczną odległość na drugim końcu pokoju. Próbowała złapać oddech i mimo panującego mroku mogła lepiej przyjrzeć się napastnikowi.

Miał surową podłużną twarz o mocno zarysowanych kościach policzkowych, na których widniał kilkudniowy zarost. Utkwione w niej oczy zdawały się nieruchome i chłodne, zaś usta wykrzywiał grymas niezadowolenia. Ale najgorsza była jego blizna. Brzydka, niezagojona szrama biegła od prawej skroni, przecinała policzek i kończyła się na brodzie. Bijąca od niego siła i pewność siebie przytłoczyły ją. Miała przed sobą prawdziwego wojownika, z którym – teraz to wiedziała – nie miała najmniejszych szans.

Gdy poruszył ustami, blizna na policzku zmarszczyła się brzydko, przecinając jego twarz niczym miniaturowa błyskawica.

– Nie dajesz mi wyboru.

Cofnęła się odruchowo, odrzucając klingę. Znamię na jego czole, którego do tej pory nie dostrzegła, rozjarzyło się delikatnie białym światłem. W tej samej chwili poczuła się ociężała i senna. Zachwiała się i odpłynęła w ciemność, prosto w jego ramiona.

Mężczyzna oparł jej bezwładne ciało o kolano, delikatnie przytrzymując głowę. Odsłonił nieco jej bluzkę, opuszkami palców dotknął złotego Kamienia i skinął do siebie głową. Z powrotem nasunął na głowę kaptur, przerzucił sobie dziewczynę przez ramię i bezszelestnie opuścił zamek.

Rozdział XVI

Zbliżając się do miasta, podróżujący samotnie mężczyzna owinął się ciaśniej starą opończą. Niedbałym ruchem nasunął na głowę kaptur, całkowicie ukrywając twarz w jego cieniu. Kiedy stanął przed drewnianą bramą, jeden ze strażników zagrodził mu drogę wyciągniętą włócznią.

– Kim jesteś i czego tu szukasz? – spytał ostro. Ubrany był w lekką tunikę i kolczugę. Przy pasie miał dodatkowy miecz, a na nogach i rękach metalowe ochraniacze. Po czole spływały mu strużki potu, jednak nawet nie próbował go otrzeć, uważnie lustrując przybysza.

– Kim jestem, to nie twoja sprawa. To, co tu robię, też nie powinno cię interesować, żołnierzu. – Wędrowiec wyciągnął spod tuniki sakiewkę i wcisnął w rękę mężczyzny, który z wprawą ocenił jej ciężar, po czym wzruszył ramionami i cofnął się.

Mężczyzna skinął mu głową i przeszedł przez bramę. Szybkim krokiem ruszył pospiesznie główną ulicą miasta, nie oglądając się na boki i dyskretnie obserwując mijających go ludzi.

De'Ilos było największym ośrodkiem kupieckim i portowym. To tutaj rozkwitała kultura, edukacja i handel całego Elderolu. Zbierały się tu wszelkie rasy i klany z całego kraju, nieustannie prowadzono wszelkiego rodzaju interesy oraz bujne życie towarzyskie.

Mężczyzna wtopił się w tłum na szerokiej ulicy. Przepychając się między przechodniami, jeszcze raz poprawił opończę, jakby w obawie, że ktoś może go rozpoznać.

Stragany, ustawione rzędem po obu stronach, ciągnęły się wzdłuż ulicy niczym gigantyczny wąż. Rozbrzmiewające bez przerwy pokrzykiwania handlarzy i dobiegające zewsząd rozmowy mieszały się ze sobą, tworząc zgiełk, w którym z trudem można było usłyszeć własne myśli. W barwnym korowodzie strojów przybyły dostrzegł herby pięciu głównych klanów. Dzisiaj najliczniejszą grupę stanowiła szlachta Klanu Drzewa, którego wizerunek widniał na ich zwiewnych szatach. To jednak nie oni przyciągali uwagę, lecz Elahti. Byli niezwykle piękni i smukli, zarówno kobiety, jak i mężczyźni. W swoich białych kosztownych strojach zdawali się emanować wewnętrznym światłem i jakąś melancholijną dostojnością. Elahti nosili w herbie Złotą Gwiazdę i nie trzeba było żadnych dowodów, by uwierzyć, że ich przodkami były Najstarsze Elfy.

Mężczyzna w szarej opończy przemykał brukowanymi ulicami miasta, nie zatrzymując się nigdzie i starając się jak najmniej rzucać w oczy. Dobrze ukryty w cieniu kaptura, obserwował czujnie okolicę i zwracał uwagę na każdego, kto znalazł się w zasięgu jego wzroku. Szczególnie trzymał się z daleka od strażników, wśród których dominowali mężczyźni z rodu Belthów – wojownicy słynący ze swojej odwagi i siły.

Kiedy skręcił w boczną uliczkę, a potem w jeszcze inną, naresztcie uwolnił się od miejskiego zgiełku i gwaru. Czasami tylko ktoś przeszedł mu drogę, na szczęście nie zaszczycając go choćby jednym spojrzeniem.

Po raz kolejny skręcił w wąski zaułek. Zatrzymał się na chwilę, by wyrównać oddech. Obejrzał się za siebie, wyłącznie z nadmiernej ostrożności. Gdyby ktoś za nim szedł, już dawno usłyszałby jego kroki. Był w tym lepszy niż najlepszy zwiadowca. Odetchnął kilka razy i ruszył wzdłuż ciemnej, brudnej uliczki. Zmarszczył ze wstrętem nos, nieprzyzwyczajony do ciężkiego odoru zgnilizny i śmieci.

Zatrzymał się na końcu ślepej uliczki, jeszcze raz spojrzał za siebie, po czym zapukał do ukrytych w ścianie niskich drzwiczek.

Minęła dłuższa chwila, nim skrzypnęły zardzewiałe zawiasy i drzwi uchyliły się odrobinę. Mężczyzna pochylił głowę i wszedł do środka, wprost w objęcia gęstej ciemności.

W wąskim tunelu czekał na niego kilkunastoletni chłopiec z twarzą umazaną ziemią. Uniósł wyżej trzymaną w ręku lampę i przyjrzawszy się dokładniej przybyszowi, skinął głową. W jego oczach czaiły się ostrożność i wrodzona przebiegłość.

– Dlaczego nie używasz swej Mocy, panie? – zapytał bezczelnie, swoim jeszcze dziecięcym głosem.

Mężczyzna uśmiechnął się nieznacznie.

– Mam swoje powody, Vandorze.

– Boisz się, że ktoś może cię rozpoznać, dlatego wolisz zachować środki ostrożności – stwierdził chłopiec, szczerząc zęby w uśmiechu.

Tym razem mężczyzna zaśmiał się cicho.

– Jak na swój wiek jesteś bardzo bystry. – Jego jasne tęczówki rozbłysły w mdłym świetle rzucanym przez lampę. – Zaprowadź mnie po prostu do zamku i nie zadawaj pytań, Vandorze. Znasz zasady – dokończył, poważniejąc.

Vandor skinął głową, przybierając poważny wyraz twarzy. Ruszył mrocznym tunelem, przyświecając im lampą, zaś mężczyzna podążał tuż za nim. Pokonali schody wiodące na dół, wprost w jeszcze ciemniejszą czeluść. Mrok i brud skrywały głęboko pod miastem całą siatkę wąskich, krętych tuneli, o których istnieniu wiedziało zaledwie kilka osób.

Przez całą drogę chłopiec milczał jak zaklęty, stawiając tak wielkie kroki, że mężczyzna z trudem za nim nadążał. Mały Vandor z całą pewnością zasługiwał na szacunek, tak doskonale orientował się w podziemnych przejściach. Był profesjonalnym przewodnikiem, a bijąca od niego pewność siebie dowodziła, że pod ziemią czuje się równie swobodnie jak na powierzchni. Bez tego małego spryciarza ciężko byłoby przemykać niezauważenie po mieście.

– Jak mają się twoi rodzice? – zapytał mężczyzna, depcząc chłopcu po piętach. Kołyszące się w niewielkiej dłoni światło rzucało na ściany ich podłużne cienie.

– Nie najgorzej. Ojciec wciąż narzeka na brak klientów, ale nawet matka się tym nie przejmuje. – Chłopiec zachichotał cicho. – Wciąż przechowuje, panie, twoją sakiewkę złota i codziennie liczy monety. Zastanawiam się, kiedy w końcu powie ojcu, że moglibyśmy przeprowadzić się do lepszej dzielnicy i przestać żyć jak żebracy.

– Dlaczego więc tego nie zrobicie?

Chłopiec wzruszył w ciemności ramionami.

– Ciężko opuścić miejsce, w którym spędziło się całe życie. Rodzice są zbyt sentymentalni, by zostawić dom. Jest nam ciężko i ledwo wiążemy koniec z końcem, ale jesteśmy razem. A to w końcu najważniejsze, prawda? Matka powiedziała, że wyniesiemy się stamtąd, kiedy uzna to za naprawdę konieczne.

– Mieszkacie przy wschodnim murze, prawda?

– Tak. To najgorsza i najbiedniejsza część miasta. Niektóre rodziny gnieżdżą się w jednym domu, bo nie mają pieniędzy na własne mieszkanie. Widać, kiedy człowiek jest na samym dnie, bo wtedy grzebie po śmietnikach i zjada nawet popsute jedzenie.

Mężczyzna zmarszczył brwi.

– Czemu wcześniej mi o tym nie powiedziałeś? Nie miałem pojęcia, że w De'Ilos również są slumsy.

– To problem hrabiego. Przecież od tego jest, żeby nie zawracać ci głowy każdą drobnostką. – Mały spojrzał przez ramię na swego towarzysza z chłodną zaciętością. – Czy gdybyś o tym wiedział, zrobiłbyś coś, by nasze życie choć trochę się polepszyło? Tutaj nie wystarczy rzucić parę złotych monet. Ludzie potrzebują domów i pracy.

Mężczyzna zwiesił głowę. Pytanie chłopca zawisło w dusznym tunelu, na chwilę wprowadzając napiętą ciszę.

– Na pewno bym się nad tym zastanowił – odparł w końcu przyciszonym głosem.

Chłopiec uśmiechnął się pod nosem, gdy wspinali się na górę po wąskich schodkach. Zatrzymał się na szczycie i odwrócił, oświetlając ich twarze. Znów przyjrzał się mężczyźnie w zadumie.

– Bycie królem jest bardzo trudne i męczące, prawda? – zapytał wprost, bez skrępowania, zaglądając mu prosto w oczy.

Mężczyzna odwzajemnił spojrzenie z ledwo dostrzegalnym, rozbawionym uśmiechem.

– Tak, Vandorze. To bardzo nużąca i trudna funkcja.

Chłopiec pokiwał poważnie głową, jakby w pełni go rozumiał. Po chwili wyszczerzył zęby w szerokim uśmiechu.

– Ty jednak jesteś dobrym królem. Będę spał spokojnie, wiedząc, że zawsze nas ochronisz.

Mężczyzna wyciągnął rękę i zmierzwił jego gęste włosy z cichym śmiechem.

– Dobrze wiedzieć, że jest ktoś, kto pokłada we mnie tyle nadziei. Gdyby każdy tak bezgranicznie mi ufał, w ludzkich sercach byłoby o wiele mniej strachu i zawiści – rzekł bardziej do siebie, po czym dodał głośniej: – Dziękuje ci, Vandorze. Możesz już wracać do domu – pochylił się i mrugnął do niego okiem. – Obiecuję, że jak tylko znajdę czas, to zajmę się sprawą slumsów.

Chłopiec rozpromienił się, ukłonił pospiesznie i popędził z powrotem ciemnym tunelem. Mężczyzna obserwował go przez chwilę, po czym odwrócił się do kolejnych drewnianych drzwi i już bez pukania wszedł do środka.

Znalazł się w jasnej, przestronnej kuchni. Wpadające przez duże okna słońce na chwilę go oślepiło. Rozchodzące się w powietrzu smakowite zapachy przypomniały mu, że od dawna nie miał nic w ustach. Nie zdejmując kaptura, stał spokojnie przy drzwiach i przypatrywał się biegającym w kółko służącym, czekając, aż ktoś go zauważy. W końcu podeszła do niego młoda dziewczyna i skłoniła się bez cienia zaskoczenia.

– Proszę za mną, panie. Hrabia Ceron czeka w gabinecie.

Wyszli z kuchni do mrocznej sieni, a potem ruszyli na górę po schodach. Znaleźli się w przestronnym, jasno oświetlonym holu. Przybysza zaskoczyło to, jak wiele się tu zmieniło w czasie jego nieobecności. Na półokrągłym korytarzu lśniły białe ściany i wypolerowana marmurowa posadzka. Nie było tu żadnych mebli, na ścianach wisiały jedynie portrety przedstawiające przodków obecnego hrabiego – mężczyzn o surowych, władczych twarzach. Nowością okazały się tkane złotem gobeliny wiszące wzdłuż wschodniej ściany. Każdy z nich przedstawiał inną scenę – bitwy, uczty i polowania były tu głównym motywem. Jednak środkowy obraz różnił się od pozostałych, jakby w ogóle tu nie pasował. Był wyszywany srebrną nitką i z daleka wydawał się tak delikatny, jakby był tylko wzorem widzianym we mgle.

Przedstawiał dziewczynkę siedzącą na leśnym mchu. Jej drobna dłoń głaskała białego jednorożca, który pochylał się nad nią, prawie dotykając chrapami jej dziecięcej twarzyczki. Oczy jednorożca zdawały się patrzeć na nią smutno, niemal z żalem. Natomiast twarz dziewczynki promieniała szczęściem i nabożnym uniesieniem, jakby dotknięcie tego magicznego stworzenia było szczytem jej szczęścia.

Gobelin był tak piękny i wzruszający, że mężczyzna przystanął mimowolnie. Obraz przyciągał swoją niewinnością i prostym wykonaniem. Pozwalał patrzącemu przenieść się do innego świata… Pełnego magii i dziecięcej dobroci…

– Panie, proszę za mną.

Głos dziewczyny wyrwał go z chwilowej zadumy. Służąca wskazała mu ręką szerokie schody prowadzące na piętro i nie oglądając się, ruszyła przodem.

Mężczyzna niechętnie odwrócił się od gobelinu. Zaczął wspinać się po stopniach, zastanawiając się, jak hrabia może patrzeć na ten obraz. W pierwszym momencie pomyślał, że to zwykły krajobraz, kaprys podstarzałego wojownika. Jednak twarz tej dziewczynki… Znał ją równie dobrze jak jej ojca. Poczuł smutek, kiedy oczami wyobraźni zobaczył roześmianą dziewczynkę biegającą po tym domu. Teraz zamek był tak cichy, że nawet jego kroki niosły się echem po holu.

Przeszedł za służącą przez szeroki korytarz pełen zamkniętych drzwi i obrazów. Wreszcie zatrzymali się na jego końcu przy podwójnych ciosanych z drewna drzwi.

Dziewczyna zapukała cicho i weszła do środka.

– Panie, twój gość czeka – oznajmiła z ukłonem.

– Dziękuję ci, Ida – odezwał się głęboki głos z głębi komnaty.

Służąca przepuściła mężczyznę, który bez wahania wszedł do gabinetu, po czym cicho zamknęła za sobą drzwi.

– Pokaż swoje znamię.

Za biurkiem siedział mężczyzna w średnim wieku. Długie białe włosy zawiązał z tyłu w koński ogon, zaś na sobie miał tunikę i prostą kolczugę, jaką noszą zwykli żołnierze. Mimo licznych zmarszczek znaczących jego surową twarz siedział prosto jak struna, a czekoladowe oczy z młodzieńczą przenikliwością lustrowały przybyłego.

Mężczyzna bez słowa wyciągnął lewą dłoń wierzchem do góry. Widniał na niej czarny tatuaż w kształcie kruczego pióra przecięty czerwoną pręgą.

Hrabia skinął głową i uśmiechnął się wyraźnie odprężony. Wstał zza biurka i skłonił się nieznacznie.

– Witaj, Wasza Wysokość.

Mężczyzna dopiero teraz zsunął kaptur na plecy i również się uśmiechnął.

– Wiesz, że nie lubię tego tytułu, stary przyjacielu.

Uścisnęli się serdecznie, napełniając gabinet wesołym śmiechem. Kiedy w końcu się przywitali, opadli na fotele przy ozdobnym kominku, w którym wesoło trzaskał ogień.

– Na pewno jesteś spragniony. Każę przynieść wino i coś do jedzenia. Ida! – krzyknął hrabia, nie czekając na odpowiedź.

Natychmiast w drzwiach pojawiła się ta sama dziewczyna, która przyprowadziła gościa.

– Tak, panie? – skłoniła się.

– Przynieś dla nas dzban wina, ser, owoce i ciasto – rozkazał hrabia.

– Tak, panie.

Służąca wyszła spełnić polecenie, a tymczasem gospodarz zwrócił się do króla:

– Miałem nadzieję, że niedługo mnie odwiedzisz.

– Minęło sporo czasu od naszego ostatniego spotkania. Widzę, że otaczasz się coraz młodszą służbą – zauważył ze śmiechem Riva.

– Lubię towarzystwo młodych. Dzięki nim starość aż tak bardzo mi nie dokucza.

Obaj wybuchnęli śmiechem.

– Nigdy się nie zmienisz, Ceronie.

– Ty też, Riva. Nadal jesteś taki blady i poważny. Jeszcze nie znalazłeś dla siebie żony?

Młodzieniec pokręcił głową.

– Nie mam teraz na to czasu – westchnął. – Zresztą to luksus, na który na razie mnie nie stać.

Ceron spojrzał na niego poważnie. W oczach starego przyjaciela czaił się głęboki smutek. Rozumieli się bez zbędnych słów. Po części dlatego, że obu nękały niezabliźnione rany. Obaj stracili wszystko, co kochali. A to łączyło ludzi lepiej niż łańcuchy.

– Nie możesz wiecznie być sam. Musisz spłodzić potomka. – Ceron uważał za swój obowiązek często pouczać młodego króla, co Rivę bardziej bawiło niż złościło. – Doszły mnie słuchy, że Mira z rodu Liścia ma na ciebie oko. Jeśli chcesz znać moje zdanie, wątpię, żebyś znalazł lepszą kandydatkę na…

– Widziałem gobelin na dole – przerwał mu Riva, chcąc jak najszybciej zmienić temat. – Jest bardzo piękny. To prawdzie arcydzieło.

Hrabia zamilkł i natychmiast spochmurniał. Odwrócił wzrok od przyjaciela i ze zmarszczonym czołem zapatrzył się w ogień. Kiedy w końcu się odezwał, głos mu zadrżał.

– Chciałem, by ta scena przedstawiała to, co było w niej najlepsze. Mara kochała zwierzęta, a szczególnie jednorożce. Ciągle powtarzała, że kiedyś spotka jednego… – przerwał, jakby nagle odebrano mu mowę. Przymknął na chwilę powieki, ukrywając pod nimi wzbierające łzy. – Teraz na pewno spełniła swoje marzenie – dodał po dłuższej chwili, prawie niedosłyszalnie.

– Naprawdę mi przykro, przyjacielu. Podzielam twój ból, choć znałem Marę bardzo krótko. Wiem, co to znaczy stracić ukochaną osobę. Riva przeniósł wzrok na zdobiony kominek i zapatrzył się w roztańczone płomienie, jakby to one były wszystkiemu winne. W komnacie zapadła cisza przesiąknięta smutkiem i nostalgią. Obaj pogrążyli się we własnych myślach, a każda była mroczniejsza od drugiej.

Wejście służącej przerwało ich kontemplację. Obaj drgnęli jednocześnie i spojrzeli na dziewczynę.

– Dziękuję, Ida – odezwał się cicho Ceron, gdy postawiła przed nimi tacę z winem i jedzeniem.

Nalał wina do dwóch srebrnych kielichów i podał jeden przyjacielowi.

– Dobre wino jest najlepsze na uśmierzenie bólu – odezwał się gorzko, opróżniając zawartość swojego kielicha. Ponownie go napełnił i umoczył w nim usta. Na jedzenie nawet nie spojrzał.

Riva spróbował wina. Nie przepadał za trunkami tego typu, jednak już po pierwszym łyku poczuł przyjemne ciepło rozlewające się po całym ciele. Rzeczywiście poczuł się znacznie lepiej, kiedy gorący żar w żołądku odciągnął myśli od przykrych spraw.

Hrabia spojrzał na króla, a w jego oczach znów pojawiły się żywe ogniki. Na niego wino podziałało znacznie szybciej i skuteczniej; na policzkach wykwitły zdrowe rumieńce, wypędzając resztki smutku.

– A teraz porozmawiajmy poważnie. Bo nie przyjechałeś tu chyba użalać się nad sobą?

Riva pokręcił głową i odstawił swój puchar. Ukroił sobie kawałek sera i zjadł ze smakiem.

– Argon ma do wypełnienia pewną misję i pomyślałem, że przez ten czas sprawdzę, jak miewa się mój stary przyjaciel.

– To dla mnie prawdziwa radość i zaszczyt gościć samego króla.

– A przy okazji… – Riva uważnie spojrzał na hrabiego. – Nie powinieneś dopuścić, by w mieście powstały slumsy. To znacznie osłabia nasze siły.

– Znowu rozmawiałeś z Vandorem? Nie powinieneś używać podziemnych przejść tak często.

Władca nerwowym ruchem przeczesał dłonią czarne włosy i pochylił się do przodu.

– Jest dobrym przewodnikiem i informatorem. Nie powinieneś go lekceważyć tylko dlatego, że jest dzieckiem. A wracając do sprawy, coraz więcej ludzi żyje w biedzie, Ceronie. Tracą pracę, nie mają co jeść... Mężczyźni będą woleli zdobywać jedzenie dla swoich rodzin niż walczyć.

Ceron zacisnął wargi, a na jego twarzy odmalował się niepokój.

– Nie miałem pojęcia, że jest aż tak źle – westchnął ciężko i pokręcił głową. – Czasy są coraz cięższe, a i handel teraz nie idzie najlepiej.

– Wiem, Ceronie, że jest ci ciężko. – W głosie Rivy zadźwięczała surowa nuta. – Jednak nie mogę przymykać oka na twoje rządy tylko dlatego, że znasz mnie od kołyski. A wiesz przecież, że sam nie przypilnuję całego kraju. Ludzie muszą czuć się bezpieczni i gotowi bronić swoich domów.

Ceron spuścił przygaszony wzrok. Jednocześnie z jego piersi wyrwało się zmęczone westchnienie.

– Wybacz, panie. Wiem, że zawiodłem jako hrabia.

– Och, daj spokój, Ceronie. Wybacz, jeśli cię uraziłem. Nigdy nie zamierzałem podważać twoich metod...

– Ale jestem już stary i mniej czujny. Wiem – dokończył gorzko hrabia. Uniósł wzrok z cierpkim uśmiechem. – Wiem, że nie potrafię już zarządzać miastem jak kiedyś. Jestem już zmęczony. – Potarł palcami wysokie czoło. – Naprawdę zmęczony... A teraz, gdy Areel zginął...

– Tak – mruknął Riva, opadając na oparcie fotela. – Niezwyciężony zaczyna się budzić. – Wypowiedziane głośno słowa zaległy ciężko w gabinecie, niczym ciemne chmury zwiastujące burzę. – Jego armia już zaczyna zbierać się pod Czarną Wieżą, choć nie dostali jeszcze żadnego rozkazu od swojego pana.

Riva zmarszczył brwi.

– Jego prawa ręka doskonale wie, czego oczekuje od niego jego pan.

– Nie powinieneś się dziwić – odparł Ceron. – Chce jak najszybciej zebrać jak największą armię, by przypodobać się swojemu bogu.

Riva wstał gwałtownie i zaczął niespokojnie krążyć po komnacie.

– Moi ludzie zarejestrowali duże grupy centaurów i zwierzołaków wędrujących na wschód. Wiedziałem, że przeszedł na jego stronę, ale myślałem... miałem nadzieję...

– Nadzieja jest matką głupich, królu. Nie zapominaj o tym – przerwał mu Ceron, obserwując jak krąży w tę i z powrotem. – Powinieneś pogodzić się z tym już dawno i lepiej skupić na tym, co dzieje się w Elderolu. Słyszałem, że ludzie ze wsi uciekają do miast, bo ich domy są rabowane i palone. Pan Śmierci nie marnuje czasu, nawet gdy śpi w swojej lodowej trumnie.

– Pan Śmierci? – Riva przystanął na chwilę i spojrzał na przyjaciela.

– Tak nazywają go jego słudzy. – Hrabia napił się wina. – Niezwyciężony ma wiele imion. Pan Śmierci, Bóg Zniszczenia, Ten, Który Został Zrodzony z Ciemności.

– Interesujące – mruknął Riva i znów zaczął przemierzać niewielką komnatę. – Widzę, że masz naprawdę dobrych informatorów.

– Moi ludzie są najlepsi. Są dyskretni i nie marnują czasu. Gdybym posiadał choć cząstkę twojej Mocy, nie potrzebowałbym ich pomocy.

– A więc oskarżasz mnie, że zaniedbuję swoje obowiązki?

– Ależ skąd, przyjacielu.

Riva podszedł do okna i zapatrzył się gdzieś w dal. Westchnął ciężko i potarł lewą ręką czoło. Nawet znajome ciepło przepływającej Mocy nie było teraz w stanie go uspokoić.

– Wiem, że żaden ze mnie król. Ludzie nie chcą słuchać dzieciaka w koronie. Nienawidzę tego tytułu, ale naprawdę się staram, żeby moim poddanym było dobrze. Teraz przede wszystkim muszę zadbać o bezpieczeństwo Elderolu i zacząć działać.

– Właśnie za to cię lubię, chłopcze. Wiek, zapał i zdolności są twoim największym atutem. Doświadczenie i zaufanie przyjdą z czasem.

Tymczasem masz za sobą ludzi, którzy bez wahania pójdą za tobą w ogień. – Hrabia odstawił pusty puchar i wziął z miski świeży owoc.

– Zawsze masz dla nie dobre słowo, Ceronie. – Riva uśmiechnął się do niego blado. – Prawda jest jednak taka, że straciłem czujność. Powierzyłem nasze bezpieczeństwo Areelowi, a zapomniałem, że to ja przecież jestem królem. Był z nami tak długo, że myślałem, że tak będzie zawsze. Za bardzo polegałem na jego radach i doświadczeniu. – Król zacisnął pięści w bezsilnej złości. – Zaledwie odszedł, a już wróg zaczyna się panoszyć, jakby był pewny zwycięstwa. Nie mogę patrzeć na to spokojnie.

– Więc trzeba coś z tym zrobić – odparł ze spokojem hrabia.

– Masz rację. – Riva znów zapatrzył się w okno. – Rekrutacja i szkolenie nowych wojowników zajmie trochę czasu, ale nie mamy wyjścia. Niedługo zwołam zebranie klanów, by ustalić plan dalszych działań. Trzeba już teraz mobilizować ludzi, zająć się ochroną miast i gromadzeniem zapasów.

– Sądzę, że mamy wystarczająco dużo czasu. Wróg nie zaatakuje otwarcie, dopóki jego pan nie odzyska sił. A to zajmie przynajmniej parę miesięcy. Teraz przede wszystkim musimy sprowadzić Potomka.

Riva skinął ponuro głową.

– Bez niego zginiemy. Na nic zdadzą się armie, jeśli nie będziemy mieli Mocy Kamieni.

– Z Potomkiem czy bez niego, nie możemy czekać z założonymi rękami. Trzeba działać szybko, ale rozważnie.

Riva spojrzał na hrabiego, po czym skrzyżował ręce na piersi i zamyślił się głęboko. Czekało go dużo pracy i przez moment zawahał się, czy poradzi sobie w obliczu takiej odpowiedzialności. Bądź co bądź wciąż czuł się jeszcze chłopcem, który nigdy nie miał do czynienia z prawdziwą wojną. Mimo że Niezwyciężony nadal leży zamknięty w swoim lodowym grobowcu, jego słudzy już stali się niezwykle kłopotliwi. Będzie musiał szybko coś zrobić, by sytuacja nie wymknęła mu się spod kontroli.

Z goryczą pomyślał o Areelu, który z pewnością wsparłby go swoją wiedzą i mądrością. Wciąż czuł się winny, że nie był przy nim, gdy umierał. Jak mógł to przeoczyć? Przecież łączyła ich niemalże braterska więź. Zawsze pierwszy wiedział, gdy Potomek potrzebował jego pomocy i niezwłocznie zjawiał się u jego boku, jakby wezwany mentalnym okrzykiem. A teraz to Argon przyniósł mu tę smutną wiadomość. Czyżby jego zmysły tak bardzo się stępiły?

Spojrzał na swoje znamię na dłoni. Znamię, dzięki któremu został królem i które zostało przeklęte. Czerwona blizna przecinająca znak wciąż nie chciała się zagoić, choć przez te lata próbowano już wszystkiego. Odkąd została mu zadana, za każdym razem gdy używał Mocy, dłoń paliła żywym ogniem. Może dlatego stracił czujność? Ból nie pozwalał mu na wykorzystanie całej Mocy. Czyżby...

– Usiądź, przyjacielu, i zjedz coś, a potem na spokojnie wszystko omówimy.

Głos Cerona wyrwał go z rozmyślań. Spojrzał na przyjaciela i zachęcony jego przyjaznym uśmiechem skinął tylko głową. Z westchnieniem opadł na fotel naprzeciwko hrabiego. Przy marmurowym kominku, w towarzystwie starego towarzysza i nauczyciela, poczuł się mile odprężony i spokojny.

Nalał sobie wina i upił łyk, delektując się ciepłem rozlewającym się po żyłach. Zerknął na jedzenie, ale nie miał ochoty niczego próbować. Działanie było dla niego najlepszym lekarstwem na utrapienia. Miał przed sobą wiele pracy. Tak dużo pracy i jeszcze więcej obowiązków...

– Nie krępuj się, przyjacielu – odezwał się wesoło hrabia, widząc, jak Riva zerka na opróżniony do połowy dzban z winem. Z każdym kolejnym łykiem smakowało mu coraz lepiej. Może dlatego, że było wyjątkowo słodkie, z delikatną, niemal niezauważalną nutką goryczy.

Skinął więc ochoczo głową i napełnił ponownie swój kielich. Teraz był w nieco lepszym nastroju. Powoli zapominał o troskach, myśli miał jasne i po raz pierwszy od bardzo dawna mógł się odprężyć i nie myśleć o niczym.

Podnosząc puchar w geście toastu, uśmiechnął się do przyjaciela.

– Za twój dom, hrabio, i za twoją serdeczną gościnność. Oby Launa czuwał nad tobą i kierował twoimi czynami – wypowiedział formułkę, po czym wypił do dna.

– Za przyjaźń – odpowiedział cicho starzec.

Ogień dogasał już w kominku, a za oknem pojawiły się pierwsze gwiazdy. Król odstawił w końcu pusty kielich i smętnie spojrzał na dzban, w którym nie było już ani kropli trunku. W głowie kręciło mu się jak nigdy przedtem, ale przynajmniej był w dobrym humorze. Oparł głowę na oparciu fotela i mętnym wzrokiem przesunął po gabinecie aż w końcu zatrzymał spojrzenie na przyjacielu. Może to przez te mgłę zasnuwającą oczy, ale zdawało mu się, że hrabia wygląda nieco inaczej. Czy to był wyraz twarzy, czy może błysk w oku? Wszystko zaczynało mu się mieszać.

– Powiedz mi, Ceronie…

– Słucham, królu. – Głos starszego wojownika dobiegał jakby z daleka i odbijał się echem, raniąc boleśnie każdy nerw.

– Ja… – Riva nagle urwał, a jego twarz pobladła z przerażenia, gdy zdał sobie sprawę, że ma sparaliżowane usta, a z jego gardła nie wydobywa się żaden dźwięk. Ciężkie jak z ołowiu powieki same mu się zamykały. Dostrzegł jeszcze tylko, jak hrabia podnosi się z fotela i staje nad nim z ponurym wyrazem twarzy. Władca osunął się z fotela, nie panując dłużej nad swoim ciałem. Krew uderzyła mu do głowy, pulsując przeraźliwie głośno, zagłuszając wszystko inne, nawet bicie serca.

Ktoś coś powiedział, ale słowa przepłynęły obok i wtopiły się w ciemność, która go ogarniała.

W ostatnim przebłysku świadomości dotarła do niego przerażająca prawda. Otworzył szeroko oczy, ale zaraz potem upadł na zimną posadzkę i stracił przytomność.

Rozdział XVII

rzebudziła się w jakimś obcym pokoju. Czuła dziwny, tępy ból głowy, więc nie od razu skojarzyła sobie, co się stało. Sprawdziła, czy może wstać i kiedy już nieco doszła do siebie, rozejrzała się uważnie wokół.

Pokój zalewało jedynie słabe światło księżyca oraz małej nocnej lampki. Kiedy w końcu jej oczy przyzwyczaiły się do mroku, zauważyła, że prócz łóżka, na którym siedziała, i stolika było tu wręcz przytłaczająco pusto.

Nagle dostrzegła jakiś ruch przy oknie i natychmiast rozpoznała ukrytą w cieniu sylwetkę. Wtedy też wróciły wszystkie wspomnienia. Przypomniała sobie, jak walczyła z mężczyzną z paskudną blizną na twarzy, a potem nagle straciła przytomność.

A więc zostałam porwana.

Przerażenie ścisnęło jej gardło. Co zamierza z nią teraz zrobić? Czy ktoś w szkole zauważył już, że jej nie ma? Spojrzała na nocne niebo, zastanawiając się, jak długo już tu jest.

– Widzę, że w końcu się obudziłaś.

Mężczyzna poruszył się i odwrócił w jej stronę, choć jego twarz nadal pozostawała w mroku. Ariel drgnęła na dźwięk jego szorstkiego głosu. Szybkim spojrzeniem omiotła pokój i zatrzymała wzrok na zamkniętych drzwiach. To była jej jedyna droga ucieczki. Może jej się uda, jeśli…

– Nie radzę. Drzwi są zamknięte, a ja mam klucz.

Jęknęła cicho i spojrzała na mężczyznę.

– Czego ode mnie chcesz? – spytała. – Przecież mówiłam, że…

– Jak już wspominałem, ciebie – przerwał jej spokojnie.

– Dlaczego? – Chciała to usłyszeć z jego ust, nawet jeśli te słowa miały tylko potwierdzić ostrzeżenie Rivy. I nawet jeśli miałyby być ostatnimi słowami, jakie usłyszy.

Mężczyzna ponownie odwrócił się do okna.

– To był jedyny sposób, żeby cię zatrzymać. Przykro mi, jeśli byłem zbyt szorstki. Miałem cię odnaleźć i wykonałem zadanie. A teraz, jeśli chcesz wyjść stąd cała, to musisz wybaczyć mi i to.

Zanim zorientowała się, co miał na myśli, wykonał nieznaczny ruch ręką. Nagle jej ciało zesztywniało, jakby ktoś związał ją niewidzialnymi sznurami. Nie mogła nawet kiwnąć palcem. Otworzyła szeroko oczy i spojrzała z przerażeniem na mężczyznę.

– Co… mi zrobiłeś? – wyjąkała przez zaschnięte gardło.

– Muszę mieć pewność, że nie uciekniesz – odparł spokojnie. – Zanim stąd odejdziemy, chciałem wyjaśnić kilka rzeczy, dlatego wolę, żebyś siedziała spokojnie.

– Nigdzie z tobą nie pójdę! – krzyknęła. Jednocześnie próbowała zmusić ciało do posłuszeństwa. Bez skutku. Musiała znaleźć sposób, by się jakoś uwolnić…

– Nie masz wyboru. Twój los został przypieczętowany dawno temu i żadne z nas nie ma na to wpływu.

– Jaki los? – Słuchała go jednym uchem, uparcie walcząc z niewidzialnymi więzami, choć i tak wiedziała, że to nic nie da. Musiała jednak coś robić, by zagłuszyć wściekle bijące serce.

Mężczyzna usiadł przy stoliku w zimnej smudze księżycowego światła padającego wprost na jego twarz. Ariel widziała go teraz lepiej, ale robiła wszystko, by nie patrzeć na jego bliznę. I te oczy, które wręcz przeszywały ją na wskroś.

– To nie ma sensu – odezwał się po dłuższej chwili, przyglądając się jej wysiłkom. – Lepiej oszczędź siły. Mamy trochę czasu, więc możemy porozmawiać, a potem…

– Rozmawiać!? – warknęła podniesionym głosem. – Wybacz, ale nie mam najmniejszej ochoty z tobą rozmawiać! Chcę wracać do domu!

– Do domu? – uniósł brwi, a jego usta wygięły się w coś na kształt cierpkiego uśmiechu. – Właśnie tam mam zamiar cię zabrać.

– Co? – uspokoiła się na moment i w końcu popatrzyła na niego uważniej.

– Zabieram cię do domu – powtórzył.

– Jak to do domu? – gapiła się na niego zdezorientowana, marszcząc przy tym brwi. – Przecież ja mieszkam w szkole Pixton… w zamku.

– Jak można mieszkać w szkole? Masz chyba jakiś prawdziwy dom – pochylił się do przodu i zmrużył z zaciekawieniem oczy. Tak jak wcześniej w jego postawie nie było wrogości. To prawda, że otaczała go jakaś chłodna szorstkość, ale poza tym nie sprawiał wrażenia, jakby zamierzał ją skrzywdzić. Wręcz przeciwnie. Wydawał się szczerze nią zainteresowany. Ariel jednak nie zamierzała dać się zwieść pozorom.

– Nie mam domu – odparła po prostu. – Od zawsze mieszkałam w zamku.

– A wcześniej? Musiałaś mieszkać gdzie indziej – dopytywał.

– Oczywiście! To znaczy… tak jakby – westchnęła ciężko. Spojrzała na niego przelotnie, a potem wbiła wzrok w podłogę. Nie mogła pozwolić, by cokolwiek zdradziło mu, jak bardzo się boi. Zagryzła dolną wargę, myśląc gorączkowo. Jeśli tylko się uspokoi i będzie cierpliwa, to okazja w końcu sama się trafi. – Szkoła to jedyny dom, jaki znam – odezwała się w końcu cicho. – Nie pamiętam, co było wcześniej. Nie pamiętam rodziny ani w ogóle niczego poza szkołą.

– Rozumiem – mruknął do siebie ponuro, po czym spytał: – Więc jak trafiłaś do tej szkoły?

Nie podobało jej się, że tak ją wypytywał. Mimo to coś kazało odpowiadać jej szczerze na każde pytanie.

– Już mówiłam, że nie pamiętam. Nauczycielka mówiła mi, że przybyłam do szkoły z jakimś chłopcem, kiedy miałam pięć lat. Nic więcej nie wiem.

Kątem oka dostrzegła, że skinął głową z nieco przygaszonym wyrazem twarzy. Obserwowała, jak wstaje i zaczyna krążyć po pokoju. Przez długi czas milczeli oboje i ta cisza zaczynała jej ciążyć. Mężczyzna tak bardzo się zamyślił, że na moment zapomniał o jej obecności. Miarowym krokiem przemierzał niewielkie pomieszczenie niczym żołnierz pełniący wartę.

Ariel mimowolnie śledziła jego kroki i dopiero teraz zauważyła, że zdjął swój płaszcz. Dzięki temu mogła przyjrzeć się temu, co miał na sobie. Jego ubranie zupełnie nie pasowało do dwudziestego wieku. Wyglądał, jakby wyszedł prosto z balu maskowego: nosił długą lekką tunikę przepasaną na biodrach szerokim czarnym pasem. Ręce i nogi zdobiły czarne rzemienie. Zielonkawe spodnie z nieznanego jej materiału opinały nogi i biodra. Dopiero po chwili zauważyła, że u pasa ma przypięty sztylet. Zawładnął nią paraliżujący strach, gdy wyobraziła sobie, z jaką łatwością to ostrze przebija jej ciało.

Odważyła się unieść wzrok i spojrzała na jego twarz. Na szczęście był tak zamyślony, że przez chwilę mogła popatrzeć na niego bez skrępowania. Rysy jego twarzy były surowe, ale doszła do wniosku, że gdyby nie ta paskudna blizna na policzku nie wyglądałby wcale groźnie i odrażająco. Na czole miał śnieżnobiały tatuaż w kształcie pióra. Identyczny jak jej medalion. Czyż to nie był naprawdę dziwny zbieg okoliczności?

Im dłużej mu się przyglądała, tym bardziej traciła nadzieję na ucieczkę. W końcu już raz dał jej krótki popis swoich umiejętności, a była pewna, że to był tylko przedsmak jego prawdziwej siły. Jeśli zamierzała stąd uciec, to musiała się naprawdę bardzo postarać.

Księżyc skrył się między chmurami i do pokoju wślizgnęła się ciemność. Ariel zaczynała się martwić. Od siedzenia w jednej pozycji zdrętwiały jej wszystkie mięśnie, a w przytłaczającej ciszy słyszała jedynie niespokojne bicie własnego serca. Co jakiś czas wzywała w myślach Rivę, ale odpowiadała jej jedynie pustka. Tak samo jak rano, kiedy wychodziła ze szkoły. To oznaczało, że był poza zasięgiem i nie mogła liczyć na jego pomoc.

A więc sama musiała sobie jakoś poradzić.

Obserwując jego kroki, czuła że zaraz zwariuje. Jej wyobraźnia działała na najwyższych obrotach, tylko podsycając jej strach. Wolałaby już chyba, żeby rozprawił się z nią od razu, niż siedzieć tak nie wiadomo ile i czekać nie wiadomo na co.

– Słuchaj, jest już późno, a ja naprawdę chcę wracać do domu – odezwała się w końcu spokojnie. Aż sama się zdziwiła, że jej głos nawet nie zadrżał. – W szkole już pewnie zauważyli, że zniknęłam i będą mnie szukać.

Mężczyzna drgnął i w końcu się zatrzymał. Spojrzał na nią jak na osobę, którą widzi się pierwszy raz w życiu. Wciąż miał zamyślony wyraz twarzy, jakby rozważał właśnie niezwykle trudny problem. Wyszukał wzrokiem zegar, a potem spojrzał na niebo za oknem.

– Już niedługo. Bądź cierpliwa. Musimy poczekać aż miasto całkiem opustoszeje. Wolałbym, żeby nikt nie zauważył, jak przechodzimy przez wrota. To mogłoby...

– Jakie znowu wrota? – warknęła ze złością, przerywając mu gwałtownie. Miała wrażenie, że mężczyzna gada od rzeczy. – Wybacz, ale nie mam pojęcia, o co tutaj chodzi i na pewno nie mam zamiaru przechodzić z tobą przez żadne wrota. A poza tym trochę mi tu niewygodnie.

Mężczyzna oderwał wzrok od okna i przyjrzał się jej z uwagą. Gdy w końcu się odezwał, jego głos nieco złagodniał, choć wyraz twarzy pozostał niewzruszony.

– Przez to wszystko zapomniałem się przedstawić – złożył nieznaczny, ale za to pełen gracji ukłon. – Jestem Argon, kapitan osobistej...

– Wiem, kim jesteś – syknęła bez namysłu.

Wyprostował się i uniósł brwi. Poczuła satysfakcję, widząc jego zaskoczenie.

– Riva opowiadał mi o waszym świecie. Ostrzegał mnie też przed tobą.

– Riva? – spytał kompletnie zaskoczony.

Jej uśmiech stał się szerszy, kiedy mężczyzna się zawahał. Zapewne nie spodziewał się, że może tyle wiedzieć. Nagle zapragnęła mówić dalej.

– Tak. Mówił mi też, że w waszym świecie jest teraz wojna i że służysz złemu bogu. Dlatego mnie porwałeś, prawda? Bo mam coś, co chcecie zdobyć – spojrzała na niego z triumfem. – Wiem, po co tu przybyłeś. Chcesz, bym wam służyła, a jak się nie zgodzę, to mnie zabijesz. Czemu nie zrobisz tego tutaj?

Mężczyzna gapił się na nią oszołomiony.

– Ariel, ja...

Nie zdążył dokończyć. W tej chwili oboje usłyszeli przeciągły gwizd i szum skrzydeł, niczym huk gromu. Jak na komendę jednocześnie spojrzeli w okno.

Przez chwilę nic się nie działo, a potem okienna szyba rozprysła się na tysiąc drobnych odłamków i do pokoju wleciał sporych rozmiarów kruk. Był znacznie większy od tego, którego znała, ale jakże mogłaby go nie rozpoznać?

Nic ci nie jest, Ariel?

Nie. Znajomy baryton napełnił jej serce radością i nadzieją.

Ptak zatoczył koło pod sufitem. Jego czarne oczy szybko lustrowały pomieszczenie, oceniając sytuację. Oderwał wzrok od siedzącej na łóżku Ariel i spojrzał na mężczyznę, który na jego widok cofnął się pod ścianę. Jego twarz zbladła gwałtownie i wyćwiczonym ruchem chwycił za rękojeść sztyletu.

Kruk machnął skrzydłami i zakrakał donośnie, po czym zaatakował mężczyznę. Zaczął krążyć wokół jego głowy i uderzać skrzydłami. Co raz atakował go dziobem lub szponami, robiąc przy tym mnóstwo hałasu. Argon mógł jedynie zasłonić twarz rękami i próbować uskakiwać przed gwałtownymi atakami. Całą uwagę skupił na obronie, całkowicie zapominając o Ariel, która przyglądała się tej scenie z szeroko otwartymi oczami.

Ariel, uciekaj! Teraz!

Głos Rivy wdarł się do jej głowy i natychmiast ją otrzeźwił. *Nie mogę się ruszyć.*

Poczuła wokół siebie drganie powietrza i w następnej chwili, bez żadnego ostrzeżenia, runęła na łóżko. Przez parę sekund obolałe ciało stawiało opór, ale w końcu udało jej się wstać. Zrobiła kilka niepewnych kroków i gdy już upewniła się, że w pełni odzyskała kontrolę, pobiegła do drzwi.

Szarpnęła za klamkę, obserwując jednocześnie mężczyznę, który był zbyt pochłonięty walką z ptakiem, by zwrócić na nią uwagę. Spostrzegła, że na twarzy i rękach ma już liczne rany, z których sączy się krew. Nie litowała się nad nim, nawet gdyby miał teraz zginąć. Za trzecim szarpnięciem przypomniała sobie, że drzwi są zamknięte.

– Klucz! – krzyknęła do Rivy.

Ptak wydał z siebie ogłuszający pisk. Mężczyzna upadł na kolana i zatkał sobie rękami uszy. Ariel była zmuszona zrobić to samo. Wibrujący, wysoki dźwięk wwiercał się prosto do mózgu. Oślepił ją na sekundę, o mało nie powalając na ziemię. Zamknęła oczy i zacisnęła szczęki niemal do bólu. Wrażenie było takie, jakby każda komórka jej ciała została porażona prądem pod bardzo wysokim napięciem.

Ariel! Przez śmiertelny dźwięk dotarł do niej niewyraźny głos Rivy. *Bierz klucz i uciekaj!*

Nie musiał powtarzać tego dwa razy. Na chwiejnych nogach, nadal z rękami przy uszach, dobiegła do na wpół przytomnego mężczyzny. Jak tylko odsunęła dłoń od ucha, przeraźliwy pisk o mało nie pozbawił ją przytomności. Czując ogarniające ją mdłości, zmusiła się, by wolną ręką przeszukać ubranie leżącego.

Miała wrażenie, że każda minuta trwa godzinę, a ręka tak jej drżała, że z trudem cokolwiek wyczuwała. Jakby tego było mało, całe ciało pulsowało boleśnie w rytm dźwięku, który wciąż wypełniał pokój. Trwało to tak długo, że chwilami zaczynała tracić zmysły, a przed oczami pojawiały się czarne plamki. Wreszcie jej palce wymacały coś na szyi mężczyzny. Kluczyk wydawał jej się nienaturalnie mały, ale nie zastanawiała się teraz nad tym. Szarpnęła rzemyk, na którym był zawieszony, zaskoczona własną determinacją i siłą.

Nie zważając na zawroty głowy i obezwładniający ból, wróciła do drzwi i wetknęła kluczyk do zamka. Zamglonym wzrokiem zobaczyła, że był naprawdę malutki i z pewnością nie mógł być tym, którego szukała. Z rozpaczy miała ochotę w końcu poddać się i upaść tam, gdzie stała.

Przemogła się jednak i odrzuciwszy kluczyk na bok, z powrotem podeszła do mężczyzny.

Co się stało? – spytał Riva, krążąc po pokoju.

– To… nie… ten… klucz… – wyjąkała, z trudem wypowiadając każde słowo.

Wytrzymaj, Ariel. Jeśli to przerwę, to odzyska przytomność i cię zabije.

Ariel przełknęła głośno ślinę i spróbowała skinąć głową. Upadła na kolana przy nieruchomym ciele i wyciągnęła rękę.

Poszukaj przy pasku.

Pospiesznie sięgnęła do miejsca, które jej wskazał. Rzeczywiście tam był. Wisiał z boku, na cienkim sznurku. Chwyciła klucz, resztkami sił zerwała linkę i wróciła do drzwi. Ręka jej drżała, kiedy wkładała klucz do zamka, ale w końcu jej się udało. Kiedy w środku rozległo się ciche kliknięcie, wydała z siebie okrzyk radości.

Uciekaj, a ja go tu jeszcze zatrzymam.

– Dobrze! – krzyknęła głośno.

Otworzyła drzwi i wyskoczyła na wąski korytarz. Zaczęła biec tak szybko, jak tylko mogła. Z każdym krokiem zabójczy dźwięk cichł, a razem z nim mijał ból i zawroty głowy.

Na końcu korytarza zatrzymała się na chwilę, by złapać oddech. Odwróciła się, ale nikt jej nie gonił. Z tłukącym się o pierś sercem spojrzała na windę, a potem na schody. Kusiło ją, by do niej wsiąść i trochę odpocząć, ale to było zbyt ryzykowne. W końcu nie wiadomo, jak długo jeszcze Riva zdoła zatrzymać tego mężczyznę.

Rzuciła się ku schodom i popędziła na dół, przeskakując po dwa stopnie na raz. Nie przejmowała się, że robiła przy tym tyle hałasu. Była już późna noc i ludzie dawno spali. Cały hotel zdawał się cichy i pusty, więc gdyby coś jej się tu stało, nikt by nawet się o tym nie dowiedział. Ta myśl dodała jej siły do dalszego biegu.

Zdyszana w końcu stanęła w dużym holu. Zgięła się w pół, opierając ręce na kolanach i oddychając głęboko. Rozejrzała się wokół, ale i tu nie było żywej duszy. Jedyne źródło światła stanowiła mała lampka przy pustej recepcji.

Kiedy jej serce nieco się uspokoiło, Ariel podbiegła do szklanych podwójnych drzwi. Wyciągnęła rękę, by je otworzyć, ale klamka nie ustąpiła pod jej dotykiem. Sfrustrowana, uderzyła pięścią w szklaną powierzchnię i jęknęła głośno. To była ostatnia bariera dzieląca ją od wolności.

Odetchnęła głęboko, by się uspokoić, i spojrzała za siebie. Na razie nikt jej nie gonił, ale co będzie, jak mężczyzna się ocknie i zacznie jej szukać? Nie mogła wiecznie tu tkwić. Wystarczy, że się stąd wydostanie, a będzie mogła wrócić do szkoły.

Przeniosła wzrok z powrotem na palce zaciśnięte na klamce.

Riva zabronił mi tego, ale przecież muszę się stąd jakoś wydostać. Już raz otworzyłam zamknięte drzwi, więc może i tym razem się uda.

Przypomniała sobie, jak pod jej dotykiem ustąpiły wrota biblioteki. Teraz była równie zdeterminowana. Nie wiedziała, jakim cudem udało jej się wtedy tego dokonać, ale może jeśli spróbuje i dostatecznie się skupi… Przymknęła oczy i wzięła parę głębokich wdechów. Nie musiała długo szukać. To było nawet łatwiejsze, niż przypuszczała. Wystarczyło zamknąć oczy, a Moc niemal natychmiast znalazła się w zasięgu jej rąk.

Złoty ogień emanował ciepłem i czystą energią. Odnalazła go od razu, bo wiedziała, gdzie szukać. Tam, gdzie na brzuchu znajdowało się złote znamię.

Tak jak wcześniej manipulowała cząsteczkami powietrza, tak teraz w podobny sposób zaczerpnęła pojedynczy płomyk. Zaraz potem natychmiast się wycofała, by nie pokusić się przypadkiem o więcej. Było to takie łatwe, że aż nie mogła uwierzyć własnemu szczęściu. Wystarczyło o tym pomyśleć, a płomyk już przeskakiwał na jej rękę, a stamtąd na dłoń i palce zaciśnięte na klamce. Jednocześnie czuła delikatne łaskotanie na skórze, a powietrze przeszył elektryzujący powiew.

Otworzyła oczy i nacisnęła na klamkę, która gładko ustąpiła pod jej dotykiem. Wyszła z hotelu prosto w noc. Mroźne powietrze ucałowało jej twarz, na moment odbierając dech w piersi. W duchu przeklinała swój pech. Było zimno jak diabli, a ona oczywiście miała na sobie jedynie swój mundurek, w dodatku z krótkimi rękawami. Prędzej zamarznie po kilku krokach, niż gdziekolwiek dojdzie. Rozejrzała się po pustych, pogrążonych w ciemności ulicach. Jej nadzieja na szybki powrót do szkoły rozwiała się jak ta mgiełka pojawiająca się przy każdym oddechu. Cóż z tego, że wydostała się z hotelu, jeśli nie wiedziała, gdzie jest.

– Po prostu wspaniale – mruknęła do siebie, obejmując się ramionami.

Chociaż wcale nie było jej do śmiechu, z jej gardła wydobył się jakiś nieartykułowany dźwięk, który w ciszy zabrzmiał naprawdę okropnie.

Ponieważ i tak musiała jak najszybciej opuścić to miejsce, zeszła ze schodków i szybkim krokiem ruszyła przed siebie. Co raz rozglądała się niepewnie na boki. Starała się iść wzdłuż latarni, gdyż żółtawe światło dodawało jej otuchy i przepędzało demony z ciemnych zaułków. W ciszy uśpionego miasta jej kroki odbijały się echem od pustych ulic. Wciąż miała wrażenie, że ktoś za nią idzie, dlatego co chwila odwracała się z sercem w gardle.

Nie wiedziała, ile minęło czasu, odkąd opuściła hotel. Ani tym bardziej gdzie się znajduje. Okolica wciąż wydawała jej się obca i nie miała zupełnie pojęcia, którędy iść. Na ślepo wybierała kolejne ulice i kolejne zakręty, które prowadziły nie wiadomo dokąd. Zaczęła drżeć z zimna. Mróz wyciskał z jej oczu łzy, które zamarzały na czerwonych policzkach. Z każdym krokiem zaczynała tracić siły i naprawdę czuła się bardzo, bardzo zmęczona.

* * *

Tymczasem w pokoju hotelowym po wyjściu Ariel natychmiast zapanowała głucha cisza. Kruk przysiadł na poręczy łóżka i przyglądał się, jak mężczyzna powoli odzyskuje przytomność. Kiedy otworzył oczy i spróbował wstać, ptak zleciał na podłogę i zamienił się w wysokiego mężczyznę w czarnym długim płaszczu. Jego pooraną bliznami twarz wykrzywiał nieprzyjemny uśmiech, a czarne, długie włosy luźno spływały mu na plecy.

Argon wstał chwiejnie i spojrzał na człowieka-kruka. Z gniewem ściągnął gęste brwi.

– Co ty tu robisz? – warknął szorstko.

– To samo co ty, mój przyjacielu – odparł spokojnie mężczyzna pełnym sarkazmu barytonem. – Sądziłeś, że nie wykorzystam takiej okazji? Ja również nie mogłem doczekać się spotkania z naszą słodką Ariel.

– Więc to ty jesteś Riva? Nie uważasz, że to poniżej twojej godności?

– Nie, jeśli zaprowadzi mnie to do celu.

– Nie uda ci się jej zdobyć. – Argon z nienawiścią odwzajemniał chłodne spojrzenie czarnych jak noc oczu.

– Już to zrobiłem – uśmiechnął się ironicznie. – Ariel bardzo szybko się we mnie zakochała – zaśmiał się ochryple. – A właściwie to w kruku. Jest taka naiwna i niewinna, że nie miałem żadnych problemów ze zdobyciem jej zaufania.

– A ty, jak przypuszczam, nie masz żadnych skrupułów, by ją wykorzystać. – Argon zaciskał kurczowo pięści. – Przecież…

– To nie twoja sprawa.

W następnej sekundzie obaj znaleźli się przy ścianie. Mężczyzna trzymał Argona za skraj tuniki, pozbawiając go tchu. Wojownik otworzył szeroko oczy, walcząc o każdy oddech.

– Potomek należy do mnie. Aha. – Czarne oczy były równie zimne jak uśmiech. – Przekaż swojemu królowi, by nie wchodził mi w drogę.

Argon poczuł piekący ból na czole i syknął. Mężczyzna uniósł drugą rękę na wysokość oczu. Czarne znamię po wewnętrznej stronie dłoni jarzyło się delikatnie ciemnym światłem.

– Radzę nie lekceważyć potęgi mojego Pana. – Spokój w jego głosie był bardziej przerażający, niż gdyby krzyczał. – Im szybciej zapomnicie o przeszłości, jak ja to zrobiłem, tym lepiej dla was. – Następne słowa wypowiedział bardzo powoli i dobitnie: – To nie jest zabawa, Argonie. Ja nie żartuję. Nie próbujcie nawet wchodzić mi w drogę, bo gorzko tego pożałujecie. Możesz mi uwierzyć, że nie będę miał litości nawet przez wzgląd na stare czasy. – Nagle znów się zaśmiał i puścił Argona, który natychmiast osunął się na ziemię. – Swoją drogą, radzę ci jak najszybciej wracać i sprawdzić, co z twoim królem. Może jeszcze zdążysz ocalić mu życie.

– Kłamiesz – wydyszał wojownik, masując obolałą szyję.

– To sam się przekonaj. – Mężczyzna w płaszczu omiótł spojrzeniem pokój, podszedł do przeciwległej ściany i podniósł z ziemi mały złoty kluczyk. – A to sobie zatrzymam. Jeszcze mi się przyda.

– Nie możesz...

– Oczywiście, że mogę. Ty najmniej masz coś w tej sprawie do powiedzenia. – Mężczyzna podszedł do drzwi i otworzył je. – I nie martw się o Ariel. Jest w dobrych rękach – zaśmiał się krótko i wyszedł, a skraj peleryny załopotał za nim niczym skrzydła kruka.

* * *

Ariel była na skraju wyczerpania. Zawędrowała na niewielki cmentarz otoczony drewnianym płotem. Miała niejasne przeczucie, że z każdym krokiem oddala się od zamku, zmierzając zupełnie w innym kierunku. W nocnym świetle wszystko wydawało się obce i bezkształtne, a każdy budynek przypominał poprzedni, przeraźliwie cichy i pusty – jakby zastygły w czasie. Było jej potwornie zimno, a ze zmęczenia nogi odmawiały posłuszeństwa. Była pewna, że jeśli zaraz nie odpocznie, to runie na ziemię i już się nie podniesie.

Było już chyba po północy. Dawno temu straciła rachubę czasu.

Ciekawe, czy w szkole w ogóle zauważyli, że mnie nie ma.

W końcu o tej porze porządni ludzie spali sobie smacznie w swoich ciepłych łóżkach. Pewnie zauważą jej nieobecność dopiero po śniadaniu, kiedy znów spóźni się na lekcje. A do tego czasu może tu zamarznąć.

W końcu stwierdziła, że nie da rady zrobić już ani jednego kroku. Powłócząc nogami, weszła na trawę porastającą cmentarz i osunęła się na pierwszy z brzegu grób. Oparła plecy o kamienną płytę, nie racząc nawet zerknąć czyje miejsce spoczynku właśnie zakłóciła. Podkuliła kolana pod samą brodę i oparła na nich zmęczoną głowę. Zimno na wskroś przenikało jej zdrętwiałe ciało. Jak dobrze by było teraz zasnąć… A potem obudzić się w dniu szesnastych urodzin i zacząć wszystko od nowa, bez tych wszystkich okropnych zdarzeń. A przede wszystkim zapomnieć o tym koszmarnym dniu i mężczyźnie, który ją porwał. Coraz głębiej zapadała się w zbawienną ciemność. Jej umysł powoli oddalał się od zamarzniętego ciała. Nie odczuwała już zimna ani strachu. Miała wrażenie, jakby była ptakiem. Jej skrzydła tak lekko unosiły się na wietrze. Ogarnęła ją błoga beztroska, jakby naprawdę…

Ariel!

Jakiś głos wyłonił się z głębi jej umysłu, ale nie zamierzała reagować. Było jej tak dobrze… Mogła zostać tu na zawsze. To miejsce było takie bezpieczne i spokojne…

– Ariel!

Szarpnęło ją od tyłu, jakby czyjaś niewidzialna ręka chciała ją zatrzymać. Odnajdując w sobie dostatecznie siły, wyrwała się niczym dziki ptak złapany w klatkę. Musiała polecieć wyżej, jeszcze wyżej, żeby nikt jej nie złapał.

– Ariel!!!

Tym razem głos zabrzmiał ostro i władczo. Otoczył ją ze wszystkich stron niewidzialnymi więzami. Rozejrzała się w poszukiwaniu intruza, ale wokół niej była tylko mglista czerń.

Nagle zaczęła spadać z zawrotną prędkością. Wyciągnęła ręce, próbując się czegoś uchwycić, ale nadal spadała z szybkością lecącego pocisku. Najpierw poczuła przenikliwe zimno i swoje odrętwiałe ciało. Zadrżała gwałtownie i spróbowała otworzyć oczy. Przeraziła ją panująca wokół ciemność, ale zaraz przypomniała sobie, że jest noc, a ona siedzi na czyimś grobie z głową bezwładnie opartą na kolanach. Gdyby teraz ktoś chciał ją zaatakować, nie kiwnęłaby nawet palcem, tak bardzo była otępiała.

– Witaj wśród żywych – usłyszała tuż obok rozbawiony głos.

Głęboki baryton spłynął na nią, niczym najsłodsza, przenikająca do samych trzewi anielska pieśń.

Chciała unieść głowę i spojrzeć na niego, ale jej ciało było zbyt sztywne i obolałe. Jego obecność jednak przyniosła jej taką ulgę, że nawet nie zdziwiła się, że stoi przed nią w ludzkiej postaci. Kątem oka widziała jego pochylającą się nad nią sylwetkę. Był to jednak zaledwie niewyraźny cień stapiający się z mrokiem nocy.

Pozwoliła, aby jego silne ramiona uniosły ją delikatnie, a potem wyprowadziły z tego koszmarnego miejsca. Zamknęła oczy i objęła rękami szeroki kark, wtulając głowę w zagłębienie między brodą a ramieniem. Było to tak naturalne, jakby robiła to całe życie.

Wydawało jej się, że znalazła się nagle w jakimś cudownym śnie.

Wdychała głęboko w płuca zapach jego ciała, który zdawał jej się tak bardzo znajomy. Zastanowiło ją nawet, jakim cudem do tej pory mogła bez niego oddychać. Jego włosy łaskotały ją w policzek, w ten specyficzny, pieszczotliwy sposób. Włosy miękkie i jedwabiste niczym krucze pióra…

Właściwie to nie wiedziała, gdzie ją niesie. Przestała cokolwiek myśleć. Z pewnością jednak nie chciała teraz dotrzeć do celu podróży. Już niemal otwierała usta, by mu to powiedzieć, jednak nie znalazła dostatecznie siły, by zmusić zaschnięte gardło do wysiłku. Nie potrafiła też skupić myśli, by ułożyły się w konkretne zdania. Jego kroki były bezszelestne i miękkie, ale szybkie i zdecydowane. Czas leciał nieubłaganie i zdawała sobie sprawę z tego, że ich podróż niedługo dobiegnie końca.

I co wtedy się stanie? Zostawi ją samą? Za nic w świecie nie mogła do tego dopuścić. Była pewna, że bez niego umrze. Gdyby tylko potrafiła jakoś go zatrzymać. Zmusić, by z nią został. Wtedy pozwoliłaby nawet by zaniósł ją na koniec świata...

Po całej wieczności, w której trwała w jakimś dziwnym półśnie, w końcu się ocknęła. Nawet nie wiedziała, jak ani kiedy znalazła się na nogach, oparta o zimny mur otaczający posiadłości szkoły. Wpatrując się w noc przed sobą, mrugała powiekami, próbując zmusić ociężały umysł do pracy.

Czuła się bardzo dziwnie. Była otępiała i sztywna, jakby spała bardzo, bardzo długo.

Lepiej wejdź do środka, bo całkiem zamarzniesz. Głos Rivy rozległ się tam, gdzie powinien być. Wewnątrz jej umysłu.

Och. No tak – tylko tyle była w stanie mu odpowiedzieć.

Odwróciła się i nacisnęła palcem biały przycisk na murze. Już po chwili coś trzasnęło i z głośników popłynął głos dyrektorki.

– Kto tam?

– To ja, Ariel – odpowiedziała zachrypniętym głosem.

– Ariel?! Dzięki Bogu!

Brama zaczęła otwierać się bezgłośnie i dziewczyna prześlizgnęła się przez wąską szparę. Żwirową ścieżką ruszyła szybko w stronę zamku. Słuchając chrzęstu pod stopami, obserwowała migocące w oknach światła. Po reakcji Pixton mogła się spodziewać tego, co ją czeka. Miała też niedobre przeczucie, że nie tylko ona wyczekiwała jej powrotu. Jednak w tym wszystkim pocieszające było chociaż to, że jednak zauważyli jej zniknięcie.

Teraz szybko musiała wymyślić jakieś zgrabne, wiarygodne kłamstwo. Bo przecież nikt nie uwierzy w to, co stało się naprawdę. Ona sama miała z tym trudności. Chociaż ciekawiło ją, jak by zareagowali.

Słuchajcie, nic się nie stało. Porwał mnie mężczyzna z innego świata, który chciał mnie zabić, ale nie bójcie się. Uratował mnie gadający kruk i to on mnie tu przyprowadził.

Z trudem powstrzymała się od parsknięcia histerycznym śmiechem. Po chwili westchnęła ciężko. Pragnęła jedynie zakraść się niezauważona do swojego pokoju i wtulić głowę w miękkie poduszki. Co prawda nie czuła się tak zmęczona, jak powinna, ale może to również było normalne w takiej sytuacji. Dałaby wiele, by posiedzieć w samotności i móc w spokoju wszystko sobie poukładać. A było przecież co.

Rozdział XVIII

ziedziniec porastała pożółkła trawa. Buty Ariel człapały w błocku, wydając przy tym ciche cmoknięcia, kiedy mijała stary, próchniejący dąb. Stanęła przy fontannie. Z zamyśleniem spojrzała na wyłaniające się z mroku kontury zamku i prowadzące do niego szerokie stopnie.

Teraz był ostatni moment, żeby szybko wymyślić jakieś wiarygodne wytłumaczenie. Powinna być już w tym całkiem niezła, ostatnio prawie żyła kłamstwami. Jednak wciąż czuła opory, jakby robiła coś naprawdę złego. W kółko powtarzała sobie, że to dla jej dobra, że to najlepszy sposób na zachowanie tajemnicy. Jak do tej pory nikt nie wiedział o Kamieniach i tych wszystkich niezwykłych rzeczach i lepiej będzie jeśli tak pozostanie.

Boisz się? Kruk miękko przysiadł na jej ramieniu.

Chyba tak. Nie wiem, co mam im powiedzieć. Przecież nie mogą poznać prawdy, bo i tak mi nie uwierzą. A co jeśli mnie wyrzucą, jeśli pomyślą, że chciałam uciec?

Więc musisz ich przekonać, że to co mówisz, jest prawdą.

Nie wiem, czy dam radę.

Oczywiście, że dasz radę. Musisz być bardziej pewna siebie, Ariel. Wierzę w ciebie.

Tobie to łatwo mówić. Nie musisz cały czas okłamywać wszystkich wokół.

Nie, Ariel – odpowiedział chłodno, po czym ton jego głosu zmienił się niepostrzeżenie na bardziej władczy i stanowczy. *Ci ludzie są nieważni,*

Ariel. Zapamiętaj sobie, że tylko ja mogę dać ci to, czego pragniesz. Tylko ja cię zrozumiem – dodał ciszej.

Kruk zatrzepotał skrzydłami i wzleciał w niebo. Przez chwilę zataczał leniwe kręgi nad fontanną i jej głową. Ariel tymczasem kołysała się na piętach, nieruchomym wzrokiem wpatrując się w majaczące przed nią mury zamku.

– Tylko ty mnie zrozumiesz – powtórzyła jak echo.

Tak. Znam twoje myśli i uczucia. Jak sądzisz, kto lepiej odgadnie, czego tak naprawdę pragniesz?

Czego pragnę? Zagryzła wargi i zmarszczyła czoło, myśląc nad czymś intensywnie. *Czego ja pragnę?*

Riva roześmiał się wesoło.

Teraz muszę cię zostawić, Ariel. Do zobaczenia i powodzenia.

Uniosła gwałtownie głowę, ale kruk był już tylko maleńką czarną kropką na granatowym niebie.

Wrócisz, prawda? – zapytała z irracjonalnym lękiem. Nigdy nie pomyślałaby, że kiedykolwiek będzie kogoś o coś błagać. Nie czuła się z tym jednak tak źle. To pewnie dlatego, że już teraz miała wrażenie, że brak jej tchu, jakby razem ze sobą zabierał całe powietrze.

Czy tego właśnie pragniesz?

Uśmiechnęła się leciutko do siebie.

Tak.

Jej serce zadrżało z niepokojem, kiedy wyczekiwała odpowiedzi. Wydawało jej się, że czeka na nią całe wieki.

Jak sobie życzysz, Ariel – odezwał się w końcu głosem, który opatulił ją miękko niczym płaszcz. *Będę w pobliżu.*

Zaledwie echo jego słów skończyło rozbrzmiewać w jej głowie, inny dźwięk przykuł jej uwagę. Dwuskrzydłowe wrota zamku uchyliły się z rozchodzącym się po okolicy głuchym skrzypieniem.

Pixton jako pierwsza pojawiła się w kręgu padającego z holu światła. Tuż za nią stanęła Eryl i jeszcze kilka innych nauczycielek, na których zaspanych twarzach malowało się zaniepokojenie. Dyrektorka uniosła skraj swojego szlafroka w niebieskie kwiaty i szybko zbiegła ze schodów. Nie zważając na przenikliwe zimno, energicznie podeszła do stojącej przy fontannie Ariel. Bez słowa uściskała ją mocno, a potem odsunęła na długość ramion i potrząsnęła gwałtownie.

– Gdzieżeś się podziewała, dziewczyno?! – odezwała się tak głośno, że Ariel zadzwoniło w uszach. Echo jej głosu odbiło się od zamkowych ścian i teraz mogła już być pewna, że wszyscy przebywający w szkole ją usłyszeli.

Nie myliła się. Już po chwili wewnątrz zamku rozległy się przytłumione kroki i liczne głosy. Z rozpaczą obserwowała, jak światła w oknach zapalają się jedne po drugich i obok nauczycielek pojawiają się uczennice, ciekawe nocnego zamieszania. Ariel wyobrażała już sobie, jak plotka o jej ucieczce obiega całą szkołę z prędkością światła.

Przykro mi, Alex, ale ze mną raczej nie wygrasz. Chyba zawsze będę numerem jeden w tej szkole – pomyślała cierpko. Stojąc sztywno w silnym uścisku dyrektorki, miała ochotę jak najszybciej zaszyć się w swoim pokoju.

– Ariel! Czy ty mnie słuchasz?! Co się z tobą działo?! – Pixton znów potrząsnęła nią mocno, jakby była szmacianą lalką.

Ariel spojrzała na zaczerwienioną od zimna twarz kobiety i napotkawszy jej surowe spojrzenie, spuściła szybko głowę. Myślała gorączkowo, co powiedzieć, jednak nic nie przychodziło jej do głowy. Akurat w takim momencie miała kompletną pustkę, a obolałe zmarznięte członki i skurcz w żołądku tylko utrudniały koncentrację. Przełknęła głośno ślinę. Musiała improwizować.

– Ja… – odezwała się w końcu szeptem. – Wyszłam rano… Chciałam iść do miejskiej biblioteki… Nigdy tam nie byłam i chciałam tylko się rozejrzeć…

Podniosła mokre oczy na Pixton, której surowy wyraz twarzy pozostał niewzruszony. Samotna łza spłynęła po jej policzku, wbrew jej woli. Płakała nie dlatego, że znów wszystkich zawiodła, ale z bezradności i przemęczenia. Cóż, po tym wszystkim chyba jej się należało.

– Miałam zamiar wrócić, zanim ktokolwiek spostrzeże, że mnie nie ma, ale… Tam było tyle książek, że nie mogłam się oderwać… I kiedy w końcu wyszłam, zrobiło się ciemno i… zabłądziłam. Przepraszam. – Miała nadzieję, że to marne kłamstwo usatysfakcjonuje dyrektorkę.

Nagle zakręciło jej się w głowie i żeby nie upaść, przysiadła na brzegu fontanny. Była tak wyczerpana, że nie panowała już nad swoim ciałem.

– Ariel, co się stało? Źle się poczułaś? – Pixton nachyliła się nad nią z niepokojem malującym się na pokrytej zmarszczkami twarzy. Położyła rękę na jej chłodnym czole. – Może wezwać lekarza.

Dziewczyna pokręciła gwałtownie głową i wzięła głęboki wdech.

– Nic mi nie jest. Po prostu jestem bardzo zmęczona i zmarznięta – odpowiedziała z bladym uśmiechem. Głos zadrżał jej tak bardzo, że z trudem siebie zrozumiała.

– No dobrze. Weź teraz gorącą kąpiel i idź do łóżka. Porozmawiamy jutro.

Spróbowała wstać, ale ponownie zakręciło jej się w głowie. Dyrektorka pomogła jej się podnieść, po czym podtrzymując ramieniem, poprowadziła w stronę oświetlonych schodów.

– Wiem, że miałaś dzisiaj ciężki dzień, ale to nie znaczy, że zostawię tak twoje samowolne opuszczenie szkoły. – Kobieta nachyliła się nad jej uchem z łagodnym uśmiechem. – Mam nadzieję, że zdajesz sobie sprawę z tego, że będę musiała jakoś cię za to ukarać.

Ariel skinęła ponuro głową. W tej chwili było jej wszystko jedno, co ją spotka jutro, chciała tylko jak najszybciej trafić do łóżka.

Weszły w krąg światła rzucanego z holu i wspięły się po betonowych stopniach. Ariel podniosła wzrok i napotkała kilkanaście wpatrzonych w siebie oczu. Dostrzegła rozespaną twarz Arianny, ale udała, że jej nie widzi. Obejmująca dziewczynę za ramiona Pixton popychała ją w głąb korytarza.

– Wracajcie do łóżek – odezwała się do zebranych. – A pani – tu zwróciła się do Eryl – dopilnuje, żeby Ariel trafiła do swojego pokoju.

Chyba nie chcemy, żeby nam się po raz drugi zgubiła – uśmiechnęła się i mrugnęła do Ariel. Poklepała ją po ramieniu, po czym przeszła przez zatłoczony hol i wróciła do swojego pokoju.

Przez chwilę nikt się nie ruszał, jakby jeszcze na coś czekali. Ariel również pozostała na miejscu, choć z zimna szczękała zębami i chwiała się na nogach. Kiedy dyrektorka w końcu sobie poszła, poczuła, jak z jej płuc uchodzi powietrze. Przynajmniej do rana była bezpieczna.

– Idziemy. – Eryl objęła ją mocno ramieniem i uwolniwszy od ciekawskich spojrzeń, poprowadziła do pokoju.

Po kilku krokach usłyszała za sobą jak tłum rozchodzi się pospiesznie. Kilka dziewczyn przeszło obok niej i Ariel usłyszała swoje imię, ale nie chciała nawet wiedzieć o czym rozmawiają.

Przed drzwiami kobieta obdarzyła ją zatroskanym spojrzeniem.

– Dasz sobie już radę?

Ariel skinęła głową. Była tak zmęczona, że nie miała siły nawet otworzyć ust. Odwróciła się od Eryl i weszła do pokoju. W padającym przez okno blasku księżyca rozpoznała swoje łóżko i biurko zagracone książkami. Na widok tak zwykłych i znajomych przedmiotów coś ścisnęło ją za gardło.

Zaledwie przekroczyła próg, opiekunka zatrzymała ją chrząknięciem. Dziewczyna odwróciła się niechętnie i spojrzała na nią zmęczonym wzrokiem.

– Ariel, dziecko, co się z tobą dzieje?

Milczała. Spuściła wzrok, czekając, aż będzie mogła zostać sama. W głowie huczało jej od natłoku myśli.

– Gdyby działo się coś złego, powiedziałabyś mi, prawda?

Skinęła tylko głową. Wciąż czuła na sobie uważne spojrzenie kobiety, które zaczynało ją peszyć.

– Zawsze byłaś niezwykłym dzieckiem, ale teraz…

Eryl zamilkła, a Ariel odważyła się na nią spojrzeć.

I nic. Zupełnie jakby uszła z niej cała zdolność odczuwania jakichkolwiek emocji. Poczuła się przerażająco lekka i pusta. Wydawało jej się teraz takie dziwne, że jeszcze niedawno mogła zwierzyć się tej kobiecie ze wszystkiego. Ale to było chyba bardzo dawno temu, a może i w innym życiu.

Teraz ledwo zmusiła się do bladego uśmiechu.

– Dobranoc, pani Eryl – szepnęła i zamknęła drzwi.

Po ciemku doszła do łóżka, usiadła na jego brzegu i zapaliła nocną lampkę. Przez chwilę siedziała bez ruchu w tym niewielkim kręgu światła i patrzyła tępo na przeciwległą ścianę. Już sama nie wiedziała, czy czuje się zmęczona. Kręciło jej się w głowie. Pustka rosła z każdą sekundą, jakby chciała ją pochłonąć.

W końcu zmusiła się do ruchu. Wstała ociężale, wygrzebała z szafy pierwszą z brzegu koszulę nocną i poszła do łazienki. Uwolniła się z brudnego mundurka, który niedbale rzuciła na krzesło, i wsunęła się do wanny pełnej gorącej wody. Myła się tak długo, aż uznała, że pozbyła się całego brudu, a skóra stała się czerwona i pomarszczona. Umyła włosy i z westchnieniem ulgi oparła głowę o brzeg wanny. Przymknęła oczy, delektując się ciszą i ciepłem.

Za zakratowanym okienkiem widać było skrawek usianego gwiazdami nieba. Skąpany w błękitnym i bladoróżowym blasku horyzont jakoś wcale nie podnosił jej na duchu. To znaczyło, że do świtu pozostało niewiele czasu. Zbyt mało, by mogła się wyspać i odpocząć.

Riva, jesteś?

Tak.

Myślisz, że mi uwierzyła?

Trudno powiedzieć. Zobaczymy jutro.

Nie chcę już więcej kłamać.

Jak uważasz. Zawsze możesz opowiedzieć im o wszystkim, tylko nie mniej pretensji, jeśli uznają, że postradałaś rozum.

Ariel sposępniała. Poruszyła się w wodzie, która zabulgotała cicho.

Myślisz, że Argon może jeszcze raz spróbować mnie porwać?

Ta myśl cały czas nie dawała jej spokoju. Pomimo to wcale nie czuła strachu. Może po prostu nie miała teraz na to siły.

Możliwe. Jednak wyraźnie dałem mu do zrozumienia, że lepiej dla niego, jeśli będzie trzymał się od ciebie z daleka. Nawet jeśli odważy się tu ponownie pojawić, możesz być pewna, że tym razem cię obronię.

Dziękuję, że mi pomagasz. Gdyby nie ty... Wzdrygnęła się na samą myśl o tym, co ten mężczyzna mógłby jej zrobić.

Nie mówmy już o tym. A najlepiej o nim zapomnij.

Ariel kiwnęła głową. Robiła się coraz bardziej senna, jednak nie miała ochoty się stąd ruszać. Woda wciąż jeszcze była przyjemnie ciepła, aż szkoda było z niej wychodzić.

Coś cały czas nie dawało jej spokoju. Mimo rady Rivy jakoś nie potrafiła zapomnieć o Argonie i ich dziwnej rozmowy. Miała niejasne wrażenie, że coś tu było nie tak, a jednocześnie chciała jak najszybciej usunąć ten incydent z pamięci. Im dłużej o tym myślała, tym bardziej bolała ją głowa.

Riva. Leniwie ułożyła w myślach litery składające się na to jedno słowo. Pomimo zmęczenia czuła się w nastroju do rozmowy.

Tak?

Dlaczego nie powiedziałeś mi, że jesteś człowiekiem?

Nie była na niego zła, raczej ciekawa. I po prostu chciała posłuchać jego głosu.

A czy to ma jakieś znaczenie?

Nie wiem, ale miło by było wiedzieć. Jestem ciekawa, jak wyglądasz.

Zaśmiał się cicho.

A więc już nie wystarczają ci nasze rozmowy?

Ależ skąd – zaprzeczyła szybko. Uwielbiam je. Tylko...

Tylko?

Kiedy nie odpowiedziała, zrobił to za nią.

Chciałabyś, żebym tu był. W pokoju, razem z tobą.

Tak.

Usłyszała przeciągłe westchnienie, które odzwierciedlało jej własny stan ducha.

Wiesz, że to by było ryzykowne – odezwał się po krótkiej chwili łagodnie, jakby próbował wytłumaczyć dziecku niezwykle skomplikowany problem. *Ktoś mógłby mnie zobaczyć. Co by pomyślały nauczycielki czy twoje koleżanki, gdyby nakryto mnie w twoim pokoju?*

Mógłbyś szybko przemienić się w kruka – próbowała argumentować z narastającym podnieceniem. *Przecież byśmy uważali. Poza tym nikt mnie nie odwiedza poza...*

Czy ty w ogóle siebie słyszysz, Ariel? – przerwał jej z rozbawieniem. *Tu chodzi o coś poważniejszego niż potajemna schadzka zakochanych. Pamiętaj, że mam na uwadze wyłącznie twoje bezpieczeństwo. Nie wierzysz, że po prostu troszczę się o ciebie?*

Wierzę.

Więc o co chodzi?

I tak nie zrozumiesz – burknęła, podnosząc się z wanny i owijając ręcznikiem.

Rozumiem lepiej, niż sądzisz, Ariel.

I znów miała wrażenie, że jest zaledwie na wyciągnięcie ręki, a jego ciepły baryton rozlega się tuż przy jej uchu. Zadrżała, choć było jej już ciepło. Wzięła swoje rzeczy i wróciła do pokoju.

Mimo wszystko nie mógł jej zrozumieć. Bo ona sama nie wiedziała, czego chce.

* * *

Ariel siedziała ze zwieszoną głową nad swoją miską z owsianką, zagłębiając w niej łyżkę, ale nie biorąc do ust. Po zaledwie kilkugodzinnym, w dodatku niespokojnym śnie nadal była zbyt zmęczona, by o czymkolwiek myśleć, a co dopiero jeść. Napiła się tylko wody i zjadła kawałek chleba, by napełnić pusty żołądek. Była tak zamyślona, że ledwo zwracała uwagę na otoczenie. Ktoś coś mówił, ktoś niedaleko się zaśmiał, ale wszystkie te dźwięki pochodziły jakby z innego świata. Odkąd wstała, czuła nieznośny, tępy ból gdzieś z tyłu czaszki. Kiepski nastrój pogarszała jeszcze czekająca ją rozmowa z dyrektorką.

Głowa do góry, Ariel. Wszystko będzie dobrze.

– Taa – mruknęła, nie zdając sobie nawet sprawy, że powiedziała to na głos.

– Hej, czarownico.

Uniosła głowę, odgarniając z twarzy rude kosmyki. Przy jej stoliku przystanęły dwie nieznajome dziewczyny. Obrzuciła je obojętnym spojrzeniem, po czym z powrotem spuściła głowę.

– Co tam do siebie mamrotałaś? – zapytała jedna z nich pogardliwym tonem. – Słyszałyśmy, że wczoraj byłaś na zlocie czarownic. I jak było? Nie wiedziałam, że takich dziwadeł jest więcej.

– Gdzie twoja miotła? Ukryłaś ją pod łóżkiem? – dodała druga.

Siedzące w pobliżu uczennice parsknęły śmiechem. Ariel nie zwróciła nawet na nie uwagi. Wszystko było jej obojętne, spojrzała jednak na dziewczyny i nagle odezwała się zadziwiająco poważnym głosem:

– Było interesująco. – Jej wargi rozciągnęły się w paskudnym uśmieszku, o jaki by siebie nawet nie podejrzewała. – Rozmawiałam o was z moimi siostrami i wspólnie zastanawiałyśmy się, co z wami zrobić. Spodobał im się pomysł, żeby zamienić was wszystkie w ślimaki – poruszyła niedbale ręką w nieokreślonym geście. – Bo wiecie… Ślimaki zawsze łatwo rozdeptać.

Dziewczyny otworzyły i zamknęły usta, zupełnie zamurowane. Zbite z tropu, wyraźnie nie miały na to żadnej ciętej riposty. Musiały się wystraszyć jej powagi, gdyż pobladły i odeszły bez słowa.

Ariel parsknęła śmiechem, zasłaniając ręką usta. Siedzące wokół uczennice odwróciły wzrok, nagle straciwszy nią zupełnie zainteresowanie.

To było całkiem nieźle – odezwał się z rozbawieniem Riva.

Dziękuję.

Odniosła swoje niedojedzone śniadanie do kuchni i wyszła z sali. Idąc korytarzem, zastanawiała się, co powinna teraz zrobić. Nie miała ochoty biec na lekcje, bo wiedziała, że nie potrafiłaby się na nich skupić. Do biblioteki też nie miała po co zachodzić o tej porze, bo jej dyżur wypadał dopiero jutro. Pozostawało jej jedynie iść prosto do gabinetu dyrektorki. Może po tej rozmowie poprawi jej się humor.

Skręciła w stronę głównych drzwi, kiedy nagle zza najbliższej kolumny wyskoczyła Arianna.

– Cześć – przywitała się z szerokim uśmiechem. Jej włosy tańczyły wokół twarzy, gdy podeszła skocznym krokiem i wzięła Ariel za ramię. Jej oczy świeciły się zagadkowo, jakby znała jakąś tajemnicę, którą koniecznie chciała się z kimś podzielić. – I jak tam było?

Ariel zmarszczyła brwi.

– Gdzie?

– Nie udawaj.

– Właśnie. Nam możesz powiedzieć.

Ktoś klepnął ją po prawym ramieniu, a zaraz potem po lewym. Ariel obejrzała się na Sarę i Paty, które pojawiły się nie wiadomo skąd. Obie miały ten sam zagadkowy wyraz twarzy i szczerzyły się głupio.

Teraz otoczyły ją wszystkie trzy i wzięły w krzyżowy ogień pytań.

– Opowiadaj, jak było wczoraj – odezwała się z podekscytowaniem Paty.

– Tylko ze szczegółami.

– Tak – zachichotała Sara. – Ze wszystkimi szczegółami.

Ariel patrzyła to na jedną, to na drugą z tępym wyrazem twarzy. Sara wzięła ją pod drugie ramię, a Paty szła tyłem tuż przed nią, więc musiała zwolnić kroku.

– Możecie w końcu wyjaśnić, o czym wy mówicie? – zapytała z irytacją.

– Jak to o czym? – Arianna zrobiła wielkie oczy, po czym mrugnęła do pozostałych dziewczyn. – Raczej o kim.

– Tom. Mówi ci coś to imię? A może wczoraj to nie z nim miałaś się spotkać? To przecież jasne, że pozbyłaś się nas, by spędzić romantyczne sam na sam z tym przystojniakiem.

– No powiedz. – Paty szturchnęła ją łokciem w żebra. – Co robiłaś z nim tyle godzin? Nie było cię chyba cały dzień.

– Oj. – Sara przewróciła oczami z dziwnym uśmieszkiem. – Wiadomo chyba, co robiła. Ale żeby wracać do szkoły tak późno? Nawet ja nie byłabym taka odważna.

– Ach, mówicie o Tomie – wtrąciła Ariel, kiedy dały jej w końcu dojść do słowa. Rzeczywiście całkiem o nim zapomniała. Aż trudno było uwierzyć, że to wczoraj się z nim widziała. Wtedy jeszcze uważała, że tamten dzień był naprawdę udany.

– Dokładnie o nim. Nareszcie sobie przypomniała. – Arianna z roziskrzonymi oczami niecierpliwie pociągnęła ją za ramię. – No więc? Jak było?

Ariel wzruszyła ramionami.

– Fajnie.

– Fajnie?! – Sara prychnęła z oburzeniem. – Tylko fajnie?!

– Daj jej spokój. Niech lepiej opowie, co robili tyle godzin. I to w nocy.

Ariel popatrzyła na nie kolejno, po czym powiedziała po prostu:

– Nie ma co opowiadać. Miałam ważną sprawę do załatwienia, a Tom był tak miły, że mi pomógł. Trochę nam zeszło, więc potem odprowadził mnie do samej szkoły. I tyle.

– Akurat. – Arianna nie wyglądała na ani trochę przekonaną. – Więc tak to się teraz nazywa? Ważne sprawy.

Ariel zgromiła ją wzrokiem, po czym zamachnęła się ręką. Dziewczyna uchyliła się jednak w porę i roześmiała.

– Ariel, nam możesz się przyznać – zaświergotała Sara. – Przecież nikomu nie powiemy, że masz chłopaka.

– Tom nie jest moim chłopakiem – zaprzeczyła ostro.

– Ale przyznaj, że ci się podoba.

– To nie ma nic do rzeczy.

– Aha, czyli jednak…

– Och, dziewczyny! Dajcie spokój. – Ariel westchnęła ciężko, naprawdę nie mając teraz ochoty wdawać się w takie sprzeczki.

– Więc już się z nim nie umówisz?

– Przecież powiedziałam, że...

– A czy on chociaż cię już pocałował? – zapytała nagle Paty.

Ariel zatrzymała się raptownie, więc i dziewczyny przystanęły, otaczając ją kołem. Uniosła brwi, wpatrując się w Paty, jakby nie zrozumiała, co ta do niej powiedziała.

– Co?! – wyrwało jej się trochę zbyt głośno.

– No... – Paty z zakłopotaniem spuściła wzrok. – No bo wiesz...

– Och, to przecież takie oczywiste – Sara ze zniecierpliwieniem weszła jej w słowo. – Wszystkie widziałyśmy, jak Tom na ciebie patrzy. Myślisz, że nie wiemy, co to znaczy, kiedy chłopak patrzy tak na dziewczynę? – Pochyliła się do przodu, uważnie zaglądając Ariel w oczy. – Nie wciskaj więc nam tu kitu, że przez ten czas ani razu cię nie pocałował.

Ariel przypomniała sobie ich pożegnanie przed murami zamku. Jego dłoń na jej policzku, ten poważny wyraz twarzy i nieme pytanie w oczach. Ona też nie była głupia. Wiedziała, co chce zrobić. Widziała, jak bardzo na to liczył. Właściwie to sama nie wiedziała, dlaczego wtedy się odsunęła. Przecież mogła mu na to pozwolić. Nawet jeśli to byłby pierwszy i ostatni raz. Znała go krótko, ale Tom należał do tych osób, do których człowiek szybko nabiera zaufania. Był miły, przystojny i zabawny.

Dlaczego więc wtedy się odsunęła? To nie była do końca jej decyzja. Coś głęboko w umyśle kazało jej to przerwać. Coś...

Ocknęła się nagle i pokręciła gwałtownie głową.

– Tom to tylko znajomy – powiedziała ostro, przepychając się między dziewczynami i skręcając w stronę gabinetu dyrektorki. – Koniec tematu – rzuciła przez ramię. – Mam teraz ważną...

Zatrzymała się gwałtownie, kiedy drzwi do gabinetu otworzyły się tuż przed jej nosem. Pixton wyszła na korytarz, rozejrzała się wokół, po czym jej wzrok spoczął na Ariel. Jej usta natychmiast rozciągnęły się w radosnym uśmiechu. Wyglądała przy tym niezwykle świeżo i młodo, jakby ubyło jej co najmniej kilka lat.

– Ach, Ariel. Witaj, skarbie. Jak się czujesz? Wyspałaś się?

– Ja... och... Tak, dziękuję – wyjąkała, gapiąc się na Pixton z zasko-czeniem. – Właśnie szłam do pani... Miałyśmy porozmawiać.

Kobieta zamrugała oczami.

– Naprawdę? O czym? – wyglądała na szczerze zaskoczoną.

– No... – Ariel obejrzała się na dziewczyny, które stały za jej plecami i obserwowały je z uwagą. Kiedy ponownie spojrzała na dyrektorkę, ściszyła głos. – Miałyśmy porozmawiać o mojej ucieczce... i o karze dla mnie.

Dyrektorka patrzyła na nią z uniesionymi brwiami i pustym spoj-rzeniem. Może to był efekt zmęczenia, ale naprawdę wydawało jej się, że na twarzy kobiety jest mniej zmarszczek niż zawsze, a oczy jaśnieją jakimś wewnętrznym światłem. Nie, żeby było to coś złego. Po prostu jakoś nie pasowało to do tej zawsze poważnej i praktycznej kobiety.

Niespodziewanie Pixton roześmiała się głośno, aż parę uczennic obejrzało się na nią, a niektóre nawet przystanęły. Wciąż się śmiejąc, poklepała Ariel po ramieniu.

– Skarbie, nikt nie ma zamiaru cię karać – odpowiedziała wesoło.

– Nie?

– Skądże. – Kobieta wzięła ją za ręce i okręciła w miejscu, aż jej włosy zafurkotały w powietrzu. – Spójrz na siebie. Jesteś młoda i piękna. To najlepszy czas, żeby korzystać z życia. Kiedy masz się zabawić i znaleźć sobie chłopaka, jeśli nie teraz? Ja również kiedyś byłam młoda i wiem, co to znaczy, kiedy człowieka rozpiera energia.

– Naprawdę? To znaczy, naprawdę nie zamierza mnie pani ukarać?

– Dziecko! – Pixton pogładziła ją po włosach z rozmarzonym uśmie-chem. – Nie rozumiem w ogóle, czemu ta szkoła ma takie sztywne za-sady. Przecież to nie jest więzienie.

– Eee... Przecież pani sama je ustala.

– Naprawdę? – zdziwiła się, po czym nagle poweselała. – W takim razie muszę pomyśleć, żeby to zmienić – stwierdziła, po czym odda-liła się w zamyśleniu.

Ariel gapiła się za nią niedowierzająco. Mrugała gwałtownie powiekami, jakby postać dyrektorki była jakąś fatamorganą.

– Widziałyście to?

Drgnęła, kiedy usłyszała koło siebie głos Arianny. Nie zauważyła, kiedy dziewczyny znalazły się przy jej boku. Teraz we trzy patrzyły na oddalającą się wolnym krokiem Pixton.

– To było co najmniej dziwne – mruknęła Paty.

– Może podmienili ją kosmici?

Popatrzyły krzywo na Ariannę, która uniosła obie ręce, szczerząc zęby.

– No co? – broniła się. – Przecież prawdziwa Pixton nigdy by się tak nie zachowała. Przyznacie, że to nienormalne.

– Może przez noc coś się jej odmieniło. No wiecie, coś poprzestawiało jej się w głowie.

– Ale w sumie taka nowa dyrektorka byłaby lepsza.

– Mogłaby na przykład usunąć te durne zasady i dać nam więcej swobody.

– Może wprowadziłaby też więcej dni wolnych – ucieszyła się Paty. – A ty co o tym myślisz, Ariel?

Ariel spojrzała na nie w milczeniu, po czym uniosła wzrok, błądząc nim gdzieś po łukowatym sklepieniu. Nie miała pojęcia, co o tym myśleć, ale za to dokładnie wiedziała, skąd wzięło się to dziwne zachowanie Pixton. A raczej dzięki komu.

To twoja sprawka, Riva, prawda?

Tak – odparł natychmiast.

Co jej zrobiłeś? I dlaczego?

Uznałem, że trochę ci pomogę. Tak bardzo bałaś się tej rozmowy i kary, że zrobiło mi się ciebie żal. Użyłem tylko małej sztuczki. Ta kobieta zrobi teraz, cokolwiek zechcę.

To jest nieuczciwe. Nie można pozbawiać człowieka, ot tak sobie, własnej woli. Mimo szczerych chęci nie była w stanie złościć się na Rivę. Nie zamierzała jednak mu za to dziękować. *To jest po prostu złe.*

Ariel, Ariel. Nie doceniasz moich starań. Chciałem ci tylko pomóc. Nie widzisz, jakie to daje możliwości?

Mimo wszystko wolałabym, żeby Pixton na powrót stała się sobą. Nie podoba mi się jej nowa wersja.

Ale twoim koleżankom chyba za to bardzo. Myślałem, że się ucieszysz. Zrobiłem to dla ciebie.

Westchnęła cicho. Dziewczyny rozmawiały między sobą, ale w ogóle ich nie słyszała. Burknęła coś, że musi lecieć, i pobiegła do swojego pokoju.

Jestem ci wdzięczna. Naprawdę. Ale w moim świecie tak się nie robi. Nie chcę w taki sposób uciekać od problemów ani odpowiedzialności za własne czyny.

A więc wolisz jednak odbyć tę rozmowę i przyjąć na siebie karę?

Tak.

No dobrze – odparł po chwili milczenia. *Cofnę to. I więcej nie będę się wtrącać.*

Przepraszam.

Och, Ariel. Ja się nie gniewam. Nie mógłbym. To była moja wina, że wcześniej nie spytałem cię o zdanie. Następnym razem poczekam, aż sama poprosisz mnie o pomoc.

Dobrze. Ale dziękuję, że próbowałeś. Jesteś najlepszym przyjacielem, jakiego miałam.

Twoim jedynym przyjacielem. Ty i ja stanowimy jedność.

Tak.

Rozdział XIX

W następnych dniach Ariel zmieniała się niezauważalnie. Na początek coraz rzadziej rozmawiała z dziewczynami. Spotkania z nimi ograniczały się teraz jedynie do kilku zdawkowych słów, jakby koleżanki stały się dla niej zupełnie obce. Unikała Eryl, przestała zaglądać do kuchni, nie zwracała nawet uwagi na docinki Rose. W każdej wolnej chwili chowała się w swoim pokoju lub szukała samotności w jednej ze swoich kryjówek.

Teraz liczył się tylko Riva. Jego głos hipnotyzował. Oczarował ją sposób, w jaki do niej przemawiał. Fascynowało ją w nim dosłownie wszystko.

Był jak narkotyk, który błyskawicznie uzależniał. Łaknęła jego obecności i uwagi jak powietrza.

Czasem rozmawiali o niczym, a czasem o naprawdę poważnych sprawach. Dzieliła się z nim swoimi wrażeniami, uczuciami, myślami... Otworzyła przed nim duszę i serce, zwierzała się absolutnie ze wszystkiego. Mogła godzinami opowiadać o przeczytanej książce lub o tym, co działo się w szkole. Riva zawsze był cierpliwy i zainteresowany jej życiem. W zamian opowiadał o swoim świecie, o ludziach, magii i bogach. Ponieważ przez ostanie dni nie miała wizji, a Kamienie były chłodne, oboje nie wspominali o jej zdolnościach, jakby zgodnie uznali ten temat za tabu. Ariel nie pamiętała tak spokojnych dni i chciała po prostu się nimi nacieszyć, jak gdyby przeczuwała, że to tylko chwilowa cisza przed burzą.

Tymczasem za oknami w końcu pojawiła się zima. Śnieg padał teraz niemal codziennie, pokrywając dziedziniec i wieże białym puchem. Zbliżały się święta, a wraz z nimi ferie. W zamku panowało wesołe ożywienie i pakowanie. Szkolne korytarze rozbrzmiewały śmiechem i śpiewem kolęd. Wszędzie wieszano kolorowe ozdoby i lampki, a w sali jadalnej stanęła gigantyczna choinka.

W tym roku Ariel zupełnie ominął świąteczny duch. Nie uczestniczyła w dekorowaniu zamku ani we wspólnych wycieczkach do miasta. Z nikim nie rozmawiała i trzymała się na uboczu, jakby w ogóle nie zdawała sobie sprawy, co się wokół dzieje. Niemal nie wychodziła ze swojego pokoju, izolując się od reszty świata.

Riva naprawdę nie cierpiał zimy, toteż prawie całe dnie spędzał w jej pokoju. Kiedy trząsł się z zimna, przykrywała go kocem lub ogrzewała jego czarne piórka własnym ciałem. Czasem pozwalała mu zostać na noc. Przysiadywał wtedy cichutko na oparciu łóżka lub krzesła, a jego paciorkowate oczy były dwoma lśniącymi kropeczkami w zimnej księżycowej smudze. Kiedy tak ją obserwował godzinami, zupełnie nie wiedziała, co wtedy sobie myśli. Trochę ją to zastanawiało, dlaczego to nie działa w obie strony. Nie potrafiła zajrzeć w jego myśli, więc musiało jej wystarczyć tylko to, co sam jej mówi. Chociaż czasami był tak tajemniczy, że budziły się w niej wątpliwości.

Czy Riva był z nią szczery? Czy z rozmysłem zamykał przed nią swój umysł? Czy coś przed nią ukrywał?

Nawet nie zauważyła, kiedy całkowicie się od niego uzależniła. Ich umysły stały się jednym, żadne słowo ani gest nie zależały już tylko od niej. Czasem miała wrażenie, że robi tylko to, co każe jej Riva. Bez jego zgody bała się nawet głębiej odetchnąć. Riva stał się jej powietrzem, życiem i jedynym towarzyszem, którego chciała. Poza nim nic się nie liczyło.

Był ostatni dzień przed feriami. Ariel siedziała w kącie sali jadalnej i obserwowała obojętnie, jak wszyscy wspólnie dekorują choinkę. Przez hałas w sali nie od razu usłyszała, że ktoś ją woła. Dopiero za trzecim razem odwróciła głowę. Wśród grupki młodszych uczennic dostrzegła machającą do niej energicznie Ariannę. Dziewczyny szły środkiem sali w stronę choinki. Przechodziły niedaleko jej stolika, kiedy jedna z koleżanek zwróciła się do Arianny:

– Zostaw ją. To dziwadło i wiedźma.

W odpowiedzi ta pokazała im tylko język i podbiegła do Ariel.

– Wspaniała choinka, prawda? – posłała jej swój zwykły, wesoły uśmiech.

Przez chwilę przyglądały się w milczeniu, jak nowo przybyła grupka uczennic włącza się do dekorowania drzewka.

– Chyba tak. – Ariel obojętnie wzruszyła ramionami, zerkając na nią przelotnie. – Ale skoro tak ci się podoba, to dlaczego nie dołączysz do swoich koleżanek? – zapytała chłodno.

Arianna popatrzyła na nią dużymi niebieskimi oczami.

– Bo chciałam z tobą porozmawiać. Ostatnio mam wrażenie, że nas unikasz.

– I co z tego?

Dziewczyna zamrugała z niedowierzaniem i zmarszczyła brwi.

– Nie wiem, o co ci chodzi, Ariel – odezwała się ostro. – Nie rozumiem też, czemu tak się zachowujesz. Przecież nic złego nie zrobiłyśmy. Tak dobrze razem się bawiłyśmy, a ty nagle…

– Nie! – Ariel wstała powoli, mierząc ją beznamiętnym wzrokiem. – To wy dobrze się bawiłyście. Ja mam już dość waszej ciągłej paplaniny – powiedziała dobitnie, a mijając ją, naumyślnie trąciła ramieniem, aż dziewczyna zatoczyła się do tyłu. – Irytujecie mnie. Dlatego lepiej trzymajcie się ode mnie z daleka.

Ariannę zamurowało. Jednak zanim zdążyła cokolwiek powiedzieć, Ariel wyszła szybko z sali. Stanęła w cieniu jednej z kolumn i oparła się o nią wygodnie. Skrzyżowała przed sobą ramiona, obserwując zamieszanie na korytarzu. Rodzice i uczennice mijali ją, jakby była niewidzialna. Odbijające się echem kroki, głośne rozmowy i śmiechy wypełniały cały zamek radosnym gwarem.

Ariel obserwowała to wszystko w zamyśleniu. Podniosła dłoń i zacisnęła delikatnie palce na amulecie, który cały czas bezpiecznie spoczywał pod bluzką. Wyobraziła sobie, że jest jedną z tych beztroskich dziewczyn i razem z resztą świata cieszy się ze świąt spędzonych w rodzinnym gronie.

Rodzina.

Magiczne, tajemnicze słowo. Obce. Przestała się łudzić, że kiedyś dowie się czegoś o sobie. Nigdy nie miała i nie będzie mieć rodziny. Widocznie taki już jej los.

Nie powinnaś o tym za dużo rozmyślać.

Nie. Masz rację.

Cofnęła rękę, chowając ją pod pachą.

Jednak czasami… Znów zostanę tu sama na święta.

Teraz masz przecież mnie.

Riva, nigdy mnie nie opuścisz, prawda?

Oczywiście, że nie. Tak jak obiecałem.

Nieznacznie skinęła głową. Jego zapewnienia niosły ulgę.

Znasz mnie tak dobrze. Czasami mam wrażenie, jakbyśmy znali się od zawsze.

Zaśmiał się cicho.

Tak. Dlatego nie potrzebujesz nikogo więcej.

– Nie potrzebuję – mruknęła, patrząc przed siebie niewidzącym wzrokiem.

Mimo to z niechęcią pomyślała o tych dwóch tygodniach. Zapewne zje świąteczną kolację razem z tymi kilkoma osobami, które zostaną w szkole, a potem będzie snuć się z kąta w kąt, próbując zapełnić jakoś czas.

Przecież ja będę przy tobie. Nie zapominaj o tym. Poza tym zamek będzie tylko twój. Nikt ci nie będzie przeszkadzał. Nikt nie będzie ci rozkazywał ani mówił, co masz robić. Przez dwa tygodnie będziesz wolna.

Ariel zamrugała powiekami, poruszyła się, zmieniając lekko pozycję, i odrzuciła do tyłu włosy. W końcu jej wargi uniosły się w uśmiechu.

Wolność. Każdą literę wyobraziła sobie oddzielnie, jako duży, jaśniejący punkt w ciemności jej umysłu. Jednocześnie zaczynała rozumieć, co to dla niej oznacza.

Będzie mogła chodzić po zamku gdzie i kiedy zechce. Będzie mogła spacerować po korytarzach w świetle księżyca i zaglądać do kuchni, kiedy tylko przyjdzie jej na to ochota. Będzie mogła wychodzić z zamku na całe dnie.

Wyczuła zadowolenie Rivy jako własne. Obserwowała tłum na korytarzu i po raz pierwszy naprawdę ucieszyła się, że wyjeżdżają. Teraz wręcz nie mogła się tego doczekać.

– W końcu cię znalazłam.

Eryl pojawiła się przy jej boku tak nagle, że o mało nie podskoczyła. Ariel wyprostowała się i spojrzała na kobietę z ostrożną niechęcią.

– Coś się stało? – zapytała chłodno.

Przypomniała sobie, że Riva czeka w jej pokoju i zaczynała się niecierpliwić, żeby go zobaczyć. Nauczycielka pojawiła się w momencie, kiedy dziewczyna zamierzała odejść. Jej widok rozgniewał Ariel, a raczej maleńką część, tkwiącą gdzieś na obrzeżach jej umysłu.

Eryl przyjrzała jej się uważnie spod zmarszczonych brwi. W wyrazie jej twarzy czaił się niepokój, a także głębokie zamyślenie.

– Widziałam przed chwilą Ariannę – odezwała się, wciąż bacznie ją obserwując. – Biegła do dormitorium i chyba płakała. – Kiedy nie doczekała się żadnej reakcji, dodała: – Wiesz, co się stało?

Ariel w milczeniu pokręciła głową.

– Czy jest coś, co chciałabyś powiedzieć?

Ariel trwała w bezruchu, jakby się namyślała, po czym ponownie pokręciła głową. Kobieta spojrzała niecierpliwie na zegarek i powiedziała łagodnym głosem:

– Od jakiegoś czasu nie rozmawiałyśmy ze sobą szczerze i tęsknię za tym. A wiesz dlaczego? – Cisza. – Ponieważ jesteś dla mnie jak córka. Zawsze tak było. Próbowałam zastąpić ci rodzinę, ale wiem, że to niemożliwe. Jesteś wyjątkowa, Ariel. Odważna, uparta i wyjątkowa. – Eryl przerwała na chwilę by zaczerpnąć tchu. Położyła dłoń na jej ramieniu i uśmiechnęła się smutno. – Moje drogie dziecko. Wiem, że cenisz sobie niezależność, ale nie możesz odpychać od siebie ludzi. Nie możesz zawsze być sama.

Ariel – odezwał się Riva, wypełniając swoim głosem każdą komórkę jej ciała. *Czekam na ciebie. Załatw to i chodź.*

Ariel odsunęła się i posłała kobiecie wesoły uśmiech.

– Ja nie jestem sama, pani Eryl – odpowiedziała, po czym dodała szybko: – Przepraszam, ale się spieszę. – I nie oglądając się za siebie, pobiegła prosto do swojego pokoju.

Kruk siedział tam, gdzie go zostawiła. Przechadzał się po jej łóżku w tę i z powrotem, w zupełnie ludzkim odruchu zniecierpliwienia. Kiedy weszła i zatrzasnęła za sobą drzwi, przystanął na kolorowej pościeli, przekrzywił łepek i zamrugał do niej czarnymi oczkami.

Jesteś w końcu. Nudziłem się.

Przepraszam.

Przysiadła na brzegu łóżka i wyciągnęła rękę. Kruk podszedł do niej i pochylił łepek. Z rozmarzeniem zanurzyła palce w miękkie, czarne upierzenie.

Więc mamy dla siebie całe dwa tygodnie. Co będziemy robić?

A na co masz ochotę?

Jeszcze nie wiem. Myślałam, żeby wybrać się na wycieczkę do miasta.

Masz nadzieję, że znowu całkiem przypadkiem natkniesz się na Toma?

Nie. Skądże! Spojrzała z oburzeniem, po czym nagle zmrużyła oczy. *Chyba nie jesteś zazdrosny?*

Oczywiście, że nie – prychnął.

To dobrze, bo w sumie fajnie by było się z nim spotkać. Tom jest bardzo miły i zabawny.

Kruk odsunął się nagle, zamachał skrzydłami i przysiadł z dala od niej, na poręczy łóżka. Miała wrażenie, że patrzy teraz na nią inaczej. Jakby z wyrzutem. Po chwili jednak, jakby całkiem stracił nią zainteresowanie, zaczął czyścić sobie skrzydła. Ariel tymczasem podeszła do parapetu i wyciągnęła się na nim wygodnie, z jednym ramieniem przyciśniętym do chłodnej szyby. Oparła głowę o ścianę i spojrzała na sunące po niebie stalowe chmury. Na dole wszyscy opuszczali mury szkoły i odjeżdżali do domów.

Gdy poczuła ciężar na lewej nodze, odwróciła wzrok. Kruk wędrował po jej kolanie, a potem udzie, przyglądając się z uwagą jej zamyślonej twarzy.

Może poczytasz coś na głos, a potem przejdziesz się na spacer. Dzisiaj nie pada śnieg, więc i mnie dobrze zrobi świeże powietrze.

Popatrzyła na Rivę i w końcu skinęła krótko głową.

Nie przejmuj się, Ariel – zamruczał, gdy szukała na biurku ciekawej książki. *Jestem przy tobie, jak tego chciałaś. Nikogo więcej nie potrzebujesz.*

– Nie potrzebuję – powtórzyła pod nosem, z powrotem sadowiąc się na parapecie.

W święta zamek pogrążony był we wręcz absolutnej ciszy i pustce. W szkole poza Ariel pozostały jedynie cztery uczennice i trzy nauczycielki. No i Riva. Jednak przez całe ferie dziewczyna na nikogo się nie natknęła. Czasem ktoś przemknął korytarzem lub skądś dobiegł głośniejszy śmiech, poza tym jednak szkoła jakby zapadła w sen. Biały śnieg okrywający każdy milimetr dziedzińca i ogrodu w chłodnym blasku księżyca skrzył się milionami kryształków. Takie właśnie jasne noce Ariel lubiła najbardziej. Kiedy nie mogła spać, wędrowała między kolumnami i szerokimi korytarzami z towarzyszącym jej bezustannie głosem. Głosem, który szeptał jej o niewyobrażalnych cudach i zapewniał o swojej bezwarunkowej wierności.

Wigilijną kolację spędzili w wielkiej sali przy jednym stole. Ariel najchętniej przeczekałaby ten czas w swoim pokoju, jednak wszyscy byli tacy mili, że nie potrafiła im odmówić. Tego wieczoru Riva milczał, toteż łatwiej jej było skupić się na rzeczywistości, a nawet włączyć do konwersacji i żartować z innymi. Dawno już nie rozmawiała z ludźmi, toteż zdziwiła się, że tak dobrze się bawiła. Ich śmiech jej nie drażnił i nawet obecność nauczycielek nie przeszkadzała. Cały wieczór minął zaskakująco szybko i w miłej atmosferze.

W nocy nie mogła usnąć i długo przekręcała się z boku na bok. W końcu usadowiwszy się wygodnie na parapecie, podkurczyła nogi i oparła głowę na kolanach. Rivy wciąż nie było, więc wpatrywała się w zachmurzone niebo, na którym od czasu do czasu wyłaniał się księżyc w pełni. Napęczniały, niebieskawy, był piękny i majestatyczny. Cisza niezakłócana przez najmniejszy dźwięk wręcz dzwoniła w uszach. Ze swego okna dziewczyna widziała dziedziniec oraz jego centralną część – fontannę. Ramiona kamiennej kobiety pokrywała warstwa śniegu, a woda u jej stóp zamieniła się w grubą taflę lodu. Ariel wpatrywała się tępo w posąg, aż poczuła znużenie. Kiedy zasypiała, za oknem wstawał blady świt.

Obudziły ją śmiechy i hałasy dobiegające z korytarza. Usiadła na łóżku, przecierając zaspane oczy i ziewając potężnie. Spojrzała na zegarek i z zaskoczeniem zobaczyła, że już jedenasta. Na niebie, podobnie jak przez kilka ostatnich dni, kłębiły się ciężkie śniegowe chmury. Ariel z niechęcią pomyślała, że znów będzie padać. Zwlokła się z łóżka, w samej koszuli podeszła do drzwi i uchyliła je odrobinę. Na schodach stały trzy dziewczyny i bez przerwy chichotały. Usłyszała tylko fragment ich rozmowy.

– Widziałyście, jaki on jest boski?

– Tak. Mam nadzieję, że zostanie z nami na obiedzie. Już nie mogę się doczekać, kiedy skończy pracę.

Znów zachichotały i powróciły do rozmowy, ale Ariel zamknęła już drzwi. Pospiesznie zjadła śniadanie, a ponieważ nie miała nic do roboty, postanowiła trochę się przejść. Ubrała się ciepło i pustymi korytarzami ruszyła na dziedziniec. Za sprawą panującej w zamku ciszy miała wrażenie, że jest tu jedyną żywą istotą.

Śnieg skrzypiał przyjemnie pod butami, gdy zmierzała w stronę fontanny. Mroźne powietrze szczypało w policzki i wyciskało z oczu łzy. Ariel pomyślała ponuro, że jeśli po południu znów spadnie śnieg, to nawet wyjście do ogrodu będzie niemożliwe. Zima stanowczo nie należała do jej ulubionych pór roku.

Szła przed siebie bez wyraźnego celu, obserwując, jak podeszwy jej butów odciskają ślady na białym śniegu. Przy każdym oddechu wypuszczała z ust kłęby pary. Nie myślała o niczym szczególnym. Tęskniła za Rivą i niepokoiła się jego milczeniem, ale też była zadowolona, że nie ma żadnych obowiązków i nie musi nic robić.

Mijała właśnie stary dąb na dziedzińcu, kiedy tuż przed nią spadła gruba gałąź. Ariel odskoczyła gwałtownie, poślizgnęła się na śniegu i wylądowała na plecach. Jęknęła głucho. Zaraz potem dostrzegła lecącą na nią kolejną gałąź. Zaledwie zdążyła odsunąć ramię, gdy konar z cichym plaśnięciem wylądował koło jej głowy.

Ariel wypuściła głośno powietrze z płuc. Próbowała zrozumieć, co się właściwie stało, gdy dostrzegła opartą o pień drzewa drabinę. Czyjaś sylwetka pojawiła się w zasięgu jej wzroku, zgrabnie zeskakując z kilku ostatnich szczebli.

– Hej, nic ci się nie stało?!

Ariel usiadła gwałtownie, gapiąc się niedowierzająco na Toma.

– Co ty tu robisz?

Chłopak podszedł do niej i wyciągnął rękę. Przyjęła jego pomoc, dźwigając się na nogi. Stała teraz naprzeciwko niego i patrzyła na jego zarumienioną od zimna twarz, wciąż nie mogąc pojąć, jakim cudem się tu znalazł. Tom roześmiał się głośno na widok jej zaskoczonej miny.

– Przecież obiecałem, że cię odwiedzę, prawda? – Rozłożył ramiona, uśmiechając się przebiegle od ucha do ucha. – Jak widzisz, dotrzymałem obietnicy.

Ariel rozejrzała się na boki, jakby spodziewała się, że zaraz ktoś go przegoni. Potem oparła dłonie na biodrach i uważnie przyjrzała się chłopakowi. Na szczęście dzisiaj przynajmniej był ubrany odpowiednio do pory roku. Miał na sobie stare, ale porządne dżinsy, zimowe buty i grubą kurtkę. Ale był bez czapki, a jego brązową czuprynę oblepiały kawałki kory i płatki śniegu.

Ariel parsknęła śmiechem, ale kiedy się skrzywił, szybko spoważniała.

– No dobrze. To co tak naprawdę tu robisz? Bo nie wierzę, że siedziałeś na tym drzewie dla zabawy. Te konary o mało mnie nie zabiły.

– Masz wspaniały refleks, więc nie czuję się winny. Miałem nadzieję, że ucieszysz się na mój widok.

– Niech będzie, że się cieszę. – Dziewczyna pochyliła się do przodu i zajrzała mu w oczy. – No? To co tu robisz?

Tom podrapał się po głowie, strzepując z niej przy okazji śnieg, i uśmiechnął się niewinnie.

– Pracuję.

– Tutaj? – uniosła brwi.

Skinął głową, wskazując palcem leżącą na ziemi gałąź.

– I przepraszam za to. Nie spodziewałem się, że ktoś może tędy przechodzić.

Ariel machnęła lekceważąco ręką.

– A więc to jest ta twoja tajemnicza praca?

Tom wyszczerzył zęby. Podniósł gruby konar i bez wysiłku ważył go w dłoni.

– Tak. Wcześniej przychodził tu mój dziadek, ale ostatnio jest za słaby, by pracować. Więc teraz ja go zastępuję – wypiął dumnie pierś.

– Rozumiem. A czym się właściwie zajmujesz? – Dziewczyna zaczęła przytupywać nogami i pocierać o siebie dłonie, ale i tak zimno przenikało ją na wskroś.

– Głównie jakieś drobne naprawy – wskazał podbródkiem zamek. – Wiesz, połamane meble, zepsuta kuchenka. Ale jak trzeba, to koszę trawnik, grabię liście i jak chociażby dzisiaj, przycinam drzewa – ukłonił się teatralnie, zerkając na nią spod długich rzęs. – Tom złota rączka do usług.

– Dlaczego jakoś nigdy nie widziałam twojego dziadka?

– Ponieważ Pixton przysyła po nas w ferie albo w dni wolne. Kiedy nie ma wokół ciebie stada rozgadanych dziewczyn, o wiele łatwej się skupić. – Chłopak puścił do niej oko, podniósł jedną gałązkę i rzucił ją na stos pod drzewem.

Ariel parsknęła śmiechem.

– O tak. A ty z pewnością nie możesz się od żadnej opędzić.

Tom postąpił krok do przodu i stanął przy ramieniu Ariel, a ich twarze znalazły się bardzo blisko. Dziewczyna od razu przypomniała sobie tamten wieczór, kiedy próbował ją pocałować. Wtedy miał bardzo podobny wyraz twarzy i niemal identyczne spojrzenie.

– Ale tylko od jednej nie chciałbym się odpędzać – wyszeptał, owiewając jej policzki swoim ciepłym oddechem.

Tym razem tej niezręcznej sytuacji nie przerwał żaden nagły wybuch złości w jej głowie. Nic.

Stała całkiem nieruchomo i w milczeniu patrzyła w jego oczy, które były mieszanką śniegu i ciemnej czekolady. Ta chwila zdawała się trwać w nieskończoność, przerywana jedynie biciem ich serc.

– Tom, ja…

Usłyszeli hałas i jednocześnie spojrzeli pod nogi. Między nimi leżały patyki, które jeszcze przed chwilą chłopak trzymał w rękach. Teraz zerknął na nią z miną, która mogła wyrażać tysiąc emocji. Zaraz jednak uśmiechnął się po swojemu.

– Przepraszam – bąknął, po czym schylił się, by na nowo wyzbierać chrust.

Ariel pomogła mu szybko i wspólnie zanieśli go na stos.

– To drzewo jest bardzo stare, ale jeszcze w całkiem niezłym stanie – odezwał się jakby nigdy nic, kręcąc się energicznie po dziedzińcu. – Trzeba je tylko nieco przyciąć tu i ówdzie, a wiosną będzie miało więcej liści. Potem jeszcze czeka mnie praca w zagajniku. Pixton kazała powycinać niektóre krzaki i przerzedzić gałęzie. Jak widzisz, roboty mi nie brakuje. Dzisiaj muszę też wyczyścić kominy, ale zostawiłem to sobie na koniec, by się ogrzać. To w sumie jedyna okazja, by zwiedzić trochę zamek od środka. No i w taki ziąb lepiej pracuje się w ciepłych pokojach.

Tom mówił cały czas, raźno kręcąc się po dziedzińcu. Ariel zebrała ostatnie gałązki i otrzepała rękawiczki. Gdy uniosła głowę, zobaczyła, że chłopak obserwuje ją spod przymrużonych powiek, ze skupionym wyrazem twarzy.

– Czy to ci przeszkadza?

– Co?

– To, że będę tu przychodził jeszcze przez co najmniej kilka dni. Jeśli nie chcesz mojego towarzystwa, mogę schodzić ci z oczu.

Prychnęła, kręcąc głową.

– Skąd ci to przyszło do głowy?

Wzruszył ramionami.

– Sam nie wiem. Mam wrażenie, że mnie nie lubisz.

– Głupek.

Ariel rzuciła w niego śniegiem. Tom wzdrygnął się, gdy zimna kula rozprysła się na jego twarzy.

– Ej! – krzyknął, po czym schylił się, błyskawicznie uformował śnieżkę i rzucił w jej stronę.

Dziewczyna ze śmiechem zrobiła unik i wtedy zabawa rozpoczęła się na dobre. Biegali po całym dziedzińcu, obrzucając siebie śnieżnymi kulkami i śmiejąc się głośno. Nawet jeśli ktoś w zamku ich widział, to naprawdę niewiele ją to obchodziło. Teraz tylko Riva mógł przerwać ich zabawę, ale przecież go nie było.

Ariel była stanowczo lepsza w bitwie na śnieżki. Każdy jej rzut trafiał do celu, podczas gdy sama z łatwością unikała ataków Toma. Jego kurtka i spodnie były całe w śniegu. To już drugi raz, gdy tak dobrze się z nim bawiła. Zupełnie jak za czasów, gdy miała przy sobie Tarę.

W końcu dysząc ciężko, padli na śnieg. Ich dłonie stykały się ze sobą, kiedy w tym samym czasie zaczęli robić anioły.

– Czy to ma być odpowiedź na moje pytanie?

– Jakie?

– Na to, czy mnie lubisz.

Ariel przewróciła oczami.

– A ty znowu swoje?

– A więc jednak?

Przekręciła głowę, by na niego spojrzeć. Tom patrzył w niebo z lekkim uśmieszkiem.

– Dlaczego tak bardzo ci na tym zależy? – zapytała poważnie.

– Bo cię lubię. Nawet bardzo.

– Ale dlaczego? – nie ustępowała. – Przecież tak naprawdę nic o mnie nie wiesz. Spotkaliśmy się jedynie kilka razy i to przypadkiem.

Tom zaśmiał się do nieba.

– Jesteś zabawna, Ariel. Naprawdę nie wiesz?

Dziewczyna usiadła gwałtownie, zaciskając usta.

– Ja jestem zabawna? Tak?

– Tak.

– A to niby czemu? Może mi to wytłumaczysz?

Tom również usiadł i w końcu na nią popatrzył. Kiedy był poważny, wydawał się starszy i bardziej dojrzały. Zimnymi palcami dotknął jej policzka, ale zaraz cofnął rękę i na moment odwrócił wzrok.

– To nie jest nic złego, wiesz? Po prostu cię lubię i tyle.

Ariel westchnęła cicho. Naprawdę próbowała go zrozumieć. Spojrzała na swoje dłonie w czerwonych rękawiczkach.

– Ale dlaczego? Dlaczego mnie lubisz? – powtórzyła ciszej.

– Dlaczego? – Bez pytania chwycił jej dłoń i pomógł wstać. – Bo jesteś najbardziej niezwykłą dziewczyną, jaką znam.

– Ja? – Ariel uniosła brwi.

Pokiwał skwapliwie głową, a z każdym słowem jego wargi rozciągały się coraz szerzej.

– Nie chichoczesz głupkowato i nie robisz na mój widok maślanych oczu. – Skrzyżował ramiona i w zadumie dotknął palcami podbródka. – Chociaż z drugiej strony chciałbym zobaczyć to w twoim wykonaniu. Pewnie jeszcze żaden chłopak na to nie zasłużył. Co, Ariel? – Spojrzał na nią, robiąc niewinną minę. – Zamrugasz dla mnie rzęsami?

Ariel wydęła wargi, posyłając mu zabójcze spojrzenie. Zamachnęła się i uderzyła go lekko w pierś.

– Jesteś okropny.

Zaśmiał się w odpowiedzi. A ona doszła do wniosku, że naprawdę zaczyna go coraz bardziej lubić. Nagle wpadła na pewien pomysł.

– Skoro już tu jesteś, to może jeszcze raz mi pomożesz? Jesteś w tym naprawdę dobry.

– A co za to dostanę?

Posłała mu słodki uśmiech.

– To niespodzianka.

– Uwielbiam niespodzianki! – uradował się.

– W takim razie chodź. – Wsunęła dłoń w jego ramię i poprowadziła w stronę zamku. – Wytłumaczę ci wszystko po drodze.

Rozdział XX

N a korytarzach nie spotkali żywego ducha, choć Ariel wiedziała, że są obserwowani. Otworzyła podwójne drzwi biblioteki i wprowadziła Toma do środka. Z uśmiechem obserwowała jego reakcję, kiedy bez słowa obracał się i wyginał szyję, by przyjrzeć się całemu wnętrzu. W końcu wydał z siebie przeciągły, pełen uznania gwizd.

– No, no. Jestem pod wrażeniem. To miejsce jest...

– Niesamowite – dokończyła za niego, rozglądając się po znajomych ścianach i zapełnionych regałach. Rozłożyła ramiona, jakby chciała objąć całą przestrzeń. – Witaj w moim królestwie.

Tom wędrował wzrokiem dookoła sali i wolno kiwał głową. W końcu spojrzał na nią i zmrużył oczy.

– No więc? Co takiego knujesz? Bo przez całą drogę nie pisnęłaś ani słówka. – Uniósł ręce w obronnym geście. – Jeśli zamierzasz złamać jakąś zasadę, to wolę się w to nie mieszać.

– Spokojnie. – Ariel uspokajająco położyła dłoń na jego ramieniu. Spojrzała mu niewinnie w oczy. – Myślisz, że mogłabym cię narazić na utratę pracy? Nie chcę ci wyjawić wszystkiego, ale powiedzmy, że muszę iść w pewne miejsce. W celach naukowych oczywiście. Obiecuję, że nic złego nie zrobię.

Tom milczał przez chwilę, zastanawiając się nad jej słowami.

– Uznajmy, że ci wierzę. A ja mam w tym czasie...

Ariel wygrzebała z kieszeni spódnicy swój gwizdek i wcisnęła mu w dłoń.

– Ty masz po prostu robić swoje – odpowiedziała, wskazując podbródkiem duży kominek za biurkiem Kaghet. – Gdyby ktoś tu wszedł, ktokolwiek, masz zagwizdać. Wtedy cię usłyszę i przyjdę.

Tom spojrzał na gwizdek.

– Czyli mam cię kryć – odezwał się wolno, jakby nie był pewny, czy dobrze rozumie. – Nie chcesz, żeby ktoś cię nakrył, więc wykorzystujesz mnie, bym pilnował drzwi. A co jeśli zacznę gwizdać przy tej osobie i ona domyśli się, że coś jest nie tak?

Widząc jego poważną, zaniepokojoną minę, Ariel roześmiała się. Poklepała go z rozbawieniem po plecach.

– Spokojnie, Tom. Przecież to nie żaden napad czy coś takiego. Po prostu chcę zajrzeć do pewnego pokoju, ale nigdy nie mam okazji. To naprawdę nie żadne przestępstwo.

Westchnął i przewrócił oczami. Zawiesił sobie gwizdek na szyi i uśmiechnął się.

– Dobrze, już dobrze. Idź już lepiej, bo jak skończę z tym kominkiem, to nie zamierzam na ciebie czekać cały dzień.

– Dzięki.

Ariel pomachała mu i biegiem popędziła w labirynt regałów. Lepszej okazji nie mogła sobie wymarzyć. Już od rana planowała wycieczkę do tego pokoju, a pojawienie się Toma było jej bardzo na rękę. Dzięki niemu będzie wiedziała, jeśli ktoś wejdzie do biblioteki, i będzie mogła się ukryć, zanim zostanie przyłapana na łamaniu kolejnej głupiej zasady.

Nie musiała się skradać ani zachowywać cicho, więc tym razem droga zajęła jej o połowę mniej czasu. Z przyspieszonym oddechem wynurzyła się z labiryntu, wkroczyła na balkon i bez wahania podeszła do schodów prowadzących do pokoju. Wstępując na pierwszy stopień, kichnęła, a potem musiała zatkać sobie palcami nos. Tutaj naprawdę nikt nie sprzątał od co najmniej miesięcy. Wszystko pokrywał szary kurz, który przy każdym ruchu wzbijał się w powietrze, by osiąść na ubraniach, włosach i twarzy. Do tego ten wszechobecny ciężki odór, jakby coś się rozkładało. Ariel nawet nie chciała sobie wyobrażać, co to może być.

Teraz nic nie było w stanie jej stąd odciągnąć. W końcu to był jej zamek. Naturalnie, że musiała sprawdzić, co takiego znajduje się w pokoju, do którego wszyscy boją się nawet zbliżać.

Wspięła się po zakurzonych betonowych stopniach i stanęła w niewielkiej mrocznej niszy, na której końcu znajdowały się proste drzwi. Na drewnianej powierzchni wyryte było czarne pióro, takie samo, jakie widywała w innych częściach zamku.

Ariel zdecydowanie podeszła do drzwi. Tutaj odór był bardziej intensywny, ale to ją w ogóle nie odstraszyło. Cokolwiek znajdowało się za tymi tajemniczymi drzwiami, dzisiaj to odkryje. Opuszkami palców ostrożnie przejechała po wklęsłych liniach symbolu. Może właśnie tutaj pozna jego zagadkę. Może w końcu dowie się, co znaczy to pióro. Miała niejasne przeczucie, że powinna to wiedzieć, że dla niej również miało jakiś głębszy sens. Pokręciła wolno głową, jakby chciała pozbyć się jakichś niedorzecznych myśli. Zaczerpnęła tchu i jej palce powędrowały do zakurzonej klamki.

Nacisnęła i nic. Zamknięte.

Zmarszczyła brwi, jeszcze kilkakrotnie szarpiąc za klamkę. Wiedziała jednak, że to bezcelowe. Przecież to jasne, że były zamknięte. Ale nie zamierzała tak po prostu odejść, a nie chciała wyważać zamka, by nie zostawiać za sobą śladów.

Pozostawało jej tylko jedno wyjście. Odetchnęła głęboko i skupiła się, jak robiła to już wcześniej. Tym razem poszło jeszcze łatwiej. Moc złotego Kamienia wciąż w niej była – jasna i potężna, trwała w uśpieniu, tylko czekając, aż po nią sięgnie.

Zajęło jej to zaledwie kilka sekund. Zaczerpnęła odrobinę energii i skoncentrowała ją w prawej dłoni. Potem otworzyła oczy i nacisnęła na klamkę. Drzwi zaskrzypiały głośno, ale posłusznie uchyliły się na całą szerokość.

Przez bardzo długą chwilę stała w progu, zbyt podniecona, by się ruszyć. Panującego w środku mroku nie rozjaśniało żadne światło, gdyż nie było tu okna. Gdy jej wzrok nieco przyzwyczaił się do ciemności, zdołała rozróżnić kontury mebli. Wtedy o czymś sobie przypomniała. Sięgnęła pod bluzkę i wyjęła swój medalion w kształcie pióra. Zaledwie znalazł się w jej dłoni, spomiędzy jej palców wypłynęły smugi białego światła. Gdy go puściła, jasność zalała wnętrze pokoiku.

Przesuwając wzrok od jednej ściany do drugiej, przełknęła głośno ślinę. Odnosiła wrażenie, jakby czas zatrzymał się w tym miejscu dawno temu, a ten, kto tu mieszkał, miał lada moment przekroczyć próg pokoju. Odrapane ściany pokryte pajęczynami i brudna podłoga zdawały się być pogrążone w wiecznym wyczekiwaniu. Umeblowanie tego miejsca stanowiły stary próchniejący stół, krzesło, zwykły siennik leżący w najdalszym kącie i kilka prostych regałów, na których piętrzyły się księgi i pożółkłe zwoje.

Ariel ostrożnie przekroczyła próg komnaty. Atmosfera tego miejsca była naprawdę niesamowita. Powietrze miało zapach pergaminu, skóry i jeszcze czegoś. Rozglądając się wokół, w blasku białego światła dostrzegła, że stare księgi zajmowały również stół i część podłogi. Zbliżyła się do stołu i przyświecając sobie medalionem, zerknęła na okładki leżących z brzegu grubych ksiąg. Zmrużyła oczy, by dojrzeć coś przez pokrywającą je warstwę kurzu. Z zaskoczeniem odkryła, że ich tytuły składają się z dziwnych znaków tworzących równie niezrozumiałe zdania. Podeszła do regałów w nadziei, że może tam znajdzie coś interesującego. W głębokiej ciszy słyszała jedynie łomot swojego serca.

Skupiła teraz swoją uwagę na zwojach leżących w nieładzie między księgami. Papier był pożółkły i kruszył się. Wyciągnęła drżącą rękę i chwyciła jeden zwój, by lepiej mu się przyjrzeć. Zaledwie jednak znalazł się w jej dłoni, rozsypał się na tysiące drobnych żółtych niczym piasek drobinek. Cofnęła się z zaskoczeniem, potykając o stół. Wszechobecny kurz zawirował wokół niej niczym szary śnieg, po czym z powrotem osiadł na meblach. Ariel kichnęła kilka razy, aż z oczu pociekły jej łzy. Stłumiła śmiech, kiedy uświadomiła sobie, że to tego tak wszyscy się obawiali. Przecież to była zwykła komnata. Stara, brudna i ciemna, ale jednak tylko komnata. Wystarczyło trochę tu posprzątać i nadawałaby się nawet do zamieszkania. Jej poprzedni właściciel musiał spędzać w niej wiele czasu.

Przynajmniej wiem, że łączyło nas zamiłowanie do książek. I ciszy – przemknęło jej przez myśl, kiedy wróciła do penetrowania pokoju. Ponownie skupiła swoją uwagę na stole. Między stosem starych ksiąg zauważyła ogarek świecy. Szperając dalej, dostrzegła resztki czegoś, co kiedyś zapewne było piórem, oraz niewielki pojemnik, który mógł służyć do przechowywania atramentu. Otworzyła pierwszą z brzegu księgę i delikatnie zaczęła przewracać strony, wszystkie zapełnione pismem w nieznanym jej języku. Kartki były chropowate i chrzęściły pod palcami, wyglądały jednak na trwalsze w porównaniu do zwojów.

Pochyliła się nad księgą, by lepiej przyjrzeć się dziwnemu pismu. Dzięki światłu z amuletu mogła dokładnie zobaczyć każdą literę i każdy misternie wykonany wzór składający się na ten obcy język. Wprawdzie atrament zblakł już częściowo, jednak nadal był czytelny. Gdyby jeszcze potrafiła to odczytać, to może dowiedziałaby się czegoś interesującego. Na przykład, kim był właściciel tej komnaty.

W pewnym momencie zatrzymała wzrok na kolejnej stronie i otworzyła szeroko oczy. Miała przed sobą najpiękniejszy rysunek, jaki kiedykolwiek widziała. Już wyblakły, ale precyzyjny szkic kobiety z długimi, sięgającymi pasa włosami, o smukłej sylwetce i delikatnej, pięknej twarzy. Jednak najbardziej zdumiały Ariel skrzydła. Były potężne, piękne i niezwykle smukłe. Wyrastały z pleców postaci i gdyby je złożyła, z powodzeniem mogłaby się nimi objąć. Kobieta była ubrana w zwiewną, przylegającą do ciała suknię, zaś w lewej dłoni trzymała miecz będący idealnym wydłużeniem jej ramienia. Jego ostrze skierowane do dołu i ledwo dostrzegalny uśmiech w kącikach ust świadczyły o tym, że kobieta-anioł była równie niebezpieczna, co piękna.

Rysunek zachwycił Ariel tak bardzo, że nie potrafiła oderwać od niego wzroku. Im dłużej mu się przyglądała, tym większego nabierała przekonania, że kobieta jest jej dziwnie znajoma. Było w niej coś takiego, co przyciągało i intrygowało, nie tylko piękno, ale również siła

drzemiąca w tym kobiecym ciele. Wpatrzona w obrazek, bezwiednie pogładziła go palcami. Ta twarz tak bardzo jej kogoś przypominała... Minęło kilka chwil, nim w końcu cofnęła rękę. Przymknęła na
chwilę oczy, chcąc wryć sobie w pamięci wizerunek kobiety-anioła.
Uprzytomniła sobie jednak, że nie ma wiele czasu i natychmiast oderwała się od ksiąg.

Jeszcze raz obejrzała dokładnie komnatę, aż jeden przedmiot szczególnie ją zainteresował. Tuż koło siennika stała niewielka kwadratowa
skrzynia. Ariel od razu do niej podeszła, choć na pierwszy rzut oka nie
było w niej nic niezwykłego. Ot, zwykła drewniana skrzynia, która mogła równie dobrze służyć za stolik czy schowek na drobiazgi. Jednak
dziewczyna od razu dostrzegła, jakie było jej prawdziwe przeznaczenie w tej komnacie. Stała tuż przy ścianie, zasłaniając ledwo widoczną
czarną plamę.

Podekscytowana nowym odkryciem, Ariel chwyciła oburącz skrzynię i przesunęła z łatwością. Z czarnego otworu natychmiast buchnął
na nią odór zgnilizny i wilgoci. Teraz już przynajmniej wiedziała, skąd
pochodzi ten smród. Zasłoniła ręką twarz i cofnęła się mimowolnie.
Zaraz potem ostrożnie zajrzała w dziurę. W świetle amuletu dostrzegła jedynie, że prowadzi stromo gdzieś w dół. Tunel był niewielki, ale
z powodzeniem zmieściłby się w nim człowiek. Nagle doznała olśnie-
nia. Przejście prowadziło do podziemi!

Jej serce zabiło jeszcze szybciej. Dotarło też do niej, że w ogóle nie
wiedziała o jego istnieniu. O innych tajnych przejściach również nie
miała pojęcia, dopóki o nich nie pomyślała. Ale z tym było inaczej.
Ona po prostu nie wiedziała.

Wyprostowała się i obejrzała na drzwi. Zmarszczyła brwi, myśląc
intensywnie. Obiecała Tomowi, że zaraz wróci, ale przecież... Znów
spojrzała na otwór i w jednej chwili podjęła decyzję. Opadła na kolana
i nie zważając na bród i kurz, zagłębiła się w tunel. Skoro już go odkryła,
to musiała się przekonać, dokąd prowadzi i czy w przyszłości mógłby
jeszcze jej się przydać.

Tunel był na tyle wysoki i szeroki, że mogła poruszać się w nim na kolanach, bez obawy, że się poobija. Dłonie natrafiały na wykruszone cegły i pajęczyny, kolana zaś ocierały o niewidzialne kamyki i szorstką podłogę. Medalion huśtał się na jej szyi, dając ruchliwe, rozmigotane światło, które tworzyło wokół niej niezliczone cienie.

Tak jak podejrzewała, dotarła prosto do podziemi. Minęło może z dziesięć minut, kiedy w końcu wyczołgała się z otworu i wyprostowała z westchnieniem ulgi. Była cała brudna i miała podrapane nogi, ale uśmiechała się z zadowoleniem. Znalazła się w jednym z licznych korytarzy, które jeszcze tak niedawno przemierzała razem z Tarą. Na myśl o przyjaciółce szybko skupiła uwagę na otoczeniu.

Przejście było długie i ciemne, ale dzięki własnemu światłu mogła sięgnąć wzrokiem dobrych parę metrów wokół siebie. I okazało się, że wzdłuż prawej ściany ciągnęły się cele. Może te same, które widziała z Tarą, a może inne. W końcu wszystkie korytarze były identyczne. Zadrżała, kiedy przypomniała sobie reakcję przyjaciółki. Tara wyraźnie czegoś się przestraszyła i kazała jej uciekać. Tylko czego się wtedy bała?

Wokół panowała grobowa cisza, nie dobiegały tu absolutnie żadne dźwięki z zewnątrz. Nawet jej własne bicie serca zdawało się odległym dudnieniem gdzieś z głębi ziemi. Uzmysłowiła sobie, że tutaj z pewnością nie usłyszy gwizdka. Cokolwiek by się działo na górze, jej już to nie dotyczyło.

Tutaj była zdana tylko na siebie. Przełknęła ślinę. Zacisnęła palce w pięść, a potem wyprostowała dłoń i dotknęła ściany po lewej, by mieć jakieś oparcie.

– Weź się w garść – mruknęła do siebie. Nawet jej głos wydał się obcy w tym brudnym ciemnym miejscu.

Ruszyła wolno wzdłuż ściany, z postanowieniem, że dojdzie do rozwidlenia korytarzy i wtedy zawróci. Wróci tym samym tunelem, bo nie widziała sensu, żeby teraz błąkać się godzinami i szukać wyjścia. Przejście z powrotem wymagało wspinania się pod górę, ale i tak było to lepsze niż snucie się po labiryncie podziemi.

Stąpała ostrożnie, by o nic się nie potknąć, choć i tak w tej warstwie kurzu ledwie widziała swoje stopy. Wyobraziła sobie, co by na to wszystko powiedział Tom. Nie wydawał się za odważny, ale bardzo tchórzliwy również nie. Mógłby jednak uznać ją za lekko stukniętą, gdyby dowiedział się, że jej rozrywką są spacery po starych tunelach i lochach.

Zachichotała cicho, kiedy nagle coś zachrobotało i w następnej chwili jakiś cień przemknął między jej nogami. Ariel wydała z siebie krótki krzyk i zatoczyła się na ścianę. Przywarła do niej, wstrzymując oddech. Zawsze szczyciła się swoją odwagą, ale szczurów i pająków po prostu nie znosiła.

Udało jej się opanować oddech i zawróciła w stronę tunelu. Nagle zamarła, ze wzrokiem wbitym w przeciwległą ścianę.

Dopiero teraz zwróciła uwagę na fakt, że cele były otwarte.

Czy wcześniej też tak było? Czy powinny być otwarte?

Ariel nie wiedziała dlaczego, ale nagle chwycił ją strach. Prawdziwy strach. Zamiast skradać się po cichu rzuciła się biegiem w stronę wyjścia. Jej oddech stał się szybki, urywany i nie wiedziała nawet, kiedy wpadła w panikę. Zdążyła zrobić kilka kroków, kiedy coś podcięło jej nogę. Upadła jak długa na podłogę, wzbijając wokół siebie chmurę kurzu. Krztusząc się i kaszląc, zdołała odwrócić się na plecy. Natychmiast jednak tego pożałowała.

Nad nią pochylały się ludzkie szkielety, a inne zbliżały się szybko korytarzem. Pojawiły się w zupełnej ciszy, jakby znikąd. Wszystkie wpatrywały się w nią pustymi czarnymi oczodołami. Białe kości jarzyły się w świetle upiornym blaskiem. Na sobie miały strzępki łachów, a w otworach w czaszce kłębiły się pająki i inne robactwo.

Ariel już się nie bała. Była przerażona. Leżała na plecach całkowicie odrętwiała i gapiła się na otaczające ją szkielety, jakby to wszystko było tylko bardzo złym snem. Chwyciły ją mdłości, ale zdołała jakoś przełknąć gorzką żółć.

Riva? Gdzie jesteś?! RIVA!!!

Odpowiedziała jej cisza. Tym razem odczuła ją boleśnie, jak cios wymierzony w policzek. Riva ją zawiódł. Nie przyjdzie. Nikt jej nie uratuje.

Wzdrygnęła się z obrzydzeniem, gdy kościste dłonie chwyciły ją za ramię. Natychmiast wyrwała się nagłym szarpnięciem. Nie mogła nawet krzyknąć, gdyż głos uwiązł jej w gardle. Musiała jednak jakoś się bronić. Sięgnęła po medalion i szarpnęła. Rzemyk zawisł między jej palcami, kiedy wyciągnęła przed siebie rękę. Eksplozja światła zalała korytarz, boleśnie raniąc jej oczy. Zacisnęła mocno powieki, z nadzieją, że to poskutkuje.

Zaledwie jednak otworzyła oczy, jęknęła głucho. Ludzkie szkielety wciąż tu były. Pochylały się nad nią, otaczały, wyciągały po nią kościste palce. Nie wydawały przy tym żadnego dźwięku, jednak nie musiały nic mówić. Wiedziała dobrze, że nie przyszły, by się z nią bawić. Ich milczenie było wystarczająco wymowne i bardziej przerażające, niż gdyby ją przeklinały. Zamierzały ją zabić.

Nie miała czasu, by zastanawiać się, czym są i skąd się tu wzięły. Ze wszystkich stron zaczęły chwytać ją zimne, pozbawione życia palce. Szarpała się i wyrywała, brzydząc się samym ich widokiem.

W końcu udało jej się wstać. Z impetem przebiła się poza kłębowisko szkieletów i stanęła w bezpiecznej odległości. Puste czaszki powoli zwróciły się w jej stronę i ruszyły na nią całą grupą. Ariel cofała się krok po kroku. Kręciła przy tym głową, jakby próbowała zaprzeczyć temu, co widziały oczy. Przed sobą trzymała dłoń z medalionem, niczym tarczę, choć wiedziała już, że światło nie robi na nich wrażenia. Ale przynajmniej jej samej dodawało otuchy.

W pewnym momencie jeden z nich rzucił się w jej stronę z zadziwiającą zwinnością. Ariel nie zdążyła nawet zareagować, kiedy siła uderzenia popchnęła ją na ścianę. Jęknęła głośno z bólu, a przed oczami zatańczyły czarne plamki. Upuściła medalion, który zniknął gdzieś w mroku i zgasł, pogrążając ich w całkowitej ciemności.

Zaledwie doszła do siebie, następny szkielet ruszył w jej stronę. Ariel w końcu udało się wydobyć z siebie głos.

– Zostawcie mnie! – wrzasnęła, napełniając całe podziemie zwielokrotnionym echem.

Jednocześnie wyciągnęła dłoń, rozcapierzyła palce i ponownie krzyknęła. Nie zastanawiała się, co robi. Nie miała żadnego planu. Była zbyt przerażona, by myśleć, i zbyt zdeterminowana, by się wahać. Po prostu wysłała w ich stronę całą swoją Moc. Całą energię złotego Kamienia wypuściła w jednym potężnym ataku.

Rozległ się huk, strumień gorąca przepłynął przez nią niczym gwałtowny błysk pioruna. Potężna siła zmiotła wszystkie szkielety i cisnęła gdzieś daleko w ciemność. Ariel usłyszała trzask łamanych kości i ogłuszający grzmot, jakby cały zamek miał się zaraz zawalić. Oszalały kurz wdarł się gwałtownie do nosa i oczu. Dostała gwałtownego ataku kaszlu, od którego rozbolało ją gardło, a z oczu pociekły łzy.

Oparła się całym ciężarem o ścianę, kiedy przeraźliwie zakręciło jej się w głowie. Jeszcze nigdy nie czuła się tak wyczerpana. Jednak rozpierała ją duma. Udało jej się. Przeżyła. Sama pokonała te istoty.

Osunęła się ciężko na kolana, a potem padła na brzuch, zupełnie pozbawiona czucia. Głęboka ciemność zamykała jej powieki i zachęcała do odpoczynku. Tylko chwilę, zanim wróci do biblioteki.

– Riva – szepnęła, po czym zamknęła oczy.

* * *

Obudziła się z potwornym bólem głowy. Uniosła ciężkie powieki, z trudem rozpoznając wnętrze swojego pokoju. Jednak nie potrafiła sobie przypomnieć, jak się tu znalazła. Zerknęła w stronę okna, za którym świecił blady księżyc. Jak długo spała? Cała była sztywna i obolała, jakby biegła kilka godzin bez odpoczynku. Jednak najgorsza była ta pustka w głowie i to potworne zmęczenie.

Po długich minutach leżenia nieruchomo w kompletnej ciszy bardzo powoli zaczęły powracać pojedyncze obrazy. Tom... Pokój z księgami... Podziemie... Szkielety, które próbowały ją zabić... Riva, który nie zjawił się na ratunek...

Spróbowała wstać, ale w końcu z głuchym jękiem opadła na poduszki. Zauważyła, że ktoś przebrał ją w koszulę nocną i przykrył czystą pościelą. Czuła się bardzo dziwnie. Jakby spała bardzo długo i teraz nie potrafiła sobie przypomnieć, co jej się śniło. A czuła, że powinna. Zagryzła wargi, zmieniając nieznacznie pozycję na poduszkach. Pościel zaszeleściła cichutko, wywołując w jej głowie bolesne dudnienie.

Przymknęła oczy i westchnęła ciężko. Tęskniła za Rivą. Tak bardzo tęskniła, że każda o nim myśl wywoływała dziwny ból w sercu. Pragnęła, by był teraz przy niej i zapewnił, że wszystko będzie dobrze. Pragnęła zanurzyć dłoń w jego czarne skrzydła, znów poczuć tę mistyczną więź między ich umysłami.

Gdzieś tam jednak wiedziała, że to jest złe. Że to wszystko było złe. Bo przecież Riva sterował jej umysłem. Sterował każdym jej ruchem i słowem, a ona tego nie zauważała. Nawet na to pozwalała, bo ślepo mu wierzyła. Bo był jedynym przyjacielem, z którym nie miała żadnych tajemnic i który ją rozumiał.

A teraz ten przyjaciel ją zdradził. Bo czyż nie obiecał, że będzie ją chronił? Że zawsze z nią będzie? Zostawił ją na pastwę tych istot. Pozwolił jej posmakować prawdziwego strachu. Przecież o mało tam nie umarła.

Położyła dłoń na brzuchu i jęknęła cicho. Mimo wszystko tęskniła za nim. Wciąż czekała aż się zjawi i wytłumaczy swoją nieobecność. Przeprosi za to, że ją zostawił. A ona zamierzała mu przebaczyć.

Dręczona natłokiem myśli, nie mogła usnąć. Pustym wzrokiem wpatrywała się w księżycowe smugi niebieskiego światła na podłodze. Starała się oczyścić umysł i nie myśleć o niczym, ale okazało się to znacznie trudniejsze, niż przypuszczała. Była niespokojna i pobudzona, choć zapewne był to efekt gorączki. Była zdezorientowana i już sama nie wiedziała, co ma robić.

Kiedy za oknem księżyc ustępował miejsca wschodzącemu słońcu, Ariel w końcu zapadła w niespokojny sen. Zamazane twarze to znikały, to pojawiały się wśród szalejących wściekle płomieni, czerwonych niczym krew.

Rozdział XXI

zyjś natarczywy głos przywołał ją z ciemności, aż w końcu całkiem przebudzona, otworzyła oczy. Do pokoju wdarły się blade promienie słońca, tworząc na łóżku i podłodze pręgi światła. Przez chwilę gapiła się na nie bezmyślnie, próbując skupić się na rzeczywistości.

– Ariel, nareszcie!

U wezgłowia łóżka stała Arianna. Pochylała się nad nią z powagą i troską na twarzy. Ariel spojrzała na nią lekko zdezorientowana. W pierwszej chwili nie potrafiła zrozumieć, dlaczego jest cała obolała i czemu przyjaciółka jest taka zatroskana.

– Lekarz powiedział, że jesteś silna i wyjdziesz z tego. Choć naprawdę wyglądało to groźnie.

– Lekarz? – powtórzyła słabym głosem, jednocześnie wygodniej sadowiąc się na poduszkach.

– Tak – skinęła szybko Arianna, siadając na skraju łóżka. – Było z tobą bardzo źle, więc dyrektorka po niego zadzwoniła. Można powiedzieć, że jedną nogą byłaś na tamtym świecie – dodała ciszej. – Bałyśmy się o ciebie. – W jej oczach zaszkliły się łzy.

Ariel spuściła głowę, wpatrując się w swoje dłonie leżące na białej pościeli. Niespokojna myśl przeszła przez jej umysł, jednak szybko znikła. W końcu zadała pierwsze z brzegu pytanie:

– Jak długo byłam nieprzytomna?

– Ponad tydzień.

Ariel spojrzała na nią niedowierzająco. *Tydzień? A więc musiało być ze mną naprawdę źle.*

Jakby czytając w jej myślach, dziewczyna dodała:

– Na początku było z tobą bardzo źle. Cały czas byłaś nieprzytomna i mamrotałaś coś w gorączce. Kiedy Tom cię znalazł, myślał, że nie żyjesz.

– A więc to Tom mnie tu przyniósł? – Wreszcie zaczynała sobie przypominać ostatnie wydarzenia i skrzywiła się mimowolnie, zaciskając pięści na białej pościeli. Teraz już przynajmniej wszystko rozumiała.

– Tak. Podobno bardzo długo cię nie było i Tom poszedł cię szukać. – Mówiąc to, Arianna wpatrywała się w Ariel z uwagą, jakby chciała powiedzieć coś całkiem innego. Kontynuowała jednak poważnym tonem: – Poszedł do tego pokoju w bibliotece i odkrył tajne przejście. Wyciągnął cię stamtąd nieprzytomną i zawiadomił nauczycielki. Pixton przyjechała natychmiast i chciała zawieźć cię do szpitala.

Ariel słuchała z roztargnieniem, ale nagle spojrzała na koleżankę z uniesionymi brwiami.

– Dlaczego więc nie jestem w szpitalu?

Dziewczyna wzruszyła ramionami, ale jej mina świadczyła o tym, że uważała to wszystko za bardzo dziwne. Było widać, że ledwie powstrzymuje się od zadawania pytań.

– Dokładnie to nie wiem, ale Pixton mówiła, że na samo wspomnienie, krzyczałaś i rzucałaś się, choć nie potrafiła cię zrozumieć. Nie chciałaś iść do szpitala, jakbyś się czegoś bała. Dyrektorka zadzwoniła więc do lekarza, który stwierdził, że jesteś tylko bardzo wyczerpana i kilka tygodni w łóżku powinno w zupełności wystarczyć. – Arianna przerwała, po czym popatrzyła jej uważnie w oczy. – To co robiłaś w tym pokoju? Wiesz, że nie wolno tam nikomu wchodzić?

Ariel spojrzała na swoje dłonie i westchnęła przeciągle. *O tak. Teraz już wiem nawet dlaczego.*

Czy Pixton też wiedziała, co znajduje się w podziemiach? To dlatego wszyscy tak unikali tego miejsca? W takim razie dlaczego przez te lata nikt nie pozbył się tego czegoś?

No cóż, to już i tak było nieważne. Ariel była pewna, że raz na zawsze rozprawiła się z tymi szkieletami. Już nikt nie będzie musiał się martwić, że wydostaną się z podziemi i zaatakują ludzi. Przynajmniej taką miała nadzieję.

Nieprzyjemny skurcz żołądka przypomniał jej, że nie powinna teraz o tym myśleć. Postanowiła szybko zmienić temat. Uniosła wzrok na Ariannę i zdołała się nawet uśmiechnąć.

– A więc już po feriach, co? A ty dawno wróciłaś?

– Razem z resztą, trzy dni temu. Ale nie masz czego żałować. Pewnie kiedy nas nie było, okropnie się nudziłaś. A teraz gonią nas do nauki. Ty oczywiście przez jakiś czas będziesz miała prywatne korepetycje, aż odzyskasz siły. A Kaghet mówiła, że pracą w ogóle nie musisz się przejmować. Jakoś dadzą sobie bez ciebie radę.

Ariel te słowa wcale nie poprawiły humoru. Leżenie w łóżku było ostatnią rzeczą, jakiej potrzebowała. Westchnęła ciężko. Na razie była jednak zbyt słaba, by wstać, ale za jakiś czas będzie musiała jakoś się stąd wyrwać.

Nagle uderzyła ją pewna myśl.

– Byłaś przy mnie przez cały czas?

– Siedziałam tu w każdej wolnej chwili. A swoją drogą – Arianna pomachała jej palcem przed nosem – wiedziałaś, że mówisz przez sen?

– Ja?

Dziewczyna wyszczerzyła zęby w szerokim uśmiechu, rozbawiona jej reakcją.

– Oczywiście, że ty. Musiałam wysłuchiwać twojego mamrotania przez trzy dni, więc lepiej nie zaprzeczaj.

Ariel zmarszczyła czoło. Opadła na poduszki, zmęczonym gestem przeczesując palcami włosy.

– No dobrze, w takim razie co takiego mówiłam, jak byłam nieprzytomna? – zapytała ostrożnie.

Arianna milczała przez kilka uderzeń serca, jakby potrzebowała chwili, by dobrać odpowiednie słowa.

– Przeważnie mamrotałaś pod nosem w jakimś dziwnym języku. – Skupiła wzrok na jakiejś plamce na podłodze, jakby bała się spojrzeć Ariel w oczy. – Czasami krzyczałaś, jakby palono cię żywcem. Czasem też płakałaś. W sumie to najczęściej płakałaś. – Koleżanka odetchnęła głęboko i w końcu odważyła się na nią spojrzeć.

Ariel pobladła, ale słuchała w milczeniu, przygryzając tylko wargę.

– Czy mówiłam coś jeszcze? – zapytała nie swoim głosem.

– Tak. Ciągle powtarzałaś jedno imię.

– Jakie? – To było niepotrzebne pytanie bo i tak znała już odpowiedź.

– Riva.

Wzdłuż jej kręgosłupa przeszedł lodowaty dreszcz. Przymknęła oczy i nabrała powietrza w płuca, by się uspokoić. Na sam dźwięk tego imienia powrócił ból w sercu. Zacisnęła blade palce na pościeli, walcząc z napływającymi do oczu łzami. Zastanawiała się, co bardziej ją bolało: jego zdrada czy własne poczucie winy. Czy to coś, co utrudniało jej oddychanie, było karą za to, że w niego zwątpiła?

– Ariel, źle się czujesz? Może zawołać…

– Nie – przerwała szybko i spojrzała w zamyśleniu na Ariannę.

Dopiero wtedy coś sobie przypomniała. Coś, o czym powinna pamiętać. Ujęła dłoń siedzącej obok niej dziewczyny i ścisnęła lekko.

– Arianno – odezwała się powoli i z powagą. – Przepraszam cię za wszystko. Cokolwiek mówiłam do tej pory czy robiłam…

Arianna wstała i poklepała ją po ramieniu.

– Ariel, nie musisz się tłumaczyć. Po prostu jeśli kiedyś będziesz potrzebowała pogadać, to daj mi znać.

– Dziękuję. – Ariel wiedziała, ile kosztowały ją te słowa. Mimo wszystko Arianna była dobrą przyjaciółką. Taką, której nie warto tracić.

– Widzę, że nasza pacjentka czuje się lepiej.

Jednocześnie spojrzały na drzwi, w których stała Eryl. Nawet nie usłyszały, kiedy weszła. Kobieta zbliżyła się do łóżka, mierząc je groźnym spojrzeniem.

– O ile wiem, ty Ariel masz odpoczywać. A co do ciebie, Arianno, to czy nie powinnaś być teraz na lekcjach?

Dziewczyna przewróciła teatralnie oczami, ale posłusznie się pożegnała i wybiegła z pokoju. Gdy zostały same, Eryl przysiadła na brzegu łóżka, w tym samym miejscu, które przed chwilą zajmowała Arianna. Miała również niemal identyczny zatroskany wyraz twarzy.

– Jak się czujesz? –spytała łagodnie.

Ariel w zamyśleniu spojrzała na swoją opiekunkę. Czuła, że ją także powinna za coś przeprosić, ale zupełnie nie miała do tego teraz ani głowy, ani siły.

– Jak się czujesz, Ariel? – Kobieta powtórzyła pytanie, krzyżując dłonie na kolanach.

– Wszystko w porządku – zapewniła. – Czuję się dużo lepiej.

– Nawet nie wiesz, jak się cieszę, widząc, że nic ci nie jest – odetchnęła z wyraźną ulgą. – Wszyscy w szkole bardzo się martwili.

Ariel zmusiła się do słabego uśmiechu. W to akurat bardzo wątpiła, ale nie zamierzała tego komentować.

– To miło – odparła tylko.

Eryl nagle spoważniała, nerwowym ruchem splatając i rozplatając palce.

– Wiesz, że pani Pixton dowiedziała się, że byłaś w pokoju w bibliotece mimo wyraźnego zakazu. Pewnie domyślasz się też, że będzie chciała z tobą o tym porozmawiać. – Kiedy Ariel bez słowa zmarszczyła czoło, kobieta przysunęła się i ujęła jej dłoń w swoje ręce, patrząc przy tym uważnie w oczy. – Może lepiej będzie, jak wcześniej porozmawiasz o tym ze mną? Wiesz, że jeśli o mnie chodzi, możesz być szczera. – Gdy nie doczekała się żadnej reakcji, zaczerpnęła tchu i niezrażona mówiła dalej. – Powiedz mi Ariel, dlaczego tam poszłaś? Co robiłaś w podziemiach, że ledwo uszłaś z życiem? Co się tam działo?

Ariel stanowczo wysunęła dłoń z jej uścisku i osunęła się na poduszki, naciągając kołdrę pod samą szyję.

– Przepraszam, pani Eryl, ale jestem zmęczona. – Obróciła się do niej plecami, twarzą do okna. Na dowód swoich słów zamknęła oczy. – Chciałabym się teraz przespać.

Po bardzo długim milczeniu opiekunka pogładziła ją po włosach i cicho wyszła z pokoju. Ariel dopiero po kilku minutach odważyła się otworzyć oczy. Nieruchomym wzrokiem wpatrywała się w jeden punkt przed sobą, wsłuchując się w otaczające ją dźwięki.

Zamek na nowo tętnił życiem. Z korytarzy i dziedzińca dobiegały liczne głosy i wesołe śmiechy. Czasem ktoś przebiegł obok jej pokoju, czasem gdzieś dalej rozległ się huk lub trzask zamykanych drzwi. Wszystko to jednak odbywało się poza nią, jakby pokój i zamek stanowiły dwa odrębne światy. Tutaj słyszała jedynie ciche tykanie zegara i bicie własnego serca.

Miała mętlik w głowie. Mieszały jej się myśli, wszystko wydawało się takie zamazane i nierzeczywiste. Od zniknięcia Kiiri i śmierci Tary wydarzenia nagle nabrały zawrotnego tempa. Kamień dający kontrolę nad żywiołem. Tajemniczy kruk z innego świata, który rozmawiał z nią telepatycznie. Te wszystkie dziwne wypadki wokół niej. Ludzkie szkielety próbujące ją zabić. A na koniec dowiedziała się, że mówiła przez sen w jakimś obcym języku...

Co się z nią działo? Co się działo z tym światem, który myślała, że zna? Czuła, że już do niego nie pasuje. Że nie należy już ani do niego, ani do tych ludzi. Wszystko, co się tu działo, działo się poza zwykłym rozumowaniem. Poza wszelką zdrową logiką.

Ale skoro to nie był jej świat, to gdzie było jej miejsce? Gdzie nie wyróżniałaby się z tłumu i mogłaby być po prostu sobą?

Od myślenia i zadawania sobie kolejnych pytań czuła się jeszcze bardziej zmęczona. Nie martwiła się tym, że wykorzystała całą Moc. Wiedziała, że ta szybko się zregeneruje, a ona odzyska siły. Martwiło ją to, że w jej ręce wpadła tak potężna Moc. Pamiętała, co zrobiła tam, w podziemiach. Pamiętała swój strach, gniew i tę oszałamiającą potęgę. Ariel nie miała już żadnych wątpliwości co do tego, jaka taka Moc daje możliwości. Mogła zrobić wszystko. Mogła jednym palcem zmieść ten zamek z powierzchni ziemi. W Kamieniu drzemała siła, o jakiej nawet nie śniła. I to bardzo, ale to bardzo niebezpieczna siła, która w niewłaściwych, niedoświadczonych rękach mogłaby wyrządzić niewyobrażalne szkody.

Ariel jednak nie zamierzała na razie tym się martwić. Zanim Moc Kamienia się zregeneruje, minie trochę czasu. Do tej pory może spać spokojnie i nie myśleć o tym, że przez nieuwagę może znów narozrabiać. Moszcząc się wygodniej w łóżku, wsunęła dłoń pod poduszkę i natrafiła na coś palcami. Z zaskoczeniem wpatrywała się na swój medalion w kształcie pióra i dołączoną do niego karteczkę. Ściskając w dłoni wisiorek, w końcu przeczytała wiadomość zapisaną drukowanymi literami.

MAM NADZIEJĘ, ŻE SZYBKO DOJDZIESZ DO SIEBIE. URATOWAŁEM CI ŻYCIE, WIĘC JESTEŚ MI COŚ WINNA. BĘDĘ CZEKAŁ PRZY TWOIM TAJNYM PRZEJŚCIU W MURZE DO 24.00 W NASTĘPNĄ NIEDZIELĘ.

TWÓJ TOM

Miała jeszcze cztery dni.

Tom. Uratował jej życie, choć właściwie cały czas go tylko wykorzystywała. Bez względu na wszystko musiała się z nim spotkać. Naprawdę była mu to winna.

Wsunęła kartkę z powrotem pod poduszkę i przekręciła się na drugi bok. Uśmiechając się do siebie, zamknęła oczy i po chwili już spała.

* * *

Przez następne kilka dni Ariel nie opuszczała łóżka. Wciąż była słaba, choć szybko dochodziła do siebie. Mimo ciągłego siedzenia w pokoju nie mogła narzekać na nudę. Arianna poświęcała jej każdą wolną chwilę, zabawiając i wprowadzając w dobry nastrój. Codziennie do południa miała lekcje z Eryl lub inną nauczycielką. Kolejne godziny poświęcała na odrabianie zadanych prac, a wieczory spędzała przy książce lub w towarzystwie dziewczyn. Bo niemal nigdy nie była sama. Aż naprawdę zaczynała tęsknić za samotnością.

Tęskniła również za Rivą. A najbardziej pragnęła leżeć w ciszy i o niczym nie myśleć. Jednak wpojona uprzejmość nie pozwalała jej otwarcie wyprosić dziewczyn. Przecież nie mogła im tak po prostu powiedzieć, żeby zostawiły ją w spokoju. Może gdyby był tu Riva, załatwiłby to prosto i po swojemu, bez zbędnych ceregieli. Jednak ona tak nie potrafiła. I nawet jeśli kiedyś zachowywała się samolubnie i nieuprzejmie, to nie potrafiłaby tego powtórzyć z własnej woli.

Pixton była u niej tylko raz. Przyszła na pięć minut, by zapytać, jak się czuje. Wspomniała jedynie, że będzie chciała z nią porozmawiać, o tym co zrobiła, po czym wyszła równie szybko. Tylko tyle. Ale Ariel i tak cieszyła się, że dyrektorka dała jej czas. Jeśli jednak czekała tylko na to, kiedy odzyska siły, to ta rozmowa mogłaby się odbyć już lada dzień.

Wbrew temu, co mówił lekarz, dziewczyna dochodziła do siebie bardzo szybko. Niespodziewanie szybko. Można powiedzieć, że była nawet silniejsza niż przedtem. Takie przynajmniej miała odczucie. Nawet walka z tamtymi dziwnymi stworami wydawała jej się teraz taka nierealna. Wręcz śmieszna.

W niedzielę była już na tyle silna, że mogła się ubrać i wyjść z pokoju. Nie zrobiła tego jednak z bardzo prostej przyczyny. Zamierzała w nocy spotkać się z Tomem. A ponieważ musiała wykraść się z zamku, po kolacji chciała już zostać sama. Inaczej dziewczyny siedziałyby u niej aż do nocnej ciszy.

Dzień spędziła całkiem zwyczajnie. Do południa odrabiała lekcje, więc miała chwilę dla siebie. Potem wpadła Mary z obiadem, a zaraz po niej cała piątka dziewczyn. Ariel cierpliwie zniosła ich obecność, wysłuchując nudnych historyjek i śmiejąc się, gdy powiedziały coś zabawnego. Może w innych okolicznościach cieszyłaby się z ich towarzystwa. W końcu na swój sposób lubiła każdą z nich. Teraz jednak za bardzo czuła, że od nich odstaje. Już nie była częścią ich świata i musiała się z tym pogodzić.

Tak jak zaplanowała, zaraz po kolacji powiedziała, że jest zmęczona i zamierza wcześniej iść spać. Dziewczyny pożegnały się bez słowa protestu i wyszły. Arianna popatrzyła na nią jakoś dziwnie, ale może tak tylko jej się wydawało. Może i powinna powiedzieć im, co zamierza. Czuła jednak, że nie powinna. Może to było głupie, ale tym razem swoją nocną wycieczkę chciała zachować tylko dla siebie.

Przez następne dwie godziny czytała książkę, która zresztą nie była zbyt ciekawa. Zastanawiała się też, co właściwie ma powiedzieć Tomowi. Bo z pewnością nie prawdę.

Około jedenastej postanowiła w końcu wstać. W całym zamku panowała cisza, a za oknem królowała głęboka noc. Na granatowym niebie nie było księżyca i ani jednej gwiazdy. Ilekroć spojrzała na tę bezdenną ciemność, przechodziły ją ciarki. Jak dobrze, że teren wokół zamku był oświetlony. Inaczej nie miałaby ochoty wychodzić w noc, która za bardzo przypominała jej podziemie i to, co się tam kryło.

Wygrzebała się z łóżka, podarła liścik Toma na strzępki i wrzuciła do kosza. Ubrała się ciepło w jakieś stare spodnie i gruby sweter i wymknęła z zamku.

Dziedziniec skąpany był w delikatnym świetle lamp. Biały śnieg skrzył się milionami diamentów. Wszystko wokół trwało w uśpieniu, wiatr nie poruszał ani jedną suchą gałązką. Trudno było dostrzec, czy ktoś stoi za murem, ale skoro Tom obiecał czekać do dwunastej, to na pewno wciąż tam był.

Mróz przenikał jej ciało na wskroś i szczypał w twarz. Przecięła trawnik, minęła fontannę i pobiegła w stronę lasku. Obejrzała się za siebie, choć wiedziała, że nikt jej nie śledzi. W żadnym oknie nie paliło się światło. Cały zamek wyglądał niczym uśpiona bestia wyłaniająca się z najczarniejszych czeluści piekła. Jednak dla Ariel ta bestia była jedynym domem, jaki znała. Jedynym, do którego mogła wrócić.

Podążając wzdłuż muru, zagłębiła się w gęste poszycie zagajnika.

Mimo panujących ciemności bez trudu odnalazła właściwe miejsce. Odrzuciła poluzowane cegły i przeczołgała się na drugą stronę.

– Ariel.

Ten radosny głos mógł należeć tylko do Toma.

– Cześć. – Przywitała się z nim, wstała i otrzepała ze śniegu. Odległe lampy rzucały słaby blask na chodnik, więc przynajmniej mogli siebie widzieć.

Chłopak uśmiechał się szeroko, doskoczył do niej i chwycił w ramiona. Zaskoczona tym jawnym przejawem uczuć, Ariel stała sztywno w jego niedźwiedzim uścisku. Zaśmiała się nieco nerwowo.

– Już dobrze. Udusisz mnie.

– Przepraszam – odsunął się tylko na tyle, by móc przyjrzeć się jej twarzy. Jego zimne dłonie spoczywały na jej policzkach, gładząc je już bez żadnego skrępowania. – Umierałem ze strachu, Ariel – wychrypiał tuż przy jej twarzy. Jego wzrok błądził od jej ust do oczu i z powrotem. – Nie mogłem przestać o tobie myśleć.

– Ale jak widzisz, żyję i nic mi nie jest – odpowiedziała z uśmiechem. Drżała z zimna i chyba po raz pierwszy cieszyła się z jego bliskości.

– Wiedziałem, że z tego wyjdziesz, choć naprawdę się bałem – wyznał z powagą. – Jednak nie widziałaś siebie wtedy. Wyglądałaś, jakbyś była już martwa. Byłaś taka blada i… – przerwał i z trudem przełknął ślinę.

W zamyśleniu gładził ją po twarzy, jak dziecko, które nie może nacieszyć się prezentem. Wcześniej nigdy by się na to nie odważył i Ariel zaczynała wierzyć, że musiało być z nią bardzo źle. A skoro tak się zachowywał, to znaczyło, że naprawdę mu na niej zależy. Tak bardzo była zaaferowana tą myślą, że pozwoliła nawet, by dotknął palcami jej ust.

– Powiesz mi, co się tam wtedy zdarzyło? Co robiłaś w podziemiach?

– Ja… – Ariel spuściła wzrok na ich stykające się stopy. Kiedy z powrotem na niego spojrzała, jego oczy błyszczały intensywnie. Wciąż były niespokojne, ale już tylko odrobinę. Ariel odetchnęła głęboko. – Nie pamiętam, Tom – wzruszyła nieznacznie ramionami. – Musiałam spaść do tego tunelu i się uderzyć – skrzywiła się, jakby naprawdę obwiniała swoją niezdarność. – Nie uważałam i tyle. Moja wina. Ale wiesz – spróbowała zażartować lekkim tonem – to nic takiego. To tylko kolejny dzień z mojego normalnego życia.

Spodziewała się, że go rozśmieszy, jednak rozczarowała się. Tom pokręcił tylko ponuro głową. W kącikach jego ust pojawił się co prawda uśmiech, ale bardzo słaby i pozbawiony wesołości.

– Wiesz, Ariel? Jesteś naprawdę niesamowita. Prawie zginęłaś, a mówisz o tym tak lekkim tonem.

– Prawie – podkreśliła z naciskiem.

Parsknął krótko.

– Rzeczywiście. I może jeszcze mi powiesz, że codziennie ryzykujesz życie, wciskając się do tych twoich tajnych kryjówek i przejść?

– Przyznaję się tylko do tej drugiej części – wyznała niewinnie.

Wpatrywał się w nią z lekkim niedowierzaniem, ale i z pewnym podziwem. Pojedyncza zmarszczka na jego czole wyglądała jak samotna fala na idealnie gładkim morzu. Właściwie to jego twarz znajdowała się tak blisko, że można było dostrzec każdy pojedynczy pieg czy wgłębienie. Nie było ich dużo, ale wyglądały niczym mapa gór, dolin i jezior.

– Dlaczego nie możesz się zająć malowaniem paznokci i robieniem zakupów jak inne dziewczyny, Ariel?

– A kto powiedział, że jestem taka jak inne dziewczyny? – odpowiedziała pytaniem na pytanie.

Jego uśmiech stał się szerszy. Zaczynało do niego docierać, że naprawdę nic jej nie jest.

– Nikt – odezwał się zachrypniętym głosem. Jego twarz znalazła się jeszcze bliżej, jeśli w ogóle było to możliwe. – I masz rację – wyszeptał. – Nie możesz być taka jak inne.

Ariel nie wiedziała, dlaczego nie może się ruszyć. Nie wiedziała też, dlaczego dała się pocałować.

To był jej pierwszy pocałunek i nie wiedziała za bardzo, jak się zachować. Kiedy jego wargi przywarły do jej ust, w pierwszym momencie nie czuła właściwie nic.

A potem to się stało.

W jednej chwili jej umysł zalała potężna fala, dosłownie pozbawiając tchu. Wściekłość. Niezadowolenie. Zazdrość. To wszystko zlało się w jeden pojedynczy, ale za to pełen furii atak.

Chodź.

Głos rozległ się znienacka. Ariel aż odskoczyła od Toma i zamrugała powiekami. Znała ten głos... Riva!

Ledwo to sobie uświadomiła, Toma zaatakowała niewidzialna siła. Zmiotła go z ziemi, a potem cisnęła o mur, jakby był tylko kruchym liściem. Coś gruchnęło nieprzyjemnie, kiedy osuwał się na ziemię.

W osłupieniu obserwowała, jak chłopak bez czucia pada na śnieg. Skostniała z zimna i przerażona nie była nawet w stanie krzyknąć. Nie mogła się ruszyć nawet wtedy, gdy usłyszała czyjeś kroki. Śnieg zaskrzypiał pod butami osoby, która powoli wyłaniała się z ciemności.

Gdzieś na wysokości twarzy znajdowały się dwa punkciki. Wpatrywały się w nią intensywnie, ciemniejsze od najczarniejszej nocy. Ariel miała wrażenie, że pod tym spojrzeniem cała płonie.

– Już czas, Ariel.

Jego baryton miał w sobie siłę i władczość, której nie potrafiła się oprzeć. Wyciągnął ku niej ramiona i Ariel zanurzyła się w nie ufnie, a potem straciła przytomność.

Rozdział XXII

otworny ból w czaszce i w okolicach oczu ocucił go na tyle, że wyrwał z otchłani nieświadomości. Jego otępiały umysł zarejestrował dziwną mieszaninę zapachów wilgoci i zwierzęcego potu. Bardzo wiele czasu zajęło mu odkrycie, że znajduje się w stajni, a jeszcze więcej zrozumienie tego, co to dla niego oznacza.

Spróbował poruszyć ręką, ale była przypięta do żelaznego łańcucha. Usłyszał charakterystyczny brzęk i kolejny, gdy ruszył nogą. Chciał unieść głowę, która wciąż opadała mu na pierś, ale tylko syknął z bólu i w końcu zaniechał wszelkich prób zmuszenia swojego obolałego ciała do wysiłku.

W pobliżu nie słyszał żadnych ludzkich głosów. Ciszę przerywało jedynie rżenie koni i irytujące brzęczenie much siadających na czym tylko się da. Wciąż był zbyt otępiały, żeby zmusić swój umysł do myślenia. Rejestrował wszelkie bodźce, czekając, aż będzie mógł się na tyle skupić, by przeanalizować swoje położenie. Miał wrażenie, że jego ciało i umysł stały się dwoma oddzielnymi organizmami niezdolnymi do współpracy. Instynktownie sięgnął do Mocy, by zregenerować siły. Z pewnym zaskoczeniem natrafił na barierę, jakby ktoś go blokował. Był tak zdumiony tym faktem, że to nieco przywróciło go do rzeczywistości. Klatka po klatce w jego głowie zaczynały pojawiać się wspomnienia ostatnich wydarzeń. Potem pomyślał o Ceronie i wszystko nagle nabrało sensu.

Riva bardzo powoli uchylił powieki i zamrugał gwałtownie. Ciemność pomału ustępowała miejsca światłu, aż zamglony obraz zaczął przybierać wyraźne kształty. Zobaczył swoje nogi bezwładnie rozrzucone na słomie i przywiązane łańcuchami. Jęknął, gdy podnosił głowę. Jednak tym razem zdołał jakoś utrzymać ją w pionie na tyle, by dostrzec drewniane wejście i ściany boksu. Gdy mógł już w miarę sprawnie posługiwać się umysłem, a ból głowy stał się przynajmniej znośny, zaczął analizować swoją sytuację.

Jak się tu znalazłem? Co zamierzają ze mną zrobić? Dlaczego Ceron to zrobił? Ceron...

Gdy pomyślał o przyjacielu, który dopuścił się wobec niego zdrady, poczuł gorzki smutek, a zaraz potem złość i rozgoryczenie. Jak mógł tak łatwo dać się złapać? Nabrał się na najstarszą sztuczkę świata i nawet niczego nie zauważył. A przecież w młodości uczono go rozpoznawania wszelkich trucizn. A więc dlaczego tym razem zawiodły go zmysły? Czyżby to przez...

Ponownie skupił się, by przywołać Moc, i ponownie bezskutecznie. Wcale go to jednak nie dziwiło. Nie mógł się spodziewać, że zostawią go tu samego z choć odrobiną Mocy. Bez kruczej magii nie mógł wiele zdziałać, nawet jako wojownik czuł się bezradny, gdy krępowały go więzy trucizny i żelazne łańcuchy.

Mimo wszystko musiał przyznać, że Ceron doskonale wszystko zaplanował. Hrabia, mimo swoich lat, wciąż był znakomitym wojownikiem i przebiegłym strategiem. Riva znał go dostatecznie długo i na tyle dobrze, że wiedział nawet o jego drobnych sekretach, które nigdy nie powinny ujrzeć światła dziennego. Coś jednak musiał przeoczyć, skoro w porę nie odkrył podstępu.

Nie potrafił zrozumieć motywów Cerona. To, że dał się złapać, nie dziwiło go tak bardzo, gdyż hrabia miał wiele sposobów na przechytrzenie wroga. Nie wyczuł trucizny w winie, bo nie spodziewał się jej u przyjaciela. Jego czujność osłabła, gdyż miał wtedy inne problemy na głowie, a jego Moc ostatnio coraz częściej go zawodziła. Nawet teraz pomysł, że Ceron go zdradził, wydał mu się absurdalny. A przecież siedział tu przykuty łańcuchami i otumaniony zatruwającą jego żyły trucizną. Pozbawiony Mocy i władzy nad ciałem, nie miał szans, by się wydostać.

Nie wiedział, ile czasu tu spędził. Czasami przysypiał na parę chwil, a wtedy zdawało mu się, że widzi zamglone postaci i słyszy odległe głosy. Budził się nagle i zlany zimnym potem nasłuchiwał ciszy, każdego najlżejszego dźwięku. Były też chwile, gdy w stanie dziwnego podniecenia i lęku wpatrywał się rozognionym wzrokiem w drzwi, jakby zaraz miał się w nich pojawić sam Niezwyciężony. Jednak najczęściej po prostu zapadał w ciemność, dzięki której uwalniał się spod kajdan własnych złudnych myśli.

Był pogrążony w kolejnym niespokojnym śnie, gdy do jego uszu dobiegł odległy dźwięk otwieranych wrót, a potem zbliżające się kroki. W pierwszej chwili był pewny, że to kolejne majaki. Wtedy jednak skrzypnęły drzwi od boksu i ktoś stanął w progu.

Riva był na tyle przytomny, że udało mu się unieść lekko głowę i otworzyć oczy. Przed sobą ujrzał trzech mężczyzn. Być może jego umysł przebywał jeszcze w sennym odrętwieniu, gdyż ich twarze wydawały się pozbawione rysów, a sylwetki jakby zamazane.

Ledwo rozróżniał ich głosy. Nie potrafił zrozumieć, o czym rozmawiają, jakby porozumiewali się w obcym języku. Po chwili jeden z nich wyszedł, a ten stojący najbliżej trącił nogę więźnia czubkiem buta. Ból rozszedł się po ciele Rivy gwałtowną falą. Przez parę szybkich uderzeń serca wydawało mu się, że całkowicie go pochłonie. Jęknął głośno i zwiesił głowę.

Po chwili wrócił trzeci mężczyzna. Jego krokom towarzyszył dziwny odgłos, którego otumaniony więzień nie potrafił rozpoznać. Po krótkiej wymianie zdań zapanowała cisza. Zaintrygowany Riva uniósł lekko głowę, co kosztowało go wiele wysiłku. Przed sobą ujrzał duże metalowe wiadro. Nie zdążył nawet pomyśleć, jakie jest jego przeznaczenie, gdy w następnej chwili zalał go strumień lodowatej wody.

Podskoczył na swoim miejscu, aż zabrzęczały łańcuchy, i otrząsnął się niczym pies. Parsknął kilka razy, by pozbyć się wody z nosa i ust.

Kompletnie przemoczony, zadrżał gwałtownie i zaklął pod nosem, co raczej zabrzmiało jak charczenie dzikiego zwierza. Ale przynajmniej lodowaty prysznic uwolnił go z resztek otępienia. Dopiero teraz w pełni poczuł swoje obolałe i zesztywniałe ciało. Nareszcie odzyskał wszystkie pięć zmysłów.

Podniósł głowę i zamrugał parę razy, by wyostrzyć wzrok. W boksie stało trzech mężczyzn. Na dwóch strażników o tępych twarzach zerknął jedynie ukradkiem. Swoją uwagę całkowicie skupił na trzecim. Najstarszy z zebranych nie zdejmował z niego spojrzenia, jakby nieobecnych oczu. Co prawda Riva spodziewał się, że do tego spotkania musi kiedyś dojść, jednak na widok Cerona zalała go wściekłość.

– Co za spotkanie – wychrypiał z lodowatą ironią.

– Nie przybyłem tu, by cię przepraszać – odezwał się hrabia głuchym głosem i kątem oka spojrzał na strażników. Choć wpatrywali się obojętnie w więźnia, nie zdejmowali dłoni z rękojeści ukrytych w pochwie mieczy. W ich oczach kryła się obietnica szybkiej śmierci, jeśli którykolwiek wykona niewłaściwy ruch.

– Co zamierzasz teraz zrobić, hrabio? – odezwał się Riva cynicznie. – Będziesz obserwował moje cierpienie czy sam będziesz mnie torturował?

– Nie ja decyduję o twoim losie.

– A więc kto?! Powiedz mi, kto jest teraz twoim panem?! Musiał obiecać ci słoną nagrodę, skoro odważyłeś się wystąpić przeciw królowi.

– Owszem, ale stawka jest znacznie wyższa – odparł beznamiętnie Ceron. – Miałem tylko przyjść i sprawdzić, czy już doszedłeś do siebie.

– Musiałeś, przyjacielu, zadać sobie wielki trud, żeby to wszystko tak dobrze ukartować. – Riva obrzucił go nienawistnym spojrzeniem. – Trzeba mnie było zabić od razu.

– Nie takie było moje zadanie. – Hrabia odwrócił wzrok, zaciskając szczęki. Jego twarz pobladła. – Miałem rozkazy doprowadzić cię tu żywego, nic więcej.

Riva napiął mięśnie i z całej siły szarpnął łańcuchami. Wściekłość dodała mu sił skuteczniej niż jakikolwiek lek. Od gwałtownego ruchu zakręciło mu się w głowie, ale to tylko sprawiło, że krew jeszcze szybciej popłynęła w jego żyłach. W tej chwili widok hrabiego wzbudzał w nim taką odrazę, że gdyby nie te kajdany rozszarpałby go gołymi rękami.

– Więc lepiej zabij mnie teraz, bo na nic wam się nie przydam! – krzyknął z furią.

Ceron milczał, obserwując, jak młodzieniec miota się na posłaniu z suchego siana. Na jego poprzecinanym zmarszczkami czole pojawiły się kropelki potu, ale chyba nikt tego nie dostrzegł. Co raz zerkał niespokojnie na stojących po jego bokach wartowników. W końcu wykonał ręką nieznaczny, uspokajający ruch, po czym zbliżył się do więźnia i przykucnął tuż przy jego twarzy.

Ich oczy spotkały się na tej samej wysokości. W pierwszej chwili Riva miał nieodpartą chęć splunąć mu w twarz. Pohamował się jednak, gdy spostrzegł, że twarz hrabiego jest biała jak ściana. Wpatrując się dokładniej w jego oczy, dostrzegł w końcu to, co wcześniej przeoczył. Strach.

Zdumiony tym odkryciem, już otwierał usta, by coś powiedzieć, ale jedno spojrzenie na strażników wystarczyło, by zrezygnował. Ponownie przyjrzał się Ceronowi, by upewnić się, że to co zobaczył, nie było tylko złudzeniem. Nie mógł się jednak pomylić. Hrabia rzadko bał się czegokolwiek. Więc to mogło tylko oznaczać, że obaj wpadli w poważne kłopoty.

Król rozluźnił mięśnie i oparł plecy o chłodną ścianę. Ręce zdrętwiały mu od trzymania nad głową, był to jednak najmniejszy z jego problemów.

– Dlaczego? – szepnął bezgłośnie, ledwo poruszając ustami.

Mężczyzna wpatrywał się w niego dobrą chwilę, nim odpowiedział również ściszonym głosem.

– Ponieważ twoje życie jest mi droższe niż cokolwiek na tym świecie.

Jego słowa sprawiły ból. Tym bardziej że Riva jeszcze przed chwilą pragnął go zabić… Poczucie winy na moment odebrało mu głos.

Zwiesił głowę, zawstydzony, nie mając odwagi spojrzeć przyjacielowi w oczy. Układał w myślach przeprosiny, ale to Ceron przemówił pierwszy.

– Masz prawo mnie znienawidzić. Ja sam sobą pogardzam. Nie wiem, co czeka cię dalej, bo tak jak ty jestem tu więźniem. Już wypełniłem swoje zadanie i nie będę miał żalu, jeśli mnie zabiją. Jednak mam do ciebie prośbę – zawiesił głos, czekając, aż Riva spojrzy mu w oczy. – Żyj. Żyj, królu, i odnajdź Potomka Liry. Tylko wy możecie nas uratować.

W tym momencie jeden ze strażników chwycił go brutalnie za łokieć i postawił na nogi. Ceron zachwiał się, ale szybko odzyskał równowagę i po raz ostatni spojrzał na Rivę. Jego blada i mokra od potu twarz przez te parę dni zestarzała się jeszcze bardziej.

Odeszli. Przez chwilę słychać było ich kroki, a potem skrzypienie zamykanych wrót. Król przymknął oczy, wsłuchując się w ciszę przerywaną od czasu do czasu rżeniem konia lub brzęczeniem muchy. Ogarnęło go zmęczenie, jednak zbyt długo pogrążony był w odrętwieniu, by teraz zasypiać. Jedna myśl niespokojnie kołatała mu się po głowie. Skoro Ceron był tylko narzędziem, to kto stał za tym wszystkim? Do głowy przychodziła mu tylko jedna osoba, choć wciąż miał przeczucie, że coś ominął, że coś tu się nie zgadza.

Nagle w powietrzu uniósł się ciężki słodko-gorzki zapach. Riva zmarszczył czoło i otworzył oczy. Nie był już sam w boksie, choć nie usłyszał żadnych kroków. W progu stała postać, a jej twarz skrywał półmrok, przez co król nie był w stanie jej zidentyfikować. Wciąż miał jednak niezawodny węch, który powiedział mu, to nie człowiek. Napiął wszystkie mięśnie, aż zabrzęczały łańcuchy.

– Nareszcie się spotykamy, Kruczy Królu. – Śpiewny aksamitny głos oszołomił go i zniewolił. – Chyba czas, byśmy ucięli sobie pogawędkę.

* * *

Ulice miasta pogrążone były w grobowej, jakby wyczekującej ciszy. Nocne ciemności rozświetlało jedynie nikłe i mdłe światło latarni.

Zaparkowane przed szarymi budynkami samochody przywodziły na myśl wierne psy czekające na swojego pana.

Argon, szczelnie okryty swoją opończą, zatrzymał się na chwilę i spojrzał w niebo. Odkąd znalazł się w tym świecie, ani razu nie zobaczył gwiazd na wiecznie zachmurzonym niebie. A dzisiaj nie było nawet widać skrawka księżyca. To z pewnością nie wróżyło nic dobrego.

Ukryty w ciemnej uliczce, wyjrzał zza budynku na szeroką jezdnię. Gdy przekonał się, że nikogo nie ma, wyszedł ostrożnie ze swojej kryjówki. Skradając się niczym kot, przemykał od jednej latarni do drugiej, aż znalazł się po drugiej stronie ulicy. Dopiero wtedy dostrzegł w oddali czarną sylwetkę, która szybko przemieszczała się na północ.

Argon ruszył w tamtym kierunku, od czasu do czasu przystając za budynkiem lub drzewem. Po ponad godzinnym marszu zaczynał odczuwać znużenie, jednak ani myślał zrezygnować. W końcu to była jego jedyna szansa, by się stąd wydostać.

Według swojej rachuby spędził w tym świecie około trzech tygodni. Przechadzając się codziennie po ulicach zatłoczonego miasta, obserwował tutejsze życie, które z każdą chwilą coraz mniej mu się podobało. Im dłużej myślał, jak wybrnąć z tej absurdalnej sytuacji, tym bardziej się irytował. Na początku nawet nie brał pod uwagę tego, że mógłby tu utknąć na zawsze. Jednak z upływem kolejnych dni zaczął dopuszczać do siebie takie myśli, co wcale nie poprawiało mu humoru.

Każdego dnia, bez względu na pogodę, przychodził pod mury starego zamku. Godzinami mógł wpatrywać się w jego wieże, mając nadzieję ją ujrzeć. Czasami udawało mu się dostrzec ją na dziedzińcu lub w którymś z okien przez chwilę mignęły jej płomiennorude włosy.

Pewnego dnia zobaczył coś, co sprawiło, że jego serce zamarło. Nad wieżami zamku krążył kruk. Spośród tysiąca ptaków tylko ten jeden go zaniepokoił. Jego widok wzbudzał w nim zarówno wściekłość, jak i strach. A tych właśnie uczuć nie znosił najbardziej.

Obserwował, jak kruk z każdym dniem coraz bardziej zbliżał się do dziewczyny, aż w końcu stał się jej nieodłącznym towarzyszem.

Argonowi nie pozostawało więc nic innego, jak przestać bawić się w podchody i zacząć działać. Szybko. Zdawał sobie sprawę z tego, że to nie jest odpowiedni czas ani miejsce na walkę. Dlatego wybrał inny sposób. Jedyny, jaki mu przychodził do głowy.

W nocy niepostrzeżenie dostał się do zamku. Wcześniej upewnił się, że kruka nie ma w pobliżu. To było dziecinnie łatwe. Przejść przez mur i zakraść się pod kuchenne drzwi. Ci ludzie byli rzeczywiście naiwni i lekkomyślni. Żadnych alarmów, żadnych pułapek. Nie zdawali sobie pewnie sprawy z większości tajemnic kryjących się w tych wiekowych murach. Gdyby urodził się w tym świecie, wiedziałby, do czego użyć ich technologii.

Przyczaił się przy kuchennym oknie i poczekał, aż zostanie sama. W tym czasie obserwował ją przez okno. Widział, jak stoi przy zlewie i pije wodę. Zapatrzona w ścianę, bębniła palcami o blat szafki.

Argon pozwolił sobie na jedną chwilę wahania. Tylko jedną chwilę, by móc lepiej jej się przyjrzeć. W sztucznym świetle, jej zielone oczy zdawały się nieobecne i zamyślone. Drobna twarz okolona rudymi włosami była niemal taka, jaką zapamiętał. Niemal, bo jednak było w niej coś obcego. Wyrosła. Wydoroślała. Dziwny strój, który miała na sobie – bluzka z krawatem i spódnica ledwo zakrywająca kolana – podkreślał tylko jej kobiece kształty.

Patrząc na nią, kącik jego warg zadrżał lekko w ciemności. Jego oczy dostrzegały każdy jej ruch, każde uniesienie klatki piersiowej, każde mrugnięcie powieką. Emanowała wrodzoną pewnością siebie i siłą i zapewne musiała być tego świadoma. Bo gdyby tak nie było, jej ruchy nie miałyby tyle gracji, a w postawie nie odzwierciedlałaby się ta nonszalancka duma.

Przewidział jej zachowanie, zanim jeszcze postanowił w końcu przerwać jej zamyślenie. Nie mogła usłyszeć, kiedy wszedł, ale niemal natychmiast go dostrzegła. Odwracając się powoli w jego stronę, już wiedział, że nie ucieknie. Przynajmniej nie od razu. Pustka w jej oczach dotkliwie go zabolała. Trudno mu było zachować kamienny spokój, kiedy próbowała wciągnąć go w rozmowę. Jednocześnie podziwiał jej odwagę i chłodną kalkulację. To, że próbowała uciekać, a potem walczyć, wcale go nie zaskoczyło. Może gdyby inaczej się zachowała, mógłby załatwić to w inny sposób. Kiedy ją uśpił, a potem przenosił do hotelu, przekonywał sam siebie, że to dla ich dobra. Dla jej dobra. Później będzie czas na przeprosiny. Wszystko jej wyjaśni, a ona na pewno zrozumie. W końcu jest rozsądna i inteligentna. Nawet jeśli nic nie pamięta, to przecież będzie musiała mu uwierzyć. Jeśli dobrze to rozegra, to...

Ale nie rozegrał. Właściwie to wszystko przegrał, za co mógł winić tylko siebie. Przez swoją nieuwagę zapomniał o nim. O kruku. Zdawało mu się przez chwilę, że wszystko zmierza w dobrym kierunku. Że Ariel zaczyna mu wierzyć. Tylko że wtedy pojawił się ten przeklęty kruk.

Zaatakował go i poranił. A kiedy ona uciekła, odważył się pokazać twarz. Argon wrzał cały i naprawdę pragnął go zabić. Wbić nóż w serce człowiekowi, którego kiedyś uważał za przyjaciela. Ten jednak zabrał mu kluczyk i poszedł za nią.

On, Argon, przegrał.

Przez kolejne dni prawie nie wychodził z hotelu. Ze zdumieniem obserwował zimę za oknem, przeklinając siebie i bogów, że dał się tak podejść. Kilka razy kręcił się koło zamku bez celu i bez nadziei. Jednak więcej już jej nie zobaczył. Za to widział często, jak kruk wlatuje do jednego z okien w północnej wieży. I za każdym razem serce ściskał mu strach i niepokój. Cierpliwość nigdy nie była jego mocną stroną, a takie bierne czekanie doprowadzało go do szaleństwa. Tym razem nie mógł liczyć na swój miecz ani na swoją Moc. Mógł tylko czekać. Czekać na ruch przeciwnika i wykorzystać jego nieuwagę.

Taka okazja w końcu się trafiła. Tyle że za późno.

Pewnej nocy coś kazało mu iść do zamku. Przybiegł więc, jak tylko zapadł zmrok. Z ukrycia obserwował, jak Ariel spotyka się przed murem z jakimś chłopakiem. Kiedy ten ją pocałował, coś się stało. Argon mógł tylko patrzeć i zaciskać pięści.

Kiedy straciła przytomność i mężczyzna zatopił się razem z nią w mrok nocy, nie wahał się ani sekundy. Nie wiedział, na co liczy i tak naprawdę nie znał zamiarów tego drania. Czuł jednak, że powinien za nimi iść. To był jego obowiązek. Jeśli będzie trzeba, był nawet gotów z nim walczyć. Poświęciłby własne życie, byle tylko bezpiecznie odstawić ją do domu. Wiedział, że Riva nigdy by się na to nie zgodził. Ale wiedział równie dobrze, że na jego miejscu postąpiłby dokładnie tak samo.

Znaleźli się w pustym parku. Argon przystanął i zaczerpnął powietrza, po czym ukrył się za pobliskim drzewem. Ciemna postać w długim płaszczu i kapturze na głowie stała zaledwie parę metrów od niego. Czujnie obserwował każdy jego ruch, a serce biło mu niespokojnie w niecierpliwym wyczekiwaniu.

Tymczasem mężczyzna ułożył nieprzytomną dziewczynę na trawie i rozejrzał się uważnie wokół. Sięgnął ręką do kieszeni płaszcza i wyjął z niej malutki przedmiot, z łatwością mieszczący się w zaciśniętej dłoni. Gdy rozwarł palce, złoty kluczyk rozjaśnił mrok delikatnym blaskiem. Mężczyzna ujął go w palce i uniósł przed siebie, po czym powolnym ruchem wyrysował nim w powietrzu kontury prostokątnych drzwi.

Przez chwilę nic się nie działo, Argon jednak czekał z zapartym tchem i napiętymi mięśniami. W końcu linie, które zakreślił zakapturzony mężczyzna, rozjarzyły się złotym światłem, jakby za drzwiami paliło się wiele świec. Człowiek-kruk ponownie uniósł klucz, wsadził do niewidzialnego zamka i przekręcił.

Nie pojawiły się żadne drzwi. Za to otwór zajaśniał blaskiem tak jasnym, że na chwilę oślepił mężczyznę. Po chwili jednak chwycił brutalnie dziewczynę i przeszedł z nią przez wrota.

Kiedy zniknął, przejście jeszcze przez chwilę pozostało otwarte. I ten właśnie moment wykorzystał Argon. Miał zaledwie kilka sekund. Wyskoczył ze swojego ukrycia i pomknął w stronę drzwi. W ostatniej sekundzie odbił się od ziemi i przeleciał w powietrzu. Zaledwie pochłonęło go światło, park na powrót okryła gęsta ciemność.

∗ ∗ ∗

Wylądował miękko na trawie, po czym błyskawicznie się wyprostował. Napiął wszystkie mięśnie, gotowy do ataku. Płynnym ruchem wyciągnął zza pasa sztylet o czarnej rękojeści. Uważnie przeczesał wzrokiem niewielką polankę, wyczulony na najdrobniejszy szelest. Jednak po chwili z zaskoczeniem rozluźnił mięśnie i opuścił trzymającą sztylet rękę. Na polanie nie było żywej duszy. Czując narastającą frustrację, wciągnął głęboko w płuca świeże powietrze. Jeszcze raz omiótł spojrzeniem pobliskie krzaki i drzewa, ale był pewny, że jest sam. Podrapał się po skroniach, idąc powoli wzdłuż ściany drzew. Jak to możliwe, że tamten poruszał się tak szybko? Wskoczył przecież chwilę przed nim, nie mogło minąć więcej niż kilka sekund.

Argon zdjął płaszcz i rzucił go na trawę, gdyż nagle zrobiło mu się zbyt gorąco. Zatrzymał się na środku polany i spojrzał w rozgwieżdżone niebo. Tak bardzo stęsknił się za tym niebem i tymi gwiazdami! Dostrzegł w końcu jasny sierp księżyca, który tutaj zdawał się wisieć na wyciągnięcie ręki.

Najpierw musiał powiadomić króla, że dziewczyna została porwana. Kusiło go, by od razu ruszyć w pogoń i samotnie zmierzyć się z mężczyzną. To nie byłoby jednak właściwe posunięcie w jego sytuacji. Potrzebował dobrego planu i zaufanych ludzi. Musiał teraz chronić dwie osoby, a nawet on nie potrafił się rozdwoić.

Znamię na jego czole rozjarzyło się białym światłem. Pojedyncze żyłkowate linie oplotły jego ciało niczym wijące się węże. Zmienił się w kruka, zanim jeszcze odbił się od ziemi. Z głośnym krakaniem wzbił się w ciemne niebo, okrążył polanę i skierował się na północny zachód.

Wschodzące słońce zabarwiło niebo na pomarańczowo, gdy Argon dotarł do De'Ilos. Droga zajęła mu niecałe dwie godziny. Gdy wreszcie dostrzegł z góry bramę miasta i prowadzący do niej trakt, był już na tyle zniecierpliwiony, że nie zawracał sobie głowy zmianą postaci. Co prawda prawo miasta zakazywało przekraczania jego murów w innej niż ludzka postaci, jednak jako członek Zakonu Kruka był ponad wszelkie nakazy i zakazy. Dlatego jedyną reakcją strażników przy bramie było krótkie przyzwalające machnięcie włócznią.

Wyrównał lot i przeleciał nad dachami budynków odprowadzany miejskim gwarem. Panująca w dole beztroska atmosfera zamiast go odprężyć, wzbudziła jeszcze większy niepokój. Nie spuszczając czarnych oczu z górującego nad miastem zamku, zastanawiał się, co tam zastanie. Liczył, że nawet jeśli nie znajdzie króla, Ceron uspokoi jego sumienie.

Minął główny plac i obniżywszy lot, przeleciał nad głowami ludzi. Wleciał w wąską aleję otoczoną gęstą ścianą drzew. Wrócił do ludzkiej postaci i niezauważony przez nikogo szybkim krokiem ruszył wydeptaną ścieżką.

Wynurzył się z cienia drzew wprost na zalaną słońcem łąkę. Musiał zmrużyć oczy, nim spojrzał na wznoszącą się przed nim budowlę. Był to niewielki biały zamek otoczony ceglanym murem. Posiadłość hrabiego zachwycała swoim urokiem i prostym pięknem. Dwie wieże skrzyły się w świetle dnia, jakby obsypane milionami maleńkich diamencików.

Argon nie dał się zwieść spokojowi panującemu w posiadłości, który tylko wzmożył jego czujność. Bardzo dokładnie przyjrzał się okolicy i błoniom za murem. Wszędzie panowała nienaturalna cisza i bezruch, jakby od dawna nikt tu nie mieszkał.

Powoli zbliżył się do niestrzeżonej przez nikogo bramy. Poruszał się cicho i zwinnie, na wszelki wypadek nie zdejmując dłoni z rękojeści miecza. Pchnął jedno skrzydło, które ustąpiło bezszelestnie i bez najmniejszego oporu.

Stanął na obszernym dziedzińcu i rozejrzał się szybko wokół. Zachowując najwyższą czujność, przeszedł przez wysoką trawę, minął wyschniętą fontannę i wszedł po szerokich marmurowych stopniach. Przystanął przy frontowych drzwiach i znów się rozejrzał. Ten spokój zaczynał go naprawdę niepokoić. Co się tu działo w czasie jego nieobecności? Gdzie podziali się wszyscy ludzie?

Miał coraz gorsze przeczucie.

Załomotał pięścią w drzwi, nie spodziewając się raczej, że ktoś mu otworzy. Czekał niezdecydowany, gdy ze środka dobiegł go przytłumiony odgłos kroków. Odskoczył do tyłu i zacisnął dłoń na rękojeści miecza. Po chwili jedno skrzydło uchyliło się powoli z przerażającym zgrzytem. Na zewnątrz wyjrzała ostrożnie młoda dziewczyna. Jej twarz miała niezdrowy kredowy odcień. Wyglądała, jakby w każdej chwili gotowa była czmychnąć z powrotem do środka. Zaskoczony jej obecnością Argon opuścił ręce. Służąca spojrzała na niego zmrużonymi od słońca oczami, zaraz jednak otworzyła je szeroko, jeszcze bardziej przelękniona.

– Biały Kruk? – wyszeptała w zdumieniu, jakby nie dowierzała własnemu wzrokowi.

Argon skrzywił się na dźwięk tego tytułu. Czasami zapominał, że ludzie po prostu lubili go tak nazywać. Zbliżył się do drzwi, a wtedy dziewczyna natychmiast cofnęła się w głąb mrocznego holu, wciąż nieufna i niepewna. By jej nie spłoszyć, wyciągnął przed siebie ręce, pokazując, że nie zamierza jej skrzywdzić.

– Czy hrabia Ceron może mnie przyjąć? – zapytał najbardziej łagodnym tonem, na jaki mógł się teraz zdobyć.

– Przykro mi, panie, ale obawiam się, że przybyłeś na próżno. Hrabiego nie ma teraz w domu.

Kapitan zbladł, jednak szybko się opanował. Potworne przeczucie wślizgnęło się do jego serca.

– Kiedy więc mogę go zastać?

Dziewczyna wyraźnie była coraz bardziej zmieszana. Po wyrazie jej twarzy można było wnioskować, że jest zagubiona i tak naprawdę sama wie niewiele więcej. Odwróciła wzrok i wymamrotała coś niewyraźnie, po czym odezwała się głośniej:

– Nie wiem, kiedy hrabia Ceron wróci.

Argon zrobił krok do przodu, kładąc jedną rękę na drzwiach. Pochylił się nad dziewczyną, która zamarła pod jego twardym spojrzeniem.

– Bardzo zależy mi na spotkaniu z Ceronem – powiedział dobitnie, cedząc każde słowo. – To niezwykle pilne, więc jeśli hrabia jest tutaj...

– Już mówiłam – przerwała mu bez zbytniego przekonania. – Hrabiego nie ma w zamku i nie wiem, kiedy wróci. To wszystko, co wiem.

Argon przyglądał jej się uważnie, próbując cokolwiek wyczytać z jej twarzy. Zrobił kolejny krok, zatrzymując się na progu.

– Czy był tutaj ostatnio król Riva?

Dziewczyna spuściła głowę, wyraźnie unikając jego wzroku.

– Nic mi o tym nie wiadomo, panie. Jestem tylko zwykłą służącą. Rzadko kiedy spotykam gości hrabiego.

– Jesteś tu sama? – Próbował zajrzeć ponad jej głową do środka, ale dziewczyna zasłaniała sobą wnętrze posiadłości.

Spojrzała na niego przelotnie.

– Nie – odparła szybko. – Są jeszcze kucharki i kamerdyner.

Argon zmarszczył brwi ze zniecierpliwieniem. Miał na tyle wrażliwy słuch, że gdyby rzeczywiście na terenie zamku przebywał ktoś jeszcze, z pewnością by go usłyszał. Z doświadczenia wiedział, że gdy ktoś kłamie, to oznacza tylko jedno. Kłopoty.

Nie miał ochoty dłużej bawić się w grzeczności. Brutalnie popchnął dziewczynę do środka, po czym wszedł za nią i zatrzasnął za sobą drzwi.

Ogromny hol, pogrążony w mroku, ział pustką i nienaturalną ciszą. Również wewnątrz odnosiło się wrażenie, że właściciel tej posiadłości opuścił ją dawno temu. Argon przeszedł na środek holu, rozglądając się uważnie na wszystkie strony. Przebijał wzrokiem półmrok, nie pomijając żadnego szczegółu. Hrabia zawsze lubił otaczać się ludźmi, zwłaszcza młodymi. Za każdym razem, gdy przebywał w jego domu, panował tu ożywiony ruch, a cały zamek błyszczał czystością w świetle tysiąca świec.

– Panie, myślę, że powinieneś opuścić...

Uciszył ją zniecierpliwionym ruchem dłoni. Wydawało mu się to trochę dziwne, że w zamku pozostała tylko jedna służąca. W dodatku dziewczyna nic nie wie, chociaż miał wrażenie, że udaje. Przyjrzał jej się ponownie. Zmrużył oczy i zacisnął usta, ale nic nie powiedział. W końcu pokręcił głową, przestając się nią dłużej interesować. Dalsze wypytywanie tej przerażonej kobiety nie miało najmniejszego sensu. Jeśli chciał się czegoś dowiedzieć, musiał działać sam.

Przeszukanie wszystkich pięter i pokoi zajęłoby zbyt dużo czasu. Argon nie miał pojęcia, czy król w ogóle tu był i jak dawno. W takiej sytuacji pozostawało mu uciec się do najprostszej metody.

Przymknął oczy i uwolnił Moc znamienia na czole. Gdy pióro zaczęło pulsować delikatnym światłem, zaczął mruczeć pod nosem słowa wzmacniające przepływ energii. Po raz ostatni usłyszał przyspieszone bicie serca służącej i zaraz potem odpłynął wraz z tkaną przez siebie pajęczyną zaklęcia. Zatopił się we własnych słowach i czasie, który przyspieszył raptownie i poniósł go niczym oszalały cyklon. Mrowienie na całym ciele minęło wraz z wyszeptaniem ostatniego słowa. Argon otworzył oczy i uśmiechnął się z zadowoleniem.

Stał dokładnie w tym samym miejscu co przed chwilą. Teraz jednak hol był jasno oświetlony tysiącami świec zawieszonych na ogromnym żyrandolu. Wokół krzątali się służący, zewsząd dobiegały pokrzykiwania i śmiechy. W tym rozgardiaszu nikt nie zwrócił na niego uwagi i nic w tym dziwnego. W końcu był jedynie duchem, cieniem samego siebie, któremu udało się przekroczyć barierę czasu. Na jedno uderzenie serca oszołomił go ból towarzyszący rozdzieleniu duszy od ciała. Poczuł chwilową dezorientację, ale samodyscyplina natychmiast kazała mu zignorować te wrażenia.

Rozważał właśnie, czy trafił we właściwy czas, gdy jakiś ruch po lewej stronie przyciągnął jego uwagę. W drzwiach prowadzących do kuchni stanęła młoda służąca – ta sama, która pilnowała teraz jego ciała. Tuż za nią podążał Riva.

Oboje skierowali się ku szerokim schodom, kiedy raptem Riva zatrzymał się, jakby coś przyciągnęło jego uwagę. Rozejrzał się uważnie po holu i na krótką chwilę zawiesił wzrok w miejscu, w którym stał kapitan, jakby był w stanie go zobaczyć. Argon zamarł, gdy ich spojrzenia spotkały się na jedną sekundę. Zaraz jednak król z obojętnym wyrazem twarzy przesunął spojrzenie ponad jego głowę.

Stał tak dość długo, wpatrując się w coś na ścianie. Zaniepokojony Argon odwrócił się, ciekaw, co też wprawiło jego przyjaciela w takie osłupienie. Dopiero teraz zauważył gobeliny pokrywające półokrągłe ściany. Idąc za wzrokiem Rivy, odnalazł ten, który tak przyciągnął jego uwagę. Gobelin był piękny, nawet on musiał to przyznać. Przedstawiał małą dziewczynkę z białym jednorożcem. Obraz był utrzymany w jasnych żywych barwach, które nadawały mu wdzięku i ulotnego piękna. Argon ponownie spojrzał na Rivę. Jego i tak zawsze chmurna twarz sposępniała jeszcze bardziej. Z zaciśniętymi szczękami patrzył na obraz, jakby zobaczył w nim coś jeszcze, co pozostawało niewidoczne dla postronnych obserwatorów. Argon nie miał pojęcia, co go tak poruszyło. Ale po samym wyrazie jego oczu zgadł, że ten obraz sprawił mu jakiś osobisty ból.

Nie mógł dłużej patrzeć na cierpienie przyjaciela. Minęło już tyle lat, a Riva wciąż pielęgnował w sobie pamięć tamtych wydarzeń. Oczywiście doskonale maskował swoje emocje. Mógł oszukiwać siebie i cały świat, ale nie Białego Kruka. To przecież Argon towarzyszył mu przez całe życie. Był jego cieniem, strażnikiem i bratem. W każdej sekundzie gotów był oddać za niego życie. No właśnie. Mógł go uchronić od fizycznych ataków, ocierać jego łzy i udzielać rad. Ale jednego nie potrafił zrobić: ulżyć jego wewnętrznym cierpieniom.

Ich rozmyślanie przerwała służąca, która nakazała królowi pośpiech. Już bez żadnych postojów ruszyli marmurowymi schodami na piętro. Argon poszedł ich śladem, a właściwie popłynął, ledwo dotykając podłogi. Poczuł palący ból, który towarzyszył oderwaniu świadomości od miejsca przebywania jego ciała, ale szybko go zignorował. Teraz ważniejsze było to nękające go niedobre przeczucie.

Po przejściu kilku korytarzy zatrzymali się przed dwuskrzydłowymi złoconymi drzwiami. Służąca odeszła, a Riva wszedł do środka. Argon zdążył wślizgnąć się niepostrzeżenie tuż za nim. Aby mieć dobry widok na obu mężczyzn, stanął blisko wyjścia, prawie wciskając się w ścianę. Zaczynał już odczuwać skutki zużycia zbyt dużej ilości Mocy. Jednak bez względu na wszystko musiał tu pozostać tak długo, póki nie dowie się, co się wydarzyło.

Z początku mężczyźni rozmawiali o błahych sprawach, między innymi o tym niezwykłym gobelinie, który przedstawiał córeczkę Cerona. Słuchając tego jednym uchem, Argon miał czas, by rozejrzeć się po gabinecie. Z daleka nie zauważył nic podejrzanego. Komnata była skromnie urządzona, lecz z gustem. Przypominała jego właściciela: solidna i surowa. Jedyną dekorację stanowił kominek z ciemnego marmuru. Złote ornamenty wiły się po nim i splatały, jakby były w ciągłym ruchu. Teraz buzował w nim wesoło ogień stanowiący jedyne źródło światła.

Po chwili weszła służąca – ta sama dziewczyna, która przyprowadziła Rivę – i postawiła na stoliku tacę z jedzeniem i winem. Gdy wyszła, hrabia nalał trunku do dwóch pucharów. Wziął jeden, drugi proponując królowi, który wyjątkowo przyjął poczęstunek. Jego przyjaciel nie był w stanie dostrzec drobnych szczegółów, pochłonięty dyskusją o Niezwyciężonym i wojnie. Jednak zmysły Argona były czujne i doskonale wyostrzone. Podejrzane zachowanie Cerona od razu wzbudziło jego czujność.

Hrabia tylko udawał, że pije. Argon nie mógł się pomylić. Gospodarz podnosił puchar do ust, ale ledwie dotykał nimi naczynia. Zabawiał króla luźną rozmową, idealnie grając rolę przyjaciela i doradcy. Pod tą maską spokoju Biały Kruk z zaskoczeniem dostrzegł zdenerwowanie, strach i poczucie winy.

To, co później zrobił, jeszcze bardziej zdumiało kapitana. Kiedy Riva podszedł do okna i zapatrzył się gdzieś w dal, Ceron szybkim ruchem wylał zawartość swojego pucharu do dzbana. Potem trzęsącymi się dłońmi napełnił go ponownie.

Argon obserwował całą scenę w osłupieniu. Nie potrafił zrozumieć, dlaczego to robił, choć podejrzewał już, co znajduje się w dzbanie z winem. Mimo najszczerszych chęci nie był w stanie zapobiec wydarzeniom, które miały już miejsce.

Przysłuchując się rozmowie, bacznie wpatrywał się w hrabiego. Jego skryta w cieniu twarz zdawała się jedynie bezbarwną maską. Jego rozbiegane oczy nie potrafiły zatrzymać się dłużej na jednym punkcie, a już tym bardziej na królu. Riva pił coraz więcej i nie wyczuwał żadnego podstępu ani niebezpieczeństwa. Kapitan chciał krzyknąć, wyrwać mu naczynie z ręki, ale przecież był tu jedynie duchem. Zresztą i tak było już za późno. Obserwował bezradnie, jak młody władca opróżnia cały dzban wina. Nie mógł dłużej na to patrzeć, więc obszedł ostrożnie gabinet w poszukiwaniu czegoś podejrzanego. Dopiero na zagraconym biurku coś zwróciło jego uwagę.

Wśród papierów leżała częściowo ukryta kartka, a na niej widniało jedno zdanie, napisane starannym, ozdobnym pismem.

Dostarcz króla żywego, to włos wam z głowy nie spadnie.

Argon podniósł gwałtownie głowę. W tym właśnie momencie Riva bez czucia osunął się z fotela. Kapitan, przerażony i wściekły, wybiegł z gabinetu, ignorując wszelkie środki ostrożności. W kilka sekund przebył korytarz, prawie spadając ze schodów. Kiedy znalazł się w holu, stanął dokładnie tam, gdzie jego ciało. Wystarczyły dwa uderzenia serca i wrócił do teraźniejszości.

– Panie, co się stało?

Rozpoznał drżący głos służącej i otworzył oczy. Gdy odwrócił się w jej stronę, cofnęła się ze strachem.

Kręciło mu się w głowie i był potwornie wycieńczony. W dodatku wciąż odczuwał nieprzyjemne skutki towarzyszące rozdzieleniu. Wziął parę głębokich wdechów, by uspokoić wściekle walące serce.

– Panie? – powtórzyła niepewnie dziewczyna.

Spojrzał na nią nieprzytomnym wzrokiem, po czym bez słowa wybiegł na dziedziniec. Nie mógł uwierzyć, że na zewnątrz wciąż świeci słońce i jest tak przyjemnie ciepło. Bezsilna złość, strach i poczucie winy paliły każdy nerw jego ciała. Nie mógł sobie darować, że nie było go przy królu, kiedy najbardziej go potrzebował. Obaj stracili czujność i dali się przechytrzyć przeciwnikowi.

Skoczył i zmienił się w kruka. Wykorzystując resztki energii, opuścił miasto i skierował się w stronę Malgarii.

Rozdział XXIII

Wylądował na dziedzińcu, przy fontannie. W królewskim zamku życie toczyło się zwykłym torem i kapitan zastanawiał się, czy w ogóle ktokolwiek zauważył, że ich król zaginął. Dobiegające zewsząd śmiechy i beztroskie rozmowy doprowadzały go do szału.

Na trzecim piętrze natknął się na chłopca, może dziesięcioletniego. Koło jego stóp leżał posłusznie ogromny pies myśliwski. Argon przystanął nad nimi z posępną, bladą twarzą. Chłopiec zerwał się na równe nogi i spuszczając oczy, ukłonił się nisko. Pies za to nawet nie drgnął. Podniósł jedynie swoje duże ślepia i obojętnie spojrzał na kapitana.

– Jak się nazywasz? – spytał ostro Argon.

– Korryn, panie – odparł chłopiec zlęknionym głosem. Jego jasne skołtunione włosy opadały na oczy i rozsypywały się w nieładzie po ramionach. Na sobie miał jedynie długą brudną tunikę, ale zdawał się w ogóle nie przejmować swoim wyglądem.

– Biegnij teraz, Korrynie, i jak najszybciej zawiadom Noszących Znak Kruka o pilnym spotkaniu. Niech natychmiast porzucą swoje zajęcia i zjawią się w południowej wieży.

– Tak, panie. – Chłopiec znów się skłonił, obrócił i zniknął za zakrętem.

Nie zwlekając dłużej, Argon wspiął się po schodach na szczyt południowej wieży. W mrocznym korytarzu znajdowało się tylko dwoje drzwi. Kapitan wybrał te po lewej i wszedł do środka, do pogrążonej w ciemnościach komnaty. Mimo słonecznego poranka przez zakratowane i zasłonięte okno wpadało niewiele światła. W powietrzu panował wręcz nieznośny zaduch. Argon wykonał niedbały, szybki ruch ręką i wszystkie świece zapłonęły sztucznym światłem. Od razu zrobiło się przytulniej. Poza drewnianym okrągłym stołem i trzynastoma krzesłami pośrodku nie było tu żadnych mebli ani zbędnych ozdób. Wokół unosiły się drobiny kurzu i duszny odór stęchlizny. Brudna podłoga i pajęczyny w kątach były najlepszym dowodem, że od dawna nikt tu nie sprzątał.

Argon podszedł do stołu i opadł na krzesło. Przez chwilę siedział bez ruchu, wpatrując się w drżące niespokojnie płomienie świec. Zniecierpliwiony czekaniem, wstał i zaczął krążyć po komnacie, próbując jakoś zagłuszyć narastający strach i irytację.

Po dziesięciu minutach drzwi w końcu się otworzyły i do pokoju weszło kolejno dziesięciu mężczyzn. Każdy z nich miał na sobie długi czarny płaszcz. Wchodząc, kłaniali się z szacunkiem, zdejmowali kaptury i zajmowali swoje miejsca. Wszystko odbyło się szybko i w idealnej ciszy.

Argon stanął na środku komnaty i czekał, aż wszyscy usiądą. Przez chwilę obserwował ich twarze, na które padał jasny blask świec. Każdy z nich miał na czole czarne znamię w kształcie kruczego pióra. W końcu i kapitan usiadł, starając się nie zwracać uwagi na dwa puste miejsca. Wszyscy przypatrywali mu się w milczącym wyczekiwaniu.

Kiedy przedłużająca się cisza stawała się coraz bardziej napięta, jako pierwszy odezwał się mężczyzna o białych włosach, najmłodszy z grupy. Głos miał łagodny i melodyjny, a każde słowo wypowiadał ze śpiewnym akcentem.

– Po co nas wezwałeś, Biały Kruku? Każdy z nas ma pilne sprawy i jeśli naprawdę...

– Wasze zajęcia muszą poczekać. – Argon przerwał mu ze zniecierpliwieniem. – Cokolwiek robiliście, musicie odłożyć to na później.

– To niemożliwe – oburzył się siedzący po jego prawej stronie starszy mężczyzna o imieniu Reeth. – Co może być pilniejszego niż nasza praca?

– Król jest w niebezpieczeństwie. Prawdopodobnie został porwany – odparł wprost Argon.

Zapadła cisza. Mężczyźni wpatrywali się w niego z niedowierzaniem. Ich twarze pobladły gwałtownie, jakby odpłynęła z nich cała krew. Kapitan odczekał chwilę, aż przetrawią informację. Potem kontynuował już spokojniejszym tonem.

– Rozstaliśmy się tydzień temu i Riva udał się do De'Ilos, do zamku hrabiego Cerona. Jak wiecie, byłem w Nowym Świecie w poszukiwaniu Potomka. Niestety pojawiły się pewne trudności – zrobił pauzę. Obecni nie spuszczali z niego wzroku, słuchając uważnie. – Wprawdzie odnalazłem Potomka, ale zbyt późno. Przede mną zjawił się Balar i porwał dziewczynę.

– To niemożliwe! – krzyknął potężny Lonan. Uderzył pięścią w stół i zerwał się z krzesła. – W jaki sposób przedostał się do tamtego świata bez klucza? Najpierw jego ohydne zbrodnie, a teraz to! Jedyne, na co zasługuje, to śmierć! – Twarz wojownika poczerwieniała od nagłego gniewu.

– Uspokój się, Lonanie. – Siedzący obok niego Ylon chwycił go za ramię i zmusił, by usiadł. – Wszyscy jesteśmy tym zaskoczeni i wzburzeni, ale dajmy Argonowi skończyć.

Kapitan kiwnął głową w stronę Ylona i podjął dalej.

– Próbowałem go powstrzymać, lecz siłą zabrał mi klucz i wrócił do Elderolu. Udało mi się go wytropić i przejść za nim przez wrota, jednak zaraz potem zniknął mi z oczu. Od razu udałem się do De'Ilos, by sprawdzić, co z Rivą. Gdy zjawiłem się w zamku hrabiego, zaniepokoiła mnie panująca tam cisza. Przyjęła mnie służąca, jedyna osoba, która tam pozostała. Tak jak przeczuwałem, nie zastałem ani Cerona, ani Rivy. Jedyne co mogłem zrobić, to sam dowiedzieć się co zaszło. Wykorzystując Moc, nagiąłem czas i znalazłem się w dniu, gdy Riva przybył do hrabiego. – Argon zaczerpnął powietrza i oblizał zaschnięte wargi. – W trakcie ich rozmowy uderzyło mnie dziwne zachowanie hrabiego. Dopiero gdy znalazłem wiadomość, wszystko stało się jasne.

Zacytował im treść listu, opowiadając również, w jaki sposób Ceron otruł króla. Jego surowe, zmęczone spojrzenie wędrowało od twarzy do twarzy, równie bladych jak jego.

– Król został porwany i nie wiemy, gdzie jest ani co się z nim dzieje. Czy jeszcze żyje? Po co został uprowadzony? Jak najszybciej musimy się tego wszystkiego dowiedzieć i znaleźć Rivę.

Gdy skończył, westchnął ciężko i opadł na oparcie krzesła. Przez ostatnie godziny stracił zbyt dużo energii. Czuł się potwornie zmęczony i miał ochotę zasnąć na wiele godzin.

Po jego opowieści w komnacie zapanowało zamieszanie. Gniewne i podniesione głosy mieszały się ze sobą, napełniając komnatę głośnym szumem. Wszyscy mówili naraz i każdy chciał jak najszybciej wyrazić swoje zdanie. Argon przypatrywał się temu przez dłuższą chwilę. Niespodziewanie walnął pięścią w stół i wstał.

– Cisza! – krzyknął z niepohamowanym gniewem.

Wszyscy zamilkli posłusznie i zwrócili ku niemu wzburzone twarze.

– Mamy mało czasu, więc proszę was, abyśmy jak najszybciej stworzyli w miarę sensowy plan działania. Każdy może zabrać głos, ale pojedynczo, w ten sposób szybciej do czegoś dojdziemy.

– Zdrajca! – odezwał się jako pierwszy wzburzony Oran. Na jego okrągłej twarzy pojawiły się czerwone plamy. Spod niesfornych rudych włosów patrzyły na wszystkich przenikliwie zielone oczy. – Powinien zostać natychmiast osądzony i ukarany!

– Jeśli mówisz o Ceronie, to zbyt szybko wyciągasz pochopne wnioski, przyjacielu – odparł spokojnie Argon. – Powinieneś raczej skierować swój gniew na prawdziwych zdrajców kraju, którzy to wszystko uknuli. Czyż nie pokazałem wam treści listu? Hrabia jedynie chronił życie króla i sam zapewne ma teraz kłopoty.

– Argon ma rację. Hrabia nie jest niczemu winny i nie powinien ponosić za to kary. Lepiej zastanówmy się nad tym, jak znaleźć króla i Potomka, jeśli w ogóle jeszcze żyją.

Kapitan spojrzał na Ylona z wdzięcznością. Ten młody mężczyzna, zawsze spokojny i opanowany, rzadko zabierał głos, ale zawsze trafnie potrafił ocenić sytuację.

– Więc co powinniśmy zrobić? – spytał najmłodszy ze zgromadzonych, siedemnastoletni białowłosy Nox. W jego śpiewnym głosie pobrzmiewała nuta ironii.

– Wyruszyć od razu. – Lanon, potężny mężczyzna o porywczym usposobieniu, popatrzył na wszystkich spojrzeniem pełnym dzikiego ognia. – Razem nasza Moc jest potężna. Odnajdziemy króla i zmierzymy się z Balarem, bo nie mam wątpliwości, że to on za tym wszystkim stoi. Jeśli go zabijemy, jego pan straci swego najwierniejszego sługę.

Kilku z mężczyzn mruknęło z aprobatą, jednak Argon przeniósł na niego gniewne spojrzenie. Lanon zawsze chciał wszystko załatwić siłą. W dodatku podburzał innych, a to już nie podobało się kapitanowi. Nox pokręcił głową.

– Nie sądzę, że to… – zaczął powoli, jednak w tym momencie przerwał mu Darel.

– To świetny pomysł – zgodził się brodaty mężczyzna, przyjaciel Lanona. – Zbyt długo tkwimy bezczynnie w miejscu. Nasza Moc służy temu, by chronić Elderol i niszczyć wrogów. A czyż Balar nie jest naszym najgroźniejszym przeciwnikiem? – Kilku pokiwało zgodnie głowami. – Sam nam daje okazję do działania. Mówię wam, bracia! Jeśli teraz nie zaatakujemy, to kiedy?!

– Jeśli nawet wspólnie go pokonamy, to za jaką cenę? – prychnął młody Arwel. – Chcesz, Lanonie, posłać nas na pewną śmierć?

Siedzący przy nim jasnowłosy Falen dotknął jego ramienia i szepnął coś do ucha, na co obaj zachichotali cicho. Niedawno ukończyli osiemnaście lat i przez członków Zakonu nie byli jeszcze traktowani całkiem poważnie. Byli niemal nierozłączni i niektórzy sądzili, że łączy ich coś więcej niż przyjaźń, choć nikt nie był w stanie potwierdzić tej plotki. Przeważnie trzymali się na dystans i pracowali poza zamkiem.

– Ja osobiście wolę szukać Rivy niż zginąć bez sensu – odezwał się głośno Falen. Podrapał się po głowie, mierzwiąc swoją jasną czuprynę, i podparł dłonią brodę. Był niższy i szczuplejszy od pozostałych. Zawsze nosił luźne ubrania, a płaszcz Zakonu był dla niego za obszerny, przez co wydawał się jeszcze drobniejszy. Mimo swoich lat wciąż wyglądał jak chłopiec, z tą swoją drobną twarzą, złotymi włosami i dużymi błękitnymi oczami.

Falen z widocznym znudzeniem przypatrywał się twarzom zebranych mężczyzn, z których mało kto zwrócił na niego uwagę. Zerknął na Arwela i wzruszył obojętnie ramionami. Jego spojrzenie mówiło: Kiedy w końcu skończy się ta bezsensowna narada? Zaraz umrę z nudów. Nasi starsi bracia zbyt dużo gadają, a za mało działają". Jego przyjaciel uśmiechnął się cierpko, krzyżując ramiona. Odchylił się na krześle i skupił na naradzie, przynajmniej udając, że go to interesuje.

W dusznej i mrocznej komnacie znów zapanowało ożywienie. Jedni byli za otwartą walką, drudzy sprzeciwiali się temu. Zaczęli spierać się między sobą o to, kto ma rację.

Argon nie zwracał uwagi na kłócących się mężczyzn. Wpatrywał się uważnie w Noxa, który jako jedyny nie zabierał głosu i z obojętnym wyrazem twarzy siedział ze wzrokiem wbitym w ziemię. Kapitanowi zrobiło się żal chłopca. Jego wychowanek z pewnością nie zasługiwał na to, by bracia traktowali go jak powietrze.

W końcu uderzył otwartą dłonią w stół. Mężczyźni zamilkli jednocześnie i wbili się w swoje siedzenia, jakby zmusiła ich do tego niewidzialna siła. Popatrzyli na kapitana z niechęcią, ten jednak zgromił ich lodowatym wzrokiem.

– Jak dobrze pamiętam – wycedził ostro – zanim Lanon uraczył nas tym niedorzecznym płomiennym przemówieniem, Nox chciał nam coś powiedzieć. Posłuchajmy go.

Nox podniósł zaskoczony wzrok i spojrzał na Argona, który skinął nieznacznie głową. Chłopak rozejrzał się na boki. Ponure twarze mężczyzn i ich nieprzyjazne spojrzenia nie wyglądały zachęcająco. Odetchnął cicho, jakby z rezygnacją, po czym zaczął mówić sennym, melodyjnym głosem.

– Myślę, że w tej chwili to nie Balar jest naszym głównym problemem i to nie na nim powinniśmy się skupić. – Jego ton był niedbały i lekko znudzony. Zapatrzył się w jeden punkt, jakby celowo ignorował zgromadzonych wokół stołu. Przemawiał w taki sposób, jakby miał przed sobą grupkę mało rozgarniętych dzieci. – Z raportu Białego Kruka jasno wynika, że Balar porwał Potomka i gdzieś go przetrzymuje. Możemy się domyślać, czego od niej chce, ale nie wiemy, gdzie ją ukrył. Nie mamy czasu, żeby przeszukiwać każdy dom w Elderolu. Mimo naszej siły nie możemy lekceważyć Balara. Tym bardziej w takich okolicznościach. – Na paru twarzach dostrzegł niezrozumienie i uśmiechnął się z wyraźną kpiną. – Wiemy, jaką Mocą dysponuje i jak liczna jest już armia Niezwyciężonego. Ale nawet Balar nie może być w dwóch miejscach naraz. Do tej pory działał w pojedynkę i za wszystko obwinialiśmy właśnie jego. To jasne, że teraz ktoś mu pomaga. – Nox przerwał, by wziąć głębszy oddech. – Niezwyciężony ma teraz dwoje sług do wykonywania brudnej roboty. Nie wiemy kim jest ta druga osoba ani jaką dysponuje Mocą. Działa jednak od niedawna, a skoro udało jej się schwytać króla, to wnioskuję, że może być bardziej potężna i niebezpieczna od Balara.

– Ceron… – zaczął ktoś ze zgromadzonych, ale Nox przerwał mu, spokojnie kręcąc głową.

– Nie. Hrabia Ceron nigdy by nie zdradził króla. Jak już to było powiedziane, jest tylko narzędziem w rękach kogoś sprytniejszego. Na tyle sprytnego, by wykorzystać przyjaźń króla do Cerona. Na tyle też sprytnego, żeby upozorować zdradę, nie wzbudzając przy tym żadnych podejrzeń i nie ujawniając własnej osoby. Ceron podtruł króla i przewiózł go w umówione miejsce. Zleceniodawca nie mógł osobiście skontaktować się z hrabią, gdyż wtedy ktoś mógłby go przypadkiem zobaczyć, a nawet rozpoznać. Zatem musiał przekazywać instrukcje przez posłańca. Lub telepatycznie, a wówczas, ma praktycznie nieograniczone pole działania. Może rozkazywać i dowodzić swoimi ludźmi, pozostając w ukryciu i nie pozostawiając po sobie żadnych śladów.

W tej chwili każdym nieostrożnym ruchem możemy sami wpaść w pułapkę zastawioną przez wroga.

Na zakończenie Nox westchnął głośno, po czym opadł na krzesło i spuścił głowę. Skrzyżował ramiona na piersi, swoją postawą dając wyraźnie do zrozumienia, że powiedział już wszystko i nie zamierza się powtarzać.

Wśród zebranych zapanowała głucha cisza. Mężczyźni patrzyli po sobie, jednak żaden się nie odezwał, jakby nagle zabrakło im argumentów. Argon w zamyśleniu wpatrywał się w Noxa. Kiedy zdał sobie sprawę, że do tej pory miał zaciśnięte pięści, szybko rozluźnił mięśnie. Wyprostował się i zmęczonym gestem przejechał dłonią po twarzy.

Ten dzieciak miał absolutną rację. Jego prosta dedukcja, streszczona w kilku słowach, zawstydziła nawet Argona. To było takie oczywiste. Czemu do tej pory sam na to nie wpadł? Czemu żaden z nich tego nie zauważył?

Balar wszystkich ich wywiódł w pole, wykonując najmniej spodziewany ruch. Teraz wszystko do siebie pasowało. Dotąd przeciwnik wszystko załatwiał osobiście i to jego obwiniano za wszelkie nieszczęścia. Ostatnio jednak przestał pokazywać się tak często. Rozpatrując jeszcze raz ostatnie wydarzenia, Argon klął swoją głupotę i brak przezorności. Przecież pozostawiając Rivę bez ochrony, wystawiał go na łatwy cel. Który przeciwnik by tego nie wykorzystał? Podczas gdy Balar „zaprzyjaźniał się" z dziewczyną, jego sojusznik planował porwanie króla. Argon nie mógł sobie darować, że nawet nie wziął pod uwagę takiej możliwości. To odkrycie było tak przerażające, że już sam nie wiedział, czy powinien się z tego śmiać, czy płakać.

Choć nie minęło nawet południe, było oczywiste, że ten dzień będzie ciągnął się w nieskończoność. Kapitan zapatrzył się w drgające lekko płomienie świec. Nikt się nie odzywał. Białe światło ślizgało się po nagich ścianach, wyrysowując na podłodze podłużne, drżące cienie.

– Na początek musimy poznać tożsamość nowego wroga i sprzymierzeńca Balara – przerwał wreszcie ciszę Falen.

Argon z ociąganiem skupił wzrok na zebranych. Nikt nie odpowiedział chłopakowi, który jednak nie wyglądał na urażonego. Za to wszystkie głowy zwróciły się natychmiast w stronę kapitana. Czekali na jego decyzję, nagle straciwszy ochotę na dalsze spory.

Argon westchnął przeciągle i na chwilę przymknął powieki. W końcu skinął głową z ponurym, zmęczonym wyrazem twarzy.

– Nox i Falen mają rację. Naszym najważniejszym zadaniem powinno być teraz odkrycie nowego przeciwnika i jego możliwości. Nie mamy jednak na to czasu. Nasz plan powinien być prosty i szybki. Przeszukamy możliwe kryjówki Balara, a jeśli nic tam nie znajdziemy, to będziemy szukać dalej. Sprawdzimy najpierw małe wioski, opuszczone domy i gospodarstwa.

Cisza.

Mężczyźni patrzyli na siebie, zaciskając szczęki i marszcząc brwi. Niektórzy kiwali głowami, ale większość siedziała zamyślona, jakby ten plan nie przypadł im do gustu. Nox na powrót stał się milczący i jakby nieobecny duchem. Jego długie białe włosy odcinały się w półmroku, jakby jaśniały własnym blaskiem.

Argon nie miał teraz ochoty zastanawiać się, dlaczego bracia z Zakonu stali się tacy nieufni wobec siebie. To był najmniej odpowiedni moment na jakiekolwiek sprzeczki.

Ponownie westchnął ciężko, po czym odezwał się zmęczonym głosem.

– O świcie wyruszamy. Nox, Ylon, Oran, Falen i Koll udadzą się ze mną po Potomka. Reszta ruszy odszukać króla. – Spojrzał po wszystkich z groźnym błyskiem w oczach. – Cokolwiek się stanie, nie próbujcie atakować. Naszą misją jest odszukanie kryjówki i jeśli to możliwe, ciche odbicie więźnia. Jeśli przy okazji dowiemy się, kim jest tajemniczy porywacz Rivy, to dobrze. Jednak niech nikomu nie przyjdzie do głowy samotna walka. Mam nadzieję, że to jasne. Jeśli ktokolwiek nie zastosuje się do rozkazu, zostanie surowo ukarany.

W komnacie podniosły się naraz głosy pełne sprzeciwu. Kapitan uderzył pięścią w stół i od razu zapanował spokój. Garet, który do tej pory siedział cicho, rozsądnie zapytał:

– Jeśli wszyscy opuścimy Malgarię, to kto będzie bronił zamku w razie ataku?

Jakoś nikt do tej pory o tym nie pomyślał. Garet jako główny strażnik miasta i ekspert w tworzeniu barier przede wszystkim miał na uwadze bezpieczeństwo stolicy. Nikogo z zebranych nie dziwiła jego troska i trzeźwy umysł.

– Oczywiście nie możemy pozostawić miasta bez ochrony – zgodził się z nim Argon. Obdarzył mężczyznę o okrągłej twarzy i śpiących oczach pełnym szacunku spojrzeniem. – Co w takim razie proponujesz?

Wszystkie oczy zwróciły się w stronę Gareta. Nawet Falen, który do tej pory słuchał jednym uchem, wyprostował się na krześle.

– To oczywiste – odpowiedział łysy wojownik. – Przed opuszczeniem Malgarii wzmocnię moją tarczę wokół miasta. Jednak nie możemy jej całkowicie zaufać. Moglibyśmy też przywołać kruki, które ostrzegłyby nas w razie niebezpieczeństwa. Jednak nie zapewnią ochrony przy pierwszym ataku.

– Co zatem proponujesz? – zapytał Darel.

Garet uśmiechnął się do wszystkich, rozkładając ramiona.

– Ktoś z nas powinien zostać w zamku. Zastąpi króla w jego obowiązkach i jednocześnie będzie czuwał nad bezpieczeństwem miasta.

Argon uniósł brwi i zamyślił się na chwilę. Też rozważał taką możliwość, ale nie podobało mu się, że musiałby rozbić grupę.

– Czy jest ktoś, kogo byś chciał zarekomendować? – zapytał Gareta, a ten posłał mu pobłażliwy uśmiech. W takich chwilach Argon z niechęcią przypominał sobie, że w Zakonie jest jednym z młodszych braci. Tutaj jednak nikt już nie patrzył na wiek, a już tym bardziej nikt nie kwestionował autorytetu Białego Kruka.

– Decyzja należy do ciebie, Biały Kruku – odpowiedział swoim ospałym głosem.

Argon westchnął, bo dokładnie takiej odpowiedzi się spodziewał. Milczał bardzo długo, kolejno przypatrując się każdej twarzy.

– Czy ktoś może chciałby zgłosić się na ochotnika? – zapytał.

Nikt się nie odezwał. W komnacie słychać było jedynie oddechy zgromadzonych i szuranie butów. Z zewnątrz dochodził śpiew ptaków i dalekie odgłosy miasta. Atmosfera w dusznej sali stała się ponura i nieprzyjazna. Argon widział, jak mężczyźni popatrują na siebie ukradkiem. Widział ich napięte twarze i niezadowolone miny. Gdyby mieli trochę więcej czasu, mogliby rozwiązać wewnętrzny spór. Niestety ostatnio nic nie układało się po ich myśli.

– Może niech Nox zostanie – zaproponował niespodziewanie Koll. – Jest jeszcze młody, ale przewyższa nas wszystkich swoją siłą i inteligencją.

Głowy pozostałych natychmiast zwróciły się w stronę kapitana. Z kilku gardeł wydobyło się aprobujące mruknięcie. Nox uniósł wzrok i spojrzał na swojego opiekuna. Wyraz konsternacji i niepokoju na jego twarzy był czymś niezwykłym i niepasującym do jego zwykłego spokoju.

Argon zmarszczył czoło i pokręcił głową.

– To wykluczone – odwzajemnił spojrzenie Noxa i kącik jego warg zadrżał w półmroku. – Nox będzie nam bardziej potrzebny w trakcie poszukiwań. Właśnie ze względu na jego trzeźwe myślenie i umiejętności uzdrawiania. – Widząc ulgę na gładkiej twarzy młodzieńca, uśmiechnął się szerzej. – Mam jednak innego kandydata. – Zrobił chwilową pauzę, w czasie której przeniósł powoli wzrok na jednego z braci. – Falen.

Mężczyzna drgnął na dźwięk swojego imienia, jakby ktoś go uszczypnął. Rozejrzał się po sali, jakby zapomniał, gdzie się znajduje, aż w końcu utkwił swoje niebieskie oczy w kapitanie. Nieco nerwowym ruchem przeczesał palcami włosy.

– Tak? – odezwał się ostrożnie, widocznie nie słuchając zbyt uważnie przez ostatnie minuty. Wydawał się całkowicie zaskoczony tym, że ktoś w ogóle się do niego odezwał.

– Zostaniesz w zamku i wszystkiego dopilnujesz.

Falen uniósł brwi, jakby jeszcze nie rozumiał.

– Co?

Naraz wokół odezwały się gniewne protesty. Tylko Nox siedział spokojnie, kiwając aprobująco głową.

– Dlaczego on?

– To głupota.

– Przecież on nic nie potrafi!

– Są wśród nas silniejsi...

– Powinien zostać ktoś bardziej odpowiedzialny i...

– Cisza! – Argon uderzył pięścią w stół, a gdy zapadła całkowita cisza, obdarzył Falena poważnym spojrzeniem. – Zdecydowałem, że to ty zostaniesz w zamku do czasu naszego i króla powrotu. Tymczasowo przejmiesz jego obowiązki i będziesz strzegł miasta. Trzeba będzie czasem sprawdzać tarczę i pilnować strażników, by się nie obijali. Zrozumiałeś?

Falen otworzył usta, a potem je zamknął i zagryzł wargi. Przeniósł wzrok na Arwela, a potem z powrotem na Argona. Po jego minie trudno było rozpoznać, czy uważa ten pomysł bardziej za absurdalny czy śmieszny. W końcu wyprostował się na swoim krześle i powoli pokręcił głową.

– Dlaczego ja? Bracia mają rację. Nie jestem za bystry i nie mam żadnych oszałamiających zdolności. Poza tym nikt nie będzie chciał mnie słuchać.

– Daj spokój. – Argon machnął niedbale ręką. – Twój przyjaciel na pewno przyzna mi rację, że po prostu siebie nie doceniasz. – Argon pochylił się do przodu i wbił w niego roziskrzony wzrok. – Wiem, Falenie, że dasz sobie radę. Liczę na twój rozsądek i umiejętności.

Mężczyzna otworzył szeroko oczy, a na jego twarzy wciąż widniał wyraz niepewności.

– Nie wiem, czy dam sobie radę...

– Co do tego nie mam żadnych wątpliwości.

– Czy chociaż Arwel może ze mną zostać? – zapytał, zerkając jednocześnie na przyjaciela.

Argon również na niego spojrzał. Długowłosy mężczyzna westchnął bezgłośnie i pokręcił głową. Wojownik był pewien, że dostrzegł w jego oczach iskierki rozbawienia i... czułości?

– Nie – odezwał się stanowczo kapitan. – Arwel będzie nam potrzeby. Poza tym będzie naszym łącznikiem z tobą i zamkiem.

– Ale... – próbował jeszcze oponować, a jego ramiona opadły w geście rezygnacji.

– Falenie. – Argon zgromił go ostrym spojrzeniem, podnosząc jednocześnie głos. – To nie jest propozycja. To rozkaz!

Młodzieniec popatrzył po pozostałych i westchnął. Napotkał jedynie skrzywione twarze i drwiące spojrzenia. Jeśli do tej pory cieszył się względnie neutralną pozycją w Zakonie, to teraz mógł o tym zapomnieć. Popatrzył z wyrzutem na Arwela, ale nic nie powiedział. Zacisnął szczęki i odszukał oczy Białego Kruka.

– Zostanę – powiedział krótko.

– Doskonale. – Argon obdarzył go nikłym uśmiechem. – Skoro wszystko zostało ustalone, to koniec zebrania. Jutro o świcie wyruszamy.

Mężczyźni posłusznie zaczęli wstawać i wychodzić.

Rozdział XXIV

Dopiero kiedy wszyscy opuścili komnatę, Argon wydał z siebie przeciągłe westchnienie ulgi. Nigdy nie lubił tego typu narad, a ostatnio stawały się one coraz bardziej uciążliwe. Kiedy był z nimi Riva, wszystko przebiegało sprawniej i bracia potrafili jeszcze dojść do jakiegoś porozumienia. Gdyby nie to, że był Białym Krukiem, z pewnością nie mógłby tak skutecznie nad nimi zapanować.

Rozparł się wygodnie na krześle i przeniósł znużone spojrzenie na Noxa. Chłopak wciąż siedział na swoim miejscu, w migotliwym świetle jego wydłużony cień nawet nie drgnął. Kiedy uniósł głowę, Argon skinął dłonią, by usiadł bliżej. Nox wstał posłusznie, nie wydając przy tym najmniejszego dźwięku. Poruszał się lekko i z gracją charakteryzującą jego rasę. Zajął miejsce obok kapitana, niedbałym ruchem odgarnął z czoła białe kosmyki i splótł przed sobą dłonie, kładąc je na stole. Palce miał długie i zgrabne, odnosiło się wrażenie, że nigdy nie trzymał w nich miecza.

Argon uśmiechnął się do niego ledwo dostrzegalnie.

– I co o tym myślisz? – zapytał.

– O całym spotkaniu?

– O tym, że to Falen zostanie w zamku.

Nox wzruszył lekko ramionami. Nawet ten gest miał w sobie coś z subtelnej nonszalancji.

– To słuszna decyzja. Reszta myśli, że poza umiejętnością posługiwania się mieczem on nie ma żadnych specjalnych zdobności. A przecież jest naszym asem w rękawie, gdyby coś poszło nie tak. Dobrze, że trzymasz to w tajemnicy.

– Myślałem, że nie popierasz oszukiwania członków Zakonu. – Argon wyciągnął pod stołem nogi i splótł palce na brzuchu. Przyglądał się swojemu wychowankowi, ale bez zbytniej natarczywości. Po prostu oceniał jego wzrost, siłę mięśni pod płaszczem i twarz, która przecież tak niedawno była twarzą małego dziecka. Zaledwie trzyletniego chłopca, którego na wpół żywego znalazł nad rzeką. Nie wiedział, jacy bogowie czuwali nad tym mieszańcem, ale najwidoczniej mieli swoje powody, by utrzymać go przy życiu.

Nox uśmiechnął się z ironią. Jednak nawet ten nikły objaw emocji nie dotarł do jego oczu. Granat nocnego nieba jak zawsze pozostał chłodny i tajemniczy.

– Nie lubię. Ale w tym zamku każdy ma jakąś tajemnicę, prawda?

Argon zaśmiał się niezbyt wesoło i pokiwał głową.

– Masz rację. Zdaje mi się, że nikt już nie jest szczery. Nawet własnemu przyjacielowi lepiej nie ufać tak bezgranicznie.

Spojrzenie młodzieńca spoczywało na kapitanie, twarde i nieruchome. Jego twarz była gładką maską z kamienia, na której tylko usta i powieki zdawały się żywe.

– Wiesz, Biały Kruku, że mi możesz zaufać.

– Tak. – Argon spojrzał w głębię jego nieprzeniknionych oczu. – Jesteś dla mnie jak syn. Tylko szkoda, że nigdy nic mi nie mówisz. Nigdy nie opowiadałeś o sobie ani o tym, co się stało...

Przerwał, kiedy dostrzegł, jak Nox zaciska usta w wąską kreskę i kładzie dłonie na kolanach. Uciekł wzrokiem gdzieś w bok z ponurym wyrazem twarzy. Argon westchnął teatralnie i pochylił się do przodu. Wyciągnął rękę i poklepał chłopaka po ramieniu.

– Dobrze, już dobrze. Wiem, że nie lubisz tego tematu. A mogę chociaż zapytać, jak ci idzie nauka?

Nox odprężył się wyraźnie i nieco poweselał. W takich momentach jego uśmiech był szczery, a lód w oczach nieco topniał. Nawet Argon musiał przyznać, że ten chłopak jest po prostu piękny.

– Bardzo dobrze – odpowiedział z dumą. – Prawdę mówiąc, jestem lepszy od nauczycieli.

– We wszystkim? – Argon uniósł brwi.

– Tak. Niektórzy narzekają, że przez takich jak ja stracą pracę. – Na jego wargach osiadł złośliwy grymas. – Ale większość chce, żebym to ja ich uczył.

Argon parsknął głośnym śmiechem.

– No proszę. Jestem pod wrażeniem.

– Dziękuję. – Chłopak skłonił głowę bez zbytniej skromności.

– Jednak miałem co do ciebie dobre przeczucie. Ludzkie geny nie przeszkadzają ci w byciu najlepszym spośród nas. A krew Nieśmiertelnych tylko wzmacnia twoją Moc.

Nox musnął palcami czarne znamię na czole, wyraźnie kontrastujące z bielą włosów i jasną karnacją. Zamyślił się przy tym na moment, a jego oczy stały się zupełnie nieobecne.

– Jestem odmieńcem – wymamrotał po chwili ciszy.

– Powiedziałbym raczej, że wyjątkowy. Niezwykły. I dzięki bogom, że mamy cię po swojej stronie.

Nox spochmurniał, spuszczając wzrok na swoje dłonie.

– Nie bądź śmieszny, Biały Kruku – prychnął. – Tylko ty mnie akceptujesz. I tylko dzięki tobie jeszcze tolerują mnie w Zakonie.

– Czy aby nie za surowo ich oceniasz? Może daj im szansę.

Chłopak zmierzył go chłodnym spojrzeniem.

– To Noszący Znak Kruka – powiedział spokojnie, jakby to miało wszystko tłumaczyć. – Powinniśmy być ponad wszelkie konflikty i uprzedzenia. Tymczasem wciąż chowają w sobie urazę i gniew niczym zwykli wieśniacy – z niechęcią pokręcił głową. – Krwawa Wojna była setki lat temu. Po co w ogóle jeszcze ją pamiętać? Od tamtego czasu wszyscy się zmienili. Nie tylko ludzie.

Argon obserwował uważnie chłopaka spod zmarszczonych brwi. Pozwolił, by między nimi zapadła cisza bez odpowiedzi. Przez zasłonięte okno wślizgnął się pojedynczy mdły blask. Smuga światła osiadła na nodze krzesła niczym uparty wścibski owad. Sztuczne światło roztaczało w komnacie atmosferę sennego spokoju i intymności. Tutaj, na samym szczycie wieży, mogli być pewni, że nikt ich nie podsłucha. Do komnaty nie dochodziły żadne dźwięki z zewnątrz. Jeśli jednak ktoś spróbowałby zaczaić się przed drzwiami, obaj by o tym wiedzieli.

– Pewnie minie jeszcze wiele lat, zanim ludzie całkiem o tym zapomną – odezwał się w końcu Argon. – Ale wiesz, że to nie tylko dlatego tak cię traktują. Oni są po prostu zazdrośni. Byli już zazdrośni, kiedy przyprowadziłem cię do zamku. Miałeś zaledwie trzy lata, nie mówiłeś i zachowywałeś się jak dzikie zwierzątko. A mimo to już wtedy ci zazdrościli. – Kapitan wskazał palcem na jego czoło. – Jesteś najlepszym, najbardziej uzdolnionym i najbystrzejszym wojownikiem, jakiego miał ten Zakon. – Pochylił się nad stołem z błyskiem w zielonych oczach. – Żaden z nich nigdy ci nie dorówna. Ba! Nawet ja nie dorastam ci do pięt.

Jedna warga Noxa uniosła się nieznacznie. Skrzyżował ramiona na piersi, odwzajemniając uważne spojrzenie kapitana.

– Nigdy nie chciałem tej przeklętej Mocy Kruka – wyznał, choć te słowa, wypowiedziane tak spokojnym tonem, nie miały żadnej siły. – Nigdy też nie godziłem się, by w moich żyłach płynęła mieszana krew.

– Jednak gdyby nie to, nasz Zakon byłby znacznie osłabiony. Dzięki twoim zdolnościom jesteśmy bardziej skuteczni. Powinieneś być raczej z siebie dumny.

Nox zmrużył ciemne oczy, a na jego twarzy po raz pierwszy zagościło rozbawienie.

– Owszem. Szczególnie dlatego że mogę być twoim tajnym szpiegiem. Zupełnie nie wiem, co byś beze mnie zrobił.

– I tu trafiłeś w sedno, mój drogi Noxie. Twoja pomoc jest naprawdę nieoceniona. Nikomu innemu nie powierzyłbym tego zadania.

– Bo nikt inny nie chciałby szpiegować własnych towarzyszy – prychnął.

Argon przeciągnął się z chrzęstem prostujących się kości, po czym zaczął wolno przemierzać niewielką komnatę. Skrzyżował przed sobą ramiona, a spacerując, co raz zerkał na chłopaka, który odwrócił się w jego stronę.

– Ale nic nie podejrzewają, mam rację?

– Może kilku. – Nox wzruszył obojętnie ramionami. – To nudni kretyni.

– Nox!

Uśmiechnął się niewinnie.

– Przepraszam. Ale po tych wszystkich tygodniach łażenia za nimi nic innego nie przychodzi mi do głowy.

Argon skinął głową, nie zaprzestając swojej wędrówki wokół stołu.

– Rozumiem. Czyli na razie nie masz żadnych nowych wskazówek.

– Nie. Zresztą od śmierci Koryna minął już ponad miesiąc, a od tego czasu nikt nie zginął.

– Więc mamy czekać na kolejne morderstwo, żeby odkryć jakieś ślady?

– Być może. – Nox śledził każdy krok kapitana, leniwie rozparty na krześle. Kiedy ten na niego spojrzał, w oczach chłopaka pojawił się trudny do zinterpretowania błysk. – Nowa śmierć, nowe dowody. Ale nie martw się, Biały Kruku. Na razie jest spokój, a to dobry znak. Być może morderca odkrył, że jest obserwowany, i postanowił na jakiś czas się przyczaić.

– A więc nadal sądzisz, że będzie próbował nas wszystkich zabić? – Argon był wstrząśnięty nawet samą o tym myślą.

Nox spokojnie pokiwał głową.

– Jestem o tym przekonany. Śmierć jednego z członków Zakonu nie miałaby sensu. Poza tym Koryn nie był zbyt utalentowany i nie wyróżniał się w walce. Nie stanowił dla nikogo większego zagrożenia.

Argon przystanął przy oknie i westchnął głośno. Przez chwilę wpatrywał się w swoje stopy w zamyśleniu. Jego krótkie ciemnobrązowe włosy nabrały w mdłym świetle czarnego odcienia. Przez chwilę słychać było jego miarowy oddech, a potem odwrócił się do Noxa i spojrzał na niego ponuro.

– To jest w ogóle niedorzeczne – powiedział ostro. – Kto chciałby zabijać członków Zakonu Kruka? Przecież czuwamy nad bezpieczeństwem całego Elderolu. Jesteśmy...

– Właśnie – przerwał mu chłopak. – Jesteśmy najpotężniejszą armią króla. Jesteśmy jego bronią i siłą. Jak myślisz, jak długo Kruczy Król utrzymałby się na tronie bez swoich wasali? Teraz nie tylko Niezwyciężonemu zależy na śmierci króla.

Argon pobladł, podszedł do stołu i opadł bez sił na krzesło. Przymknął powieki i potarł dłonią zmarszczone czoło.

– Nie rozumiem. Twoje argumenty wydają się całkiem uzasadnione, ale tak ciężko mi w to uwierzyć. Jesteś pewny, że to jeden z nas?

Nox milczał przez kilka uderzeń serca. Potem odpowiedział z zatrważającą powagą:

– Gdybym miał być szczery, to podejrzewałbym nawet ciebie.

Argon otworzył szeroko oczy, ale chłopak nie dał mu nawet dojść do słowa.

– Nie martw się. Na szczęście twoja wierność i przyjaźń z królem i oczywiście status Białego Kruka wykluczają cię z kręgu podejrzanych. Ale pamiętaj, że to może być każdy z naszej dziesiątki. Falen, Arwel... Nawet ja.

Wojownik spojrzał na niego, jakby powiedział coś od rzeczy. Potem roześmiał się nerwowo i zbył go machnięciem ręki.

– Nie żartuj sobie, Nox. Przecież obaj wiemy, że to nie możesz być ty. Masz niepodważalne alibi, bo w chwili zabójstwa Koryna byłeś ze mną. Zresztą, czyż nie byłoby to trochę bez sensu? W końcu to ty prowadzisz śledztwo w tej sprawie.

Nox uśmiechnął się ironicznie.

– Oczywiście masz rację. Nie jestem zabójcą. W takim razie zostało dziewięciu podejrzanych. To znacznie zawęża pole poszukiwań.

– Zastanawia mnie tylko jedno. Dlaczego masz taką pewność, że to jeden z nas zabił Koryna? Może zdrajcą jest po prostu ktoś z zamku. Służba, może któryś ze strażników.

– Nie – zaprzeczył stanowczo chłopak. – Pamiętaj, że nas nie da się tak łatwo zabić. Zwykli ludzie nie mają szans się nawet do nas zbliżyć. Koryn zmarł w łaźni na atak serca. Nie można też wykluczyć, że morderca nie działał w pojedynkę. Dużą wskazówką jest też to, że na ciele Koryna nie znaleziono żadnych ran ani śladów walki. To znaczy, że ktoś posłużył się Mocą. Zaatakował szybko i niespodziewanie, celując prosto w serce.

– To bardzo potężna Moc. Zdolności lecznicze albo bardzo rozwinięta telekineza. Znamy wszystkie możliwości całej grupy, wątpię więc...

– Więc to logiczne, że któryś ukrywa przed resztą swoją prawdziwą Moc.

Argon uniósł brwi porażony tą sugestią.

– Wiedzielibyśmy...

Nox pochylił się w jego stronę z nieodgadnionym wyrazem twarzy.

– Tak jak wszyscy wiedzą o wyjątkowym darze Falena?

– To przecież...

– Zastanów się, Biały Kruku. Nasz Zakon nie jest taki jak kiedyś. Nadchodzą ciężkie czasy i każdy chce je jakoś przeżyć. Przetrwają tylko najsilniejsi i ci, którzy opowiedzą się po właściwej stronie.

Argon milczał, długo kręcąc głową. To było dla niego za dużo. Porwanie króla i Potomka, tajemniczy sojusznik Balara i zabójca w zamku...

Bogowie albo są ślepi, albo zbyt leniwi, by dostrzec, co się tu dzieje. Co musi nas jeszcze spotkać, żeby w końcu nam pomogli?

Głowa pękała mu od natłoku ponurych myśli. Ukrył twarz w dłoniach i dopiero po chwili zdał sobie sprawę z tego, że Nox pilnie go obserwuje. Poczuł jego szczupłą dłoń na ramieniu.

– Wyglądasz na wyczerpanego. – Na pięknej twarzy chłopaka malowała się prawdziwa troska.

Argon zmusił się do bladego uśmiechu.

– Nic mi nie jest. Po prostu za dużo wrażeń jak na jeden raz. Potrzebuję trochę odpoczynku i tyle.

– Dzisiaj już i tak nic nie zrobimy. Wyśpij się przed jutrzejszym dniem.

Wojownik skinął głową i wstał, a Nox poszedł za jego przykładem. Był tylko nieco niższy od kapitana, ale nawet w płaszczu nikt nie pomyliłby tej sylwetki z człowiekiem.

– Nie martw się, Biały Kruku. Zawsze możesz liczyć na moją pomoc. – Oczy chłopaka płonęły intensywnie w blasku świec.

– Wiem. Liczę, że nadal będziesz prowadził dyskretnie swoje śledztwo. Może w końcu zabójca popełni błąd i wtedy go zdemaskujemy.

– Tak będzie. Masz moje słowo. – Nox położył dłoń na jego ramieniu i lekko ścisnął.

Ruszyli do drzwi.

– Chciałbym, żebyś coś jeszcze dla mnie zrobił.

Młody wojownik zerknął na niego przez ramię.

– Co takiego?

– Chociaż ty nie nazywaj mnie Białym Krukiem. Mam dość, kiedy ludzie zapominają, jak mam na imię.

Chłopak uśmiechnął się szeroko.

– Jak sobie życzysz, Argonie. Nie zmienia to jednak faktu, że zawsze pozostaniesz Białym Krukiem. Naszym białym bogiem wiatru.

Argon nie odpowiedział. Kiedy wyszli z komnaty, w środku na powrót zagościła ciemność, gdy wszystkie świece zgasły jednocześnie. Z ulgą odetchnął świeżym powietrzem i odprowadził Noxa wzrokiem, aż ten zniknął na schodach. Pokrzepiała go tylko myśl, że do końca dnia pozostało jeszcze dużo czasu. Stał jeszcze przez chwilę pod drzwiami, z nieznośnym bólem w skroniach. W końcu ruszył do swojej sypialni. Jutro czekał go nowy dzień i nowe zmartwienia. Jednak teraz nie chciał o niczym myśleć. Potrzebował jedynie snu. Dużo snu.

* * *

Falen był tak zamyślony, że w ogóle stracił kontakt z rzeczywistością. Reszta wojowników dawno rozeszła się do swoich zajęć, zupełnie go ignorując. Jedynie Arwel pozostał przy jego boku, a i na niego nie zwracał uwagi, dopóki ten nie trącił go łokciem w żebra.

– Co się dzieje? – zapytał Arwel, machając mu przed nosem wskazującym palcem. – Tylko nie próbuj mnie zbywać. I tak znam twoje myśli.

Falen zerknął na niego i skrzywił się ze złością.

– Jeszcze się pytasz? – warknął przesadnie ostro. – Co to było przed chwilą? – Zatrzymał się na środku korytarza i wbił w niego wściekłe spojrzenie. – Dlaczego nie zaprotestowałeś?! Mogłeś wybić mu ten pomysł z głowy.

Arwel wpatrywał się w niego, mrugając powiekami.

– A miałem? – zrobił głupią minę.

Wojownik wymruczał coś pod nosem, co zabrzmiało jak więcej niż jedno przekleństwo. Ruszył szybko korytarzem, powiewając za sobą długim płaszczem, który plątał się między jego nogami. Arwel dogonił go szybko i ramię w ramię weszli na kręte schody. Po korytarzach kręcili się służący i wartownicy, którzy kłaniali im się w pośpiechu. Nie było jeszcze południa i wszyscy wciąż mieli dużo do zrobienia. Słońce wisiało wysoko na bezchmurnym niebie, wlewając się przez podłużne, wysoko zawieszone okna. Za każdym razem, gdy złociste włosy Falena stykały się ze światłem, stawały się płynnym złotem.

Arwel właśnie wpatrywał się zafascynowany w jego głowę, kiedy obok nich przeszedł jeden ze służących. Zamiast skłonić się z szacunkiem, zmierzył obu wojowników przeciągłym spojrzeniem. Arwel z trudem oderwał wzrok od złotych włosów przyjaciela i odezwał się z rozbawieniem: – Nie rozumiem, o co się tak wściekasz. Przecież każdy marzy, żeby chociaż przez chwilę być królem. To zaszczyt.

Falen prychnął. Wciąż kipiał złością, o czym świadczyły jego zamaszyste ruchy, zaciśnięte pięści i zmarszczone czoło.

– Jakoś nie czuję się zaszczycony.

– Nie? – Arwel przyspieszył, zagrodził mu drogę i idąc teraz tyłem, wykonał przed nim głęboki, zgrabny ukłon. – Wasza Wysokość wybaczy, że to powiem, ale jest za bardzo zasadniczy. Jeśli Wasza Wysokość pozwoli, to…

Nie dokończył, gdyż Falen uderzył go w żebra. Odepchnął na bok zgiętego wpół wojownika, po czym wyminął go, nie zaszczycając ani jednym spojrzeniem. Nie był w nastroju do żartów. Jeśli Arwel tego nie rozumiał…

– To bolało, wiesz?! – usłyszał za sobą pełen urazy krzyk.

– To dobrze! – odkrzyknął.

Arwel dogonił go na schodach prowadzących do głównego holu. Długie jasnobrązowe włosy opadły mu na twarz i zakryły lewe oko. Poza tym były potargane i bezładnie rozsypywały się na ramionach, jakby od dawna nie widziały grzebienia. Falen jednak nie miał ochoty po raz kolejny przypominać mu, żeby zaczął trochę więcej wagi przywiązywać do wyglądu.

– Jesteś zły o to, że zostawiam cię tu samego czy może o to, że ominie cię parę walk? – zapytał Arwel, kiedy zaczęli schodzić po krętych wąskich schodach.

Falen zacisnął wargi.

– A jak myślisz?

– Myślę, że o obie rzeczy – uśmiechnął się, odsłaniając rząd białych zębów. – Wiem, jak bardzo będziesz za mną tęsknił. Ale spójrz na to z innej strony. Będziesz miał okazję trochę porozkazywać służbie i ukarać przykładnie paru przestępców.

– Już się nie mogę doczekać – odparł z sarkazmem.

– Widzisz? – Arwel poklepał go energicznie po plecach. – Nie będzie tak źle. Poza tym będziemy mogli codziennie rozmawiać. Ty będziesz mnie zanudzał relacjami z nudnego życia w zamku, a ja opowiem ci, jak bohatersko uratowałem cały oddział przed armią centaurów.

Falen zatrzymał się tak nagle, że jego przyjaciel z rozpędu znalazł się kilka stopni niżej. Zmierzył go z góry tak ostrym spojrzeniem, że błękit jego oczu kojarzył się raczej ze sztormem na wzburzonym morzu.

– Przestań się tak zachowywać, Arwel – warknął. – To wcale nie jest śmieszne.

– O co ci chodzi? Boisz się, że nie dasz sobie rady?

– Nie udawaj. Wiesz, o czym mówię.

Arwel uniósł brwi.

– Wiem tylko, że te nasze tajne narady źle na ciebie działają. Może powinienem poprosić Białego Kruka, żeby cię z nich wykluczył. Jednak wtedy nie miej do mnie pretensji, że zostaniesz odsunięty od innych zadań.

Falen zmarszczył brwi, aż zetknęły się u nasady nosa. Doskoczył do przyjaciela, złapał go za skraj płaszcza i przycisnął do ściany. Ich twarze dzieliły od siebie zaledwie milimetry. Ze wściekłością spojrzał mu prosto w oczy. Głęboki brąz zawsze kojarzył mu się bardziej z rozmokłą ziemią niż z czekoladą, której zresztą nie lubił.

– To nie jest zabawa. Wiesz, dlaczego nie chcę tego zadania – wysyczał mu prosto w twarz. – Robię wszystko, żeby nie rzucać się w oczy, a tu nagle Argon wyskakuje z czymś takim. Mogłeś przynajmniej coś powiedzieć. Nie chcę, żeby ludzie patrzyli mi na ręce. Chyba najlepiej wiesz dlaczego.

Arwel skinął głową bez cienia rozbawienia.

– Teraz jednak nie możesz się wycofać. Zdajesz sobie sprawę, że naprawdę tylko ty możesz przypilnować zamku. Jesteś nam potrzebny.

– Bardziej wolałbym przydać się w poszukiwaniach – odparł zrezygnowanym tonem. Odsunął się na środek schodka i westchnął, spuszczając głowę. Wargi miał zaciśnięte w wąską kreskę. – Nie potrafię usiedzieć w jednym miejscu. Chcę walczyć.

Wiem, przyjacielu. Muśnięcie umysłu Arwela było jak delikatny powiew wiatru. *Ja to wszystko wiem i naprawdę staram się ciebie zrozumieć. Nie możesz jednak wiecznie uciekać. Zrobiłeś pierwszy krok, obdarzając mnie zaufaniem. Spróbuj teraz zaufać innym. Masz po swojej stronie trzy osoby, na których pomoc zawsze możesz liczyć. Czego jeszcze się boisz?*

Falen spojrzał na niego przygaszonym wzrokiem. Ostatnio nic nie szło po jego myśli, jednak nie musiał nic mówić. Arwel znał jego myśli, zanim jeszcze zdążyły przybrać konkretny kształt. Z początku mu to przeszkadzało, ale teraz...

Do tej pory nie przypuszczał, że potrzebuje kogoś takiego. Osoby, której mógłby powierzyć własne życie. Kąciki jego warg wygięły się lekko ku górze. Nie wiedział, jakim magicznym sposobem Arwel zawsze potrafił zabić jego gniew, zanim zdążył zrobić coś głupiego. W każdym razie to zawsze działało.

– Wiesz, że nie lubię, kiedy prawisz mi te swoje kazania. Czuję się wtedy bardziej winny, niż jestem.

Arwel zaśmiał się cicho.

– W takim razie świetnie. Wiem, że działają.

Wojownik zmrużył oczy, przypatrując mu się z rękami opartymi na biodrach.

– Więc naprawdę nic z tym nie zrobisz? – zapytał, tym razem spokojnie powracając do tematu.

– Absolutnie nic. I powiem ci coś więcej. – Arwel pokonał dzielącą ich odległość i położył obie dłonie na jego ramionach. Byli niemal tego samego wzrostu, ale i tak pochylił się lekko do przodu, by móc spojrzeć przyjacielowi w oczy. – Będziesz wspaniałym królem. – Po czym dodał szeptem: – Chciałbym zobaczyć, jak wyglądasz w złotej koronie i wydajesz rozkazy. To takie...

Falen z oburzeniem zamierzał się odgryźć, jednak wtedy Arwel położył mu palec na ustach i wyszczerzył zęby.

– Sądzę, że już nie jesteśmy sami – powiedział i uciekł wzrokiem gdzieś w bok.

Falen spojrzał za siebie i natychmiast odskoczył od wojownika, wpadając na ścianę. Swoje zakłopotanie ukrył szybkim odgarnięciem włosów z czoła.

Na szczycie schodów stał Nox. To wyjaśniało, czemu nie słyszeli jego kroków. Falen przyjrzał mu się z niepokojem, a potem zerknął na

Arwela. Wojownik oparł się niedbale o ścianę, skrzyżował ramiona na piersi i uśmiechał się do siebie, jakby całą tę sytuację uważał za bardzo zabawną. Przez kilka sekund na schodach panowała dziwna cisza. Na jedno mgnienie oka Falenowi zdawało się, że dostrzega na wargach Noxa grymas odrazy, to wrażenie jednak minęło równie szybko. Chłopak uśmiechnął się przyjaźnie i zbliżył się do nich kocim leniwym ruchem.

– Mała pogawędka? – zapytał. Jego zawsze nieodgadnione granatowe oczy przenosiły się z jednego na drugiego, jakby bez zbytniego zainteresowania.

Arwel wzruszył obojętnie ramionami.

– Omawiamy nadzwyczaj udane spotkanie. Właśnie zastanawiamy się, jak świętować awans Falena. – W jego oczach mignęły figlarne ogniki. – W końcu nie na co dzień zostaje się królem.

– Tak – odparł w zamyśleniu Nox, po czym zwrócił się do jasnowłosego wojownika i dodał z powagą: – Gratuluję, Falenie. Pamiętaj, że to bardzo ważne i trudne zadanie. Nie lekceważ swoich obowiązków ani swojej Mocy. – Dobitnie podkreślił ostatnie słowo. Zanim jednak Falen zdążył zapytać, co miał na myśli, chłopak uśmiechnął się szybko. – Liczymy na ciebie.

– W porządku, zrozumiałem. – Falen westchnął dramatycznie. – Postaram się podejść do tego bardziej entuzjastycznie. – I w tym samym momencie wpadło mu coś do głowy. Jego wargi rozciągnęły się w tajemniczym uśmiechu. – Tak sobie pomyślałem...

– No i zaczyna się – mruknął Arwel.

Falen zgromił przyjaciela takim wzrokiem, że ten w końcu przewrócił oczami i wyrzucił ręce w górę w bezradnym geście kapitulacji. Potem spojrzał na Noxa i niewinnie wzruszył ramionami. Dwa odcienie niebieskiego spotkały się niczym niebo i morze na linii horyzontu. Falen miał mieszane uczucia co do tego młodego wojownika, ale zawsze lubił go na swój sposób. Poza tym, jak niemal każdy, podziwiał jego umiejętności i Moc. Nigdy jednak mu nie zazdrościł.

Nie wiedział czemu, ale po prostu ani przez chwilę nie chciał być na jego miejscu. Nox zawsze był uprzejmy, ale zbyt tajemniczy i zamknięty w sobie.

– Bo wiesz... – kontynuował niedbałym tonem. Zerknął przelotnie na Arwela, który stanął do nich plecami, udając, że nie słucha. Uśmiechnął się chytrze. – Masz dzisiaj jeszcze coś pilnego do zrobienia?

– Nie, raczej nie. A o co chodzi?

Falen musnął przelotnie rękojeść swojego miecza.

– Mam ochotę trochę się rozruszać, zanim zostanę tu całkiem sam. Co ty na to? Ty i ja w czystej walce na miecze. Bez żadnej Mocy i oszukiwania.

Nox uniósł brwi, zastanawiając się nad propozycją. W końcu skinął głową, a w jego oczach rozbłysły iskierki rozbawienia.

– Dobrze. Zapowiada się ciekawie.

– Wspaniale!

Kiedy we trójkę ruszyli schodami w dół, Falenowi świat wydał się nagle o wiele piękniejszy. Perspektywa walki przegoniła ostatnie ślady złości. Oczywiście nie spodziewał się wygranej z kimś, kto miał w żyłach krew Nieśmiertelnych. Ale przecież kochał wyzwania.

– Nie wierzę, że znowu dałeś się namówić, Noxie. – Arwel westchnął przesadnie.

Elf otwierał już usta, żeby odpowiedzieć, jednak Falen pokazał przyjacielowi język i pociągnął chłopaka za mankiet, zmuszając do szybszego marszu. Arwel wzruszył ramionami za ich plecami, po czym skrzyżował ręce za głową i powlókł się za nimi z kąśliwym uśmieszkiem.

Przecięli szeroki korytarz, minęli łukowate sklepienie i znaleźli się na zalanym słońcem dziedzińcu. Natychmiast zmrużyli oczy od zbyt ostrego światła. Falen wciągnął w płuca świeże powietrze i od razu poczuł się lepiej. Wymienił z Arwelem długie spojrzenie i nawet uśmiechnął się do niego lekko. Uświadomił sobie nagle, że od jutra nie będzie go przy jego boku. Obiecał więc sobie, że będzie dla niego miły przez resztę dnia. Tak na wszelki wypadek wolał nacieszyć się jego towarzystwem.

Na placu kręciło się sporo ludzi. Przy bramie dostrzegli Gareta z Lanonem. Wojownicy dyskutowali o czymś z dowódcą straży. Lanon, w porównaniu z otyłym mistrzem tarcz, wydawał się jeszcze wyższy i potężniejszy. Pod długim płaszczem Zakonu wyraźnie rysowały się mięśnie ramion i pleców. W odróżnieniu od Gareta stał prosto i dumnie, na wszystkich patrzył z góry twardym, pogardliwym spojrzeniem. Ciemny zarost okalał jego silną, wydatną szczękę i wysunięty podbródek. Garet wyglądał przy nim jak niezdarny kupiec, ale Falen darzył go większym szacunkiem niż pozostałych braci. W tym niepozornym człowieku krył się spokój i całe pokłady dobrych uczuć dla każdej żywej istoty. A jego zdolności obronne były nie tylko godne podziwu, ale wręcz niezastąpione.

– Jak myślicie, o czym rozmawiają? – zapytał półszeptem Falen, zbliżając się do towarzyszy.

Arwel potarmosił już i tak potargane włosy.

– Pewnie omawiają zmiany warty albo coś takiego.

– Nie tylko.

Obaj spojrzeli jednocześnie na Noxa. Chłopak wpatrywał się w wojowników nieruchomy niczym posąg. Aż przez chwilę miało się wrażenie, że to nie on wypowiedział te słowa. Stał wyprostowany, z rękami luźno zwisającymi wzdłuż ciała, w pozie równie niedbałej, co naturalnej. Znajdował się dokładnie na linii światła i cienia. Wyglądało to naprawdę dziwnie i jednocześnie niesamowicie. Zupełnie jakby stał pośrodku dnia i nocy. Z jednej strony jego postać była nieco ciemniejsza, jakby wyblakła, skóra tylko parę odcieni jaśniejsza od płaszcza. Zaś drugą połowę rozświetlał ciepły blask słonecznego światła, osiadając na jego jasnej, gładkiej twarzy, mocno kontrastującej z głęboką czernią okrycia. Białe włosy po tej stronie skrzyły się w słońcu niczym świeży śnieg.

– Garet ma się zająć wzmocnieniem tarczy – tłumaczył dalej rzeczowym tonem. – Będzie potrzebował do tego dodatkowej energii. Jest odpowiedzialny za ochronę miasta, więc musi dokładnie wiedzieć, ilu mamy strażników w całym mieście i w jakich miejscach są rozstawieni. Później pewnie i tak przekaże wszystko tobie, Falenie, żebyś orientował się w sytuacji i mógł sprawnie wszystko nadzorować.

– A po co mu Lanon? – zapytał Arwel.

Nox natychmiast przeniósł spojrzenie na potężnego wojownika. Zmierzył go od stóp do głów z całkowitą obojętnością na twarzy. Jedno oko elfa miało kolor nocnego nieba przy nowiu, zaś w drugim odbijały się refleksy złota i błękitu.

– Siła fizyczna Lanona przekłada się na energię wewnętrzną. Ma pomóc Garetowi sprawdzić wytrzymałość tarcz i wzmocnić je swoją energią.

Czy on zawsze tak się wymądrzał?

Falen posłał Arwelowi nikły uśmiech. Na twarzy jego przyjaciela czaiło się ledwo powstrzymywane rozbawienie.

Chyba tak. Ale przyznasz, że jego spostrzegawczość jest imponująca.

Z pewnością.

– W takim razie zostawmy im pracę i chodźmy się trochę rozruszać – z szerokim uśmiechem zaproponował Falen.

Nox zmarszczył na chwilę brwi, jakby nad czymś intensywnie myślał. Zaraz potem jego czoło się wygładziło, a wargi wystrzeliły w górę.

– Może plac treningowy będzie pusty o tej porze. Nie mam ochoty opuszczać miasta.

Arwel stanął w pełnym słońcu i rozejrzał się po dziedzińcu, jakby czegoś szukał.

– To miejsce dla młodych wojowników, którzy przechodzą szkolenie – przypomniał im. – A poza tym…

– Och, daj już z tym spokój – fuknął z irytacją Falen. Ruszył w cieniu łukowatego korytarza na tyły zamku. Nie oglądając się, pomachał im ręką. – Na co czekacie? – krzyknął. – Nie chcę spóźnić się na obiad.

Arwel przymknął na chwilę powieki i westchnął głęboko. Nox zaśmiał się cicho, klepiąc go po barku.

– Trochę rozrywki dobrze nam zrobi. A Falen – mrugnął do niego okiem – rzeczywiście potrafi być zły, kiedy jest głodny.

Chłopak zatrzymał się przy młodym drzewku i odwrócił głowę.

– Słyszałem!

Na dziedzińcu zrobiło się dość pusto. Garet z Lanonem gdzieś zniknęli, a strażnicy zupełnie nie zwracali na nich uwagi. Arwel uśmiechnął się przebiegle i wyciągnął przed siebie rękę. W następnej chwili z jego dłoni wystrzeliła złota kula czystej energii, która pomknęła w stronę Falena. Złotowłosy wojownik zamrugał z zaskoczeniem i uchylił się w ostatniej chwili. Kula przemknęła obok jego ucha, przypalając końcówki włosów, po czym uderzyła w pień drzewka, lekko go nadpalając. Rozległ się cichy trzask i kawałki kory posypały się na wszystkie strony.

– Jestem dla ciebie za szybki! – wykrzyknął Falen. Pokazał im język, po czym odwrócił się na pięcie z furkotem płaszcza i pobiegł trawnikiem na tyły zamku.

Zatrzymał się dopiero w cieniu młodego dębu. Uniósł dłoń do oczu i z uśmiechem rozejrzał się po błoniach. Po chwili usłyszał za sobą kroki i towarzysze stanęli przy jego boku, w milczeniu lustrując okolicę.

Słońce wisiało wysoko na niebie, odbijając się od czerwonych murów i nadając trawie odcień soczystej zieleni. Wokół panowała cisza i spokój. Beztroska atmosfera jakoś sama im się udzieliła, jakby nie groziła im wojna ani zagłada świata.

Falen nie miał teraz ochoty przejmować się czymkolwiek. Nie w takim dniu. Było przyjemnie, ciepło i spokojnie. Idealny czas na długi, wyczerpujący trening.

Odwrócił się do mężczyzn i posłał im szeroki uśmiech.

– To co? Zaczynamy.

Nie czekając na odpowiedź, zdjął płaszcz i rzucił go na głowę Arwela, który zaczął się z niego wyplątywać, wydobywając z siebie przytłumione groźby. Falen jednak nie zwracał już na niego uwagi, gdyż lekkim krokiem wbiegł na arenę. Luźna niebieska tunika powiewała na nim, opadając swobodnie do kolan. Obszerne spodnie ciągnęły się po ziemi, zasłaniając miękkie skórzane buty. W takim stroju czuł się lekko i swobodnie. Nic nie krępowało mu ruchów, dzięki czemu był szybszy i skuteczniejszy w walce. I wcale nie przejmował się tym, że wygląda bardziej jak prosty wieśniak niż członek Zakonu Kruka.

Rozdział XXV

lac treningowy był po prostu kwadratowym polem ubitego piachu pośrodku trawnika. Jego główną zaletą była tarcza stworzona przez Gareta, dzięki której młodzi wojownicy mogli walczyć, używając Mocy i bez ograniczeń sprawdzać granice swej wytrzymałości. Jeśli magiczny atak chybił celu, po prostu odbijał się od niewidzialnej bariery i rozpływał, nie robiąc nikomu krzywdy.

Nox rzucił swój płaszcz na trawę i niespiesznym krokiem wszedł na arenę. Miał na sobie zielone spodnie i tego samego koloru tunikę opinającą jego szczupłe ramiona, a na biodrach ciemnozielony pas. Każdy jego krok był dokładnie wyważony, lekki i pełen gracji. Zresztą Nox chyba nie uznawał czegoś takiego jak zbędne gesty.

Jego śnieżne włosy powiewały delikatnie na wietrze, kiedy stanął naprzeciwko Falena. Złoto i biel połyskiwały w słońcu, tworząc nad ich głowami nieziemską poświatę. Falen sięgnął po czarną rękojeść miecza. Stal zalśniła w promieniach słonecznych, kiedy wzniósł miecz nad głowę, a potem opuścił wzdłuż ciała, aż ostrze dotknęło piasku. Broń była dobrze wyważona, ciężka i chłodna. Jej dotyk w pewien sposób go uspokajał. Dawał poczucie siły i bezpieczeństwa.

Dłoń Noxa również powędrowała do zatkniętego u pasa miecza, którego rękojeść była z kolei biała jak jego włosy. Chłopak uśmiechał się leciutko, z ironią. Ostrze niedbale wisiało w jego dłoni, jakby nic nie ważyło.

– Żadnych sztuczek, tak? – przypomniał swoim śpiewnym barytonem.

Falen z powagą skinął głową.

– I żadnych forów.

Kąciki ust chłopaka zadrżały gwałtownie.

– Przecież nigdy nie dawałem ci forów.

– No tak. Dlatego lubię z tobą walczyć.

– Dasz radę, Nox!

Obaj jednocześnie spojrzeli na Arwela. Wojownik rozparł się wygodnie na jednym z płaszczy w cieniu rozłożystego drzewa. Leżał na boku i podpierał się na łokciu, twarzą do areny. Drugą ręką pomachał do nich energicznie. Osobiście rzadko brał udział w pojedynkach, ale zawsze chętnie obserwował walki innych. Wyraźnie sprawiało mu to wiele radości.

– Daj z siebie wszystko, bracie!

Falen wydął usta i zmarszczył brwi.

– Hej! – krzyknął. – To chyba mnie powinieneś dopingować!

– Wybacz, ale ty nigdy nie wygrywasz! Za to Nox tak!

Pomachał do nich jeszcze raz i roześmiał się głośno. Falen mruknął parę obraźliwych słów, po czym przeniósł wzrok na Noxa, który wzruszył tylko ramionami.

Skoro jesteś taki pewny mojej porażki, to lepiej patrz uważnie – warknął w umyśle.

Och. Już nie mogę się doczekać. I dopóki pamiętam... Ta tunika naprawdę źle na tobie leży.

Zamknij się.

Falen skupił swoją uwagę na przeciwniku, powstrzymując się, by nie zerknąć w bok. Zacisnął usta i pewniej chwycił rękojeść. Skóra piekła go od gorąca, choć lekki wiaterek wdzierał się pod tunikę. Tak naprawdę to nie słońce mu przeszkadzało, ale coś, co siedziało w nim. Okrutne ostrza jego własnego serca, które znów wyczuło nadchodzącą walkę. Słodki smak krwi i adrenaliny, od których nie było ucieczki. Jego osobiste lekarstwo i uzależnienie, które na moment potrafiły przegonić demony tkwiące w jego umyśle.

Żaden nie dał sygnału rozpoczynającego walkę. Falen po prostu skoczył i przeleciał dzielącą ich odległość, pozostawiając za sobą tumany kurzu. Opadając tuż nad przeciwnikiem, wzniósł miecz nad głowę, napinając mięśnie ramion.

Za wolno – skomentował Arwel.

Falen sam to spostrzegł, choć za późno. Wylądował na lekko ugiętych nogach, a jego ostrze ze świstem przecięło powietrze, wbijając się w piasek, gdzie jeszcze przed sekundą stał Nox. Uśmiechnął się pod nosem, po czym obrócił błyskawicznie w miejscu, wznosząc przed sobą oburącz klingę. Ostrza skrzyżowały się ze zgrzytem, połyskując triumfująco w słońcu.

Na twarzy Noxa odbijał się całkowity spokój. Nie było po nim znać absolutnie żadnego wysiłku. Swój miecz trzymał od niechcenia jedną ręką. Falen za to musiał mocniej zaprzeć się nogami w ziemię, by wytrzymać nacisk jego siły. Starał się nawet nie mrugać, podczas gdy spomiędzy skrzyżowanych kling patrzyły na niego niewzruszone, pochmurne oczy przeciwnika.

– Imponujące – powiedział Nox z nutą aprobaty w głosie. – Szybko się uczysz, choć wciąż jesteś za wolny.

Falen uśmiechnął się chytrze.

– Dopiero się rozgrzewam.

Odskoczyli od siebie w tym samym momencie. Falen ledwo dotknął stopami ziemi, gdy Nox już zaatakował z niewyobrażalną dla człowieka szybkością. Wojownik zablokował cios w ostatniej sekundzie. A potem padła na niego cała seria szybkich cięć. Falen cofał się krok po kroku, a jego ostrze śmigało w powietrzu niemal równie szybko.

No właśnie. Niemal.

Jego oczy nie nadążały już za ruchami przeciwnika. Słyszał jedynie świst i zgrzyt stali oraz własny przyspieszony oddech. Cały świat przesłonił mu rozmazany błysk srebrnej stali. Nie miał czasu westchnąć. Jednak jego ruchy okazały się za wolne, a mięśnie ramion w końcu odmówiły posłuszeństwa. Dotarł do krawędzi areny i zawahał się na moment. O jeden moment za długo, który w prawdziwej walce mógłby kosztować go życie.

Na mgnienie oka dostrzegł błysk triumfu na twarzy Noxa, kiedy miecz odnalazł w końcu wyrwę w jego obronie. Połyskujące ostrze świsnęło tuż przy uchu Falena w momencie, gdy ten padł na ziemię. Przeturlał się na piasku, po czym kucnął za plecami chłopaka, który nagle znikł mu sprzed oczu.

Uważaj!

Ale Falen nie potrzebował pomocy, bo zareagował dokładnie w tym samym momencie. Obrócił się, padł na plecy i wzniósł przed siebie miecz. Ostrze przeciwnika zatrzymało się ze zgrzytem, zaledwie parę cali od jego szyi. Dysząc ciężko, spojrzał na pochylającego się nad nim Noxa. Żar bijący z nieba i wysiłek wycisnęły na czole Falena kropelki potu, które spływały po skroniach i wciskały się do oczu. Złote kosmyki przykleiły się do karku i oblepiły twarz. Nox oczywiście wyglądał tak samo jak na początku walki. Spokojny, wypoczęty, sprawiał wrażenie, jakby nic i nikt nie był w stanie wyprowadzić go z równowagi.

Przestań mi pomagać – posłał szybką myśl w stronę Arwela. – *Jak widzisz, daję sobie radę.*

Jak chcesz. Ale długo już nie pociągniesz. Wyczerpałeś swój limit.

Cicho bądź i patrz.

– Masz już dosyć? – zapytał Nox.

Falen posłał chłopakowi zacięte spojrzenie. W jego jasnobłękitnych oczach tańczyły niebezpieczne ogniki. Każdy napięty mięsień pulsował boleśnie. Krew szumiała w skroniach, zagłuszając przyspieszone bicie serca.

– Żartujesz? – odezwał się z groźną nutą. – To dopiero początek.

Podkurczył nogi do brzucha, a potem wyprostował je mocnym kopniakiem. Jednak Nox zdążył już odsunąć się na bezpieczną odległość. Opuścił niedbale miecz wzdłuż ciała i z ironicznym grymasem skinął na niego drugą dłonią. Falen prychnął, płynnym ruchem stając na nogi.

Wyprostował się, przejechał palcami po włosach, wycierając z czoła pot – i zaatakował.

Przez następne dziesięć minut walczyli bez chwili odpoczynku. Właściwie to nie była walka, a pokaz szybkości i umiejętności. Dla postronnych obserwatorów byli jedynie jasnymi plamkami. Złoto i biel to łączyły się, to odskakiwały od siebie, jakby prowadziły wyjątkowo skomplikowany taniec. Falen oberwał parę razy tępą stroną miecza, poza tym mógł tylko odpierać ataki lub wykonywać skomplikowane uniki. Pomimo że doszedł już do granic swoich możliwości, nie był w stanie dorównać młodemu wojownikowi. Nie myślał już o zwycięstwie, skupiony całkowicie na unikaniu ostrza przeciwnika. W kurzu i piachu, który wzbijali wokół siebie, próbował nie spuszczać go z oczu. Obserwował każdy najdrobniejszy ruch, każdy błysk ostrza, wyszukując najmniejszą szansę ataku. Najmniejszą szczelinę, przez którą prześlizgnęłoby się ostrze jego miecza. Jednak to było jak walka z burzą. Można było uskoczyć przed błyskawicami i schronić się przed ulewą. Jednak walka z żywiołem była bezsensownym marnowaniem siły i czasu.

Falen z trudem łapał oddech. Był cały oblepiony potem i piachem. Mięśnie paliły żywym ogniem, rozpaczliwie wołając o chwilę odpoczynku. Był wyczerpany, ale szczęśliwy. W jego życiu niewiele było rzeczy, które sprawiały mu przyjemność. A walka, prawdziwa walka z tak doskonałym przeciwnikiem, miała dla niego największy sens. Kiedy całkowicie skupiał się na napiętych mięśniach, żywo bijącym sercu i utrzymaniu miecza w dłoni – tylko wtedy czuł się w pełni szczęśliwy.

W pewnym momencie stracił czujność. Popełnił błąd.

Wisieli w powietrzu, zwarci w ostrym pojedynku. Falen nie wiedział już, która stal jest która. Do oczu wdzierał mu się pot, który utrudniał ostrość widzenia. Wszystko było zamazane, nieostre. Spadali szybko, nie przestając się atakować. Falen zapomniał o tym, żeby przygotować się do spotkania z ziemią i przyjąć odpowiednią pozycję. Jego stopy dotknęły twardego podłoża z siłą, która na moment odebrała mu dech.

Elektryzujący ból przeszył jego ciało od stóp do czubka głowy, jakby przeszedł przez niego piorun. Pociemniało mu w oczach, a dłoń z mieczem zastygła w powietrzu. Trwało to nie dłużej niż kilka uderzeń serca. Wiedział już jednak, że to jego granica. Że przegrał.

Przez mgłę bólu dostrzegł jeszcze, jak nieświadomy niczego Nox wznosi swój miecz do kolejnego ciosu. Jego spokojna twarz była maską bez wyrazu, nieruchome oczy budziły jakiś wewnętrzny niepokój. Falenowi przemknęło przez myśl, że gdyby ten młody chłopak był jego prawdziwym przeciwnikiem, już by nie żył. W następnej chwili zrobił coś, czego całkowicie świadomy nigdy by nie uczynił.

Zamiast zablokować ostrze przesunął się nieznacznie w bok i złapał Noxa za przegub dłoni. Zamierzał odepchnąć go od siebie siłą rozpędu, ale nagle stracił równowagę i runął na niego z całą siłą, którą zamierzał wykorzystać do ostatniego ataku.

Zaledwie kilka sekund. Tylko tyle wystarczyło, by jego umysł połączył się z umysłem młodego wojownika. Jednak zamiast zwykłego natłoku myśli napotkał jedynie na pustkę.

Bariera. Czerwona niczym krew.

To odkrycie całkowicie wytrąciło go z równowagi. Wylądował boleśnie na piachu, wzbijając wokół tumany pyłu. Leżąc wyciągnięty na plecach, jęknął głośno i zamrugał gwałtownie. Jego palce wciąż zaciskały się na rękojeści miecza, który leżał obok. Jakiś ciężar przygniatał go do ziemi, utrudniając oddychanie. Z sekundowym opóźnieniem zdał sobie sprawę, że jego druga dłoń wciąż ściska coś kurczowo. Przegub innej dłoni.

Zamrugał jeszcze parę razy i spojrzał wprost w ciemny granat elfich oczu. I wtedy niespodziewanie wrzasnął. Z jego gardła wydobył się krzyk, jakiego miał nadzieję nigdy już nie usłyszeć. Zanim zaskoczony Nox zdążył zareagować, Falen cofnął gwałtownie dłoń. Zacisnął ją w pięść i wymierzył mu porządny cios w twarz. Chłopak syknął ostro i w następnej chwili znalazł się na nogach. Schował miecz do pochwy i z uniesionymi brwiami dotknął piekącego policzka.

– No cóż – skwitował na pół żartobliwie. – Chyba wygrałeś.

Falen zignorował jego słowa. Usiadł ciężko, wypuszczając z ręki miecz. Przejechał dłonią po zabrudzonej twarzy i spojrzał szeroko otwartymi oczami na Noxa. Otworzył i zamknął usta w nagłym przypływie lęku i szoku. Wciąż ciężko dyszał, jakby brakowało mu powietrza.

– Przepraszam – wybąkał w końcu, z trudem panując nad głosem.

Nic więcej nie miał do powiedzenia. Żadne słowa go nie usprawiedliwiały. Zresztą nie mógłby…

Falen. Kończ i chodźcie tu. Mamy zadanie.

Zaskoczony spojrzał w miejsce, gdzie powinien siedzieć Arwel. Dostrzegł jedynie porzucone na trawie płaszcze. Przeszukał wzrokiem plac i w końcu odnalazł przyjaciela. Arwel stał w cieniu krużganka i rozmawiał z Ylonem. Kiedy ich oczy się spotkały, skinął na niego dłonią. Falen przeniósł wzrok na Noxa, który również spoglądał w tamtym kierunku.

– Coś się stało – stwierdził krótko, nie odwracając głowy.

– Nie wiem, ale Arwel chce, żebyśmy do nich przyszli.

Nox skinął tylko głową. Wyciągnął dłoń, by pomóc towarzyszowi wstać, jednak Falen zignorował go i dźwignął się o własnych siłach. Wsunął miecz do pochwy, poprawił tunikę i otrzepał się z piasku. Odwrócił się i bez słowa ruszył do drzewa, gdzie leżały ich płaszcze. Nox podążał za nim bezgłośnie i Falen był mu naprawdę wdzięczny za milczenie. Nienawidził odpowiadać na trudne pytania.

Dlaczego krzyknął? Dlaczego go uderzył?

Był głupcem, tchórzem czy po prostu zaczynał wariować?

Zmrużył od słońca oczy i popatrzył na Arwela. Wojownik stał do niego bokiem pochłonięty rozmową z Ylonem. Fizycznie różnili się niczym ogień i woda. Falen zazdrościł mu trochę jego postawy i poważniejszego wyglądu. Poza tym dopełniali się idealnie. Byli jak Ying i Yang. Jak dwie połówki jabłka. I nieważne, co niektórzy myśleli o ich przyjaźni. Arwel był dla niego kimś więcej niż rodziną i przyjacielem. Zawdzięczał mu życie i to wszystko, co do tej pory osiągnął.

– Co się stało? – zapytał, kiedy zatrzymali się w chłodnym cieniu zamkowych murów.

Mężczyźni zwrócili na nich ponure spojrzenia. Ich miny nie wróżyły nic dobrego. Kiedy milczenie zaczęło się przedłużać, Falen odchrząknął, ze zniecierpliwieniem przenosząc wzrok od jednego do drugiego.

– No dobra – nie wytrzymał. – Co się dzieje?

– Nasz patrol wrócił z wyprawy – zaczął poważnie Ylon. Jego krótko ostrzyżone włosy były tylko kilka odcieni jaśniejsze od znamienia na czole. Piwne oczy były posępne i czujne. – Właśnie zdali nam szczegółowy raport. Sytuacja nie przedstawia się ciekawie.

– No i? – zachęcił Falen, kiedy ten zamilkł nagle i zacisnął usta, jakby nie wiedział, ile może powiedzieć.

– Masz ochotę na małą misję zwiadowczą, przyjacielu? – zapytał lekkim tonem Arwel. Kiedy jednak ich spojrzenia się spotkały, w jego oczach nie było ani krzty wesołości.

– Też mi pytanie. Zawsze jestem gotowy. Tylko może któryś powie mi łaskawie, co się dzieje?

– Co ja mam robić? – zapytał Nox z niewzruszonym spokojem.

– Argon już na ciebie czeka. – Ylon skinął na niego głową. –Ma dla ciebie inne zadanie. – Ponownie zwrócił się do Arwela: – Zostawiam was samych. Wyjaśnisz mu wszystko po drodze. Argon oczekuje pełnego raportu jeszcze tej nocy. – Nie czekając na odpowiedź, odszedł szybko korytarzem, a Nox tuż za nim.

Falen oparł się o filar podtrzymujący strop korytarza i skrzyżował nogi, w zamyśleniu obserwując oddalających się wojowników. Minęła dłuższa chwila, nim niespiesznie zwrócił głowę w stronę przyjaciela.

– No więc? O co chodzi?

Zamiast odpowiedzi, Arwel musnął skrawek jego płaszcza, jakby to była ręka.

– Nie powinieneś się tak zadręczać. Mówiłem, żebyś o tym zapomniał.

Falen napiął mięśnie, wytrzymując na sobie jego spojrzenie.

– Kolejna dobra rada? – prychnął. – Daruj sobie. Nie prosiłem...

– Widziałem was – przerwał mu spokojnie, wskazując brodą na arenę. – Widziałem waszą walkę i jej koniec. Ylon też to widział. Zresztą twój krzyk pewnie słyszeli w całym zamku.

Falen zacisnął szczęki i zmarszczył brwi.

– Wspaniale – warknął. Potem westchnął ciężko i dodał z wahaniem: – A Ylon? Mówił coś?

Arwel zachichotał, a w jego brązowych oczach pojawił się znajomy figlarny błysk.

– Nie. Powiedziałem mu, że to taka twoja taktyka. Z Noxem jeszcze nikt nie wygrał, więc postawiłeś sobie za punkt honoru dokonać tego jako pierwszy. To może mało honorowe, ale chciałeś wziąć go z zaskoczenia. Udałeś, że zasłabłeś. Zdezorientowałeś przeciwnika krzykiem, dzięki czemu nie miał czasu uskoczyć przed ciosem.

Falen uniósł brwi i uśmiechnął się słabo.

– Całkiem sprytne. Sam bym tego lepiej nie wytłumaczył.

– Ale przynajmniej wygrałeś, co?

– Nox chyba przyznał mi zwycięstwo – bąknął ponuro, bez cienia dumy. – Wiesz, że ja...

Arwel postąpił ku niemu dwa kroki. Nie wyjmując rąk z kieszeni płaszcza, pochylił się nad jego uchem.

– Wiem, Falenie – odezwał się łagodnym szeptem. – Widzę twoje myśli. Znam wszystkie twoje lęki. Przede mną nie musisz udawać. Ale wiesz? – Kącik jego ust drgnął nieznacznie. – Jesteś wojownikiem, więc proszę cię, przestań wszystko tak komplikować. To zaczyna być nudne.

Falen stał bez ruchu, podczas gdy brązowe kosmyki łaskotały go w policzek. Spokojnie wytrzymał, aż Arwel skończy mówić. A potem odsunął się gwałtownie, cofając się aż na trawę. Popatrzył mu w oczy z grymasem poirytowania i gniewu na zaciśniętych ustach. Chciał coś powiedzieć, jednak w końcu się rozmyślił. Odwrócił się i narzucił na siebie płaszcz, spinając go pod szyją klamrą w kształcie pióra. Przymknął powieki i odetchnął głęboko, wciągając w płuca świeże powietrze. Wyczuwał za plecami obecność przyjaciela, słyszał nawet jego oddech. Ich umysły dryfowały obok siebie, ścierając się i muskając lekko od niechcenia. No właśnie. Najbardziej go martwiło to, że Arwel cały czas był w jego głowie. Nawet wtedy, gdy tego nie chciał. Widział wszystkie myśli, nawet te najgłębiej ukryte. Znał jego koszmary. Ale rytuał Nadania Imienia niósł ze sobą nierozerwalną, trwałą więź aż do śmierci. Na tym to polegało. Na zaufaniu.

– No więc co to za tajna misja? – zapytał neutralnym tonem.

Arwel minął go i dał mu znak, żeby za nim poszedł. Skierowali się szybkim krokiem w stronę głównej bramy. Mijając kręcących się po dziedzińcu ludzi, mówił ściszonym głosem.

– Patrol, który miał wrócić wczoraj, odkrył coś bardzo niepokojącego. Na granicy z prowincją Ashe w lesie ukrywa się oddział centaurów. Bardzo duży oddział – podkreślił znacząco.

Falen musiał wydłużać krok, by za nim nadążyć. Przeszli obok kamiennej fontanny, w której kąpały się promienie słońca zmieniając wodę w płynne złoto. Falen poczekał aż minie ich dwóch młodych wojowników, po czym z zaskoczeniem na twarzy zerknął na przyjaciela.

– To chyba teraz nic niezwykłego. Wszyscy wiedzą, że las to królestwo centaurów. To prawda, że król nie zawarł z nimi żadnego przymierza, ale to w gruncie rzeczy nieszkodliwe stworzenia. Tępe i silne, ale nigdy nie atakują bez powodu i cenią sobie spokój. Nie słuchają niczyich rozkazów, ale przecież mają prawo łączyć się w grupy. Dopóki nie napadają na ludzkie miasta, mogą robić, co chcą.

– Tak było do tej pory.

– Nie rozumiem.

– Najprawdopodobniej mają teraz swojego przywódcę. I nie jest to nikt z ich rasy. Tak przynajmniej twierdzi patrol.

Falen zatrzymał się gwałtownie i wbił w towarzysza niedowierzające spojrzenie.

– Co?! Co to znaczy?

Arwel skrzywił się i rozejrzał szybko na boki.

– Ciszej – skarcił go. – To nie jest coś, co ludzie powinni wiedzieć zawczasu. Nie potrzeba nam więcej paniki.

– Przepraszam – mruknął już ciszej i pokręcił powoli głową. – Ale jakoś nie potrafię sobie wyobrazić, żeby centaury kogokolwiek słuchały. Czy to człowiek?

– Nie wiadomo. – Arwel z niepokojem zmarszczył czoło. – Właśnie tego mamy się dowiedzieć. Naszym zadaniem jest odnaleźć ich obóz i wszystko sprawdzić. Oczywiście z bezpiecznej odległości.

Falen zacisnął pięści w kieszeniach płaszcza.

– Czy myślisz, że… – zaczął i urwał nagle.

Wojownik uśmiechnął się ponuro.

– …że stoi za tym Niezwyciężony? – dokończył za niego, po czym od razu udzielił odpowiedzi. – Zaczynam myśleć, że to bardzo prawdopodobne. Wcale bym się nie zdziwił, gdyby dowódcą był sam Balar. Ostatnio przeciąga na swoją stronę wszystkich, którzy mają coś przeciw królowi lub po prostu poszukują mocnej rozrywki. A jak wiadomo, centaury mają nie tylko podły charakter, ale też ciężko je zabić. No i są strasznie honorowe. Każdy wolałby mieć ich po swojej stronie. Wygląda na to, że my się spóźniliśmy.

Falen w zamyśleniu zmierzwił złote włosy. Niewidzącym wzrokiem powiódł po dziedzińcu, a potem wbił wzrok gdzieś przed sobą.

– Wiadomo, jak liczny jest ich oddział?

– Z tego, co zrozumiałem, to około pięciuset.

– A więc wszystkie, jakie pozostały w Elderolu. – Falen był pod dużym wrażeniem. Po chwili wyszczerzył zęby w uśmiechu, który z pewnością nie miał nic wspólnego z wesołością. – Więc na co jeszcze czekamy?

Natychmiast uwolnił Moc, a krucze znamię rozjarzyło się intensywnie w słońcu. Na oczach Arwela czarne skrzydło zaczęło się rozmywać. Jego brzegi straciły kształty, jak spływający po pergaminie kleks. Bezkształtna plama pulsowała ciemnym światłem i wciąż się zmieniała. Zaczęły od niej odchodzić czarne drobne linie. Wędrowały po skroniach, twarzy i szyi Falena, oplatając jego ciało skomplikowaną siecią wzorów i przecinających się linii. Pokryły każdy milimetr ciała, ukrywając jego postać pod czarnym kokonem. W czarnych oczach przyjaciela Arwel dostrzegł jeszcze drapieżny błysk. Złapał go za łokieć z posępną miną.

– To ma być tylko misja zwiadowcza – przypomniał ostro. – Pamiętaj o tym i nie rób niczego głupiego. Masz się cały czas trzymać blisko mnie. Czy to jasne?

Falen nie odpowiedział, a jedynie posłał mu szybki tajemniczy uśmiech. W następnym momencie skoczył lekko i zmienił się w kruka. Z głośnym krakaniem uderzył skrzydłami powietrze. Wzbił się w błękitne niebo, zataczając leniwe kręgi nad dziedzińcem. Czekając, aż przyjaciel do niego dołączy, wypełnił jego umysł lawiną wrażeń i obrazów, niemal pijany ze szczęścia. Przemiana nie działała tak na każdego. Wiedział to, bo wiele razy przeżywał ją z perspektywy Arwela. Dla niego było to naturalne jak oddychanie, coś całkiem normalnego. W końcu uczył się latać równocześnie z chodzeniem.

Natomiast Falen odczuwał to zupełnie inaczej. Nie zawsze wiedział, że posiadanie Znaku Kruka oznaczało również możliwość przemiany. To było jak odkrycie nowego nieznanego świata.

Oszałamiające.

Dla niego latanie oznaczało wolność. Kiedy poddawał się ciepłym prądom powietrza, a świat w dole był tylko kolorowym obrazkiem, naprawdę chciał wierzyć, że jest tylko ptakiem. Jego serce, dusza i umysł chciały tylko latać. To zadziwiające, jaki człowiek staje się lekki, kiedy uwalnia się od ziemskich problemów.

Z niecierpliwością czekał na Arwela. Gdy ten wreszcie poderwał się do lotu i skierował w jego stronę, wydał z siebie radosny skrzek. Czarne pióra kruka lśniły majestatycznie w słońcu. Nikt mu nie wmówi, że ten magiczny ptak nie jest najpiękniejszym stworzeniem na świecie.

Wiesz, gdzie jest ten ich obóz?

Tak, zatrzymali się w lesie na północnym zachodzie. Na samej granicy Asheki i Ashe.

Przecież niemożliwe, żeby tak liczny oddział pomieścił się w lesie.

Jeśli działa magia, to możliwe. Według doniesień patrolu zrobili sobie w samym centrum ogromną arenę. Wycięli w środku wszystkie drzewa, zostawiając tylko tyle, by ukryć obóz przed niepożądanym wzrokiem.

Ciekawe. W takim razie prowadź, przyjacielu.

Przelecieli nad zamkową bramą i obrali kierunek na północny zachód. Lecieli skrzydło w skrzydło kierowani ciepłymi prądami powietrza. Dla Falena nie było nic cudowniejszego.

Będziemy przefruwać nad głównym traktem – odezwał się Arwel, gdy minęli mury miasta i oddalali się od ostatnich ludzkich siedzib. *Sprawdzimy przy okazji, czy na drodze nie dzieje się nic niepokojącego.*

Myślisz, że mogliby zaatakować podróżnych? Ośmieliliby się tak blisko stolicy? Falen obserwował uważnie wijącą się w dole linię traktu.

Raczej nie. Przynajmniej mam taką nadzieję. Ale nie zaszkodzi odrobina czujności. Nieprzyjaciel robi się coraz bardziej krnąbrny i na za wiele sobie pozwala. Gdyby to był Balar, można by przewidzieć jego ruch. Nie wiemy jednak, kim jest jego nowy sprzymierzeniec. Jeśli okaże się silniejszy od Balara, to musimy być gotowi na wszystko.

Jak myślisz, co planują centaury?

Raczej ich przywódca – poprawił cierpko i dodał: *Nie wiem. Ale martwi mnie, że to nie wyjdzie nam na dobre.*

Niebo wciąż miało kolor jasnego błękitu, choć słońce powoli chyliło się ku zachodowi. Na horyzoncie nieliczne chmurki przybrały barwę pomarańczy i różu. Powietrze powoli zaczynało się ochładzać.

Dobrze chociaż, że nie pada – rzucił wesoło Falen, by rozładować nieco ponure milczenie.

Usłyszał w głowie nerwowy śmiech.

Rzeczywiście, mamy prawdziwe szczęście.

Na tym rozmowa się urwała. Gdy mieli do wykonania jakieś zadanie, nigdy o nim nie dyskutowali. Nie opracowywali żadnego planu. To był taki ich sposób, by nie zastanawiać się za długo nad tym, co jeśli… Nawet najlepszym wojownikom zdarzało się popełniać błędy. Ich życie mogło się zakończyć w każdej chwili. Dlatego łatwiej było o tym nie myśleć. Po prostu robić swoje i starać się przeżyć jak najdłużej.

Przelecieli nad mostem, gdzie rzeka Dalen biegła wartkim szerokim nurtem prosto do morza. Dla nich była tylko niebieską wstążką przecinającą zielone i brązowe kwadraty łąk i pól. Wszystko zagłuszał gwizd wiatru i łopot skrzydeł uderzających powietrze.

Dotarli do granicy z prowincją Ashe i jak dotąd nie zauważyli nic podejrzanego. Na wszelki wypadek okrążyli parę razy okolice, jednak nic nie wzbudziło w nich większej czujności. W końcu, uspokojeni, skierowali się prosto do lasu leżącego pomiędzy Tisirrą a Celossą należącą jeszcze do prowincji Ashe. Falen przypomniał sobie, że gdzieś niedaleko mieszka rodzina Arwela. Jak tylko o tym pomyślał, przyjaciel odpowiedział mu ze spokojem:

Martwię się o nich, ale na razie nie ma realnego zagrożenia. Mieszkają poza miastem, a mało kto napada na takie samotne gospodarstwa. Zresztą ojciec potrafi ochronić rodzinę. Chciałbym ich ostrzec, ale nie ma czasu. Musimy najpierw wykonać zadanie. Przy następnej okazji razem ich odwiedzimy.

Falen przyjął jego słowa w milczeniu. Po dwóch godzinach szybkiego lotu w końcu odnaleźli las i zanurkowali prosto między drzewa. Od razu wyczuli, że coś jest nie tak. Las wydawał się jakby wymarły. Ptaki pochowały się w rozłożystych gałęziach i jak zwykle wyśpiewywały swoje wesołe melodie, jednak ten słodki trel był tu stanowczo nie na miejscu. Zupełnie nie pasował do wiszącej w powietrzu złowrogiej, napiętej atmosfery. Reszta zwierząt gdzieś zniknęła.

Mimo to wcale nie było cicho. Wręcz odwrotnie. Nakładające się na siebie głosy i dźwięki odbijały się echem od wysokich drzew, płosząc co bardziej trwożliwe ptactwo. Powietrze przesycone było dymem z ogniska, pieczonym mięsem i metalicznym odorem krwi zmieszanej ze zwierzęcym potem.

Nie podoba mi się to – wyznał Falen z rosnącym niepokojem.

Mnie też nie. Dlatego nie mam zamiaru przebywać tu dłużej, niż to konieczne. Rozeznamy się w sytuacji i spadamy z tego gniazda wroga.

Arwel zatrzepotał gwałtownie skrzydłami i przysiadł na grubym konarze. Falen wylądował tuż obok i jednocześnie powrócili do ludzkiej postaci. Przyjaciel miał zaciśnięte szczęki i ponury wyraz twarzy. I choć Falen czuł się tu nieswojo, to miejsce zrobiło na nim spore wrażenie.

Sztuczny las. Jeszcze chyba nikt nie wpadł na równie dziwaczny i odważny pomysł. Wysokie, rozłożyste drzewa skutecznie chroniły dostępu do swojego królestwa. Nawet słońce nie było tu mile widziane. Spowijający wszystko mrok sprawiał, że las wydawał się jeszcze bardziej ponurym i niegościnnym miejscem.

Sztuczka polegała na tym, że las tak naprawdę nie był lasem. Przynajmniej od środka. To, co z zewnątrz wydawało się zwyczajnym skupiskiem drzew, było tylko iluzją. Jak jajko ze skorupką, ale puste w środku.

Odgarnęli gałęzie i spojrzeli w dół. Falen usłyszał, jak Arwel z wrażenia wciąga ze świstem powietrze. On sam pobladł i zacisnął usta.

Lepiej, żeby nas nie zobaczyli. Moglibyśmy mieć niezłe kłopoty.

Kłopoty? – prychnął w myślach Falen. *Delikatnie powiedziane.*

Arwel zerknął na niego znacząco.

Teraz chyba rozumiesz, że naprawdę nie warto robić niczego głupiego.

Falen wzruszył lekko ramionami.

Za kogo mnie masz? Kącik jego ust uniósł się nieznacznie. *Może i lubię przygody, ale naprawdę jeszcze bardziej lubię swoje życie.*

W takim razie miło mi to słyszeć. Bo ja swoje kocham.

Już na poważnie przyjrzeli się temu, co działo się w dole. Zauważyli, że na ogromnej polanie nie było ani jednego starego pnia czy nawet korzeni. Zupełnie jakby ktoś wyrwał te wszystkie drzewa razem z korzeniami. Jakoś nie mieli ochoty spekulować, do czego wykorzystali lub wykorzystają to całe drewno. To, co widzieli teraz przed sobą, było znacznie bardziej niepokojące.

Obóz. A dokładniej obóz centaurów. Dokładnie tak jak donieśli zwiadowcy. Na wielkiej polanie tłoczyły się wszystkie centaury, jakie żyły w Elderolu. Gromadziły się niewielkimi grupkami wśród kilkunastu ognisk, podzielone na mniejsze oddziały. Jedne zajmowały się pieczeniem mięsa, inne patroszyły martwe zwierzęta, a jeszcze inne wyrabiały strzały i łuki lub ostrzyły długie noże. Kilka grupek znalazło sobie miejsca na treningi. Wśród zgiełku i skwierczenia tłuszczu na ogniu można było usłyszeć ich bojowe okrzyki i rzucane głośno przekleństwa. Falen zafascynowany przyglądał się ich symulacjom walk oraz grupce łuczników, którzy z niezwykłą zręcznością testowali nową broń. Ich precyzja, siła i zwierzęca brutalność budziły pewien rodzaj szacunku. Nawet wśród wrogów. Przed sobą mieli armię, której sam widok przyprawiał o dreszcze. Centaury znane są z raczej apatycznego usposobienia. Zazwyczaj żyją spokojnie w swoich lasach i nie szukają zwady. Są jednak drażliwe i chorobliwie wręcz dumne. W małej wiosce jeden rozdrażniony centaur może wyrządzić naprawdę wiele szkód. A cała grupa, jeśli tylko będą miały odpowiedni powód i motywację...

Jednak nie tylko liczba centaurów była tak niepokojąca.

Mówię to tylko tobie. Teraz chyba naprawdę się przestraszyłem. Nigdy nie byłem tchórzem, ale gdybym miał z nimi walczyć, bez zastanowienia wybrałbym ucieczkę.

Falen nawet nie mrugnął. Przykucnął na gałęzi, muskając ramieniem chropowaty konar, z jedną ręką niedbale opartą o kolano. Ze skupieniem obserwował obóz i kręcące się po nim centaury. W pewnym momencie nerwowym ruchem przeczesał palcami włosy, co było oznaką intensywnego myślenia. Nigdy w życiu nie widział czegoś takiego. Odczuwał jednocześnie przerażenie i podziw. Zdrowy rozsądek i każdy nerw jego ciała kazały mu uciekać, jednak był wojownikiem i miał do wykonania zadanie. Poza tym obiecał sobie, że już nigdy nie stchórzy.

Centaury to przede wszystkim samotnicy. Falen na spokojnie podzielił się swoimi myślami, na zewnątrz czujny do granic możliwości. *Żyją w pojedynkę lub w parach. Nigdy nie łączą się w grupy, zwłaszcza tak liczne. To dziwne, że w ogóle się tolerują i jeszcze się nie pozabijali.*

Jest tylko jedno wytłumaczenie. Musi być ktoś, kto nimi kieruje, kto wydaje rozkazy całej tej armii.

Jakoś trudno mi w to uwierzyć, przecież nie uznają nawet Kruczego Króla. Uważają, że wszystko im wolno, bo po części są zwierzętami i nie obowiązują ich ludzkie zasady.

W takim razie to ktoś, kto potrafi ich kontrolować.

Magia?

Z pewnością. Sądzisz, że groźby czy siła przekonałyby ich do takiego posłuszeństwa? Jak mówiłeś, trudno ich do czegoś zmusić, ale mają jedną wadę. Może i są silne fizycznie, ale ich umysły są słabe. Słabe i bezbronne.

Ktoś ich kontroluje za pomocą umysłu! Falen o mało nie wykrzyknął tego na głos. Porażony tym odkryciem, spojrzał na Arwela rozszerzonymi ze zdumienia oczami.

– Czy to w ogóle możliwe? – wymamrotał szeptem.

– Niestety tak. – Arwel uśmiechnął się ponuro. – Wygląda na to, że twoja Moc nie jest tak wyjątkowa.

– Ale to by znaczyło...

Arwel skinął krótko głową. Odwrócił się, spojrzał w dół i wskazał obóz podbródkiem.

– Przypatrz im się. Wydają się zachowywać normalnie, ale ich umysły podporządkowane są jednej woli. Wokół całego lasu wyczuwam Moc. Potężną, nieludzką Moc.

Falen ponownie spojrzał w dół i w końcu zrozumiał.

Rozdział XXVI

iedy zaszło słońce, czerwone płomienie ognisk oświetlały potężne sylwetki centaurów i kładły się na wydeptanej trawie podłużnymi cieniami. Nadeszła noc. Ptaki zamilkły, a mrok przeszedł w gęstą czerń. Powietrze znacznie się ochłodziło, choć płaszcze skutecznie chroniły przed zimnem. Jednak centaury zdawały się nie dostrzegać ani nadejścia nocy, ani zmiany temperatury. Każdy wykonywał swoje zadanie z takim samym upartym zapałem, jakby od tego zależało ich życie. Zdawało się nawet, że nigdy nie odpoczywają i trenują lub wyrabiają broń w nieskończoność.

Falen w końcu wyczuł ten subtelny zapach towarzyszący Mocy, potężnej i namacalnej, którą można było wychwycić wszystkimi zmysłami. Powietrze miało intrygujący słodko-gorzki posmak. Falen skupił się na odszukaniu źródła tak niezwykłej Mocy. Jego wzrok w końcu zatrzymał się pośrodku polany. Stał tam tylko jeden namiot niczym samotna chatka na bezludnej wyspie. Czerwień płachty wręcz oślepiała.

Falen skrzywił się i wstał, prawą dłonią opierając się o pień.

To tam – stwierdził krótko, choć wiedział, że Arwel również już na to wpadł.

Tak. Wojownik pokiwał głową, wpatrując się uważnie w namiot, jakby chciał go prześwietlić samym wzrokiem.

Jak myślisz? Kto to może być?

Zaraz się przekonamy. Patrz.

Falen spojrzał. I zamarł, a jego serce zadudniło gwałtownie o pierś. Czerwona płachta uniosła się powoli, a potem opadła, gdy postać wyszła z namiotu. Kobieta. I to najpiękniejsza, jaką kiedykolwiek widział. Nosiła długą zieloną suknię ze złotymi zdobieniami, przepasaną złotym pasem. Blada owalna twarz, oświetlona blaskiem płomieni, przywodziła na myśl idealną maskę wykutą z marmuru. Piękną, ale zimną. Długie ciemne włosy miała splecione w luźny warkocz, który kołysał się delikatnie przy każdym jej ruchu. Biła od niej siła i potężna prastara magia. Choć była idealnie piękna, jednak miała w sobie coś przerażającego i odpychającego.

Na jej widok wszystkie centaury zamarły przy swoich zajęciach. Był to objaw szacunku, lęku, a być może przymusu. Trwało to tylko jedno uderzenie serca, po czym jak gdyby nigdy nic wróciły do swoich prac. Kobieta rozejrzała się po obozie z grymasem odrazy i znudzenia, po czym ruchem ręki przywołała jednego z centaurów. Falen domyślił się, że musiał kiedyś zajmować wysoką pozycję wśród swoich. Był potężnie zbudowany, ale wyglądał na tępego i bardziej uległego od reszty. Zupełnie jak dziecko. Falen doskonale rozumiał jej wybór. Takie umysły nie stanowiły żadnego problemu nawet dla niego.

Kobieta zaczęła rozmawiać o czymś z centaurem i wydawała się przy tym poirytowana. Niestety byli za daleko, by cokolwiek usłyszeć. W tej chwili przydałby im się Nox.

To twoja szansa.

Na co? Falen obrócił się gwałtownie w stronę przyjaciela, jakby na chwilę o nim zapomniał.

Musisz dostać się do jej umysłu i wyczytać wszystko co się da. Jak ma na imię, kim jest i co planuje. Możliwe, że to ona przetrzymuje Rivę, może nawet wie coś o Ariel. Spróbuj się tego dowiedzieć.

Spróbuję, choć nie miałem jeszcze do czynienia z takim przeciwnikiem. Co innego sterować umysłem prostego człowieka. To elfka.

Arwel położył dłoń na jego ramieniu i lekko ścisnął. Uśmiechnął się blado, a jego brązowe oczy patrzyły na niego z całkowitym zaufaniem.

Moja Moc cię wzmocni. Wiem, że nie lubisz tego robić, ale teraz to konieczne. Wierzę w ciebie, przyjacielu, dlatego daj z siebie wszystko i pamiętaj, że tu jestem.

Dziękuję. Ale robię to na twoją odpowiedzialność.

Dobrze.

Wymienili niezbyt wesołe uśmiechy. Potem Falen odetchnął głęboko, spojrzał na kobietę, która wciąż rozmawiała z centaurem, i zamknął oczy. Właściwie zawsze kontrolowanie ludzi wychodziło mu najlepiej. Robił to zawsze, od dziecka, i było to częścią jego życia. Jednak nigdy jeszcze nie spotkał się z kimś, kto by posiadał równie rzadki i potężny dar. W dodatku to była Najstarsza. Musiał chociaż spróbować, by nikogo nie zawieść, ale jakim prawem mógł się w ogóle z nią równać?

Od tego, czy mu się uda, zależało bardzo wiele. Może nawet los całego Elderolu. To w końcu była wojna. A na wojnie nie ma czasu na pomyłki czy wahanie. Uwolnił Moc Kruka i znamię na czole rozjarzyło się delikatnie. Czuł na ramieniu ciężar dłoni przyjaciela i wyczuwał jego kojącą obecność, jak deskę ratunkową na oceanie pełnym morskich smoków. Czuł również jego Moc, która niczym odżywczy nektar wzmacniała jego ciało i umysł.

Bez wahania skorzystał z tej dodatkowej energii. W końcu robił to już wiele razy i wiedział dokładnie, ile zaczerpnąć, by nie osłabić Arwela. Przemknęło mu przez myśl, że stanowią naprawdę zgraną parę, zaraz jednak oczyścił umysł i skupił się na celu.

To było jak błysk pioruna. W jednej chwili był całkowicie ślepy, a w następnej Moc rozsunęła przed nim zasłonę, za którą znajdował się niedostrzegalny dla innych świat.

Świat umysłów. Świat, w którym każda żywa istota była kolorowym punkcikiem, w którym Falen miał władzę i moc manipulacji umysłami. Szare, wręcz przezroczyste kropeczki oznaczały każdego centaura w tym obozie. Szare, czyli słabe.

Falen otworzył oczy, odgarnął gałęzie i znów popatrzył na obóz.

Teraz jednak mógł spojrzeć na wszystko swoim trzecim wewnętrznym okiem.

Centaury kręciły się po obozie, niezmordowanie wykonując przydzielone im obowiązki. Ich umysły były tak słabe i małe, że aż wydawało się to nieprawdopodobne, że należały do takich znakomitych i wytrwałych wojowników. Falen miał nieodpartą ochotę spróbować opanować jedno ze stworzeń. Oparł się jednak pokusie, gdyż nie miał tyle czasu. W końcu jego wzrok powędrował do namiotu i kobiety.

Z trudem przełknął ślinę, zmuszając się, by nie odwrócić głowy. Jej umysł był dokładnie taki jak ona sama. Krwistoczerwony i potężny. Arwel przesłał mu uspokajające myśli, więc Falen tylko głęboko zaczerpnął tchu. Skoncentrował się na czerwonym punkciku, aż ten przesłonił mu cały świat. Czerwień otaczała go ze wszystkich stron, dusiła, niemal pozbawiała tchu. Napotkał na gładką, jednolitą ścianę bez jednej rysy czy pęknięcia. Desperacko próbował znaleźć jakąś lukę, dzięki której będzie mógł zajrzeć do jej umysłu. Wiedział już jednak, że nic takiego nie znajdzie i spanikował. Bariera była doskonała. Mógł się zresztą tego spodziewać. Ściana chroniąca dostępu do jej umysłu była bardziej rzeczywista, niż mógł to sobie wyobrazić. Czerwień była niczym ogień. Od samego patrzenia paliły go oczy, a reszta ciała stawała się nieznośnie ciężka. Bariera stała się klatką, przybliżała się, chciała go zmiażdżyć.

Brakowało mu tchu. Serce boleśnie tłukło się o pierś, a strach ściskał gardło. To było przecież absurdalne, żeby zginąć w czyimś umyśle. Ale tak właśnie się czuł. Jakby zaraz miał umrzeć, jakby jego ciało płonęło żywym ogniem...

Zaczął gorączkowo szukać ucieczki. Jego udręczony umysł był w stanie powtarzać tylko jedną myśl:

Pomocy! Pomocy! Pom...

Zamrugał gwałtownie powiekami i otworzył usta jak do krzyku. Zaraz potem zamarł, wstrzymując oddech. Cała krew odpłynęła mu z twarzy, kiedy szeroko otwartymi oczami patrzył na kobietę w zielonej sukni.

Czas stanął w miejscu.

A ona patrzyła prosto na niego. Jej wzrok parzył, podobnie jak wnętrze umysłu. Wygięła powoli wargi w grymas, który mógłby uchodzić za karykaturę uśmiechu. W następnej chwili Falen zgiął się w pół, przyciskając pięści do skroni.

– Falen!? Co ci jest? Falen!

Krzyk Arwela dochodził do niego z bardzo daleka, jakby z odległej planety. Nie był nawet w stanie odpowiedzieć. Nie był w stanie skupić się na żadnej myśli. Ból w głowie był nie do wytrzymania. Jakby wbijano w nią tysiące ostrych maleńkich igiełek.

A więc to ty.

Usłyszał słodki, zmysłowy sopran. Ona nie wysyłała mu swoich myśli. Ona do niego mówiła. Zupełnie jakby stała tuż obok, na tym drzewie. Jej chłodny głos odbijał się echem w jego umyśle, z każdym słowem zadając coraz większy ból.

Miło mi cię poznać, Falenie. Jesteś ciekaw, kim jestem i co tutaj robię, nie mylę się? Jestem Rairi. Teraz już możesz przekazać Białemu Krukowi moje imię. Może już gdzieś o nim słyszał. To jednak nic wam nie da w poszukiwaniach waszego króla. Jeśli znajdziecie go żywego, to możecie go ode mnie pozdrowić. – Kobieta roześmiała się perliście, zadając mu jeszcze większe cierpienie. *Wy, ludzie, nic nie znaczycie. Jesteście tylko pionkami w boskiej grze o władzę. Balar należy do tych słabszych graczy, ale czasem się przydaje. Jego ruchy są ograniczone, ale nie moje. Teraz dopiero rozpocznie się zabawa.*

– Falen!

Głos w końcu zamilkł, ale ból nie przechodził. Przed oczami migały mu czarne plamki. Z trudem hamował się, by nie zwymiotować. Sięgnął ręką gdzieś w bok i na oślep wymacał rękaw tuniki przyjaciela. Zacisnął na nim pobielałe palce. Zaraz potem silna dłoń chwyciła go za przedramię. Coś szarpnęło gwałtownie i już po chwili uniósł się w powietrze.

Jego uszy wypełnił szum skrzydeł i gwizd wiatru. Tępym wzrokiem obserwował, jak polana i las stają się jedynie ciemną plamą w mroku nocy. Im wyżej się wznosili, tym ból stawał się mniej dokuczliwy. W końcu odzyskał wszystkie zmysły. Zamrugał powiekami i potrząsnął głową, odganiając resztki oszołomienia.

– Falen?

– Tak?

– Skoro ci przeszło, to może polecisz sam? Jesteś trochę ciężki.

– Och, przepraszam.

Arwel puścił jego rękę, gdy rozłożył swe skrzydła, i szybko wyrównał lot obok przyjaciela. W chłodnym blasku księżyca jego twarz była upiornie blada. Miał zmarszczone czoło i grymas wyrażający zaniepokojenie.

– Co tam się działo? Co ona ci robiła?

Falen pokręcił powoli głową. Zimny wiatr chłostał go po twarzy, przywracając zdolność trzeźwego myślenia. Tylko raz w życiu bał się aż tak bardzo.

Nie teraz.

Ona nas widziała.

Wiem. Dlatego muszę jak najszybciej spotkać się z Argonem.

Myślisz, że może nas śledzić?

Nie. Chciała jedynie, bym przekazał wiadomość. I właśnie mam zamiar zrobić to jak najszybciej.

Bałem się, że cię zabije.

Lecieli tak blisko siebie, że ich skrzydła niemal się stykały. Falen posłał mu słaby uśmiech. Wciąż drżał na całym ciele i cieszył się, że jest tak ciemno.

Przez chwilę też byłem tego pewny.

Wiesz... Wiesz, o czym wtedy myślałem?

Ich oczy spotkały się na krótką chwilę.

Wiem.

Przez resztę drogi nie zamienili już ani jednego słowa. Lecieli szybciej niż poprzednio, nawet nie myśląc o przemianie. Falenowi szczególnie zależało na czasie. Nie tylko dlatego że miał dla Białego Kruka ważne informacje. Chciał jak najszybciej znaleźć się w domu. Jak najdalej od lasu i obozu centaurów. A przede wszystkim od tej kobiety.

Rairi.

Mimo że ból i echo jej głosu dawno zostały w tyle, nie potrafił o niej zapomnieć. Jej umiejętność manipulowania umysłami była oszałamiająca i przerażająca. Miała Moc, dzięki której bez trudu mogła opanować cały Elderol. To, że była w jednej drużynie z Niezwyciężonym i Balarem, nie wróżyło nic dobrego.

Na dodatek ona WIEDZIAŁA! Zobaczyła to, co skrywał przed całym światem. W kilka sekund obdarła go ze wszystkich myśli. Początkowe przerażenie zastąpiła zacięta determinacja. Teraz Balar z pewnością się o nim dowie i sam będzie chciał go odszukać. Wtedy Falen na pewno nie ucieknie. Przyjmie wyzwanie i stawi czoła własnym demonom.

Powrotną drogę oświetlał im jedynie cienki sierp księżyca. Droga była czarną, wijącą się linią, która prowadziła ich prosto do stolicy.

Falen poczuł ogromną ulgę, kiedy w końcu dostrzegli w dole mur otaczający miasto, a za nim pierwsze zabudowania. Całe napięcie opadło z niego w jednej chwili, jakby tylko czekał na przekroczenie niewidzialnej granicy bezpieczeństwa. Wyprzedził znacznie Arwela, prując powietrze skrzydłami, jakby było wzburzonym morzem. Płaszcz łopotał za nim szaleńczo, kiedy pikował ostro w stronę zamku. Wylądował na trawie dziedzińca i biegiem ruszył do głównej bramy. Arwel dołączył do niego z rozwianymi włosami i przyspieszonym oddechem.

– Czy naprawdę musimy tak się spieszyć? – zapytał głośno.

Po podwórzu kręciło się kilku strażników, jednak wokół rozpościerała się już wieczorna cisza. W trawie cykały świerszcze, a odległe światła miasta wyglądały niczym świetliki. W oknach zamku również paliło się wiele świateł.

– Przecież jutro wyruszacie – przypomniał mu Falen, nie zwalniając kroku. – Wcześniej muszę zdać raport Argonowi. To miało być pilne, prawda?

Arwel nie odpowiedział, podążając za nim przez zalany księżycowym światłem trawnik. Falen zaciskał kurczowo pięści, chowając je w rękawach płaszcza. Nienawidził się bać. Wtedy jego gniew rósł do rozmiarów oceanu bez dna. W takim stanie mógł zrobić dosłownie wszystko. Ale najgorsze było to, że to palące uczucie naprawdę trudno było ujarzmić.

Kim jesteś Rairi, i co knujesz? – Zadał sobie to pytanie, choć wiedział, że na razie nie uzyska na nie odpowiedzi.

Nawet nie zauważył, kiedy znaleźli się w cieniu kolumn i łukowatego sklepienia krużganka. Ich buty zastukały głośno o posadzkę. Falen nagle przystanął i ruchem ręki zatrzymał przyjaciela. Kątem oka dostrzegł jakiś ruch. Jakiś cień szybko zbliżał się w ich stronę. Już po chwili mogli dostrzec zarys postaci w czarnym płaszczu. Twarz skryta była w cieniu kaptura, a miękkie buty tłumiły kroki. Falen jednak od razu go rozpoznał.

– Nox! – zawołał głośno, machając do niego ręką.

– Chyba cię nie usłyszał – mruknął Arwel.

Rzeczywiście, chłopak nawet nie zareagował. Przeszedł szybko obok, jakby nawet ich nie dostrzegł. Falen z zaskoczeniem obserwował, jak ten znika w ciemności. Gdy ich mijał, zdawało mu się, że na jego szyi błysnęło coś czerwonego. Jednak to mogła być po prostu iskra z pochodni lub załamanie światła.

– Nie sądzisz, że trochę dziwnie się zachowuje? – spytał Arwel ściszonym głosem.

Falen zagryzł wargę. Pociągnął przyjaciela za rękaw i ruszył pospiesznie w przeciwnym kierunku. Jakoś nie chciał, by Nox pomyślał, że go szpiegują.

– Może powinniśmy powiedzieć o tym Argonowi? W końcu to jego podopieczny.

– Nie – rzucił stanowczo Falen. A potem dodał spokojniej: – To nie jest takie ważne, żeby teraz martwić tym Białego Kruka. Zresztą może Nox właśnie wypełnia dla niego jakieś specjalnie zadanie. Arwel skinął głową. Może po dzisiejszym dniu byli za bardzo podejrzliwi. Falen miał teraz zresztą poważniejsze problemy. Więc kiedy dotarli do komnaty Argona, w ogóle zapomniał, że widzieli elfa.

Komnata kapitana mieściła się na drugim piętrze, we wschodniej wieży. Falen zapukał energicznie i wszedł do środka. Tuż za nim, niczym jego cień, podążał Arwel. Zatrzymali się w progu i równocześnie dotknęli palcami znaku na czole. Surowe ściany i nieliczne sprzęty świadczyły o praktycznym charakterze właściciela. Na stoliku stała misa z owocami i dzban wody. Przez okno wpadał do środka chłodny blask księżyca.

Argon siedział przy stole, studiując jakieś dokumenty. Z ponurą miną pocierał zmarszczone czoło. Gdy się zjawili, skinął na nich dłonią, by się rozgościli. Falen opadł na krzesło, zaś Arwel stanął obok, opierając się niedbale o ścianę i krzyżując przed sobą ramiona i nogi.

Argon wskazał na dokumenty.

– Czytam najświeższe raporty. Nie są zbyt optymistyczne – wyjaśnił ponuro. Opadł na oparcie krzesła i spojrzał uważnie na jednego, potem na drugiego. – Widzę, że dopiero wróciliście. Po waszych minach wnioskuję, że jest gorzej, niż przekazali zwiadowcy.

– Tak – odezwał się Falen. Wciąż zaciskał pięści na kolanach, ale miał spokojne spojrzenie i poważny, opanowany wyraz twarzy. – Nigdy czegoś takiego nie widziałem. Ten las to prawdziwa forteca. Największy obóz, jaki widziałem.

Argon zmarszczył brwi, splatając na stole palce.

– To znaczy?

Falen wymienił szybkie spojrzenie z Arwelem, wziął głęboki wdech i kontynuował:

– To coś jak jajko ze skorupką, tyle, że puste w środku. Zrobili w środku lasu ogromny plac. Resztę roślinności wyrwali z korzeniami.

Sądzę, że przetransportowali drewno w inne miejsce, gdzie zrobią z niego użytek.

– To możliwe. Prawdopodobnie budują statki i nową broń – podsumował Argon, w zamyśleniu spuszczając wzrok na leżące przed nim dokumenty. –Dobrze. Co jeszcze?

– Obóz składa się z samych centaurów – odpowiedział Arwel. – Sądząc po ich liczbie, są to pozostałości z całego Elderolu.

– To niebywałe. – Kapitan z niedowierzaniem pokręcił głową. – Nie mogłem uwierzyć za pierwszym razem, ale wasz raport to potwierdza. Te stworzenia nigdy nie łączyły się w tak liczną armię. Ilu ich może być?

– Około pięciuset. Są dobrze zorganizowani i zdyscyplinowani. Wyglądało to tak, jakby szykowali się do czegoś dużego.

– Na przykład do wojny – dopowiedział Falen po chwili ciszy.

Argon wstał z krzesła i zaczął przechadzać się po komnacie. Skrzyżował ramiona na piersi, wpatrując się w podłogę.

– Zastanawia mnie w tym wszystkim jedna rzecz. Kto za tym wszystkim stoi? Niezwyciężony wciąż jest uwięziony w swojej trumnie, a Balar z pewnością nie ma takiej mocy. Nie wierzę też, by centaury zmobilizowały się same.

Falen milczał z zaciśniętymi ustami, więc to Arwel odezwał się za niego.

– Kobieta. To ona kontroluje ich umysły. Wszystkich.

Argon zatrzymał się pośrodku komnaty i wbił w niego pełne niedowierzania spojrzenie.

– Jest ich przywódcą? Jedna kobieta?

Arwel sztywno skinął głową. Wyprostował się, podrapał po skroni i oparł plecami o ścianę. Falen zerkał na niego, z lekko pobladłą twarzą.

– Nazywa się Rairi – powiedział po dłuższej chwili. – To Najstarsza. Dlatego ma tak ogromne możliwości. W końcu pochodzi z rasy, której Moc dorównuje bogom.

– Skąd to wszystko wiecie? Chyba z nią nie rozmawialiście? Mam nadzieję, że nie wchodziliście do obozu.

Arwel uśmiechnął się cierpko.

– Masz nas za głupców? Obserwowaliśmy ich z bezpiecznej odległości. Kiedy wyszła z namiotu, Falen próbował zbadać jej umysł. Falen spiął mięśnie i zacisnął szczeki. Westchnął bezgłośnie, opadając na oparcie krzesła. Złość i strach zastąpiło wyczerpanie. Gdyby teraz mógł, zasnąłby na siedząco.

– Próbowała mnie zabić – powiedział spokojnie. Napotkał zdumione spojrzenie kapitana i wzruszył lekko ramionami. – A przynajmniej chciała, bym dobrze zrozumiał jej słowa. Wie więcej, niż byśmy chcieli, i to pewnie ona porwała króla Rivę – mówił coraz twardszym i suchym tonem. – Nie powiedziała, co planuje ani po co jej ta armia. Nie mogłem wyciągnąć żadnych informacji z jej umysłu, bo otacza go bariera. Silna, perfekcyjna osłona, jakiej nie spotkałem jeszcze u żadnego człowieka. W dodatku ta bariera nie służy tylko do ochrony. Potrafi atakować intruzów. Jej umiejętności są zdumiewające i sądzę, że mamy wiele powodów, by się jej obawiać. Może nawet bardziej niż Niezwyciężonego czy Balara. Zresztą Balar i tak robi to, co ona każe. I wątpię też, że tak wiernie służy swojemu bogu. Wykorzystuje to, że gromadzi się wokół niego tak liczna armia. Sądzę, że ma ona własne plany – pokręcił wolno głową. – My, ludzie, jesteśmy dla niej niczym. Jeśli tylko zechce, jednym palcem może posłać nas wszystkich do piekła. I to zanim mrugniemy okiem.

W komnacie zapanowała napięta cisza. Mężczyźni wpatrywali się w noc za oknem. Gdzieś w tej ciemności czaiła się potężna elfka ze swoją świtą oraz bóg śmierci, który pragnął całego Elderolu. Gdzieś tam byli Kruczy Król i Potomek Liry. Riva i Ariel. Dwie najważniejsze osoby w całym Elderolu, bez których nigdy nie wygrają tej wojny. I nikt nie wiedział, czy w ogóle jeszcze żyją.

Przeciągłe westchnienie Argona przerwało długie milczenie. Zmęczonym ruchem przejechał po ściągniętej troską twarzy.

– Rairi – wymruczał do siebie. To imię niosło niepokój i lęk przed nieznanym. A jednocześnie było im dziwnie znajome. W końcu spojrzał na wojowników i skinął im głową. – Dziękuję wam. Wykonaliście dobrą robotę. Będzie czas, żeby się jeszcze nad tym zastanowić. Możecie teraz iść spać. Każdemu z nas przyda się trochę odpoczynku.

Obaj cicho wyszli z pokoju. Jak tylko zamknęły się za nimi drzwi, Arwel położył obie dłonie na ramionach przyjaciela i spojrzał mu uważnie w oczy.

– Wszystko w porządku?

– Tak.

– Jutro zostajesz sam. Może jednak...

– Dam sobie radę. Jestem już dużym chłopcem. – Falen odsunął się, zbywając go uśmiechem.

– Tak. Rzeczywiście.

Arwel odprowadził go do komnaty i sam udał się na spoczynek. Falen zamknął drzwi i oparł się o nie plecami. W ciemności widział znajome kształty mebli. Zdjął płaszcz i powiesił go na krześle. Rozebrał się z reszty ubrań i wślizgnął pod kołdrę. Długo nie mógł usnąć, choć bardzo chciał. Niespokojnie wiercił się na łóżku, dręczony ponurymi myślami.

Nie możesz zasnąć?

Umysł Arwela wyłonił się z ciemności i łagodnie wślizgnął pod jego zamknięte powieki.

Nie. To strasznie irytujące, kiedy ktoś przeszkadza ci w odpoczynku.

Cichy śmiech wypełnił jego umysł.

Wiesz, że jutro już tu mnie nie będzie. Nie wiadomo, czy w ogóle wrócę z tej wyprawy żywy. Skoro już i tak nie śpisz, to możesz przyjść do mnie i...

Zamknij się.

Znów śmiech.

Miałem na myśli rozmowę. Ale jak sobie życzysz, Wasza Wysokość.

Falen przekręcił się na bok i w końcu zapadł w niespokojny urywany sen.

* * *

Ariel miała przytępione zmysły, umysł płatał jej figle. Leżała skulona na twardej, zimnej podłodze, wsłuchana w przerażającą ciszę. Czasem zdawało jej się, że jednak słyszy jakieś dźwięki. Czyjeś kroki, głos albo śpiew ptaków. Może to był tylko sen, a może halucynacje. A może to było jej własne serce, które to przyspieszało, to zwalniało, ale zawsze jednakowo głośne, jak uderzenia młotem.

Bum... Bum... Bum...

To nie było jej serce, ale jakiegoś potwora, który czyhał gdzieś tam na nią w ciemności. Żyła na granicy świadomości i czasem zaczynała się gubić w odróżnianiu tego, co jest snem, a co jawą.

Ale najgorsza ze wszystkiego była ta ciemność. Gęsta, dławiąca ciemność, która była dosłownie wszędzie. Wdzierała się pod powieki, paraliżowała ciało, doprowadzając niemal do obłędu. Żadne okienko ani żadna szpara nie przepuszczały nawet smugi światła. W tej sytuacji jedynym ratunkiem byłby jej medalion. Ale ktoś jej go zabrał.

Było jej też tak strasznie zimno. Jej ciało, okryte jedynie workowatą sukienką, wciąż się trzęsło. Na początku próbowała chodzić i przytupywać, by zmusić krew do szybszego krążenia. W końcu jednak rozbolały ją nogi, a pokaleczone stopy pokryły się pęcherzami. Kiedy leżała, obejmowała się ramionami i kuliła do pozycji embrionalnej. Oczywiście to nic nie dawało. Zimno przenikało ją na wskroś i miała wrażenie, jakby ten stan miał już trwać wiecznie. W końcu przestała nawet szczękać zębami i popadła w dziwne otępienie, kiedy człowiekowi jest już naprawdę wszystko jedno, co się z nim stanie.

Nie miała pojęcia, jak długo siedzi w tym zamknięciu. Od przebudzenia równie dobrze mógł minąć jeden dzień albo cały tydzień. Czas przestał mieć znaczenie. Ktoś przynosił jej jedzenie i wsuwał przez klapę w drzwiach. Pochłaniała wszystko, łapczywie wylizując okruszki i krztusząc się ciepłą wodą. I tak wiecznie czuła głód. Cela była tak malutka, że kiedy Ariel wyciągała się na podłodze, głową i nogami dotykała przeciwległych ścian. Nie było tu niczego, nawet siennika. Swoje potrzeby musiała załatwiać w kącie. Od odoru ekskrementów wciąż było jej niedobrze. Nie miała gdzie się umyć, włosy miała skołtunione i brudne. Jeśli kiedykolwiek stąd wyjdzie, to nie miała pojęcia, czy zdoła jeszcze przywrócić się do poprzedniego stanu.

Jej umysł uparcie i niestrudzenie na chłodno analizował całą sytuację, dzięki czemu wciąż jakoś pozostawała przy zdrowych zmysłach. Przede wszystkim dręczyły ją dwa podstawowe pytania: Kto ją porwał? I dlaczego?

Zastanawiała się też, czy ktoś w szkole zauważył jej zniknięcie. Oczywiście, że tak. I na pewno już jej szukali. Tylko czy znajdą ją w tej ciemnej celi? Przecież sama nie miała pojęcia, gdzie jest. Może w innym mieście, a nawet innym państwie. Mogła być wszędzie.

Czasem próbowała przywołać Rivę. Wciąż miała nikłą nadzieję, że ją uratuje. Przecież obiecał, że będzie ją chronił. Jak mógłby pozwolić, żeby umarła tu z głodu i zimna? Pragnęła znów usłyszeć jego głos. Marzyła, by jego ciepły baryton ogrzał jej udręczony umysł. Pragnęła tego bardziej niż widoku słońca i ludzi. Bardziej niż powrotu do szkoły.

Często dotykała okrągłych tatuaży na piersi i brzuchu. Chłód i pustka w tych miejscach były nie do zniesienia. Kiedy zamykała oczy, nie wyczuwała żadnej Mocy, żadnego płomienia czy choćby najmniejszej iskry. Kompletnie nic. I to właśnie teraz, kiedy tak bardzo potrzebowała pomocy, by wydostać się z tego piekła.

Na granicy snu często wyczuwała czającą się w mroku śmierć. Zupełnie jakby mogła jej dotknąć. Droczyła się z nią, drażniła i prowokowała. Podsuwała jej obrazy, od których cierpła skóra. Przynosiła koszmary, po których budziła się z krzykiem, przepocona i obolała, jakby palono ją żywcem. Na nic był jej szloch i modlitwy. Jak tylko zamykała oczy, było to samo. Krew… martwe twarze… puste oczodoły wpatrujące się w nią oskarżycielsko.

Jeśli kiedykolwiek wyobrażała sobie piekło, to właśnie tak zapewne musiało wyglądać. Wieczna ciemność i koszmary zatruwające umysł. To było piekło stworzone specjalnie dla niej i nie wiedziała, czy kiedykolwiek zdoła się z niego wydostać.

Rozdział XXVII

alen przebudził się, jak tylko otworzyły się drzwi. Usiadł gwałtownie, pocierając zaspane oczy i drapiąc się po głowie. Zerknął przez okno, ziewając szeroko. Blady świt dopiero nastawał. Niebo wciąż było ciemne, zabarwione lekkim odcieniem czerwieni.

W końcu spojrzał na stojącego w drzwiach Arwela. Wojownik był już gotowy do drogi. Czarny płaszcz zasłaniał zatknięty za pas miecz. Palce jednej dłoni zaciskały się kurczowo na klamce. Falen dostrzegł jego zmarszczoną pobladłą twarz i dziwnie błyszczące oczy. Zsunął się na brzeg łóżka, całkiem przebudzony. Niedobre przeczucie, niczym podstępny wąż, wślizgnęło się do jego serca.

– Coś się stało – stwierdził krótko.

– Ubierz się i chodź – rzucił Arwel napiętym głosem i wyszedł, zamykając za sobą drzwi.

Falen pospiesznie nałożył na siebie spodnie i luźną tunikę. Przeczesał palcami włosy i wybiegł z pokoju.

Arwel czekał na niego przy drzwiach, oparty o ścianę. Bez słowa ruszył pustym korytarzem, prawie biegnąc. Falen jeszcze nigdy nie widział przyjaciela tak zdruzgotanego.

– Powiesz mi wreszcie, co się stało? – zapytał, próbując dotrzymać mu kroku.

– Już jesteśmy – mruknął tylko głucho.

Falen z zaskoczeniem wszedł za nim do komnaty jednego z członków Zakonu. W środku tłoczyła się już reszta mężczyzn. Niektórzy byli w pełni gotowi do drogi, a niektórzy wyglądali, jakby ich również dopiero co wyciągnięto z łóżek. Szmer przyciszonych rozmów zagęszczał wiszącą w powietrzu atmosferę napięcia i gniewu. Na srogich twarzach wojowników smutek mieszał się ze złością. Ich ponure spojrzenia wędrowały od jednego do drugiego, szukając winnego całego tego zamieszania.

Niemal nikt nie zwrócił na nich uwagi, gdy wślizgnęli się do przestronnej komnaty. Przepchnęli się do przodu wśród pomruków niezadowolenia i przekleństw. Falen próbował zrozumieć, co tu się dzieje, kiedy w końcu to zobaczył.

Otworzył szeroko oczy, odruchowo chwytając przyjaciela za łokieć.

– To… to… – wysapał, z trudem wydobywając głos z zaciśniętego gardła.

– Tak. – Arwel zacisnął pięści, wpatrując się w punkt przed sobą. – To Lanon. Ktoś go zamordował.

Istotnie wyglądało na to, że wojownik nie żyje. Jednak na pierwszy rzut oka trudno było stwierdzić, że został przez kogoś zabity. Leżał wyciągnięty na swoim łóżku w ubraniu, jakby uciął sobie tylko krótką drzemkę. Zawsze poważny i srogi, teraz miał wygładzoną, spokojną twarz. Jedynie na ustach widniał ślad lekkiego zaskoczenia, jakby tuż przed śmiercią zobaczył coś, co na sekundę wytrąciło go z równowagi. Miał zamknięte oczy i tylko nieruchoma klatka piersiowa świadczyła o tym, że naprawdę nie żyje, że jego serce przestało bić.

Falen wpatrywał się w niego w głębokim szoku. W głowie huczało mu od wirujących szaleńczo myśli. Nigdy nie przepadał za tym potężnym wojownikiem, który nawet nie zwracał na niego uwagi. Jednak nadal był jednym z nich. Należał do Zakonu i był ich bratem.

To już drugie morderstwo. Kto będzie następny?

Nie wiem, przyjacielu. Ale podobno Nox prowadzi w tej sprawie śledztwo.

Nox?

Imię młodego wojownika coś mu przypomniało. I jakby ktoś nacisnął przełącznik, dostrzegł go dopiero teraz. Nox stał przy łóżku i pochylał się nad zmarłym. Oglądał uważnie jego ciało, dotykał, poruszał kończynami i głową, pilnie czegoś szukając. Był bledszy niż zazwyczaj i miał pochmurny wyraz twarzy. Jego granatowe oczy były zamyślone i nieobecne. W swoim skupieniu zdawał się w ogóle nie zauważać pozostałych mężczyzn stłoczonych w komnacie. Wszyscy wpatrywali się w każdy jego ruch, jakby oczekiwali, że jakimś cudem te drobne blade dłonie przywrócą Lanona do życia.

Chłopak miał na sobie zielony strój podkreślający jego szczupłą sylwetkę. Przy pasie zatknięte były dwa sztylety o rękojeściach zdobionych zielonymi listkami. Białe włosy związał z tyłu głowy zieloną tasiemką. Kilka kosmyków wysunęło się teraz z węzła i opadło luźno na twarz. Falen zerknął na jego szyję, jednak nie dostrzegł tam nic czerwonego. Ulżyło mu, choć nie całkiem wiedział dlaczego. Tamten błysk musiał mu się tylko przywidzieć, gdyż był wtedy zmęczony i miał lekko zszargane nerwy.

Usłyszał za sobą dźwięk otwieranych i zamykanych drzwi. W jednej chwili w komnacie zapanowała całkowita cisza. Głowy powoli odwracały się na bok, gdy ktoś szybko przepychał się do przodu.

Argon przeszedł obok nich i stanął przy łóżku. Ze zmarszczoną blizną i ponurym grymasem wyglądał wyjątkowo groźnie. Białe znamię na czole jak zwykle ostro kontrastowało z czernią płaszcza. Falen przypomniał sobie ich wczorajszą rozmowę i wyraz zmęczonej rezygnacji na jego twarzy. Ciekawe, czy Biały Kruk w ogóle zmrużył tej nocy oko.

Wojownik popatrzył kolejno na martwego Lanona, na Noxa, na resztę zebranych, a potem znów na Noxa. Zmarszczył brwi, aż te zetknęły się u nasady nosa.

– Co tu się stało? – zapytał ostro, przerywając męczącą ciszę.

Nox wyprostował się i zwrócił wzrok na kapitana.

– Nie żyje. Został zamordowany prawdopodobnie w nocy.

Chłopak stanął przy ramie łóżka, by Argon mógł obejrzeć ciało. Nieodgadniony wyraz twarzy elfa mógł wyrażać wszystko. Jednak oczy pozostawały chłodne i spokojne.

– Jak to się stało? – odezwał się kapitan.

– Można by przypuszczać, że zginął tak samo jak Koryn, gdyby nie drobny szczegół.

Biały Kruk spojrzał na niego ponuro.

– Co masz na myśli?

– Na pierwszy rzut oka wygląda, jakby Lanon umarł na atak serca. Sądziłem, że mamy do czynienia z tym samym przypadkiem, bo nie znalazłem widocznych ran. Jednak myliłem się. – Jego głos wciąż był rzeczowy i beznamiętny.

Podszedł do łóżka i bez wysiłku przewrócił Lanona na brzuch. W komnacie rozległ się zbiorowy jęk zgrozy i głośne westchnienia. Falen zakrył usta dłonią, wspierając się na ramieniu przyjaciela, który wyglądał na równie zszokowanego. Zemdliło go, jednak zmusił się, by zachować spokój. Nawet Argon cofnął się oniemiały. Nox spuścił wzrok na podłogę, wykrzywiając twarz w ponurym grymasie.

– Kiedy się zjawiłem, nie było przy nim żadnej broni – wyjaśnił cicho, ale chyba nikt go nie słuchał.

Dopiero teraz dostrzegli na pościeli ciemne plamy zaschniętej krwi. Wszyscy utkwili oczy w plecach zmarłego, na których wyraźnie było widać wyrysowany ostrym narzędziem wzór. Rany były głębokie, lekko postrzępione, ale precyzyjne. Układały się w kształt dużej czteroramiennej gwiazdy, a w niej dwóch mniejszych. Symbol Klanu Elahti. Półelfów.

Wyglądał przerażająco skąpany w czarnej krwi. Jak nieme ostrzeżenie i jawne szyderstwo.

Śmiertelna cisza trwała i trwała, jakby nikt nie miał odwagi nawet odetchnąć. W końcu na przód wysunął się Garet. Po czole spływały mu grube krople potu i wyglądał, jakby zaraz miały się pod nim ugiąć kolana. Widok potrójnej gwiazdy na plecach przyjaciela był dla niego zbyt dużym wstrząsem. Gdy się odezwał, jego głos zadrżał gwałtownie.

– Jeszcze wczoraj pomagał mi przy wzmacnianiu barier. Lanon to silny, doświadczony wojownik. Kto mógł tak bestialsko zamordować go w jego własnym łóżku?

Nikt mu nie odpowiedział, bo wszyscy byli zbyt przerażeni. Falen dobrze wiedział, o czym teraz myślą. To mogło spotkać każdego z nich. To mógł być każdy. Czy to przypadek, że padło akurat na Lanona?

– To znaczy, że mordercą jest ktoś z klanu Elahti? – zapytał Ylon, głośno wypowiadając to, co każdemu krążyło po głowie.

– W całym mieście jest ich pełno. W zamku też znajdzie się parę osób. Trzeba będzie ich wszystkich przesłuchać – wykrzyknął stojący w drugim rzędzie Darel.

– Kiedy go badałem, coś znalazłem. Zaciskał to w pięści – wtrącił Nox. Nikt do tej pory nie zauważył, że chłopak trzyma coś w dłoni, dopóki jej nie uniósł i nie przekazał przedmiotu Argonowi. Kapitan chwycił go ostrożnie w palce i podniósł do oczu. Teraz wszyscy mogli zobaczyć, co to jest. Falen poczuł, że robi mu się gorąco. Zerknął na Arwela, który zaciskał kurczowo palce na jego ramieniu. Miał zaciśnięte wargi i zmrużone oczy.

Czarny skrawek materiału.

Zefir.

Fragment płaszcza członka Zakonu Kruka.

Falen z trudem przełknął ślinę. Zaschło mu w ustach.

Wśród nas jest morderca. Te słowa bardzo mu się nie podobały, ale same zagnieździły się w jego umyśle niczym trujący jad.

Jeszcze nic nie wiadomo. Nie możemy wyciągać pochopnych wniosków tylko na podstawie jednego dowodu.

Argon z napięciem wpatrywał się w postrzępiony skrawek tkaniny. Nikt już się nie odezwał, czekając na jego reakcję. Falen nie mógł się powstrzymać, by od czasu do czasu nie zerkać na Noxa, który stał z boku ze zwieszonymi ramionami. Biały Kruk poruszył się dopiero po dłuższej chwili. Zerknął w kierunku okna, za którym wstawał blady świt. Wesoły świergot ptaków nie pasował do złowróżbnej atmosfery w dusznej komnacie, gdzie odór śmierci i krwi był nie do zniesienia.

Argon powiódł wzrokiem po zebranych, chowając kawałek materiału do kieszeni.

– Za dziesięć minut wszyscy mają być na dziedzińcu. W płaszczach.

– Więc ten, kto będzie miał podarty płaszcz, będzie winny? – zapytał Ylon.

Argon nie odpowiedział, ale jego wyraz twarzy mówił sam za siebie. Mężczyźni zaczęli głośno protestować i wyrażać swoje niezadowolenie. To, że każdy z nich mógł być podejrzany, wzbudzało jeszcze większy gniew i wzburzenie.

– To dotyczy także Noxa – rzucił z tłumu Koll, wskazując chłopaka długim, szczupłym palcem.

Nox wymienił z Argonem krótkie spojrzenie, zrozumiałe tylko dla ojca i syna. Kapitan uśmiechnął się przelotnie.

– Oczywiście. Nox też ma przyjść w płaszczu.

– A co z ciałem? – odezwał się po raz pierwszy Arwel.

– Służba pochowa Lanona obok Koryna w zagajniku. Jeśli to wszystko, to za dziesięć minut widzimy się na dziedzińcu.

Mężczyźni zaczęli opuszczać komnatę wśród szmeru głośnych rozmów. Arwel pociągnął za sobą Falena, który zerkał niespokojnie na elfa. Przypomniał sobie ich walkę, a potem to dziwne spotkanie na krużganku. Pewne rzeczy zaczynały go niepokoić, ale wolał za bardzo się w to nie wgłębiać. W końcu zawsze był skłonny do wyolbrzymiania wszystkiego zupełnie bez potrzeby. Po prostu miał zbyt bujną wyobraźnię.

Przesadzam – pomyślał Falen, idąc do swojej komnaty po płaszcz. *Jestem ostatnio zbyt przewrażliwiony. Nox jest wychowankiem Białego Kruka i jego najbliższym przyjacielem. Zresztą to dobry i uczciwy chłopak. Bez niego długo byśmy nie pożyli na tym świecie.*

No i przecież sam słyszał fragment ich rozmowy, gdy wychodził z komnaty zamordowanego:

– Podejrzewasz kogoś konkretnego?

– Na razie nie. Zajmę się tym dokładniej po naszym powrocie. Tymczasem będę miał oko na resztę braci.

– Dobrze.

A więc rzeczywiście to Nox prowadził śledztwo w tej sprawie. Jak długo ich obserwował? Choć robił to z rozkazu kapitana, było to trochę dziwne. Czy reszta o tym wiedziała? Nie. Oczywiście, że nie, bo inaczej zażądaliby, by wyrzucono go z Zakonu. I bez tego wystarczająco mu nie ufali.

Falen nagle zatrzymał się na środku korytarza. Mijająca go służąca zerknęła na niego dziwnie, ale nie zwrócił na to uwagi. Z niedowierzaniem wpatrywał się w ciemną posadzkę, a z jego gardła wydobyło się coś na kształt ponurego śmiechu. Teraz wszystko było jasne. Wczoraj, walcząc z Noxem, słusznie odnosił wrażenie, że ten atakuje inaczej niż zwykle. Na poważnie. Nie mógł się mylić. Ale to znaczyło, że Nox też go podejrzewa? Sprawdza go? Jego?!

Niemal przez całą drogę Falen śmiał się do siebie histerycznie, ignorując przypatrujących mu się podejrzliwie ludzi. Jednak w rzeczywistości wcale nie było mu do śmiechu. To wszystko było po prostu absurdalne. On zabójcą? To tak samo niedorzeczne, jak podejrzewać o coś takiego Arwela.

Wychodząc z komnaty już w płaszczu, Falen otarł ostatnie łzy z oczu. Już się nie śmiał i nawet nie uśmiechał. Kiedy znalazł się na zalanym pomarańczowym blaskiem dziedzińcu, miał ponury wyraz twarzy i zmarszczone czoło.

Wszyscy już tam byli i stali w półkolu z surowymi, gniewnymi minami. Falen dołączył do Arwela, który uśmiechnął się do niego blado.

– Wszystko w porządku? – wyszeptał.

Falen skrzywił się.

– Poza tym, że zostanę tu sam z armią głupich centaurów na karku, a wśród nas jest psychopatyczny morderca? W jak najlepszym porządku.

Wojownik parsknął krótko. Falen odszukał wzrokiem Noxa, który jak zwykle stał nieco na uboczu. Jak reszta, miał na sobie płaszcz Zakonu i raczej nie wyglądało na to, by była na nim choćby najdrobniejsza skaza.

Po dusznym odorze w komnacie Lanona chyba wszyscy z ulgą wdychali teraz świeże powietrze. Nie musieli długo czekać na Argona. Gdy się zjawił, po jego minie można było wnioskować, że właśnie instruował służbę, gdzie mają pochować Lanona. Niestety sami nie mieli czasu uczestniczyć w pogrzebie, co chyba każdy odczuwał jako zaniechanie obowiązku. W końcu Lanon miał pełne prawo do właściwej ceremonii. To nie jego wina, że został zabity o złej godzinie.

Argon bez słowa zaczął podchodzić do nich kolejno i uważnie oglądać z każdej strony. Kazał obracać się naokoło, studiował każdy centymetr płaszcza, po czym przechodził do następnej osoby.

Na koniec zostali już tylko on i Arwel. Falen odetchnął z ulgą, że wszyscy okazali się niewinni. Zdobył się nawet na lekki uśmiech, gdy Argon badał uważnie jego przyjaciela. Arwel znosił to cierpliwie, ale gdy ich spojrzenia się spotkały, przewrócił teatralnie oczami i westchnął bezgłośnie.

– Co to jest? – zapytał nagle kapitan.

Obaj jednocześnie spojrzeli w dół. Pozostali natychmiast ich okrążyli, napełniając dziedziniec nerwowym szemraniem. Falen oniemiał z sercem w gardle. Zrobiło mu się słabo.

Argon kucał przed młodym wojownikiem i trzymał w dłoni skraj jego płaszcza. Przy samym brzegu postrzępione włókna znaczyły ślad po oderwanym fragmencie. Kapitan wyjął z kieszeni kawałek materiału i porównał.

Rozmiar i kształt dokładnie się zgadzały.

Argon wyprostował się i bez słowa spojrzał Arwelowi w oczy. Ten pobladł i otworzył usta.

– Ja nie… – zaczął rozpaczliwie, ale kapitan przerwał mu gwałtownie.

– Wyjaśnisz to po drodze, teraz nie mamy czasu. Polecisz ze mną. Ylon! – rzucił głośno, nie odwracając wzroku. – Będziesz w drugiej grupie.

Zacisnął kurczowo palce na materiale i schował go z powrotem do kieszeni, po czym zwrócił się do wciąż osłupiałego Falena.

– Przykro mi, przyjacielu, ale wygląda na to, że twój towarzysz właśnie znalazł się na liście podejrzanych.

Falen chciał krzyknąć, że to nieprawda, że w to nie wierzy. Jednak Argon odwrócił się od niego, ucinając wszelkie dyskusje. Przyjaciel położył mu dłoń na ramieniu.

– Falen? – wymówił jego imię, ledwo otwierając usta.

Spojrzał wprost w te czekoladowe oczy, które zawsze były dla niego uosobieniem szczerości i uczciwości. Czy ufał mu na tyle, by uznać to za zwykłą pomyłkę? A potem naszła go inna, przerażająca myśl: czy Arwel zawsze pokazywał mu wszystkie swoje myśli? Przecież wiedział, że umysł można łatwo osłonić.

Patrzył na przyjaciela i miał wrażenie, jakby znajdował się w jakimś koszmarnym śnie. Argon zwołał wszystkich, ale Arwel nie ruszył się z miejsca.

– Falen? Wiesz, że to nieporozumienie. Wiesz, że nigdy bym czegoś takiego nie zrobił. Przecież mnie znasz. Ufasz mi – mówił szybko zduszonym, nerwowym szeptem.

W jego dużych oczach czaił się strach. Falen czytał z nich jak z otwartej księgi. Tak. Ufał mu. Przecież znali się tyle lat. Arwel był jedynym człowiekiem, któremu powierzyłby swoje życie.

– Tak – odpowiedział cicho, odsuwając się ostrożnie. Uśmiechnął się z przymusem. – Oczywiście, że ci wierzę. Leć już i nie martw się o mnie.

Arwel otworzył usta, jakby chciał coś jeszcze powiedzieć, ale w końcu zrezygnował. Spuścił wzrok, zgarbił ramiona i odszedł.

Falen stał przy fontannie i mrużąc od słońca oczy, obserwował, jak dziewięć ptaków wzbija się w błękitne niebo. Po chwili sześć z nich odłączyło się od grupy i skierowało na południe. Patrzył za nimi, dopóki nie stali się jedynie niewyraźnymi plamkami. Wtedy wysłał przyjacielowi telepatyczną myśl.

Arwel.

Cisza. Po raz pierwszy, odkąd Arwel nadał mu imię, jego umysł był przed nim całkowicie zamknięty. Ta pustka bolała, jakby ktoś ugodził go w samo serce. Falen przeczesał palcami złote włosy i ze zwieszonymi ramionami powlókł się do zamku. Czekało go dużo pracy i nowe obowiązki. Nie miał czasu na osobiste rozterki. Jednak to wszystko, co się teraz działo, było zbyt przytłaczające. Miał naprawdę bardzo złe przeczucia co do ich przyszłości.

Co do przyszłości całego Elderolu.

* * *

Był dzień albo noc, kiedy jakiś hałas wybudził ją z niespokojnego snu. Kroki.

Przetarła oczy i spróbowała się przeciągnąć, rękami i nogami dotykając ścian. To zapewne był tylko strażnik z posiłkiem. Przez cały ten czas nikt inny jej nie odwiedzał. Przynajmniej karmiono ją regularnie. Dokładnie trzy razy dziennie. Odliczała czas pomiędzy tymi wizytami, dzięki temu łatwiej jej było utrzymać poczucie rzeczywistości i nie popaść w całkowite szaleństwo.

Gdy myślała o jedzeniu, żołądek kurczył jej się boleśnie, a do ust napływała ślina. Zawsze dostawała to samo. Jakąś kleistą papkę, czerstwą kromkę chleba i ciepłą wodę. Nie było to menu, do którego przywykła, a porcje były za małe, by nasycić jej pusty żołądek. Mimo to nie narzekała i pochłaniała całe jedzenie co do okruszka. Robiła to głównie dlatego, by utrzymać się przy życiu i zrobić na złość porywaczowi. Bo jeśli takim traktowaniem chciał coś osiągnąć i ją złamać, to mocno się rozczaruje.

Usiadła na podłodze i brudną dłonią przejechała po równie brudnych włosach. Nasłuchiwała kroków, z niecierpliwością czekając na jedzenie. Równomierne stukanie butów o podłogę odbijało się głuchym echem od ukrytych w ciemnościach ścian. Jakby ktoś urządził sobie spacer po tym królestwie cieni.

Przysunęła się do drzwi, by od razu sięgnąć po tacę z jedzeniem, jak tylko pojawi się w okienku. Kiedy wyciągnęła drżące ręce, jej żołądek ponownie wydał z siebie głuche burczenie. Nastała cisza, w której słyszała jedynie dudnienie własnego serca. Czekała w bezruchu, zastanawiając się, czemu to tak długo trwa. Nigdy nie odezwała się do strażnika, który oznaczał dla niej jedynie kroki i tacę z posiłkiem. W tej jednak chwili miała ochotę krzyknąć, by się pospieszył i dał jej wreszcie to cholerne jedzenie. Jeśli oczywiście jej słaby głos przebiłby się przed dzielące ich drzwi.

Nie spodziewała się jakiegokolwiek dźwięku. Dlatego odskoczyła jak oparzona, kiedy nagle rozległ się głośny zgrzyt przekręcanego w zamku klucza. Gdy otworzyły się drzwi, próbowała nieporadnie wstać. Zabrakło jej jednak siły i z jękiem przewróciła się na plecy.

Serce podeszło jej do gardła, gdy w progu pojawiła się wysoka postać. Nie miał przy sobie żadnej lampy ani świecy. W ciemności wyglądał po prostu jak nieco jaśniejsza plama. Cień, który równie dobrze mógł być jedynie złudzeniem. Wstrzymała oddech, próbując dostrzec coś więcej niż tylko niewyraźne kontury. Czy to człowiek, który ją porwał? Skoro w końcu raczył się zjawić osobiście, to co zamierza z nią zrobić?

Nie poruszył się i milczał przez bardzo długi czas. Wiedziała jednak, że tam jest i przygląda jej się, choć nie potrafiła dojrzeć jego twarzy i oczu. Ona również się nie ruszała, bała się nawet westchnąć. Od wpatrywania się w ciemność bolały ją oczy i głowa. Była głodna i zaschło jej w ustach. Miała wrażenie, że jeśli zaraz którekolwiek z nich nie wykona pierwszego ruchu, oszaleje ze strachu.

Witaj, Ariel.

Drgnęła gwałtownie na dźwięk głosu w swojej głowie. Ten łagodny, ukochany głos, na który tak długo czekała.

Jej sztywne wargi zadrgały w słabym uśmiechu.

– Riva! – spróbowała krzyknąć z radości, ale z jej zaschniętego gardła wydobył się jedynie ochrypły skrzek. Mimo to spróbowała jeszcze raz, wkładając w to więcej siły. – Riva!

Wstała niezgrabnie i ruszyła w stronę postaci przy drzwiach.

– To naprawdę ty. Wiedziałam, że po mnie przyjdziesz. Tak bardzo…

Urwała w pół słowa. Potknęła się o własne nogi i z powrotem runęła na podłogę. Stęknęła głośno z bólu, kiedy wylądowała na nagich kolanach i dłoniach. Na oślep doczołgała się do drzwi. Wymacała palcami jego nogę i przylgnęła do niej kurczowo.

– Czekałam i czekałam – mówiła teraz raźniej, choć drżący głos wciąż był ochrypły. – Wołałam tyle razy, ale chyba mnie nie słyszałeś. Może miałeś swoje sprawy. Nie jestem zła. Tak bardzo się cieszę – zaczęła szlochać, a łzy wsiąkały w nogawkę jego spodni. – Wiedziałam, że mnie znajdziesz i wyciągniesz z tego piekła. Teraz już wszystko będzie dobrze.

Ostatnie zdanie właściwie powiedziała tylko do siebie. Próbowała wziąć się w garść i przestać mazać przy nim jak mała dziewczynka. Nie chciała, by widział jej łzy. Ale przecież znów był przy jej boku, a ona czuła się taka szczęśliwa.

– Zaprowadzisz mnie do szkoły? Pewnie wszyscy się martwią, a ja kompletnie nie wiem, gdzie jesteśmy i…

Przerwał jej śmiech. Riva śmiał się głośno, zimnym, szyderczym śmiechem.

– Och, Ariel – odezwał się w końcu z pogardą. W jego głosie nie było ani odrobiny ciepła czy współczucia. To był zimny okrutny ton, jakiego nie znała. – Naiwna, głupia Ariel.

Z opóźnieniem dotarło do niej, co się właśnie działo. A i tak jakoś nie potrafiła tego zrozumieć. Jej oczy rozszerzyły się w zdumieniu, a usta otworzyły jak do krzyku, który jednak nie nastąpił. Zanim zdążyła wykonać jakikolwiek ruch, Riva kopnął ją brutalnie tą samą nogą, której tak kurczowo się trzymała. Przeleciała tuż nad podłogą i wylądowała na przeciwległej ścianie. Krzyknęła z bólu, na chwilę tracąc dech, i bez czucia osunęła się na ziemię.

Usłyszała kroki, a potem Riva kucnął gdzieś obok. Z ciemności wystrzeliła jego ręka, zimne palce zacisnęły się na jej szyi. Jęknęła głośno, szarpiąc go za dłoń. Była jednak zbyt słaba, a jego uścisk za mocny. Zaczynało brakować jej powietrza. Pochylił się do przodu, aż poczuła jego oddech na policzku. Wciąż nie widziała jego twarzy, tylko dwa punkciki, równie ciemne, co wszystko wokół.

– Teraz jesteś w moim świecie i to ja ustalam tu reguły – wysyczał powoli do jej ucha.

Wzdłuż jej kręgosłupa przeszedł zimny dreszcz.

– Nie… – próbowała wyjąkać, ale przerwał jej, wzmacniając uścisk palców na szyi. Zacisnęła mocno powieki, walcząc o każdy oddech.

– Myślałem, że jesteś bystrzejsza i sama na to wpadniesz. Nikt cię nie uratuje, rozumiesz? Twój Riva nie istnieje. Nigdy nie istniał. Należysz do mnie i od teraz masz być mi posłuszna.

Bolało. Każde słowo bolało jak smagnięcie płonącym batem. Jej świat właśnie rozpadł się na kawałki. Spadała, a ciemność pożerała ją niczym wygłodniała bestia.

W końcu ją puścił. Opadła bezładnie na ziemię, krztusząc się i próbując złapać oddech. Pocierała obolałą szyję, wypatrując w mroku jego postaci. Postaci, która nigdy nie istniała. Czy naprawdę była tak naiwna? Czy naprawdę ten głos wcześniej tak bardzo ją fascynował?

– Riva, proszę… – wykrztusiła słabym głosem.

Palce chwyciły ją za włosy i pociągnęły boleśnie. Krzyknęła, gdy uniósł jej głowę gdzieś na wysokość swoich oczu.

– Zapamiętaj sobie, że nie jestem twoim przyjacielem – odezwał się ostro, jeszcze głębiej wbijając nóż w jej serce. – Czy naprawdę muszę ci wszystko tłumaczyć? Jesteś aż taka tępa? Udawałem, żeby zdobyć twoje zaufanie. To było dziecinnie proste, aż za proste. Spodziewałem się po tobie więcej rozsądku. Jednak ty nadal jesteś głupim dzieckiem. Zawiodłem się na tobie.

Ariel próbowała sięgnąć ponad głowę i wymacać jego ręce. Ból oszałamiał ją nie mniej niż słowa. W oczach stanęły jej łzy, przez co ciemność celi dodatkowo osnuła mgła. Chciała krzyczeć, płakać i bić go gdzie popadnie. Jednak była zbyt słaba i oszołomiona.

Wtem puścił ją, a kiedy boleśnie uderzyła głową o podłogę, przyłożył obie dłonie do jej skroni. Zadrżała, ale nie próbowała się wyrywać.

– A teraz powiesz mi grzecznie, gdzie jest reszta Kamieni.

Jego głos dochodził z bardzo daleka, a słowa wydawały się pozbawione sensu.

Jakie kamienie? – pomyślała ciężko, z trudem zmuszając ociężały umysł do pracy.

– Nie udawaj – warknął. Ucisk na skroniach stał się mocniejszy. Zrobiło jej się ciemno przed oczami. – Gdzie są Kamienie Wody, Ziemi i Ognia?

– Nie… wiem… o czym… mówisz… – wymamrotała z trudem.

– Zła odpowiedź. Popełniasz duży błąd, Ariel.

Fala bólu zalała jej ciało z siłą huraganu. Nie była na to zupełnie przygotowana, dlatego nie zdążyła nawet krzyknąć. Straciła przytomność, zanim jeszcze wyszedł z celi, zostawiając ją zranioną i skuloną w ciemności.

To był najbardziej realistyczny sen, jakiego kiedykolwiek doświadczyła. Znajdowała się w jakiejś przestronnej sali. Gdzieś pod ziemią, w wieży.

Wieży, która właśnie rozpadała się na jej oczach. Sufit i ściany waliły się wokół niej z ogłuszającm hukiem. Podłoga drżała w posadach, wszędzie pełno było dymu, cegieł, desek i pyłu. Ariel zaczęła się krztusić, świadoma, że w każdej chwili jakiś fragment wieży może spaść jej na głowę i zabić.

Jednak nie ruszała się z miejsca, jakby właśnie czekała tylko na śmierć. Czuła, że właśnie tak było. Ból w klatce piersiowej był nie do zniesienia. Utrudniał oddychanie i paraliżował. Jej serce krwawiło rozerwane na strzępy. W dłoni trzymała ciężki miecz. Palce zaciskały się kurczowo na rękojeści, zbyt zesztywniałe, by mogła je wyprostować. Ostrze było poza jej zasięgiem wzroku, wisiało wzdłuż jej ciała, ukryte w dymie. Ale i tak wiedziała, że ostrze jest umazane szkarłatną krwią. Metaliczny odór unosił się wokół, wdzierał do nosa i ust, aż zbierało jej się na wymioty.

Nie zwracała na to wszystko uwagi. Nie przejmowała się, że gruzy wieży zaraz ją przysypią. Nie słyszała i nie czuła nic poza tym potwornym, rozdzierającym od środka bólem. Przez wyrwę w dachu było widać skrawek nocnego nieba. Chłodny blask księżyca padał wprost na nią. Ale Ariel patrzyła tylko w te oczy, szukając w nich oznak życia. Wpatrywała się w bladą spokojną twarz, a po jej policzkach bezgłośnie spływały łzy.

Wokół niej rozpadał się świat, a ona czekała. Osunęła się na kolana, wzbijając w powietrze chmurę pyłu. Wyciągnęła rękę i dotknęła krwawiącej rany na jego piersi. Nie miała już siły nawet oddychać. Pragnęła tylko jak najszybciej do niego dołączyć. Uniosła miecz i z zamkniętymi oczami przyłożyła sobie ostrze do gardła. Poruszyła ręką i...

Obudziła się z krzykiem na ustach. Usiadła gwałtownie, dysząc ciężko. Oblepiona potem, powiodła dzikim wzrokiem po malutkiej celi. Ciemność najpierw ją przygniotła, a potem ocudziła. Zrozumiała, że to był tylko sen. Krótką chwilę ulgi zastąpiła szybko rozpacz i rezygnacja.

Riva. To on mnie więzi. Nie jest moim przyjacielem. Jest wrogiem.

Lecz to była jej jedyna myśl. Tylko jedno imię, które zdołała przywołać z pamięci. I nic więcej. Choć próbowała się wysilić, nie odnalazła w sobie ani jednego wspomnienia. Jedynie pustkę, jeszcze straszniejszą od otaczającej ją ciemności. Pustkę, która na bardzo długo odebrała jej oddech. Całe jej życie i wszystkie wspomnienia zniknęły. Przestały istnieć. Była tylko ta cela i Riva.

Dopiero teraz zdała sobie sprawę z tego, że coś ciężkiego spoczywa na jej kolanach. Przytuliła do piersi cuchnący zwierzęcym potem koc i schowała w nim twarz. W końcu rozpłakała się głośno, nie hamując ani łez, ani spazmatycznego łkania. Zaczęła kiwać się rytmicznie w przód i w tył, a jej szloch odbijał się okrutnym echem od pustych ścian.

Rozdział XXVIII

toś brutalnie chwycił ją za ramiona i postawił na nogi. Zbyt otępiała, by otworzyć oczy i sztywna od bezruchu, dała się poprowadzić przez długi ciemny korytarz. Nie miała pojęcia, dokąd zmierzają i szczerze mówiąc, mało ją to obchodziło. Wiedziała, że powinna się bać, jednak w obecnym stanie nawet na to nie było ją stać. Weszli na kręte schody. Gdy się potknęła, tajemniczy przewodnik musiał przyjąć na siebie prawie cały jej ciężar. Skrzypnęły drzwi. Ariel krzyknęła z zaskoczenia, mimowolnie robiąc krok do tyłu, i o mało nie spadła ze schodów. Ktoś za jej plecami wymamrotał coś szybko w dziwnym języku i brutalnie popchnął ją do przodu.

Nawet przez zamknięte powieki ostre światło raniło ją boleśnie w oczy. Świeże, pozbawione dusznego fetoru powietrze było prawdziwym wybawieniem dla jej obolałych płuc i nieco ją otrzeźwiło. Próbowała przypomnieć sobie cokolwiek, jednak w umyśle miała jedną wielką czarną dziurę. Nie wiedziała gdzie jest, ani skąd się tu znalazła.

Patrzyła pod stopy, ale i tak wciąż się potykała, jakby nagle zapomniała, jak się chodzi. Niewidzialny przewodnik popychał ją niecierpliwie, przez co jeszcze bardziej plątały jej się nogi. Kolejne schody i jeszcze więcej korytarzy. Wszystko pokryte kurzem, pajęczynami i mrokiem. Wokół panowała złowroga cisza i przez chwilę Ariel miała nawet wrażenie, że znalazła się w samym centrum jakiegoś koszmarnego snu.

Chyba powinnam się bać, prawda? No jasne. Może powinnam zacząć krzyczeć i wzywać pomocy? Nie sądzę, bym była tu w celach towarzyskich.

Gdzie prowadzi mnie ten strażnik i co ja tu robię? A może to po prostu sen. Wystarczy, że się uszczypnę i się obudzę. Albo zaczynam wariować. To dopiero by było, co? Zabawne, że gadam sama ze sobą. To pierwsza oznaka szaleństwa. Dobrze chociaż, że pamiętam jeszcze jak się nazywam. Ariel, tak? Tak, tak. Na pewno Ariel. Pamiętam jeszcze drugie imię. Chyba Riva. Tak. Riva! Tylko że on wcale nie nazywa się Riva. Sam to powiedział. W takim razie trzeba go zapytać o prawdziwe imię. To on mnie porwał i czegoś ode mnie chce. Nie pamiętam jego twarzy, ale go nienawidzę. Jest moim wrogiem. Wrogiem? A więc trzeba go zabić. Tak. Teraz nie, bo jestem za słaba. Ale kiedyś. Kiedyś go zabiję. I może wtedy wróci mi pamięć.

Ariel śmiała się do siebie cicho niemal przez całą drogę. Za plecami słyszała jakieś mamrotanie swojego strażnika, ale zupełnie nie rozumiała słów. To chyba dowodziło, że naprawdę oszalała.

W końcu rozbolały ją nogi, a z oczu popłynęły łzy. Czuła się wyczerpana jak po bardzo długim biegu. Według jej rachuby znajdowali się gdzieś na trzecim piętrze tego mrocznego domu. Dyszała ciężko i chwiała się, potykając o własne stopy. Ale jej zmysły powoli zaczęły reagować. Najpierw poczuła przemożny głód, potem zimno, a na końcu dopiero zdała sobie sprawę, że ten nieprzyjemny zapach pochodzi od niej.

W końcu strażnik szarpnięciem kazał jej się zatrzymać. Wąski korytarz był brudny i ciemny jak reszta budynku. Wydawał się od dawna opuszczony. Mrok rozjaśniały gdzieniegdzie blade smugi nocnego światła, jakimś cudem przebijające się przez matowe brudne okna. Posadzka dawno straciła połysk i sczerniała, a ściany wyglądały, jakby zaraz miały się zawalić.

Przed nimi znikąd pojawiła się niska otyła kobieta. W pulchnej dłoni trzymała pochodnię, a migotliwe czerwone światło rzucało cienie na jej czarną suknię i poplamiony fartuch. Kobieta miała siwe włosy splecione z tyłu głowy w luźny kok. Blask pochodni uwypuklał jej ziemistą cerę, wydatne, skrzywione w grymasie usta i ostre, niemal męskie rysy twarzy. Ariel napotkała spojrzenie jej małych oczu o nieokreślonym kolorze i wzdrygnęła się. Już sama obecność tej kobiety przyprawiała ją o gęsią skórkę. Z pewnością jej nie polubi.

Kobieta i strażnik wymienili kilka szybkich zdań. I znowu nic nie zrozumiała, choć teraz była już w pełni świadoma i dokładnie się przysłuchiwała. To był dziwny język, który drażnił jej uszy. Wypluwali z siebie słowa jednym tchem, w charakterystyczny sposób przeciągając sylaby. Nawet jeśli nie wiedziała, o czym mówią, to z łatwością mogła się domyślić, że to dotyczy jej osoby. Kobieta lustrowała ją z góry na dół z głęboką pogardą na twarzy, a strażnik rzucił coś ostrym, gniewnym tonem i popchnął ją tak gwałtownie, że omal nie przewróciła się na twarz. Kobieta natychmiast chwyciła ją mocno za przegub dłoni i wyszczerzyła ponuro zęby. Ariel spojrzała za siebie, ale jej przewodnik zdążył już zniknąć. Nowa opiekunka zbliżyła do niej twarz i zmarszczyła ze wstrętem nos. Powiedziała coś, a Ariel ucieszyła się nawet, że nie rozumie ich mowy, bo w tej chwili pewnie nie usłyszałaby nic miłego.

Trzymając nad głową pochodnię, gruba kobieta ruszyła szybko, ciągnąc dziewczynę brutalnie za sobą. Zatrzymały się na końcu wąskiego korytarza, przed drewnianymi kwadratowymi drzwiami. Kobieta otworzyła je gwałtownie, po czym wepchnęła Ariel do środka i z trzaskiem zamknęła je za sobą.

W pokoiku nie było tak ciemno jak na korytarzu. Pośrodku stała drewniana balia, obok jedno krzesło i kilka metalowych wiader. Żadnych zbędnych mebli. Przez małe zakratowane okienko było widać skrawek czystego, rozgwieżdżonego nieba. Ten widok przyniósł Ariel pewną ulgę. Wyglądało na to, że poza szaleństwem w jej głowie na zewnątrz wszystko pozostało całkiem zwyczajne.

Kobieta burknęła coś ostro i szturchnęła ją w żebra. Ariel zamrugała, skupiając na niej wzrok. Dopiero po chwili dotarło do niej, że strażniczka wciska jej w dłoń pochodnię, drugą ręką wskazując coś na ścianie. Kiedy spojrzała w tamtą stronę, w końcu zrozumiała, co ma zrobić. Skinęła krótko głową i podeszła do miejsca, w którym w próchniejących deskach tkwiła żelazna obręcz. Musiała stanąć na palcach, by wetknąć w nią pochodnię. Wróciła do kobiety, zadowolona z dobrze wykonanego zadania. Czerwono-pomarańczowy płomień skwierczał głośno w ciszy, a jego migotliwy blask oświetlał pokoik, tworząc na ścianach ruchome podłużne cienie.

Kobieta znów szturchnęła Ariel, nie przestając mamrotać w tym swoim dziwnym języku. Popchnęła ją na środek pomieszczenia, gdzie stała drewniana balia pełna parującej wody. Wskazała pulchnym palcem na kłęby pary wzbijające się pod sam sufit. Ariel zerknęła na jej zaciśnięte wargi i zmarszczone czoło. Nie potrzebowała słów, żeby zrozumieć, gdyż sama marzyła o kąpieli. Pod czujnym okiem kobiety zdjęła z siebie przepoconą sukienkę i rzuciła na krzesło. Wślizgnęła się do gorącej wody z błogim wyrazem zadowolenia na twarzy. Od razu zrobiło jej się rozkosznie ciepło, co dla jej przemarzniętego ciała stanowiło niewypowiedzianą ulgę.

Strażniczka podała jej kawałek szarego mydła, po czym bez słowa stanęła nad nią ze skrzyżowanymi ramionami. Ariel natychmiast zaczęła energicznie szorować całe ciało, aż skóra stała się czerwona i piekąca. Następnie zajęła się włosami. To niewiarygodne, że po kilku porządnych spłukiwaniach udało się przywrócić im dawny kolor i połysk.

Woda była już niemal zimna, kiedy kobieta gestem nakazała jej wyjść. Dziewczyna posłusznie wygramoliła się z balii, o mało nie wywracając na mokrej podłodze. Jak dziecko została wytarta porządnie szorstkim ręcznikiem, aż jej skóra stała się jeszcze bardziej czerwona. Następnie strażniczka ubrała ją w identyczną jak poprzednia sukienkę, tyle że czystą. Potem rozczesała jej włosy grzebieniem, dokładnie i mocno, aż w oczach stanęły jej łzy. Ariel nie miała pojęcia, po co te wszystkie zabiegi i dlaczego tak nagle zaczęto się nią zajmować. Ale przynajmniej czuła się teraz o niebo lepiej, czysta i pachnąca, jakby narodziła się na nowo. A po skończonej toalecie gruba kobieta zabrała pochodnię i bez słowa wyprowadziła ją z pokoju.

Ponownie zagłębiły się w mroczny labirynt korytarzy i skrzypiących schodów. Ariel dyszała ciężko i ledwo była w stanie utrzymać się na nogach. Jednak kobieta nie zatrzymała się ani razu, jakby z premedytacją narzucając to morderce tempo. Gdy w końcu zatrzymały się przed drzwiami na najwyższym piętrze, Ariel była już na skraju wyczerpania. Kręciło jej się w głowie, a przed oczami wirowały czarne plamy. Przez chwilę nawet zatęskniła za swoją malutką ciemną celą. Tam przynajmniej miała spokój, mogła spać do woli i nikt nie zmuszał jej do wysiłku.

Kobieta warknęła coś w tym swoim dziwnym języku, po czym wepchnęła ją do środka i zatrzasnęła za nią drzwi.

Ariel musiała oprzeć się o ścianę, by nie upaść. Objęła się ramionami i rozejrzała po pomieszczeniu. Pokój był przestronny i większy od tego, który służył za łazienkę. Również bardziej zadbany i czysty. Znajdowały się w nim tylko siennik, stół i regały zastawione księgami i zwojami. Ale Ariel tylko pobieżnie przesunęła wzrokiem po meblach. Ponieważ w środku było jasno jak za dnia, wiszący za oknem księżyc był ledwo widoczny. Jej uwagę przykuło zjawisko, które całkowicie ją zafascynowało. Z otwartymi ustami gapiła się na źródło światła, które sprawiało, że w komnacie było tak widno i przytulnie.

Tuż pod sufitem unosiła się kula czystego, żółtego światła. To miniaturowe słońce ogrzewało komnatę równie skutecznie co ogień.

– Witaj, Ariel.

Od razu rozpoznała ten głos. Poznałaby go zawsze i wszędzie, nawet jeśli nic nie pamiętała. Jej reakcja była natychmiastowa. Naprężyła się jak do ucieczki i napięła mięśnie. Powoli spuściła wzrok. Dopiero teraz go zauważyła, jakby przed sekundą zmaterializował się w tym pokoju. Jednak siedział tu już od jakiegoś czasu i od początku jej się przyglądał.

Czarne oczy patrzyły chłodno z lekkim rozbawieniem. Bladą twarz o wyraźnie zarysowanych kościach policzkowych pokrywały liczne drobne blizny. Czarne długie włosy miał związane z tyłu głowy w luźny węzeł. Kilka kosmyków opadało swobodnie na czoło i wzdłuż twarzy. Choć w pokoju było ciepło, miał na sobie długi, czarny płaszcz z kapturem.

Ariel przylgnęła plecami do ściany, jakby chciała się w nią wtopić i zniknąć. Znała tę twarz i ten baryton, nie wiedziała jednak skąd. Zmarszczyła brwi, myśląc intensywnie. Z wielkim trudem wydobyła z pustego umysłu wspomnienie sceny w celi. Szczęk zamka... Radość na widok przyjaciela... A potem rozpacz i łzy.

– Riva – wychrypiała, z trudem wydobywając słowa z zaschniętego, spieczonego gardła.

Kącik jego ust drgnął nieznacznie. Wydawał się bardziej spokojny i opanowany niż ostatnim razem. Przynajmniej nie wyglądało na to, żeby zamierzał znów na nią krzyczeć i zadawać ból. Siedział rozparty nonszalancko na krześle ze skrzyżowanymi przed sobą nogami. Niedbale bawił się jakimś przedmiotem w dłoniach, jednak jego wzrok przez cały czas przeszywał ją na wskroś. Czaił się w nich niebezpieczny błysk i nieme ostrzeżenie.

– Cieszę się, że mnie pamiętasz. Jednak to nie jest moje prawdziwe imię. – W jego uprzejmym tonie kryła się nuta ironii.

– Więc jak się nazywasz naprawdę?

– Balar.

– Dlaczego mnie oszukałeś?

Jeden kącik ust uniósł się nieznacznie.

– Miałem swoje powody. Teraz jednak wreszcie możemy spokojnie porozmawiać. Wybacz, że tak długo musiałaś znosić te wszystkie niewygody, ale byłem trochę... zajęty.

– Dlaczego nic nie pamiętam? Co mi zrobiłeś?

Nie odpowiedział. Zamiast tego wskazał dłonią na stół.

– Może usiądziesz i coś zjesz? Pewnie umierasz z głodu. Wyglądasz, jakbyś zaraz miała zemdleć. Nie możemy na to pozwolić, prawda?

Nie zamierzała zbliżyć się ani o krok, a tym bardziej ulec temu fałszywie uprzejmemu głosowi. Biła od niego złowroga aura, a wyraz jego oczu naprawdę przerażał. Ariel była jednak zbyt słaba, by stawiać opór. Jakaś niewidzialna siła oderwała ją od bezpiecznego miejsca przy ścianie i popchnęła w głąb pokoju. Jej bose stopy zaczłapały cicho na zimnej podłodze, kiedy minęła unoszącą się pośrodku kulę magicznego światła. Opadła na krzesło i westchnęła głośno. Zaraz potem otworzyła szeroko oczy na widok takiej ilości jedzenia. Na stole stały trzy talerze. Na jednym leżał spory kawałek pieczonego mięsa, na drugim kilka kromek świeżego chleba i plasterki sera, zaś na trzecim owoce.

Tak głośno zaburczało jej w brzuchu, że zawstydziła się własnej reakcji. Zerknęła ostrożnie na Balara. Obserwował ją z pobłażliwym uśmieszkiem. Tak jak obserwuje się nieporadne dziecko, które stawia pierwsze kroki w nieznanym sobie świecie.

Z zażenowaniem spuściła wzrok. Wtedy po raz pierwszy zwróciła uwagę na przedmiot, którym bawił się od niechcenia. Cienki sznurek owinął sobie wokół przegubu. Białe piórko migało między jego szczupłymi palcami, jakby posiadało jakieś swoje wewnętrzne światło. Gdy tak na niego patrzyła, coś rozbłysło w ciemności jej umysłu.

Medalion w kształcie pióra. Jej medalion!

Odruchowo wyciągnęła po niego dłoń.

– To moje – powiedziała, w skupieniu marszcząc czoło.

Uniósł przedmiot na wysokość oczu tak, że zawisł swobodnie między nimi i kołysał się lekko w jego dłoni.

– To? Nie należy ani do ciebie, ani do mnie. Dlatego pozwoliłem sobie go przechować. Może kiedyś osobiście oddam go prawowitemu właścicielowi.

– Ale…

Balar schował wisior do kieszeni płaszcza i wstał. Kiedy tak patrzył na nią z góry, wydawał się jeszcze bardziej groźny, o ile to w ogóle było możliwe. Sztuczne światło odbijało się w jego oczach czarnym płomieniem.

– Jedz – rzucił krótko ostrym tonem.

Ariel skuliła się na krześle, obserwując, jak podchodzi do regału i sięga po jedną z grubych ksiąg. Otworzył ją na wybranej stronie i zaczął czytać. Dziewczyna spojrzała na talerze i przełknęła napływającą do ust ślinę. Żołądek ściskał jej się boleśnie z głodu, ale jakoś nie miała odwagi sięgnąć po to jedzenie.

– Skąd mam wiedzieć, że nie jest zatrute? – zapytała ostrożnie.

– Gdybym zamierzał cię zabić, zrobiłbym to już dawno i w inny sposób. Możesz jeść spokojnie.

Ariel wciąż miała wątpliwości, ale nie była już w stanie dłużej się powstrzymywać. Jej drżące palce zacisnęły się na mięsie, jakby to był najcenniejszy skarb. Pochyliła się nad stołem i wgryzła w zimny, ale soczysty kawałek. Przymknęła z rozkoszą oczy, delektując się każdym kęsem, który wędrował przez gardło prosto do pustego żołądka. Coraz bardziej ośmielona, jadła teraz szybko i łapczywie, jak wygłodniałe zwierzę.

– Tamten mężczyzna i kobieta – odezwała się po dłuższej chwili z pełnymi ustami. – Oni mówili w dziwnym języku.

Stał do niej bokiem, w zamyśleniu przewracając pożółkłe strony opasłej księgi. Chłodny blask księżyca padał wprost na jego twarz, nadając jej upiorny wygląd.

– To elloński. Powszechny język w Elderolu, używany przez większość klanów i ras.

– Czyli są też inne języki?

– Tak. Choć niewiele.

– A ten, którym mówię? Nie potrafię przypomnieć sobie, jak się nazywa ani skąd go znam.

– To angielski. Prymitywny język prymitywnych ludzi.

– Ale ty go znasz.

– Inaczej byś mnie nie rozumiała.

– To ja cię go nauczyłam?

Szybki uśmiech.

– Można tak powiedzieć. Nauczyłem się go z twojego umysłu.

Ariel miała jeszcze wiele pytań, ale teraz najpilniejsze było jedzenie. Zresztą Balar nie wydawał się szczególnie skory do rozmowy, a z każdym kolejnym pytaniem wyraźnie był coraz bardziej poirytowany. Nie miała ochoty go drażnić ani oglądać jego wykrzywionej złością twarzy. Zresztą nie była przecież głupia i wielu rzeczy domyślała się sama. Powinna być zdziwiona, że zachowuje taki spokój w obecnej sytuacji. Ale co miała zrobić? Wiedziała jedynie tyle, że Balar ją porwał. Skąd? To nie miało żadnego znaczenia. Znacznie ważniejsze było po co.

Mięso, chleb i ser pochłonęła nieprzyzwoicie szybko, nie zostawiając na talerzach nawet okruszka. Na koniec sięgnęła po jabłko i zjadła całe, razem z ogryzkiem. To wszystko popiła ciepłą herbatą. W końcu odsunęła puste talerze, wytarła rękawem usta, a tłuste palce o skraj sukienki. Pokrzepiona na duchu i znacznie silniejsza, spojrzała uważnie na Balara.

Stał teraz przy oknie, tyłem do niej. Splótł za plecami dłonie, patrząc gdzieś w dal. Jakby całkiem zapomniał o jej obecności. Nie chcąc przerywać tej ciszy, rozejrzała się po komnacie.

Pokój był czysty i surowy. Żadnych obrazów na ścianach, żadnych ozdób i zbędnych rzeczy. Jakby zatrzymał się tu jedynie na kilka dni. Jej wzrok spoczął na prostym sienniku. Ile by teraz dała, żeby się na nim wyciągnąć i po prostu poleżeć chwilę z zamkniętymi oczami. Była najedzona i lekko ociężała po tak obfitym posiłku. A także senna. Pomyślała, że może nic się nie stanie, jeśli położy się na chwilę. W końcu dla niego nie stanowiło to chyba różnicy, a to krzesło było tak niewygodne i twarde.

Podniosła się i spróbowała wyprostować. Nie była jednak w stanie, gdyż niespodziewanie natrafiła na niewidzialną barierę. Z zaskoczeniem opadła z powrotem na siedzenie i wyciągnęła przed siebie dłoń. Palce natrafiły na ścianę, której nie powinno tam być. Ariel poczuła się nagle okropnie zmęczona i bezsilna. Zwiesiła ramiona i zacisnęła pięści na kolanach. Tymczasem Balar odwrócił się i znów ją obserwował. Czuła na sobie jego spojrzenie, tak intensywne i natarczywe, jakby chciał nim wydrzeć jej duszę. Próbowała uciec wzrokiem gdzieś w bok, ale i tak miała wrażenie, że cała płonie od środka. Mimo tego otępiającego spokoju czuła się przy nim mała i nic nieznacząca.

– Najadłaś się? – zapytał tym irytująco spokojnym tonem, w którym kpina mieszała się z chłodną obojętnością.

– Tak – wymamrotała.

– Wybacz, jeśli ci niewygodnie, ale to na wszelki wypadek.

Prychnęła, unosząc na niego ponure spojrzenie.

– Daj spokój. Nawet nie mam siły, żeby sama wyjść z tego pokoju, a co dopiero mówić o ucieczce.

Roześmiał się krótko, bez cienia wesołości.

– Och, Ariel. Twoja szczerość mogłaby mnie wzruszyć, gdybym miał jeszcze jakiekolwiek cieplejsze uczucia.

Zacisnęła usta.

– Nawet nie wiem, gdzie jestem – burknęła urażona. – Nie znam tego świata. Nic nie wiem i nie pamiętam, rozumiesz? Pewnie rozumiesz, bo sam mi to zrobiłeś. Sprawiłeś, że jestem na ciebie skazana. Ale przysięgam, że gdybym miała choć cień szansy na ucieczkę, to nie wahałabym się, nawet gdybym musiała kogoś przy okazji zabić. Najlepiej ciebie. Więc lepiej skończ ze mną teraz, dopóki nie mam siły się bronić.

– Już mówiłem, że gdybym chciał cię zabić, zrobiłbym to dawno temu. Miałem wiele ku temu okazji. Niestety jesteś nam potrzebna żywa. Moim zadaniem jest tylko utrzymać cię w dobrym stanie, dopóki nie przestaniesz być użyteczna.

– Wam? – zmarszczyła brwi.

– Dokładnie mojemu Panu.

– Więc to on wszystko zaplanował?

– Tak. Gathalag nie lubi, jak ktoś mu się sprzeciwia. Możesz mi wierzyć, że dla nieprzyjaciół może być bardzo nieprzyjemny. Ja zresztą też. Nie mam zwyczaju litować się nad słabymi.

Jego ponury ton sprawił, że przeszył ją dreszcz. I to imię. Gathalag. Samo jego brzmienie niosło w sobie strach. Ich oczy spotkały się na krótką chwilę. Czarne jak noc tęczówki były zimne i pozbawione wyrazu. Ariel była pewna, że ktoś o takich oczach nie może być człowiekiem. Bo to były oczy śmierci.

Znów zadrżała. Po raz pierwszy tego dnia w jej serce wkradł się prawdziwy strach. Wślizgnął się bezgłośnie i zapuścił korzenie niczym trująca roślina. Zrozumiała, że Balar naprawdę jest potworem. Śmiertelnym wrogiem, którego – jeśli miała choć trochę zdrowego rozsądku, naprawdę powinna się bać.

– Czyżbyś poczuła strach? – zadrwił, odczytując jej myśli. – Czyż nie jestem twoim przyjacielem? Twoje życzenie się spełniło. Jesteś w moim świecie, ze mną u boku. Nie wiem, czy pamiętasz, ale sama prosiłaś mnie, żebym nigdy cię nie zostawił.

Nie pamiętała. Oczywiście, że nie. Ale takie zachowanie bardzo do niej pasowało. Zbyt łatwo ufała ludziom i teraz za to płaciła.

– Zamknij się – wyrwało jej się, zanim zdążyła ugryźć się w język.

– Nie ty tu rozkazujesz – warknął.

Ariel przywarła do krzesła, czując ostry ból w okolicach serca, jakby czyjaś ręka próbowała wyrwać je z piersi. Krzyknęła. Gdy ból minął, zwiesiła głowę, ciężko dysząc. Usłyszała jak się zbliża i po chwili poczuła jego ciepły oddech na policzku. Zamknęła oczy i wstrzymała oddech.

– Dziękuję, że otworzyłaś przede mną swój umysł. Tak będzie nam znacznie łatwiej.

Odważyła się na niego spojrzeć, nie ukrywając odrazy. Zaciskała pięści tak mocno, aż pobielały jej kłykcie. Czuła, jak paznokcie wbijają się w skórę. Fizyczny ból w jakiś sposób dodawał jej odwagi.

– Nie pamiętam, żebym cię zapraszała. Sądzę raczej, że to ty wepchnąłeś się do mojej głowy bez pytania – odparła wojowniczo.

Kącik jego ust zadrgał gwałtownie.

– A jednak nie odrzuciłaś mojej przyjaźni. Pozwoliłaś, bym zobaczył twoje myśli. Poznał sekrety i wszystkie słabości.

Musiała mu uwierzyć. Ale czy rzeczywiście była aż tak głupia i naiwna, żeby dać się omamić komuś, kogo w ogóle nie znała? Jeśli tak, to mogła tylko pogratulować sobie, że sama wpakowała się w to bagno.

– Za późno, żeby się obwiniać – odezwał się znienacka, ponownie wyczytując jej myśli. – To i tak niczego nie zmieni. – Z powrotem rozsiadł się na swoim krześle. – Nawet jeśli byłabyś z natury bardziej nieufna, to i tak wszystko doprowadziłoby do tego pokoju i do tej rozmowy. Wystarczyło, by wyciągnął rękę, by ją dotknąć. Krew zahuczała w jej skroniach pod jego natarczywym wzrokiem. Uciekała spojrzeniem w bok, ale i tak czuła, jak się w nią wpatruje, z jaką swobodą czyta w jej umyśle. To napawało ją największym przerażeniem.

Oparł wygodnie podbródek na dłoni, nadal czymś rozbawiony.

– Dlaczego się mnie boisz, Ariel? Jeszcze niedawno ufałaś mi bezgranicznie. Nie cieszysz się, że w końcu znalazłaś się w moim świecie?

Potrząsnęła sztywno głową.

– Byłam głupia – stwierdziła tylko cicho, wpatrując się w podłogę.

– To bez znaczenia. Ja zawsze osiągam swój cel. A w tym wypadku byłaś nim ty. Przykro mi, że cię rozczaruję, ale nic nie mogłaś zrobić.

Zerknęła na niego ze znużeniem.

– Dlaczego to robisz? Czego ode mnie chcesz?

– Jeszcze się nie domyśliłaś – stwierdził, a po chwili zmarszczył brwi, wyczytując coś z jej myśli. – Zabić cię? Nie. A przynajmniej jeszcze nie teraz. Pragnę tego bardziej, niż myślisz, ale mój Pan ma wobec ciebie inne zamiary. – Jego czarne oczy, dwa bezdenne punkciki, jarzyły się w sztucznym świetle niezdrowym blaskiem. – Posiadasz Moc, która nas bardzo interesuje.

– Moc? Ale ja…

Balar wstał tak szybko, że ledwo to zauważyła. Znów znalazł się blisko niej. Zbyt blisko… Jego blada, napięta twarz wywoływała w niej najwyższe obrzydzenie. Jednym ruchem zdarł z niej sukienkę. Ariel krzyknęła z oburzeniem, odruchowo zakrywając się ramionami.

– To jest twoja Moc. – Palcem dotknął szarego znamienia tuż powyżej klatki piersiowej, zupełnie nie interesując się resztą jej nagiego ciała. – Pomogę ci ją rozwinąć, jeśli złożysz przysięgę Panu i powiesz, gdzie są ukryte pozostałe Kamienie.

Chwycił ją za podbródek i pociągnął, zmuszając by wstała. Chwiejąc się, próbowała nie stracić równowagi i jednocześnie na niego nie patrzeć.

Ale było to zbyt trudne. Był zaledwie krok od niej, a jego długie blade palce zaciskały się bezlitośnie na jej brodzie. Bijąca od niego Moc wręcz ją odurzała. Sparaliżowana, nie była w stanie dłużej się przeciwstawiać. Uniosła głowę i spojrzała wprost w jego zimne, puste oczy. W jednej chwili cały świat zatonął w czerni, a ona razem z nim. Wtedy poczuła, jak coś ją wypełnia od środka... jakaś nieznana jej siła. Rosła z ogromną prędkością, kiełkowała niczym świeżo zasadzone drzewo, wypełniając każdą komórkę jej ciała. Było to niesamowite, wstrząsające uczucie. Moc Kamieni była nieograniczona, wręcz namacalna. Dziewczyna miała wrażenie, że może jej dotknąć wszystkimi zmysłami. Wciąż rosła, powodując niemalże fizyczny ból. Ariel miała wrażenie, jakby jej ciało miało zaraz eksplodować. Pasemka na jej włosach i dwa znamiona rozjarzyły się na szaro i złoto. Myśli w jej głowie wirowały z prędkością światła.

Dlaczego wcześniej tego nie czułam? Jeżeli to faktycznie moja Moc, to co ja tu jeszcze robię?

Ale mogła to jeszcze naprawić. Z jaką łatwością mogłaby zabić Balara i po prostu stąd wyjść. Nie rozumiała, dlaczego wcześniej o tym nie pomyślała. Przecież była niezwyciężona, mogła...

– Tyle chyba wystarczy – usłyszała blisko ponury głos, który w jednej chwili przywrócił ją do rzeczywistości.

Puścił ją i zaczął przechadzać się po komnacie. Przy każdym kroku podłoga skrzypiała jękliwie pod jego butami, jakby lada chwila miała się zawalić. Ariel runęła bezładnie do tyłu, z jękiem opadając na krzesło. Drżącymi rękoma pospiesznie nałożyła na siebie podartą sukienkę, po czym skuliła się, łkając bezgłośnie. Gdy uczucie potęgi zniknęło, na powrót stała się słaba i nic nieznacząca. Rozpacz chwyciła ją za gardło. Dała się ponieść złudnej nadziei, przez co teraz cierpiała podwójnie. Jak mogła sądzić, że może zrobić te wszystkie rzeczy, jeśli nawet nie miała siły stanąć na nogi?

– To był tylko przedsmak tego, co może cię spotkać – odezwał się, odpowiadając na jej bezgłośne pytanie. Przestał krążyć po pokoiku i stanął tyłem do okna. Łatwej mogła znieść jego obecność, gdy był ukryty w mroku. – Teraz jesteś słaba, ale gdybyś miała wszystkie Kamienie i potrafiła kontrolować żywioły, twoja Moc mogłaby dorównać boskiej. Z niechęcią to przyznaję, ale twoje możliwości są imponujące. Szkoda tylko, że marnują się w rękach głupiego, nieświadomego dziecka.

Spojrzała na niego, zastanawiając się nad tym, co właśnie powiedział. Na jej bladym czole pojawiła się pojedyncza zmarszczka.

– Ale ja nie mogę użyć nawet tej Mocy, którą mam – odezwała się ostrożnie, jakby dopiero teraz docierał do niej ten fakt. – Próbowałam i nic nie czuję.

Zaśmiał się ironicznie.

– Czy sądzisz, że pozwoliłbym, aby ktoś taki jak ty miał dostęp do jakiejkolwiek Mocy w mojej obecności? Na tym etapie swoją bezmyślnością mogłabyś narobić tylko wiele szkód. Wolałem nie ryzykować. Tym bardziej, że twoje marne życie jest zbyt cenne dla mojego Pana.

Urażona, zacisnęła szczęki. Na usta cisnęły jej się słowa, których zdecydowanie później by żałowała. Powstrzymała się jednak, pewna, że i tak sam je wyczyta z jej myśli.

– Czego więc chcesz? – warknęła tylko.

– Ciebie, oczywiście – odparł spokojnie. – Twojej Mocy. Cokolwiek postanowisz i tak będziesz mi służyć. Przyznam jednak, że gdybyś zgodziła się dobrowolnie do mnie dołączyć, miałabyś znacznie łatwiejsze i lepsze życie. Jeśli nadal będziesz się upierać przy swoim… Cóż. Wydobędę od ciebie potrzebne informacje i cię zabiję. A możesz mi wierzyć, że znam wiele sposobów, aby śmierć nie była ani łagodna, ani za szybka.

W komnacie zapanowała napięta cisza. Ariel wzdrygnęła się gwałtownie, obejmując ramionami zsuwające się z niej resztki sukienki. Była świadoma tego, że Balar cały czas ma dostęp do jej myśli, przestała się jednak tym przejmować. Za to nie mogła powstrzymać się od fantazjowania. Choć i tak wiedziała, jakiej udzieli odpowiedzi, przez chwilę wyobraziła sobie, jakby mogło wyglądać jej życie. Mogła stać się tak potężna, jak jej pokazał. Nauczyłby ją posługiwać się Mocą Kamieni i już niczego nie musiałaby się obawiać. Na moment wyobraziła sobie, jak stoi dumna i silna przy boku Balara, a przed nimi rozpościera się cały świat.

Stałaby się takim potworem jak on. Czy naprawdę tego chciała? Uniosła głowę, wiedząc, że zobaczył to samo. Po raz pierwszy chciała ujrzeć jego twarz, by zobaczyć jego reakcję. Jednak wciąż stał do niej tyłem i milczał, czekając na jej odpowiedź. Zaczerpnęła w płuca powietrza, chcąc mieć to jak najszybciej za sobą.

– Nigdy nie będę służyć ani tobie, ani nikomu innemu. Nie mam pojęcia, gdzie są pozostałe Kamienie i szczerze mówiąc, mało mnie to obchodzi. Więc jeśli chcesz je sobie wziąć, to proszę bardzo. Możesz grzebać w mojej głowie do woli, ale i tak nic tam nie znajdziesz.

Jej serce zadrżało gwałtownie w oczekiwaniu na jego reakcję. Spojrzała na swoje dłonie, które przez cały czas zaciskała kurczowo. Odetchnęła głęboko, próbując uspokoić oszalałe serce. Zaledwie jednak uniosła oczy, zdusiła krzyk, zasłaniając mimowolnie dłonią usta.

Balar poruszał się tak bezszelestnie, że nawet nie zauważyła, kiedy z powrotem znalazł się na krześle, tuż przed nią. Wpatrywał się w nią teraz, straciwszy resztki dobrego humoru. Miał zmarszczone brwi i zaciśnięte usta, przez co liczne blizny na jego twarzy jeszcze się pogłębiły. Jeśli wcześniej wzbudzał w niej strach, to teraz z trudem powstrzymywała się, by stąd nie wybiec.

Prawie niezauważalnie skinął dłonią. Niewidzialna siła postawiła ją na nogi i zmusiła, by zbliżyła się do jego krzesła. W pierwszej chwili chciała jej się przeciwstawić, ale szybko przekonała się, że nie ma żadnych szans.

Przyglądał się jej z pogardą, jak stała przed nim ze spuszczoną głową, chwiejąc się to w przód, to w tył. Prawą dłonią, na której widniało znamię w kształcie kruczego pióra, dotknął nagiej skóry poniżej szyi. Elektryzujący ból przeszedł wzdłuż jej ciała, jakby wbito w nie tysiące maleńkich ostrych igieł. Skrzywiła się i zacisnęła pięści, zduszając w sobie krzyk.

– Od tej pory należysz do mnie – odezwał się ostrym, lodowatym tonem. – Nie zabiję cię teraz, bo jesteś nam potrzebna. Zresztą może jeszcze zmienisz zdanie. – Siłą woli zmusił ją, by spojrzała mu prosto w oczy. Zadrżała gwałtownie na widok tego, co tam ujrzała. – Stąd nie ma ucieczki, więc nawet nie musisz się wysilać. Za nieposłuszeństwo karzę bardzo surowo. Jeśli więc chcesz przeżyć do spotkania z Gathalagiem, to lepiej bądź grzeczną dziewczynką i nie rób nic głupiego.

Zaledwie skończył mówić, zaskrzypiały drzwi i do pokoju weszła ta sama kobieta, która ją tu przyprowadziła. Obrzuciła dziewczynę obojętnym spojrzeniem i skłoniła się lekko. Balar nawet na nią nie patrząc, popchnął Ariel w stronę drzwi. Powiedział coś szybko w tym dziwnym, gardłowym języku. Kobieta bez słowa chwyciła dziewczynę za ramię i wyprowadziła z pokoju.

Ariel zakryła się skrawkiem czegoś, co kiedyś było sukienką, jednocześnie obdarzając kobietę nienawistnym spojrzeniem. Przez chwilę przestraszyła się, że znów zaprowadzi ją do celi bez światła. Nie odezwała się jednak słowem, gdyż jej protesty i tak zostałyby zignorowane. Nie zamierzała błagać o litość. Przynajmniej dopóki miała w sobie jeszcze resztki godności.

Strażniczka popchnęła ją przed siebie i wskazała pulchnym palcem następne drzwi. Gdy stanęły w progu, oczom Ariel ukazał się niemal identyczny pokój, jak ten, z którego właśnie wyszła. Przeniosła pytające spojrzenie na kobietę, ale ta bezceremonialnie wepchnęła ją do środka.

– Co…? – wyrwało jej się, ale nie było już nikogo, komu mogła zadać pytanie, bo drzwi zamknęły się głucho, pozostawiając ją samą.

Nie cieszysz się, że zamieszkasz tak blisko mnie? Znajomy głos w głowie znów był rozbawiony. *Tutaj będzie ci wygodniej, a ja będę mógł lepiej cię pilnować. Będzie też nam się tu przyjemniej rozmawiało.*

Skrzywiła się i rozejrzała po pokoju. Nie różnił się zbytnio od tego obok. Jedynymi meblami był siennik i mały stół z jednym krzesłem. Przez zakratowane okienko wlewał się do środka zimny blask księżyca, ukazując stare, próchniejące ściany i pokrytą kurzem podłogę.

Słaba iskierka radości zamigotała gdzieś głęboko w jej zrozpaczonym sercu. Będzie musiała jakość znieść obecność Balara za ścianą. W tej chwili najważniejsze wydawało jej się to, że nie musi wracać do tamtej przeraźliwie ciemnej i ciasnej celi. Nie musi dłużej oglądać demonów własnej duszy.

Powinnaś mi być za to wdzięczna.

Zignorowała go. Zaczęła powolny obchód po pokoju, przechodząc wzdłuż każdej ściany i dotykając jej palcami. Jednocześnie przemknęło jej przez myśl, jak to dobrze by było, gdyby nikt nie mógł zaglądać do jej umysłu. Czy potrafiła zamknąć go tak, jak zamyka się drzwi pokoju?

Natychmiast poczuła obecność Balara, ale zanim zdążył coś powiedzieć, spontanicznie zdecydowała się coś sprawdzić. Zaczęła nucić cichutko jakąś nieskładną piosenkę, całkowicie koncentrując się na słowach. Specjalnie przeciągała wyrazy, wizualizując przed oczami każdą pojedynczą literę, powiększając ją do olbrzymich rozmiarów. Usłyszała za ścianą niewyraźne mamrotanie i uśmiechnęła się radośnie, nie przestając nucić. Wręcz promieniała dumą. Jak na pierwszy raz poszło jej całkiem nieźle. I okazało się dziecinne proste.

Przestała śpiewać, ale tylko na sekundę. Tyle zajęła jej krótka myśl, skierowana do mężczyzny za ścianą.

Jeden zero dla mnie.

Dobrze wiedziała, że będzie musiała za to zapłacić. Nie potrafiła jednak powstrzymać się od prowokowania go. Była ciekawa, jakie są jej granice, a jakie możliwości. Nagle osunęła się na kolana. Przyciskając ręce do brzucha, skuliła się, dotykając czołem brudnej podłogi. Tak jak obiecywał, ból był znacznie silniejszy. Miała wrażenie, że jej ciało płonie żywcem, rozpada się na kawałki. Aż trudno było uwierzyć, że nadal może oddychać.

Więcej tego nie próbuj – warknął ostro.

Ból minął równie nagle, jak się pojawił. Ariel oddychała ciężko, próbując dojść do siebie. Wstała i na drżących nogach dowlokła się do siennika. Z jękiem osunęła się na twarde deski i skuliła, przyciskając głowę do kolan. Trwała w takiej pozycji bardzo długo, aż w końcu powieki same się zamknęły i udało jej się zasnąć.

Tym razem poniosła klęskę. Przegrała bitwę, ale nie całą walkę.

Rozdział XXIX

Z samego rana zbudziły ją jakieś hałasy. Z początku próbowała je zignorować i z powrotem zapaść w słodki sen zapomnienia. Jednak głosy stawały się coraz bardziej natarczywe i irytujące, jakby nad jej uchem brzęczało stado os. Zmarszczyła brwi i w końcu otworzyła oczy, by uciszyć rozmówców. Przez jedną krótką chwilę między snem a rzeczywistością nie miała pojęcia, gdzie jest ani co tu robi.

Jednak gdy usiadła na brzegu twardej pryczy i rozejrzała się po pokoiku, zdała sobie sprawę z tego, że to był tylko sen. Nie było przyjaznych twarzy, śmiechu ani miejsca, które lubiła nazywać domem.

Westchnęła przeciągle, odgarniając przyklejone do czoła kosmyki. Cóż. I tak zawsze mogło być gorzej. Miała dla siebie cały pokój i łóżko, w którym mogła nareszcie się wyspać. Dostała nową sukienkę i gruby koc, więc było jej też ciepło. Poza tym mogła oglądać niebo przez zakratowane okienko i cieszyć się słońcem.

Zorientowała się, że głosy nie dochodziły z tego pokoju i nawet nie z korytarza. One rozlegały się w jej umyśle i stawały się coraz wyraźniejsze. Dwie świadomości zagłuszały wszystko inne, sprawiając fizyczny ból. Zagłuszały nawet bicie jej własnego serca. Skuliła się, przytykając pięści do skroni i zaciskając powieki. Wyraźnie wyczuwała ścierające się dwie potęgi, w dodatku obie w ponurych nastrojach.

Mamy mało czasu. Wszystko musi iść zgodnie z planem.

I tak będzie. Zajmij się lepiej swoimi sprawami. Wiem, co do mnie należy.

Pan cię tu potrzebuje. Więc lepiej się pospiesz. Możesz darować sobie niepotrzebne gierki.

Ariel wyraźnie wyczuwała w pierwszym głosie zniecierpliwienie i wściekłość. Ona, bo to była kobieta, wydawała rozkazy, a Balar był jej posłuszny.

Balar posłuszny kobiecie?!

Było to dla Ariel duże zaskoczenie, jednak ponownie skupiła się na rozmowie, nie chcąc uronić ani słowa. Ciekawość wzięła górę nad zdrowym rozsądkiem, który kazał jej jak najszybciej odciąć się od tej wymiany zdań. Ale przecież nigdy nie kierowała się rozsądkiem. Tak bardzo spodobał jej się lęk w głosie Balara, że chciała się dowiedzieć, kim jest ta kobieta i osobiście jej pogratulować. Poczuła do niej sympatię, choć wiedziała, że raczej stoi po jego stronie.

Wydawało jej się nieco dziwne, że rozmawiają po angielsku, ale nie miała ochoty tego zgłębiać.

Wiesz, co masz robić. Pan liczy na ciebie.

Wykonam zadanie, ale to nie jest takie proste.

W jego głosie słychać było nie tyle zniecierpliwienie, co złość. Próbował rozmawiać z kobietą jak równy z równym, ale nawet Ariel wiedziała już, że to ona miała nad nim przewagę.

Miała nie stawiać oporu.

Domyśliła się, że to o niej, więc skupiła się jeszcze bardziej.

Nie martw się. Załatwię to. Ty chyba też miałaś coś do zrobienia.

Owszem. Ucięłam sobie małą pogawędkę z królem. Jednak pomyślałam, że ciekawiej by było, gdybym resztę zostawiła tobie.

Przecież się nie rozdwoję. Poza tym coś ustaliliśmy.

To ja ustalam zasady. Mam prawo zmieniać zdanie. Już się zabawiłam i nie mam ochoty brudzić sobie rąk.

Słucham wyłącznie Gathalaga. Daruj sobie ten władczy ton.

Nie zapominaj się, Balarze. Przysiągłeś posłuszeństwo nie tylko naszemu bogu.

Nie masz prawa…

Czyżbyś się wahał? Śpiewny kobiecy sopran był ostry i nieznoszący sprzeciwu. *Nie pytam cię, czy masz czas. To twoje zadanie. Chyba że inaczej to załatwimy.*

Na chwilę zapanowała cisza. Ariel wyprostowała się przez ten czas i potarła w zamyśleniu skronie.

Nie. Będzie, jak sobie życzysz.

Zamrugała parę razy, a potem utkwiła wzrok w ścianie naprzeciwko. Ta rozmowa była stanowczo zbyt dziwna i niezrozumiała. Co takiego było w tej kobiecie, że tak szybko jej uległ? O co w tym wszystkim chodziło? Od początku była pewna, że to Balar jest tym, który wydaje rozkazy. Jeszcze nic nie wiedziała o tym świecie, ale jeśli ktoś mógł być bardziej przerażający od niego, to chyba nie miała ochoty zostawać tu na tyle długo, by się o tym przekonać.

Pamiętaj, że czas leci, nie możemy sobie pozwolić… Kobieta nagle przerwała w pół słowa.

Co się stało?

Ktoś nas podsłuchuje. Jej głos był wręcz niebezpiecznie opanowany.

Ariel zamarła, wstrzymując oddech.

Zajmę się nią – wysyczał lodowatym tonem, aż przeszły ją ciarki.

Zastanawiała się właśnie, co powinna teraz zrobić, gdy poczuła, jak świadomość kobiety wycofuje się, pozostawiając w jej umyśle przyjemną pustkę. Nie trwało to jednak długo. Coś jakby języki ognia liznęły jej ciało, od stóp po czubek głowy. Jęknęła, obejmując się ramionami.

Co to miało znaczyć? – odezwał się wściekły.

Ja… nie wiem…

Tylko tyle mogła wydusić, gdyż całą uwagę poświęciła wszechobecnemu bólowi, który przesłonił cały świat.

Gorzej. On był całym światem.

Proszę… Przestań…

Skuliła się na łóżku i zacisnęła zęby, by nie krzyczeć. Miała ochotę zrzucić ubranie, skórę, wszystko, co się da, byle ten żar ustał. Miała lodowate palce, choć zdawało jej się, że cała skóra płonie żywym ogniem. Powietrze wokół stało się nieznośnie ciężkie, z trudem łapała je otwartymi ustami, by się nie udusić. I tak wiedziała, że jeszcze chwila tych katuszy i jej serce po prostu pęknie, a ciało rozsypie się w proch. Teraz już wiedziała, co miał na myśli, mówiąc, że zna sposób na długie konanie.

Mam nadzieję, że to cię czegoś nauczy – usłyszała jego ostry baryton gdzieś bardzo daleko, na obrzeżach umysłu. *Będziesz posłuszna, to twoje cierpienie będzie znośniejsze. Ostrzegałem, że kary będą surowe. Będę też wdzięczny, jak zapomnisz o tej rozmowie.*

Ból odszedł razem z głosem. Ariel przez długie minuty leżała skulona w bezruchu, czekając, aż dojdzie do siebie. Panująca cisza przynosiła jej teraz niewysłowioną ulgę. Była świadoma, że za ścianą Balar może równie łatwo czyta z jej myśli jak z otwartej księgi. Dlatego skupiła się głównie na sobie i powracającej równowadze. Mogła pokazać mu, jak bardzo ją zranił i jak bardzo chciało jej się płakać. Ale mogła też pokazać, jak bardzo go nienawidzi. Wtedy jednak dowiedziałby się również, jak bardzo się go boi i jak pragnie, by tamta kobieta go zabiła.

Jasne smugi światła na podłodze przesunęły się kawałek na zachód, kiedy w końcu miała dość siły, by wstać. Kiedy spała, ktoś musiał przynieść świeże jedzenie, gdyż na stole stał teraz talerz rzadkiego gulaszu, a obok leżała kromka świeżego chleba. Dowlokła się do krzesła i łapczywie zjadła wszystko w milczeniu. Nieco posilona, zapatrzyła się na ścianę, za którą znajdował się pokój Balara. Westchnęła cicho. Jak długo jeszcze miała to wszystko znosić? Czy mógł więzić ją tu w nieskończoność?

Możesz to zmienić, jeśli przyłączysz się do mnie.

Wzdrygnęła się, gdy dotknął jej umysłu. *Wolę zginąć* – pomyślała z zaciętością, która jednak wydała jej się bezsensowna.

Wzięła z łóżka koc i ułożyła się na nim naprzeciwko okna, by móc popatrzeć w niebo. Bardzo chciała dotrzymać słowa, ale czy będzie miała na tyle siły? Bez względu na wszystko zawsze wybierze śmierć niż przejście na jego stronę. Dlaczego więc nie potrafiła zapomnieć o jego kuszącej propozycji?

Następne dni nie przyniosły nic nowego. Ariel poza spaniem i jedzeniem nie miała nic do roboty. To, że przeniesiono ją z ciemnej celi do jasnego pokoju, nie zmieniło wcale jej sytuacji. Nadal była więźniem, tyle że miała teraz lepsze warunki i jedzenie. Wciąż nie potrafiła zajrzeć do umysłu Balara. Wydawało jej się to takie proste, kiedy sam wnikał w jej myśli. Jednak za każdym razem, gdy zamykała oczy i przywoływała jego obraz, napotykała jedynie na pustkę. Za to on wciąż miał swobodny dostęp do jej umysłu. Czasami zapominała o tym i dawała się ponieść wyobraźni, zastanawiając się, czy to wszystko mogłoby wyglądać inaczej. Były też chwile, gdy próbowała sobie cokolwiek przypomnieć. Chociażby imię czy twarz. Coś, co mogłoby świadczyć o tym, że kiedyś miała jakieś inne życie. Lepsze i beztroskie. Wtedy na krótki moment pozwalała, by smutek i żal wkradały się do jej serca. Roniła kilka łez, a potem na powrót otaczała się grubym pancerzem spokoju i zimnej zaciętości. Mimo wszystko wciąż wierzyła, że jest jakiś sposób, by stąd uciec. Musiała tylko uzbroić się w cierpliwość i nie dać się złamać.

Jego śmiech – zawsze zimny i ironiczny, za każdym razem wzbudzał w niej zarówno przerażenie, jak i rozdrażnienie. Nauczyła się, że nie warto go prowokować, choć tak wiele razy miała szczerą chęć pozbawić go choć na chwilę tej władczej pewności siebie. Przestała nawet rozmyślać o tamtej kobiecie i ich rozmowie w obawie, że może znów narazić się na jego gniew.

Często podchodziła do ściany i nasłuchiwała. Jednak zawsze panowała tam idealna cisza, jakby w pokoju obok nikt nie mieszkał. Zresztą cały ten stary dom był zbyt cichy, jakby poza ich dwójką nie było tu żywej duszy. Już sama ta myśl budziła grozę, bo Balar miał idealne warunki, by robić z nią, co tylko zechce, a ona nawet nie mogła wezwać pomocy.

Oczywiście podejrzewała, że gdzieś przecież muszą być też inni ludzie, chociażby ta kobieta, która ją tu zamknęła. No i ktoś musiał przynosić jej jedzenie, kiedy spała. Wszyscy jednak zachowywali się tak cicho, jakby obawiali się głośniej westchnąć. Teraz, kiedy znalazła się tak blisko Balara, czuła się jeszcze bardziej samotna.

Na razie dał jej spokój, ale i tak nie miała pojęcia, co zamierza dalej z nią zrobić. W każdym razie nie straciła tej resztki nadziei, która wciąż gdzieś tam się w niej tliła. Przynajmniej jeszcze nie. Zamierzała przeżyć za wszelką cenę. Nawet jeśli będzie musiała stanąć przed tym całym Gathalagiem. Nie zamierzała tak łatwo się poddać, zanim nie odzyska swoich wspomnień.

Ponieważ nie miała nic do roboty, nudziła się śmiertelnie. Spała teraz dłużej niż kiedykolwiek w życiu. A kiedy miała dość leżenia, przechadzała się w kółko po przyjemnie nasłonecznionym pokoiku. Obserwując wędrówkę słońca, obliczyła, że musiał minąć już przynajmniej tydzień, od kiedy ją tu zamknięto. Cały ciągnący się w nieskończoność tydzień, w czasie którego nie robiła absolutnie nic.

W piątym dniu prawie nie ruszała się z pryczy, ponieważ po prostu jej się nie chciało. Wymyślała różne wierszyki i piosenki i śpiewała je na głos, nie przejmując się, że ktoś może ją usłyszeć. Dźwięk własnego głosu działał na nią kojąco, odganiał również doskwierającą jej samotność. Jeśli Balar ją wtedy słyszał, musiało go irytować wysłuchiwanie na okrągło tych samych tekstów. Poniekąd robiła to specjalnie i choć było to dziecinne zachowanie, odczuwała dziką satysfakcję, że może choć trochę go podrażnić. Przecież nie mógł ukarać jej za to, że po prostu umilała sobie czas.

Siódmego dnia miała dość. Obudziła się, jak tylko słońce zajrzało do pokoju, zjadła posiłek, jak zwykle pozostawiony na stole, i stanęła przy drzwiach. Od tej bezczynności zaczynała wariować, więc w końcu zdecydowała, że musi coś z tym zrobić. Jej determinacji nie zmniejszył nawet lęk przed tym co zamierzała zrobić.

Wcześniej oczywiście upewniła się, czy Balar jest u siebie. Wiedziała, że często gdzieś wychodzi, choć sama go nie widywała. Nie rozmawiał też z nią telepatycznie, jakby całkiem o niej zapomniał. Mimo to bała się, że może wpaść na niego gdzieś na korytarzu, albo że usłyszy, jak przechodzi koło jego drzwi. Tak naprawdę nie miała pojęcia, czy może wychodzić z pokoju. Była więźniem, więc wydawało się logiczne, że ma siedzieć cicho w swojej celi. Do tej pory jakoś nie przyszło jej do głowy, by sprawdzić, czy drzwi są zamknięte.

Nawet jeśli Balar był teraz w jej głowie i wiedział, co zamierza, nie zjawił się nagle w progu i nawet się nie odezwał. I dobrze. Miała szczerą nadzieję, że wyszedł na bardzo długo i jest zbyt zajęty, by zwracać na nią uwagę. Coś ją kusiło, by zwiedzić ten stary dom i sprawdzić, czy są w nim jacyś ludzie. A jeśli będzie miała szczęście, to może uda jej się nawet uciec. Może...

Pod warunkiem, że najpierw uda jej się wydostać z tego pokoju.

Jakoś ją nie zaskoczyło, że drzwi bez żadnego oporu uchyliły się pod jej dotykiem. W pierwszej chwili wstrzymała oddech, spodziewając się ujrzeć w progu pulchną kobietę lub co gorsza, samego Balara. *Od kiedy to stałaś się taka strachliwa?* Upomniała siebie w myślach.

Skoro nie zamykano jej na klucz, to jasne, że nikt nie zabraniał jej stąd wychodzić. Naprawdę była na siebie zła, że wcześniej nie przyszło jej to do głowy. Oszczędziłaby sobie wielu zmarnowanych godzin.

Przestąpiła próg i ostrożnie wychyliła głowę. Był słoneczny poranek, więc wąski korytarz oblewało mdłe światło sączące się przez wysokie brudne okna. Gdzieniegdzie plamy cienia ukrywały to, co światło dnia tak brutalnie podkreślało. Wilgotne, próchniejące deski, pajęczyny na sufitach i ścianach, wyblakłą zakurzoną podłogę. Nawet jeśli mieszkali tu jacyś ludzie, to widocznie mieli ważniejsze zajęcia niż sprzątanie.

Korytarz był pusty. Nikt nie stał na straży jej pokoju ani nie czaił się za zakrętem. Miała wolną drogę. Zamknęła za sobą cicho drzwi i ostrożnie ruszyła przed siebie. Podłoga zaskrzypiała pod jej bosymi stopami, płaczliwie i żałośnie. Skrzywiła się i przystanęła przy następnych drzwiach. Z bijącym mocno sercem nasłuchiwała uważnie jakiegokolwiek dźwięku, który świadczyłby o tym, że Balar jednak nie wyszedł.

Wokół jednak panowała wręcz idealna cisza. Uspokojona, ruszyła raźniej przed siebie. Przestała się bać, że jej głośne człapanie może kogoś zaalarmować. Być może poza nią, Balarem i grubą kobietą nie było tutaj żywej duszy. Jaki zresztą człowiek chciałby mieszkać w budynku, który w każdej chwili może zwalić się na głowę? Przemykając między szachownicą światła i cienia, bez trudu odnalazła schody. Drewniane stopnie trzeszczały niebezpiecznie pod jej ciężarem, dlatego zbiegła po nich szybko, trzymając się z dala od podejrzanie wyglądającej poręczy. Następny korytarz z rzędem drzwi po obu stronach wydawał się jedynie nieco przestronniejszy i miał więcej zakrętów. Ariel wyobraziła sobie, jak musi wyglądać cały dom z zewnątrz. Ogromny niesymetryczny budynek, niczym rozsypujące się cielsko i łysiejąca głowa ze ślepymi oczami i ogromną paszczą, której ze starości wypadły wszystkie zęby i otwiera się już tylko wtedy, kiedy ktoś ją do tego zmusi. Tak. Tak właśnie się czuła. Uwięziona we wnętrzu gigantycznej bestii, o której wszyscy zapomnieli, bo jej życie i tak dobiega już końca.

Nie marnowała czasu, by zajrzeć do któregoś pokoju. Po prostu szła przed siebie, pokonując kolejne korytarze i schody. Cały czas w dół. Prosto do wyjścia. Oczywiście na razie zamierzała się tylko rozejrzeć. Nie liczyła nawet na to, że główne drzwi będą otwarte. To by było zbyt proste. Miała jednak zamiar sprawdzić każdy zakamarek tego ponurego więzienia. Bo przecież każdy dom powinien mieć dodatkowe tajne przejścia, prawda? Nie potrafiła sobie przypomnieć, skąd ma tę pewność, ale wiedziała, że po prostu tak jest.

Zmarzły jej stopy, jednak starała się to ignorować. W końcu to była niewielka cena za odrobinę wolności, której nie zamierzała tak szybko się pozbawiać. Podeszwy bolały ją od twardej chropowatej podłogi. Obliczyła, że musi znajdować się na drugim piętrze. Tutaj podłużne okna zdawały się odrobinę mniej wyblakłe, a więc przedostające się przez nie światło było również intensywniejsze. Ariel momentami musiała mrużyć oczy. Ciepły blask ogrzewał jej spragnione ciepła ciało, ilekroć wkraczała w kolejną słoneczną plamę. Nawet osnute pajęczynami ściany miały swój urok. Pokrywająca je przezroczysta biała siateczka mieniła się na srebrno niczym diamentowe niteczki.

Ariel dopiero tutaj usłyszała jakieś dźwięki. Niewyraźne głosy, jęki i szloch. Jej serce zabiło szybciej, ale się nie zawahała. Hałas wyraźnie dochodził gdzieś z pierwszego piętra i z każdym krokiem stawał się wyraźniejszy. Ten rozpaczliwy głos należał do dziewczyny. Teraz słyszała wyraźnie. Towarzyszyły mu również napięcie i strach. Dlatego Ariel bez zastanowienia zaczęła biec. Z rozwianymi włosami dopadła schodów i zbiegła po nich, przeskakując po dwa stopnie na raz. Przed zakrętem wychyliła się przez barierkę.

Tak jak przypuszczała, jeden z głosów należał do dziewczyny. Niemal w jej wieku. Z tej odległości widziała tylko kawałek jej twarzy, ciemne włosy i lewą rękę. Resztę zasłaniał mężczyzna, który wyraźnie się do niej dobierał. Przycisnął ją do ściany własnym ciałem, jedną ręką przytrzymując ręce, a drugą próbując włożyć pod sukienkę. Ariel widziała jedynie tył jego głowy i potężną sylwetkę w długiej tunice i obcisłych spodniach. Przy pasie miał zatknięty miecz.

Słyszała błagalny krzyk dziewczyny i nawet się nie zastanawiała, w jakie sama może wpaść kłopoty. Zbiegła z ostatnich stopni i ruszyła szybko w ich stronę.

– Hej, zostaw ją! – krzyknęła, gdy znalazła się już na korytarzu.

Oboje zamarli i spojrzeli na nią jednocześnie. Stali w cieniu, ukryci przed światłem i ludzkim wzrokiem. Mężczyzna nie spodziewał się, że ktoś może ich nakryć, bo na jego twarzy najpierw pojawiło się zaskoczenie, a potem grymas wściekłości. Dziewczyna wlepiała w Ariel duże, zapłakane oczy. Otworzyła usta, ale z jej gardła nie wydobył się żaden dźwięk. Wciąż tylko łkała cicho, a jej ramiona drżały gwałtownie.

Mężczyzna puścił dziewczynę i odwrócił się do Ariel. Kątem oka dostrzegła, że jedną dłoń położył na rękojeści miecza. Przełknęła ślinę, próbując zignorować fakt, że jest uzbrojony, a ona nie. Tak właściwie to co zamierzała zrobić? Chciała tylko, żeby zostawił tę biedną dziewczynę.

Nie myślała, co będzie potem. A teraz wyglądało na to, że on nie zamierza tak łatwo się pogodzić z tym, że ktoś przerwał mu rozrywkę. Postąpił ku niej kilka kroków, lustrując uważnie wzrokiem z góry na dół. Miał odpychającą twarz, zapadnięte policzki, czerwony nos, wąskie usta i małe wodniste oczy. Z pozoru szczupły, wręcz niedożywiony, sprawiał jednak wrażenie silnego i zresztą pewnie taki był. Skoro miał przy sobie miecz, to musiał wiedzieć, jak się nim posługiwać. Ariel nie miała ochoty przekonać się o tym na własnej skórze.

Mężczyzna powiedział coś szybko w tym obcym języku i zaśmiał się rubasznie. Mierzył ją swoimi małymi oczkami, które płonęły niepokojącym blaskiem. Wyszczerzył krzywe zęby, przez co jego twarz stała się jeszcze paskudniejsza. Ariel przeniosła na chwilę spojrzenie na dziewczynę, która przylgnęła do ściany, wystraszona i zdezorientowana. Jej rozbiegane oczy co rusz zatrzymywały się na mężczyźnie, a wtedy na twarzy pojawiał się grymas głębokiej pogardy.

Ariel zacisnęła pięści i spojrzała mu wyzywająco w oczy.

– Nie wiem, co mówisz i nic mnie to nie obchodzi. Twoja gęba jest tak paskudna, że ktoś powinien ją uciąć i zakopać. Ręce też, bo widocznie nie umiesz trzymać ich przy sobie.

Dzieliło ich już tylko kilka kroków, kiedy mężczyzna nagle zatrzymał się jak wryty, jakby napotkał na niewidzialną ścianę. Zamrugał gwałtownie, zupełnie zbity z tropu. Ariel uśmiechnęła się lekko. Nie wiedziała, czy sprawiły to jej słowa, czy może język, który najwidoczniej był mu nieznany. Albo może sam fakt, że się go nie przestraszyła. W każdym razie zamurowało go na kilka dobrych chwil. Takiej szansy nie mogła zmarnować. Pokonała dzielącą ich odległość w dwóch szybkich krokach.

– Wybacz, jeśli zaboli – powiedziała uprzejmym tonem.

Zanim zdążył zareagować, uderzyła go porządnie kolanem między nogi. Jęknął głośno i zgiął się w pół, a wtedy popchnęła go z całej siły. Zachwiał się i poleciał do tyłu, prosto na schody. Przez chwilę obie przyglądały się w milczeniu, jak jego ciało bezładnie turla się po stopniach z donośnym hałasem. Kiedy w końcu wylądował z hukiem w holu, Ariel otrzepała ręce, jakby właśnie skończyła sprzątać, i z uśmiechem odwróciła się do dziewczyny.

– Wszystko w porządku? – zwróciła się do niej łagodnie, choć nie spodziewała się raczej, że ta ją zrozumie.

Patrzyła tylko szeroko otwartymi oczami, jakby miała przed sobą ducha. Przestała jednak płakać, otarła wierzchem dłoni oczy i policzki i w końcu zbliżyła się do niej szybko. Nagle uśmiechnęła się szeroko, wzięła Ariel za obie ręce i zaczęła mówić szybko, nieskładnie, lekko się jąkając. Kłaniała się bez przerwy, promieniując taką radością i ulgą, że niepotrzebne były żadne słowa, aby to zrozumieć. Ariel również się uśmiechała, ściskając palcami jej szorstkie dłonie. Dziewczyna mogła być niewiele od niej starsza, miała jednak poważne, kobiece rysy twarzy, wydatne usta i duże brązowe oczy. Pod prostą, granatową sukienką rysowały się duże piersi, których Ariel mogła jej tylko zazdrościć, i zgrabne biodra. Dziewczyna, właściwie już kobieta, nie miała olśniewającej urody, ale stanowczo było w niej coś przykuwającego uwagę. Może właśnie ta dojrzałość i świadomość własnej kobiecości.

Wciąż trzymając jej dłoń, drugą wskazała na siebie i powiedziała bardzo powoli i dokładnie:

– Erena. E-r-e-n-a – powtórzyła jeszcze wolniej, wymawiając każdą literę oddzielnie.

– Erena. – Ariel spróbowała wypowiedzieć to słowo na głos, z trudem naśladując jej akcent. Zrobiła to jeszcze kilka razy, by przyzwyczaić język do obcego słowa, i uśmiechnęła się. Teraz przyszła jej kolej, więc wskazała palcem na siebie i w podobny sposób wyartykułowała swoje imię.

– Ariel. A-r-i-e-l.

– Ar-iel – powtórzyła dziewczyna śmiesznie przedłużając literkę „r" oraz „l".

Nie było już nic więcej do powiedzenia, a z pewnością nie był to czas ani miejsce na naukę języka. Uśmiechnęły się tylko do siebie i Ariel czuła w głębi serca, że bardzo polubi tę dziewczynę. Przynajmniej jedna życzliwa dusza w tym nieprzyjaznym świecie.

Erena pociągnęła ją za rękę i wskazała na schody, mówiąc coś w swoim języku. Ariel oczywiście nie zrozumiała, ale skinęła głową i dała się poprowadzić do głównego holu. Zerknęła kątem oka na masywne, dwuskrzydłowe drzwi. Choć nie było w nich żadnego łańcucha ani klucza, wiedziała, że były zamknięte. Czuła to, bo inaczej nikt przy zdrowych zmysłach nie zostałby w tej ruderze z własnej woli.

Dziewczyna zaprowadziła ją gdzieś w bok, gdzie pod schodami znajdowały się niewielkie kwadratowe drzwi, a za nimi wąskie betonowe schodki i oświetlona pochodnią malutka wnęka z kolejnymi dwuskrzydłowymi drzwiami. Erena otworzyła jedno skrzydło i zachęcająco skinęła ręką. Ariel stanęła przy niej w progu i natychmiast zamarła ze zdumieniem. Właśnie odkryła, dlaczego w całym domu nie było ani jednego człowieka.

Ponieważ to tutaj tętniło całe życie. Duże pomieszczenie służące za kuchnię zdawało się całkiem odrębną częścią budynku. Drugim światem, który definitywnie różnił się od tego na górze. Było tutaj przyjemnie ciepło i jasno, a nakładające się na siebie głosy ludzi, zamieszanie oraz bulgotanie w dużych garach przywoływały poczucie swojskości i bezpieczeństwa.

Kuchnia była zdumiewająco czysta i zadbana. Aż trudno było uwierzyć, że stanowi część tej przygnębiającej rozpadającej się rudery. Ariel z zaskoczeniem wodziła po niej szeroko otwartymi oczami. Wokół kręciły się młode dziewczyny, każda zajęta swoją pracą. Naliczyła ich około dziesięciu. Wykonywały wszystko w milczeniu, ledwo na siebie zerkając, jakby bały się nawet odezwać. Wszystkie mogły być mniej więcej w wieku Ereny. Na sobie miały identyczne proste sukienki i nawet czesały się w ten sam sposób: nosiły wysoko upięty kok lub długie warkocze. Panował między nimi widoczny podział. Jedne zajmowały się wyłącznie sprzątaniem i szorowaniem podłóg, inne zmywały, pozostałe zajmowały się krojeniem warzyw i mięsa oraz gotowaniem w wielkich kotłach umieszczonych na kilku paleniskach rozstawionych po kuchni. Ariel zdawało się, że pochłonięte własną pracą, zupełnie nie zwracają uwagi na to, co dzieje się wokół nich, jakby były w jakimś transie. *Założę się, że też są tu więzione i tak jak ja pragną stąd uciec. Po co ci tyle służby, Balarze?* Zwróciła uwagę na rząd prostych drewnianych stołów. Z pięciu tylko jeden był w całości zajęty. Siedziała przy nim grupka mężczyzn ubranych w wełniane koszule i kolczugi. Na nogach mieli miękkie buty, nogawki zaś i rękawy koszul obwiązywały brązowe rzemienie. Każdy miał przypasany do pasa długi miecz w skórzanej pochwie.

Ariel od razu się domyśliła, że to wojownicy służący Balarowi. Niektórzy siedzieli do niej tyłem, więc nie mogła dostrzec ich twarzy, ale wystarczyło spojrzeć na ich umięśnione sylwetki i zaobserwować prostackie zachowanie, by wyrobić sobie o nich zdanie. Wśród nich dostrzegła mężczyznę, który napastował Erenę. Ariel cmoknęła z niezadowolenia, gdy chwycił przechodzącą koło stołu dziewczynę i ku rozbawieniu towarzyszy posadził ją sobie na kolanach, obściskując nieprzyzwoicie. Pozostałe usilnie próbowały nie zwracać na nich uwagi, choć odwracały wzrok i czerwieniły się z zażenowaniem.

Ariel tak się na nich zapatrzyła, że nie zauważyła, kiedy tuż przed nią pojawiła się pulchna kobieta. Zaczęła krzyczeć, krzywiąc przy tym ze złością twarz i marszcząc drobne brwi. Erena zachowała spokój, choć mocniej ścisnęła dłoń Ariel. Wskazała na nią i zaczęła coś szybko tłumaczyć. Kobieta przyglądała im się ostro, lustrując Ariel takim wzrokiem, jakby była jakimś obrzydliwym robakiem, którego ma ochotę zgnieść. Dziewczyna przysłuchiwała się wymianie zdań, podziwiając opanowanie i stanowczość swojej nowej znajomej. Musiały dyskutować o niej, bo kobieta nie zdejmowała z niej swoich wodnistych oczu i zaciskała mocno wargi, jakby musiała podjąć jakąś bardzo trudną decyzję. Ariel nie spuszczała wzroku, czekając na rozwój sytuacji.

Po chwili Erena skinęła głową, poklepała Ariel z uśmiechem po ramieniu i odeszła szybko do swoich zajęć. Kobieta chwyciła Ariel bez słowa za przegub dłoni i pociągnęła za sobą, ta jednak nie ruszyła się z miejsca, unosząc jedynie brwi. Kobieta westchnęła ciężko, przewróciła oczami, po czym dźgnęła ją grubym palcem w pierś.

– Ty pra-ca – zaintonowała słabym angielskim, akcentując szczególnie mocno literę „a".

Ariel zmarszczyła lekko czoło, ale w końcu skinęła głową. Już teraz rozumiała. Erena pewnie poprosiła kobietę, żeby dała jej jakieś zajęcie. Nie spodziewała się, że tak to się skończy, ale w sumie może i dobrze wyszło. Jeśli będzie pracować, nie będzie musiała wysiadywać całymi dniami w pokoju i może pozna jeszcze kogoś miłego. A to oznaczało też więcej swobody i możliwości.

Uśmiechnęła się na znak zgody, ale kobieta tylko jeszcze mocniej zacisnęła wargi i pociągnęła ją w głąb kuchni. Ariel rozglądała się na wszystkie strony z zaciekawieniem, ale mało kto zwracał na nią uwagę. Wszyscy byli bardzo zajęci i jedynie kilka dziewcząt spojrzało na nią przelotnie, jakby chciały jej przekazać bezgłośnie: „Uciekaj, póki możesz!".

Wydobywające się z wielkich kotłów zapachy sprawiały, że Ariel zaburczało w brzuchu. Tutaj pewnie jadali znacznie lepiej niż ona. Może jeśli będzie pracować, to również zacznie dostawać lepsze porcje. Za taki posiłek warto było harować od świtu do nocy.

Przechodząc obok stolika, przy którym siedzieli mężczyźni, Ariel odwróciła wzrok, modląc się, by jej nie zauważyli. Kiedy usłyszała za sobą męski głos, o mało nie podskoczyła. Zatrzymała się gwałtownie, podczas gdy kobieta odwróciła się i odpowiedziała coś ze złością. Rozległ się głośny śmiech, a potem odezwał się inny mężczyzna. Ariel odważyła się w końcu na nich spojrzeć.

Przy stole siedziało sześciu wojowników. Wszyscy mierzyli ją wzrokiem, jakby oceniali klacz na wybiegu. Ten, którego uderzyła na korytarzu, również przyglądał jej się uważnie, ale na jego twarzy widniał nieprzyjemny grymas. Mruknął coś do siebie, po czym zajął się jedzeniem.

Kobieta rozmawiała z najmłodszym z nich, który siedział z brzegu. Miał gładką, ogorzałą od wiatru twarz, miodowe oczy i szpakowate włosy. Nie były siwe jak u starszych ludzi, ale raczej bardziej srebrne, przetykane ciemniejszymi pasemkami. To musiał być ich naturalny kolor, choć Ariel nigdy dotąd nie spotkała takich włosów. Ten świat musiał być naprawdę szczególnym i tajemniczym miejscem. Musiała się jeszcze wiele o nim nauczyć, żeby go zrozumieć.

Młody wojownik szczerzył z rozbawieniem zęby, najwidoczniej w ogóle nie bojąc się tej srogiej kobiety. Podczas ich rozmowy z jego ust usłyszała kilka razy słowo „Gebra", więc wywnioskowała, że to było imię grubej strażniczki. Mężczyzna zerkał na Ariel tak często i z taką intensywnością, że w końcu spuściła wzrok i zaczerwieniła się lekko. Usłyszała ochrypły śmiech i przygryzła wargi. Kobieta puściła jej rękę i gestykulując żywo, kłóciła się o coś z młodym wojownikiem. Ariel zacisnęła pięści, kiedy po raz kolejny wybuchnął lekceważącym śmiechem. Choć nie rozumiała ani słowa, domyślała się, jaka to rozmowa. I bardzo jej się nie podobało, że mówili w jej obecności tak, jakby jej tu w ogóle nie było. Dlatego w końcu nie wytrzymała. Zaciskając kurczowo pięści, uniosła głowę i krzyknęła:

– Zamknijcie się!

W jednej chwili zapadła głęboka cisza. Wszyscy, łącznie z Gebrą, zamilkli i spojrzeli na nią z zaskoczeniem. Nawet kilka dziewczyn przerwało pracę i zerknęło na nią z zaciekawieniem. Ariel przełknęła głośno ślinę i skrzywiła się. Dlaczego ci ludzie tak reagowali, jak tylko się odezwała?

– Ja… to znaczy… – Sama nie wiedziała, dlaczego zaczęła się jąkać. I tak nikt tutaj jej nie rozumiał, więc właściwie nie musiała nic tłumaczyć.

Młody wojownik powiedział coś z ironicznym uśmiechem. Potem wstał i podszedł do niej szybkim krokiem. Ariel, zafascynowana, patrzyła, jak jego srebrne włosy połyskują w słońcu, zaraz jednak coś innego zwróciło jej uwagę. Mężczyzna sięgnął ręką za plecy i powolnym ruchem wyciągnął z pochwy miecz. Zatrzymał się dwa kroki przed dziewczyną i z lekkim uśmieszkiem przytknął jej ostrze do gardła. Ariel zamarła, wstrzymując oddech. Z trudem przełknęła ślinę. Ostrze drasnęło lekko jej skórę, ale nawet nie drgnęła. Uniosła wysoko brodę, spoglądając prosto w jego miodowe oczy. Kryło się w nich coś niepokojąco drapieżnego, jakiś nieludzki blask. Z wyglądu mógł być co najwyżej kilka lat starszy. Jednak tak naprawdę trudno było określić jego wiek. Biły od niego siła, pewność siebie i władczość. Z tej strony bardzo przypominał Balara.

Powiedział coś wolno i w jego tonie dało się wyczuć przestrogę.

– Sato! – krzyknęła ze złością Gebra.

Mężczyzna spojrzał na kobietę z niewinnym uśmiechem, schował miecz i wrócił na swoje miejsce. Gebra fuknęła na niego i pociągnęła Ariel za sobą, mamrocząc coś pod nosem. Zaprowadziła ją do ciemnej malutkiej komórki służącej za składzik. Wcisnęła jej w ręce miotłę i wiadro i na migi pokazała, że ma umyć całą podłogę. Ariel chciała zapytać, skąd ma wziąć wodę, ale w tej chwili Gebra wskazała jej palcem napełnioną balię stojącą w kącie. Potem odeszła bez słowa, by nadzorować prace innych dziewczyn.

Przez cały dzień Ariel pracowała ciężko, bez słowa wykonując każde polecenie. Wciąż była popychana, szturchana i wyzywana, ale znosiła to cierpliwie, ciesząc się, że mimo wszystko może przebywać wśród ludzi. Gebra często pojawiała się znikąd i zaganiała do roboty. Czasem widywała Erenę, która z daleka posyłała jej krótki uśmiech lub puszczała oko. Nawet jeśli nie mogły rozmawiać, dobrze było wiedzieć, że w tym nieprzyjemnym miejscu jest choć jedna życzliwa osoba. Ariel nawet zaczęła sobie wyobrażać, że razem stąd uciekają. Skoro nie znała tego świata, dobrze by mieć przy sobie kogoś, kto pomógłby jej nauczyć się przeżyć w tym obcym miejscu.

Dzięki temu, że Gebra wciąż kręciła się po kuchni, mężczyźni zostawili Ariel w spokoju, często jednak wodzili za nią wzrokiem, podobnie jak za innymi dziewczynami. Kiedy musiała przechodzić koło ich stołu, nie zaczepiali jej, choć nie powstrzymywali się od głośnych komentarzy i śmiechu. Młody wojownik imieniem Sato zdawał się nią szczególnie zainteresowany. Kiedy tylko zerkała w tamtą stronę, napotykała jego przenikliwe spojrzenie, co zaczynało ją naprawdę peszyć. W kącikach jego ust czaił się uśmieszek, który mógł oznaczać tylko jedno. Kłopoty.

Po jakimś czasie wojownicy wyszli z kuchni tylnymi drzwiami i Ariel mogła trochę odetchnąć. Zauważyła, że drzwi prowadzące do ogrodu były cały czas otwarte i nikt ich nie pilnował. Gdyby tylko wokół nie kręciło się tyle ludzi...

W porze obiadu wszystkie zebrały się przy jednym stole i Ariel miała szczęście zająć miejsce obok Ereny. W pośpiechu zjadła swoją porcję gorącej potrawki i dwie kromki świeżego chleba. Po tak sycącym posiłku nabrała więcej sił, a i humor znacznie jej się poprawił. Z zapałem pomogła przy zmywaniu i sprzątaniu. Kiedy przyszła inna grupa wojowników, Ariel już nawet nie zwracała na nich uwagi. Uznała, że to najlepszy sposób, żeby mieć spokój. Miała tylko nadzieję, że taktyka bycia niewidzialną zadziała również przy Sato. Bo ten osobnik wydawał się najbardziej niebezpieczny. To, że był tak pociągająco przystojny, jeszcze bardziej utwierdzało ją w przekonaniu, że powinna trzymać się od niego z daleka.

Nie zauważyła nawet, kiedy zapadł zmierzch. Była zmęczona, ale i w pewien sposób szczęśliwa. Robiła coś pożytecznego i po raz pierwszy czas tak szybko jej zleciał. Nie miała nawet kiedy zastanawiać się nad swoim losem. Również towarzystwo tych wszystkich ludzi budziło w niej nieco optymizmu, choć nie rozumiała ich języka. Wiedziała już, że nie jest tu jedynym więźniem. Może nie powinna tak myśleć, ale cieszyła ją ich obecność. Po tym jednym dniu uznała ich za towarzyszy niedoli i w pewien sposób nawet polubiła.

Ariel pomagała właśnie sprzątać po kolacji, kiedy przez drzwi z ogrodu wszedł Balar. Na jego widok dziewczyna zamarła ze stosem talerzy w rękach. O mało ich nie upuściła. Otworzyła szeroko oczy, ledwo dostrzegając, że za nim kroczy Sato i jeszcze kilku innych wojowników.

Balar wyglądał tak samo jak w dniu ich ostatniej rozmowy. Czarny płaszcz, włosy związane z tyłu głowy, blada naznaczona bliznami twarz i czarne oczy. Dziewczyny ustępowały mu z drogi i kłaniały się w pośpiechu, z lękiem spuszczając głowy. Nawet Gebra okazała mu należyty szacunek. Mimo że Ariel bardzo chciała usunąć się na bok, nie potrafiła zmusić sztywnych nóg do posłuszeństwa. Serce waliło jej jak młotem, a w ustach zupełnie zaschło. Przecież Balar nic nie wiedział o tym, że wyszła z pokoju. Nie spodziewał się jej tutaj. Co zrobi, gdy nagle ją zobaczy? Czy bardzo się zezłości? Wtedy właśnie jego czarne oczy spoczęły na niej. Ariel zadrżała pod tym spojrzeniem, jednak nie potrafiła odwrócić głowy. Balar nie zwolnił, a z wyrazu jego twarzy trudno było wyczytać, czy jej widok w ogóle go poruszył. Zdawał się zamyślony i rozkojarzony. Jego jedyną reakcją było lekkie uniesienie brwi. Minął ją spokojnie, jakby w ogóle jej tam nie było.

Za nim kroczył Sato. Spojrzał na nią spod zmrużonych powiek niczym kot czyhający na swoją ofiarę. Ariel dopiero teraz zauważyła, że jego prawą dłoń zakrywała brązowa rękawica. Zdawało się, że ta ręka służy bardziej do dekoracji niż do użytku, gdyż niemal wszystko robił lewą. Teraz jednak wyciągnął prawą dłoń i przechodząc obok, chwycił kosmyk jej włosów i przytknął sobie do nosa. Przez jedną sekundę przytrzymał go w palcach, po czym puścił i jakby nigdy nic odwrócił głowę.

Obserwowała, jak cała grupa siada przy jednym stole. Gebra od razu do nich doskoczyła i zaczęła usługiwać, w jednej chwili stając się niezwykle grzeczna i posłuszna. Ariel rozejrzała się po kuchni, ale wszystkie dziewczyny wróciły już do swoich zajęć. Stały się jednak bardziej nerwowe i spięte, niektóre wciąż zerkały lękliwie w stronę stołu. Rozumiała ich strach, ale już nie to, że tak łatwo mu się poddawały. Nie chciała stać się taka jak one, dlatego z politowaniem pokręciła głową. Czy wszyscy mężczyźni budzili tu taką grozę?

Odniosła brudne naczynia i umyła je w misce z letnią wodą. Ponieważ było już późno i nikt nie zwracał na nią uwagi, postanowiła wrócić do pokoju. Oczy same jej się zamykały, a całe ciało miała sztywne i obolałe. Czuła, że jutro będą ją paliły wszystkie mięśnie, ale i tak było to znacznie lepsze niż bezczynne siedzenie i użalanie się nad sobą.

Mężczyźni jedli późną kolację i rozmawiali głośno. Kiedy przemawiał Balar, wszyscy milczeli i słuchali go w skupieniu. Sato siedział przy jego boku, lekko przygarbiony nad swoją miską. Prawie nie tknął potrawki, błądząc wzrokiem gdzieś między wojownikami, nie zatrzymując na nikim dłużej spojrzenia. Prawa dłoń w rękawicy spoczywała spokojnie na stole, jakby była balastem. Czasem poruszał palcami, jakby sprawdzał czy ma jeszcze nad nią kontrolę.

Ariel z początku chciała ulotnić się chyłkiem, dopóki wszyscy zajęci są słuchaniem Balara. Jednak niespodziewanie przyszedł jej do głowy szalony i ryzykowny pomysł. Nalała sobie kubek zimnej wody i spokojnie ruszyła do głównych drzwi, specjalnie przechodząc koło zajętego stołu. Balar właśnie tłumaczył coś wojownikom, więc zerknął na nią tylko przelotnie. Sato tym razem udawał, że w ogóle jej nie widzi.

Teraz się boisz? Więc proszę bardzo. Nie będziesz się ze mną zabawiał jak z pierwszą lepszą dziewczyną.

Przechodząc obok stołu, przyspieszyła kroku. Nagle udała, że się potyka, a woda z kubka chlusnęła na twarz Sato. Krzyknął z zaskoczenia i parsknął głośno, ocierając ręką mokrą twarz i włosy. Ariel roześmiała się pod nosem. Nie wiedziała, co działo się potem, bo pędem wybiegła z kuchni i zatrzymała dopiero w swoim pokoju. Dysząc ciężko, zamknęła za sobą drzwi i padła wyczerpana na pryczę.

Jak się podobał pierwszy dzień pracy? Chyba nieźle się dzisiaj bawiłaś. Dla twojej informacji, Sato jest wściekły. Jutro lepiej trzymaj się od niego z daleka. To mój najlepszy wojownik. Chyba nie muszę mówić dlaczego.

Westchnęła ciężko, zbyt zmęczona, by wymyślić jakąś ciętą ripostę.

Wielkie dzięki za dobrą radę. Zapamiętam.

Proszę bardzo. Skoro już zdecydowałaś się pracować z moimi ludźmi, to chcę, żebyś przeżyła tak długo, dopóki będziesz mi potrzebna. Mam nadzieję, że nie stanie ci się nic złego przed spotkaniem z Gathalagiem.

Więc kiedy go zobaczę? Zaczynam się tu nudzić.

Bądź pewna, że niedługo.
Fantastycznie. A teraz daj mi spać.
Zachichotał cicho.
W takim razie miłych snów, Ariel.
Zaledwie wycofał się z jej umysłu, od razu pogrążyła się w głębokim śnie bez marzeń.

Rozdział XXX

astępnego dnia wstała o świcie cała obolała. Mimo to ubrała się szybko i pobiegła do kuchni. Wszystkie dziewczyny były już na stanowiskach zajęte swoją pracą, jakby nigdy stąd nie wychodziły. Przy kilku stołach siedzieli wojownicy i jedli śniadanie, wypatrzyła też srebrną czuprynę Sato. Na szczęście siedział do niej tyłem, między swoimi towarzyszami, więc na razie nie mógł jej dostrzec. Po chwili zjawiła się Gebra i wskazała jej na migi, żeby szybko zjadła śniadanie. Ariel skinęła głową i ruszyła do jednego z palenisk. Kiedy nakładała sobie czegoś, co wyglądało na owsiankę, ktoś klepnął ją lekko w ramię. Odwróciła się z zaskoczeniem, prawie upuszczając miskę. To jednak była tylko Erena. Dziewczyna uśmiechnęła się do niej ciepło i już jej nie było. Ariel zjadła szybko na stojąco, gdyż nie miała ochoty zajmować miejsca przy ławach. Nie chciała stać się obiektem zainteresowania tych nieokrzesanych mężczyzn.

Jeśli jednak sądziła, że uda jej się uciec przed gniewem Sato, to niestety się pomyliła. Do obiadu miała spokój i nikt nie przeszkadzał jej w pracy. Co prawda jej obowiązki polegały jedynie na sprzątaniu po posiłkach, zmywaniu i ciągłym zamiataniu. Jednak w tak dużej kuchni, gdzie wciąż kręcili się ludzie, miała naprawdę masę pracy. Wciąż musiała się pilnować, by trzymać swoje myśli na wodzy, również przed Balarem. Byłoby jej znacznie łatwiej, gdyby mogła z kimś porozmawiać. Głównym problemem był język, chociaż nie była to bariera nie do pokonania. Przecież mogła się go nauczyć. Trochę by to potrwało, ale wiedziała, że dałaby sobie z tym radę. Jednak tak naprawdę chyba na niewiele by jej się tu zdał. Bo choć spędziła w kuchni już drugi dzień, dostrzegła, że nie tylko do niej nikt się nie odzywa. Poza niezbędnymi słowami wszystkie dziewczyny milczały jak zaklęte. Nie rozmawiały nawet między sobą. Chodziły ponure, wystraszone i złe na cały świat. Ariel wcale im się nie dziwiła, ale przecież ona nie patrzyła na wszystkich, jakby chciała ich pozabijać. Mimo swojej sytuacji starała się być miła i pomocna. Nikt inny chyba jednak nie podzielał jej optymizmu. Może poza Ereną. Ta jednak znikała jej z oczu na całe godziny i czasem tylko dostrzegała gdzieś jej sylwetkę. Jedyna osoba, z którą mogłaby nawiązać jakieś porozumienie, była najzwyczajniej zbyt zajęta.

W porze obiadu zjawił się Sato ze swoimi towarzyszami. Wszyscy mieli zabrudzone ubrania i roztaczali wokół siebie dziwny zapach. Wyglądali, jakby wrócili z jakiejś dłuższej wyprawy. Dziewczyny schodziły im z drogi, kiedy szli przez kuchnię. Rozsiedli się przy dwóch stołach, zachowując głośniej niż zazwyczaj. Śmiali się i rozmawiali żywo z dziwnym błyskiem w oczach. Sato był z nich najgłośniejszy. Za każdym razem, gdy coś powiedział, reszta zanosiła się rechotem. Ariel po raz kolejny cieszyła się, że nic nie rozumie, bo pewnie wcale nie bawiłyby ją ich żarty.

Kucharki zaczęły krzątać się nerwowo i nakładać im obiad na duże miski. Zjawiła się nawet Erena, by pomóc przy roznoszeniu posiłku. Ktoś wepchnął i Ariel tacę w ręce i popchnął w stronę stołów. Chciała zaprotestować, ale nikt jej nie słuchał. Wydano jej niemy rozkaz i przestano się nią interesować. Spojrzała na wojowników i westchnęła ciężko. Srebrne włosy Sato wyróżniały się w tłumie jakby bardziej niż zwykle. Im bliżej była ich stołu, tym wyraźniej widziała, że było z nim coś nie tak. Jakby to, co miała przed oczami, było jedynie słabą halucynacją, która w każdej chwili może pęknąć niczym bańka mydlana. Ariel zamrugała parę razy gwałtownie i to wrażenie nieco przybladło.

Sato dostrzegł ją jako pierwszy. Wyszczerzył zęby w uśmiechu, który bardziej przypominał grymas rozgniewanej bestii. Rzucił parę słów, po których niektórzy wybuchnęli śmiechem. Ariel zacisnęła wargi, nakazując sobie spokój. Nie patrząc na wojowników, postawiła głośno tacę na stole i odwróciła się, by odejść. Niespodziewanie, ktoś chwycił ją za rękę i pociągnął do tyłu. W następnej chwili wylądowała na kolanach Sato. Krzyknęła z oburzeniem, wojownik jednak nie zwracał uwagi na jej protesty. Objął ją mocno w pasie, zaś palcami drugiej ręki chwycił kilka kosmyków jej włosów i bawił się nimi od niechcenia. Mruczał coś przy tym gardłowym głosem, podczas gdy jego miodowe oczy wodziły po jej ciele. Wyglądał jak dumny z polowania kot, który ma przed sobą wyjątkowo smakowity kąsek. To było bez wątpienia spojrzenie drapieżnika. Ariel szarpnęła się kilka razy, ale bez skutku. Prawa dłoń w rękawicy trzymała ją mocno i zdecydowanie, niczym w stalowym imadle. Wokół rozbrzmiewały wesołe śmiechy reszty wojowników. Ariel rozejrzała się po kuchni, ale nikt nie zwracał na nią uwagi. Wszystko toczyło się swoim zwykłym rytmem, żadna z dziewczyn nawet nie przystanęła, by na nią zerknąć.

No tak – pomyślała gorzko. – *To dla nich normalne. Każda daje się tak traktować, bo nie mają wyboru. Utknęły w klatce własnego strachu i nic innego już je nie interesuje.*

Prawa dłoń powędrowała z bioder ku górze, a lewa dotknęła policzka. Ariel wzdrygnęła się i skrzywiła. Zareagowała instynktownie, zupełnie nie zastanawiając się nad tym, co robi. Uderzyła go pięścią w twarz tak mocno, że jego głowa odskoczyła do tyłu niczym gumowa piłka. W jednej chwili przy stole zapanowała martwa cisza, jakby ktoś wyłączył dźwięk i rozciągnął czas. Nie czekając na ich reakcję, Ariel wygramoliła się pospiesznie z kolan mężczyzny. Była już na nogach, kiedy usłyszała za sobą pełne gniewu warknięcie. Palce zacisnęły się na skraju jej sukienki, ale zdołała się wyszarpnąć. Miała już nadzieję, że jednak uda jej się uciec. Zdążyła zrobić zaledwie dwa kroki, kiedy niezbyt mocny, ale zdecydowany cios w tył głowy powalił ją na ziemię. Ariel runęła jak długa na brzuch, ze świstem wypuszczając z płuc powietrze. Zrobiło jej się słabo, ale natychmiast przeturlała się na plecy, gotowa do ucieczki.

Zaledwie milimetr od jej nosa zalśniła zimna stal miecza. Nad sobą napotkała płonące dziko oczy Sato. Z trudem przełknęła ślinę. Czuła, że tym razem naprawdę przegięła. *Balar nie będzie zadowolony. Miałam trzymać się od nich z daleka, a tymczasem sama z własnej woli pakuję się w kłopoty* – przemknęło jej przez myśl i zaraz zaśmiała się w duchu. *Co za głupota. Nawet w takiej sytuacji potrafię myśleć tylko o Balarze. To naprawdę denerwujące. Jeśli teraz zginę, to przynajmniej uwolnię się od niego raz na zawsze.*

W kuchni zapanowała absolutna cisza. Teraz wszyscy patrzyli tylko na nich. Nawet dziewczyny przestały w końcu ignorować otoczenie i zamarły, wlepiając w nią przestraszone oczy. Sato zmrużył powieki i zacisnął szczęki. Lewy policzek miał czerwony, a pod okiem widniał siny odcisk jej pięści. Byłby to nawet zabawny widok, gdyby nie to, że Ariel w tej chwili wcale nie było do śmiechu. Szczerze mówiąc, była porządnie wystraszona. Nawet jeśli Sato od początku wydawał jej się mało ludzki, zdecydowanie wolała już ten jego groźny uśmieszek. Wtedy przynajmniej wiedziała, że nie ma ochoty nikogo zabić.

Zdawało jej się, że wszyscy w kuchni wstrzymują oddech, czekając na to, co zrobi Sato. Zupełnie jakby był drugim Balarem. Roztaczał wokół siebie podobnie groźną aurę, ale sam w sobie nie był aż tak przerażający.

Przeszywając ją wzrokiem, końcówką miecza musnął delikatnie jej odsłoniętą szyję. Ariel zamarła, a po chwili zadrżała, kiedy zimna stal powędrowała po jej sukience. Miała dziwnie wrażenie, że to jego dłoń dotyka jej piersi i brzucha. Jego wargi uniosły się lekko w ironicznym uśmieszku, jakby potrafił wniknąć w głąb jej myśli. Mruknął coś na tyle głośno, żeby przynajmniej ci przy stołach go usłyszeli, nikt jednak nie zareagował. To ją mocno zaniepokoiło. Co takiego powiedział? Nie zabrzmiało to raczej groźnie, ale z pewnością nie było też żartem.

W każdym razie nie zamierzała tu leżeć bezczynnie i czekać, aż sytuacja zrobi się jeszcze bardziej nieprzyjemna. Napotkała jego miodowe, rozpalone oczy, po czym napięła mięśnie. Błyskawicznie przeturlała się z dala od miecza i poderwała na nogi. Nie zdążyła jednak zrobić nawet kroku, kiedy złapał ją od tyłu. Dłoń w rękawicy zacisnęła się na jej szyi, a druga przyciągnęła mocno do siebie. Sato miał napięte wszystkie mięśnie, jakby całe jego ciało było jedną bryłą żelaza. Syknęła z zaskoczenia i bólu, ale nie próbowała się wyrywać, bo wiedziała, że jest dla niej za silny. Wojownik pochylił się nad jej uchem. Jego ciepły oddech łaskotał ją w kark i zewnętrzną stronę ucha, kiedy mówił coś szeptem. Zacisnęła mocno powieki i skrzywiła się z obrzydzeniem, kiedy polizał ją językiem po policzku. Cała ta sytuacja była o tyle bardziej krępująca, że wszyscy na nich patrzyli, jakby takie widowisko było na porządku dziennym.

Gdzie ja trafiłam? Co to za dziwni ludzie?

– Sato!

Gebra pojawiła się nie wiadomo skąd. Zmierzała szybko w ich stronę na swoich krzywych krótkich nogach, a wściekłość wryła się w jej twarz niczym druga skóra. Z luźnego koka wysunęła się połowa siwych włosów i powiewała wokół jej twarzy jak jakaś nieudolna ozdoba. Miała zaczerwienione policzki i groźny grymas na ustach. Na jej szerokim czole widniały trzy głębokie bruzdy.

Jej nagłe pojawienie się w jednej chwili przerwało milczący czar, jaki zawisł nad kuchnią. Dziewczyny pospiesznie powróciły do swoich zajęć, usuwając się jej z drogi. Skrzekliwy głos Gebry miał niebezpiecznie wysoki ton. Nawet Sato musiał w końcu ulec sile jej gniewu, bo zanim jeszcze do nich podeszła, puścił Ariel i zajął swoje miejsce przy stole. Spuścił głowę i wbił wzrok w jeden punkt, podczas gdy Gebra nie przestawała się wydzierać. Musiała trafić w jakiś jego czuły punkt, bo siedział dziwnie milczący i zgarbiony i chyba po raz pierwszy nawet nie próbował pyskować. Zacisnął tylko szczęki, przyciskając prawą dłoń do brzucha.

Przez krótką chwilę, nikt nie zwracał na nią uwagi i Ariel natychmiast to wykorzystała. Cmychnęła czym prędzej z kuchni, zanim ktokolwiek spróbował ją zatrzymać. Na jeden dzień miała dosyć wrażeń i towarzystwa. Jeszcze bardziej zapragnęła jak najszybciej stąd uciec.

Nieważne gdzie. A do tego czasu powinna chyba unikać Sato i reszty wojowników. Podejrzewała, że raczej nie ośmieliliby się ją zranić, ale przecież mogli zrobić coś znacznie gorszego. A przynajmniej wyglądało na to, że Sato jest do tego zdolny. Jego zachowanie i spojrzenia były jednoznaczne. A przed chwilą dał jej wyraźnie do zrozumienia, że ma na to ogromną ochotę.

Ariel nie chciała wracać do pokoju, gdzie nie miała nic do roboty. Wspinając się po szerokich skrzypiących schodach, postanowiła, że trochę się rozejrzy. Budynek dawno już stracił całe piękno i z pewnością nie było w nim niczego godnego uwagi. Ale przecież nie miała lepszego zajęcia, a dzień był długi. Może odkryje coś, co pozwoli jej zapełnić ciągnący się w nieskończoność czas.

Rozpoczęła od pierwszego piętra. Długi korytarz zdobiły plamy słonecznego światła, podłoga skrzypiała pod jej bosymi stopami, a drobiny kurzu wirowały wesoło w jasnych smugach. Wzdłuż ścian ciągnęły się rzędy jednakowych, prostych, drewnianych drzwi. Ariel podchodziła do każdych i otwierała. Niektóre były zamknięte na głucho, inne nie. Ale każdy pokój był niemal identyczny: zakurzony, pokryty pajęczynami, od dawna martwy i opuszczony. Niektóre wyglądały, jakby nigdy nie zaznały ludzkiego ciepła, jakby żadna istota nie postawiła w nich stopy. W jednym były podstawowe meble, takie jak siennik i stolik, w innym nie było zupełnie nic. Ariel poczuła rozczarowanie, mimo to nie rezygnowała i dalej prowadziła swoją odkrywczą wyprawę. Uparcie otwierała jedne drzwi po drugich na kolejnych piętrach. W żadnym pomieszczeniu nie widziała jakichkolwiek ozdób. Może kiedyś na ścianach wisiały jakieś obrazy, ale ktoś je wszystkie usunął. Nie było też dywanów, zasłon, fotografii ani żadnych figurek. Nic. Tylko gołe ściany, skrzypiąca podłoga i kurz wydobywający się z każdego kąta.

Dotarła do końca trzeciego piętra i jak dotąd nie znalazła nic godnego uwagi. Wszystkie pokoje były do siebie podobne. Żadnych oznak życia ani nawet drobnego śladu po dawnych właścicielach. Bezosobowy świat zamknięty między próchniejącymi ścianami i matowymi z brudu oknami. Ariel postanowiła jednak, że skoro już zaczęła, to zajrzy do wszystkich pokoi. Miała w końcu mnóstwo czasu i nigdzie jej się nie spieszyło. Poza tym nie przypominała sobie, żeby Balar zabraniał jej swobodnie poruszać się po domu. Więc nawet gdyby nagle gdzieś się na niego natknęła, nie mógł jej nic zrobić.

W końcu jej się poszczęściło. Zatrzymała się przed ostatnimi drzwiami. Znajdowały się z dala od okien, więc częściowo skrywał je mrok. Zanim nacisnęła na klamkę, zauważyła, że ta część korytarza była mniej zakurzona, jakby ktoś częściej tędy przechodził.

Wiedziała już dlaczego, jak tylko otworzyła drzwi i stanęła w progu. Ten widok tak ją zaskoczył, że zamarła, ze zdumieniem otwierając usta. Nawet w najśmielszych snach nie podejrzewała, że może znaleźć tu coś takiego.

Biblioteka. A właściwie pokoik zapełniony regałami i księgami, które w stosach leżały również na podłodze. W kącie stał czerwony fotel, który również otaczały książki.

Ariel zamknęła za sobą drzwi i podeszła do pierwszego regału. Ostrożnie musnęła palcami skórzane grzbiety ksiąg. Znajomy zapach papieru wypełnił jej nozdrza, aż w oczach stanęły jej łzy. Jak mogła zapomnieć, że to jej ulubiony zapach? Nawet nie podejrzewała, że tak bardzo się za nim stęskniła. Okładki ksiąg miały różne kolory i kształty. Przeważnie były już zniszczone i naderwane, ale niektóre zachowały się w dość dobrym stanie. Grube, cienkie, małe, duże, szare, czerwone, złote – komnata składała się z samych książek, aż od ich widoku kręciło się w głowie. Usta same rozciągnęły jej się w szerokim uśmiechu. Teraz już nic nie było w stanie popsuć jej dobrego humoru. A jednak znalazła schronienie, gdzie mogła nawet zapomnieć o Balarze.

Podeszła do fotela w kącie, strzepnęła z niego kurz i usadowiła się wygodnie. Był zaskakująco miękki i miał wygodne oparcie. Podkurczyła pod siebie nogi i trwała tak przez chwilę z przymkniętymi powiekami. Westchnęła bezgłośnie, delektując się ciszą, zapachem papieru i skóry oraz milczącą obecnością książek. Potem sięgnęła po jedną ze sterty po lewej stronie. Była to niewielka książeczka w zielonej miękkiej oprawie. Okładka była czysta, lekko zniszczona w rogach. Ariel otworzyła na przypadkowej stronie i natychmiast zrzedła jej mina. To było pismo ellońskie. Język tego świata, który był jej zupełnie obcy. Wyglądało na to, że każda książka w tej komnacie była dla niej niedostępna. *Więc jednak nie mam wyjścia. Muszę jak najszybciej nauczyć się tego przeklętego języka.* Dla pewności sięgnęła po inną książkę i otworzyła. Tak jak się spodziewała, i tutaj pożółkłe strony zdobiły czarne znaki, które dla niej były całkiem nieczytelne. *Ale już niedługo będę potrafiła je rozszyfrować* – postanowiła z zapałem. *Ciekawe, jak zareaguje Balar, kiedy nie będzie musiał już mówić po angielsku, żebym go zrozumiała…*

Zabrała ze stosu przy fotelu kilka cienkich książeczek i zaniosła je do swojego pokoju. Usiadła z nimi wygodnie na pryczy i zaczęła dokładnie studiować. Byłoby jej znacznie łatwiej, gdyby mogła porównywać to ozdobne pismo z angielskim albo gdyby ktoś ją uczył, ale mówi się trudno. Sama też sobie jakoś poradzi. Przynajmniej nie będzie się nudzić, czekając na śmierć.

* * *

Wędrówka po skalistych wzgórzach Martwej Doliny nie była najlepszym pomysłem, zwłaszcza w bezgwiezdną noc. W ciemności łatwo się poślizgnąć na kamieniach lub nadepnąć na śmiertelnie ostre odłamki głazów. Nikt przy zdrowych zmysłach nie zapuszczał się w to miejsce, tym bardziej po zmroku. Mroźny wiatr gwizdał między graniami stromych wzniesień, nieodparcie przywodząc na myśl jęki potępionych dusz. A w przerwach między tymi zawodzeniami całą okolicę przykrywał całun martwej ciszy, która wywoływała nieuzasadnione przerażenie nawet u najdzielniejszych wojowników. Dolina między innymi stąd wzięła swoją nazwę. Nic, co żyło, nie miało tu prawa bytu. Żadne żywe stworzenie nie zamieszkiwało surowych kotlin, żadne źdźbło trawy nie porastało kamiennych ścieżek. Od zarania dziejów Martwa Dolina należała do królestwa śmierci. Jej zdradliwe drogi prowadziły wprost do świata umarłych.

Mężczyzna w długim płaszczu przystanął na chwilę i wyprostował się, by odpocząć. Pod głęboko nasuniętym na czoło kapturem jarzyły się dwa czarne punkciki. Na chwilę spojrzał w granatowe bezgwiezdne niebo. Do tej pory uznał swoją wędrówkę za stosunkowo łatwą. Miał dużo czasu, więc nie musiał się spieszyć. Mimo to wolał nie zaprzestawać marszu po zachodzie słońca. Ostrożnie i z namysłem stawiał każdy krok i wybierał kierunek. Kluczył między skalnymi półkami, raz skacząc, raz ześlizgując się po stromym gruncie. Dłonie miał pokaleczone od przytrzymywania się chropowatych skał i drobnych kamyków, których pełno było wokół. Jednak dlaczego nie miałby sobie pozwolić na uśmiech zadowolenia? Nawet tutaj granatowe niebo było nieskazitelnie czyste, a świeże powietrze uderzało do głowy. Kiedy ciszę przerwało przeciągłe wycie, mężczyzna tylko uniósł do góry kącik ust i ruszył dalej. Trzeba było czegoś więcej niż naturalnej iluzji, by go przestraszyć.

Po półgodzinie ostrożnego marszu między dwiema wysokimi skalnymi ścianami dotarł w końcu do celu. Przed nim znajdowała się naturalnie wydrążona w skale jaskinia. Jej wejście było na tyle długie i szerokie, że z powodzeniem zmieściłoby się tu troje wysokich ludzi. Wewnątrz panowały kompletne ciemności, jakby grota prowadziła do samego dna piekieł.

I tak jest rzeczywiście – pomyślał obojętnie. *Powinna tu być tabliczka: «Witajcie w piekle».*

Kiedy wszedł do środka, natychmiast pochłonęła go ciemność. Pustka naparła na niego ze wszystkich stron, jakby chciała wycisnąć z niego życie, a następnie pożreć. Pewny grunt pod nogami dawał jedynie poczucie rzeczywistości. Zrobił kilka kolejnych kroków, wyciągając przed siebie rękę. Posuwał się do przodu, aż palcami wyczuł lepką od pajęczyn litą skałę. Oparł się o nią ramieniem, nie zatrzymując się ani na chwilę. Nie wiedział, jak daleko ani jak głęboko pod ziemią się znalazł. Wyczuwał, że ścieżka zakręca nieznacznie, a potem prowadzi w dół. Bicie jego serca było jedynym dźwiękiem w tym martwym grobowcu. Rytmiczne pulsowanie mięśni i krwi w skroniach przypominało mu, że choć otacza go pustka, wciąż pozostaje poza jej krawędzią. Słyszał nawet, jak jego palce ocierają się o drobne wypustki w ścianie. Teraz był w stanie uwierzyć, że absolutna cisza może przyprawić o szaleństwo, a nawet śmierć.

Minęło pół godziny, a może i więcej. Czas naprawdę nie miał tu znaczenia. W pewnym momencie mężczyzna zatrzymał się i wysunął jedną stopę do przodu. Wyraźnie wyczuł ostrą krawędź stopnia. Schody.

Ostrożnie postawił stopę na pierwszym schodku, by zbadać grunt. Następnie nie odsuwając się od ściany, zaczął schodzić po stopniach. Schody były raczej wąskie, ale solidne, więc nie musiał obawiać się upadku. Nie zakręcały w żadną stronę, ale prowadziły prosto w dół, w jeszcze głębszą ciemność.

Powietrze zgęstniało i wyraźnie czuć w nim było więcej dusznego odoru ziemi. Kropelki potu oblepiły czoło mężczyzny i przykleiły mu ubranie do ciała. Żałował, że przed wejściem nie zdjął płaszcza. Teraz było już jednak za późno na takie rozważania. Jego nogi same odnajdywały ukryte w nicości schody, nie potrzebował do tego wzroku. Tutaj i tak był on nieprzydatny. Zamknął więc oczy, powierzając dalszą wędrówkę pozostałym zmysłom.

Po jakichś pięciu minutach poczuł, jak coś chwyta go za kostkę lewej nogi. Nie wydał z siebie żadnego dźwięku ani nie odsunął się od ściany swego jedynego oparcia. Nie otworzył też oczu, wiedząc, że takie obowiązują tu reguły. Zmarszczył tylko brwi, a wyraz jego twarzy stał się jeszcze bardziej ponury. Po chwili coś złapało go za prawą nogę i kolano. Potknął się, z trudem zachowując równowagę. Kaptur zsunął mu się na plecy, a długie włosy rozsypały wokół twarzy. Kolejne kościste palce zacisnęły się na jego ramionach i rękach. Wyszarpnął się, jednocześnie tracąc grunt pod nogami. Upadł na ostre krawędzie stopni i zjechał parę metrów w dół. W końcu zaparł się dłońmi i zatrzymał gdzieś pośrodku ciemności. Uznał za sukces to, że ani przez moment nie otworzył oczu. Podniósł się na nogi i stał przez chwilę nieruchomo, wyciągając na boki obie ręce. Ściany zniknęły. Teraz miał jedynie pod sobą schody prowadzące w głąb ziemi, w najczarniejszą otchłań.

Nagle wokół rozległy się głosy. Jednocześnie ze wszystkich stron pochwyciły go zimne, kościste dłonie i zaczęły szarpać we wszystkie kierunki. Poddał się im bez jednego dźwięku, bez najmniejszego protestu. Wiele razy upadał, wstawał i znów upadał. Dłonie i kolana miał poobijane i krwawiące, ale to nie był największy problem. Ręce szarpały go za ubranie, włosy i skórę. Jego płaszcz dawno został gdzieś za nim w strzępkach, podobnie jak tunika. Napastnikom z ciemności to jednak nie wystarczyło. Atakowali jego odsłonięte ramiona, plecy i tors z równie bezlitosną zaciekłością. Ostre szpony wbijały się w ciało, drapały, wyrywały go sobie jak szmacianą lalkę. Nie minęło dużo czasu, gdy górna część jego ciała pokryta była długimi, paskudnymi ranami, a on sam ślizgał się na stopniach pokrytych krwią.

Zdawało się, że trwa to całą wieczność. Oprócz fizycznego ataku z ciemności wyłaniały się głosy. Syczące, jęczące, płaczliwe... Były wokół niego i w jego umyśle. Nie można było od nich uciec, podobnie jak od atakujących rąk. Wyparły wszelkie myśli, zastępując je zwątpieniem i rozpaczą. Szeptały mu do ucha i jednocześnie rozlegały się wokół głuchym echem. Opowiadały sobie całe jego życie. Mówiły o dzieciństwie i tych wszystkich latach, które miał za sobą. Wyliczały każdą jego zbrodnię, każdy najmniejszy grzech, którego się dopuścił. Śmiały się z jego słabości i wyszydzały siłę. Podjudzały do tego, by otworzył usta i zaczął się bronić. Kusiły zbawieniem i odpuszczeniem grzechów. Gdy to nie pomogło, zaczęły go przeklinać i obrzucać obelgami. Opowiadać o jego ofiarach i ludziach, których skrzywdził. Każdy głos mówił coś innego, każdy z osobna i wszystkie razem wdzierały się do jego umysłu, kalecząc go bardziej niż ciało.

Nagle wszystko ustało. Głosy i ręce zniknęły, a on stanął ponownie na ścieżce. Pojawiły się ściany, na powrót zamieniając pustkę w naturalnie wydrążony w kamieniu tunel. Cisza, jaka zapanowała wokół, była niemal oszałamiająca.

Mężczyzna nie przypominał już tego człowieka, który jeszcze niedawno patrzył w niebo. Choć to było nieprawdopodobne, nic nie zniknęło z jego dumy i pewności siebie. Zmienił się po prostu jego wygląd. Teraz miał na sobie jedynie strzępki spodni. Od pasa w górę cały był poraniony i zakrwawiony. Pot ściekał po jego ciele i obmywał rany, nie dając zakrzepnąć krwi. Woda zmieszana z krwią kapała po jego plecach, ramionach i torsie, brudząc spodnie i tworząc wokół niego ciemną kałużę.

Plecy miał lekko zgarbione, choć stał pewnie na nogach. Przed nim ścieżka wciąż prowadziła w dół, jeszcze niżej jądra ziemi. To nie był jednak koniec przeszkód. Gdy w końcu otworzył oczy, po wyrazie jego twarzy trudno było ocenić czy w tej chwili odczuwa choćby cień strachu. Dalszą część jaskini tarasowała ściana ognia. Czerwone i pomarańczowe płomienie lizały kamienny sufit i ściany. Syczały groźnie, niczym wygłodniała bestia. Było tu jeszcze bardziej gorąco niż na schodach. Mężczyzna miał wrażenie, jakby cała woda wyparowała z jego organizmu, osiadając na każdym milimetrze ciała. Zaśmiał się cicho.

Jeszcze więcej atrakcji – pomyślał cierpko.

Nie zawahał się ani sekundy. Wytarł mokrą ręką pot zalewający mu oczy i wszedł w płomienie. W jednej chwili pochłonął go żywioł ognia, odcinając od reszty świata. Wszystko zniknęło, zmieniając się w wielką czerwoną plamę. Z ulgą wyczuł dłonią znajomy chłód ściany. Mając ją za przewodnika, parł uparcie przed siebie.

Żar płomieni przenikał jego ciało falami, od stóp aż do koniuszków palców u rąk i głowy. Wywoływał spazmatyczne, niemal rozkoszne dreszcze, całkowicie pozbawiając zmysłów. Był niczym czuły kochanek zapraszający do wiecznego tańca miłości. Obiecywał nieprzemijającą zabawę w zamian za zapomnienie.

Mężczyzna jeszcze nigdy nie miał do czynienia z czymś tak rzeczywistym, a jednocześnie iluzjonistycznym. Gorąco niemal wyciskało piętno na jego ciele, ale nie było w stanie spalić. Płomienie lizały jego rany, zadając tysiąckrotnie większy ból, niż mógłby sobie wyobrazić. Wciąż jednak żył, a dopóki oddychał, uważał się za zwycięzcę. Niewidzialna fala, jakby czyjaś ręka, wypchnęła go niespodziewanie poza szalejący ogień. Na wpółprzytomny, wyczerpany i obolały rozejrzał się po miejscu, w którym się znalazł.

Wznosząca się przed nim ogromna grota również musiała powstać w naturalny sposób już tysiące, jeśli nie setki lat temu. Jej sklepienie i ściany niknęły gdzieś w mroku, ale ta przestrzeń była zniewalająca po wcześniejszym wąskim tunelu. Zrobił kilka kroków do przodu i znalazł się na brzegu szerokiej rzeki. Woda miała czarny kolor, ale gdzieniegdzie połyskiwała jaśniejszym odcieniem, odbijając zimne światło znikąd. Gdzieś z góry skapywały jednostajnie krople wody. Dzięki światłu z rzeki mógł dostrzec stożkowe czubki stalagmitów i stalaktytów. Jeden głośniejszy dźwięk i te naturalne ostrza mogły spaść mu na głowę.

Spojrzał na spokojną powierzchnię rzeki. Czysta woda obmyłaby jego rany i ochłodziła rozgrzane ciało. Nie ruszył się jednak, zaciskając szczęki i walcząc z bólem.

Z ciemności wyłoniła się drewniana łódka. Popychana niewidzialną siłą, podpłynęła w jego stronę, zatrzymując się tuż przy brzegu. Mężczyzna wszedł do niej, ale nie usiadł. Kiedy odbijała od skalnej półki, zakołysała się lekko, ale nie na tyle, by stracił równowagę.

Wpatrywał się w ciemne odmęty wody, podczas gdy łódź płynęła sama, wraz z prądem niosąc go do niewidzialnego celu. W pewnym momencie zakołysała się gwałtownie, niemal zwalając go z nóg. Woda wokół zakotłowała się i wyłoniły się z niej kościste, pozbawione skóry dłonie. Złapały za krawędź łodzi, próbując ją zatopić.

Pod samą taflą wody mężczyzna ujrzał nagie czaszki i puste oczodoły, w których czaiła się obietnica szybkiej śmierci, jeśli tylko pozwoliłby się wciągnąć na dno. Na jego zmęczonej twarzy pojawił się grymas, który miał chyba oznaczać rozbawienie. Wyciągnął prawą dłoń, w której natychmiast błysnęło oślepiające światło.

– W imię starego przymierza, przepuśćie mnie, którego zwą Synem Nieba i bogów – odezwał się po raz pierwszy głośno władczym barytonem.

Łódka przestała się kołysać i wody rzeki się uspokoiły. Nie minęło pięć minut, gdy uderzyła lekko o skaliste podłoże, które nagle wyłoniło się z ciemności. Mężczyzna ruszył dalej wąską ścieżką. Bez dalszych niespodzianek dotarł w końcu do celu podróży.

Kolejna grota miała rozmiary zwykłej komnaty. Na ścianach wisiały płonące pochodnie, dające ulgę zmęczonym oczom, ale nierozjaśniające całkiem gęstej ciemności. Po podłodze walały się ludzkie kości, zaś gdzieniegdzie leżały całe szkielety, które w mdłym świetle zdawały się poruszać leniwie. W gęstym, dusznym powietrzu czuć było siarkę i odór rozkładających się ciał.

Pośrodku stał tron wykonany całkowicie z kamieni i ludzkich szczątków. Na nim siedziała postać w połowie skryta w mroku. To od niej popłynął głos, który zagrzmiał w grocie.

– Witaj, śmiertelniku, w moim podziemnym królestwie. Jesteś pierwszym, któremu udało się pomyślnie przejść trzy próby pokuty, czyśćca i kary. Zaimponowałeś mi, więc złóż pokłon władcy śmierci i mów, co cię tu sprowadza.

Mężczyzna postąpił kilka kroków do przodu. Ukłąkł na jedno kolano i skłonił głowę, po czym wyprostował się, śmiało spoglądając w oblicze samej śmierci. Nawet jeśli w tej chwili wyglądał żałośnie i ledwo trzymał się na nogach, w jego oczach jarzył się ten sam nieugięty duch, który pozwolił mu przejść przez piekło.

Istota siedząca na tronie z pewnością nie była człowiekiem, choć wyglądem mogła go przypominać. Gdy pochyliła się do przodu, w słabym świetle dostrzegł jej białą pozbawioną włosów czaszkę o bezbarwnych oczach, bez nosa, z zapadniętymi policzkami. Równie białe całkowicie gładkie dłonie były pozbawione paznokci. Istota miała na sobie czarną szatę sięgającą samej ziemi.

– Czy jesteś świadomy tego, że twoje rany zadane w czasie próby nigdy się nie zagoją? – Głos nie był ani męski, ani kobiecy. Przypominał raczej głuche dudnienie wydobywające się z najgłębszego dna ziemi.

– Tak.

– I mimo to ryzykowałeś własnym marnym żywotem, by dotrzeć aż tutaj?

– Tak.

Władca śmierci uśmiechnął się, odsłaniając rząd krzywych, ostrych jak u drapieżnika zębów.

– Słyszałem o tobie co nieco. Muszę przyznać, że jesteś odważny. Domyślam się, że nie przyszedłeś tutaj dla własnej przyjemności.

Teraz to mężczyzna uniósł kąciki ust w ponurym uśmiechu.

– Mój Pan chce zawrzeć z tobą układ.

Istota rozparła się na swoim tronie, splatając przed sobą szczupłe palce.

– Słucham więc, Balarze.

imo szczerych chęci i zapału Ariel jakoś nie szła nauka. Prawdę mówiąc, za nic nie potrafiła rozszyfrować tych zawiłych znaków, które pokrywały stare książki z biblioteki. Przesiadywała nad nimi godzinami, wpatrywała się w nie tak długo, aż bolały ją oczy i głowa. Próbowała zrozumieć, o czym jest książka, przewracała kolejno kartki, wyszukiwała jakiegoś sensu i schematu w zdaniach. Jednak każda kreska i każda kropka była dla niej całkowicie niezrozumiałe. Te wzory nadal stanowiły dla niej tylko szereg jakichś znaków, jak pozbawiony znaczenia rysunek dziecka. Ładny i staranny, ale mimo wszystko bez żadnej wartości.

Mogłaby tak siedzieć i głowić się nad tymi książkami całe wieki, a i tak pewnie do niczego by nie doszła. Musiała znaleźć inny sposób. Postanowiła wrócić do kuchni i zacząć słuchać. Może nawet uda jej się jakoś namówić Erenę, żeby pomogła jej w nauce.

Mając konkretny cel, łatwiej jej było zmierzyć się z tym, co czekało na dole. Nie zaglądała do kuchni już od dwóch dni i zastanawiała się, czy zaszły tam jakieś zmiany. Chociaż nadal przynoszono jej punktualnie posiłki, nikt się o nią nie upominał. Wszyscy dali jej spokój. Nawet Balar gdzieś zniknął, gdyż już od jakiegoś czasu nie słyszała za ścianą żadnego dźwięku, a w głowie nie wyczuwała jego obecności.

Rano zignorowała posiłek czekający na nią na stole i jakby nigdy nic zeszła do kuchni. Świt ledwo rozjaśnił niebo na blady róż. Gdzieś za oknami świergotały wesoło ptaki, budząc wciąż obcy jej świat. Podłoga jak zwykle skrzypiała pod jej stopami, a kurz wirował w smugach mdłego światła. Cały budynek był cichy i martwy.

Ariel pokonała pogrążony w półmroku przedsionek i weszła do kuchni. Mimo wczesnej pory w sali jak zwykle panował ożywiony ruch. Na paleniskach buzował wesoło ogień, a z kotłów unosiły się smakowite zapachy. Niemal nikt nie zwracał na nią uwagi, kiedy podeszła do jednego z palenisk i nałożyła sobie gorącej potrawki. Nikt jej nawet nie próbował zagadywać, więc mogła w spokoju zjeść śniadanie. Parę razy widziała Gebrę, jak popędza do pracy młode dziewczyny. Ją jednak zupełnie ignorowała. To było coś nowego i właściwie jej się podobało. Wyglądało na to, że nikt już nie będzie zmuszał jej do pracy, ale też nikt nie miał zamiaru jej stąd wyrzucać.

Ciekawe, skąd ta nagła zmiana. Czyżby dostali jakieś polecenie od Balara?

Ale i tak nie zamierzała być mu wdzięczna. Po incydencie z Sato po prostu ją ignorowano, jakby była jakimś szczególnym gatunkiem owada, którego lepiej nie zaczepiać.

Może i lepiej. I tak nie zamierzam tu długo zostać, więc im mniej rzucam się w oczy, tym lepiej.

Jadła bardzo powoli i przypatrywała się pracy innych. Czasem mignęła jej twarz Ereny, ale dziewczyna tylko rzucała w jej stronę przelotny uśmiech. Ariel to nie przeszkadzało. Umyła po sobie naczynie i napiła się chłodnej wody. Kiedy zjawili się wojownicy na czele z Sato, ukryła się w kącie, gdzie mogła spokojnie wszystko obserwować, sama pozostając niewidoczna.

Po raz pierwszy zaczęła dokładnie przysłuchiwać się ich językowi i próbowała zrozumieć, o czym rozmawiają. Im dłużej słuchała, tym mocniej utwierdzała się w przekonaniu, że ten elloński wcale nie jest taki szorstki i obcy, jak na początku sądziła. Miała nawet dziwne wrażenie, że powinna znać ten język. Że gdyby tylko dostatecznie się skupiła, mogłaby wydobyć z głębi umysłu tę wiedzę.

Co rusz zerkała na Sato ze swojej bezpiecznej kryjówki. Był najbardziej hałaśliwy i wesoły ze wszystkich. Zaczepiał dziewczyny i zapewne opowiadał jakieś sprośne żarty, bo często przy stole rozlegały się salwy głośnego śmiechu. Ariel wciąż pamiętała jego dłonie na swoim ciele i język na policzku. Nawet teraz wzdrygnęła się mimowolnie. Bezczelny głupek. Gdyby nie to, że nosił miecz, z chęcią uderzyłaby go tak samo jak tamtego na schodach, kiedy poznała Erenę. Nawet jeszcze mocniej. Robił wokół siebie dużo hałasu i sprawiał wrażenie, jakby nikt na świecie nie był w stanie się z nim zmierzyć. Zresztą wszyscy traktowali go jak przywódcę, jakby miał tu nie mniej władzy od Balara. Śmiali się, kiedy on się śmiał, i słuchali, kiedy mówił, wpatrzeni w niego, jakby był ich bogiem. Czy to przez te srebrne włosy, miodowe oczy czy po prostu przez siłę emanującą z każdego jego ruchu?

Kim ty jesteś, Sato?

To pytanie dziwnie nie chciało jej opuścić i nie dawało spokoju. Podobnie jak wiele rzeczy, które ostatnio widziała albo słyszała. Może uda jej się w końcu odzyskać pamięć. Musiała tylko działać metodycznie. Pierwszym krokiem była nauka ellońskiego. Wtedy będzie mogła zacząć szukać odpowiedzi na swoje pytania. Następnym krokiem była ucieczka. Kto wie? Może nawet odnajdzie swoją rodzinę?

Za oknami powoli zapadał zmierzch. Dziewczyny sprzątały po ostatnim posiłku, szykując się na spoczynek. Wojownicy siedzieli wciąż przy stołach i przy piwie opowiadali sobie jakieś historie. Znużona Ariel już nawet nie zwracała na nich uwagi. Nie chciało jej się też więcej przysłuchiwać ich mowie. Nagle poczuła rezygnację. Doszła do wniosku, że nigdy nie nauczy się tego dziwnego języka. Równie dobrze mogła po prostu porzucić ten pomysł i wrócić do swojego pokoiku na górze. Po co jej jakiekolwiek nadzieje, skoro nigdy stąd nie ucieknie? Balar i tak nie pozwoli jej długo żyć… Była głupia, że wcześniej sobie tego nie uświadomiła.

To tylko kwestia czasu. Balar przekona się, że naprawdę nie mam zamiaru mu służyć i mnie zabije. Sama tak postanowiłam, więc nie będę się teraz wycofywać.

Gebra wydała ostatnie polecenia i wyszła z kuchni. W sali zostało już tylko parę osób i Sato z kilkoma wojownikami. Na zewnątrz robiło się coraz ciemniej i świat przygotowywał się do snu. Ariel ziewnęła potężnie i stwierdziła, że nic tu po niej. Na kolację zjadła niewiele, bo jakoś nie była głodna. Dzisiejszy dzień poszedł na marne i czuła się z tym nie najlepiej. Prawdę mówiąc, czuła się okropnie. Jak ktoś, kto nagle obudził się z wyjątkowo pięknego snu i uzmysłowił sobie, że rzeczywistość jest tak naprawdę wielkim koszmarem. Po raz pierwszy od dawna zrobiło się jej bardzo smutno. Właściwie nie wiedziała dlaczego, ale nagle zachciało jej się płakać. Udało jej się jednak zdusić w sobie narastającą gulę w gardle. Opuściła swój kącik i zamierzała wrócić do swojego pokoju, kiedy ktoś ją zaczepił. Młoda dziewczyna, która zawsze zajmowała się gotowaniem, mówiła coś do niej szybko, kilka razy dźgając palcem w pierś. Ariel patrzyła na nią ze zmarszczonym czołem, próbując zrozumieć, czego od niej chce. W końcu pokręciła z rezygnacją głową i już chciała się odwrócić, kiedy dziewczyna chwyciła ją mocno za ramię i nie przestając krzyczeć, wskazała na stojące przy ścianie wiadro i miotłę. Potem dość zrozumiałym gestem pokazała, co ma zrobić. Ariel patrzyła to na nią, to na wiadro i westchnęła bezgłośnie. Dziewczyna nie przestawała na nią krzyczeć, więc w końcu skinęła głową i zabrała się do pracy.

Ciekawe, czy wszyscy ludzie w tym świecie są tacy nerwowi. Wygląda na to, że nie lubią, jak ktoś się obija.

Skupiona na myciu podłogi i zatopiona we własnych myślach, nie zauważyła, kiedy kuchnia opustoszała. W środku został już tylko Sato i dwaj mężczyźni, którzy mu zawsze towarzyszyli. Rozmawiali głośno, ale Ariel nawet ich nie słyszała. Zastanawiała się, co będzie robić do powrotu Balara. Nie było go już ponad tydzień, co nigdy się nie zdarzało. Nie to, żeby się martwiła. Ale kiedy ostatni raz go widziała, był w bardzo złym humorze, a ich krótka rozmowa na korytarzu wcale nie należała do miłych. Nie powiedział tego wprost, ale dał wyraźnie do zrozumienia, że da jej jeszcze jedną szansę. Jeśli dalej będzie stawiać opór...

Była tak zamyślona, że od kilku minut wycierała ten sam kawałek podłogi. Wpatrywała się w jeden punkt i ze zmarszczonym czołem przygryzała wargę. Ostatnio w ogóle nie potrafiła zebrać myśli. Ciągle jej się wymykały. Jak ryba, która urwała się z haczyka. Najgorzej było wtedy, kiedy myślała o ucieczce lub próbowała przypomnieć sobie cokolwiek z przeszłości. Ale co mogła na to poradzić? W jakiś sposób wiedziała, że to sprawka Balara, ale nie zamierzała z nim o tym rozmawiać. Bała się, że tylko pogorszyłaby sprawę.

On potrafi nie tylko widzieć moje myśli, ale również na nie wpływać. Manipulować umysłem. Zapewne w ten sposób kontroluje swoich ludzi i również nie pozwala im uciec. Szkoda, że ja tak nie umiem. To nawet lepsze niż moje Kamienie.

Czyjś śmiech przerwał jej rozmyślanie i przywrócił do rzeczywistości. Uniosła głowę i dostrzegła zmierzających w jej stronę wojowników. Na jej widok Sato zamilkł raptownie, a uśmiech całkiem znikł z warg. Jego miodowe oczy spoczęły na niej, niemal przewiercając na wskroś. Ariel zaczerwieniła się lekko, odwracając wzrok. Cofnęła się, by ich przepuścić, a wtedy potrąciła nogą wiadro. Przewróciło się z hukiem, a cała woda chlusnęła na podłogę. Ariel potknęła się i upadła wprost w kałużę, mocząc sobie sukienkę. Wojownicy akurat przechodzili obok niej. Nie zdążyli uskoczyć i wszyscy trzej poślizgnęli się, pociągając jeden drugiego na deski. Ariel nie potrafiła się powstrzymać i parsknęła śmiechem. Sato spojrzał na nią i warknął coś, co mogło być przekleństwem. Jego towarzysze już wstawali niezgrabnie, cali przemoczeni i wściekli. Ariel pokazała im język i czmychnęła między stoły, zanim zdążyli ją dopaść. Chcieli już za nią ruszyć, ale Sato ich powstrzymał. Powiedział coś ostrym tonem, po czym wszyscy trzej zniknęli w drzwiach.

Odetchnęła z ulgą. Tym razem jej się udało. Nie wiedziała, czemu Sato tak dziwnie zareagował, ale dopóki trzyma się od niej z daleka, powinno ją to cieszyć.

Nie zdążyła nawet ruszyć się spomiędzy stołów, gdy drewniane drzwi znów skrzypnęły i otworzyły się. W pierwszej chwili pomyślała, że to Sato przyszedł jednak się z nią policzyć. Na widok Balara poczuła się tak, jakby ktoś wepchnął ją do lodowatej wody. Zamarła i na kilka uderzeń serca zupełnie zapomniała jak się oddycha. To z pewnością był Balar, choć po tygodniu nieobecności wydawał jej się jakby innym człowiekiem. Ta sama blada, oszpecona bliznami twarz i te same czarne chłodne oczy. Tylko teraz jego usta wykrzywiał trudny do opisania grymas, a na zmarszczonym czole perliły się grube krople potu. Właściwie trudno było jej porównać mężczyznę, którego miała przed sobą, z tym władczym, wszechpotężnym Balarem, którego pamiętała.

Kiedy minął pierwszy szok, zaczęła zauważać coraz więcej szczegółów. Pierwsze, co rzuciło jej się w oczy, to brak płaszcza. Było to nieco dziwne, bo nigdy się z nim nie rozstawał. Zawsze starannie ułożone włosy teraz były w nieładzie. Mokre kosmyki przykleiły się do karku i opadały luźno na czoło i twarz. Stare spodnie i tunikę musiał zmienić w drodze, bo były dla niego za luźne i z pewnością nie pamiętała, by kiedykolwiek nosił coś takiego. Poza tym kulał na jedną nogę i trząsł się jak w gorączce. Szedł powoli, z widocznym grymasem bólu. Jeszcze jej nie zauważył i Ariel bała się głośniej westchnąć. Miał spuszczoną głowę i nieobecny wyraz twarzy, więc jeśli będzie miała szczęście, przejdzie koło niej, nawet na nią nie patrząc.

Nie zauważył kałuży wody i wiadra, których nie zdążyła jeszcze sprzątnąć. Poślizgnął się i upadł jak długi na brzuch. Ariel patrzyła na niego i tylko mrugała powiekami. Bicie jej serca odmierzało sekundy, które zdawały się przelatywać gdzieś obok nich, w stronę nieskończoności. Czas płynął, a Balar nie wstawał. Leżał tak w kałuży wody i nawet się nie poruszył. Przez jedną cudowną chwilę Ariel miała nadzieję, że nie żyje. To by było prawdziwe szczęście, gdyż nie musiałaby osobiście go zabijać. Ktoś pochowałby go w ziemi albo wrzucił do rzeki i wszyscy opuściliby to okropne miejsce. Szczęśliwe zakończenie długiego koszmaru nie tylko dla niej, ale też dla tych wszystkich ludzi.

Niestety, rzeczywistość wcale nie zamierzała być dla niej tak łaskawa. Balar w końcu się poruszył. Wydał z siebie coś między zduszonym przekleństwem a jękiem i uniósł się na rękach. Przez chwilę klęczał nieruchomo i dyszał ciężko, jakby zbierał siły przed dalszym wysiłkiem. Ariel obserwowała, jak nieporadnie próbuje wstać. Musiał być ciężko ranny, bo szara tunika w wielu miejscach nasiąkła krwią. W wyniku upadku otworzyły się nowe rany i pojawiła się świeża krew. Ariel czuła w powietrzu jej metaliczny zapach. Zdawało się, że Balar przesiąkł nią cały, jakby właśnie wykąpał się w morzu lepkiej szkarłatnej cieszy. Nawet w tej chwili nie potrafiła zdobyć się na odrobinę współczucia. Potrafiła myśleć tylko o tym, jak żałośnie wygląda i jaką wzbudza w niej odrazę. Miała przed oczami zwykłego, słabego człowieka. Nie chciała go takiego oglądać, a jednocześnie nie potrafiła oderwać od niego oczu. Gdzieś w środku owładnęło nią paraliżujące, zimne uczucie satysfakcji.

Balar w końcu stanął na chwiejnych nogach. Jego tunika wyglądała jak jedna wielka plama krwi. Ręce zwisały bezładnie wzdłuż ciała, niczym pozbawione czucia kończyny. Strumyczek krwi spływał po dłoni i między palcami, po czym skapywał na podłogę. Ariel patrzyła na te szkarłatne krople i pomyślała o deszczu. O bezbarwnym, pachnącym deszczu, za którym tęskniła równie mocno jak za słońcem.

W jej umyśle zaczęły kształtować się jakieś nieokreślone obrazy. Już nie była sama. Zdążyła przyzwyczaić się do tego, że nie musi kontrolować swoich myśli. Wraz z pojawieniem się Balara powróciło napięcie i ta uwierająca obecność na dnie jej umysłu.

Uniosła wzrok i napotkała puste spojrzenie czarnych oczu. W przemoczonych ubraniach i z wodą kapiącą z włosów i brody wyglądał jeszcze żałośniej. Jednak coś w wyrazie jego twarzy nie uległo zmianie. Duma i władczość biły od niego nawet wtedy, gdy ledwo trzymał się na nogach. Przypominał króla, który mimo przegranej bitwy z dumą znosi porażkę i już myśli o zemście. Jednak na szczęście Balar nie był królem. Nie mógł być, bo przecież ktoś tak zły i okrutny nie ma pojęcia o sprawiedliwym rządzeniu.

Bez słowa pokuśtykał przez kuchnię, spuszczając głowę i na powrót przybierając nieobecny wyraz twarzy, jakby świadomie odcinał się od świata. To jednak nie znaczyło, że o niej zapomniał. Kiedy był już przy stołach, niespodziewanie chwycił ją za przegub dłoni i pociągnął za sobą. Ariel na próżno próbowała się wyrwać. Mimo osłabienia jego palce zaciskały się boleśnie na jej skórze niczym żelazna obręcz. Wciąż kulejąc, przyspieszył kroku, ciągnąc ją za sobą.

Wyszli z kuchni i ruszyli schodami na najwyższe piętro. Ariel potykała się często, ale nawet wtedy się nie zatrzymywał. Wlókł ją na siłę, dopóki jakoś nie udało jej się podnieść. Była poobijana i obolała. Znosiła to bez słowa, zresztą Balar również nie odezwał się ani razu. Był zły, choć z pewnością nie na nią. Miał już ponury nastrój, od kiedy go zobaczyła w drzwiach. Widziała to w jego oczach, w zmarszczonych brwiach i sztywnych ruchach. Nie widziała go jeszcze w takim stanie, dlatego wolała siedzieć cicho i go nie drażnić.

Zatrzymał się dopiero w swoim pokoju i tam ją puścił. Rozmasowując obolały przegub, Ariel przysiadła na samym brzegu krzesła, podczas gdy Balar opadł ciężko na pryczę. Pochylił się do przodu, szybkim ruchem odgarnął do tyłu włosy, otarł pot z czoła, po czym oparł ręce na kolanach i spuścił głowę. Z jego gardła wydobyło się ciche, chrapliwe westchnienie. Trwał w takiej pozycji bardzo długo, jakby nie zdawał sobie sprawy z jej obecności. Ariel przyglądała się jego poplamionej krwią koszuli, starając się nie myśleć o niczym konkretnym. Było już późno i chciała po prostu iść spać. Obawiała się tylko, że ciężko jej będzie się rozluźnić, wiedząc, że Balar jest tuż za ścianą. Dzisiaj jakoś przeszkadzało jej to bardziej niż wcześniej.

Muszę teraz pamiętać, żeby bardziej się pilnować.

Możesz próbować, ale to i tak nic nie da. Złamię każdą twoją barierę.

Ariel przeszedł dreszcz, jakby w pokoju powiał zimny wiatr. Spojrzała na Balara, ale wciąż siedział ze zwieszoną głową i pochylonymi plecami. W ciszy słychać było jedynie ich oddechy i skrzypienie domu. Wszystko zdawało się nieruchome i odległe, nawet świat za oknem wyglądał niczym martwy obraz na płótnie.

Zaczęła się zastanawiać, po co w ogóle ją tu zaciągnął, kiedy niespodziewanie w końcu się odezwał. Miał zadziwiająco spokojny głos albo po prostu nie miał siły, żeby na nią krzyczeć.

– Widzę, że się zadomowiłaś – stwierdził.

Ariel skinęła tylko głową, choć nie mógł tego zobaczyć. Nie czekając na jej odpowiedź, mówił dalej:

– Poznałaś już Sato, resztę wojowników i moją służbę. Radzę ci jednak nie zaprzyjaźniać się z nimi. Nie muszę ci tego powtarzać, ale trzymaj się z daleka od Sato. To mój najlepszy człowiek.

– Po co ci aż tyle służby? – odważyła się w końcu zapytać. – Po co ich tu wszystkich trzymasz? Dziewczyny...

– To nie twoja sprawa – przerwał jej szorstko. Wyprostował się, spojrzał na nią i zaśmiał się z czegoś ponuro. – To dziwne, że zadajesz takie pytanie, Ariel. Naprawdę sądzisz, że te wszystkie młode dziewczyny są tu tylko po to, żeby gotować i sprzątać? Moi wojownicy mają swoje potrzeby. Ułatwiam im życie, żeby nie musieli włóczyć się nocami po wioskach i robić niepotrzebnego zamieszania. Wiesz, za domem znajduje się ich obóz. Mógłbym cię tam zaprowadzić, ale myślę, że to nie jest widok dla tak niewinnej dziewczynki jak ty.

Oparł się o ścianę i przymknął na chwilę oczy. Ariel zarumieniła się, ale zaraz zacisnęła z gniewem szczęki.

– Jesteś potworem – wycedziła z nienawiścią.

Zaśmiał się cicho, nie otwierając oczu.

– Może masz rację. Pewnie nim jestem. Nie będę się spierał. Zastanawia mnie natomiast twoje zachowanie.

– Moje?

– Tak – w końcu na nią spojrzał. W głębi jego czarnych oczu jarzył się zimny płomień. – Jesteś tu uwięziona, straciłaś pamięć, nikt nie przyjdzie ci z pomocą, a twoje życie wisi na włosku. Moi wojownicy mają na ciebie ochotę, ale zakazałem im cię choćby tknąć. Mimo to nie ręczę za nich, kiedy mnie nie ma w pobliżu. Jednym słowem, jesteś w dość kiepskim położeniu. Jednak nie rozczulasz się nad sobą i bardziej martwisz się o innych niż o własne życie. Dlaczego?

Ariel gapiła się na niego z uniesionymi brwiami. Otworzyła i zamknęła usta, zupełnie nie wiedząc, co odpowiedzieć. Jego pytanie ją zaskoczyło. Nie spodziewała się, że skieruje rozmowę w taką stronę. Dlaczego w ogóle tak go to zainteresowało?

Tak właśnie chciała mu odpowiedzieć, ale z jej gardła wypłynęły całkiem inne słowa.

– To chyba nazywa się współczucie i empatia. Po prostu mi ich żal, bo są w podobnej sytuacji. Żal mi każdego, kto musi ci służyć. Na ich miejscu wolałabym umrzeć.

Skinął głową, jakby właśnie takiej odpowiedzi oczekiwał.

– Jesteś taka sama jak twoi rodzice. Dobra i naiwna. Współczucie, mówisz? Na tym świecie to cecha słabych. A słabi giną jako pierwsi.

Ariel wyprostowała się raptownie na krześle.

– Znałeś moich rodziców? – zapytała ze zdumieniem.

Uśmiechnął się ledwo dostrzegalnie.

– Owszem. I to bardzo dobrze. Zginęli, bo byli słabi i głupi. Twój ojciec był zwykłym zdrajcą, który łudził się, że uda mu się przeciwstawić bogu.

– Zdrajcą? – powtórzyła, marszcząc brwi.

Wyprostował się z wysiłkiem, niedbałym gestem poprawiając opadające na czoło włosy.

– Zapomniałem, że tego nie wiesz. Pozwól zatem, że wyjaśnię ci pewne rzeczy. Może wtedy lepiej zrozumiesz swoją sytuację i jeszcze raz przemyślisz moją propozycję – przerwał na chwilę dla podkreślenia swoich słów. Na bladej twarzy malowały się wyczerpanie i ból, ale próbował je ignorować. Podobnie jak zakrwawioną tunikę i swoje rany. – Nie będę cię zanudzał długimi opowieściami i powiem wprost. Lira służyła Gathalagowi. To on ją stworzył i dał jej nieśmiertelność, by zawsze była u jego boku. Jednak Lira obróciła się przeciwko swojemu bogu i wyrzekła wiecznego życia, stając po stronie ludzi. To dzięki jej głupocie trwają te wszystkie wojny. Każdy kolejny Potomek Liry postępuje dokładnie tak samo. Teraz ty nosisz na swoich barkach całe dziedzictwo swoich przodków. Jeśli wykażesz się rozsądkiem, możesz zakończyć ten trwający od wieków spór. Widzisz więc, że w gruncie rzeczy stoimy po tej samej stronie. Wystarczy tylko, że padniesz na kolana przed Gathalagiem i poprosisz o wybaczenie. W zamian dostaniesz wieczne życie i Moc, o jakiej nigdy nie śniłaś. Okaż szacunek swojemu stwórcy, czego nie zrobił twój ojciec i pozostali Potomkowie. Jeśli nie chcesz podzielić ich losu, zastanów się dobrze, zanim odpowiesz mi następnym razem. Czy również chcesz dołączyć do martwych zdrajców?

Ariel wpatrywała się w niego szeroko otwartymi oczami na pobladłej twarzy. Kurczowo zaciskała pięści, próbując zrozumieć jego słowa. *Mój ojciec zdrajcą? Istnieję dzięki twojemu bogu? To śmieszne.*

– Nie jestem w nastroju do żartów – odparł głośno, mrużąc czarne oczy. – Wiesz już, dlaczego cię jeszcze nie zabiłem. Gathalag ma wciąż nadzieję, że do niego wrócisz. On pragnie twojej Mocy i posłuszeństwa. Jako twój przyjaciel daję ci dobrą radę, póki jeszcze mogę. Skończ w końcu z tym bezsensownym upieraniem się i wybierz długie, wygodne życie.

Ariel wstała gwałtownie z krzesła, zaciskając z gniewem usta. Nie mogła dłużej znieść ani jego widoku, ani tego pokoju.

– Przyjacielem? – prychnęła ostro. – Nie wierzę w ani jedno twoje słowo. Kłamiesz, żebym dobrowolnie się do was przyłączyła.

Wygiął wargi w ironicznym uśmieszku. Również wstał i lekko pochylony zrobił ku niej chwiejny krok.

– Nie mam powodu, by kłamać. Jednak jeśli chcesz dowodów, to mogę ci je pokazać.

Ariel cofnęła się instynktownie. W jej umyśle zaczęły formować się powoli jakieś mgliste obrazy. Przytknęła dłonie do skroni i potrząsnęła głową.

– Nie! – krzyknęła. – Wynoś się z mojej głowy! Nigdy nie uklęknę przed twoim bogiem! Słyszysz?! Nigdy!

– W takim razie jesteś naprawdę głupia.

Przeszedł ją potworny ból, aż pociemniało jej w oczach. Następnie spadł na nią cios, od którego zachwiała się i poleciała na ścianę. Udało jej się jednak utrzymać na nogach. Zacisnęła szczęki, kiedy w oczach pojawiły się łzy. Przytknęła dłoń do piekącego policzka i spojrzała na Balara.

– Możesz… – zaczęła drżącym głosem, ale przerwał jej ostrym tonem.

– Wyjdź!

Klęczał, opierając się o krzesło, na którym przed chwilą siedziała. Zwiesił głowę, a mokre włosy opadły wzdłuż twarzy. Oddychał ciężko i głęboko, zaciskając dłonie na drewnianym siedzeniu.

Ariel patrzyła na niego w milczeniu, trzymając się za lewy policzek.

– Idź do swojego pokoju – powtórzył między jednym oddechem a drugim.

Chciała stąd wybiec, ale nie mogła. Jej nogi jakby wrosły w podłogę. Całe ciało miała sztywne, nie potrafiła pozbierać myśli. Mogła tylko patrzeć na jego cierpienie.

– Na co czekasz?! – krzyknął nagle ochryple, aż podskoczyła w miejscu. – Nie chcę cię widzieć! Wynoś się!

Nagle upadł na podłogę i już nie wstał. Stracił przytomność.

Ariel przed oczami miała tylko czerwień jego tuniki. Od tego widoku zrobiło jej się niedobrze. W końcu odzyskała kontrolę nad ciałem i bez namysłu pobiegła prosto do swojego pokoju. W mroku położyła się na pryczy, ale sen długo nie nadchodził. Cisza otoczyła ją ciasnym kokonem, aż dzwoniło jej w uszach. Przez małe okienko obserwowała skrawek nocnego nieba. Księżyc w pełni był duży i srebrny. Wydawał się nierealny, jak ze snu. Jego chłodne światło wślizgnęło się do jej małego pokoiku i padło na dłoń, która wciąż spoczywała na lewym policzku. Nawet kiedy zamknęła oczy, nadal widziała ten sam księżyc. Tak samo okrągły i niesamowicie bliski. Wystarczyło wyciągnąć rękę, by go dotknąć. A potem wsiąść na niego wygodnie i polecieć tak wysoko, jak się tylko da. Prosto ku wolności.

* * *

W Kythral, małej przygranicznej wiosce, właśnie kończył się kolejny dzień. Ostatnie promienie zachodzącego słońca oświetlały pomarańczowym blaskiem drewniane dachy domów i kładły się długimi cieniami na wieżach strażniczych i wydeptanych piaszczystych ulicach. Majestatyczne góry wznoszące się na horyzoncie o zmierzchu kojarzyły się z olbrzymami strzegącymi tego zapomnianego przez bogów i ludzi zakątka. Choć ich piękno niektórych zachwycało, tutejsi mieszkańcy doskonale wiedzieli, co kryją te giganty nazywane przez nich Wieżami Śmierci: zdradzieckie urwiska i strome szlaki najeżone śliskimi skałami i głębokimi wąwozami. Tylko szaleniec mógł odważyć się na ich zdobycie, a takich tu nie brakowało.

Mieszkańcy wioski, przeważnie starcy i kalecy, nie zwracali uwagi na zbliżającą się noc, jakby ich życie było za krótkie na marnowanie go na sen. Ci, którzy wolnym krokiem spacerowali wzdłuż głównej drogi, ani na moment nie przerwali marszu, tylko od czasu do czasu zerkali w górę na ciemniejące niebo. Kobiety plotkowały o niczym, przemierzając wioskę od jednego końca do drugiego. Zdawało się, że tutaj czas dosłownie stanął w miejscu.

Mężczyźni przesiadywali całymi dniami na ławeczkach przed domami lub w jedynej w okolicy tawernie. Ich życie, wcześniej wypełnione walkami i przygodami, teraz spełzało na jedzeniu, spaniu i piciu. W przeciwieństwie do kobiet bardziej cenili milczenie. A może po prostu nie mieli ochoty rozmawiać, gdyż żyli już tylko wspomnieniami, które wywoływały jeszcze większe rozgoryczenie i niechęć. Wszyscy bez wyjątku byli kiedyś wojownikami, których los zesłał do tej nędznej wioski na najdalszym wschodnim zakątku Elderolu, w prowincji Belthów. Ci, którzy w walce stracili rękę lub nogę, zdawali się nieco bardziej pogodzeni z losem, jakby kalectwo odbierało im ostateczną nadzieję na lepsze życie.

Cyrret siedział w najdalszym kącie ciasnej tawerny i popijając kwaśne piwo, bezmyślnie gapił się przez brudne, oblepione tłuszczem okno. Oparł brodę na dłoni, której palce stukały miarowo w policzek. Obserwował, jak słońce chowa się za wysokimi górami, a niebo przybiera granatowy odcień. Jeśli chciał sie upić przed snem, powinien się pospieszyć. Zerknął na opróżniony do połowy kufel i skrzywił się z niesmakiem. W przeszłości pijał znacznie lepsze trunki, nigdy jednak nie pozwalał sobie na utratę kontroli. To była jego zasada, którą od paru miesięcy jednak łamał każdego dnia z coraz większą premedytacją.

Jakiś hałas przyciągnął jego uwagę, więc odwrócił głowę w stronę dusznej sali. Dwaj podstarzali mężczyźni kłócili się o coś zawzięcie. Wstali gwałtownie od stołu, wygrażając sobie pięściami. Wszyscy zamilkli, ciekawi, co wyniknie z ich kłótni. Sporadyczne bójki były tutaj jedyną atrakcją. A przecież większość tych ludzi znał osobiście lub słyszał o nich z opowieści. Byli odważni, niegdyś słynęli z wielkich czynów. Teraz patrzył z pogardą, jak jego dawny nauczyciel kłóci się zażarcie z młodszym od siebie kapitanem konnych jednostek. Pokręcił z politowaniem głową, po raz kolejny przeklinając los, który zesłał go do tego piekła.

A miał dopiero niewiele ponad czterdziestkę. Wciąż był w pełni sił i kipiał energią. Jego surowa twarz o wystających kościach policzkowych i mocno zarysowanym podbródku okolona była ciemnym, kilkudniowym zarostem. W ciemnostalowych oczach wciąż palił się ogień oraz dzika brutalność. To właśnie przez nią znalazł się w tym zapomnianym miejscu. Nie żałował niczego w swoim życiu, prócz tej jednej rzeczy. Ktoś inny wolałby popełnić samobójstwo niż żyć z takim poczuciem winy. Cyrret zapewne zaśmiałby mu się tylko w twarz. Ja i poczucie winy? To byłaby jego jedyna odpowiedź.

Zza kontuaru wyszedł pomarszczony barman, by uspokoić skłóconych klientów. Cyrret odwrócił niespiesznie wzrok ku oknu, z tą samą obojętną, znudzoną miną. Opróżnił swój kufel jednym haustem i westchnął głośno, krzywiąc się z obrzydzeniem. Pomimo szczerych chęci, nie wlałby w siebie ani kropli więcej.

Chyba rzeczywiście robię się już stary. Nawet nie potrafię się porządnie upić.

Powrócił do bezmyślnego wpatrywania się w ten sam, niezmienny widok za brudnym oknem: proste drewniane domy, ustawione w równych odstępach jeden obok drugiego przy piaszczystych dróżkach. Z góry wyglądały jak perfekcyjnie ułożone domki z kart. Nie było tu żadnej przypadkowości ani spontaniczności, jedynie żołnierska precyzja i logika. Cyrret między innymi za to tak bardzo nie cierpiał tego miejsca. Urodził się wojownikiem i był nim przez całe życie, ale nienawidził porządku i wojskowej skrupulatności. Co więcej, przez całe życie marzył o władzy i luksusie. Gdyby tylko nie miał takiego cholernego pecha...

Zmrużył oczy, marszcząc przy tym nieznacznie brwi, gdy dostrzegł powracających do wioski strażników. Ci młodzi chłopcy oraz próchniejące wieże obserwacyjne były tylko na pokaz. Wokół miasteczka nałożono barierę, która trzymała ich tutaj jak w ogromnej bańce. Gdyby nie ona i piaszczyste szlaki, trudno by było się zorientować, gdzie kończy się dzikie pastwisko, a gdzie zaczyna Kythral.

Chłopcy wracali z patrolu, a zaraz potem z jednej z chat wyłonili się ich zmiennicy. Spotkali się na placyku i wdali w krótką rozmowę. Cyrret widział ich żywą gestykulację i młodzieńczą radość w każdym ruchu. Niemal słyszał ich śmiechy i kpiące uwagi na temat mieszkańców – więźniów. Napiął mięśnie szczęki, a jego oczy pociemniały z gniewu i żalu. On też był kiedyś młody i beztroski. Miał plany, marzenia, a przede wszystkim ambicje. Chciał stanąć na czele potężnej, niepokonanej armii i okryć się chwałą w wojnie. Jego serce przepełniało dzikie pragnienie walki. Tylko gdy dzierżył w dłoni miecz, był spokojny. Nic na świecie nie sprawiało mu takiej radości jak zatopienie ostrza w ciele nieprzyjaciela. Właśnie przez swoją drapieżność i graniczące z obłędem pragnienie zabijania Cyrret cieszył się złą sławą.

– Hej, Cyrrecie, jeszcze dolewki?!

Obrzucił przygarbionego właściciela tawerny tym samym pochmurnym spojrzeniem.

– Nie, dzięki – odkrzyknął nad głowami pozostałych klientów. Kilku z nich zerknęło na niego krótko, po czym natychmiast odwrócili wzrok.

Dobrze wiedzą, że tylko czekam, aż któryś mi się narazi. I dobrze. Niech dalej się mnie boją. Może i nie mogę nikogo z nich zabić, ale kto by mnie powstrzymał? Chyba nie te młokosy, co nie potrafią nawet porządnie unieść miecza – pomyślał pogardliwie.

– Czyżbym zapomniał o jakimś święcie? – zagadnął go barman. – Masz urodziny czy może wychodzisz na wolność, że dzisiaj postanowiłeś się nie upić?

Kącik warg Cyrreta zadrgał gwałtownie.

– Jeśli będziesz miał coś lepszego niż to kwaśne obrzydlistwo, to wtedy daj mi znać. Z przyjemnością upiję się na umór, by wieśniacy mieli trochę zabawy z Cyrreta Krwawego.

Karczmarz milczał przez chwilę, jakby namyślał się nad jakąś błyskotliwą ripostą, w końcu jednak machnął ręką i powrócił do swojej pracy.

Cyrret na powrót przeniósł wzrok na okno. Niebo z każdą chwilą zasnuwał granatowy całun nocy. Mężczyzna pogrążył się we własnych myślach, mroczniejszych niż ciemność na zewnątrz.

Cyrret Krwawy. Oto jak kiedyś go przezywano.

Cyrret Krwawy, za którego głowę król wyznaczył wysoką nagrodę.

Gdyby miał jeszcze jedną szansę, bez wahania wybrałby śmierć. Szybki koniec był znacznie lepszy niż tkwienie w tej zapadłej dziurze, razem ze starcami i kalekami. Nikt nie mógł wyznaczyć mu gorszej i bardziej poniżającej kary. Codzienna monotonia i niemożność chwycenia za broń zabijały go minuta za minutą skuteczniej i boleśniej niż trucizna.

Jakiś ruch przyciągnął jego zawsze czujne oczy. Zerknął w głąb sali, by przekonać się, że reszta pogrążona jest we własnych sprawach i ponownie wyjrzał na zewnątrz. Jego wyraz twarzy nie zmienił się, nie drgnął mu żaden mięsień. Tylko coś w środku zadrgało gwałtownie, rozniecając uśpioną iskrę.

Między dwiema strażniczymi wieżami pojawiła się postać, niemal stapiająca się z ciemnością nocy. Z trudem ją dostrzegł i w pierwszej chwili wziął za zwidy spowodowane nadmiarem alkoholu. Jednak gdy zamrugał kilka razy, miał już pewność, że nic mu się nie przywidziało. Postać zbliżała się do młodych strażników, ale ci jeszcze jej nie dostrzegli. Cyrret przyglądał się temu ze spokojem, a nawet pewnym rozbawieniem. Te podlotki miały pilnować, by do wioski nie zakradł się nikt podejrzany. Właśnie zawalili sprawę.

Cyrret parsknął cicho, nie zdejmując spojrzenia z przybysza. Mężczyźni zwrócili na niego uwagę dopiero wtedy, gdy stanął za plecami jednego z nich. Ale było już za późno na reakcję. Cyrret nie widział dokładnie, co się wydarzyło, ale przysiągłby, że nieznajomy użył Mocy. Nie minęła nawet sekunda, gdy wszyscy młodzieńcy zwalili się ciężko na pokrytą piachem drogę.

Zasłużyli na to. Nie byli niczego warci. Cyrret nie poczuł nawet cienia żalu czy litości. Zdobył się nawet na słaby uśmiech.

W pewnym momencie poczuł na sobie wzrok obcego, choć nie mógł dostrzec jego twarzy ani tym bardziej oczu. A jednak wiedział, że patrzy na niego przez oblepione tłuszczem okno. Nie odwrócił wzroku i żadnym ruchem nie okazał, że zdaje sobie z tego sprawę. Jego serce znów zabiło gwałtowniej, ale bynajmniej nie z lęku. To było dobrze znane uczucie z przeszłości.

Uważnie obserwował, jak przybysz przechodzi przez ciała strażników i rusza w kierunku karczmy. Gdy skrzypnęły drzwi i do środka wtargnął chłód nocy, kilka głów odwróciło się w tamtą stronę. Cyrret siedział w bezruchu, wciąż wpatrując się znudzonym spojrzeniem przez okno. Ale jego zmysły rejestrowały wszystko, co działo się w środku. Skupił się na ciężkich krokach, licząc je w myślach, i uśmiechnął się niedostrzegalnie, gdy zatrzymały się tuż przy jego stoliku. Kątem oka spostrzegł stojącą nad nim wysoką postać.

– Ty jesteś Cyrret Krwawy? – odezwał się głęboki, szorstki baryton.

– Nikt dawno mnie tak nie nazywał – odpowiedział, odwracając głowę w stronę przybysza.

Dopiero teraz pozwolił sobie na szybkie zlustrowanie mężczyzny. Niestety, dostrzegł jedynie, że jest wysoki i dobrze zbudowany. Resztę zakrywał długi czarny płaszcz z najlepszej jakości zefiru. Spod głęboko nasuniętego na głowę kaptura spozierały na niego chłodne, czarne oczy. Cyrret ze spokojem odwzajemnił spojrzenie, z ponurym, lecz przyzwalającym wyrazem twarzy mówiącym, że to jego teren i czuje się tu panem. Z ciekawości zerknął szybko w bok. Karczmarz i pozostali całkowicie ignorowali przybysza, starając się jednak zachowywać jak najciszej. Banda tchórzy i kretynów.

Ponownie skupił swoją uwagę na mężczyźnie w płaszczu. Pozwolił sobie na leciutkie uniesienie warg i brwi.

– Nasi strażnicy nie robili ci żadnych problemów – stwierdził, dając wyraźnie do zrozumienia, że widział, co działo się przed chwilą na zewnątrz.

Nie dostrzegł reakcji na twarzy obcego, który usiadł na krześle naprzeciwko, oparł ręce na stole i pochylił się do przodu. Cyrret w końcu mógł zobaczyć jego twarz, ukrytą w cieniu kaptura. Bladą, pokrytą bliznami, która cieszyła się jeszcze gorszą sławą niż on sam.

Robi się coraz ciekawiej – pomyślał, wyzywająco spoglądając temu człowiekowi prosto w oczy. Ukryty w nich mrok i chłód nie wzbudziły w nim oczekiwanego strachu. To musiało zadowolić mężczyznę, gdyż jego usta wygięły się w krzywym uśmiechu.

– Mam dla ciebie robotę, Cyrrecie. Jeśli chcesz się stąd wyrwać, nie odmówisz.

Cyrret wyprostował się na krześle, a w jego oczach zapłonęły drapieżne ogniki.

– Mów dalej, Balarze.

Rozdział XXXII

Ariel siedziała w bibliotece i zagłębiona wygodnie w czerwonym fotelu przeglądała książki. Właściwie to oglądała tylko obrazki, bo wciąż nie potrafiła przeczytać z nich ani słowa. Szczególnie lubiła mapy, choć niewiele z nich wnioskowała. Mogła jednak godzinami wpatrywać się w te drobne linie wyznaczające granice miast, niebieskie wstążeczki rzek i zielone miniaturowe lasy. Codziennie wyobrażała sobie, że znajduje się w innym miejscu i spotyka nowych ciekawych ludzi. Te chwile oderwania od rzeczywistości stały się jedynym jasnym światełkiem w tym ponurym więzieniu. Dzisiaj jednak nie potrafiła się skupić. Już od jakiegoś czasu gapiła się bezmyślnie w rozłożoną przed sobą książkę, myślami błądząc zupełnie gdzie indziej. Pojedynczy promień słońca grzał ją w prawy policzek. Lewy jeszcze się nie wygoił. Już co prawda nie bolał, ale wciąż widniał na nim ślad po uderzeniu, choć minęły dwa dni. Od dwóch dni nie było też Balara. Całe szczęście znów gdzieś zniknął i miała trochę spokoju. Nie zastanawiała się nawet, jak w tak kiepskim stanie udało mu się w ogóle wyjść z pokoju. Kiedy ostatni raz go widziała, był ledwo żywy.

Szkoda, że wtedy jednak nie umarłeś – pomyślała po raz kolejny. *Chciałabym zobaczyć, jak umierasz, cierpiąc niewyobrażalne męki. Jeśli mnie słyszysz, to bardzo dobrze. Mam nadzieję, że nadal cię boli.*

Wciąż nie potrafiła zapomnieć jego słów. Jej ojciec zdrajcą? Jakoś nie potrafiła w to uwierzyć. Tak samo jak w to, że istnieje dzięki bogu, któremu służy Balar. To wydawało się zupełnie bez sensu. Nie wiedziała, o co w tym wszystkim chodzi. Kim są Gathalag i Lira? I kim jest ona sama? Bo jeśli nie człowiekiem, to jaką inną istotą?

Zapadał zmierzch, kiedy postanowiła zejść do kuchni i poszukać czegoś do jedzenia. Miała nadzieję, że nikogo tam nie zastanie. Nie miała teraz ochoty na żadne towarzystwo. Mimo wszystko Balar dał jej jedną dobrą radę. Skoro i tak nie mogła pomóc tym ludziom, lepiej będzie, jak przestanie z nimi przebywać i im współczuć. Nie mieli z nią nic wspólnego i ich los nie powinien jej obchodzić. Może rzeczywiście miała za miękkie serce. Teraz powinna skupić się wyłącznie na sobie i jak najszybciej znaleźć sposób ucieczki.

Cały dom jak zwykle spowijał mrok i cisza. Drewniana podłoga skrzypiała pod jej bosymi stopami, kiedy pokonywała kolejne schody i korytarze. Żaden mroczny kąt nie miał już dla niej tajemnic, jednak i tak to miejsce wciąż wzbudzało w niej lęk i wywoływało gęsią skórkę. Balar powinien mieć choć trochę więcej smaku i wybrać na kryjówkę bardziej przytulne miejsce.

Minęła ciemny, pusty hol, przeszła przez drzwi przy schodach i w mrocznym przedsionku pchnęła ciężkie skrzydło kuchenne. Na szczęście dzisiaj wszyscy poszli wcześniej spać. Kuchnia była wysprzątana, paleniska jeszcze ciepłe, a w kotłach pozostały resztki z kolacji.

Ariel właściwie po raz pierwszy była tutaj zupełnie sama. Kuchnia zdawała się jakaś obca, jakby bez tej całej krzątaniny zabrakło w niej życia. Nawet jej kroki wydawały się zbyt głośne. Postanowiła szybko zjeść to, co zostało z kolacji, i wrócić do pokoju. Po ostatnim incydencie bała się zostawać tu sama.

W szafce znalazła czystą miskę, a w innej chleb i łyżkę. Zamierzała właśnie nałożyć sobie gęstego gulaszu, kiedy skrzypnęły drzwi. Ariel tak bardzo zaskoczył ten dźwięk, że upuściła miskę, która z hukiem rozbiła się na podłodze u jej stóp. Przez dwa uderzenia serca dziewczyna ani drgnęła, a potem nagle się odwróciła.

W drzwiach stali dwaj wojownicy. Ariel nie znała ich imion, ale wiedziała, że zawsze towarzyszyli Sato. Jeden był nieco niższy od drugiego.

Mieli na sobie znoszone, brudne ubrania, a przy boku przypasane miecze. Jeden z nich miał jasne od słońca włosy, a drugi ciemne i krótkie. Obaj mieli paskudne gęby z kilkudniowym zarostem i czujne, natarczywe spojrzenie.

Gdyby nie hałas, może nie zauważyliby jej tak szybko i miałaby jeszcze czas na ucieczkę. Teraz już było na to za późno. Dostrzegli ją, jak tylko weszli. Ten niższy, z jasnymi włosami, trącił swojego towarzysza i powiedział coś, po czym wyszczerzył żółte zęby w uśmiechu, który ani trochę jej się nie spodobał. Ruszyli w jej stronę i Ariel szybko oceniła sytuację. Kiedy Balar był w domu, nikt nie śmiał nawet na nią spojrzeć, ale teraz…

Co za pech. Staram się go unikać, a wychodzi na to, że w tym domu tylko w jego towarzystwie mogę czuć się bezpieczna. To naprawdę robi się strasznie wkurzające.

Wojownicy byli już przy stołach. Ariel zerknęła na drzwi i bez namysłu rzuciła się w tamtą stronę. Mężczyźni zagrodzili jej drogę.

Niech cię diabli, Balarze. Jeśli mnie słyszysz, to wiedz, że twoi ludzie zignorowali twoje rozkazy. Albo przynajmniej mają taki zamiar. Mam nadzieję, że porządnie ich ukarzesz.

– Czego ode mnie chcecie? – warknęła, choć przecież nie spodziewała się, że ją zrozumieją. Musiała jednak pokazać, że się ich nie boi.

W odpowiedzi usłyszała kilka szybkich słów z ust wyższego wojownika. Jasnowłosy bezceremonialnie objął ją ramieniem w pasie i przyciągnął do siebie tak blisko, że poczuła jego kwaśny oddech na policzku. Wzdrygnęła się i spróbowała wyszarpnąć. Wtedy jednak ten drugi stanął za nią i szarpnął ją za włosy. Obrócił jej głowę i szorstkimi palcami przejechał po policzku i ustach. Jego ciemne oczy miały w sobie niebezpieczny błysk. Oblizał spieczone wargi w dość jednoznacznym geście. Powiedział coś szybko, na co jego kompan roześmiał się ochryple i położył dłoń na jej piersi. Ariel krzyknęła i bez namysłu uderzyła go kolanem między nogi. Jasnowłosy jęknął głucho, puścił ją i zatoczył się to tyłu. Wyszarpnęła się drugiemu mężczyźnie i pognała do drzwi.

W połowie drogi ktoś podciął jej nogi i jak długa runęła na ziemię. Obróciła się i ujrzała nad sobą jasnowłosego. Z wyrazem niezadowolenia na twarzy warknął coś krótko i wydobył z pochwy miecz. Z bijącym mocno sercem Ariel obserwowała, jak stal gładko przecina dzielący ich mrok, a potem dotyka jej szyi. Przeszył ją paraliżujący chłód. Tymczasem ten wyższy stanął przy swoim towarzyszu i uśmiechnął się szeroko, taksując ją rozpalonym wzrokiem. Jej sukienka podwinęła się niemal do ud, a górna część zsunęła z jednego ramienia, odsłaniając szare znamię tuż powyżej piersi. Wiedziała, że aż ich świerzbią palce, żeby zedrzeć z niej całe okrycie. Mogłaby próbować dalej walczyć, ale wobec ostrej stali była bezsilna.

Zacisnęła mocno powieki, nie licząc już na żaden cud. Nie miała z nimi żadnych szans, a nikt nie przybędzie jej nie pomoc. Teraz mogła już mieć tylko nadzieję, że szybko się nią znudzą, a potem Balar ich zabije. Ironia losu, że to właśnie on był teraz jej jedynym ratunkiem.

Kiedy jeden z nich usiadł na niej okrakiem, jej serce zamarło, podobnie jak reszta ciała. Nie potrafiła zmusić się do jakiegokolwiek ruchu, choć tak bardzo pragnęła walczyć, bronić się, do końca stawiać opór. Jakiś głosik w jej umyśle szeptał, że nie ma sensu się opierać. Jest przecież tylko słabą dziewczyną, która i tak niedługo umrze.

Właściwie już się poddała, kiedy znów rozległo się skrzypnięcie drzwi. Usłyszała kroki, a potem męski głos. Niemal natychmiast go rozpoznała i jęknęła głucho.

A już myślałam, że nie może być gorzej.

To był Sato. Jego obecność zdecydowanie nie wróżyła nic dobrego. Ariel nie miała ochoty otwierać oczu, więc nasłuchiwała tylko, przyparta do podłogi, z napiętymi mięśniami.

Sato wymienił z wojownikami kilka szybkich słów. Ten, który na niej siedział, wstał i odsunął się, choć wciąż znajdował się zbyt blisko. Ich przywódca był wyraźnie zły. Może mieli jakieś zadanie do wykonania i zignorowali jego polecenia, a może po prostu zirytował się, że nie poczekali na niego i sami zaczęli zabawę.

Potem zapanowała dość długa cisza. Ariel odliczała sekundy, ale nic się nie działo. Nie słyszała głosów ani kroków, więc wciąż musieli tu być. Tylko dlaczego nagle zrobiło się tak dziwnie cicho? Ciekawość zwyciężyła i w końcu otworzyła oczy. Sato kucał tuż przy niej, uważnie przyglądając się jej twarzy. Miał zamyślone spojrzenie, które przenosił z jej włosów na szare znamię i z powrotem. W końcu spojrzał jej prosto w oczy. Ze zdziwieniem odkryła, że płynne złoto jego tęczówek z bliska nie było wcale takie drapieżne i niebezpieczne, jak to jej się wcześniej wydawało. Było wręcz łagodne i ciepłe. Kiedy tak patrzyli na siebie, doszła do wniosku, że jego oczy były po prostu dwoma miniaturowymi słońcami. Zaledwie to pomyślała, kąciki jego ust wygięły się w słabym, smutnym uśmiechu.

– Ariel – wymówił jej imię tak czule, że kompletnie ją zamurowało.

Zanim pojęła, co się dzieje, wyprostował się i stanął między nią a wojownikami. Odezwał się do nich ostrym, władczym tonem, na co odpowiedzieli krótko i ze złością. Wtedy sięgnął ręką za plecy i zacisnął palce w rękawicy na rękojeści miecza. Ariel przysięgłaby, że z jego gardła wydobyło się głuche warknięcie. Złotowłosy cofnął się z uniesionymi bezradnie rękoma i z lękiem w oczach. W końcu mrucząc coś pod nosem, obaj wyszli szybko z kuchni.

Kiedy zniknęli, Sato odwrócił się do niej i ku jej ogromnemu zaskoczeniu uśmiechnął się lekko wyraźnie odprężony. Jego twarz złagodniała i wyzbyła się wszelkich cech wrogości. Wyglądał teraz zupełnie jak chłopiec, który przyszedł się z nią pobawić.

Ariel przyglądała mu się z nieufnością. Kiedy wyciągnął w jej stronę rękę, wpatrywała się w nią, jakby widziała ją po raz pierwszy w życiu. Jednak delikatny uśmiech nie schodził z warg wojownika i wyglądało na to, że naprawdę nie ma wobec niej żadnych złych zamiarów. Ostrożnie przyjęła jego dłoń i pozwoliła, by pomógł jej wstać. Zaledwie stanęła na nogach, zakręciło jej się w głowie i poleciała wprost w jego ramiona. Sato objął ją delikatnie i posadził na krześle. Potem ukląkł przed nią, ujął jej dłoń i przez chwilę ściskał lekko, a z jego gardła wydobyło się długie westchnienie. Pochylił głowę, przyłożył sobie jej dłoń do czoła i roześmiał się cicho.

– Tak się cieszę – odezwał się szeptem, słabym angielskim.

Ariel zupełnie nic z tego nie rozumiała. Wpatrywała się w srebrne włosy Sato i dłoń w rękawiczce, która miała w sobie zadziwiającą delikatność. Czy to był Sato, którego poznała? Ten sam nieokrzesany wojownik, który groził jej mieczem i lizał po twarzy? W dodatku okazuje się, że zna jej język. Czy to znaczyło, że wcześniej też ją rozumiał? Chciała zapytać o to wszystko, ale nie zdążyła. W głębi domu rozległy się jakieś hałasy. Musiały go wystraszyć, bo uniósł głowę i spojrzał jej prosto w oczy. To dziwne, ale nadal widziała w nich dwa ciepłe malutkie słońca. Uśmiechnął się krótko bez słowa i w następnej chwili zniknął w tylnych drzwiach. Ariel patrzyła, jak się za nim zamykają, a w głowie miała kompletną pustkę.

* * *

Tej nocy miała bardzo dziwny sen. Najpierw biegała boso po lesie z szarym wilkiem u boku. Ten wilk był wyjątkowo duży, z długą sierścią przetykaną białymi plamami. Jego prawą łapę pokrywały czarne tatuaże, które zdawały się poruszać wraz z nim. Biegli długo i bez odpoczynku, ale wcale nie czuła zmęczenia. Wypełniało ją uczucie, które dodawało jej sił. Czuła, że pobiegłaby za tym wilkiem wszędzie, nawet na koniec świata.

Noc była jasna i ciepła. Na niebie wisiał pękaty księżyc w otoczeniu setek gwiazd. Ariel zatrzymała się, by podziwiać ten piękny widok, i zorientowała się, że znajdują się na skraju lasu. Wilk również przystanął kilka metrów dalej. Nagle znaleźli się nad morzem, choć nie słychać było żadnego szumu. Nieruchoma szkarłatna tafla wyglądała jak krew. Wilk stanął przy mężczyźnie w czarnym płaszczu i położył się u jego stóp. Kiedy mężczyzna uniósł głowę i na nią spojrzał, uśmiechnął się szeroko. To był Balar. Wiedziała to jeszcze, zanim zobaczyła jego twarz. Teraz jednak wyglądał inaczej. Nie miał żadnych ran ani blizn, wyglądał młodziej i mniej groźnie. Podniósł rękę, jakby chciał pomachać, ale w ostatniej chwili zrezygnował. Nagle chwycił wilka obiema rękami i z tym samym uśmiechem skręcił mu kark. Potem wstał, odwrócił się i wszedł do morza. Ariel patrzyła za nim, dopóki jego głowa całkowicie nie zanurzyła się w szkarłatnej wodzie.

Obudziła się gwałtownie ze łzami w oczach. Leżała w ciemności i próbowała się skupić. Niemal natychmiast dziwny sen zatarł się w jej świadomości, pozostawiając po sobie gorzki posmak niepokoju. Dopiero po dłuższej chwili dosłyszała w ciszy jakiś hałas. Jakby ktoś się poruszył. Naprężyła mięśnie i omiotła spojrzeniem pogrążony w ciemności pokój. Przez sekundę zdawało jej się, że dostrzega jakiś błysk, a zaraz potem usłyszała delikatny szum, jakby coś lekkiego przeszyło powietrze. Potem zapanowała absolutna cisza. Ariel przekręciła się na drugi bok i w końcu usnęła ponownie. Tym razem nic się jej nie śniło i obudziła się dopiero późnym rankiem. Kiedy wstała, na stole czekało już na nią śniadanie. Przez otwarte okienko wlewało się do środka słońce i ciepłe powietrze. Ariel stanęła na środku pokoju i patrząc w niebo, zmarszczyła lekko brwi. Nigdy go nie otwierała, bo było za wysoko. Tego okna nigdy nie otwierała.

* * *

Czerwony księżyc wyłonił się spomiędzy chmur niczym statek widmo na atramentowo czarnym morzu. Jego upiorny blask rozświetlił kotlinkę w szkarłatnym oceanie nocy. Rozpaczliwe krzyki niosły się echem po okolicy, płosząc drobne zwierzęta i siedzące na gałęziach ptaki. Kamienne domki były jedynymi niemymi świadkami, surowe i obojętne wobec rozgrywającej się rzezi.

Od trzech dni nie miał w ustach jedzenia i czuł się słaby. Wiedział też, że pokarm to nie wszystko. Potrzebował życia, by samemu przetrwać. Od dawna nie zastanawiał się, co będzie dalej. Nie myślał też o przeszłości. Wyrzucił z umysłu wszelkie niepotrzebne myśli, pozostawiając jedynie zwierzęcy instynkt i wolę przetrwania.

Gdy wyczuł ludzkie osiedle, nie był w stanie się powstrzymać. Czuł, że jego serce bije coraz wolniej i czasem traci kontakt z rzeczywistością. Jakiś wewnętrzny głos podpowiadał mu, że to co robi, jest niewybaczalnym grzechem. Z łatwością zdusił go w sobie, by nie poddać się wątpliwościom. Wola życia była silniejsza. Musiał przetrwać za wszelką cenę. Musiał zdobyć siłę, by zrealizować swój cel.

A chciał tylko jednego. Zemsty.

Był nieco zawiedziony, gdy ujrzał malutką wioskę przycupniętą pomiędzy zielonymi wzgórzami i wysokimi drzewami. Zaledwie kilka starych, byle jak skleconych chat. Przyczajony w wysokiej trawie przymknął powieki i uniósł głowę. Kierując się węchem oraz dodatkowym zmysłem, naliczył około trzydziestu osób. Niedużo. Wystarczająco jednak, by mógł odzyskać nieco energii.

Wieśniacy nie byli dla niego przeciwnikami. Uzbrojony w dwa miecze o zdobionych rękojeściach i lśniącej stali wkroczył do wioski dokładnie o zachodzie słońca. Ostatnie blade promienie padły na jego młodą, z pozoru niewinną twarz, ukrytą za kilkudniowym zarostem. Ciemnobrązowe włosy i oczy lśniły dziwnym, mrocznym światłem, przez co wyglądał niczym jakiś dawno zapomniany bóg. Szedł środkiem drogi, nie rozglądając się na boki, z ponurym grymasem. Jego wzrok był nieruchomy, zimny i drapieżny, jak błysk stali w jego dłoniach.

Jakieś dziecko przebiegło mu drogę. Mięśnie zareagowały szybciej niż umysł, nie musiał nawet patrzeć w tamtą stronę. Jego ramię unosło się gładkim, szybkim ruchem, po czym opadło na głowę chłopca. Ktoś krzyknął, gdy ciało upadło ciężko na drogę. Trysnęła krew, plamiąc jego tunikę. Bez jednego mrugnięcia opuścił miecz, po którym leniwie skapywały szkarłatne krople i znaczyły za nim krwawą ścieżkę.

Potem wszystko potoczyło się bardzo szybko. Był niczym dzikie zwierzę, nieludzko szybki i zwinny. Gdy ludzie próbowali schronić się w domach, zagradzał im drogę i zabijał, zanim zdążyli westchnąć. A gdy komuś udało się znaleźć schronienie, odnajdywał go bez trudu, kierując się jedynie węchem. Każdy jego ruch miał w sobie zimną precyzję, każdy cios zdawał się dokładnie przekalkulowany, jakby ćwiczył to wiele razy. Wrzaski i błagania nie robiły na nim najmniejszego wrażenia. Kobiety i dzieci padały pod ciosami jego mieczy, które błyskały w mroku, wykonując wokół niego piękny śmiertelny taniec. Mężczyźni próbowali się bronić, przeklinając go i posyłając do piekła. On jednak słyszał jedynie zwycięską pieśń stali, gdy z łatwością przebijała ludzkie ciało oraz własne tętno, które boleśnie dudniło mu w skroniach, gdy serce napełniało się życiem i energią. Po tych wszystkich miesiącach, kiedy czuł się tak pusty i martwy, to było zniewalające doświadczenie.

W pewnym momencie przystanął między domami, odrzucił do tyłu głowę i zaczął się śmiać. Śmiał się niemal histerycznie, trzymając zakrwawione miecze wzdłuż ciała. Śmiał się tak długo, aż rozbolało go gardło, a z oczu pociekły łzy. Gdy umilkł równie nagle, w kotlince zapanowała śmiertelna cisza. Ciemna, granatowa noc przyniosła ze sobą chłód, poza tym, wszystko jakby zamarło. Żadnego dźwięku. Nic.

Na niebie zaczęły pojawiać się pierwsze gwiazdy. Mężczyzna trwał w kompletnym bezruchu, chłonąc rześkie, nasiąknięte metalicznym zapachem powietrze. W takich chwilach jak ta czuł się panem wszechświata. Był władcą życia i śmierci, ani człowiekiem, ani duchem. Jeśli kiedykolwiek miał sumienie, to dawno o nim zapomniał. Teraz liczyło się tylko to, że w końcu poczuł się silny. W jego żyłach krążyła nowa życiodajna energia, która powoli wypełniała go od środka i regenerowała ciało. W tej chwili żadna siła nie była w stanie popsuć mu humoru, a już tym bardziej pokonać. Bo co można zrobić komuś, kto już nie żyje?

Wetknął miecze za szeroki pas i uniósł przed oczy prawą dłoń. Rozcapierzył palce, przyglądając się, jak prześwitujące między nimi nikłe światło oświetla szkarłatne zasychające plamy. Potem przysunął ją do twarzy i posmakował językiem słodkawej krwi. Jego wargi uniosły się ku górze, jak gdyby próbował najlepszego trunku. W końcu wytarł dłoń o i tak poplamioną już tunikę. Omijając martwe ciała, opuścił wioskę tak cicho i spokojnie, jak do niej wkraczał.

Teraz już nie miał żadnego konkretnego celu. Skierował się na północny zachód, tylko dlatego że właśnie tam rozpościerała się ciemna ściana drzew, wśród których zamierzał przenocować. Należał mu się w końcu odpoczynek, choć wprawdzie nie odczuwał zmęczenia, a jedynie ponurą satysfakcję. Tej nocy zdobył wystarczająco energii, by móc spokojnie przeżyć przez najbliższe dni. Później znajdzie kolejną wioskę, aż w końcu wypełni złożone dawno temu przyrzeczenie. Jego stopy w miękkich skórzanych butach poruszały się bezszelestnie, gdy wspinał się na kolejne pokryte wysoką trawą wzniesienie. Na szczęście widział na tyle, by w ciemności nie potknąć się o wystający korzeń czy kamienie. Lekki wiaterek muskał jego twarz i chłodził oblepione potem ciało, jednak nie poruszył ani jednym listkiem na drzewach. Przez całą drogę mężczyźnie towarzyszyła milcząca pustka, nawet świerszcze zrezygnowały ze swojego koncertu. Zupełnie jakby cały świat sprzysiągł się przeciwko niemu.

Znalazłszy się w cieniu pierwszych drzew, wychwycił szelest w krzakach gdzieś po lewej. Jego wzrok błyskawicznie powędrował w tamtym kierunku. A więc będzie i kolacja. Czasem zapominał, że poza życiową energią potrzebował też zwykłego pokarmu. Bez względu na okoliczności zawsze miło było napełnić żołądek czymś pożywnym i ciepłym. Po chwili jego czujne oczy wypatrzyły w zaroślach szarą sierść i puszysty ogon. Wilk. Wyciągnął ukryty za pasem krótki nóż, jakim myśliwi posługują się przy obdzieraniu zwierzyny. Jego czarna rękojeść była ciężka i naznaczona upływem czasu, ostrze zmatowiało i stępiło się, jednak czuł do niego zbyt duży sentyment, by się go pozbyć. Zważył w dłoni jego ciężar. To była mimo wszystko dobra broń. Starsza od niego, ale dobra.

Niedbałym ruchem podrzucił nóż, po czym złapał go za ostrze. Zmrużył oczy, szybko ocenił odległość, po czym jednym błyskawicznym ruchem rzucił nóż między gęste krzaki. Krótki skowyt, a potem ciężki odgłos padającego ciała upewniły go, że trafił do celu. Odgarnął niecierpliwie zarośla i stanął nad martwym ciałem wilka.

Musiał przyznać, że zwierzę było piękne. Samiec miał lśniącą, szarobiałą sierść, silne łapy i duże mądre ślepia, które teraz patrzyły przed siebie, pozbawione życia. Z głębokiej rany na piersi wypływała krew. Nauczył się, że życie jest zbyt krótkie, by się nad kimkolwiek litować czy odczuwać wyrzuty sumienia. Czemu więc miałby żałować jednego wilka? A tym bardziej ludzi? Wyszarpnął nóż ze zwierzęcia, otarł o trawę i schował z powrotem za pas. Potem schylił się i przerzucił sobie martwe zwierzę przez ramię. Łatwość z jaką to zrobił, przypomniała mu o nowo zgromadzonej energii. To był stanowczo dobry dzień, który równie dobrze się zakończy.

Przedzierał się przez las i ciemność, dopóki nie znalazł się na niewielkiej okrągłej polance. Zrzucił wilka na ziemię i odetchnął z zadowoleniem. Rozejrzał się wokół, nasłuchując czujnie. Po chwili zmarszczył lekko brwi, odgarniając wzrokiem ciemność, jak odgarnia się rękami gęstą mgłę. Zaraz jednak się odprężył, a rysy jego twarzy złagodniały. Czasem zapominał, że zwierzęta od niego uciekały. Gdziekolwiek szedł, ciągnął za sobą cień śmierci. Ludzie jej nie wyczuwali, natomiast zwierzęta owszem, w końcu były sprytniejsze i bardziej wyczulone. Kiedyś, w poprzednim życiu, lubił zwierzęta. Szczególnie swojego psa. Nie rozstawał się z nim do dnia jego śmierci. Teraz zawsze był sam. W powietrzu niezmiennie wyczuwał ciążącą nad nim samotność, głęboką pustkę, która przez te wszystkie lata była jego jedyną towarzyszką.

Powrócił myślami do rzeczywistości i zabrał się do pracy. Zebrał stos suchych gałęzi i rozpalił ogień. Następnie usiadł wygodnie na trawie, wyciągnął nóż i zajął się oporządzaniem zdobyczy. Ściągnięcie skóry z wilka i podzielenie mięsa na kilka równych porcji nie zajęło mu dużo czasu, choć wcale się nie spieszył. Uporawszy się z najgorszą robotą, wrzucił mięso do ogniska. Potem usiadł wygodnie na trawie, skrzyżował przed sobą nogi i pochyliwszy się do przodu, splótł palce u dłoni. Czerwone i pomarańczowe płomienie tańczyły w jego oczach, gdy zagapił się na nie w głębokiej zadumie. Właściwie to nie myślał o niczym, a przynajmniej starał się nie myśleć. Wisząca nad nim cisza była niemal złowieszcza, jakby za chwilę miało wydarzyć się coś strasznego.

Nawet nie wiedział, że siedzi tak nieruchomo już od ponad pół godziny. W końcu drgnął i patykiem wygrzebał z pogorzeliska mocno spieczone mięso. Nadział największy kawałek na długi kij i nie zważając na bijący od niego żar, wgryzł się w niego ze smakiem. Wtedy właśnie uniósł wzrok, choć żaden jego mięsień nawet nie drgnął. Nie poruszył się, gdy ciemna postać otulona czarnym płaszczem zjawiła się na polance. Spokojnie jadł swoją kolację, podczas gdy przybysz zbliżył się do światła rzucanego przez ognisko. Od mężczyzny biła mroczna, potężna Moc oraz coś jeszcze... Jakaś chłodna władczość, której sile mało kto mógł się oprzeć. On jednak się oparł i czuł, że przybyszowi to się spodobało. Uśmiechnął się do niego ponad płomieniem ociekającymi gorącym tłuszczem ustami. Mężczyzna odrzucił na plecy kaptur i dopiero wtedy go rozpoznał.

Balar obrzucił go uważnym, przeszywającym spojrzeniem, zatrzymując wzrok na zaschniętych plamach krwi na jego tunice. Nie uśmiechnął się, gdy w końcu ich spojrzenia się spotkały.

– Ortis.

Było to raczej stwierdzenie niż pytanie. Mężczyzna nadal siedział spokojnie przy ognisku, nie przerywając jedzenia, a tłuszcz ściekał mu po palcach. Na twarzy miał teraz uprzejme zainteresowanie, gdy czekał na dalszy ciąg.

Balar stał wyprostowany, w jego oczach tańczyły czerwone płomienie z ogniska.

– Mam dla ciebie propozycję nie do odrzucenia.

* * *

Ciężkie zwały chmur zapowiadały kolejną ulewę. W półmroku wszystko wydawało się jeszcze bardziej szare i nieprzyjazne. Słońce wyłaniające się na krótką chwilę z ukrycia dawało niewiele światła i jeszcze mniej ciepła. Unoszący się w powietrzu zapach wilgoci utrudniał oddychanie, miało się wrażenie, że każdy wdech był niczym wspinaczka po stromej górze.

Ariel z wahaniem wpatrywała się w drzwi przed sobą. Wprawdzie wiedziała, że Balara nie było, ale przecież mógł wrócić w każdej chwili. Co by zrobił, gdyby zastał ją grzebiącą w jego pokoju? Z pewnością byłby wściekły. Na tyle wściekły, że na samych pogróżkach by się nie skończyło. Wzięła głęboki wdech i sprawdziła, czy aby gdzieś w mroku nikt jej nie podgląda. Nigdy jeszcze nie wchodziła tu sama i wolała, by nikt się o tym nie dowiedział, zwłaszcza jego właściciel.

Zacisnęła drżące palce na klamce. Od dawna chciała to zrobić i jeśli teraz się wycofa, później może już nie mieć na tyle odwagi. Albo takiej szansy.

Pchnęła drzwi, które uchyliły się posłusznie z cichym skrzypieniem. Wślizgnęła się szybko do środka i zamknęła je za sobą, przylegając do ściany. Napięła wszystkie mięśnie, gotowa w każdej chwili do ucieczki, ale gdy omiotła spojrzeniem pokój i upewniła się, że w ciemności nikt na nią nie czeka, odetchnęła z ulgą.

Właściwie to nie wiedziała, gdzie szukać. Była prawie pewna, że Balar nosi jej medalion przy sobie, ale wolała to sprawdzić. Rozglądając się po pokoju i meblach, nie widziała tu właściwie żadnej kryjówki. W końcu zdecydowała się sprawdzić regał. W bladym świetle sączącym się przez okno ledwo dostrzegała tytuły leżących bez ładu ksiąg. Zaczęła je przewracać, odsuwać i dotykać, choć wiedziała już, że niczego tam nie znajdzie. Jej uwagę przykuł opasły tom w szkarłatnej okładce. Zaprzestała poszukiwań i zdjęła go z najwyższej półki, po czym przysiadła z nim przy stole.

Księga nie miała żadnego tytułu, ale gdy Ariel ostrożnie zajrzała na pierwszą stronę, otworzyła szeroko oczy, tłumiąc westchnienie. To z pewnością nie był ten sam język, jakim zapisano książki w bibliotece.

Drobne, staranne pismo układało się na kartce w skomplikowane wzory, które wiły się i pulsowały, jakby chciały z niej uciec. Ariel zamrugała parę razy i złudzenie zniknęło, ale nawet gdy się bardziej pochyliła, nie była w stanie rozszyfrować ani jednego słowa w tym dziwnym, skomplikowanym języku. Nadal jednak przekładała strony, jakby czegoś szukała. Księga tak bardzo ją wciągnęła, że na chwilę zapomniała o wszystkim innym. Nagle zapragnęła poznać jej treść, zrozumieć wypisane w niej słowa, by zdobyć ukrytą w niej wiedzę. To pragnienie rosło w niej z każdą kolejną stroną, aż poczuła, że zwariuje, jeśli jej nie rozszyfruje. Skądś wiedziała, że ta książka zawiera zakazaną dla niej wiedzę, być może niebezpieczną, a mimo to tak kuszącą.

Nagle do jej uszu dobiegło odległe skrzypienie otwieranych drzwi. W panice rzuciła księgę na pierwszą z brzegu półkę i wybiegła z pokoju. Zatrzymała się dopiero na szerokich schodach i rozejrzała szybko po pustym holu. W całym domu panowała niczym niezakłócona cisza, ale Ariel przysięgłaby, że przed chwilą ktoś otwierał jakieś drzwi. Było jeszcze zbyt wcześnie, by wojownicy kręcili się po domu, więc była pewna, że to Balar wrócił ze swojej wyprawy.

Była w połowie schodów, kiedy zobaczyła, że hol jednak nie jest pusty. Ktoś siedział na ostatnim stopniu. To był Sato, choć w pierwszej chwili go nie poznała. Nie miał na plecach miecza ani kolczugi. Ubrany był lekko, jedynie w luźne spodnie i zwiewną tunikę. Aż trudno było uwierzyć, że ten chłopak o zwichrzonych srebrnych włosach jest groźnym wojownikiem. Na jego widok jakoś tak zrobiło jej się lekko na sercu, jakby zdjęto z niego ogromny ciężar. Odetchnęła z ulgą, że to przynajmniej nie Balar ani żaden z pozostałych mężczyzn.

Ostrożnie pokonała jeszcze kilka stopni, a wtedy Sato się odwrócił i spojrzał na nią. Zaskoczenie szybko zastąpił szeroki uśmiech. Przyjrzał jej się z góry do dołu i bez słowa poklepał schodek, na którym siedział. Ariel wciąż patrzyła na niego nieufnie, ale przyjazny uśmiech nie znikał z jego twarzy. W jego oczach jarzyły się dwa maleńkie słoneczka.

Nie. Jednak to nie był sen.

W końcu zaryzykowała i usiadła obok niego w bezpiecznej odległości. Podkurczyła nogi, otaczając je ramionami. Mężczyzna nie zdejmował z niej spojrzenia, więc odważyła się na nieśmiały uśmiech.

Jego obecność ani jej nie krępowała, ani nie onieśmielała. Właściwie to czuła się przy nim nawet odprężona. Chciała zrozumieć, czemu tak jest, ale nie wiedziała, czy będą potrafili się porozumieć.

Przez chwilę siedzieli w milczeniu, a Ariel patrzyła na swoje bose stopy i zastanawiała się, czy w ogóle powinna się odezwać. Po tym, jak początkowo się wobec niej zachowywał, wciąż nie była do końca pewna jego osoby i tej nagłej przemiany.

– Czegoś tu nie rozumiem – odezwała się w końcu, nie odwracając głowy. Czuła, że powinna jednak coś powiedzieć, nawet jeśli jej słowa pozostaną bez odpowiedzi. – Dlaczego uratowałeś mnie przed swoimi towarzyszami? Dlaczego zachowujesz się teraz inaczej? I dlaczego odnoszę wrażenie, że mnie znasz? – Pokręciła lekko głową. – Nie sądzisz, że to dziwne? Może to dlatego, że straciłam pamięć, ale zaczynam się w tym wszystkim gubić. Jednak mam dziwne wrażenie, że już kiedyś się spotkaliśmy – w końcu spojrzała na niego ze zmarszczonym czołem. – Rozumiesz mnie? Chciałabym, żeby ktoś w tym zwariowanym świecie mnie zrozumiał. Chciałabym czasem porozmawiać z kimś poza Balarem. Nie wiem jednak, czy powinnam ci zaufać. To, że raz mi pomogłeś, nie daje gwarancji, że to nie jakiś podstęp.

Sato patrzył na nią, jakby nie rozumiał ani słowa. Przez krótką chwilę zawisła między nimi cisza, a potem roześmiał się cicho. Rozejrzał się ukradkiem, jakby upewniał się, czy nikt ich nie podsłuchuje. Odwrócił się w jej stronę i ujął jej dłoń, po czym położył sobie na sercu. Ariel z zaskoczeniem popatrzyła mu w oczy. Za każdym razem zdumiewało ją to, co tam odkrywała.

– My... przyjaciele – powiedział powoli, z trudem przemawiając w jej języku. Milczał przez chwilę, szukając w myślach odpowiednich słów. Kiedy je w końcu znalazł, uśmiechnął się z zadowoleniem. – My dawno temu... przyjaciele. Przysięga krwi... brat i siostra...

Ariel zagryzła wargi, próbując zrozumieć, co chce jej powiedzieć. Przez cienki materiał bluzki czuła ciepło jego ciała.

– Więzy krwi? – powtórzyła cicho.

Pokiwał skwapliwie głową.

– Tak. My być dzieci. Ty… moja siostra. Siostra krwi.

– Siostra? Chcesz powiedzieć, że jesteśmy rodzeństwem? – Teraz była naprawdę zaskoczona. Czyżby właśnie przypadkiem odnalazła swojego brata? Z wrażenia zakręciło jej się w głowie.

Sato jednak zaprzeczył, mocniej ściskając jej dłoń.

– Nie rodzeństwo. Nie naprawdę. – Widział, że nie rozumie do końca jego słów. Jego uśmiech przygasł niczym płomień świecy zdmuchnięty przez nagły powiew wiatru. Namyślał się dłuższą chwilę, a potem zerwał na nogi, pociągając ją za sobą. Nadal trzymał ją za rękę. – Ja nauczyć języka. Potem rozmawiać.

Już nic więcej nie powiedział, tylko pociągnął ją za sobą i zanim się zorientowała, znaleźli się w bibliotece. Ariel nie spodziewała się, że ktoś poza nią i Balarem może w ogóle wiedzieć o istnieniu tych książek. Tymczasem wyglądało na to, że Sato musiał tu często przychodzić. Potrafił poruszać się między stosami ksiąg i regałami, jakby każdy kąt znał na pamięć. Przez chwilę szukał czegoś na najniższych półkach, aż w końcu wyciągnął cienką książeczkę w szarej okładce, mocno zniszczoną i z naderwanymi rogami. Potem usiedli w kącie, gdzie było najwięcej światła, i położył książeczkę przed nimi na podłodze. Otworzył ją na pierwszej stronie, po czym wskazał na nią, na Ariel, a potem na siebie.

– Ja… uczyć – powtórzył z uśmiechem, od którego jego bursztynowe oczy nabrały złotego blasku. – Ta książka stara, ale pomóc. Prosta… dla dzieci.

Ariel patrzyła to na niego, to na otwartą książkę. Rzeczywiście litery na pożółkłych stronach były duże i wyraźne, jakby pisane specjalnie dla dziecka. Zdania były krótkie, uzupełnione prostymi szkicami.

Poczuła, jak wstępuje w nią nowa nadzieja. Miała ochotę skakać ze szczęścia. Spojrzała na Sato z szerokim uśmiechem i w jednej chwili odkryła, że naprawdę go lubi. To było takie naturalne jak oddychanie. Aż dziwne, że wcześniej się go bała.

– Więc zaczynajmy – powiedziała i pochyliła się nad książką.

Rozdział XXXIII

Każdego dnia czytała coraz więcej i płynniej. Nie wiedziała, czy to wyłącznie zasługa Sato czy jej własne umiejętności, ale przyswajała sobie elloński z zaskakującą szybkością. Prawie każdego wieczoru zaszywali się w bibliotece i przeglądali różne książki. Chłopak z początku pokazywał jej te najcieńsze i najprostsze, z czasem przechodzili do coraz grubszych, gdzie tekst był dłuższy i bardziej skomplikowany. Ponieważ Sato znał trochę angielski, nauka szła o wiele sprawniej. Szybko jednak zaczęli rozmawiać wyłącznie po ellońsku, nawet jeśli Ariel nie wszystko jeszcze rozumiała. Dlatego zabierała książki do pokoju i czytała, dopóki nie rozbolały ją oczy.

Coraz rzadziej zaglądała do kuchni, całymi dniami przesiadując teraz w pokoju lub w bibliotece. Czasem przechadzała się po korytarzach lub wpadała do kuchni na kilka minut. Potrafiła już porozmawiać z Ereną, choć dziewczyna miała dla niej niewiele czasu. Puszczała oko do Sato, który przy wojownikach albo ją ignorował, albo rzucał w jej stronę teksty, które niestety teraz rozumiała. W ciągu dnia musieli udawać wrogów. Za to wieczory mieli wyłącznie dla siebie. I choć Ariel wciąż oswajała się z tym nowym Sato, szybko zyskiwał jej zaufanie. Właściwie to wciąż nie powiedział nic o sobie i Ariel miała do niego coraz więcej pytań. Oboje jednak czekali na właściwy moment, kiedy już bariera językowa całkiem zniknie. Ta chwila nadeszła zaskakująco szybko.

Pewnego dnia Sato wyciągnął z półki wielką księgę oprawioną w zdobioną skórę. Przyniósł ją do ich kącika, w którym zdążyli się zadomowić. Siedzieli pod podłużnym oknem, przez które wieczorami zawsze wpadało światło zachodzącego słońca, a później chłodny blask księżyca. Była to też idealna kryjówka, gdyby ktoś nagle wszedł do biblioteki, bo znajdowała się w drugim końcu komnaty, z dala od drzwi, dobrze schowana między regałami i stosami ksiąg.

Ariel od razu zaintrygowała grubość oraz misternie zdobiona okładka książki.

– Co to jest? – zapytała płynnie po ellońsku. Naprawdę polubiła ten język i miała już z nim coraz mniej problemu. Mówiła z dobrym akcentem i z łatwością wymawiała słowa, które kiedyś zdawały jej się tak brzydkie i skomplikowane. Nie miała już żadnego powodu, by używać tutaj angielskiego.

– Czas, żebyś zdobyła trochę wiedzy praktycznej – powiedział, rozkładając między nimi księgę. Otworzył ją i popukał palcem w gruby papier. – Popatrz.

Dziewczyna, która do tej pory siedziała po turecku, otworzyła szerzej oczy i natychmiast opadła na brzuch, podsuwając sobie kartki pod sam nos. Oparła brodę na rękach i machając w powietrzu nogami, przyjrzała się liniom, znaczkom i drobnym rysunkom.

– Mapa. To jest mapa tego świata, prawda?

– Zgadza się. – Sato z uśmiechem poszedł za jej przykładem i również położył się na brzuchu. Powędrował palcem wzdłuż linii wyznaczających granicę sporego obszaru. Kształtem przypominał niesymetryczną podkowę. – To jest granica Elderolu. Tak nazywa się ta wyspa. Właśnie tu się znajdujemy.

Ariel pokiwała głową. Przypatrując się mapie, spostrzegła, że autor tego rysunku musiał być bardzo dokładny, bo nie zabrakło tu malutkich skupisk drzew, zarysu gór oraz niebieskich niteczek wyznaczających nurty rzek. Były również wypisane nazwy wiosek, a większe miasta wyróżniono i starannie podkreślono. Jednak na mapie zdecydowanie dominował niebieski. Dziewczyna od razu zwróciła na to uwagę.

– Poza Elderolem nic dalej nie ma? – zapytała, wskazując palcem na

niebieskie tło i wypisane na nim dużymi literami „OCEAN". – Dalej
jest już tylko woda?

– Nie. Ale nie wszyscy mają tak szczegółowe mapy. Niedaleko znajdują się małe wysepki Aznar i Rohe. Dalej są inne państwa, z którymi
handlujemy, ale tak naprawdę niewiele wiemy o mieszkających tam
ludach. Elderol jest jedną z pięciu większych wysp i tylko to mnie interesuje. Nigdy nie byłem na morzu i raczej moja noga nie postanie na
statku – wyszczerzył zęby w zawadiackim uśmiechu. – Jestem stupro-
centowym szczurem lądowym i kocham ziemię.

Ariel oderwała wzrok od niebieskiej plamy i skupiła się na szczegó-
łowym szkicu wyspy. Na pierwszy rzut oka wszystkie te kolory i nazwy zlewały się w jedno, kiedy jednak przyjrzała się lepiej, zaczynała
dostrzegać coraz więcej szczegółów.

– To gdzie teraz jesteśmy?

Sato natychmiast położył palec na malutkich zielonych drzewkach,
gdzieś pośrodku wyspy, mniej więcej na południowym zachodzie.

– Gdzieś tutaj. W prowincji Serini.

Ariel uniosła brwi, wpatrując się w to miejsce. Otaczały go nazwy
miejscowości. Jedno miasto było większe, oznaczone sporą czarną
kropką.

– Serini? Nie widzę tu takiej nazwy.

– Bo to nie jest żadna miejscowość – odparł cierpliwie. – Elderol jest
podzielony na pięć prowincji, w obrębie których mieszka pięć klanów.
Tak więc mamy prowincję Ashe – wyliczając, jednocześnie wskazywał
na mapie właściwe miejsca – Elahti, Serini, Belthów i Asehi. Każda
prowincja składa się z kilku wiosek i miasta – stolicy, gdzie mieszka
hrabia zarządzający daną prowincją. Każda część ma odrębną kulturę
i mentalność. Ludzie z prowincji Ashe różnią się od Belthów czy Serini.
W głównej mierze zależy to od położenia geograficznego i warunków.
Tak więc Asehi specjalizuje się w handlu zamorskim i żegludze, bo znajdują się najbliżej morza. Ashe to spokojny lud zajmujący się głównie
uprawą roli i wyrobów naturalnych. Serini to kupcy, handlarze i myśliwi.

Belthowie to głównie wojownicy. W ich stolicy znajduje się szkoła dla młodych wojowników. Ich miasta otaczają lasy i wrzosowiska, a więc mają dobre warunki do treningów i szkoleń. Zaś Elahti to niewielka prowincja na najdalszym krańcu Elderolu. Prawdę mówiąc, niewiele o nich wiem, ale to dziwny i tajemniczy lud, który raczej trzyma się na uboczu. – Sato pokręcił lekko głową, odetchnął i spojrzał na Ariel. – To chyba wszystko, jeśli chodzi o wiedzę ogólną. Masz jakieś pytania? Oczywiście miała ich mnóstwo, więc zadała pierwsze z brzegu.

– A te góry na czerwono co oznaczają?

Sato przyjrzał im się z namysłem, mrużąc oczy. Milczał dość długo, jakby nie miał ochoty o tym mówić. W końcu jednak odezwał się poważnie.

– To granica z Nammirem. Chyba nikt nie lubi jej przekraczać. To naprawdę dziwny, gorący kraj. Właściwie to jedna wielka pustynia i skały. Nie ma tam trawy, a piasek jest brązowy od słońca. Tylko nieliczni kupcy mają odwagę przekroczyć tamtejsze góry. Podobno jeśli komuś uda się je pokonać i przejść na drugą stronę, to potrzebuje naprawdę dużego cudu, by przeżyć. Mówią, że na tych ostrych szczytach mieszkają ich bogowie i karzą każdego, kto bez zaproszenia próbuje przekroczyć granicę. – Sato zaśmiał się ochryple i niezbyt wesoło. – Osobiście w to nie wierzę, ale lepiej być ostrożnym. O tym kraju krąży wiele plotek i większość to same bzdury. Wiadomo tylko, że panują tam wysokie temperatury, które utrzymują się nawet w nocy. Nammijczycy są nieufni i nieprzyjaźnie nastawieni do obcych. Mężczyźni są tam traktowani… Cóż, raczej nie chciałbym się znaleźć po tamtej stronie gór, nawet z krótką wizytą.

Ariel odgadła, że nie ma ochoty ciągnąć tego tematu, więc tylko pokiwała głową.

– A gdzie jest twój dom? – zapytała ostrożnie po dłuższej chwili.

Wzruszył ramionami.

– Tutaj.

– Chodziło mi o prawdziwy dom. Miejsce, gdzie się urodziłeś. Do jakiego klanu należysz?

Zerknął na nią szybko, po czym zatrzasnął księgę, nawet nie spoglądając na mapę.

– Teraz tu jest mój dom. Nie należę do żadnego klanu. – Usiadł ze skrzyżowanymi nogami i rzucił niedbale księgę za siebie. – Możemy poczytać coś innego?

Ariel skinęła głową i wstała powoli. Trafiła w jego czuły punkt i rozumiała, że nie powinna nalegać. Ich znajomość dopiero się rozwijała i nie chciała go niczym urazić. Miała nadzieję utrzymać tę przyjaźń jak najdłużej, chociaż wiedziała, że nie powinna. Z powodu Balara. Ostrzegał ją, żeby trzymała się od Sato z daleka. Tak łatwo było zapomnieć, że ona i ten chłopak stoją po dwóch stronach. Sato służy Balarowi, a więc jest i jej wrogiem.

Chłodny blask księżyca otulał ich niebieskawą poświatą, jakby próbował dodać otuchy. Z zewnątrz nie dochodziły żadne dźwięki, nawet cykady były dzisiaj dziwnie milczące. Cisza gęstniała wokół nich i stawała się coraz bardziej niezręczna. Ariel nie mogła pozwolić, by cokolwiek zepsuło im ten wspólny wieczór. Dlatego przywołała na usta szeroki uśmiech i trąciła chłopaka energicznie nogą.

– No już – rzuciła wesoło. – Taka mina ci nie pasuje. Mam coś, co możemy sobie razem poczytać. Prawdę mówiąc, czekałam specjalnie, aż skończymy lekcje. Dzisiaj chyba jest dobry dzień, żeby to uczcić.

Sato uniósł wzrok i przyglądał jej się przez chwilę, jakby nad czymś głęboko myślał. W końcu uśmiechnął się lekko i jak za dotknięciem czarodziejskiej różdżki jego twarz się rozpromieniła, a oczy złagodniały. Ariel uwielbiała w nie patrzeć. Kiedy przypominały dwa maleńkie słońca, miała wrażenie, że świecą tylko dla niej, i od razu robiło jej się ciepło na duszy.

– No więc? Co takiego znalazłaś?

Ariel kazała mu chwilę poczekać i zanurzyła się między regały. Wróciła z naręczem cienkich książeczek. Położyła je na podłodze, a sama usiadła tak blisko, że dotykali się ramionami. Chwyciła pierwszą książeczkę w zgniłozielonej okładce i otworzyła. Kartki były stare i pożółkłe, a czarny atrament wyblakły, jednak wciąż czytelny.

Na środku pierwszej strony wypisano starannie tylko jedno słowo.

Ethholt

Przeczytała je głośno.

– To imię poprzedniego właściciela tego domu – powiedział Sato.

– Naprawdę? Znałeś go?

– Balar przejął jego dom dawno temu. Po prostu przyszedł i zabił jego rodzinę. Nie było mnie przy tym i bardzo się z tego cieszę, bo to była prawdziwa rzeź. Nie znałem Ethholta, ale wiem, że był z Klanu Liścia. To pewnie jego pamiętnik.

– Zgadza się. Znalazłam go jakiś czas temu. Wydaje mi się, że to najciekawsza lektura z całego zbioru, więc chciałam poczekać, aż dobrze opanuję język. Poza tym – wyszczerzyła do niego zęby – chciałam pochwalić się swoim idealnym akcentem.

Sato roześmiał się i potarmosił jej włosy.

– Nie pochlebiaj sobie zanadto. Przyznaj po prostu, że miałaś wspaniałego nauczyciela.

Prychnęła, poprawiając sobie włosy.

– Oczywiście, mistrzu. To mam w końcu czytać czy nie?

– Już nie mogę się doczekać, żeby posłuchać twojego idealnego akcentu i wyników mojej niezwykle ciężkiej pracy – rzucił żartobliwie.

Ariel bez komentarza przewróciła kartkę. Na następnej stronie widniał krótki wpis wykonany tym samym charakterem pisma. Właśnie miała zacząć czytać, kiedy nagle coś jej się przypomniało.

– Wiesz? Zastanawia mnie dlaczego wszystkiego jest po pięć.

– Co?

– Nie zauważyłeś? Pięć prowincji, pięć klanów. Niektóre prowincje mają nawet po pięć wiosek. Czy ta liczba ma dla was jakieś szczególne znaczenie?

Sato zastanowił się przez chwilę. Bezwiednie owinął sobie kosmyk jej włosów wokół palca i bawił się nim od niechcenia. Było to tak naturalne, że oboje nie zwracali na to uwagi.

– Cóż – odezwał się w końcu. – Nigdy nad tym nie myślałem. Chociaż faktycznie masz rację. Można by to wytłumaczyć, gdyby było pięciu bogów. Ale jest tylko czterech, więc…

Ariel zrobiła zaskoczoną minę.

– Chcesz powiedzieć, że macie czterech bogów? – niemal wykrzyknęła.

– No tak. Nie wiedziałaś?

– Nie. Jakoś nikt nie raczył podzielić się ze mną tą drobną informacją – odparła z sarkazmem. – Zawsze byłam pewna, że jest tylko jeden bóg.

– To by dopiero było dziwne. Jak jeden miałby to wszystko ogarnąć? Jest czterech bogów: Launa, Paralda, Nikos i Gain. Bóg Ognia, Wody, Powietrza i Ziemi. Większość jednak wyznaje tylko jednego, zależnie od tego, z jakim żywiołem się utożsamia.

– A ty którego wyznajesz boga?

– Nie wiem. Nigdy specjalnie nie modliłem się do żadnego. Po prostu są i już.

– Czy tak można?

Sato westchnął przeciągle i przewrócił oczami.

– Gdybym wiedział, że z wiekiem staniesz się taka irytująca, słowem bym się nie odezwał.

Spuściła głowę urażona.

– Jestem ciekawa, więc pytam. Ale mogę sobie iść…

Zaczynała się podnosić, kiedy objął ją ramieniem i przyciągnął. Wtuleni w siebie, trwali w bezruchu przez kilka dobrych minut, wsłuchani we własne oddechy i miarowe bicie serc. Ariel po raz pierwszy była tak blisko Sato, ale zupełnie nie czuła się speszona. Było im tak wygodnie, że nie zamierzali zmieniać pozycji.

– Czytaj – szepnął. Oparł brodę na jej głowie i przymknął oczy.

Bez zbędnych słów przeczytała pierwszy wpis.

To najszczęśliwszy dzień w moim życiu. Pierworodny urodził się zdrowy i silny. Nie muszę się już martwić o posiadłość. Kiedy syn dorośnie, stanie się mężnym wojownikiem i moim jedynym dziedzicem. Sereya skacze przy nim jak przy zwierzątku, ale z czasem to jej minie. Nadeszły czasy, gdy i kobiety muszą chwycić za broń, ale mała jest pojętną uczennicą. Odwagę ma po matce, więc nie martwię się o jej przyszłość. Kiedy wyjechałem w interesach, jeździła na polowania i zrobiła znaczne postępy w nauce. Na razie nie pozwalam jej wybierać się do miasta, ale nie wiem, jak długo jeszcze zdołam utrzymać jej istnienie w sekrecie przed światem. Wiem, że postępuję źle, jednak nie chcę jej stracić. Jest jeszcze dzieckiem i niewiele rozumie. Kiedy zacznie zadawać pytania, nie będę miał wyboru. Jako wpływowy członek Klanu Liścia mam pewne przywileje i władzę, ostatnimi czasy stała się ona jednak chwiejna. Dopóki mieszkamy poza miastem, mogę spać spokojnie, jednak gdyby ktokolwiek się o niej dowiedział...

– Ciekawe, dlaczego musieli ukrywać Sereyę – zastanowiła się na głos Ariel.

– I tak już się tego nie dowiemy. Ludzie Balara zabili całą rodzinę.

– Drań. Nie ma litości nawet dla kobiet i dzieci. – Ariel chciała włożyć w te słowa więcej złości, ale zamiast tego ziewnęła potężnie.

– Jesteś śpiąca. Wrócimy do tego jutro.

– Wcale nie – zaprzeczyła szybko, przewracając kartkę na kolejną stronę. – Mogę jeszcze trochę poczytać. Ciekawa jestem, co pisze dalej.

– Stanowczo muszę odmówić. – Sato wyjął jej książkę z dłoni i rzucił na podłogę. – Jako twój nauczyciel polecam ci więcej odpoczywać. Sen to podstawa dobrego samopoczucia. A ja absolutnie nie chcę widzieć twojej pochmurnej twarzy.

– Ale ty jesteś irytujący.

Zerwał się na nogi i z uśmiechem pomógł jej wstać.

– Naprawdę? Cóż, w takim razie widać, że mamy ze sobą wiele wspólnego. Jaka siostra, taki brat. Chodź, odprowadzę cię do pokoju.

Wyszli z biblioteki i ruszyli mrocznym korytarzem. Wokół panowała idealna cisza, jakby byli jedynymi ludźmi nie tylko w tym domu, ale i na całym świecie. Ich kroki tylko potwierdzały to wrażenie. Były zbyt głośne, ale chyba o tej porze nie musieli się przejmować, że ktoś mógłby ich nakryć. Mimo wszystko Ariel i tak często oglądała się na boki. To miejsce miało wiele ciemnych zakamarków, z których mogły obserwować ich wrogie oczy.

– Boisz się, że ktoś nas zauważy – stwierdził w końcu Sato, gdy po raz kolejny zerknęła za siebie. Sam wydawał się całkowicie rozluźniony. Wsadził ręce do kieszeni i rozbawionym wzrokiem obserwował jej niepokój.

Wzruszyła obojętnie ramionami, po czym spuściła wzrok na stopnie, po których się wspinali.

– Po prostu martwię się, że możesz mieć kłopoty, jeśli nas razem zauważą.

– I to całkiem spore – odparł ze śmiechem.

Spojrzała na niego ze zmarszczonym czołem.

– Widzę, że wcale się tym nie przejmujesz.

– Ani trochę. Szczerze mówiąc, wyrobiłem sobie tutaj spory autorytet. Ci kretyni uwierzą w każde moje słowo. Jestem dla nich jak bóg – puścił do Ariel oko i objął ją ramieniem. – Gdyby ktoś nas nakrył, powiem po prostu, że spędzam miło czas ze swoją dziewczyną. Wtedy od razu zostawią nas w spokoju.

Ariel wysunęła się z jego objęcia i trzepnęła go po ramieniu.

– Jesteś okropny.

Sato rozłożył ręce z niewinną miną.

– Nic na to nie poradzę. Skoro już znasz mój sekret, nie masz wyjścia. Musisz udawać razem ze mną.

Przystanęła na schodach prowadzących na trzecie piętro i popatrzyła na niego poważnie. W zamyśleniu zagryzła dolną wargę. Wciąż niewiele z tego rozumiała. Stary i nowy Sato... Wiedziała już, który jest prawdziwy, bo potrafiła to rozpoznać po jego oczach. Coś jednak wciąż nie dawało jej spokoju.

– Rozumiem – odpowiedziała poważnie. – Oczywiście, że ci pomogę. Tylko wiesz... Zastanawia mnie wciąż jedna rzecz. Dlaczego udajesz jednego z nich zamiast po prostu stąd uciec?

Uśmiech Sato zgasł w jednej chwili.

– Dlaczego? – powtórzył jak echo, uciekając wzrokiem gdzieś w bok.

– Tak sobie pomyślałam, że przecież nie musisz udawać. Wcale nie musi być dwóch Sato. Wolałabym nigdy nie poznać tego pierwszego, ale trudno. Skoro nie jesteś taki jak oni, to dlaczego jeszcze tu tkwisz i wykonujesz jego rozkazy?

Nie zdążył odpowiedzieć, gdyż gdzieś w górze rozległy się kroki. Ariel od razu wiedziała, do kogo należą, zanim jeszcze go zobaczyła. Jęknęła głucho, doskoczyła do wojownika i złapała go kurczowo za ramię. Nagle jej serce zaczęło walić jak szalone, jakby chciało wyskoczyć z piersi.

Dlaczego się tak zachowuję? Przecież go znam. Nawet jeśli odkryje, że przyjaźnię się z Sato, i tak nie może mnie zabić. Dlaczego więc tak bardzo się przestraszyłam?

– Ariel? Wszystko w porządku? – Sato pochylił się nad nią, obejmując ją ramieniem.

Skinęła sztywno głową.

– Tak. To tylko Balar.

– Co? Skąd wiesz? – uniósł brwi i spojrzał w górę na schody.

Ariel bardzo chciała powiedzieć, ale nie mogła. Balar znowu siłą wszedł do jej głowy. Czuła, jak jego obecność wypełnia jej umysł, jak rośnie i ją przytłacza. Ten głos... Już zapomniała, jak bardzo go nienawidzi.

Widzę, że znalazłaś sobie nowego towarzysza.

Jego kroki rozbrzmiewały coraz bliżej. Wciąż pozostawał w ukryciu, chociaż sam już pewnie ich widział. Ariel mocniej przywarła do

Sato, nie mogąc powstrzymać drżenia. Przyłożyła dłonie do skroni i ścisnęła mocno.

To nie twoja sprawa. Wynoś się z mojej głowy.

Usłyszała jego westchnienie pełne udawanego żalu.

Och, Ariel. Szkoda, że nie pamiętasz, jak nasze rozmowy sprawiały ci przyjemność. Wtedy byłaś dla mnie naprawdę miła.

Kłamiesz!

Roześmiał się krótko. Po chwili pojawił się na schodach, w swoim czarnym płaszczu, niemal zlewając się z mrokiem. Zatrzymał się dopiero jeden schodek wyżej i zmierzył ich przenikliwym spojrzeniem. Sato nawet nie drgnął, wytrzymując na sobie jego wzrok.

Balar uśmiechnął się z ironią, zatrzymując dłużej spojrzenie na Ariel i jej dłoni zaciśniętej kurczowo na ramieniu wojownika.

Nie próżnowałaś w czasie mojej obecności. Jesteś naprawdę zdolna, skoro w tak krótkim czasie nauczyłaś się płynnie ellońskiego. Gratuluję. A może Sato nauczył cię jeszcze czegoś przydatnego? Nie wiedziałem, że tak szybko nawiązujesz przyjaźnie z mężczyznami. To może być niebezpieczne.

To nie twoja sprawa, z kim się przyjaźnię – warknęła buntowniczo.

Zmrużył oczy, zaciskając smukłe palce na drewnianej poręczy. Wpatrywał się w nią tak intensywnie, że zbladła jeszcze bardziej.

Może masz rację. Jednak nie zapominaj, że oboje należycie do mnie. Lepiej nie przywiązuj się do niego, bo wystarczy jedno moje słowo i zabije cię dla mnie bez wahania.

On nie jest taki. Nie zrobi mi krzywdy.

Balar powoli przesunął wzrok na Sato, który z kamienną twarzą czekał bez słowa. Jego uśmiech stał się jeszcze bardziej zjadliwy.

Nie nauczyłaś się jeszcze, Ariel, że to, co z pozoru nieszkodliwe, jest najbardziej niebezpieczne?

Sato nagle zacisnął szczęki i z pobladłą śmiertelnie twarzą przymknął powieki, oddychając nierówno. Mięsień prawej ręki drgnął gwałtownie, jakby próbował poruszyć się wbrew jego woli. Przycisnął dłoń do brzucha i spojrzał z triumfem na Balara. Na jego czole pojawiły się kropelki potu.

Mężczyzna prychnął, spoglądając ponownie na Ariel.

Ciesz się swoim wojownikiem, dopóki możesz. Bo pewnego dnia zabije cię dla mnie.

Wyminął ich i zniknął, rozpływając się w mroku. Ariel nawet wtedy pozostała spięta. Coś ciężkiego utkwiło w jej żołądku i gardle. Zerknęła za siebie, choć wiedziała, że zostali sami. Spróbowała ostrożnie wciągnąć ustami powietrze, a potem je wypuścić.

Sato przyjrzał jej się z troską.

– Już sobie poszedł. Wszystko w porządku?

Kiwnęła głową, jednocześnie uświadamiając sobie, że przez cały czas ściskała kurczowo jego ramię. Puściła go szybko i cofnęła się zamyślona. Wciąż była roztrzęsiona i blada, nie tylko przez samą obecność Balara, ale również jego słowa. Czy to, co mówił o Sato, było prawdą, czy tylko chciał ją nastraszyć?

Czy rzeczywiście jest mu tak wierny, że wykonałby każdy jego rozkaz?

Spojrzała na wojownika, oceniając jego możliwości i swoje szanse. Z pewnością gdyby Sato chciał ją zaatakować, nie zdążyłaby nawet zareagować. Nie był wysoki, ale za to smukły i dobrze zbudowany. Każdy jego ruch wskazywał na zwinność i szybkość. Był niczym czujny drapieżnik, gotowy w każdej chwili rzucić się na swoją ofiarę.

Ariel zadrżała, kręcąc głową. Objęła się ramionami niczym tarczą. *O czym ja w ogóle myślę?*

Balar właśnie tego chciał. By nikomu nie ufała i traktowała wszystkich z dystansem. A przecież miała tylko jednego wroga.

Sato pewnie pomyślał, że drży z zimna, więc objął ją ramieniem, odgarniając delikatnie włosy z twarzy.

– Jesteś zmęczona. Musisz się przespać.

Poprowadził ją do jej pokoju i gdy znaleźli się w środku, pomógł jej się położyć i przykrył szczelnie cienkim kocem. Odwrócił się by odejść, lecz Ariel złapała go za przegub dłoni.

– Zostań – szepnęła.

Lęk czający się w jej oczach sprawił, że nie potrafił jej odmówić. Usiadł na drugim końcu pryczy, opierając się plecami o chłodną ścianę. Ariel, okryta kocem, również usadowiła się wygodnie obok. Przez chwilę bawił się pierścieniem na środkowym palcu, wpatrując się w niego w zamyśleniu.

– Chciałbym się czegoś dowiedzieć – odezwał się w końcu, a gdy milczała, spojrzał na nią z zaciekawieniem. – Skąd wiedziałaś, że to akurat on? Wiedziałaś, zanim się pojawił, prawda?

Ariel zmieszała się. Chciała skłamać, ale przecież nie mogła. Bo z kim miała być szczera, jeśli nie z Sato?

– Wyczułam go – odpowiedziała po prostu.

– Jak to wyczułaś?

– On... – spuściła wzrok. Nie wiedziała czemu, ale czuła się skrępowana. Tak naprawdę nigdy nie wyjawiała tego nikomu i nie wiedziała, jak Sato zareaguje. – On rozmawia ze mną mentalnie.

Sato wpatrywał się w nią dłuższą chwilę, jakby nie rozumiał jej słów, a potem zdumiony, otworzył szeroko oczy.

– Chcesz powiedzieć, że... potraficie czytać sobie w myślach?

– Właściwie to on potrafi, ja mogę tylko widzieć to, co do mnie mówi – wzruszyła ramionami. – Ale to chyba normalne w tym świecie.

Z niepewną miną potrząsnął głową.

– Mentalne rozmowy są oczywiście dość częstym zjawiskiem. Tak naprawdę to...

Teraz to Ariel popatrzyła na niego zaskoczona. Zmarszczyła brwi.

– Myślałam, że każdy tutaj tak potrafi.

– Nie każdy, ale... – wydawał się czymś zaniepokojony. – To naprawdę niezwykłe – dodał ciszej, bardziej do siebie.

– A więc ty nie rozmawiasz z nim w ten sposób? – chciała wiedzieć. To, że tylko ona słyszała go w swojej głowie, było nieco niepokojące.

– Nikt z nas nie potrafi tak się porozumiewać. Przynajmniej z nim – powiedział. – Szczerze mówiąc, to tylko ludzie, którzy... – pokręcił szybko głową, po czym nagle popatrzył na Ariel z uwagą. – A więc teraz też tak rozmawialiście? To dlatego tak się w ciebie wpatrywał? Co ci mówił? Widziałem, jak zbladłaś, a potem cała byłaś roztrzęsiona. Ariel przygryzła wargi, zwieszając głowę. *Mówił, że kiedyś mnie zabijesz* – pomyślała z goryczą, ale na głos powiedziała:

– Nic ważnego. Po prostu lubi patrzeć, jak cierpię.

Sato przybliżył się i czule pogłaskał ją po policzku. Uniosła wzrok, napotykając jego miodowe oczy, tak różne od tych pustych czarnych tęczówek. Jej własne słońca, takie łagodne i ciepłe.

– Biedactwo – odezwał się przyciszonym, łagodnym głosem. – Czego on od ciebie w ogóle chce?

Uśmiechnęła się blado.

– Jego pan chce, żebym mu służyła. Jeśli nie zgodzę się dobrowolnie, cóż… Chyba nie mam innego wyjścia. Chcą mojej Mocy, więc pewnie nie pozbędą się mnie, dopóki nie będą mieli wszystkich Kamieni. Nawet siłą nic ode mnie nie wyciągną, więc pewnie spędzę tu jeszcze trochę czasu. Czasem każe mnie za drobnostki, żeby mnie złamać. Twierdzi, że stoimy po tej samej stronie, tylko ja jestem uparta.

– Zabiję go! – warknął nagle Sato, zrywając się gwałtownie na nogi.

Przeraził ją widok jego wykrzywionej wściekłością twarzy. Złapała go za rękę i zmusiła, by usiadł.

– Nie rób tego, Sato – poprosiła błagalnie. Na myśl, że miałby z nim walczyć, przeszły ją ciarki. – Nie chcę, żeby coś ci się stało. Nie mówmy już o tym, dobrze? Lepiej… lepiej opowiedz mi o nas. Wciąż nie rozumiem tego, co miałeś na myśli, mówiąc, że jesteśmy rodzeństwem krwi. Chciałabym się teraz dowiedzieć. – Mówiła szybko, żeby przypadkiem jej nie przerwał, cały czas trzymając go za rękę.

Odetchnął kilka razy głęboko i powoli się uspokoił. Spojrzał na nią, a potem na ich złączone dłonie. W kącikach jego warg pojawił się blady uśmiech.

– Przykro mi, że tego nie pamiętasz. Trudno mi wyjaśnić słowami, na czym polega rytuał Przysięgi Krwi. To taki zwyczaj starego klanu.

– Twojego klanu? – zapytała cicho.

– Tak. To...

– Nie musisz niczego tłumaczyć. Po prostu wyjaśnij, na czym to polega.

Skinął nieznacznie głową. W ciemności mały pokoik wydawał się całym wszechświatem. Światło księżyca padało wprost na łóżko. Sato uniósł ich złączone dłonie na wysokość oczu. Wyciągnął swoją prawą dłoń i czekał, aż Ariel zrobi to samo ze swoją. Ich palce splotły się i zacisnęły, jakby już nigdy miały się nie rozstać. Wtedy Sato zaczął mówić ściszonym, łagodnym głosem.

– To było na małej polance w lesie. Księżyc świecił na nas tak samo jak teraz. Choć byłaś dzieckiem, wcale się nie bałaś. Ani ciemności, ani lasu, ani odgłosów nocy. Już wtedy wiedziałem, że zawsze musimy być razem. Dzieli nas różnica czterech lat, ale czułem, że jesteśmy tacy sami. Zaproponowałem, że będę twoim bratem. Chciałem, by łączyły nas jakieś więzy, bo wierzyłem, że wtedy nigdy nie stracę cię z oczu.

– Ten rytuał? Właśnie tak wyglądał?

Patrzyli na swoje splecione dłonie, a w ciszy słychać było jedynie bicie ich serc.

– To nic wielkiego. Naciąłem lekko skórę po wewnętrznej stronie dłoni. Ty zrobiłaś to samo i nawet się nie skrzywiłaś. Potem spletliśmy nasze dłonie właśnie w ten sposób. Żeby nasza krew się połączyła.

– I co dalej? – zapytała szeptem. Czuła ciepło jego dłoni i naprawdę miała wrażenie, że znów jest dzieckiem i znaleźli się na tamtej polanie. W ciemności łatwo sobie wyobrazić, że wokół rosną drzewa, a nad głową unosi się księżyc na granatowym niebie.

– Potem wypowiedzieliśmy potrzebne słowa: Od tej chwili jesteśmy połączeni naszą krwią. Jako twój brat przysięgam, że zawsze będę cię bronił i strzegł przez wszelkim złem tego świata.

– Od tej chwili jesteśmy połączeni naszą krwią – powtórzyła cicho. – Jako twoja siostra przysięgam stać u twego boku i zawsze ci ufać. – Spojrzała mu w oczy z niepewnością. – Coś takiego?

Uśmiechnął się szeroko.

– Dokładnie takie słowa wtedy powiedziałaś.

– I to wszystko?

– Tak. – Zabrał dłoń, wstał i zapatrzył się na księżyc. – Nie uważasz, że to zabawne? Po tych wszystkich latach znów się spotkaliśmy. Rozdzielił nas i połączył ten sam człowiek – roześmiał się gorzko. – Teraz jesteś więźniem tego człowieka, a ja jego sługą. I twoim śmiertelnym wrogiem. Pewnie bawi go ta sytuacja.

– Nie mów tak! – Ariel odrzuciła koc i zacisnęła palce na tunice przyjaciela. – Przecież przysięgałeś, że będziesz mnie bronił. Wtedy, dawno temu i teraz. To musi mieć jakieś znaczenie.

Odwrócił głowę w jej stronę, a płynne złoto w jego oczach przybrało barwę ciemnego bursztynu.

– I dotrzymam obietnicy. Ale są rzeczy, nad którymi nie da się zapanować. Tutaj przeszłość nie istnieje – dodał głucho. – Nie powinniśmy... Nie powinienem zapominać, kim jestem. Służę Balarowi i jeśli wyda mi rozkaz...

– Przestań – jęknęła, nie pozwalając mu dokończyć. Nie chciała słyszeć tego z jego ust. Nie chciała, by słowa Balara kiedykolwiek się spełniły.

Opanował się i przysiadł na brzegu pryczy z ciężkim westchnieniem.

– Przepraszam. Przestraszyłem cię.

– Przecież możesz mu się przeciwstawić. Mógłbyś uciec – próbowała go jakoś pocieszyć, zapewnić, że przecież wszystko może się jeszcze zmienić. Nie wiedziała jednak, jakich słów powinna użyć. Kiedy Sato tak nagle poważniał, czuła, że nic nie może zrobić. Cokolwiek by powiedziała, on wiedział swoje. I trzymał się tego uparcie.

Pokręcił ze smutkiem głową i spojrzał na nią zrezygnowany.

– To niemożliwe. Jesteśmy związani Przysięgą i nic tego nie zmieni. Jeżeli jesteś jeszcze wolna, to znaczy, że masz prawdziwe szczęście. Możesz jeszcze o sobie decydować.

– Przysięgą?

– Dzięki niej ma nad nami władzę – wyjaśnił sucho.

Podwinął rękaw lewej ręki i przekręcił pod odpowiednim kątem. Ariel wstrzymała oddech, dotykając palcami niewielkiego czarnego tatuażu w kształcie kruczego pióra. Widniał na wewnętrznej stronie przedramienia, niczym jakiś zwiastujący nieszczęście symbol.

– To jest...

– Zgadza się – przerwał jej, zakrywając tatuaż i odsuwając rękę. Dłonią w rękawicy pocierał lewe ramię, marszcząc brwi i zaciskając szczęki. – Dzięki temu jesteśmy mu ślepo posłuszni. Ma nad nami absolutną władzę, a nieposłuszeństwo od razu karane jest śmiercią. Może i jestem tchórzem, ale chyba nikt nie ma ochoty być żywcem rozerwany na strzępy.

– Czy nie da się jakoś tego usunąć? – zapytała porażona.

– Próbowałem, ale nic nie działa. To potężna Moc, której nie da się tak łatwo pozbyć. Ja jestem tylko wojownikiem, nie magiem. Sądzę, że w tym wypadku tylko król mógłby coś zdziałać – popatrzył na nią ponuro. – Na razie jesteś dla niego ważna, Ariel, ale jeśli nie będziesz po jego stronie, nie będzie miał dla ciebie litości.

Nie odpowiedziała. Nagle zrobiło jej się sucho w ustach. Wstrząśnięta, zdała sobie sprawę, że kiedyś i ona może tak skończyć. Jeśli Balar naznaczy ją takim tatuażem, wtedy nie będzie miała już nic do powiedzenia. Stanie się niewolnikiem wiecznego strachu i boga, którego nie da się zabić. Ta perspektywa naprawdę ją przeraziła, więc żeby dłużej o tym nie myśleć, zmieniła temat.

– A jak ty się tu znalazłeś? Wtedy na schodach mi nie odpowiedziałeś.

Uśmiechnął się blado.

– Powinnaś się przespać. Już późno – odparł, ignorując jej pytanie.

Rzeczywiście nie zauważyła, jak bardzo jest senna. Posłusznie położyła się na pryczy i pozwoliła, by przykrył ją kocem.

– Sato? – wyszeptała sennie.

– Słucham?

– Możesz się zbliżyć?

Posłusznie przysunął się odrobinę.

– Jeszcze.

Pochylił się nad nią.

– Co się stało?

Uniosła głowę i szybko pocałowała go w policzek.

– Dziękuję.

– Za co?

– Za to, że jesteś moim bratem. Zobaczysz, że nam się uda. Razem stąd uciekniemy.

* * *

Cerel powlókł się do głównej izby, pocierając zaspane oczy. Fera, kobieta w średnim wieku, kręciła się między paleniskiem a stołem, przygotowując śniadanie. W powietrzu rozchodził się zapach świeżo pieczonego chleba i potrawki z ryby. Brzęk naczyń i nucenie starych piosenek były stałymi dźwiękami, które budziły go już od lat.

Kobieta odwróciła głowę na jego widok i przestała nucić. Oparła dłonie na szczupłych biodrach i zmierzyła go krytycznym okiem.

– Jak ty wyglądasz? Ludzie pomyślą, że nie stać nas nawet na porządne ubrania.

Cerel zajął swoje miejsce przy stole, obdarzając matkę krótkim spojrzeniem.

– Bo nas nie stać – odparł chłodno.

To była prawda, ale jego matka zawsze wolała udawać, że jest inaczej. Większość ubrań miał przerobionych po ojcu, a niektóre dostały mu się po miejscowych dzieciakach. Dzisiejsze ubranie musiało należeć do kogoś niższego, gdyż spodnie sięgały mu ledwie za kolana, a tunika była tak krótka, że odsłaniała pępek i ramiona. To były ostatnie czyste ubrania, jakie znalazł, więc nie miał w czym wybierać.

Fera nałożyła potrawki i ukroiła pajdę chleba, po czym podstawiła mu to wszystko zamaszyście pod nos. Cerel chwycił łyżkę w jedną rękę,

548

a chleb w drugą i zaczął jeść. Poczuł na sobie zagniewane spojrzenie matki, więc zerknął na nią przelotnie. Stała nad nim ze skrzyżowanymi ramionami i zmarszczonym czołem.

– Doprawdy, tylko z tobą utrapienie – westchnęła z niechęcią. – Gdybyś choć trochę okazywał nam szacunek i był jak inne dzieci…

– Już nie jestem dzieckiem – odburknął, pochylając się nad miską. Kobieta parsknęła krótkim śmiechem i usiadła po drugiej stronie. Ukroiła sobie kawałek chleba, ale nie jadła go, tylko obracała w dłoniach. Wpatrywała się w syna z wyraźną naganą i rozczarowaniem.

– Jesteś jeszcze dzieckiem, Cerel – odpowiedziała poważnie. – Będziesz dzieckiem, dopóki nie nauczysz się szacunku dla drugiego człowieka.

– Za kilka dni skończę piętnaście lat – odparł z zacięciem, jakby to rozwiązywało wszystko.

– I sądzisz, że w ciągu jednego dnia staniesz się dorosły?

Uniósł głowę i spojrzał na matkę, zaciskając szczęki.

– Co ty możesz wiedzieć?

– Wiem tyle, że dorosłość niesie ze sobą wielką odpowiedzialność i zmusza nas do wyzbycia się tak paskudnej cechy jak egoizm. A ty, mój mały Cerelu, potrzebujesz jeszcze wiele czasu, by zrozumieć, co znaczą te słowa.

Cerel odsunął od siebie miskę i wstał gwałtownie. Posłał matce wściekłe spojrzenie.

– Jeszcze się przekonamy!

Podbiegł do drzwi, szarpnął za klamkę i wybiegł na zewnątrz.

Ranek był ciepły, choć znad morza wiała chłodniejsza bryza. Unosząca się nad ziemią mgła powoli osiadała na trawie. Do południa słońce powinno nagrzać piasek i wodę dostatecznie, żeby można było się kąpać.

Cerel przebiegł koło starej kuźni, gdzie od rana pracował jego ojciec. Dźwięk uderzania metalu o metal rozchodził się po całej okolicy dudniącym echem. Melodia, która towarzyszyła mu od dnia narodzin, a której szczerze nienawidził.

– Cerel!

Skrzywił się, ale posłusznie przystanął. Spojrzał na ojca, który był młodszy od matki, ale na włosach widać już było pierwsze siwe pasemka. Hert na starą tunikę miał narzucony biały fartuch do pracy, a na dłoniach grube rękawice ochronne. Pomachał synowi z kuźni, w drugiej ręce trzymając potężny młot.

– Przyjdziesz mi pomóc?! – krzyknął. – Mam spore zamówienie dla namiestnika z Ustrin!

– Jeszcze czego – mruknął do siebie chłopak. Wiedział, że ojciec robi to specjalnie. Wszystkim było wiadomo, że pragnie, by syn przejął po nim interes. Cerel nie zdziwiłby się więc, gdyby w końcu wziął go oficjalnie jako swojego ucznia.

Możesz sobie pomarzyć, staruszku – pomyślał. – *Nie mam zamiaru utknąć tutaj do końca życia.*

– Coś mówiłeś?

Cerel popatrzył na ojca z politowaniem, ale bez współczucia. Odwrócił się i w biegu odmachał mu ręką.

– Nie mam teraz czasu, tato!

Nie usłyszał żadnych słów protestu, więc uśmiechnął się do siebie z zadowoleniem. W końcu cały dzień miał tylko dla siebie.

Na plaży odnalazł Tirila, swojego najlepszego i najwierniejszego przyjaciela. Chłopak stał po kostki zanurzony w mokrym piasku. Prawą dłoń miał wypełnioną kamieniami, drugą zaś chwytał jeden po drugim i rzucał w spienioną wodę. Już z daleka widać było w jego ruchach nerwowość i nadmierną pobudliwość. Cerel zakradł się za plecy przyjaciela, wyciągnął ręce i popchnął go do przodu.

Tiril o mało nie wpadł do wody. W końcu złapał równowagę, ale kamienie wypadły mu z dłoni i potoczyły się po piasku lub zniknęły pod falami. Zaklął głośno i odwrócił się wściekły. Na widok jego miny Cerel parsknął śmiechem. Tiril spojrzał na niego ze zmarszczonym czołem, a po chwili złagodniał. Pochylił się, by zebrać na nowo kamienie, zaś Cerel stanął obok, pozwalając, by chłodna woda obmywała również i jego stopy. Skrzyżował przed sobą ramiona, odetchnął pełną piersią i spojrzał na horyzont, gdzie stykały się linie wody i błękitnego nieba. Ruchoma tafla skrzyła się w słońcu, przybierając różne kolory – od złotego, po lazurowy i srebrzysty. Powietrze smakowało solą i lasem, wsiąkając w skórę i wdzierając się do gardła.

– Kiedy w końcu przestaniesz mnie tak straszyć? – Tiril wyprostował się z nową garścią kamieni i powrócił do przerwanej zabawy.

Cerel zerknął na niego z niewinną miną. Chłopak był od niego niższy i bardziej pucołowaty. Długie ciemne włosy wciąż wchodziły mu do oczu, ale uparł się, żeby ich nie ścinać. Cerel naprawdę czuł do niego sympatię. Szczególnie lubił go za jego uległą naturę i bezgraniczne przywiązanie.

– Nigdy – odpowiedział z pełną powagą, po czym zmienił temat. – Jesteś dzisiaj jakiś podekscytowany. Coś się stało?

Tiril sięgnął po następny kamyk, ale go nie rzucił. Spojrzał na przyjaciela z uniesionymi brwiami.

– Nie słyszałeś?

– Nie.

– Namiestnik zwołał zebranie mieszkańców na placu. Zaraz się zacznie.

– Co!? – Cerelowi przyspieszył puls. Zacisnął pięści ze złości. – Cholera – wyrwało mu się. – Co tym razem? Jakieś kolejne durne zarządzenie czy znowu wyższe podatki?

Tiril wzruszył ramionami.

– Nie wiem. I nie chcę się dowiadywać.

– A ja tak!

– Co…? Hej!

Cerel klepnął go po plecach i już biegł w stronę wioski. Tiril westchnął ciężko, schował kamienie do kieszeni i popędził za nim. Zaledwie dopadli pierwszych zabudowań, znaleźli się na placu stanowiącym centrum Reed. Pośrodku znajdowała się wyszczerbiona studnia, a tuż obok drewniany podest.

Wioska była niewielka, leżała w samym środku dzikiej doliny poro-śniętej wysoką trawą. Miała tylko dwie piaszczyste drogi i kilka drew-nianych chat wyrastających w uporządkowanym szeregu. Cerel nigdy nie opuszczał zatoki ani wioski, ale wiele słyszał o prowincji Belthów. Ci dumni i waleczni wojownicy słynęli w całym Elderolu ze swej odwagi i ascetycznego podejścia do życia. Podobno każda wioska w prowin-cji odznaczała się identycznym planem, na którym stawiano budynki w równym rzędzie, jakby to było wojsko. Cerel nawet nie chciał sobie wyobrażać, jakie czekałoby go życie, gdyby wstąpił do kasty wojow-ników. To, że płynęła w nim ich krew, nie znaczyło jeszcze, że pragnął poświęcić wszystko w imię obrony kraju i króla.

Na środku placu na podwyższeniu stały trzy osoby, zaś wokół zgro-madzili się już wszyscy mieszkańcy Reed. Cerel spojrzał ponad ich głowy i zacisnął szczęki. Na podeście stał namiestnik Vennil, jego córka oraz potężny mężczyzna pełniący rolę straży. Shaia zajęła miej-sce koło ojca i ze znudzonym wyrazem twarzy błądziła gdzieś wzro-kiem, nie zaszczycając nawet jednym spojrzeniem otaczającego ją tłumu. Na rękach trzymała swojego psiego pupila, którego głaskała czule po puszystej sierści. Wszyscy w wiosce wiedzieli, że psiak był jej wiernym i jedynym przyjacielem. Cerel wcale się temu nie dziwił, bo nie wyobrażał sobie, żeby jakikolwiek normalny człowiek próbował się zaprzyjaźnić z tą dziewczyną. Obserwował ją, gdy tak stała dumna w tej swojej nieskazitelnej sukni, i skrzywił się z pogardą. Może nie znał za wielu ludzi i nie wiedział nic o świecie, ale zawsze zastanawiało go, jak tak z pozoru krucha istota może mieć w sobie tyle pychy i non-szalanckiej dumy.

W pewnym momencie jej lazurowe oczy powędrowały w jego stronę, więc szybko odwrócił od niej wzrok. Skupił się na otyłym namiest-niku, który akurat rozwijał przed sobą zwój hatty i wydał z siebie coś jak niezadowolone cmoknięcie. Vennil był albo biedniejszy niż ogól-nie sądzono, albo niewystarczająco wpływowy, by posiadać choćby kawałek pergaminu.

Hattę wyrabiano ze specjalnej rośliny – hattusa. Była ona dostępna głównie na podmokłych terenach i stanowiła dochodowy interes, gdyż kupowali ją nie tylko prości ludzie, ale również szkoły i szlachta. W Reed ta roślina rosła bardzo gęsto, więc jej produkcja i handel stanowiły pewny i stały dochód dla wioski. Cerel podejrzewał, że jeśli nie wyląduje w kuźni ojca, to skończy zanurzony w hattusach.

Dobrze wiedział, co zaraz usłyszy i z pewnością nie będą to miłe wiadomości. *Chyba powinienem się do tego przyzwyczaić* – pomyślał. – *Vennil nie robi nic poza kombinowaniem, jak wrzucić do własnej kieszeni więcej złota.*

– Chodź – rzucił w stronę Tirila i nie oglądając się za siebie, zaczął przepychać się przez tłum. Już po chwili usłyszał za sobą mamrotanie przyjaciela i jego przyspieszony oddech. Jak zawsze Tiril nie popierał jego działania, ale posłusznie za nim podążał i Cerel naprawdę czasem się zastanawiał, czy chłopak ma jeszcze choć odrobinę własnej woli.

W powietrzu unosiła się ponura atmosfera nerwowości i niepewności. Ludzie szeptali między sobą w ogólnym podnieceniu, a gdy chłopcy przepychali się między nimi, pomrukiwali z wyraźnym gniewem.

Cerel w końcu dostrzegł znajome postaci i przyspieszył kroku. Mared i Zinn stali niemal przy samej platformie. Ku jego zgorszeniu, obaj zadzierali głowy i wręcz pożerali wzrokiem Shaię. Tiril jak zwykle zajął miejsce koło Zinna, Cerel zaś stanął przy boku Mareda i szturchnął go łokciem w żebra. Chłopak stęknął, niechętnie oderwał wzrok od dziewczyny i posłał mu spojrzenie spod byka.

– Co tu się dzieje? – zapytał Cerel, mając nadzieję, że przyjaciele usłyszeli może jakieś ciekawe plotki.

– Nie widzisz? – rzucił z poirytowaniem Mared. – Nadzwyczajne zebranie na osobistą prośbę namiestnika. Podobno ma nam coś ważnego do zakomunikowania.

– Nasz kochany Vennil jak zawsze ma na względzie dobro wioski – zadrwił Zinn.

– Cicho – syknął Tiril, kładąc palec na ustach i unosząc wzrok. – Zaczyna się.

– Drodzy mieszkańcy naszego skromnego, ale jakże znaczącego dla całego Elderolu Reed. – Namiestnik zaczął odczytywać słowa z hatty swoim mocnym, gardłowym głosem.

– Mógłby sobie darować te mdłe wstępy – prychnął cicho Cerel, ale wystarczająco głośno, by ludzie wokół go usłyszeli.

– Cii – uciszył go Mared, wpatrzony w platformę.

Cerel rozejrzał się wokół. Wszyscy ludzie umilkli zgodnie i teraz nie było osoby, która nie patrzyła na namiestnika. Kierował nimi raczej niepokój niż ciekawość czy szacunek. Ale lepszy taki rodzaj posłuchu niż żaden. Cerel pokręcił z rezygnacją głową, skrzyżował ramiona na piersi i podążył wzrokiem za resztą tłumu.

Zmarszczył czoło, gdy napotkał błękit oczu Shai. Dziewczyna lustrowała go wzrokiem z góry na dół, jakby był jakimś typowo obrzydliwym insektem. Gdy ich spojrzenia się spotkały, skrzywiła swój idealny nosek i natychmiast skupiła uwagę na czymś innym. Cerel miał nadzieję, że zauważyła jeszcze, jak pokazuje jej język.

– Jak wiemy, od pewnego czasu handel z innymi prowincjami nie idzie najlepiej. Mniejsze wioski odmawiają współpracy lub brakuje im towarów. Handel z Nammirem i krajami pozamorskimi również układa się coraz gorzej. Aby nasza gospodarka całkiem nie upadła, musimy robić wszystko, by nasz kraj przetrwał ten chwilowy kryzys. Dlatego dzisiaj rano dostałem od hrabiego nowe wytyczne dotyczące wymiany handlowej między poszczególnymi wioskami i stolicami prowincji. Oto nowe zarządzenie, do którego muszą stosować się wszystkie wioski – kontynuował Vennil. Odchrząknął, by nadać swojemu głosowi oficjalny ton. – Połowa wyrobów wytwarzanych przez wszystkie cechy ma być sprzedawana w stolicy danej prowincji. Towary będą rozdzielane i przekazywane tam, gdzie ich zapotrzebowanie jest największe. Dzięki temu nie będą marnowane, a kupcy narażani na wyczerpujące niepotrzebne podróże. Natomiast druga połowa wyrobów ma być przekazywana lokalnemu namiestnikowi, który sam ma wyznaczać zaufanych kupców do handlu z De'Ilos i pozostałą częścią kraju, włączając w to inne rasy. Od każdego towaru żąda się dodatkowo dwadzieścia procent podatku dla namiestnika.

Zaledwie zamilkł, rozległ się chór podniesionych głosów. Vennil spokojnie zwinął zwój i popatrzywszy na tłum, wyciągnął rękę, by ich uspokoić. Na jego okrągłej twarzy malował się kamienny spokój. Był ubrany w kosztowną zwiewną tunikę, a mimo to jego czoło i nos oblepiał pot.

– To wszystko – odezwał się, gdy zapanował względny spokój. – Dziękuję wam za uwagę i liczę na dobrą współpracę.

Cerel obserwował, jak cała trójka spokojnie schodzi z platformy. Wieśniacy również zaczęli się rozchodzić, dyskutując głośno i przeklinając pod nosem. Takie pełne gniewu i wzburzenia komentarze były już stałym elementem każdego zebrania. Ludzie buntowali się przez pięć minut, a potem szybko dostosowywali do nowych wymogów, ślepo wierząc, że namiestnik to mądry człowiek i wie, co robi.

Czwórka chłopaków wciąż stała pod platformą.

– Cudownie – westchnął Zinn, obserwując rozchodzących się do swoich obowiązków wieśniaków. Dzieci powróciły do przerwanych zabaw i przeszkadzania dorosłym.

– I co teraz? – zapytał Tiril.

– A jak myślisz? – odpowiedział ostro Cerel. – Nic. Ludzie jak zwykle się dostosują i będą posłuszni. Kretyni! Czy oni nie widzą, że ten grubas nas wyraźnie wykorzystuje!? I ta bajeczka o kryzysie!

– Uspokój się. – Mared położył mu dłoń na ramieniu. – Jeżeli to prawda, to kiedy skończy się kryzys, wszystko wróci do normy. Na szczęście mieszkamy na terenie, gdzie nie brakuje surowców.

– Tak. Tylko tyle, że mój ojciec już teraz dostaje grosze za swoje zamówienia. Jeśli będzie musiał płacić jeszcze większy podatek, to…

– Co? – wtrącił Zinn, podchodząc do niego z drugiej strony. – Wszyscy tkwimy w tym bagnie. Ale co niby możemy zrobić? Dzieciaków nikt nie słucha.

Cerel popatrzył na nich ze zmarszczonym czołem, a potem przeniósł spojrzenie na kręcących się po ulicy ludzi. Mieszkańcy wioski chodzili w zniszczonych łachach. Natomiast namiestnik i jego ludzie obnosili się ze swoimi strojnymi szatami, jakby znajdowali się na dworze króla. To była skrajna niesprawiedliwość, na którą po prostu nie mógł się godzić. Tak naprawdę nie obchodził go los innych ludzi, prócz własnego. Bo jeśli tak dalej pójdzie, to staną się żebrakami i na zawsze będzie mógł pożegnać się z ucieczką.

Odetchnął głęboko, naprawdę nieźle wkurzony. Nagle dostrzegł samotną postać stojącą w cieniu dwóch domów.

– Patrzcie, chłopaki – odezwał się, wskazując ją palcem. – Właśnie sobie pomyślałem, że coś jednak możemy zrobić.

– Co takiego? – zapytał z wyraźnym niepokojem Tiril.

Cerel rozciągnął usta w paskudnym uśmiechu.

– Chodźcie.

Nie czekając na nich, ruszył szybko w tamtą stronę. Jego kumple popatrzyli po sobie, wzruszając ramionami, ale posłusznie za nim podążyli.

Shaia kucała w zaułku między budynkami, a jej uwaga była całkowicie skupiona na srebrnym piesku. Yrii merdał wesoło ogonem i łasił się do jej stóp, próbując samodzielnie wskoczyć na jej ramiona. Na jej okrągłej dziewczęcej twarzy widniał rozbawiony uśmiech, który dodawał jej tylko więcej uroku.

Cerel wcale się nie skradał, ale i tak ją zaskoczył. Brutalnie chwycił ją za skraj sukni, postawił na nogi i przygwoździł do ściany jednego z budynków. W tym czasie Mared i Zinn chwycili rozszczekanego psa i trzymając go mocno, stanęli w cieniu zaułka.

– Czego chcecie? – rzuciła ostro Shaia, przenosząc wzrok od jednego do drugiego.

Cerel zacisnął mocniej palce na jej szyi, przygniatając własnym ciałem. Zauważył, że robiła wszystko, by na niego nie spojrzeć. Gdy w końcu nie mogła tego uniknąć, jej lazurowe tęczówki przeszyły go na wskroś, jakby chciały wypalić mu dziurę. Była od nich młodsza o dwa lata i drobniejsza, ale wcale nie wyglądała na choćby odrobinę przestraszoną. Jej gładkie jasne czoło przecięła jedynie pojedyncza bruzda niezadowolenia i irytacji.

Cerel pochylił się nad nią tak, że ich twarze niemal się stykały. Spojrzał jej prosto w oczy i uśmiechnął się cynicznie, gdy wyczuł, jak jej puls przyspieszył gwałtownie.

– Chcę tylko przekazać coś twojemu tatusiowi – wysyczał przyciszonym, spokojnym tonem.

Shaia nawet nie próbowała się wyrwać. Odwzajemniła spojrzenie z grymasem dumnej zaciętości.

– Nie przestraszysz nas – niemal splunęła mu w twarz. – Jesteś nikim. Podobnie jak twoja żałosna banda.

Cerel zacisnął szczęki.

– Nie sądzę, księżniczko. – Palcami wolnej ręki przejechał po jej policzku i szyi. A potem jego dłoń powędrowała na jej piersi i talię. Jej serce znów zabiło gwałtowniej, kiedy zaczął unosić fałdy sukni, jednak wyraz twarzy nie uległ zmianie. Chłopak pochylił się nad jej uchem i wyszeptał: – Przekaż tatusiowi, żeby przestał być taki zachłanny i nie robił z nas durniów.

– Albo?

Odsunął się i spojrzał jej w oczy z cierpkim uśmieszkiem. Przywarł do niej całym ciałem i pogładził złote włosy.

– Albo załatwimy to inaczej… sam na sam. Przekonasz się, że nie warto zadzierać z prostymi wieśniakami.

Shaia wygięła wargi w drwiącym uśmiechu.

– Widzę, że masz na mnie ochotę, co, Cerelu? – zaświergotała słodko, po czym zmrużyła oczy, w których zamigotały niebezpieczne ogniki. – Wybacz, że cię rozczaruję, ale nie boję się ciebie. Poza tym nie zadaję się ze szczurami.

W tym momencie kompletnie go zaskoczyła. Żaden z chłopaków nawet nie zareagował, kiedy nagle uderzyła go kolanem w krocze. Kiedy z jękiem zgiął się wpół i zatoczył do tyłu, popchnęła go na ulicę tak mocno, że upadł na plecy tuż pod nogi jakiegoś mężczyzny. Sama wyskoczyła z zaułka, kopnęła go czubkiem buta między żebra, a potem wgniotła mu swoją stopę w brzuch. Ludzie wokół przystanęli, nawet dzieci przestały biegać, wszyscy zaciekawieni nowym widowiskiem. Cerel wymamrotał jakieś przekleństwo i krzywiąc się z bólu, otworzył oczy. Shaia stała nad nim z rękami podpartymi na biodrach i groźnym wyrazem twarzy. Jej stopa miała więcej siły, niż mógłby przypuszczać. Jednak znacznie bardziej zabolało to, że poniżyła go na oczach całej wioski.

– Widzisz? – pochyliła się nad nim z dumną satysfakcją. – Umiem unieszkodliwiać szczury – powiedziała tak głośno, żeby wszyscy wokół ją słyszeli. Potem wyprostowała się i wskazała na niego palcem. – Jeszcze raz wejdziesz mi w drogę, a pożałujesz. Tacy jak ty nie mają za grosz honoru ani poczucia godności. Wracaj tam, gdzie twoje miejsce, kundlu. Nie chcę nawet patrzeć na twoją obrzydliwą gębę.

Jeszcze raz wymierzyła mu mocnego kopniaka między żebra, po czym odwróciła się na pięcie i podeszła do osłupiałych chłopaków. Unosząc dumnie głowę, uśmiechnęła się słodko, odebrała od nich swojego psa i spokojnie oddaliła się środkiem ulicy.

Pojękując, Cerel uniósł się na łokciach i ze zmarszczonymi brwiami rozejrzał wokół.

– Przedstawienie skończone – warknął do zebranego tłumku, po czym spojrzał na przyjaciół. Mared, Zinn i Tiril wciąż nie ruszali się z miejsca, oszołomieni tym, co się stało. – A wy co? – rzucił w ich stronę ostrym tonem, aż podskoczyli w miejscu i zamrugali gwałtownie. – Rozum wam odjęło? Pomóżcie mi.

Pierwszy doskoczył do niego Mared, a potem Zinn. Obaj dźwignęli go na nogi i zarzucili sobie jego ręce na szyję. Potem w milczeniu, odprowadzani ukradkowymi spojrzeniami, opuścili wioskę.

Cerel przez całą drogę mamrotał przekleństwa i rzucał w stronę Shai soczyste epitety. Jego ciałem targały dreszcze wściekłości i upokorzenia.

– Cerel?

Uniósł gwałtownie głowę i na widok spieszącej ku nim Eissy skrzywił się z bólem. Wysoka dziewczyna z grubym warkoczem i obfitym biustem sprawiła, że jego humor odrobinę się poprawił.

– Co się stało? – zapytała z niepokojem.

Zbliżyła się do niego i obiema dłońmi pogładziła po twarzy. Jej dotyk zawsze przyprawiał go o szybsze bicie serca. Teraz również to słodkie uczucie pożądania podrażniło jego zmysły.

– Nic takiego – burknął, odwracając wzrok.

Eissa uniosła brwi, lustrując go z góry na dół.

– Właśnie widzę. I to nic tak cię urządziło?

– Dokładnie to Shaia – wyrwał się z odpowiedzią Mared.

Cerel posłał przyjacielowi zabójcze spojrzenie, ale ten tylko wyszczerzył zęby. Dziewczyna zmarszczyła brwi.

– Znowu? O co tym razem poszło?

– Jej ojciec zarządził wyższy podatek i zwiększony nadzór nad handlem.

– Cerel zagroził Shai, że jeśli do tego dojdzie, to zemści się na niej.

– Tak, ale ona w ogóle się nie przestraszyła.

– Z tą dziewczyną naprawdę jest coś nie tak. Powaliła Cerela na ziemię, zanim pojęliśmy, co się stało.

– Uderzyła go tam. – Zinn wskazał palcem między nogi przyjaciela. – A potem popchnęła na środek ulicy i dała mu porządnego kopniaka w żebra.

– I to przy ludziach.

– A na koniec nazwała obrzydliwym szczurem – dodał Tiril.

Podczas gdy przekrzykiwali się jeden przez drugiego, urażony Cerel przysiadł na rozgrzanym kamieniu. Eissa kucnęła przy nim i rękawem wytarła ziemię z jego policzka.

– Znowu wpakowałeś się w kłopoty, Cerelu – odezwała się ściszonym głosem.

Wzruszył ramionami z ponurą miną. Ze skupieniem wpatrywał się w twarz dziewczyny, aż powoli opuściła go cała złość. Jednak zadra w sercu pozostała. Wyciągnął rękę, by odgarnąć kilka włosów z czoła Eissy i pogładził ją po policzku.

– Czy tylko ja widzę, że z naszą wioską dzieje się coś złego? – odezwał się nadspodziewanie łagodnym, czułym głosem.

– Nie. Ale walka z tak wpływowymi ludźmi tylko ci zaszkodzi.

– Nie obchodzi mnie to. – W jego głosie wyraźnie dało się wyczuć zacięty ton. – Ta mała bogaczka upokorzyła mnie na oczach ludzi. Jeszcze za to zapłaci.

Rozdział XXXIV

riel i Sato siedzieli na podłodze w bibliotece, pochyleni nad dziennikiem. Stojąca obok lampa rzucała wokół nich krąg światła, pozostałą część pokoju pozostawiając ukrytą w ciemności. W martwej ciszy domu ściszony głos dziewczyny brzmiał i tak o wiele za głośno, kiedy czytała kolejne zapiski Ethholta.

Interesy nie idą najlepiej. Obawiam się, że będziemy musieli przenieść się do miasta. Musiałem zwolnić służbę i strażników, gdyż nie podoba mi się, że Sereya tak często z nimi przebywa. Gdyby była normalnym dzieckiem, cieszyłbym się, że ma przyjaciół, jednak w tej sytuacji... Boję się, żeby kiedyś nie zrobiła jakiego głupstwa. Żona twierdzi, żebym się tak nie przejmował, ale boję się o przyszłość, szczególnie drogiej Sereyi. Z pozoru wydaje się taka delikatna, jednak tak trudno ją rozgryźć. Leger rozwija się szybko i potrzebuje najlepszych nauczycieli, jeśli ma przejąć po mnie interesy. W tej sytuacji przeprowadzka wydaje się najrozsądniejsza, wciąż jednak nie wiem, jak poradzimy sobie w mieście. Tutaj życie wydaje się takie spokojne. Nie chcę odbierać rodzinie tego szczęścia, ale chyba nie będę miał wyboru.

Przerwała i spojrzała na Sato, który siedział w bezruchu, w zamyśleniu wpatrując się gdzieś w dal. Dopiero po chwili musiało dotrzeć do niego, że skończyła, gdyż zerknął na nią z nieodgadnionym wyrazem twarzy.

– Czytaj dalej – ponaglił ją.

Patrzyła na niego przez chwilę, po czym posłusznie przeszła do następnego fragmentu, napisanego dopiero po tygodniowej przerwie.

Pewnego dnia Sereya zabrała Legera na polowanie. Wrócili z martwym jeleniem i kilkoma królikami. Leger twierdził, że to wyłącznie jego zwierzyna i chwalił się, że już tak dobrze strzela z łuku. Sądzę jednak, że w większym stopniu to zasługa Sereyi. Oczywiście zaprzeczyła, jednak nie daje mi to spokoju. Nie powinna w ten sposób bawić się kosztem brata, ale ciężko jej to wytłumaczyć. Chciałbym, aby Leger nauczył się porządnie fechtunku, z drugiej strony jego obojętność nie jest normalna. Kiedy wziąłem go ze sobą do miasta i pozostawiłem na chwilę samego, pobił jakiegoś chłopca, bo nie chciał ukraść dla niego jabłka. Nie potrafił zrozumieć, że to jest złe i pozbawione honoru zachowanie. Może w towarzystwie Sereyi nabierze lepszych cech. Patrząc, jak rosną, zastanawiam się nad ich dalszym losem. Sam nie wiem, co mnie jeszcze czeka. Ostatnio handel nie idzie tak dobrze i musimy oszczędzać, jeśli chcemy nadal tu zostać. Życie w mieście jest tańsze i prostsze. Żona jednak uwielbia to miejsce, a Sereya jest zbyt przywiązana do tutejszych łąk. Poczekam więc i zobaczę, co przyniesie jutrzejszy dzień. Niech Launa czuwa nad nami i naszym domem.

Ariel przeczytała resztę zapisków, które dotyczyły głównie rodziny Erhholta i życia w tym domu. Sato ani razu jej nie przerwał, słuchając uważnie i w zamyśleniu. Czasami tylko zerkał na nią ponaglająco, by czytała dalej, gdy robiła dłuższą przerwę na złapanie oddechu. Nie wiedziała, czemu tak nagle się zaniepokoił, ale miała nadzieję, że wytłumaczy jej wszystko, jak skończy czytać.

Na ostatniej stronie zapisano tylko parę zdań, które brzmiały dość niepokojąco.

Pojechałem do miasta, by ubić targu z kupcami, którzy przypłynęli zaledwie wczoraj. Moje serce wciąż pozostaje w strachu, że zostawiam moją rodzinę na dwa dni bez opieki. Sereya powiedziała, że w razie czego obroni matkę i braciszka przed złymi ludźmi. Kochane maleństwo. Nie wiem czemu, ale jej słowa wzbudziły we mnie niewytłumaczalny lęk. Teraz, gdy Leger zachorował, widzę, jak bardzo się zmieniła. A przecież to dopiero dziecko. Skończyła zaledwie siedem lat. Czasem myślę, że jest naszym przekleństwem i wiem, że popełniam grzech. Kocham ją i jednocześnie drżę, gdy ją przytulam. Launo, wybacz mi i czuwaj nad nami.

Zamknęła zeszyt i odetchnęła głęboko. Podciągnęła kolana i oparła o nie brodę. Zerknęła na Sato, który wpatrywał się w nią z ponurą miną.

– Co się stało? – zapytała ostrożnie.

– Znałem Legera – odparł sucho, z niechęcią w głosie.

Wyprostowała się zdumiona.

– Znałeś go?

Skinął głową, ale minęła dłuższa chwila, nim udzielił odpowiedzi.

– Leger był wojownikiem jak ja i służył Balarowi. Należał do innego oddziału, ale spotkałem go parę razy – zmarszczył czoło i dodał ostro: – On... był inny niż reszta. Nie był związany żadną Przysięgą. Uważał służenie Balarowi za zaszczyt. Wychował się wśród wojowników i zabijanie było dla niego czymś naturalnym. Nie znam nikogo, kto odczuwałby większą radość z krwawych rzezi, jakie urządzał. Był bestią w prawdziwym znaczeniu tego słowa. – Sato odetchnął głęboko i uśmiechnął się blado. – Na szczęście słyszałem, że niedawno zginął, więc nie musimy już się nim martwić.

Ariel nie mogła uwierzyć w jego słowa ani tym bardziej wyobrazić sobie, że Leger był taki okrutny.

– Więc on też był jego sługą – pokręciła z niedowierzaniem głową. – Ale skoro tak, to dlaczego nigdy go tu nie widziałam?

– Jak już mówiłem, należał do innego oddziału. Ich zadanie jest... no cóż, bardziej... niebezpieczne. Zapuszczają się w różne części kraju i rzadko tu bywają.

– Jak to się stało, że w ogóle stał się wojownikiem na służbie Balara?

Sato wzruszył ramionami, wstał i przeciągnął się.

– Może dowiemy się tego, czytając kolejne dzienniki.

– Zastanawiam się też, dlaczego Ethholt tak obawiał się swojej córki. Często nadmienia o Sereyi w taki sposób, jakby naprawdę jej nie chciał.

– Sądzę, że ją kochał, tylko nie mógł jej zrozumieć. Z drugiej strony, to intrygujące, że częściej pisze o niej niż o synu, z którego podobno był taki dumny.

– Jakby...

– Była niezwykła? – dokończył, pomagając jej wstać. – Cóż, dowiemy się tego innym razem. Teraz powinniśmy wracać, mam jeszcze parę rzeczy do zrobienia.

Ariel nawet nie zdawała sobie sprawy z tego, że tyle tu przesiedzieli. To był w ogóle cud, że o tej porze dnia udało im się skraść dla siebie trochę czasu.

– Ostatnio chyba nie miałeś za wiele obowiązków, skoro większość dnia przesiadywałeś w kuchni – stwierdziła żartobliwie, gdy wychodzili z biblioteki.

Spojrzał na nią przez ramię i uśmiechnął się nieznacznie.

– Zapowiada się, że teraz będę miał ich coraz więcej.

Ariel z roztargnieniem skinęła głową, pogrążając się we własnych myślach. To, czego dowiedziała się z dzienników, rzucało nowe światło na historię posiadłości. Wiedziała już, kim był syn Ethholta i co się z nim stało, teraz pozostawało dowiedzieć się, kim były jego córka i żona i jak to miejsce stało się własnością Balara.

Z rozmyślań wyrwał ją Sato, który niespodziewanie objął ją ramieniem i przyciągnął do siebie. Chciała się odsunąć, gdy wzmocnił uścisk i wyszeptał jej do ucha:

– Mamy kłopoty. Czas, byś mi trochę pomogła.

Spłoszona, rozejrzała się wokół i dopiero teraz dostrzegła w holu czterech wojowników – kompanów Sato. Mężczyźni rozmawiali głośno i jeszcze ich nie zauważyli.

Jej serce zabiło gwałtowniej. Zerknęła na Sato, który ze spokojem patrzył przed siebie i tylko coś w wyrazie jego twarzy uległo zmianie. *Jeśli się wyda, że jesteśmy przyjaciółmi, to będzie koniec.*

Byli w połowie schodów, gdy mężczyźni w końcu ich dostrzegli. Odwrócili się i zamilkli, czekając aż Ariel i Sato zejdą.

Jeden z nich przyjrzał im się uważnie, po czym uśmiechnął paskudnie, odsłaniając żółte zęby.

– W końcu się odnalazłeś, Sato. Martwiliśmy się, że tak długo cię nie ma, ale widzę – zmierzył dziewczynę przeciągłym spojrzeniem – że miałeś ciekawe zajęcie.

Jego towarzysze ryknęli śmiechem, a Ariel oblała się rumieńcem. Zagryzła wargi i spuściła głowę. Sato wyszczerzył zęby i pochylił się nad nią, aż poczuła jego ciepły oddech gdzieś w okolicach skroni. Wydawał się przy tym całkiem rozluźniony.

– Ariel była tak łaskawa, że pozwoliła zająć się sobą. Przyznam się, że bardzo miło spędziłem z nią czas.

Mężczyzna z kilkudniowym zarostem szturchnął stojącego najbliżej kolegę. Wszyscy przeszywali Ariel spojrzeniem, aż czerwona na twarzy popędzała w myślach Sato, którego najwyraźniej bawiła cała sytuacja.

– W takim razie może będziesz tak dobry i podzielisz się nią z nami?

– Tak, to dobry pomysł – podjął szybko Jagon. – Dlaczego masz ją mieć tylko dla siebie? Wiesz, jak się tu nudzimy.

Sato przyciągnął dziewczynę mocniej do siebie, prawie wbijając paznokcie w jej bok.

– Przykro mi, chłopcy, ale musicie poszukać rozrywki gdzie indziej. Ja się z nikim nie dzielę tym, co moje.

– Hej – odezwał się Delon z wyrzutem. – Nie możesz przywłaszczać sobie służek Balara. Każdy z nas ma prawo zabawić się z nimi, jak zechce.

Ariel wzdrygnęła się, gdyż z gardła Sato wydobył się głuchy charchot. Wojownicy natychmiast cofnęli się z widocznym lękiem.

– Ona jest moja i radzę wam nie zbliżać się do niej – warknął.

– Pożałujesz tego, Sato – zagroził mu gniewnie Jagon, po czym wszyscy czterej szybko zniknęli w drzwiach prowadzących do kuchni. Dopiero teraz Ariel odważyła się zerknąć na przyjaciela. Mimo że zostali sami, wciąż trzymał ją mocno i zaciskał kurczowo szczęki.

– Myślisz, że teraz dadzą mi spokój? – spytała ostrożnie. Drgnął, jakby zapomniał o jej obecności. W końcu się odsunął, spoglądając na nią z dziwnym błyskiem w oczach, które znów przybrały barwę ciemnego bursztynu.

– Nie musisz się już nimi martwić.

– A co z tobą? Będziesz miał kłopoty? – przyglądała mu się z niepokojem.

– Nic mi nie będzie – odparł wymijająco i nie czekając na nią, ruszył w stronę kuchni.

* * *

Góry Ednor stanowiły najbardziej niezdobyte i niedostępne miejsce w całym Elderolu. Głębokie wąwozy, strome ścieżki i gładkie, lite ściany skutecznie odstraszały śmiałków, którzy zechcieliby zdobyć szczyty. Zresztą w całej historii tylko jeden człowiek postawił stopę na tej skalistej ziemi. I tylko po to, by zawrzeć pokojowy traktat z krasnoludami zamieszkującymi najgłębsze jaskinie Ednor. Prócz króla nikomu nie udało się nawet wdrapać na najmniejszą ze skał. Krasnoludy bardzo dobrze pilnowały swojego terytorium i zdolne były nawet zabić niezapowiedzianego intruza. Ich siła i upór przeszły już do legendy, choć minęło wiele lat od pamiętnej wojny z elfami. Teraz ukrywali się przed ludzkim wzrokiem, a dzięki traktatowi obie strony mogły spać spokojnie.

Na jałowe, pozbawione roślinności skały padły pomarańczowe promienie zachodzącego słońca. Prócz gwiżdżącego między kamiennymi ścianami wiatru panowała niczym niezmącona cisza. Majestatyczne góry dumnie wznosiły się ku ciemniejącemu niebu, pokazując światu swą potęgę i piękno. Wysoko, na szerokiej skalnej półce, stało dwóch krasnoludów. Wyglądali niczym kamienne posągi. Ich długie brody powiewały na wietrze, a surowe spojrzenia rzucane spod gęstych brwi były nieruchome i czujne. Ubrani w grube tuniki i kolczugi ze stali i uzbrojeni w ciężkie topory pilnowali ogromnych żelaznych wrót do ich podziemnego królestwa.

Nagły szum skrzydeł zmącił idealną ciszę i spokój górskiego królestwa. Strażnicy natychmiast zasłonili sobą wrota i zacisnęli mocniej palce na toporach, gdy czarny kruk wylądował przed nimi na skale. Przez chwilę przypatrywali się sobie w milczeniu, po czym ptak zmienił się w mężczyznę. Poły jego długiego płaszcza tańczyły na wietrze i wydymały się niczym skrzydła. Zbliżył się do krasnoludów, odgarniając z czoła długie kosmyki czarnych włosów.

Strażnicy zmierzyli go wrogim spojrzeniem.

– Czego tu szukasz? – warknął jeden z nich.

Mężczyzna uniósł wzrok na żelazne wrota, po czym znów spojrzał na krasnoludy.

– Chcę rozmawiać z waszym królem – odezwał się w końcu głębokim barytonem.

– Ludzie nie mają wstępu do góry Ednor. Tylko Kruczy Król ma prawo spotkać się z Wielkim Grodem.

Na ustach mężczyzny pojawił się słaby uśmieszek. Wyciągnął przed siebie prawą dłoń i obrócił ją wierzchem do góry.

– Czy to wam wystarczy?

Obaj strażnicy zmarszczyli brwi i popatrzyli po sobie, potem znów na jego dłoń. Na ich ukrytych pod brodą twarzach odmalowała się niepewność.

– Jak to możliwe? – zapytał ten z długim brązowym warkoczem. – Nie jesteś królem, a jednak masz jego znak. To się nigdy jeszcze nie zdarzyło.

Mężczyzna zaśmiał się cicho.

– Cóż za niewybaczalny błąd, prawda? Wszakże król powinien być tylko jeden.

– Jeśli jesteś oszustem, to lepiej opuść nasze ziemie. – Obaj ostrzegawczo unieśli wyżej topory.

– Więc nie wpuścicie mnie do środka? Mimo że posiadam Znak Kruka? – Czarne znamię rozjarzyło się lekkim światłem.

– Jeśli nie szukasz śmierci, to radzę, byś odszedł – zagroził jeden ze strażników.

– Przykro mi, ale nie mogę. – Twarz mężczyzny spochmurniała, a w czarnych oczach pojawił się drapieżny błysk. – Próbowałem być miły, jednak nie pozostawiacie mi wyboru.

W jednej chwili znalazł się za ich plecami. Położył dłonie na ich karkach i zanim strażnicy zdążyli wydobyć z siebie jakikolwiek dźwięk, osunęli się martwi pod jego stopy. Mężczyzna odwrócił się od ciał i spojrzał na ogromne dwuskrzydłowe wrota. Przyłożył prawą dłoń do ich zimnej powierzchni i bez żadnego wysiłku uchylił jedno skrzydło. Przekroczył próg i drzwi zatrzasnęły się za nim, na powrót pogrążając wszystko w ciszy, zupełnie, jakby nic się nie wydarzyło.

Wnętrze góry przypominało ogromną grotę. W blasku tysiąca pochodni z trudem dostrzegał kontury odległych ścian. Sklepienie znajdowało się tak wysoko, że nawet jego wzrok tam nie docierał. Potężne kolumny niknęły gdzieś w ciemności, jakby sięgały samego nieba.

W długim korytarzu jego kroki odbijały się głuchym echem od niewidocznych skalnych ścian. Mężczyzna szedł szybko, nie rozglądając się na boki. Krasnoludzkie kobiety z dziećmi uciekały przed nim w rozwidlenia korytarzy, zaś mężczyźni przystawali, by przyjrzeć się przybyszowi. Nawet jeśli był pod wrażeniem ich mistrzowskiej pracy, to z jego twarzy trudno było cokolwiek wyczytać. Na potężnych kolumnach wiły się tajemnicze znaki w krasnoludzkim języku, zaś gładka podłoga przypominała lśniącą posadzkę w zamku. Nawet teraz z trudem mógł uwierzyć, że znajduje się we wnętrzu jednej z gór Ednoru. Tunel, w którym się znajdował, był zaledwie jednym z wielu łączących się w skomplikowaną sieć między poszczególnymi wzniesieniami.

Mężczyzna doszedł do końca korytarza i zatrzymał się przed łukowatym przejściem. Stworzył kulę światła i popchnął ją w górę, by oświetlić napisy na białych ozdobnych belkach.

Ja, Wielki Grod, król krasnoludów, obiecuję strzec tej ziemi i moich braci do ostatniej kropli krwi. Wszystko, co pochodzi od boga Gaina, do niego powróci, dlatego nie lękam się śmierci, gdyż ona przybliża nas do nieskończonej chwały.

Mężczyzna prychnął i zgasił kulę światła.

Przekonamy się, czy rzeczywiście nie lękasz się śmierci – pomyślał i przeszedł przez półokrągłe drzwi.

Znalazł się w ogromnej sali, w której również płonęły liczne pochodnie, oświetlając identyczne kolumny i surowe, wysokie ściany. Tutaj znajdowało się o wiele więcej krasnoludów. Jedni stali grupkami pod kolumnami, inni rozsiedli się na ustawionych pod ścianą ławach. Wokół rozbrzmiewały przyciszone rozmowy. Prawie wszyscy nosili podobne grube tuniki i kolczugi, jakby w każdej chwili byli gotowi wyruszyć na wojnę. Wśród zebranych znajdowały się też kobiety i dzieci, ale wszyscy byli tak bardzo do siebie podobni, że trudno ich było od siebie odróżnić.

Nikt nie zwrócił uwagi na mężczyznę w czarnym płaszczu, więc mógł się spokojnie rozejrzeć. Dopiero gdy ruszył ku podwyższeniu, na którym stało masywne krzesło, trzech krasnoludów zagrodziło mu drogę. Wyglądali niemal identycznie jak ci przy głównych wrotach i przybysz z rozbawieniem pomyślał, czy sami siebie potrafią rozróżnić.

– Co tu robisz, człowieku? – odezwał się ten środkowy, unosząc w jego stronę topór. – Czy nie wiesz, że ludziom nie wolno tu wchodzić?

Mężczyzna przeniósł spojrzenie na bok, gdzie pozostali zamilkli nagle i teraz wszyscy wpatrywali się w niego z zaskoczeniem.

– Tak, słyszałem już to – odezwał się spokojnie. – Przybyłem jednak, by porozmawiać z waszym królem.

– Wielki Grod może przyjąć jedynie Kruczego Króla. Taka była umowa.

Mężczyzna zmarszczył lekko brwi z rozdrażnieniem.

– O tym też wiem.

– Po co więc przybyłeś? Jakim cudem strażnicy cię wpuścili?

To pytanie odbiło się od wysokiego sklepienia i zawisło w kilkusekundowej ciszy. Mężczyzna uśmiechnął się cierpko, obdarzając ich chłodnym spojrzeniem.

– Nie wpuścili.

Po sali przebiegł szum niedowierzania i gniewu. Teraz już wszyscy zbliżyli się do kręgu światła, by przyjrzeć się intruzowi. Trzej wojownicy unieśli swoje topory, jednak mężczyzna był szybszy. Chwycił dwóch za ramiona, trzeci zaś na własne oczy zobaczył, jak na twarzy i dłoniach jego towarzyszy rozlewają się pod skórą czarne linie, niczym drobniutkie siateczki żył. Kiedy bez żadnego dźwięku obaj upadli na posadzkę, krasnolud odskoczył na bok i wbił przerażony wzrok w mężczyznę. Wszyscy wstrzymali oddech i cofnęli się za kolumny na bezpieczną odległość. Nikt się nawet nie ruszył, gdy mężczyzna spokojnie podszedł do podwyższenia i rozsiadł się wygodnie na krześle Wielkiego Groda. Oparł brodę na dłoni i powiódł spojrzeniem po całej sali.

– Jeśli pozwolicie, poczekam tu na waszego króla – odezwał się głośno, by wszyscy go usłyszeli. – Jeśli nie zjawi się tu w ciągu pięciu minut, podzielicie los swoich braci.

W napiętej ciszy nikt nie śmiał nawet westchnąć. Krasnoludy patrzyły jeden na drugiego, starając się omijać wzrokiem leżące na środku dwa ciała. Mężczyzna w tym czasie spod przymrużonych powiek obserwował reakcję krasnoludzkich wojowników. Tych samych, których siła i odwaga budziły trwogę nawet wśród elfów. Bębnił palcami o oparcie krzesła, zastanawiając się, jakim cudem tak szybko stali się tchórzami.

Po pięciu minutach zaczął wyszukiwać wzrokiem swojej pierwszej ofiary, gdy w oddali rozległy się szybkie kroki. Z uśmiechem zadowolenia z powrotem oparł niedbale brodę na dłoni. Już po chwili do komnaty wszedł krasnolud. Był nieco wyższy od pozostałych i dobrze zbudowany nawet jak na przedstawiciela swojej rasy. Nosił czerwoną szatę przewiązaną szerokim skórzanym pasem. Miał krótkie czarne włosy oraz krótko przystrzyżoną brodę. Jego ciemne oczy penetrowały salę, aż w końcu zatrzymały się na tronie. Zmarszczył gniewnie brwi i ruszył na środek komnaty, podczas gdy stojące po bokach krasnoludy kłaniały mu się pospiesznie. Król zatrzymał się przed tronem i popatrzył na dwa martwe ciała. Zacisnął szczęki, po czym uniósł wzrok i zmierzył mężczyznę ostrym spojrzeniem.

– Co tu robisz, Balarze?

– Och, a więc wiesz, kim jestem? To dla mnie zaszczyt, Wielki Grodzie. – Na jego wargach zagościł cień rozbawienia.

– Tak. I wiem doskonale o twoich uczynkach. – Krasnolud wyprostował się, dyskretnie muskając palcami rękojeść krótkiego miecza. – Domyślam się, że przysłał cię tu twój pan.

Balar uniósł prawą dłoń i równie niedbałym gestem zaczął się bawić czarnym sygnetem na palcu.

– Zgadza się. Jestem tu z rozkazu Gathalaga. Mój Pan pragnie, aby krasnoludy przyłączyły się do niego i walczyły z ludźmi.

Grod zmarszczył gęste brwi.

– Już dawno nie mieszamy się w interesy żadnej ze stron – powiedział dobitnie. – Zawarliśmy z Kruczym Królem pakt, że nie będziemy atakować ludzi.

– Jesteś bardzo honorowy, królu. – Balar wyprostował się na krześle i zmierzył go zimnym spojrzeniem swoich czarnych oczu. – Tylko widzisz... Mojemu Panu się nie odmawia.

Krasnolud prychnął z pogardą.

– Służymy jedynie bogu Ziemi i nikomu więcej. Nie przestraszysz mnie swoimi groźbami, Balarze. Wtargnąłeś siłą do mojego królestwa i jeszcze śmiesz mi rozkazywać?

Na twarzy Balara pojawiła się złość.

– Zapominasz się, królu. Dobrze wiesz, że za nieposłuszeństwo mógłbym ukarać cię śmiercią. – I dodał z nutą ironii: – To jednak byłaby zbyt łagodna kara dla kogoś, kto nie lęka się śmierci. – Powiódł wolnym spojrzeniem po zebranych. – Ciekawi mnie, czy twoi poddani również pragną spotkać się ze swoim bogiem. Czy poświęcisz ich życie, by trwać w swoim postanowieniu?

Z jego prawej dłoni wypłynął jakiś ciemny kształt i poszybował w stronę stojących pod ścianą krasnoludów. Gdy dotarł do pierwszego, po prostu przeleciał przez niego i wojownik padł martwy na ziemię. Inni z okrzykami zdumienia natychmiast rozbiegli się po sali, ale nie byli w stanie uciec od czarnej mgiełki. Balar ze spokojem obserwował, jak bezkształtna masa zabiera kolejne życia. W komnacie rozlegały się przerażone okrzyki i podniesione głosy. Kiedy na podłodze leżało co najmniej dziesięć martwych krasnoludów, Balar w końcu przeniósł spojrzenie na Groda. Król miał szeroko otwarte oczy i pobladłą twarz, jednak nie wykonał żadnego gestu, by ratować swoich ludzi. Jego ręka drżała gwałtownie, gdy zaciskał kurczowo palce na rękojeści miecza.

– Przestań! – krzyknął w końcu, aż jego głos odbił się wielokrotnym echem od wysokiego sklepienia.

Balar machnął ręką i mgiełka rozpłynęła się w powietrzu. Czekał, aż Grod na niego spojrzy i pierwszy się odezwie. W jego oczach dostrzegł strach i bezradność.

– Nie mogę patrzeć, jak zabijasz moich ludzi. – Potężne ramiona opadły, gdy władca spuścił wzrok. – Nawet nasza duma nie uratuje nas od wyginięcia. Nasz ród jest ostatni i nie chcę, by krasnoludy zostały zapamiętane jako tchórzliwe krety. Zgadzam się służyć twemu panu.

– Mądra decyzja. – Balar wstał i powoli ruszył w jego stronę. – Obiecujesz więc przyłączyć się do armii Gathalaga i walczyć u jego boku?

– Tak.

Mężczyzna popatrzył z góry na krasnoluda z ponurym wyrazem twarzy.

– Obiecujesz, że będziesz walczył przeciw ludziom i Kruczemu Królowi?

– Tak.

– Doskonale. Jeszcze dziś zbierzesz wszystkich swoich wojowników i opuścicie góry. W drodze przekażę wam dalsze instrukcje – przerwał, po czym kucnął i zacisnął palce na szyi króla, zmuszając go, by spojrzał wprost w jego oczy. – Nie wierzę ci, Wielki Grodzie. Dlatego zostawię ci coś na pamiątkę. Dłoń, którą ściskał szyję krasnoluda, rozjarzyła się na czarno. Grod syknął z bólu, zaciskając szczęki, by nie krzyknąć. Gdy Balar go puścił i wyprostował się, natychmiast sięgnął ręką do szyi. Jego czoło zrosił pot, który zaczął spływać po skroniach. Tuż pod brodą krasnoludzkiego władcy widniał teraz tatuaż w kształcie czarnego pióra. Gdy musnął palcami to miejsce, poczuł jakby mrowienie.

– To tak na wszelki wypadek, gdybyś jednak nie zamierzał dotrzymać obietnicy – wyjaśnił spokojnie Balar. – Jeśli w ciągu dwóch tygodni choć jeden krasnolud pozostanie w tych górach lub nie posłuchasz moich rozkazów, to twoje ciało zostanie rozerwane na strzępy. I to samo stanie się ze wszystkimi twoimi ludźmi, także z kobietami i dziećmi. – Gdy Wielki Grod uniósł głowę i spojrzał na niego rozszerzonymi oczami, Balar uśmiechnął się cierpko i położył mu dłoń na ramieniu. – Rozumiesz chyba, że teraz jesteś odpowiedzialny za wiele istnień. Będziesz posłuszny memu Panu, to wszystko będzie dobrze. A tak nawiasem mówiąc – minął króla i ruszył do wyjścia – powinieneś bardziej się starać nawracać swoich poddanych, skoro nie są jeszcze gotowi połączyć się ze swoim bogiem. Już niedługo wiara może być wam bardzo potrzebna.

Gdy zniknął w łukowatym przejściu, jeszcze przez jakiś czas w grocie rozbrzmiewało echo jego zimnego śmiechu.

Rozdział XXXV

W ciągu kolejnego dnia Ariel nie widziała Sato ani razu i zaczynała się martwić. Zaglądała często do kuchni, ale nie miała odwagi zagadywać wojowników ani żadnej z dziewczyn. Jego towarzysze rzeczywiście przestali rzucać w jej stronę nieprzyzwoite żarty i po prostu traktowali ją jak powietrze. Ariel nawet nie zwracała na to uwagi, pochłonięta własnymi myślami. Przez cały czas gdzieś na dnie serca czaił się lęk. Kiedy widziała Sato ostatni raz w holu, zachowywał się nieco dziwnie i był spięty, jakby czymś się zdenerwował. A przecież jej zdaniem wszystko poszło dobrze. Nie rozumiała, dlaczego wojownicy obawiają się Sato, ale najwyraźniej ten strach był na tyle silny, że ustępowali mu we wszystkim. Pomyślała o Legerze i natychmiast przegoniła niebezpieczne myśli. Sato był wojownikiem, ale na pewno różnił się od innych. Był łagodny i opiekuńczy i nie potrafiła sobie wyobrazić, by mógł zabić kogoś z zimną krwią. Nawet jeśli czasami zachowywał się niezrozumiale, wciąż odsuwała od siebie powracające uparcie słowa Balara.

Wieczorem zjadła samotnie skromną kolację i wróciła do pokoju. Próbowała jeszcze czytać, ale jakoś nie potrafiła się skupić. Siedziała więc na pryczy i wpatrywała się w niebo, podczas gdy cały dom pogrążył się w nocnej ciszy.

Przez pół nocy nie potrafiła usnąć, a gdy wreszcie poczuła senność, niespodziewanie zjawił się Sato. Bezgłośnie wszedł do jej pokoju, zamknął za sobą drzwi i w ciemności usiadł na brzegu łóżka. Nic nie powiedział, tylko zwiesił głowę i siedział tak w bezruchu bardzo, bardzo długo.

Ariel ucieszyła się na jego widok, ale od razu wyczuła, że coś jest nie tak. Dlatego przysunęła się w milczeniu i położyła głowę na jego kolanach. Przez kilka minut trwali tak w zupełnej ciszy, przerywanej jedynie ich oddechami. Sato powolnym ruchem zaczął gładzić jej włosy.

– Powiesz mi teraz, co się stało? – odważyła się w końcu zapytać cicho.

Na chwilę przestał ją głaskać i westchnął głęboko.

– Mój brat... On nie żyje – powiedział w końcu wypranym z emocji głosem.

Ariel wyprostowała się i spojrzała na niego uważnie. Wyraz jego twarzy pozostał niewzruszony, choć w zmarszczonych brwiach dało się wyczytać złość.

– To straszne. Przykro mi, Sato. – Nie wiedziała, co jeszcze powiedzieć w takiej sytuacji. Wspominał wcześniej, że miał brata, ale nic o nim nie wiedziała i nigdy go nie poznała.

Przytuliła się do przyjaciela, chcąc go w jakiś sposób pocieszyć. Był dziwnie spięty i podenerwowany, ale z pewnością nie smutny.

– Niepotrzebnie. Nie żałuję, że go już nie ma – odparł sucho. – Tylko... – w końcu na nią spojrzał. – Jego śmierć wszystko komplikuje.

– Jak to? – Ariel oparła łokcie na jego kolanach i podparła brodę na złożonych dłoniach. – Nie kochałeś go?

Zmarszczył brwi i prychnął rozgniewany.

– Poza więzami krwi nic nas nie łączyło i cieszę się z tego. Nawet jako dzieci nie mogliśmy się porozumieć.

– Nigdy mi o nim nie opowiadałeś. Jaki był? – Mina Sato wskazywała wyraźnie, że nie powinna zadawać tego pytania, ale nigdy nie opowiadał jej o swoim życiu i zwyczajnie była ciekawa.

– Był potworem i po jego śmierci teraz ja nim będę.

– Co ty mówisz?! – Dławiący lęk ścisnął jej gardło. – Nie jesteś potworem i nigdy nie będziesz! Nie możesz nawet tak myśleć.

Popatrzył na nią, zaciskając szczęki. Znała ten wyraz jego oczu i teraz nie miała już wątpliwości, że stało się coś naprawdę złego.

– Nie powinienem o tym z tobą rozmawiać, ale chciałem, żebyś wiedziała. – Jeszcze nigdy ton jego głosu nie był tak poważny i zmartwiony. – Od teraz wszystko się zmieni.

– Co masz na myśli? – Podstępny wąż strachu ukąsił ją prosto w serce.

– Przenieśli mnie – wyjaśnił zrezygnowany.

– Jak to przenieśli?

– Przenieśli mnie do innego oddziału. Przykro mi, Ariel, ale chyba nie powinniśmy się więcej spotykać.

Jej oczy napełniły się łzami i coś twardego w gardle na moment odebrało jej głos. Nie była do końca pewna, czy to, co przed chwilą usłyszała, tylko jej się nie przesłyszało. Modliła się w duchu, by okazał się to tylko jakiś głupi żart, ale widziała twarz Sato i wiedziała, że tak nie jest. Czy to znaczy, że to koniec? Nie chciała nawet brać takiej ewentualności pod uwagę. Nie wyobrażała już sobie bez niego życia.

Usiadła mu na kolanach i objęła go mocno za szyję, wtulając się w jego ramiona.

– Nie możesz mnie zostawić – zaprotestowała ostro rozkazującym tonem. – Nie pozwalam. Przysięgałeś, że będziesz moim bratem. Umrę bez ciebie.

Pogłaskał ją czule po głowie, chowając twarz w jej włosach.

– Skoro tak stawiasz sprawę – zamruczał – chyba nie mam wyboru.

Odsunęła się, wycierając mokre oczy.

– Obiecujesz?

Skinął głową.

– Obiecuję, że cię nie zostawię – zaśmiał się cicho, gdy z szerokim uśmiechem pocałowała go w policzek. – Jednak teraz nie będę miał dla ciebie tyle czasu. Może czasami uda mi się wymknąć, ale nic nie mogę obiecać.

– Nieważne. Chcę tylko, żebyś nie zniknął całkiem z mojego życia. Nawet jeśli będziemy widywali się teraz rzadziej.

Jego wargi wygięły się w smutnym uśmiechu, kiedy dotknął lekko jej policzka.

– A więc zależy ci na mnie?

– Oczywiście, głuptasie. Jak mogłoby być inaczej? – Ariel objęła go jeszcze mocniej, oparła głowę na jego torsie, wdychając jego zapach i delektując się bijącym od niego ciepłem. – Jesteś moim najdroższym przyjacielem i bratem.

Nic nie odpowiedział. Zastygli tak wtuleni w siebie, wsłuchując się w absolutną ciszę przerywaną jedynie biciem ich serc. Choć może nie powinna się tak czuć w tych okolicznościach, była jednak odprężona i szczęśliwa. Pragnęła zatrzymać tę chwilę i nie przejmować się przyszłością, Balarem i tym, co ją czeka. Pragnęła uciec z Sato na koniec świata, z dala od kłopotów i niebezpieczeństw.

– Powinienem już wracać. Na pewno jesteś zmęczona, a ja nie daję ci spać – powiedział cicho.

– Zostań jeszcze chwilę – wyszeptała, walcząc z ogarniającą ją sennością.

Odsunął ją od siebie, a na jego twarzy zaigrał znajomy wesoły uśmiech.

– To co chcesz robić?

– Cokolwiek.

Uniósł brew, a w jego oczach zatańczyły psotne ogniki.

– To bardzo kusząca propozycja, moja droga przyjaciółko.

Odsunęła się, wydymając usta i mierząc go srogim spojrzeniem. Zachichotał cicho.

– Myślałam o czytaniu dziennika.

– Ja także – odparł rozbawiony, kiedy sięgnęła pod łóżko po cienką książeczkę.

Usiedli wygodnie, opierając plecy o chłodną ścianę. Sato zapalił świecę. Ariel położyła głowę na ramieniu przyjaciela i odnalazła odpowiednią stronę. Zaczęła czytać przyciszonym głosem, a mały płomyk drżał, rozkołysany ich oddechem.

Moje najgorsze obawy się sprawdziły. Po powrocie zastałem dom w opłakanym stanie. W holu i na schodach leżeli martwi strażnicy i służący. Przeraziłem się, że mojej rodzinie również stało się coś złego. Odnalazłem Sereyę i jej matkę w ich komnatach. Tuliły do siebie Legera i drżały ze strachu. Długo je przekonywałem, by opowiedziały, co się stało. Moja żona próbowała wszystko wytłumaczyć i bronić córkę, a ja nie byłem w stanie nawet spojrzeć małej w oczy. Co ze mnie za ojciec, jeśli zamiast cieszyć się, że żyją, myślę tylko o tym, jak bardzo boję się własnej córki. Ochroniła dom przed leśnymi ludźmi i naprawdę w pewnym stopniu byłem z niej dumny. Oczywiście uspokoiłem je i sprzątnąłem z domu ciała. Całe szczęście w mieście zarobiłem wystarczająco, by zaopatrzyć nas w zapasy żywności i pokryć drobne naprawy. Będę jednak musiał poważnie zastanowić się nad naszą dalszą przyszłością.

– Ciekawe, co takiego zrobiła Sereya, że tak bardzo się jej bał – pomyślała głośno Ariel, przerywając na moment czytanie.

– Po tym, co tu napisał, można się tylko domyślać.

– A więc to ona zabiła tych ludzi? – Ariel spojrzała na Sato z niedowierzaniem. – To przecież było jeszcze dziecko.

– Uwierz mi, Ariel, że ten świat jest pełen dziwnych i przerażających rzeczy – odparł ponuro, zapatrzony w pożółkłe strony. – Nie wszyscy ludzie z Mocą rodzą się dobrzy.

– Nie wierzę, żeby była zła. Może robiła to nieświadomie. Może po prostu nie wiedziała, jak pomóc swojej rodzinie.

– A może doskonale wiedziała, co robi, i użyła swoich umiejętności z premedytacją – stwierdził cierpko. – Zresztą nigdy się tego nie dowiemy, prawda? Być może dawno już nie żyje, jak jej brat.

Ariel zwiesiła głowę, przez chwilę wpatrując się bezmyślnie w zapisane strony. Bardzo chciała wierzyć, że jednak Sereya nie była zła, jednak trudno było oceniać, skoro nie znała tego świata.

– Dlaczego ci ludzie ich napadli? – odezwała się po dłuższej chwili milczenia.

– Jeżeli to byli Leśni Ludzie, to rzeczywiście mieli szczęście, że przeżyli.

– Leśni Ludzie? – zerknęła na niego z ciekawością.

– To złodzieje i mordercy, którzy nie uznają władzy króla i słuchają tylko siebie. Ci, którym uda się uciec od więzienia, ukrywają się w lasach i w grupach grabią i rabują przy każdej nadarzającej się okazji. Są ścigani przez armię króla i zabijani. Taka posiadłość z dala od miasta to dla nich smakowity kąsek, tym bardziej jeśli nie ma straży i pana domu.

– Biedna Sereya i jej matka. To musiało być dla nich straszne przeżycie – westchnęła, wyobrażając sobie, przez co musiały przechodzić.

– Świat jest brutalny i tylko silni są w stanie przeżyć – odparł ponuro Sato, po czym wskazał ręką na trzymany przez nią zeszyt. – Zobaczmy, co dalej spotkało rodzinę Ethholta.

Dalsze zapiski były raczej krótkie i dotyczyły głównie szczegółowych napraw, jakie trzeba było przeprowadzić w całym domu. Potem Ethholt rozpisywał się nad wdziękami Sereyi i jej licznymi zdolnościami, głównie w zakresie władania mieczem i jazdy konnej. Miał pewne obawy, czy znajdzie odpowiedniego kandydata na męża, ale skoro to była bardzo daleka przyszłość, więc nie martwił się tym aż tak bardzo. Legerowi mężczyzna poświęcił wiele stron, rozwodząc się nad jego niezwykle szybkim rozwojem. Miał nadzieję, że chłopiec wyrośnie na zdrowego i silnego wojownika i że zajmie się matką, gdy jego już zabraknie. Ani razu też nie wspominał już o jego złych skłonnościach, być może wierząc, że charakter zmieni się wraz z wiekiem. Zapiski dotyczące spraw finansowych i handlu Ariel pomijała, uznając je za zbyt nudne.

W pozostałych dziennikach nie było już nic godnego uwagi. Dopiero w ostatnim, który zapisany był tylko do połowy, Ethholt pisał, że nie ma już pieniędzy na utrzymanie rodziny i muszą żyć bardzo skromnie.

Mimo nalegań żony upierał się, by zostali tutaj ze względu na dzieci. Ostatni fragment był długi, na prawie całą stronę, zapisany koślawym, nieco zniekształconym pismem, jakby Ethholt bardzo się spieszył lub był zdenerwowany.

Od dwóch dni nie widziałem słońca. Niebo, pokryte ciężkimi chmurami, nie zsyła burzy ani deszczu, tylko chłód i zapowiedź czegoś złego. Powinienem znów wybrać się do miasta, gdyż kończą nam się zapasy, ale nie mam odwagi. Niepokój, który tak długo mnie gnębił, teraz nie daje mi spać. Żałuję, że nie mieszkamy w mieście. Jestem już niemal zdecydowany oddać Sereyę pod odpowiednią opiekę. Poza tym Leger miałby tam najlepszych nauczycieli i kolegów. Tutaj są zupełnie sami, zdani jedynie na własne towarzystwo. Obawiam się, że chłopiec wywiera zbyt duży wpływ na delikatną Sereyę. Zbyt dużo czasu spędzają w lesie, wśród dzikich zwierząt, i nawet żona twierdzi, że nie wychodzi im to na dobre. Nie mają odpowiedniej ogłady i manier, których nabyliby w mieście. Wiem, że kochają to miejsce, ja również darzę je pewnym sentymentem, ale tutaj nie zapewnię im godnej przyszłości. Należą do Klanu Liścia i prócz wolności powinni też znać swoje przywileje i obowiązki…

Ktoś nadchodzi. Widzę przez okno jakiegoś mężczyznę w czarnym płaszczu i długich włosach. Nie wygląda na Leśnego Człowieka ani złodzieja. Nie wiem, czego chce, ale po jego postawie widzę, że jest kimś zamożnym. Słyszę, że Gebra idzie mu otworzyć, więc lepiej zejdę i sprawdzę o co chodzi…

Spojrzeli na siebie szeroko otwartymi oczyma i krzyknęli jednocześnie:

– Gebra?!

* * *

Po wyjściu Sato Ariel zasnęła od razu, choć zaczynało już świtać. W czasie tej krótkiej drzemki nawiedził ją kolejny dziwny, choć bardzo realistyczny sen, o którym zapomniała zaraz po przebudzeniu.

Unosiła się kilka metrów nad ziemią, a pod sobą miała wioskę z kilkoma drewnianymi domami i piaszczystą drogą. Z tej perspektywy miała dokładny widok na wszystko, co działo się w dole. Większość domów stała w ogniu, wszędzie unosił się duszący dym i mdlący zapach krwi. Mężczyźni i kobiety biegali we wszystkie strony, a ich rozpaczliwe krzyki niosły się echem po całej okolicy. Ariel obserwowała całą scenę wstrząśnięta i zdezorientowana. Nie była pewna, czy to dzieje się tylko w jej umyśle czy w rzeczywistości, tak bardzo to wszystko było realne. Wieśniacy padali pod ciosem miecza wojownika bądź od wypuszczonej skądś strzały. Między ludźmi krążyły również zwierzęta: tygrysy, niedźwiedzie i kilka wilków. Te dzikie drapieżniki atakowały szybciej niż ich dwunożni towarzysze i zabijały skuteczniej niż ostrze miecza. Wszędzie walały się ciała przesiąknięte krwią i porzucone prowizoryczne bronie chłopów.

Gdy na jej oczach jeden z żołnierzy zabił uciekającą kobietę, chciała do niej podbiec, ale odkryła, że nie może się ruszyć. Dostrzegła przeciskającego się przez plątaninę nóg chłopca. Odetchnęła z ulgą, widząc jak przemyka między domami i ucieka w pobliski lasek. Niestety nie wszyscy mieli takie szczęście. Większość mieszkańców padała pod naporem najeźdźców, którzy nie szczędzili nawet kobiet.

Ariel nie była w stanie dłużej patrzeć na tę bezsensowną krwawą rzeź. Choć z całej siły zaciskała powieki, obraz nadal pozostawał wyraźny w jej umyśle. Poprzez unoszący się w powietrzu dym i czerwoną łunę bijącą od ognia, sylwetki ludzi i zwierząt stały się niewyraźne, jakby zamazane. Nagle jakiś ruch przyciągnął jej uwagę. Szarobiały wilk, większy od pozostałych, pędził wprost na młodego mężczyznę, który widząc zbliżające się zwierzę, wzniósł swoje widły, śmiesznie duże w jego małych dłoniach. Nie potrafiła dostrzec twarzy, ale gdy odkryła, że to jeszcze dziecko, rozpacz ścisnęła jej serce.

Pokonawszy dzielącą ich odległość, wilk obnażył kły i skoczył z głośnym warknięciem. Z gardła chłopca wydobył się bojowy okrzyk, kiedy wymierzył w zwierzę ostrze prowizorycznej broni. Ariel w irracjonalny sposób nie chciała, by wilk zginął. Wiedziała, że to tego chłopca powinna żałować i o jego życie się martwić, nie o bestię, dla której zabijanie było celem istnienia. A mimo to jej serce zadrżało z niepokoju i niepewności. Śledziła każdy ruch wilka i wbrew sobie modliła się, by jednak przeżył. Te kilka zaledwie sekund stało się całą wiecznością. Choć sama poczuła do siebie wstręt, ulżyło jej, gdy wilk w ostatniej chwili przesunął ciężar ciała i wylądował tuż za plecami chłopaka. Miała nadzieję, że zwierzę odejdzie, ale w następnej chwili wilk odwrócił się błyskawicznie i zatopił kły w szyi chłopca.

Ariel krzyknęła i w jednej chwili obraz zniknął. Oddychając ciężko, rozejrzała się po swoim pokoju i otarła dłonią pot z czoła. Choć wzięła to za sen, nie mogła wyzbyć się niepokoju, który nagle wyłonił się z ciemności i ścisnął jej serce. Miała uczucie, że już kiedyś miewała podobne sny, jakby wizje, które w końcu się sprawdzały. O co jednak chodziło tym razem? Nie znała tej wioski ani tych ludzi. Czy był to tylko zwykły sen?

Zadrżała mimowolnie na wspomnienie rzezi. Tyle ludzi... Tylu niewinnych, którzy zginęli w tak brutalny sposób... Zdusiła mdłości, które targnęły jej ciałem. Owijając się kocem, usiadła na pryczy, oparła się o zimną ścianę i podkurczyła kolana. Przez jakiś czas wpatrywała się w okienko, za którym na błękitnym niebie nie widać było ani jednej chmurki. W końcu jednak dopadło ją znużenie i mimo obaw, że koszmar powróci, przysnęła.

* * *

Cyrret wyszedł spomiędzy drzew na zalane księżycowym blaskiem wzgórze. Poruszana wiatrem trawa nie miała żadnego konkretnego koloru, w odróżnieniu od ciemnego granatu nieba. Przystanął na samej krawędzi, gdzie kończyła się roślinność, a zaczynał stromy skalny zjazd, naszpikowany nierównościami i odstającymi kamieniami.

Spojrzał na rozpościerającą się w dole dolinę i skrzywił się. Wioska Reed nie różniła się zbytnio od reszty prowincji. Ten sam układ piaszczystych uliczek i identycznie zaprojektowane domy. Teraz już wiedział, czemu tak bardzo zbrzydła mu ojczyzna. Po prostu nie mógł już znieść tej schematyczności. Gdziekolwiek by nie zawędrował, widział te same wzory, układy i do znudzenia powtarzające się wzorce. Belthowie nie uznawali niczego, co wychodziło ponad ogólny schemat i rutynę. Wszystko opierało się na precyzji i użyteczności. Cyrret pamiętał z czasów młodości, że nie mógł posiadać nic, co było zbędne. Dlatego nigdy nie żałował, że porzucił swój oddział i tym samym stał się wyrzutkiem. Niedobrze mu się robiło od tych wojskowych zasad.

Reed nie różniło się do innych wiosek, które mijał, było jednak dużo mniejsze. Kilka prostych domków nawet nie mogło kojarzyć się z wioską, a dwie przecinające się dróżki – z ulicami. Nie było tu żadnego sklepu ani miejsca na targ. Tylko stare podmokłe chaty z piaszczystą areną pośrodku i marną studzienką. Trudno było nawet dostrzec tam w dole jakiekolwiek oznaki życia, ale może dlatego, że była noc i wszyscy spali. Okolica była raczej dzika i surowa. Wokół wioski rosła wysoka trawa i dzikie krzewy, a dalej gęsty las.

Jego wzrok powędrował wyżej, ponad dachy domów. Na wargach zaigrał mu ledwo dostrzegalny uśmiech zadowolenia. Morze. Woda, mieniąca się kolorem nieba, niemal zmywała się z nim na linii horyzontu. Odbijający się w niej sierp księżyca drżał i falował, nadając jej migotliwy połysk.

Morze, które oddzielało go od wyspy Aznar i jego armii.

Usłyszał za sobą kroki, ale nie odwrócił głowy. Po chwili przy jego boku stanął Ortis. Wojownik skrzyżował przed sobą ramiona, przyjmując identyczną postawę jak Cyrret. Przez długą chwilę po prostu milczał, oswajając się z widokiem w dole.

– A więc to tutaj – stwierdził w końcu.

– Tak.

– Trochę szkoda.

– Dlaczego?

Ortis zerknął na niego z ociekającym ironią uśmiechem.

– Nie lubię dłużej przebywać w jednym miejscu. A podróż z Cyrretem Krwawym była dla mnie prawdziwą przyjemnością.

– Myślisz, że pochlebstwami zyskasz sobie moje specjalne względy? Wojownik uśmiechnął się jeszcze szerzej.

– Na to liczę.

Cyrret prychnął i przyjrzał mu się uważnie. *Co ja tak naprawdę o nim wiem?* Pewnego dnia po prostu zjawił się w jego obozie. Przedstawił się i wyraził chęć dołączenia do jego małego oddziału. Tylko tyle. Żadnych więcej informacji ani wyjaśnień.

Ortis wyglądał na człowieka, który nie ma i nie potrzebuje żadnej rodziny ani bliskiej osoby. Ciężko było nawet określić jego wiek. Wyglądał raczej młodo, zaledwie jak podrostek. Jednak jego zachowanie i sposób bycia były dość specyficzne, a nawet irytujące.

Wiem za to, że jest cholernie denerwujący – pomyślał z cierpkim rozbawieniem. Ortis był dla niego chodzącą zagadką. W żaden sposób nie potrafił go rozgryźć. W tym młodym człowieku było tyle samo opanowania, co chłodnej obojętności. Resztę stanowiła mieszanina cynizmu i arogancji.

– Mogę cię o coś zapytać? – odezwał się Cyrret, by zatuszować zbyt długie milczenie.

Ortis wzruszył ramionami, ze wzrokiem wbitym w morze.

– Pytaj, o co chcesz. To, czy ci odpowiem, zależy już ode mnie.

Cyrret nie zadał pytania od razu. Spuścił wzrok na wodę, pozwalając, by cisza zawisła nad nimi w postaci mrugających w górze gwiazd.

– Co ty ukrywasz, Ortisie?

Mężczyzna leniwie odwrócił głowę i po raz pierwszy spojrzał uważnie na swojego dowódcę. W jego ciemnych oczach było coś takiego, że Cyrreta przeszedł dreszcz. Coś nieludzko drapieżnego.

– Co masz na myśli? – zapytał z nutą zdziwienia.

– Nie wiem. Ale właśnie tego chciałbym się dowiedzieć. Wędrujesz z nami od dwóch tygodni i przez ten czas nie powiedziałeś o sobie ani słowa.

– I to cię niepokoi, jak rozumiem.

– Jestem dowódcą. Chcę coś wiedzieć o ludziach, z którymi w każdej chwili mogę zginąć.

Ortis przyglądał mu się jeszcze przez chwilę, po czym jakby podjął jakąś decyzję, skinął głową i odwrócił się. Wsadził ręce do kieszeni spodni i ruszył z powrotem między drzewa. Po chwili zerknął na niego przez ramię.

– Idziesz?

– Dokąd?

Kącik jego warg uniósł się w ironicznym uśmieszku.

– Wracamy do obozu. Nie możemy przecież pozwolić, by tak ciekawa historia ominęła naszych towarzyszy.

Cyrret poprawił przytwierdzony do pasa miecz i ruszył za Ortisem. Zszedł ze zbocza i dogonił wojownika, po czym razem zagłębili się w las. Podążając jego śladem, przedzierał się przez zarośla i nisko zwisające gałęzie drzew. Kroki Cyrreta słychać było chyba w całym lesie, podczas gdy miękkie buty jego towarzysza nie wydawały najcichszego dźwięku. Ortis szedł normalnie, a mimo to nawet jedna gałązka nie trzasnęła pod jego nogą. Cyrret musiał wpatrywać się w jego plecy, by nie zboczyć z kursu i nie tracić orientacji. Jednocześnie starał się stłumić rosnącą irytację. Ten człowiek nie tylko skradał się niczym kot, ale i widział równie dobrze w ciemności jak zwierzę. Z trudem przyznawał się sam przed sobą, ale aż zżerała go zazdrość. Mógł mieć tylko nadzieję, że to haniebne uczucie zamieni się w coś bardziej godnego jego osoby. Na przykład nienawiść.

To chyba jedyne, na co może liczyć z mojej strony – pomyślał ponuro. *Zawsze darzę szacunkiem i zaufaniem moich ludzi, ale nic się chyba nie stanie, jeśli raz zrobię wyjątek. Bogowie mi wybaczą, jeśli nie zaakceptuję człowieka, o którym nic nie wiem. Od początku karmi nas kłamstwami o sobie, teraz pewnie też wymyśli jakąś zgrabną historyjkę.*

Wreszcie las wyraźnie się przerzedził i po kilku minutach wyszli na niesymetryczną polanę, na której urządzili sobie obóz. Cyrret i Ortis weszli w ciepły blask rzucany przez ogromne ognisko i usadowili się w kręgu trzydziestu wojowników.

Cyrret przyjął od sąsiada bukłak z trunkiem, upił porządny łyk i przekazał dalej. Uderzające do głowy ciepło skutecznie zrekompensowało cierpką gorycz w ustach. Siedzący po jego lewej mężczyzna wstał i podszedł do ogniska. Odkroił porządny kawał piekącego się nad ogniem dzika i podał dowódcy. Cyrret podziękował i zabrał się za jedzenie. Nie smakowało tak dobrze jak z przyprawami, a gorący tłuszcz ściekał po brodzie i palcach, ale dla nich była to prawdziwa uczta. Ostatnia uczta, ostatniego dnia ich wędrówki.

Uniósł głowę i ponad strzelającymi w niebo płomieniami rozejrzał się po twarzach otaczających go mężczyzn. Niektórzy skupili się na jedzeniu, inni rozmawiali w grupkach. Ich śmiechy odbijały się od ściany drzew, przerywając nocną ciszę. Był to radosny rechot, który poprawiał humor i zarażał.

– Hej, kapitanie!

Rozpoznał ten głos i zwrócił w tamtym kierunku wzrok. Ilyr pomachał do niego na wpół opróżnionym bukłakiem, szczerząc zęby w głupkowatym uśmiechu. Był chorobliwie wręcz chudy i odpychający z wyglądu, ale nie za to przecież ścigano go listem gończym. Zabił namiestnika swojej wioski i sam walczył z jego strażnikami. Imponujące.

Tylko nie rozumiem, czemu wina spadła na niego, skoro wymierzał tylko sprawiedliwość. Namiestnik najpierw z jego żony zrobił swoją kochankę, a potem odebrał mu ziemię. Jest najlepszym przykładem tego, że król nie ma pojęcia, co się dzieje w jego państwie. Niesprawiedliwość szerzy się jak zaraza – skitował Cyrret w myślach. A Ilyr zawołał:

– Opowiedz nam jakąś ciekawą historyjkę. Może tę, jak ścigałeś pijanego centaura?

Reszta zamilkła, by po chwili dołączyć do prośby z radosnym poruszeniem. Cyrret stłumił uśmiech i spojrzał wprost na Ortisa, który jak zwykle milczał. Kapitan uniósł obie ręce i czekał, aż na polanie zapanuje względna cisza. Dopiero wtedy odezwał się głośno:

– Wybaczcie, że dzisiaj nie będę zanudzać was moją osobą. – Kilka gwizdów niezadowolenia przerwało mu wypowiedź, ale umilkły szybko, gdy powiódł wzrokiem po zebranych. Po chwili uśmiechnął się, znów spoglądając w stronę młodego wojownika, i skinął mu głową. – Myślę, że Ortis ma nam dzisiaj do opowiedzenia coś znacznie ciekawszego niż moje bełkotliwe opowiastki.

Mężczyźni zwrócili oczy w stronę Ortisa z wyraźnym zaskoczeniem. Chyba wszyscy byli równie zaintrygowani osobą małomównego wojownika, gdyż rozmowy całkowicie ucichły i teraz jedynym dźwiękiem na polanie było skwierczenie strzelających na boki iskier z ogniska. Ortis rozsiadł się wygodnie na trawie, krzyżując przed sobą nogi. W kompletnej ciszy bukłak znów zaczął krążyć między mężczyznami, ale gdy przyszła kolej Ortisa, ten odmówił. Wszyscy czekali.

Cyrret czujnie obserwował wojownika, szukając u niego oznak jakiegokolwiek wahania czy niepokoju. Nic takiego nie zauważył prócz jego zwykłego nonszalanckiego spokoju, wręcz znudzenia. Dostrzegł jednak, że świadomie przedłużał chwilę milczenia, by zbudować większy dramatyzm. Przez kilka minut wpatrywał się w ogień, jakby tam pochował swoje wspomnienia i teraz zamierzał je stamtąd wydobyć. Gdy się w końcu odezwał, oczekiwanie sięgnęło niemal zenitu.

– Tak naprawdę niewiele mam do powiedzenia na swój temat – podjął spokojnie. Uniósł głowę i poprzez płomienie spojrzał Cyrretowi prosto w oczy. Wprawiło to starszego wojownika w lekką dezorientację, jednak najmniejszym drgnieniem mięśni nie dał tego po sobie poznać. Nawet nie mrugnął, zachowując tylko lekko zainteresowany wyraz twarzy. – Opowieści Cyrreta są zdecydowanie bardziej ekscytujące i porywające. Dzisiaj jednak nalegał, bym opowiedział trochę o sobie. – Znów zrobił pauzę i popatrzył kolejno na mężczyzn siedzących wokół ogniska. Jego twarz stała się zamyślona i nieobecna. – Wychowałem się w prowincji Serini, choć moja rodzina miała w sobie krew Belthów. Mój ojciec zmarł, jak byłem jeszcze mały. Mój starszy brat i ja wstąpiliśmy do akademii wojowników w młodym wieku. Nie szło mi za dobrze, więc zrezygnowałem i wróciłem do matki, by pomagać jej w gospodarstwie. Mieszkaliśmy z dala od miasta, a matka często chorowała. Mój brat okazał się bardzo dobrym wojownikiem i szybko został przydzielony do oddziału nowicjuszy, który miał za zadanie patrolować okolice miasta. – Uśmiechnął się cierpko do płomieni i wzruszył ramionami, jakby od niechcenia. – Pewnego dnia brat zginął na misji. Został zabity przez grupę centaurów. Ten sam oddział zawędrował kilka dni później w okolice naszego domu. Zabili moją matkę, a dom zrównali z ziemią. Byłem jedną nogą w grobie, jednak powróciłem – wyprostował się i uśmiechnął przepraszająco. – To tyle.

Zewsząd odezwały się pomruki pełne rozczarowania.

– To już koniec? – odezwał się głośno Kyrel, najstarszy z grupy. – Żadnego skandalu ani spektakularnej zbrodni?

Ortis ze skruchą pokręcił głową.

– Nie.

– Dlaczego właściwie przyłączyłeś się do nas? – zapytał Seril o szpakowatych włosach i kwadratowej szczęce. Rozłożył ramiona, jakby chciał objąć całe obozowisko. – Każdy tutaj doznał jakiejś niesprawiedliwości. Chcemy odpłacić królowi i temu krajowi za zbrodnie, których musieliśmy się dopuścić. Z twoich słów wynika, że nie żywisz urazy do Elderolu. Ale skoro tu jesteś, to znaczy, że masz w tym jakiś cel.

– Owszem, mam. – Cyrret nie wiedział, czemu wojownik znów na niego spojrzał, ale poczuł się naprawdę nieswojo. – Jest mi obojętne, co się stanie z Elderolem i królem. Chcę jedynie odnaleźć pewnego człowieka i zakończyć starą sprawę.

Cyrret zmusił się, by wytrzymać jego spojrzenie.

– Domyślam się, że nie zdradzisz nam o kogo chodzi?

– Przykro mi – uśmiechnął się lekko, ze swoją zwyczajową ironią. – To już wyłącznie moja sprawa. Ale oczywiście cieszę się, że dołączyłem do tak wyśmienitego grona. Może nie dorównuję waszym umiejętnościom, ale z pewnością będę mógł na coś się przydać.

Cyrret obserwował młodego wojownika spod przymrużonych powiek. Znów puszczono alkohol w obieg i tym razem Ortis przyjął bukłak od swojego sąsiada. Upił porządny łyk, wytarł rękawem usta i przekazał dalej. Potem wdał się w przyciszoną rozmowę z siedzącym obok Penthalem, z którym zaprzyjaźnił się już pierwszego dnia. Cyrret odkrył, że ma jeszcze na talerzu resztki mięsa, więc zajął się jedzeniem, pozwalając, by otoczyły go na chwilę podniesione głosy. Sam był zbyt pochłonięty myślami, by włączyć się do rozmowy.

Ortis wyraźnie zabiegał o dobre stosunki z resztą grupy i robił to w sposób raczej mało subtelny. Prawił komplementy na prawo i lewo i chyba nie zdawał sobie sprawy z tego, że czasem nawet za wiele sobie pozwala.

Ale może jestem za bardzo podejrzliwy. Ortis, jak każdy z nas ma swoje sekrety i własne życie. Ma prawo mieć tajemnice i podążać własną drogą. Jeśli jego opowieść jest prawdziwa, to teraz nie dziwię się, że jest jaki jest. Jego dystans i cynizm to nie przypadek. Stracił wszystko, co było mu drogie na tym świecie, a teraz szuka zemsty i sprawiedliwości. Po części jak my wszyscy – dumał Cyrret, bo jakoś osoba Ortisa nie chciała opuścić jego głowy.

Mógłby przyjąć takie argumenty i może nawet zaakceptować Ortisa. Niepokoiło go jednak, że w jakimś stopniu wojownik kogoś mu przypominał. Kogoś z jego odległej przeszłości. Z jego poprzedniego życia, o którym starał się zapomnieć.

No i ta historia z atakiem oddziału centaurów na dom. Miał nieodparte wrażenie, że już gdzieś ją słyszał. Mógł brać pod uwagę kilka opcji i to poważnie budzących jego obawy, ale nie chciał sobie tym zaprzątać myśli. Nawet po kilku łykach alkoholu kręciło mu się w głowie, a w żołądku paliło. Takie sprawy wymagające umysłowego wysiłku zawsze warto odłożyć na bardziej odpowiedni czas. Zresztą może się mylił. Gdyby był tak podejrzliwy wobec każdego, nigdy nie znalazłby ludzi do swojego oddziału.

Z pewnym opóźnieniem uświadomił sobie, że nie słyszy żadnych rozmów. Uniósł głowę i spostrzegł, że to Takyn ucisza gestem towarzyszy. *Jak na tak pijanych całkiem nieźle zachowują powagę* – pomyślał z ironią.

Zaintrygowało go, co też takiego ma do powiedzenia towarzysz, więc odłożył swoje rozmyślania na później. Nie uszło jego uwagi, że wojownik był dzisiaj chyba najbardziej z nich wszystkich trzeźwy. Prócz niego samego i oczywiście Ortisa.

– Już czas najwyższy, byśmy przeszli do poważnych rzeczy – odezwał się głośno Takyn z wyraźnie obcym akcentem, po czym zwrócił się do Cyrreta: – Jesteśmy u celu podróży. To chyba dobry czas, żebyś wyjawił nam resztę planu?

– Dlaczego akurat wioska Reed? – dodał jego starszy brat Navana, kończąc jego pytanie.

Cyrret przyjrzał się tej dwójce, jak ostatnio często miał w zwyczaju. Ich ciemniejsza karnacja i typowo nammijski akcent charakteryzowały ludzi z Nammiru. Lud tego pustynnego kraju miał jasnoczekoladowy odcień skóry, przeważnie jaśniejsze włosy i mniejsze, lekko skośne oczy. Ich widok nikogo tu nie dziwił, gdyż w Malgarii można było spotkać obcokrajowców, zwłaszcza mężczyzn. Cyrret wiele już słyszał plotek o tym gorącym niegościnnym kraju, ale prawie w żadną nie wierzył. Były one tak nieprawdopodobne i absurdalne może dlatego, że mało kto odwiedzał Nammir.

Bracia byli do siebie łudząco podobni, choć Navana na pierwszy rzut oka wyglądał na starszego. Obaj byli dobrze zbudowani, mieli niemal identyczny słomkowy kolor włosów i podobne ponure spojrzenia. Obaj byli też małomówni i konkretni. Nie potrafili się bawić, ale za to trafnie oceniali sytuację i byli inteligentni. Nie tyle niepokoili kapitana, co raczej intrygowali. Wiedział o nich jeszcze mniej niż o Ortisie.

Cyrret odstawił talerz na ziemię, wytarł ręce o nogawki spodni i wyprostował się. Do tej pory nie wyjawiał nikomu celu podróży. To był dobry czas na taką rozmowę. Zachęcony niecierpliwym wyczekiwaniem, odezwał się głośno, by przekrzyczeć syczenie płomieni.

– Jutro z samego rana zdobędziemy wioskę Reed. Balar wskazał ją jako nasz nowy punkt bazowy. Stąd jest najbliżej do wyspy Aznar, gdzie obecnie przebywa nasz Pan i moja armia. Mamy wybudować port i przygotować dolinę na przybycie wojska.

– Co z mieszkańcami? Mamy ich zabić?

Obojętność w głosie Ortisa mogła naprawdę wzbudzić podejrzenia co do tego, czy on w ogóle posiada serce.

– Nie – odpowiedział ostro kapitan. – Już mówiłem, że nie zabijamy bez potrzeby. Ci wieśniacy przydadzą nam się w inny sposób.

– Są tam jakieś kobiety?

– Przydałby się też zapas dobrego trunku.

– Chyba będziemy mogli się trochę zabawić w wolnym czasie?

Cyrret uśmiechnął się przelotnie.

– Balar nie mówił, co mamy zrobić z tymi ludźmi. Jeśli chcecie, możecie wziąć sobie kobiety.

Chóralny wybuch radości sprawił, że i on zaśmiał się pod nosem. Łaskawie zerknął na Ortisa, próbując odgadnąć jego myśli.

– Jeśli chcesz, ty również możesz się zabawić – zwrócił się do niego wesoło.

Wojownik skierował na niego oczy, których wyraz mówił sam za siebie, że uważa ten pomysł za absurdalny.

– Balar tak rozkazał? – zapytał, całkowicie ignorując poprzednie słowa kapitana i zmieniając temat. – Myślałem, że Cyrret Krwawy nie słucha niczych rozkazów.

Dobry humor opuścił Cyrreta w jednej chwili. Zmarszczył gniewnie brwi.

– Balar jest prawą ręką naszego boga. Jego słowa są słowami Pana. Czy ktoś miałby ochotę mu się sprzeciwić?

Pytanie zawisło w powietrzu na kilka sekund. Zadowolony Cyrret podjął dalej.

– Przypadło nam w udziale ważne zadanie. Kiedy wszystko będzie gotowe, połączymy się z resztą armii i zaczniemy podbój całego Elderolu.

– A zanim to nastąpi, będziemy zmuszeni zastąpić nasze miecze młotkami – mruknął niechętnie Kyrel.

– O to nie musisz się martwić – uspokoił Cyrret. – Wykorzystamy mieszkańców Reed jako niewolników.

Z kilku stron dobiegły go pomruki zaskoczenia. Uśmiechnął się lekko, spodziewając się takiej reakcji.

– W Elderolu już dawno zakazano niewolnictwa – przypomniał Ilyr. – Za złamanie tego prawa grozi śmierć.

– Jednak w innych krajach nadal istnieje, czyż mam rację? – Cyrret spojrzał wprost na Takyna, który z ociąganiem skinął głową.

– Nammir ma jednak własne prawa i odmienną kulturę – odparł ostrożnie. – Gdyby wasz król się dowiedział...

– Ale się nie dowie – przerwał mu Seril ze wzburzeniem. Wstał i popatrzył na pozostałych z góry. – Nasz król to jeszcze dzieciak. Zawiera przymierza z mieszkańcami i ludami innych ras, a nie ma pojęcia, co dzieje się w jego własnym kraju.

– To prawda! – Ilyr również się podniósł, a jego twarz płonęła gniewem. – Mniejsze wioski cierpią głód i są skazane na namiestników, którzy za wiele sobie pozwalają. Przez takich jak oni rodzi się niesprawiedliwość. Ludzie muszą dokonywać czynów, za które są niesłusznie osądzani!

Nagle do dyskusji przyłączyło się więcej gniewnych głosów, przekrzykując się nawzajem. Cyrret rozglądał się ze spokojem, wyłapując urywki rozmów. W pewnym momencie napotkał rozbawione spojrzenie Ortisa, które wyraźnie pytało: „I jak sobie teraz z tym poradzisz?".

Westchnął ciężko i podniósł się na nogi. Zbliżył się do ogniska, czekając, aż wszyscy umilkną. Dopiero wtedy się odezwał:

– Każdy z nas na własnej skórze doświadczył niesprawiedliwego traktowania. Ścigają nas listami gończymi tylko dlatego, że ośmieliliśmy się postawić niewłaściwym ludziom i broniliśmy własnych wartości. Słyszałem, że coraz więcej wiosek znajduje się w podobnej sytuacji. Namiestnicy nie mają żadnego nadzoru i wprowadzają własne rządy. Okradają ludzi, ściągając z nich coraz wyższe podatki. Kiedyś to było nie do przyjęcia.

– Nie wiedzieliśmy, że jest u was tak źle – odezwał się Navana. Jego elloński był słabszy niż brata, ale i tak nieźle sobie radził. – To karygodne, by król nie potrafił zrobić z tym porządku.

– Może by i zrobił, gdyby wiedział, co się dzieje – krzyknął ktoś po drugiej stronie ogniska. – Jego jednak nie obchodzą prości ludzie i wieśniacy. Myśli, że jest ponad to wszystko.

Młodszy z braci pokręcił ponuro głową.

– Wasi bogowie musieli mieć jakiś cel w tym, że uczynili waszym władcą takiego młodzika. Jeśli jednak nic się nie zmieni, ten kraj nie będzie potrzebował żadnej wojny. Sam zniszczy się od środka. I to bez niczyjej pomocy.

Cyrret stanął tyłem do ogniska, wpatrując się w braci i skubiąc brodę w zamyśleniu. Nawet nie spostrzegł, kiedy Ortis znalazł się obok niego. Zanim zdążył się odwrócić, wojownik położył dłoń na jego ramieniu i pochylił się nad uchem.

– Co ty na to? – zapytał szeptem. – Zanim rozpoczniemy wojnę, może by tak trochę namieszać za plecami króla, Cyrrecie Krwawy?

Przekręcił głowę, by spojrzeć mu w oczy. Płonęły w nich złośliwe ogniki, jednak po raz pierwszy w głosie nie było słychać ironii.

Cyrret poważnie zamyślił się nad jego propozycją. Balar nie zabronił działać na własną rękę. Ale zrobić coś tak ryzykownego? Ortis poklepał go po ramieniu, uśmiechając się przebiegle.

– To jest całkiem dobry pomysł – powiedział, jakby czytał w jego myślach, i mrugnął do niego okiem. – Wystarczy tylko podżegać kilku ludzi do buntu. Reszta sama się jakoś potoczy.

Cyrret nachmurzył się. Wojna domowa? Jeśli by się udało, siły Elderolu znacznie by osłabły. To przechyliłoby szalę zwycięstwa.

– Powinienem to najpierw przedyskutować z Balarem – rzucił niepewnie.

Ortis pokręcił głową, cmokając z rozczarowaniem.

– To ty jesteś tu kapitanem. Czy ktoś tak legendarny jak ty musi kogokolwiek pytać o zdanie?

– Jeśli coś pójdzie nie tak, jak myślisz, kto za to oberwie?

– Nic nie pójdzie nie tak. Wystarczy, że nikt się nie dowie, kto to wszystko zaczął.

– Masz jakiś plan?

– Ja nie. – Ortis uśmiechnął się na swój ironiczny sposób. – Ale słyszałem, że bracia z Nammiru mają pewien bardzo ciekawy dar. Mogliby nam bardzo pomóc.

Cyrret z zaskoczeniem uniósł brwi.

– Skąd to wiesz?

– Mam swoje sposoby – odparł, leniwie rozglądając się na boki. – Nawet nie wiesz, jakie tajemnice ludzie mogą ci powierzyć, jeśli ładnie poprosisz.

Cyrret prychnął.

– Cóż to więc potrafią nasi Nammijczycy?

– Sam ich zapytaj. Idę się przespać. A tobie radzę porozmawiać z nimi jeszcze dzisiaj.

Zamierzał odejść, kiedy Cyrret zatrzymał go, łapiąc za łokieć. Wojownik odwrócił głowę, mrużąc swoje ciemne oczy.

– Czego ty właściwie chcesz, Ortisie?

Wyszarpnął rękę, unosząc kącik ust w ponurym uśmiechu.

– Dowiesz się w swoim czasie, kapitanie.

Wojownik odszedł poza krąg światła rzucany przez ognisko, po czym ułożył się na trawie, odwracając do wszystkich plecami. Cyrret popatrzył z daleka na braci szepczących do siebie w swoim języku.

Potrzebował dłuższej chwili, by podjąć decyzję. W końcu podszedł do nich i usiadł obok, na zwalonym pniu.

Obaj zamilkli jednocześnie i spojrzeli na niego pytająco.

– Słyszałem, że posiadacie jakieś wyjątkowe umiejętności. Chciałbym coś więcej się o tym dowiedzieć. Potem może miałbym dla was specjalne zadanie.

* * *

Jego organizm jeszcze nie przywykł do nowej sytuacji. Przemiana nastąpiła zbyt szybko, nawet jak dla niego. Nie zatrzymał się, choć ciało odmówiło mu posłuszeństwa. Zachwiał się, gdy przez jedno uderzenie serca świat zawirował mu przez oczami. Potrząsnął gwałtownie głową i zamrugał parę razy, nim jego jarzące się w ciemności oczy odzyskały normalny odcień. Oszołomiony, potrzebował parę minut, nim odzyskał świadomość, do której przebił się akurat czyjś szorstki głos.

– Dobrze się spisałeś, Vethoynie. To był udany dzień. Niech no tylko dowódca się dowie. Byłeś dzisiaj najlepszy. – Ktoś idący obok poklepał go po plecach.

Mężczyzna na dźwięk tego imienia wzdrygnął się z obrzydzeniem. Spojrzał ciężko na pulchną, okoloną zarostem twarz towarzysza i poczuł, jak żołądek skręca mu się w nagłym przypływie mdłości.

Tamten, widząc jego spojrzenie, odsunął się nieco z rezerwą.

– Twój brat był prawdziwą bestią – odezwał się teraz idący przed nimi wysoki wojownik. Gdy odwrócił głowę, jego ciemne oczy, osadzone na kwadratowej twarzy miały nieprzyjemny błysk. – Potrafił zabijać jak nikt inny. – Przyjrzał się młodemu mężczyźnie, który ze spuszczoną głową wlókł się za nim, chwiejnie stawiając każdy krok. – Szczerze mówiąc, sądziłem, że będziesz nam tylko zawadzał. Byłem nawet pewien, że nie dasz rady i zginiesz od pierwszego ciosu – obdarzył go znaczącym spojrzeniem, a na jego wąskich wargach malował się lekko złośliwy uśmieszek. – Musisz być z siebie dumny. Dowiodłeś, że godnie reprezentujesz swój klan. Nasz pan z pewnością doceni twoje zasługi.

– Jeżeli częściej czekają nas takie wyprawy, to zapowiada się naprawdę niezła zabawa – dodał wesoło ktoś z tyłu, a reszta zgodnie pokiwała głowami.

Mężczyzna przyglądał się otaczającym go wojownikom. Nie pamiętał ich twarzy ani imion. Było ich ze dwudziestu, każdy ubrany w lekką tunikę i żelazną kolczugę. Gdy podążał za nimi niewidoczną ścieżką, próbował usilnie przypomnieć sobie, kim jest i co tu robi.

– Wreszcie w domu – westchnął z ulgą wojownik po jego lewej. Idąc za jego spojrzeniem, mężczyzna przebił wzrokiem ciemność nocy.

Przed nimi wyłoniło się z mroku niewielkie wzniesienie, na którym rysowały się niewyraźne kontury starego dworu. Dopiero gdy znaleźli się w jego pobliżu i paru kompanów oświetliło drogę magicznym światłem, mógł lepiej mu się przyjrzeć. Widział to miejsce tyle razy, ale teraz czuł, jakby był tu po raz pierwszy. Dziurawy dach, odpadające fragmenty ściany i zapuszczony dziedziniec wywołały w nim grozę, której nie potrafił stłumić nawet fakt, że to przecież również jego dom. Uniósł głowę i ujrzał w jednym z okien migoczące światełko. Nie potrafił oprzeć się wrażeniu, że to mrugające oko jakiejś ogromnej bestii.

Zdążyli przekroczyć gruzy dawnego muru i znaleźli się na terenie dworu. Oddział ruszył prosto do frontowych drzwi. Mężczyzna przystanął w mroku, z dala od światła. Odczekał, aż znajdą się dostatecznie daleko, i skręcił gdzieś w bok, wstępując w gęsty mrok. Nie minęła chwila, jak usłyszał nawoływania i krzyki swoich towarzyszy, jednak zignorował je, idąc szybko w stronę pobliskiego drzewa.

Oparł się o jego pień z głośnym westchnieniem. Zapatrzył się w atramentowe niebo usiane niezliczoną ilością gwiazd. Trwał tak w kompletnym bezruchu, usiłując ogarnąć postrzępione myśli. Otaczająca go zewsząd cisza działała uspokajająco i dziękował w myślach niebiosom, że może być choć przez chwilę sam.

Bardzo powoli w jego umyśle pojawiały się pojedyncze obrazy, dzięki którym zaczął uświadamiać sobie, co się z nim działo. W ustach poczuł metaliczno-mdły posmak krwi i fala gwałtownych mdłości targnęła jego ciałem. Jęknął głucho pod wpływem zalewających go wspomnień i zgiął się wpół. Wymiotował tak długo, aż opróżnił cały żołądek, po czym wyczerpany znów oparł się o drzewo. Przymknął powieki, wdychając głęboko w płuca nocne rześkie powietrze.

Ponownie zaatakowały go sceny niczym z koszmarów. Głosy wyłaniające się z mroku nakładały się na siebie, rozbrzmiewając głośnym echem w jego głowie. Zatkał sobie uszy, ale obrazy i dźwięki wcale nie odchodziły.

Stało się to, czego tak bardzo się obawiał. Stał się potworem, bestią, której nie potrafił ujarzmić. Nienawiść do samego siebie była silniejsza niż strach przed tym, do czego jest zdolny. Pod wpływem powracających coraz szybciej wspomnień poczuł w gardle palącą gorycz i gorzką żółć.

Opanował mdłości, oddychając płytko. Nie był przyzwyczajony, by coś wyprowadzało go z równowagi, toteż ponownie spojrzał na gwiazdy, powoli uspokajając zszargane nerwy. Spróbował wszystko przeanalizować i znaleźć jakieś wytłumaczenie tego, co się wydarzyło. Bo przecież nie działał z własnej woli. Oczywiście, że nie. To jedna z tych rzeczy, nad którymi nie był w stanie zapanować i nie miał na nie wpływu. Przekonywał siebie tak długo, że w końcu zaczął w to wierzyć. Odczuł pewną ulgę, uspokoiwszy nieco własne sumienie.

Zbliżające się głosy przywołały go z powrotem do rzeczywistości. Wyjrzał zza drzewa i ujrzał dwóch mężczyzn idących wolno w jego stronę. Byli tak pochłonięci rozmową, że jeszcze go nie zauważyli, więc miał szansę ucieczki. Stąpając po trawie bezszelestnie niczym kot, oddalił się w przeciwnym kierunku niż strażnicy. Szedł tak w kompletnej ciemności dobre kilka minut, aż do jego uszu nie dochodziły już żadne głosy.

Przystanął przed gęstą ścianą lasu, zastanawiając się, co dalej. Gdzieś w środku obudziło się w nim głęboko ukryte pragnienie. Co teraz powinien zrobić? Uciec? Ale dokąd? Nie miał domu ani przeszłości. Im dłużej wpatrywał się w drzewa, tym mocniej nieznane pragnienie narastało, sprawiając niemal fizyczny ból. Las go wzywał. Nawoływał po imieniu, a on nie potrafił mu się oprzeć. Potworny ból przeszył jego ciało. Zwymiotował, a potem upadł na kolana. Cały świat zawirował, rozmazując się na jego oczach w jednolitą plamę barw i kształtów. Zamrugał parę razy, ale to nie pomogło. Jego serce zaczęło bić tak szybko, że z trudem łapał powietrze. Krew w jego żyłach zadudniła gwałtownie, zapoczątkowując przemianę.

Zawył z bólu i przerażenia. Nie miał najmniejszych szans z przeciwnikiem, którego potęga i dzika wściekłość wlewała się w jego umysł. Choć tak bardzo się bronił, był zbyt słaby, by to powstrzymać. Bursztynowe oczy rozjarzyły się w ciemności, gdy upadł na ziemię. Każda komórka jego ciała pulsowała w rytm serca, stając się częścią tej drugiej istoty – istoty, której nienawidził, chociaż miała takie samo prawo do istnienia. Powoli jaźń bestii wypierała jego świadomość.

Nie miał pojęcia, jak długo to trwało. Poprzednio przemiana nie kosztowała go tyle wysiłku i cierpienia. Bał się czasem, że jeśli pozostanie dłużej w tej postaci, całkiem utraci swoje człowieczeństwo i nie będzie w stanie powrócić. Nikt nigdy nie nauczył go, jak z tym żyć. Nikt nie wytłumaczył, że on i bestia to jedno. Próbował jeszcze walczyć, ale jego opór był zbyt słaby w porównaniu z istotą, której drapieżna i dzika siła wręcz go odurzała. Przymknął oczy, zbyt wyczerpany i obolały, by dalej opierać się nieuniknionej już przemianie.

Dlatego nie był w stanie zobaczyć ani usłyszeć zbliżającego się mężczyzny. Dopiero gdy czyjeś ręce brutalnie postawiły go na nogi, dotarło do niego, co się dzieje. Jego ciało nie zdążyło się jeszcze zmienić, ale bestia spojrzała na przybysza jego oczyma płonącymi dzikim blaskiem. Wbrew własnej woli jego ręka wystrzeliła do przodu, jednak był zbyt wolny, by nadążyć za tak błyskawiczną reakcją.

Zanim jego ociężały umysł pojął, co się stało, potężny cios w twarz odrzucił go do tyłu. Padł na ziemię z głuchym jękiem, a ból i zaskoczenie wstrząsnęły jego świadomością. Lecz to przynajmniej przywróciło mu zdolność myślenia i panowania nad własnym ciałem. Rozejrzał się wokół nieprzytomnie, próbując rozpoznać okolicę. Lekki podmuch nocnego powietrza musnął mu twarz, całkowicie przywracając do rzeczywistości.

W zimnym blasku księżyca dostrzegł przed sobą mężczyznę, który przyglądał mu się z pogardą i irytacją. Ta kanciasta, surowa twarz była mu całkowicie obca.

– Co ty wyprawiasz, Sato?! – warknął na niego ostro, marszcząc gniewnie czoło. – Nie masz dość wrażeń na jeden dzień? Wstawaj – rzucił rozkazująco, odwracając się do niego plecami. – Dowódca na ciebie czeka.

Sato wstał niechętnie, cały sztywny i odrętwiały. Wytarł rękawem strużkę krwi z kącika ust, poprawił na plecach miecz i z ciężkim westchnieniem ruszył za swoim przewodnikiem w stronę starego dworu. Uśpiona w nim bestia zaskowytała cicho z żalem i umilkła.

Rozdział XXXVI

Jesteś pewien, że to zadziała?

– Oczywiście. Ta mała zrozumie w końcu, że nie żartujemy. Będzie miała nauczkę i jej ojciec dwa razy się zastanowi, zanim znów podniesie podatek.

Tiril sceptycznie pokręcił głową.

– Jeśli się wyda, że to nasza sprawka, to już po nas. Namiestnik Vennil nie tylko odbierze nasze ziemie, ale wygna nas z wioski. Twoi rodzice z pewnością...

– Moi starzy nie mają nic do tego – warknął Cerel. – To wyłącznie moja sprawa i sam ją załatwię.

Trójka jego przyjaciół popatrzyła na siebie, bezradnie wzruszając ramionami. Cerel uśmiechnął się kąśliwie. Dobrze było być przywódcą nawet tak malutkiej bandy. Mógł robić, co mu się żywnie podoba i żaden z jego młodszych kolegów nie mógł go powstrzymać. Teraz tym bardziej musieli być mu posłuszni. Jutro kończy piętnaście lat, a więc jest już prawie mężczyzną. Dorosłość miała same zalety.

Jego rozmyślania przerwało żałosne skomlenie. Popatrzył na przywiązanego do drzewa psa i zmarszczył nos. Ten paskudny kundel był dokładnie taki sam jak jego pani – zbyt głośny i obrzydliwie słodki. A jego najgorszą zbrodnią było to, że żył. Ale teraz to, co miał przed sobą, nie przypominało już yrii – najpopularniejszej rasy psów wśród bogatych. Jego długa, perłowa sierść całkowicie zniknęła pod grubą warstwą błota, a pysk pod białą mieszanką proszków i mydła, które kobiety wykorzystywały do prania. Substancja pieniła się, skapując na ziemię, co wyglądało, jakby pies miał wściekliznę. Chłopak zakropił jego oczy specjalną mieszanką ziół skradzioną matce, która spowodowała zaczerwienienie białek. Przed chwilą również podał mu do zjedzenia kilka liści dzikich atpe – roślin, które w większej dawce powodowały halucynacje, a nawet śmierć. Jeśli dobrze pójdzie, zacznie zachowywać się jak dziki zwierz i nawet ta mała się go wystraszy.

Na to jednak musiał jeszcze poczekać. Atpe działało przeważnie po dziesięciu, piętnastu minutach. Nigdy nie stosował tego na zwierzętach, więc trudno mu było powiedzieć, jak będzie w tym przypadku. Specjalnie podał mu tylko liście, które są znacznie słabsze niż owoce. Nie chciał, by pies nagle im tu zdechł czy brońcie bogowie, rzucił się na nich. Wolał go obserwować i mieć się na baczności. Dlatego na wszelki wypadek przywiązał go liną do drzewa, a chłopakom kazał przykucnąć w bezpiecznej odległości.

Cerel odgarnął liście krzaków, za którymi się skryli, i rozejrzał po jedynej uliczce biegnącej wzdłuż kilku drewnianych domków. Jego celem był największy budynek – dwupiętrowy etter wykonany z lepszej jakości drewna i dużo wytrzymalszy od zwykłych chat. Jego główną zaletą była funkcjonalność i przestrzeń. Duże okna i taras na drugim piętrze jeszcze powiększały wizualnie całą posiadłość. Kiedyś Cerel marzył, by mieszkać w takim domu, ale z czasem za bardzo znienawidził tych, którzy mogli sobie na to pozwolić. Ich domy były takie wielkie, bo musieli gdzieś trzymać liczną służbę, a sami byli tak próżni, że jedynym ich obowiązkiem było dobrze wyglądać. Cerel gardził bogaczami i nie mógł znieść myśli, że ktoś taki zarządza jego wioską.

Jakiś ruch na górze zwrócił jego uwagę. Uniósł głowę i uśmiechnął się krzywo. Jego główny cel właśnie otworzył drzwi i wyszedł na taras.

– Piękna jest, co nie? – Zinn westchnął mu tuż przy uchu.

Cerel walnął go w czubek głowy.

– Nie – wycedził, nawet nie patrząc na chłopaka, który jęknął i odsunął się, rozmasowując obolałe miejsce. – Będziecie kretynami, jeśli dacie się jej omamić. To wredna wiedźma w przebraniu niewinnej dziewczynki.

– Ale...

– Cicho.

Cerel zważył w dłoni pocisk. W dzieciństwie uwielbiał rzucać tym w ludzi. Zawsze miał potem kłopoty, ale zabawa była naprawdę wyśmienita. W końcu to on wymyślił bomby gez. Ten skrót pochodził od geereza – szczuropodobnego zwierzęcia, które licznie występowało w tych okolicach. Głównym materiałem jego bomb była skóra zwierzęcia, która po wypatroszeniu i usunięciu sierści stawała się niezwykle elastyczna i tak cienka, że niemal przezroczysta. Jej zawartość stanowiły rozwodnione odchody geereza oraz kolorowe barwniki. W ostateczności wychodziło coś okrągłego, wypełnionego w środku papkowatą śmierdzącą mieszanką. Z daleka mogło wyglądać jak przejrzały owoc, zaś z bliska wydzielało tak intensywny odór, że z trudem dawało się go wytrzymać. Cerel jakoś przywykł do tej woni, w końcu to on przygotowywał wszystkie pociski. Po wielu eksperymentach odkrył, że po rzuceniu tego w budynek skóra pęka, a jej zawartość rozbryzguje się na całej powierzchni. Jednak większą frajdą było strzelanie do ruchomych celów, czyli do mieszkańców wioski. Mieszanka ładnie osiadała na człowieku, a później trudno ją było zmyć i wyzbyć się smrodu.

Uważnie obserwował każdy ruch dziewczyny, czekając na odpowiedni moment. Znajdowali się po przeciwnej stronie budynku, co najmniej kilka metrów dalej, więc musiał dobrze wszystko wymierzyć, by jego bomby się nie zmarnowały.

Shaia była jedyną córką namiestnika. Jedynym oczkiem w głowie tatusia.

Czy była ładna? Cholernie, irytująco piękna.

Jednak Cerel nigdy nie pomyślał o niej jak o dziewczynie. Nie była dla niego nikim więcej jak rozpuszczonym, zarozumiałym dzieciakiem. W dodatku wrednym i pyskatym.

Shaia podeszła do barierki i oparła na niej swoje delikatne, nieznające pracy dłonie.

– Teraz! – rzucił komendę, po czym wyprostował się, a za nim reszta, z takimi samymi pociskami w dłoniach.

Teraz zapłacisz mała suko za to, że mnie upokorzyłaś.

Zamachnął się i rzucił. W tym samym czasie poszybowała w tamtą stronę cała seria bomb. Kilka rozprysło się na ściance balkonu, a tylko dwie trafiły w dziewczynę.

Shaia wydała z siebie okrzyk zaskoczenia, cofając się kilka kroków. Jej długie złote włosy i okrągła delikatna twarz całkowicie zniknęły pod warstwą cuchnącej czerwono-żółtej substancji. Maź powoli zaczęła spływać na jej nieskazitelnie czystą i drogą sukienkę.

– Uciekamy – szepnął Mared.

Cerel przestał się śmiać i pokręcił głową.

– Jeszcze nie. Zaraz będzie główna część programu.

Dziewczyna popatrzyła z góry na całą okolicę, aż jej wzrok zatrzymał się na ich kryjówce.

– O nie – jęknął Tiril. – Już po nas.

– Hej! – krzyknęła, wskazując ich palcem. – Cerel, ty kretynie! Zabiję cię! – Po tych słowach zniknęła w głębi domu.

– Tak, chodź do nas – mruknął do siebie z okrutnym uśmieszkiem. – Mamy dla ciebie jeszcze jeden prezent, księżniczko.

Podszedł do drzewa i odwiązał skomlącego psa, który zaczynał być coraz bardziej niespokojny. Trzymając drugi koniec sznura, chłopak obserwował drzwi etteru. Nie podobało mu się, że na drodze nagle pojawiło się tyle ludzi, ale już nic nie mógł na to poradzić. Musiał doprowadzić to do końca, a potem po prostu nie dać się złapać. I tak wszyscy wiedzieli, że to jego sprawka. Nie obchodziło go, co zrobi z nim namiestnik. Zawsze mógł opuścić Reed i szukać szczęścia gdzie indziej.

W końcu trzasnęły drzwi i w progu stanęła zasapana Shaia. Z wykrzywioną wściekłością twarzą skierowała się wprost na czwórkę chłopaków skrytych między krzakami. Jakaś kobieta z dzieckiem zatrzymała się niedaleko, obserwując ich z zainteresowaniem.

– Wy! – krzyknęła ostro Shaia. – Zapłacicie za to!

Na jej widok Cerel parsknął śmiechem, chwytając się za brzuch. Następnie wykonał głęboki, błazeński ukłon.

– Mamy dla ciebie jeszcze jeden prezent, Brudna Księżniczko.

Chłopacy za nim aż dusili się ze śmiechu. Cerel puścił sznur i kopnął nogą yrii.

– Biegnij do swojej pani, mały.

Pies zerwał się do biegu, jak tylko wyczuł, że jest wolny. Szczekając nerwowo, wypadł na ulicę, strzelając na wszystkie strony czerwonymi oczami. Biegał w kółko jak nakręcony, zupełnie straciwszy orientację. Ludzie zaczęli przed nim uciekać, przekonani święcie, że zaraził się wścieklizną. Shaia chciała zawołać go po imieniu, jednak z jej gardła nie wydobył się żaden dźwięk. Zamarła z otwartymi ustami i z przerażeniem patrzyła na to, co kiedyś było jej ulubieńcem.

Yrii nagle zwrócił na nią swój obłąkańczy wzrok, zawył ochryple i rzucił się w jej stronę.

– Mówię ci, Cerel, lepiej uciekajmy! – Tiril nerwowo szarpał go za łokieć, próbując odciągnąć od krzaków.

Chłopak cmoknął z irytacją, ale posłusznie zaczął się wycofywać. Zadanie zostało wykonane, więc wypadało uciec z miejsca przestępstwa.

Zrobił kilka kroków za chłopakami, którzy już uciekali w stronę pól, kiedy zatrzymał się raptownie. Za nim rozległ się krzyk, głośny skowyt i kolejny krzyk. Odwrócił się na pięcie i przylgnął do drzewa. Z mocno bijącym sercem zerknął ostrożnie na główną ulicę.

Shaia klęczała przy martwym psie, a nad nią stał jeden ze strażników namiestnika. Dziewczyna przyciskała ubłocony łepek do piersi i płakała głośno. Pomimo całej nienawiści, jaką do niej żywił, ten widok coś w nim poruszył. Przecież nie chciał, by pies zginął. Jego celem było jedynie nastraszenie dziewczyny i pokazanie jej, kto tu rządzi. Jednak ludzie musieli uznać, że zwierzę naprawdę zwariowało i zamierzało zaatakować swoją panią. Strażnik zrobił tylko to, co do niego należało.

– Hej! Co ty tam jeszcze robisz?!

Odwrócił głowę w stronę przyjaciół, którzy machali do niego nagląco, po czym jeszcze raz spojrzał na ulicę.

Sama jest sobie winna – pomyślał z mściwym wyrzutem.

Oddalając się biegiem od wioski, usłyszał jeszcze niesiony przez wiatr głos Shai:

– Pożałujesz tego, Cerel! Mój ojciec rozprawi się z tobą i twoją bandą!

– I co teraz zrobimy?

Zwolnili dopiero nad brzegiem morza. Woda dzisiaj była spokojna i błękitna, jak i niebo nad nimi. Delikatne fale muskały piaszczyste przybrzeże z cichym szumem. Cerel wsadził ręce do kieszeni znoszonych spodni i zerknął na Zinna.

– Tchórze. Oczywiście, że nic nie zrobimy.

– Zamierzasz czekać, aż namiestnik sam przyjdzie i cię zabije?

– Albo jego córeczka?

Prychnął jedynie w odpowiedzi.

– Więc niech przyjdą. Nie boję się ich. Zresztą nie mogą mi nic zrobić. Bo wcześniej ucieknę.

– Jak to?! – zapytali trzej na raz, przyglądając mu się z zaskoczeniem.

Cerel spojrzał w niebo i zaśmiał się ironicznie.

– Tak to. Spakuję manatki i opuszczam was. Mam dość Reed i całej tej prymitywnej zbieraniny.

– A rodzice? – zapytał z niedowierzaniem Tiril. – Nie jesteś jeszcze dorosły, by decydować o sobie. Nie pozwolą ci.

Chłopak uniósł brwi, przyglądając im się kolejno ze zmarszczonym czołem i arogancką miną.

– Co mnie to obchodzi? Nie mam zamiaru nikogo pytać o zdanie. Nie spędzę tu ani nocy dłużej. Koniec i kropka.

Mared poklepał go pobłażliwie po plecach, jak zawsze najbardziej praktyczny i sensowny.

– Jak na razie czekają cię lekcje u ojca. Lepiej, żebyś tym razem się nie spóźnił, bo znowu oberwiesz.

Cerel posłał mu nadąsane spojrzenie, choć wiedział, że chłopak jak zwykle ma rację.

– To do zobaczenia później – pożegnał się i pognał w głąb lądu.

Jego dom znajdował się z dala od wioski, najbliżej lasu, ale nie tam się skierował. Ominął Reed szerokim łukiem, przedzierając się przez wysoką trawę i klucząc między drzewami. W końcu zatrzymał się przed małym domkiem stojącym również na uboczu wioski i z dala od ciekawskich spojrzeń.

Zagwizdał dwa razy i w oknie pojawiła się znajoma głowa z długim brązowym warkoczem. Po chwili w głębi rozległy się szybkie kroki i w drzwiach stanęła wysoka dziewczyna w zielonej sukience z głębokim dekoltem. Zamknęła za sobą cicho drzwi, podeszła do chłopaka i cmoknęła go w policzek.

– Chodź – chwyciła go za rękę i poprowadziła za dom. – Lepiej, żeby mój ojciec cię nie widział.

– Dlaczego?

– Bo pracuje dla namiestnika. Zabronił mi się z tobą spotykać.

– Dlaczego?

Eissa zaśmiała się cicho. Zatrzymała się przy starej szopie i odwróciła gwałtownie, aż jej warkocz zafurkotał w powietrzu. Podeszła do niego bardzo blisko i nie wypuszczając jego dłoni, pocałowała go w usta. Cerela zalała fala gorąca i jedyne, o czym mógł teraz myśleć, to żeby odwzajemnić pocałunek. Zapomniał już, że jej wargi są takie ciepłe i słodkie. Miały smak leśnych jagód. Takich, jakie lubił najbardziej. Ale ku jego wielkiemu rozczarowaniu dziewczyna odsunęła się niespodziewanie. Widząc jego zawiedzioną minę, znów się zaśmiała.

– Narobiłeś sobie wrogów z niewłaściwych ludzi – powiedziała. – A po dzisiejszym incydencie naprawdę nie chciałabym być w twojej skórze.

Skrzywił się.

– Więc już słyszałaś?

– Oczywiście. Tutaj plotki rozprzestrzeniają się szybciej niż wiatr. Nie powinieneś drażnić Shai. Wiesz, że ona może wiele. A teraz już z pewnością nie odpuści.

Cerel wzruszył ramionami, uśmiechając się chytrze.

– To ona zaczęła wojnę. Potraktowała mnie jak najgorszego śmiecia, a potem jeszcze uderzyła i wyzwała przy ludziach. Czy odpuściłabyś coś takiego?

– Oczywiście, że nie, mój ty bohaterze.

Palcami wolnej dłoni przejechała po jego szczęce, prowokacyjnie obrysowując kontury ust.

– To co dzisiaj robimy? – zamruczał, pochylając się nad jej twarzą.

– Coś na pewno wymyślimy – odpowiedziała zalotnie, uśmiechając się znacząco. Jej oczy błyszczały intensywnie, migocząc jaśniej niż wszystkie gwiazdy na niebie.

Otworzyła ciężkie zardzewiałe drzwi i wprowadziła go do środka. Otoczył ich mrok, jedynie pojedynczy promień słońca przedarł się przez malutkie, zakratowane okienko pod dachem. W środku prócz zatęchłego siana walały się różne stare przedmioty i narzędzia.

Cerel stał oparty plecami o drzwi, podczas gdy Eissa przechadzała się po niewielkim wnętrzu. Zaglądała na półki i w kąty, jakby czegoś szukała. Splotła za plecami dłonie, a na jej wargach igrał niewinny uśmieszek. Cerel wodził za nią wzrokiem, nawet nie mrugając.

Spotykał się z nią od pół roku i czuł, że mógłby z nią spędzić resztę życia. Jeszcze jej tego nie mówił, bo nie miał pojęcia, co ona właściwie do niego czuje. Nie była może tak oszałamiająco piękna jak Shaia, ale miała sporo zalet.

Zastanawiał się właśnie, jak by zareagowała, gdyby poprosił ją, żeby z nim uciekła, kiedy zatrzymała się pośrodku szopy i spojrzała na niego. Uśmiechnął się czule w odpowiedzi.

Bogowie. Ja chyba naprawdę ją kocham.

– Wracając do sprawy, mógłbyś w końcu przestać zachowywać się tak dziecinnie.

Powrócił do rzeczywistości, unosząc brwi.

– Ja zachowuję się dziecinnie?

– Tak. Te twoje bomby gez są naprawdę obrzydliwe.

– Ale skuteczne.

– Ludzie ich nienawidzą. Są na ciebie wściekli.

– Ale ty nie jesteś.

Wydęła wargi.

– Bo nigdy nie rzuciłeś we mnie tym paskudztwem.

– A gdybym to zrobił?

– Spróbuj, a przekonasz się – pogroziła mu palcem.

– Moja droga Eisso – zanucił z uśmiechem. – Przecież nie podniosłabyś ręki na tak uroczego chłopaka. Poza tym takie zachowanie nie przystoi damie. Chyba nie chcesz stać się taka jak Shaia?

Eissa przewróciła oczami, łapiąc się pod boki.

– Jesteś niemożliwy, wiesz.

Wzruszył niewinnie ramionami.

– Nic na to nie poradzę. Ale przecież taki ci się podobam, chyba że…

– Och, przestań w końcu gadać!

Podbiegła do niego i zamknęła mu usta gorącym pocałunkiem. Potem zarzuciła mu ręce na szyję i nie przestając całować, pociągnęła w głąb pomieszczenia. Stare deski zaskrzypiały pod ich stopami, kiedy weszli w jedyny snop bladego światła. Cerel objął dziewczynę mocniej w talii i przyciągnął jeszcze bliżej. Przeszył go przyjemny dreszcz i w tym momencie poczuł na wargach jej uśmiech, gdy wyczuła jego reakcję. Odsunęła głowę tylko o kilka milimetrów i popatrzyła mu w oczy.

– Chciałeś coś jeszcze powiedzieć? – zapytała z figlarnym uśmieszkiem.

– Nie.

Tym razem to on pierwszy przywarł ustami do jej warg, wzdychając z rozkoszy. Dziewczyna pociągnęła go za szyję i nagle oboje stracili równowagę. Polecieli do tyłu na stertę siana, wzbijając w powietrze chmurę białego kurzu.

Cerel jęknął głucho i wymruczał coś niewyraźnie, podczas gdy Eissa zaśmiała się głośno.

– Jesteś ciężki – usłyszał tuż przy uchu.

Zaczerwienił się, gdy zdał sobie sprawę, że na niej leży.

– Przepraszam – wybąkał, unosząc się na łokciach.

Eissa położyła dłonie na jego karku i przyciągnęła do siebie.

– Nie. Tak jest dobrze.

Przez chwilę patrzył jej w oczy z lekkim zdziwieniem, a potem nagle wybuchnął śmiechem.

– Gdyby twój ojciec nas teraz zobaczył, to by nas zabił na miejscu.

– Więc lepiej, żeby nas nie zobaczył – przechyliła lekko głowę, a Cerel gładził palcami jej włosy rozrzucone wokół twarzy. – Ale twój ojciec na ciebie czeka. Od pół godziny powinieneś być w jego warsztacie.

– Tutaj mam o wiele ciekawsze zajęcie – mruknął.

Pocałował ją krótko w usta, a potem wargami zjechał po brodzie do szyi i niżej. Odchyliła głowę, mrucząc z zadowolenia.

– Masz dzisiaj na sobie piękną sukienkę – odezwał się, nie odsuwając warg od jej gładkiej szyi. Jej dłonie, wplecione w jego włosy, naprawdę utrudniały koncentrację.

– Ale?

– Chyba lepiej wyglądałaby w szafie.

Eissa wydała z siebie rozbawione prychnięcie.

– Czy powinnam to odebrać jako komplement?

Przerwał na chwilę, by popatrzeć na nią z chytrym uśmieszkiem. Jego ciemnoniebieskie oczy pociemniały do granatu nocnego nieba.

– Nie. Jako prośbę.

Uniosła brwi.

– Jesteś dzisiaj odważny. Nigdy nie chciałeś nic więcej poza pocałunkami.

– Nigdy wcześniej – poprawił. – Może dzisiaj uznałem, że nasze relacje nie są wystarczająco...

– Bliskie?

– Właśnie.

– To ciekawe, bo ostatnio również doszłam do takiego wniosku.

Sięgnęła ręką do guzików przy gorsecie, ale odsunął ją delikatnie i sam zajął się ich rozpinaniem. Teraz. To jedyna okazja.

– Wiesz... – zaczął niepewnie. – Tak sobie myślałem, że może...

Gdzieś niedaleko usłyszał tętent końskich kopyt. Napiął się i znieruchomiał z ręką przy przedostatnim guziku. Spojrzał na drzwi, wytężając słuch.

– Słyszałaś?

– Co?

– Ktoś tam jest.

– Głuptasie – chwyciła jego głowę obiema dłońmi i odwróciła w swoją stronę. – Mój ojciec jest w pracy, a nikt inny tutaj nie przychodzi o tej godzinie. Za to ja tu jestem i to na mnie masz się skupić.

Przyciągnęła jego twarz i pocałowała tak, że cały świat zawirował i rozmył się w słodkim smaku jej warg. Jęknął cicho, kiedy jej dłoń powędrowała pod tunikę, rozpalając jego skórę i zmysły.

Nagle rozległy się krzyki i tym razem był pewny, że słyszy konie. Wstał błyskawicznie, poprawiając na sobie tunikę. Pożądanie ulotniło się w jednej chwili zastąpione nagłym strachem, że ktoś może ich nakryć. Eissa uniosła się na łokciach, marszcząc brwi. Górna cześć sukienki zsunęła jej się na ramiona, ukazując częściowo odkryte piersi.

– O co chodzi?

– Na zewnątrz coś się dzieje.

– Daj spokój, nic nie...

– Cicho.

Przyłożył palec do ust i nie oglądając się na nią, podszedł do drzwi. Rozsunął je odrobinę i zerknął na zewnątrz.

– Mówiłem, że tam ktoś może się ukrywać! – rozległ się niedaleko jakiś męski głos.

Cerel nikogo nie zauważył, ale szybko cofnął się od drzwi. Zrobił to w ostatniej chwili, gdyż zaraz do środka wtargnęło dwóch mężczyzn. Eissa krzyknęła, poprawiając sukienkę i zakrywając się ramionami.

Ogarnęli wzrokiem mroczne wnętrze, po czym ich spojrzenia zatrzymały się najpierw na Cerelu, a potem na dziewczynie, którą próbował zasłonić. Jeden z nich, chudy z rzadkimi mysimi włosami, zarechotał gardłowo, wskazując na nią podbródkiem.

– Popatrz, Kyrel, chyba przeszkodziliśmy tym dzieciakom w zabawianiu się.

Jego towarzysz nazwany Kyrelem przyglądał im się spod grubych, zmarszczonych brwi. Jego gęste ciemne włosy i potężna sylwetka kłóciły się z wiekiem, tak wyraźnie widocznym na jego pobrużdżonej zmarszczkami twarzy. Cerel nie spuszczał z nich oczu, przesuwając się systematycznie w stronę Eissy. Kątem oka obserwował otwarte drzwi i oceniał ich szanse ucieczki. Nie pytał nawet, kim byli ci dwaj. Na pierwszy rzut oka widać było, że są obcy i z pewnością nie mają dobrych zamiarów.

Starszy z mężczyzn zbliżył się do Cerela i chwycił go brutalnie za łokieć. Zawołał do kompana:

– Zabierz dziewczynę. Może komuś przypadnie do gustu.

Chłopak zaprotestował i szarpnął się kilka razy, ale był za słaby. Spojrzał na Eissę, która niezdarnie próbowała wyplątać się ze sterty siana.

– Uciekaj! – krzyknął do niej.

Zerknęła na niego przelotnie ze łzami w oczach i rzuciła się w stronę drzwi. Zrobiła zaledwie kilka kroków, gdy drugi mężczyzna zagrodził jej drogę. Wyszczerzył zęby w paskudnym uśmiechu.

– Dokąd to, ślicznotko?

– Eissa! – Cerel nigdy jeszcze nie był tak przerażony i zarazem wściekły. Kim są ci ludzie? Czego od nich chcieli? – Eissa! – krzyknął znowu.

Trzymający go mężczyzna walnął go w tył głowy z taką siłą, że pociemniało mu w oczach. Osunął się bezwładnie w jego ramionach, a głos uwiązł mu w gardle, gdy wymówił szeptem jej imię. Bał się zamknąć powieki, by nie stracić jej z oczu.

Eissa krzyknęła głośno, gdy chudy wojownik chwycił ją za ramiona. Z płaczem zaczęła się szarpać i wyrywać, ale z każdą chwilą była coraz słabsza.

– Hej, Ilyr. Nie mamy czasu na gierki. Pospiesz się. – Kyrel zaczął na wpół wlec, na wpół nieść Cerela, kierując się w stronę drzwi.

– Łatwo powiedzieć – poskarżył się, walcząc z dziewczyną. – Ta mała ma niezłą krzepę. Hej…!

Eissa niespodziewanie przestała się szamotać i ugryzła go w rękę. Wbiła zęby tak mocno, aż trysnęła krew. Mężczyzna wydał z siebie okrzyk bólu i mimowolnie ją puścił.

Chociaż się tego spodziewała, nastąpiło to zbyt gwałtownie. Eissa straciła równowagę i poleciała do tyłu. Prosto na wystające z siana ostrza starych wideł.

Cerel cały zesztywniał. Całkiem oprzytomniał, a jego serce zamarło na bardzo długo. Otworzył usta jak do krzyku, choć nie wydobył się z nich żaden dźwięk. Szeroko otwartymi oczami wpatrywał się w ciało jego ukochanej Eissy, wiedząc, że ten widok będzie prześladował go już do końca życia.

Widły przebiły jej ciało na wylot, a wystające ostrza mieniły się w świetle dnia czerwienią jej krwi. Jej głowa opadła bezwładnie do tyłu, martwe oczy wpatrywały się gdzieś w ścianę. Jej piękna zielona sukienka cała była teraz we krwi.

Ilyr westchnął głośno i wzruszył ramionami.

– Cóż… – odwrócił się od ciała dziewczyny i z niewzruszonym wyrazem twarzy ruszył do wyjścia. – Powiemy, że to był wypadek. Później ktoś tu posprząta. – Zerknął przelotnie na Cerela – Znajdziesz sobie inną chętną, mały.

Cerel nawet nie drgnął, gdy wyprowadzali go z szopy. Nieruchomym wzrokiem wpatrywał się w Eissę pozostawioną w powiększającej się kałuży krwi. Jego Eissę…

Rozpacz rozrywała jego serce na strzępy. Już nigdy nie zobaczy jej uśmiechu… Już nigdy nie skosztuje jej słodkich warg… Nigdy nie usłyszy jej głosu…

Nie zdawał sobie sprawy z tego, że na progu zaparł się nogami, dopóki silne szarpnięcie nie pociągnęło go do tyłu. Upadłby, gdyby nie podtrzymujące go ręce mężczyzny. Gdy znaleźli się na zewnątrz, zalało go ciepłe światło dnia. Zamrugał oszołomiony i rozejrzał się wokół. Teraz, kiedy minął pierwszy szok, zaczął znów trzeźwo myśleć.

Muszę uciekać! To była jego pierwsza myśl.

Zerknął na Ilyra. Wojownik szedł w stronę uwiązanych do drzewa koni i nie oglądał się na nich. Prowadzący go Kyrel był dla niego za silny, ale musiał działać natychmiast, dopóki miał jeszcze jakąkolwiek szansę. A w tej sytuacji przychodziło mu do głowy tylko jedno…

Obrócił nieznacznie głowę i zatopił zęby w przedramieniu wojownika. Nie udało mu się przebić skóry, ale mężczyzna i tak krzyknął z bólu. A co najważniejsze, jego uścisk zelżał.

Dziękuję, Eisso – pomyślał przelotnie, po czym wyszarpnął się i puścił biegiem w stronę najbliższych drzew. Po chwili usłyszał za sobą tupot stóp i rzucane w jego stronę przekleństwa. Przyspieszył jeszcze kroku, zadowolony, że jego wytrenowana szybkość na coś się przyda.

Jednak nawet on nie potrafił biec w tym tempie zbyt długo. Dostał zadyszki, a jego mięśnie stały się zbyt ciężkie. Serce waliło mu jak oszalałe, aż bał się, że rozerwie mu klatkę piersiową. W płucach paliło, jakby miał tam ogień, a w bokach kłuło niemiłosiernie. Czuł, że nie zrobi już ani korku więcej, a mimo to biegł jak nigdy w życiu. W pewnym momencie byli tuż za jego plecami i przestraszył się, że zaraz go złapią. Potem jednak nagle zapanowała cisza, a on dosięgnął pierwszych drzew w lesie.

Biegł jeszcze przez jakiś czas, zanim odważył się zwolnić. Oparł się o pień drzewa i dysząc ciężko, złapał się za serce. Pochylił się do przodu i trwał tak przez kilka minut, łapiąc oddech i uspokajając oszalałe serce. Jednocześnie zaczął nasłuchiwać najmniejszego nawet dźwięku. Bał się, że tamci dwaj nadal mogą go ścigać, ale wokół prócz zwykłych odgłosów lasu panowała cisza. Musiał ich albo zgubić, albo był dla nich za szybki. Na wszelki jednak wypadek postanowił zaszyć się w bezpiecznym miejscu, dopóki nie będzie miał pewności, że odeszli.

Po chwili jakieś podniesione głosy doleciały od strony wioski. Nie były to zwyczajowe rozmowy mieszkańców, ale nerwowe, ostre pokrzykiwania. Niepokojąca myśl wdarła się do jego umysłu. Ostrożnie przedarł się przez krzaki i przywarł do chropowatego pnia jednego z drzew, skąd mógł zobaczyć swoją wioskę. Jego najgorsze obawy potwierdziły się. Reed zostało napadnięte.

Spora grupa obcych mężczyzn kręciła się między zabudowaniami i po placu. Natomiast nigdzie nie widział ani jednego mieszkańca. Z trudem przełknął ślinę, czując jak kawałki kory wbijają się w jego dłonie. Odwrócił się twarzą do lasu i oparł plecy o pień. Wziął głęboki wdech, a potem powoli wypuścił powietrze z płuc. Wiedział, że panika w takiej chwili nie jest wskazana.

Żył, a to było najważniejsze.

Potem jednak przyszły pytania.

Kim są ci mężczyźni? Czego chcą? Dlaczego akurat Reed?

Mógłby tutaj tak stać i głowić się nad tą zagadką, jednak wiedział, że nawet las nie był teraz bezpiecznym miejscem. Nie mógł pozostać tutaj za długo. Tamci wojownicy wciąż mogli go poszukiwać, a nawet jeśli nie, to któryś z ich towarzyszy mógł zawędrować tu przypadkiem i go znaleźć. *Muszę uciec i zawiadomić hrabiego* – pomyślał nagle, a potem uderzyła go inna myśl. *Moi rodzice! Przecież ich tak nie zostawię.*

Nie wiedział wprawdzie, czy również nie zostali złapani albo co gorsza – zabici. Nie wiedział nawet, czy są w domu. Mimo to popędził lasem, kierując się na zachód, i jednocześnie oddalając od wioski.

Jego chata znajdowała się kilkanaście metrów od Reed, bliżej lasu niż morza. Już z daleka dostrzegł drewniany dom i kuźnię ojca oraz ich pole. Z tej odległości nie dostrzegł żadnego ruchu, trudno mu też było stwierdzić, czy ktoś tam w ogóle jest. Wyszedł spomiędzy drzew i czujnie obserwując okolicę, przedzierał się przez wysoką trawę, nisko pochylony.

Dopadł przedniej ściany domku i przylgnąwszy do ściany, przysunął się do drzwi. Już po drodze zajrzał do kuźni, ale nikogo tam nie było. Podobnie jak na polu i na plaży. Wokół panowała niepokojąco martwa cisza.

Cerel obrócił się tak, by móc zajrzeć przez okno. Przez brudne szyby trudno było cokolwiek dostrzec nawet w pełnym świetle. Ale cóż, to była wyłącznie jego wina. Matka od wczoraj prosiła, by je umył.

Teraz już za późno – pomyślał ponuro.

Miał nadzieję, że skoro nie słychać było żadnych odgłosów, to rodzice albo jedli, albo wypoczywali. Przełknął ślinę i otworzył drzwi.

– Ojcze...

Głos uwiązł mu w gardle, a z twarzy odpłynęła cała krew. Zamarł z dłonią na klamce. Nie był nawet w stanie zamknąć ust. Zrobiło mu się niedobrze, a potem coś ciężkiego utkwiło mu w gardle. To, co zobaczył, przeszło jego najgorsze oczekiwania.

Od razu dostrzegł matkę leżącą na podłodze. Martwą.

Ojciec siedział na krześle z głową bezwładnie opartą na stole. Prowadzący od niego strumyczek krwi powoli skapywał na podłogę, tworząc pod nim coraz większą kałużę.

Kiedy wszedł, zaskrzypiały drzwi i pochylający się nad stołem mężczyzna wyprostował się i odwrócił. Cerel z trudem oderwał oczy od ciał i spojrzał na niego z niemym przerażeniem. Wojownik usunął językiem kropelkę krwi z kącika ust i uśmiechnął się z ironią w brązowych oczach.

– To byli twoi rodzice? – zapytał, choć bardziej zabrzmiało to jak stwierdzenie. W jego głosie nie słychać było nawet odrobiny współczucia, jedynie lekkie rozbawienie. – Przykro mi. Próbowali uciec, a ja nie mogłem do tego dopuścić. Byli bardzo smaczni – przekrzywił lekko głowę. – Jeśli nie masz ochoty do nich dołączyć, radzę nie uciekać.

Cerel nie potrafił wykrztusić z siebie słowa. Wpatrując się w mężczyznę, jakoś zmusił swoje ciało do posłuszeństwa i zaczął wycofywać się na zewnątrz.

– Nie. Nie. Nie... – powtarzał jękliwie. – Nie... Ty nie jesteś człowiekiem.

Na progu odwrócił się gwałtownie i zamierzał uciec, kiedy czyjaś dłoń zacisnęła się boleśnie na jego ramieniu. Mężczyzna pochylił się nad nim spokojnie i wyszeptał, łaskocząc w ucho:

– Jesteś spostrzegawczy, mały. Będziesz grzecznym chłopcem, to może daruję ci życie. Uwierz mi, że śmierć z ręki moich towarzyszy byłaby rozkoszą w porównaniu do tego, co ja mógłbym zrobić.

Cerel przełknął nerwowo ślinę, a potem zwiesił ramiona i wbił tępy wzrok w ziemię.

Dlaczego do cholery nie uciekłem wcześniej?

Posłusznie dał się poprowadzić do wioski. W głowie miał jedną wielką dziurę, a przed oczami trzy martwe ciała. Trzy ciała, które były dla niego wszystkim.

Kiedy wkroczyli na ścieżkę i znaleźli się między zabudowaniami Reed, chłopak nadal tępo wpatrywał się we własne stopy.

– Co tak długo, Ortisie?

– Chciałem sprawdzić, czy nikt nie uciekł.

Na dźwięk szorstkiego głosu uniósł w końcu głowę. Zatrzymali się na placu przed siwiejącym wojownikiem. Nie był zbyt wysoki ani nawet dobrze zbudowany jak niektórzy jego ludzie, ale Cerel od razu rozpoznał w nim przywódcę całej tej grupy. Na jego pociągłej twarzy widniał lekki zarost i liczne zmarszczki, zwłaszcza wokół oczu i ust. Po lewej stronie miał bliznę, która biegła od skroni i przecinała oko, zatrzymując się gdzieś przy nosie. Ubrany był jak reszta, w obcisłe spodnie i sięgającą ud tunikę przepasaną skórzanym pasem, za którym wisiał zatknięty miecz. Dodatkowo nosił zniszczoną kolczugę i metalowe ochraniacze na rękach.

Przyjrzał się Cerelowi surowym wzrokiem, jakby go oceniał.

– Gdzie byłeś? – zapytał Ortisa, który wciąż trzymał go za oba ramiona.

– Rozglądałem się po okolicy, kapitanie – odpowiedział tamten beztroskim tonem.

– Gdzie znalazłeś tego dzieciaka?

– Kręcił się koło lasu.

– A jego rodzice?

– Jest sierotą.

Dzięki tobie, potworze. Aż go skręcało, by powiedzieć to na głos. Zamiast tego uniósł wzrok i dyskretnie rozejrzał się po wiosce.

Wszędzie kręcili się wojownicy, to wchodząc, to wychodząc z domów. Widok pustych ulic był nienaturalny i trudny do zniesienia.

Jego wzrok w końcu ich odnalazł. Kilku wojowników prowadziło wszystkie kobiety do jednego domu, a druga grupa zaganiała mężczyzn do innego budynku.

Ludzie, których znał całe życie, posłusznie podporządkowywali się teraz najeźdźcom. Podobnie jak on.

Przebiegał wzrokiem od jednej twarzy do drugiej, czując, jak narastają w nim coraz większe bezradność i zniechęcenie. Wśród mężczyzn dostrzegł namiestnika, który nagle stał się pozbawionym dumy i władzy zwykłym wieśniakiem. Mareda, Tirila i Zinna nigdzie nie widział, ale być może znajdowali się już wewnątrz budynku. Między kobietami wypatrzył córkę namiestnika. Shaia wciąż miała na sobie błękitną sukienkę i resztki mazi z bomby gez. Nawet nie zdążyła się umyć i przebrać. Mimo to nawet groźba śmierci nie była w stanie wymazać dumy z jej wysoko uniesionej głowy.

– To co z nim zrobimy?

Domyślił się, że chodzi o niego, więc odważył się zerknąć na ich kapitana. Mężczyzna przyglądał mu się krytycznie, aż w końcu chwycił za rękę, uwalniając od towarzystwa Ortisa.

– Wygląda na bystrego i zwinnego, więc zostanie moim sługą.

– Chyba tu ci się spodoba, co kapitanie? – zapytał z wyraźną ironią Ortis.

Starszy wojownik zmierzył go ostrym spojrzeniem, ale po chwili uśmiechnął się kwaśno.

– Owszem. Czuję, że będzie mi tu wygodnie. A teraz zajmij się resztą, muszę trochę odpocząć.

– Oczywiście. – Ortis wykonał gest przypominający ukłon, po czym odszedł w stronę swoich towarzyszy.

Mężczyzna odwrócił się i bez słowa pociągnął chłopaka za sobą. Cerel posłusznie podreptał za nim, zastanawiając się, co teraz z nimi wszystkimi się stanie. Po pewnym czasie zauważył, że zmierzają wprost do etteru. To wydało mu się całkiem naturalne, skoro ten mężczyzna był ich kapitanem. Mimo że cały jego świat legł w gruzach, jego wargi same ułożyły się w ponury uśmiech.

Zawsze chciałem zamieszkać w takim wielkim domu. Nigdy jednak nie przyszłoby mi go głowy, że nastąpi to w takich okolicznościach.

* * *

Od kilku dni chodziła rozdrażniona i na nic nie miała ochoty. Wszystko ją denerwowało. Prawie całe dnie spędzała w pokoju, gapiąc się w niebo lub śpiąc. Czasem trochę czytała i jadła przynoszone posiłki.

A to wszystko przez Sato.

Oczywiście ostrzegał ją, że teraz będą się rzadziej widywali. Jednak po czterech dniach bez niego czuła się naprawdę samotna i miała tego dość. Czuła, że jeśli choć nie zobaczy go przez chwilę, to oszaleje. Ostatnio tak dużo spędzali ze sobą czasu, że przywykła do myśli, że zawsze już będą razem. Nawet jeśli służył Balarowi i łączył ich tylko dawny rytuał, nadal był jej bratem. Czuła to całym sercem i duszą, choć wspomnienia wciąż były dla niej niedostępne. Już teraz było jej bez niego tak bardzo źle. Nie wyobrażała sobie, że w przyszłości mogłaby go stracić na zawsze. Sato stał się jej osobistym słońcem, bez którego ciepła nie umiała już żyć. Zamiast przyjaciela każdego wieczoru zjawiał się u niej Balar. Wchodził bez pukania i ani razu się nie odezwał. Nawet w myślach. Cokolwiek robiła, po prostu podchodził i kładł dłoń na jej czole. Stał tak przez chwilę, a potem równie cicho odchodził. Czasem podczas tych krótkich dziwnych wizyt czuła mrowienie na ciele, a nawet ból. Te odwiedziny zakłócały jej spokój, bo nigdy nie wiedziała, kiedy przyjdzie i w jakim będzie nastroju. Po tym, jak oznajmił, że niedługo ją stąd zabiera, zaczął traktować ją jak przedmiot, a ona miała coraz gorsze przeczucia co do swojej przyszłości.

Coraz częściej też nawiedzały ją koszmary. Powracały niemal każdej nocy, gdy tylko zamykała oczy. Za każdym razem musiała oglądać straszliwą rzeź kolejnych wiosek i pola pokryte krwawymi ciałami. Budziła się zlana potem, z krzykiem na ustach. Przez resztę nocy czuwała, próbując odgadnąć znaczenie tych realistycznych snów. Czy dotyczyły one tych wszystkich ludzi czy jakiejś konkretnej osoby?

Spała coraz mniej, aż tak bardzo bała się zamknąć oczy, że popadła w całkowitą bezsenność. Była coraz bardziej rozdrażniona, zestresowana i zła, aż obawiała się, że pewnego dnia nie wytrzyma i eksploduje. Nocami przechadzała się po pustych korytarzach lub na długie godziny chowała się w bibliotece. Czas bez Sato tak potwornie jej się dłużył, że każdy dzień zdawał się ciągnąć w nieskończoność.

Tej nocy również nie wiedziała, co ze sobą zrobić. Minęło pięć dni od ich ostatniej rozmowy i Ariel zaczynała popadać w coraz większe przygnębienie. Nie przypuszczała, że może za kimś tak tęsknić. Bez Sato nawet słońce wydawało się szare i pozbawione ciepła. Każdego ranka zmuszała się do wstania i jedzenia. Nie wiedziała, co ze sobą robić przez te wszystkie godziny, co było strasznie irytujące. Często zaglądała do biblioteki, ale nawet tam nie potrafiła znaleźć sobie miejsca. Wszystkie pamiętniki przeniosła do swojego pokoju, ale czytanie ich bez Sato wydawało się nudne i pozbawione sensu.

Jak zwykle nie mogła usnąć, więc wzięła jedną książeczkę i zeszła do kuchni, gdzie miała nadzieję znaleźć coś do jedzenia i wodę. Była pewna, że o tej porze wszyscy śpią. Więc tym większe było jej zaskoczenie, gdy dostrzegła w półmroku Gebrę siedzącą przy jednym ze stołów. Była odwrócona plecami, więc nawet nie usłyszała jej wejścia. Ariel w pierwszej chwili chciała wycofać się dyskretnie i znaleźć sobie inne miejsce, ale przyszła jej do głowy nagła myśl. Mocniej ścisnęła trzymany w dłoni pamiętnik, a jej serce zabiło gwałtownie z podekscytowania. Oto właśnie nadarzała się niepowtarzalna okazja, by wyjaśnić dręczącą ją zagadkę. Nie mogła się oprzeć, by nie wykorzystać tej szansy.

Zbliżyła się ostrożnie i przysiadła obok na krześle. Gebra dopiero teraz się poruszyła, jakby przysnęła na moment, i spojrzała na nią z zaskoczeniem.

– Co tu robisz, dziewczyno? Nie wiesz, która godzina?

Ariel zignorowała jej ostre słowa i zamiast odpowiedzieć położyła przed nią pamiętnik.

– To pani dom, prawda?

Kobieta patrzyła na nią bez słowa. Ariel do tej pory nie odzywała się do nikogo w ellońskim, choć doskonale opanowała już ten język. Nie mogła jednak wiecznie trzymać tego w tajemnicy. Gebra przyjęła jednak ten fakt bez słowa komentarza, nie przywykła chyba wtrącać się w sprawy innych. Potem spojrzała na cienką książkę, a gdy rozpoznała jej szkarłatną okładkę, otworzyła szeroko oczy i zbladła gwałtownie. Drżącymi palcami dotknęła jej brzegów, jakby nie dowierzała w to, co widzi. W końcu przeniosła oczy na Ariel, a w jej źrenicach czaił się prawdziwy strach.

– Skąd to masz? – zapytała cicho, drżącym z emocji głosem.

Dziewczyna nie spodziewała się tak gwałtownej reakcji z jej strony.

Zażenowana, odwróciła na chwilę głowę, gdy w oczach kobiety zalśniły łzy. Współczucie oraz żal ścisnęły jej serce.

– Z biblioteki – odparła zgodnie z prawdą. – Jest ich tam więcej. Przepraszam, ale przeczytałam wszystkie.

Gebra pokręciła wolno głową i znów skupiła wzrok na pamiętniku. Przysunęła go do siebie i czułym gestem zaczęła gładzić jego okładkę. Przez chwilę wpatrywała się w niego zamyślona, wzdychając cicho. Całe jej poprzednie rozgoryczenie i złość ulotniły się w jednej sekundzie. Teraz Ariel miała przed sobą wdowę i matkę opłakującą swoich bliskich, której los nie szczędził cierpień.

Siedziała cicho, czekając, aż to Gebra przerwie przedłużającą się ciszę.

– To znaczy, że już wszystko wiesz – odezwała się w końcu cicho, ze smutkiem w głosie. Wpatrywała się w pamiętnik, jakby był niezwykle cennym skarbem.

– Tak… To znaczy nie do końca. – Nie była pewna, czy powinna w takim momencie zadawać jakiekolwiek pytania, ale wiedziała, że jeśli teraz tego nie zrobi, nie będzie miała drugiej szansy. – Wiem o pani mężu i Legerze… Wiem też… To znaczy, pani mąż napisał, że zjawił się u was pewien mężczyzna w czarnym płaszczu. Na tym kończą się zapiski. Reszty sama się domyśliłam – zrobiła pauzę, by nabrać powietrza, i spojrzała uważnie na kobietę. – To był Balar, prawda?

Gebra oderwała w końcu wzrok od zeszytu, który ściskała kurczowo w dłoniach. Na jej twarzy strach mieszał się z wściekłością.

– Tak – odparła sucho, pełnym goryczy głosem. – Pewnego dnia zjawił się przed progiem naszego domu. Ethholt ostrzegał mnie, żebym mu nie otwierała, ale wtedy byłam jeszcze naiwna i nie sądziłam, że coś złego może nam się przytrafić. – Oblizała zaschnięte wargi, a jej oczy wpatrywały się w Ariel ze złością, jakby to ona była wszystkiemu winna. – Wszedł jak do siebie i powiedział, że daruje nam życie, jeśli będziemy mu służyć. Oczywiście mąż od razu dobył miecza, zaklinając, że woli umrzeć. To były jego ostatnie słowa. Nie było żadnego ataku.

Nic. Po prostu upadł i już nie wstał. Błagałam go, żeby i mnie zabił, ale polecił mi tylko zająć się domem i robić swoje. Ogłosił, że ta posiadłość należy teraz do niego, a ja z pani domu stałam się służącą. Nie wiem, czemu do tej pory nie uciekłam. Miałam po temu niejedną okazję, ale coś mnie tu trzymało.

– Leger – wpadła jej nieśmiało w słowo.

– Ten nikczemnik ani razu na mnie nie spojrzał – zmarszczyła gniewnie czoło na wspomnienie syna. – Zostałam tutaj i robiłam, co mi kazano, bo miałam nadzieję, że pewnego dnia przejrzy na oczy i wróci do mnie skruszony, gotowy zabrać mnie z tego przeklętego miejsca. Ale on oczywiście wolał tych swoich zapijaczonych towarzyszy i ich krwawe wyprawy. Balar oddał go na wychowanie wojownikom i proszę, co z niego wyrosło! Nie miał szacunku dla niczego, co żyło. Nawet dla własnej matki.

– Przykro mi z powodu śmierci Legera.

Gebra zaśmiała się ponuro, po czym na powrót przybrała surowy wyraz.

– Nikomu nie powinno być przykro. Launa zabrał go z tego świata, bo na to zasłużył. Wstydzę się nazywać go swoim synem, choć kiedyś oddałabym za niego życie.

Ariel rozumiała ją i jednocześnie współczuła. Dla Gebry Leger umarł dawno temu, kiedy przybył Balar. Pewnie wolałaby, żeby umarł jako niewinne dziecko zamiast stać się sługusem tego potwora.

Zamyślona, wpatrywała się w swoje dłonie. Gdy uniosła głowę, zobaczyła, że kobieta stoi przed paleniskiem i pochyla się, by wrzucić w płomienie pamiętnik. Doskoczyła do niej błyskawicznie i wyrwała z ręki książkę, ze złością przyciskając ją kurczowo do piersi.

– Co pani wyprawia?! – krzyknęła. – Przecież to jest dziennik pani męża.

Gebra skuliła się. Jej ramiona opadły, jakby w rezygnacji, ale gdy podniosła wzrok, miała zaciśnięte usta i determinację w oczach.

– To nie twoja sprawa, dziewczyno. Te pamiętniki to tylko nic nieznaczące słowa, historia, do której nie powinno się wracać. Będę miała święty spokój, jeśli pochłonie je ogień. Tam jest ich miejsce.

– Przecież to jedyna pamiątka po pani mężu. – Ariel nie mogła uwierzyć, że Gebra tak nagle chce się ich pozbyć. – Nie chce pani się przyznać, że Balar zabił pani rodzinę i ukradł dom.

– Zamilcz, dziewczyno – syknęła, rozglądając się szybko na boki, po czym dodała ciszej: – Źle robisz, że mieszasz się w cudze sprawy. Powinnaś zostawić rzeczy takimi, jakimi są. Nikt nie chce wracać do starych spraw.

– Ethholt chciałby, żeby pani je zatrzymała – odparła tylko.

– Ale ja nie chcę i daj mi w końcu święty spokój – sapnęła poirytowana. – Nie mam najmniejszej ochoty powracać do przeszłości. Szkoda czasu.

Ariel popatrzyła na pamiętnik, potem znów na kobietę. Czy istniał jakiś sposób, żeby ją przekonać? Miała nadzieję, że Gebra będzie jej wdzięczna, a tymczasem tylko pogorszyła sytuację. Chyba rzeczywiście musiała przestać mieszać się do cudzych spraw.

– Przepraszam – odezwała się w końcu, z rezygnacją oddając jej pamiętnik. – Przepraszam, że go przeczytałam. Chciałam tylko poznać historię tego miejsca i mieszkających tu ludzi. Może niepotrzebnie grzebałam w przeszłości, ale chyba nie miałam nic lepszego do roboty. Pani mąż był bardzo dobrym i mądrym człowiekiem i naprawdę pani współczuję. Zastanawiam się tylko… – przerwała, spoglądając na nią niepewnie i dokończyła ostrożnie: – Zastanawiam się tylko, co się stało z Sereyą.

Gebra na dźwięk imienia córki przygarbiła się jeszcze bardziej, a w jej oczach ponownie pojawiły się łzy. Jednak opanowała się szybko i chowając pamiętnik do kieszeni fartucha, wzruszyła ramionami.

– Uciekła kilka dni po tym, jak on się zjawił. Nie wiem, co się z nią stało ani czy w ogóle jeszcze żyje. Ktoś powiedział, że widział ją w Malgarii na rynku, ale to było dawno temu – pokręciła głową ze smutkiem. – Pogrzebałam ją dawno w sercu i nie mam już żadnej nadziei.

Ariel ukradkiem otarła wilgotne oczy. Nie chciała nawet myśleć, co mogło spotkać biedną Sereyę. Przecież to było jeszcze dziecko, w dodatku przerażone i zdane tylko na siebie. Jak miała przeżyć w tym dziwnym, ogromnym świecie, gdzie było tyle zła? Gebra miała rację. Jeśli nie spotkał jej jakiś gorszy los, na pewno zmarła z głodu lub zimna. Może nawet takie wyjście było dla niej łatwiejsze.

I nagle wstąpiła w nią jakaś nadzieja i determinacja. Zanim zdążyła ugryźć się w język, odezwała się żarliwie:

– Odnajdę pani córkę.

Gebra, która w tym czasie przysiadła ciężko na krześle, teraz uniosła głowę, zaskoczona jej propozycją.

– Jak chcesz to zrobić, dziewczyno? Ona nie żyje, a poza tym i tak jesteś tu uwięziona – odparła z gniewem.

– Nie wiadomo, czy nie żyje. – Ariel mówiła szybko, z przejęciem. Czemu od razu nie przyszło jej to do głowy? Była pewna, że właśnie tak powinna postąpić. – Kiedy stąd ucieknę, odszukam ją. A jeśli naprawdę nie żyje, dowiem się, co się z nią działo. Potem wrócę i uwolnię was wszystkich.

Kobieta dźwignęła się na nogi i ruszyła swoim ociężałym krokiem w stronę wyjścia.

– Widzę, że jesteś uparta. Rób, co chcesz, tylko daj mi spokój – powiedziała ostro, ale gdy ją mijała, zerknęła na Ariel z wdzięcznością, po czym zniknęła za dwuskrzydłowymi drzwiami.

Zadowolona z własnej decyzji i tego, co zrobiła, usiadła blisko ognia. Delektując się bijącym od niego ciepłem, przymknęła oczy, wsłuchując się w idealną nocną ciszę. Do świtu pozostało parę godzin, ale była już i tak zbyt rozbudzona, by zasnąć. Jednak znów zaczęły dopadać ją wątpliwości. Czy dobrze postąpiła, tak pochopnie podejmując się tego zadania? Przecież nigdy nie uda jej się stąd uciec, a nawet jeśli, to gdzie miała szukać Serei? Nawet nie miała pojęcia, jak ta dziewczyna wygląda.

Dotarło do niej, że nie powinna obiecywać, jeśli nie będzie w stanie dotrzymać słowa. Dość miała własnych problemów, żeby obarczać się dodatkowymi. Współczuła Gebrze, ale jakoś nie była w stanie jej polubić. Może to atmosfera tego miejsca, a może wrogie nastawienie reszty mieszkańców sprawiały, że nie potrafiła nikogo obdarzyć sympatią. Z wyjątkiem Sato. On jeden tu nie pasował i tylko on wywoływał w niej ciepłe uczucia.

Dlaczego właściwie miałabym przejmować się jakąś obcą dziewczyną? Sama mam poważne kłopoty i nie mam pojęcia, co będzie ze mną dalej.

Nie wiedziała, kiedy Balar zabierze ją do tego całego Gathalaga. A przeczuwała, że kiedy opuści to miejsce, już tu nie wróci.

Westchnęła przeciągle, pocierając czoło, na którym zagościły pojedyncze zmarszczki. Powinna powiedzieć Gebrze, że nie jest w stanie spełnić swojej obietnicy, ale jakoś nie chciała tego robić. Sama pchała się w kłopoty i czuła, że nic dobrego z tego nie wyjdzie. Szaleństwem było, że w ogóle mieszała się do tego wszystkiego i szaleństwem wydawał się sam pomysł ucieczki. Przecież...

Przecież nikt mnie teraz nie pilnuje.

Ta myśl przeszyła ją niczym piorun. I nagle przestała być taka szalona.

Gdyby udało mi się uciec, byłabym wolna...

Wolna od Balara i wiszącej nad nią groźby śmierci.

Wstała i zrobiwszy dwa kroki znalazła się przy drzwiach wychodzących do ogrodu. Jej serce biło tak mocno, jakby chciało pierwsze stąd wybiec. Zacisnęła palce na klamce, rozejrzała się po mrocznej kuchni, po czym wzięła głęboki wdech i zdecydowanym ruchem pchnęła drzwi. Ku jej ogromnej uldze ustąpiły bez oporów, nie wydając żadnego dźwięku. Zrobiła krok do przodu i znalazła się na progu.

Noc przywitała ją chłodnym muśnięciem w policzek i powiewem rześkiego powietrza. Ariel westchnęła cicho i uniosła głowę, spoglądając na gwieździste, granatowe niebo. Delikatny wiaterek rozwiał jej splątane kosmyki i przeniknął ciało, powodując rozkoszny dreszcz podniecenia. Odetchnęła pełną piersią. Już zapomniała, że zapach świeżego powietrza może być tak cudowny. To był zapach nowego świata. Zapach wolności!

Wciąż nasłuchując uważnie, rozejrzała się wokół, starając się przebić wzrokiem ciemność. Kilka metrów przed sobą dostrzegła gruzy dawnego muru, zaś dalej trawiaste wzniesienie, które kończyło się zwartą ścianą drzew. Nocną ciszę przerywał koncert ukrytych w trawie cykad, a z lasu dochodziło pohukiwanie sowy.

Ariel namyślała się szybko, w którym kierunku powinna się udać. Miała niewiele czasu do świtu i zanim zaczną jej szukać, chciała znaleźć się jak najdalej stąd. Zerknęła na las przed sobą i wzdrygnęła się. Było ciemno, a ona zupełnie nie znała tego świata. Nawet jeśli było to bardziej ryzykowne, lepiej będzie, jak na początek wybierze otwarte przestrzenie.

W końcu skręciła w lewo. Posuwała się cicho wzdłuż ściany, z nadzieją, że może po drugiej stronie domu znajduje się jakaś droga. Starała się stąpać po wysokiej trawie jak najciszej, wstrzymując oddech za każdym razem, gdy niechcący nadepnęła na suchą gałązkę. Wciąż istniało ryzyko, że ktoś ją przyłapie. Jednak z każdą sekundą zaczynała wierzyć, że jej się uda. Była tak spięta i czujna jak nigdy dotąd. Każdy najmniejszy ruch czy dźwięk odbierała niezwykle wyraźnie, więc gdyby zaszła taka potrzeba, zdążyłaby w porę uskoczyć z powrotem do kuchni.

Zatrzymała się przy krawędzi ściany i zamarła. Do jej uszu dotarły liczne głosy. W nocnej ciszy mogła wyróżnić zarówno głośny śmiech, jak i ciche pochrapywanie. Bardzo ostrożnie wychyliła się ze swojego miejsca. Jęknęła cichutko na widok kilkunastu namiotów rozłożonych na rozległej polanie i kręcących się wokół żołnierzy. Wycofała się szybko, a jej serce zaczęło walić jak oszalałe.

No cóż. Ta droga odpada.

Ciekawiło ją, czy wśród nich jest Sato, ale nie miała odwagi tego sprawdzić. Nie mogła pozwolić, by ktokolwiek ją zauważył. Szczególnie wojownicy. Zaczęła więc wycofywać się z powrotem w stronę drzwi. W połowie drogi zatrzymała się, rozejrzała szybko, a potem bez zastanowienia ruszyła biegiem w stronę muru. Przerażała ją perspektywa kluczenia po nocy w lesie, ale wolała to niż kolejny dzień niewoli.

Zasapana dobiegła do ruin muru i zaczęła rozglądać się za jakimś przejściem. Nie było już czasu na podchody i ostrożność. Teraz musiała tylko działać i nie dać się złapać. W końcu odnalazła wyrwę, przez którą mogła przeskoczyć. Ruszyła szybko w tamtym kierunku, gdy potężny cios z tyłu powalił ją na ziemię.

Jęknęła głucho, kiedy jej ciało przeszył ostry ból. Gdy w końcu mogła się ruszyć, odwróciła się na plecy i usiadła, rozmasowując obolały kark. Podniosła wzrok i w jednej chwili cała jej nadzieja na ucieczkę prysła. Ze złości i rozczarowania zachciało jej się płakać.

Balar stał nad nią z gniewem na twarzy. Czerń jego oczu była równie głęboka jak jego płaszcza.

– Myślałaś, że uda ci się uciec? – wycedził ostro.

Nie odpowiedziała. Zamiast tego zrobiła coś, czego w ogóle się nie spodziewał. Być może właśnie dlatego nie zdążył odpowiednio zareagować ani uchylić się w porę. Podniosła się na nogi i skoczyła w jego stronę, wymierzając cios gdzieś na wysokości żeber.

Balar zachwiał się lekko ze zdumieniem. Ariel znieruchomiała na parę sekund, zaskoczona bardziej od niego, że jej cios dosięgnął celu. Opanowała się szybko i przygotowała do kolejnego ataku, jednak zawahała się o jedną sekundę za długo.

Coś czarnego, jakby wijące się sznury, oplotło jej ręce i nogi. Krzyknęła, próbując się wyswobodzić, ale więzy były zbyt mocne. Spojrzała na Balara dzikim wzrokiem.

– Nie sądziłaś chyba, że mnie pokonasz – mruknął z ponurym uśmiechem.

– Zobaczysz, że kiedyś cię zabiję! – krzyknęła z furią, nadal bezskutecznie szarpiąc się z magicznymi więzami

Zaśmiał się cicho, po czym skrzywił z pogardą.

– Nie – syknął lodowato. – Ja zrobię to teraz. Ze swoim uporem i tak nie na wiele przydasz się Panu.

Uniósł prawą dłoń, nad którą pojawiły się niebieskie i złote błyskawice. W następnej chwili uformowały się w energetyczną kulę, którą oplatały miniaturowe pioruny. Ariel przestała się szamotać, zbyt oszołomiona i wstrząśnięta.

Żegnaj, Ariel.

Jego słowa rozbłysły w jej umyśle z siłą fali uderzeniowej. Przerażenie chwyciło ją za gardło, gdy wycelował dłoń w jej stronę, a kula zawisła na wysokości jej oczu.

To już naprawdę koniec.

Uniosła jeszcze wzrok i spojrzała na niego wyzywająco. Kąciki jej ust zadrżały lekko.

– Proszę. Zabij mnie i miejmy to już z głowy – powiedziała, po czym zacisnęła mocno powieki, odliczając ostatnie sekundy.

– Nie!!!

Z początku wydawało jej się, że ten krzyk dochodzi gdzieś z jej głowy. Gdy rozpoznała głos Sato, otworzyła gwałtownie oczy. Dokładnie w tym momencie jej przyjaciel zamachnął się trzymanym w dłoni sztyletem, raniąc Balara w ramię.

Mężczyzna skrzywił się tylko i odwrócił w stronę wojownika, który stanął przed nim, gotowy skoczyć po raz drugi. Na bladej twarzy Sato wściekłość mieszała się z bólem. Rozchylił wargi, odsłaniając śnieżnobiałe zęby, a z jego gardła wydobyło się głuche warknięcie, które przetoczyło się po okolicy niczym grzmot. Ariel zdążyła zauważyć liczne zadrapania na jego odsłoniętych ramionach, z których zwisały resztki zaplamionej i brudnej tuniki. Choć patrzyła prosto w jego jarzące się w mroku oczy, nie spojrzał na nią ani razu.

– Zapłacisz za to, draniu! – odezwał się ostro, zaciskając pobielałe palce na rękojeści zakrwawionego sztyletu.

– Nie wtrącaj się, kundlu. – Lodowaty baryton Balara nie pozostawiał żadnych wątpliwości.

– Sato, nie! – krzyknęła rozpaczliwie Ariel, ale było już za późno. Kiedy wojownik zranił Balara, podtrzymujące ją więzy zniknęły razem z magiczną kulą. Teraz patrzyła bezradnie, jak w dłoni mężczyzny pojawiło się ogromne pióro przypominające kształtem miecz.

Zrobiła krok do przodu, by go powstrzymać, gotowa bronić swojego przyjaciela, ale nogi odmówiły jej posłuszeństwa. Zanim straciła przytomność, zobaczyła jeszcze, jak czarne pióro z szybkością strzały szybuje prosto w stronę Sato.

Rozdział XXXVII

erela obudziły jakieś hałasy dobiegające gdzieś z góry. Opuścił swoją twardą pryczę i po ciemku podszedł do drzwi. Usłyszał szybkie kroki na schodach, a potem skrzypnięcie otwieranych drzwi. Następnie cały dom rozbrzmiał krzykiem i przekleństwami Cyrreta. Tupot jego bosych stóp rozległ się gdzieś bardzo blisko, więc na wszelki wypadek chłopak wolał nie otwierać. Wpatrywał się w nie tępo, ziewając i drapiąc się po głowie.

Coś musiało się stać – pomyślał obojętnie. To nie był jego problem i nie zamierzał nawet poświęcać mu pięciu minut. Chyba że ten nocny napastnik zabiłby jego pana. Wtedy by wyszedł i osobiście mu podziękował.

Pana? Uniósł brwi i odwróciwszy się od drzwi, rozejrzał po mrocznej komórce, która była jego nowym mieszkaniem.

Od kiedy zacząłem nazywać go swoim panem?

Od kiedy jesteś jego niewolnikiem, durniu – odpowiedział sobie w duchu.

Cerel jeszcze nigdy w życiu nie czuł w sobie tyle goryczy i upokorzenia. Już prawie tydzień mieszkał w etterze, razem z Cyrretem – którego ludzie najechali na jego wioskę.

Właściwie to nie było aż tak źle, jak przypuszczał. Jak na razie musiał być na każde zawołanie swojego pana i robić wszystko, co kazał. A jego zadaniem było głównie utrzymywanie porządku w całej posiadłości i przygotowywanie posiłków. Rzadko widywał Cyrreta, który znikał gdzieś na całe dnie. Można więc było powiedzieć, że miał dla siebie dużo czasu. Pod warunkiem, że wcześniej uwinął się ze swoimi obowiązkami.

Czasem do etteru przychodzili inni mężczyźni. Wojownicy zamykali się w gabinecie, a jego zadaniem w tym czasie było dostarczenie im przekąsek i trunku. Potem zamykał się w swojej malutkiej komórce i czekał, aż ponownie nie zostanie wezwany. Czasem trwało to kilka godzin, casem krócej. Wtedy nigdy nie ryzykował ukradkowego wymknięcia się z domu. Uznał, że skoro już musi grać rolę niewolnika, to lepiej nie narażać się temu draniowi. Chciał zyskać sobie jego przychylność, a przede wszystkim czas.

Najbardziej ze wszystkich wojowników przerażał go Ortis. Od dnia, w którym zabił jego rodziców, jego widok wzbudzał w nim mieszankę wstrętu i gorzkiej nienawiści. Jednak strach przed nim był na tyle silny, że w jego obecności dosłownie go paraliżował. Ilekroć Ortis zjawiał się w posiadłości, chłopak starał się schodzić mu z drogi. Jednak ten młody wojownik zdawał się czerpać jakąś chorą radość ze zmuszania jego serca do szybszego bicia. Czasem uśmiechał się do niego przelotnie, jakby znał jego najskrytsze myśli. A czasem podchodził do niego niebezpiecznie blisko i mrużył swoje drapieżne oczy, jednoznacznie oblizując wargi.

Ortis nie był człowiekiem i Cerel doskonale to wyczuwał. Przy nim czuł się jak bezbronne zwierzątko, które dawno zostało przeznaczone na posiłek. Ten osobnik w ogóle był czymś, czego nie potrafił pojąć. Bo nie znał na tym świecie żadnej istoty, która żywiłaby się ludzką krwią. To było chore, obrzydliwe i przerażające. Może poza granicami Reed istniały inne równie niewyobrażalne kreatury, o których nie wiedzieli nawet najstarsi tej wioski. W końcu żyli z dala od cywilizacji, na skraju Elderolu, gdzie nie dochodziły nawet informacje ze stolicy.

Chłopak wiedział jednak, że Ortis jest inny. Jedyny w swoim rodzaju. I pragnie krwi. Jego krwi. Czuł to każdym skrawkiem ciała od czasu, gdy po raz pierwszy go spotkał. A to czyniło go jeszcze bardziej niebezpiecznym. Stanowił też poważną przeszkodę w realizacji jeszcze nieopracowanego planu ucieczki. Nadludzkie zdolności Ortisa zapewne jeszcze nie raz utrudnią mu życie.

– Cerel! W tej chwili do mnie!

Wrzask rozbrzmiał w całym domu, odbijając się od ścian głuchym echem. Cerel podskoczył w miejscu i powrócił do rzeczywistości. Spojrzał na drzwi, a gdy Cyrret ponownie go wezwał, był już zdecydowany.

Wojownik był wściekły, a to znaczyło, że lepiej nie wchodzić mu w drogę. Może zignorowanie rozkazu było kiepskim pomysłem, ale wolał wybrać mniejsze zło. Natychmiast zaczął działać. Chwycił krzesło z kąta i postawił je na sienniku, tuż przy ścianie. Następnie wspiął się na nie i balansując na palcach, otworzył okno. Podciągnął się na wąski parapet i wyjrzał na zewnątrz. W mdłym księżycowym blasku nikogo nie dostrzegł, więc spokojnie usiadł na parapecie i skoczył.

Wieczorem musiało trochę padać, gdyż ziemia była błotnista i miękka. Spod jego stóp rozległo się głośne mlaśnięcie, gdy wylądował tuż przy tylnej ścianie etteru. Grzęznąc w błocie, skrył się w cieniu i ostrożnie wyjrzał na ulicę. Pozostawione wzdłuż ulicy i na nabrzeżu pochodnie płonęły jasnym żółtym światłem. Poza tym wioska wyglądała jak wymarła. Cerel opuścił cień domu i przebiegł piaszczystą drogę, kierując się na plażę. Gdy usłyszał czyjeś kroki, zatrzymał się gwałtownie. Błyskawicznie zanurkował pod najbliższy krzak, tuż koło jednej z pochodni, na skraju drogi. Miał nadzieję, że zbyt jasne światło go nie zdemaskuje. Rozejrzał się ze swojego ukrycia, ale w pierwszej chwili był zbyt oślepiony blaskiem ognia, by cokolwiek zauważyć. Dopiero po kilku chwilach rozpoznał zbliżające się sylwetki i głosy.

Ortis i Shaia.

Wojownik jak zwykle szedł bez pośpiechu i swobodnie. Shaia kroczyła obok niego ze zwieszoną głową, a obejmujące ją męskie ramię nie dawało żadnej nadziei na ucieczkę. Ortis zerkał na nią co rusz i mówił coś przyciszonym głosem, jakby starał się ją do czegoś przekonać. Cerel mimowolnie zacisnął szczęki i zmarszczył brwi, kiedy przyglądał się

Shai. Jej postawa wyrażała rezygnację i rozpacz. Brudne, skołtunione włosy straciły swój złoty blask. Wciąż miała na sobie tę samą sukienkę, teraz brudną i dziurawą. Wyglądała po prostu żałośnie.

I dobrze. W końcu ktoś zdarł z twojej twarzy pychę. I jak się teraz czujesz, księżniczko? W końcu masz za swoje.

Przemawiała przez niego jedynie mściwa satysfakcja. Może i w takiej sytuacji nie było to na miejscu, ale nic nie mógł na to poradzić. Ta przemądrzała dziewucha w końcu zmierzyła się z rzeczywistym światem i najwyraźniej nie przypadł jej do gustu. Ten wniosek nieco poprawił mu humor. Poczekał, aż się oddalą, a potem z lekkim uśmiechem na wargach odwrócił się i pobiegł w stronę plaży.

Szum morza podziałał na niego kojąco. Spieniona woda miała kolor nocnego nieba, gdzieniegdzie rozjaśniał ją pomarańczowy blask rzucany przez pochodnie. Cerel usiadł na piasku, krzyżując przed sobą nogi, i odetchnął głęboko słonym, rześkim powietrzem. Do świtu pozostało jeszcze kilka godzin, które spokojnie mógł spędzić sam ze sobą. W dzień miał za dużo pracy, by znaleźć czas na poukładanie kłębiących się w głowie myśli.

Jego wzrok powędrował w bok. Kilkanaście metrów dalej, tuż przy brzegu, budowano port. Praca posuwała się dość sprawnie i szybko. Drewniane pomosty były już w połowie ukończone. Na piasku leżały pozostawione narzędzia, równo poukładane deski i nieobrobione jeszcze pnie drzew.

Cerel najbardziej żałował lasu. Z każdym dniem ubywało drzew i las coraz bardziej się przerzedzał. Drewno wykorzystywano nie tylko do budowy ramp, ale też domów i statków. Wojownicy zagnali wieśniaków do pracy, choć sami również nie próżnowali. W głębi doliny powstawały nowe domy i szałasy, zapewne dla liczniejszej armii, która widocznie miała się tu zadomowić na dłużej.

Przy budowie pracowali nie tylko młodzi mężczyźni, ale również starcy i dzieci. Cerel miał szczęście, że nie musiał harować. Mógł to uznać za łaskę bogów i głupie szczęście. Kobiety, bez względu na wiek, zajmowały się przyrządzaniem posiłków i praniem, zaś w nocy zaspokajaniem potrzeb najeźdźców.

Na myśl o kobietach ogarnął go głęboki smutek i ból. Eissa. Jego ukochana Eissa, która zginęła tak głupią śmiercią. Nie zdążył nawet powiedzieć, jak bardzo ją kochał. Wciąż jej pragnął, choć nie żyła od tylu dni. Jej ciało może spoczywało już w ziemi, a może zapomniano o niej i wciąż leżała w tamtej starej szopie. Na wspomnienie ostatnich spędzonych z nią chwil coś ścisnęło go za serce. To przecież wtedy zamierzał poprosić ją o rękę. W dniu swoich urodzin.

Za rok stanie się dorosłym mężczyzną. I co z tego?

Słyszysz, Eisso? Ja nadal cię kocham! Nie chcę innej żony!

Uniósł głowę i spojrzał w niebo. Kilka gwiazd mrugało do niego z góry, jakby naśmiewały się z jego rozpaczy. Tak bardzo chciał być dorosły i co z tego? To już nie miało znaczenia, skoro jego plany i marzenia legły w gruzach. Pomyślał o rodzicach. Oni też z pewnością nie tak wyobrażali sobie własną śmierć. Wciąż byli zdrowi i silni. Zdolni do pracy i wychowania takiego egoistycznego gnojka.

Zginęli jako pierwsi, a on nie miał okazji nawet się z nimi pożegnać. W dodatku rozstali się w niezbyt przyjaznej atmosferze. Ale czy gdyby cofnął czas, zachowałby się inaczej? Chyba nie. Bo był skończonym idiotą i egoistą. Chociaż Eissa i na to znalazłaby odpowiednie usprawiedliwienie.

Podkurczył nogi do brzucha i oparł brodę na kolanach. Gdyby tylko mógł być teraz z Eissą. Nie obchodziłoby go nawet, co się stanie z wioską i mieszkańcami. Nie obchodziłoby go nawet, że znajdują się w niewoli. Jej dźwięczny śmiech i dotyk miękkich dłoni wystarczyłyby mu całkowicie do szczęścia. Mogliby razem przetrwać jakoś ten trudny okres, podtrzymywani własną miłością. Mógłby nawet przeżyć najgorsze upokorzenie i tortury, gdyby tylko wiedział, że potem spędzi z nią całą wieczność.

Nachmurzył się. Tylko że Eissa by mu nie pozwoliła. Niemal słyszał,

jak szum morza niesie ze sobą jej głos: „Uciekaj! Musisz stąd uciec…
Musisz przeżyć i uratować wioskę".

Tak. Nic go już tutaj nie trzymało. Mógłby opuścić Reed i zatrudnić
się gdzieś jako uczeń. Przybierze nowe imię i nową tożsamość. Stanie
się innym człowiekiem i zapomni o swoim poprzednim życiu.
A co z Tirilem, Maredem i Zinnem? To jego przyjaciele. Ma ich
tutaj zostawić?

Przez chwilę patrzył bez ruchu w morze, przygryzając wargę. A potem wstał gwałtownie i ruszył szybko wzdłuż brzegu.

– Tak – odpowiedział głośno.

Szedł przed siebie, ze wzrokiem wbitym w piasek i splecionymi
za plecami dłońmi. Wyraz jego twarzy był ponury, ale zdecydowany.
Ucieknie.

Sam.

Tylko tak mógł prześlizgnąć się między strażnikami. Chłopcy jakoś
poradzą sobie bez niego. W końcu przyznaliby mu rację, że są po prostu
sytuacje, kiedy człowiek przede wszystkim musi ratować własną skórę.
Być może później, kiedy już się urządzi w nowym miejscu, zawiadomi
hrabiego o tym, co tu się dzieje.

Podjąwszy taką decyzję, zawrócił w stronę etteru, ale nie spieszył
się. Do świtu pozostało trochę czasu. Wystarczająco dużo, by obmy-
ślić plan ucieczki.

* * *

Takyn leżał rozciągnięty na swojej pryczy, zaś Navana stał oparty o okno
i wyglądał na zewnątrz. Popołudniowe słońce barwiło niebo na pomarańcz gdzieniegdzie przechodzący w róż. Pojedyncze promienie
wpadały do izby, tworząc na podłodze pojedyncze smugi, w których
świetle tańczyły drobiny kurzu.

– Myślisz, że możemy to zrobić? – odezwał się Takyn, spod pół-
przymkniętych powiek wpatrując się w belki sufitu.

– A dlaczego nie?

Navana obserwował ruch w wiosce. Jej mieszkańcy pracowali bez wytchnienia przy budowie portu i domów. Niektórzy przynosili z lasu drewno, inni oczyszczali je i cięli na deski. Wokół kręciły się kobiety, roznosząc napoje i jedzenie. A wszystkiego pilnowali rozstawieni wokół całej wioski strażnicy.

Aż trudno było uwierzyć, że tak malutka i spokojna niegdyś wioska Reed przemieni się w tętniące życiem miasteczko. Wystarczyło tylko odrobinę zmusić tych wieśniaków do roboty, a natychmiast potrafili zrobić całkiem niezły użytek ze swoich rąk i otaczających ich naturalnych surowców.

Do brzegu właśnie dobijała rybacka łódka. Wojownik bez zbytniego zainteresowania obserwował, jak jej dziób grzęźnie w piasku, po czym na brzeg wysiadają najpierw dwaj wojownicy, a potem dwaj niewolnicy, ciągnąc za sobą wypełnioną rybami sieć.

– Niedługo musimy wracać – odparł Takyn.

Navana skrzyżował ramiona na piersi, oparł się o ścianę i popatrzył na brata. Podobnie jak on, miał na sobie jedynie lekkie spodnie do kolan. Ich nagie jasnoczekoladowe torsy przypominały na słońcu piasek pustyni. Pomimo chłodniejszego klimatu jakoś nie potrafili przywyknąć do noszenia tunik, które drapały w skórę. Tutaj przynajmniej nie pocili się tak często, a chłodniejsze noce były dla nich szczególnie orzeźwiające.

– Ale jeszcze nie teraz. Jej Wysokość Chenija rozkazała nam wrócić przed ceremonią Okjary. Mamy więc jeszcze około trzech tygodni.

Takyn splótł dłonie na brzuchu i prychnął.

– Moim bogiem jest Zarr. Jakim prawem mam uznawać kobietę bóstwo?

– Takim, że jesteś zaufanym szpiegiem królowej. To ona mówi ci, kogo masz zabić i w kogo wierzyć. Dlaczego po tylu latach nagle zaczynasz się buntować?

– Jestem mężczyzną. Wojownikiem. To naturalne, że uznaję tylko Zarra. A ty nie?

– To nie jest ważne – odpowiedział spokojnie Navana. – Gdybym wiedział, że naszła cię ochota na takie dogmatyczne rozważania, poszedłbym na patrol.

Takyn uniósł się na łokciach i popatrzył na starszego brata ze zmarszczonym czołem.

– Ty naprawdę jesteś ślepo wierny królowej.

– Tak.

– I nie obchodzi cię, co się stanie z tym krajem?

Navana uśmiechnął się lekko.

– Szczerze mówiąc, to nie za bardzo. Mieliśmy tylko wybadać, jaka jest sytuacja w Elderorze i czy mamy jakiekolwiek szanse na jego podbój. Ale wiemy o tym tylko my i królowa. Nammir zawsze utrzymywał pokojowe stosunki z sąsiadami i lepiej będzie, jeśli nikt nie dowie się o celu naszej wizyty.

Takyn opadł z westchnieniem na poduszki. Potarł zaspane oczy, odgarniając z czoła wypłowiałe kosmyki włosów.

– Może i masz rację. Jak zawsze jesteś cholernie praktyczny. Właściwie to cieszę się, że nasza misja dobiegła końca. Robi się tutaj coraz bardziej niespokojnie. Ten kraj jest aż za łatwym celem. Z jednej strony rosnąca bieda i niezadowolenie, z drugiej jakieś podrzędne bóstwo, które chce władzy na ziemi.

– Ale przyznasz, że to jest nawet interesujące. Chciałbym zostać dłużej i zobaczyć, jak z tym wszystkim poradzi sobie ich młodociany król.

– Więc jednak mamy to zrobić?

– Cyrret nas o to prosił. Co nam szkodzi? Przed powrotem możemy chyba spełnić tak drobną prośbę człowieka, który był dla nas miły.

– Tak, ale...

– Ale?

– Mieliśmy nie ingerować w sprawy tego kraju. Naszym zadaniem miała być tylko obserwacja.

– Zgadza się. Nie robimy nic wbrew rozkazom królowej.

– A to, co za naszym pośrednictwem chce zrobić Cyrret?

– To nic takiego. Tutaj nikt nie wie o naszych zdolnościach i nigdy o nich nie słyszał. Podobnie jak o Śniących. Myślę, że prośba kapitana nie jest zbyt wymagająca.

– Zdajesz sobie sprawę z tego, że jeśli wyda się, że korzystaliśmy tu z naszej Mocy, królowa będzie bardzo, ale to bardzo niezadowolona?

– Za bardzo panikujesz, Takyn. – W głosie Navany zabrzmiała ostrzejsza nuta. Odwrócił wzrok od okna, by popatrzeć na leżącego na łóżku brata. – Mamy tylko przeszukać umysły ludzi i wszczepić w niektóre pomysł buntu przeciw królowi. Nikomu nawet nie przyjdzie do głowy, żeby podejrzewać konkretną osobę. To będzie wyłącznie ich pomysł.

Takyn westchnął.

– Więc jednak chcesz to zrobić?

– Tak. Może być nawet zabawnie, nie sądzisz?

– Skoro tak twierdzisz. Nie będę podważał twoich słów, drogi bracie.

Takyn odetchnął głęboko, po czym powoli wypuścił powietrze z płuc, uspokajając oddech. Ułożył się wygodniej, kładąc ręce wzdłuż ciała i zamknął oczy. Oczyścił umysł z wszelkich myśli i wprowadził się w głęboki, senny trans. Od razu zalały go myśli i uczucia niewolników i towarzyszy, więc potrzebował chwili, by jakoś je poukładać i uspokoić. Tylko przez moment pozwolił sobie na obserwację, ciekaw, co się wokół dzieje.

Ich myśli krążyły wokół głodu, fizycznego zmęczenia, troski o bliskich i rodzinę oraz strachu o własne życie. Otaczała ich zbyt głęboka aura zniechęcenia i rozpaczy, by choćby pomyśleli o ucieczce. Jego towarzysze z oddziału skupieni byli na pracy lub drobnych przyjemnościach umilających dłużący się czas. Niektórych przepełniała brutalna satysfakcja z poniżania grupy niewolników, inni byli zbyt pijani, by trzeźwo myśleć. Z kilku domów dotarło do niego echo czystego pożądania i fizycznej rozkoszy, przemieszane z tępą rezygnacją kobiet.

W końcu uwolnił się od otaczających go doznań i powędrował dalej. Elderol był znacznie bardziej rozległy i zaludniony niż jego rodzinny kraj. Wędrował od wioski do wioski, muskając po drodze niezliczone myśli i analizując docierające do niego uczucia. Wyłapywał te, których mógłby użyć. Większą uwagę poświęcał uśpionym umysłom. Bez trudu mógł się do nich dostać, do samego dna podświadomości. Tylko tam mógł podsunąć fałszywe myśli, a nawet zaszczepić uczucie nienawiści czy miłości. Jako Śniący mógłby też przez pewien czas kontrolować wybrany umysł, do tego jednak potrzebna była większa koncentracja i pomoc drugiego Śniącego.

W tej chwili wystarczyło zakraść się do kilku podświadomości i zaszczepić w nich gniew, który łatwo przerodzi się w bunt przeciw królowi. Musiały to być jednak osoby charyzmatyczne i wystarczająco wpływowe, by pociągnąć za sobą tłumy.

Przeskakując od jednego zbiorowiska ludzi do drugiego, odczytywał niezadowolenie i niepewność, przekonanie, że król kompletnie nie interesuje się ludem. Brakowało pieniędzy, materiałów do pracy i często żywności. To wszystko rodziło rozgoryczenie i narastającą frustrację.

Takyn nawet się nie spodziewał, że będzie to takie łatwe. Ten kraj sam się aż prosił o bunt. Ludzie pragnęli coś zmienić, ale nie mieli odwagi. Wystarczyło delikatnie ich popchnąć i wskazać właściwy tok myślenia, by zaczęli działać. Nikomu nawet nie przyjdzie do głowy, by kojarzyć to z ingerencją jednego człowieka.

Naraz wyczuł coś dziwnego. Jeden umysł wyraźnie odróżniał się od reszty. Należał do kobiety. Spała, więc bez problemu mógł przeniknąć do jej myśli i podświadomości. Najpierw ostrożnie wślizgnął się do jej snu. Był interesujący, ale nie zaskakujący. Kobieta śniła o mężczyźnie. Było to całkowicie zakazane uczucie, które w jej podświadomości urzeczywistniało się w dość odważnej fantazji. Zapuścił się głębiej i delikatnie zaczął penetrować jej myśli. Szybko uzyskał interesujące go informacje. To, co odkrył, wprawiło go w prawdziwe zaskoczenie.

Pospiesznie wycofał się z jej jaźni i powrócił do swojego ciała. Pozostając w sennym transie, wyszukał znajomy umysł. Nie spał, więc trudniej mu było go dotknąć, ale w końcu się udało.

Navana!

Nie od razu uzyskał odpowiedź, ale czekał spokojnie. Po chwili wy-czuł gdzieś w oddali skrzypienie łóżka, na którym leżał, a potem czyjeś palce musnęły jego dłoń.

Takyn – odpowiedział w końcu, łącząc się z jego umysłem. Już po chwili trudno było odróżnić który to który. Myśli i uczucia zlały się w jedno. Kogoś niedoświadczonego mogłoby to doprowadzić do sza-leństwa, ale bracia byli mistrzami w swoim fachu.

Znalazłeś coś ciekawego?

Tak. Musisz to zobaczyć.

Takyn poprowadził go jeszcze raz tą samą drogą, teraz już nie zwra-cając uwagi na morze przepływających wokół myśli. Szybko odnalazł kobietę i pokazał bratu to, co przed chwilą sam oglądał. Navana spo-kojnie przejrzał jej umysł i w milczeniu analizował zdobyte informacje.

I co o tym myślisz?

Skąd ona się tu wzięła?

Sam widziałeś. Teraz już wiemy, gdzie ukryła się jej matka. Powinniśmy zawiadomić królową.

Tak. Ale widzę tutaj inną ciekawą możliwość.

Takyn nie musiał pytać, co chodzi mu po głowie, bo myśli brata były jego myślami. Jednak ten pomysł nie przypadł mu do gustu. Zmarszczył przez sen brwi.

Nie pamiętasz? Żadnych ingerencji. Przeglądnie umysłów to jedno, ale to…

Ona stanowi zagrożenie dla ludzi. Jeśli nie teraz, to w przyszłości. Nie wiem, jakim cudem jej matce udało się uciec, ale teraz musimy naprawić ten błąd.

Narażając własne życie?

Nasz bóg nas chroni. Poza tym mamy błogosławieństwo samej królowej. Zbyt wiele przeszliśmy, by coś miało pójść nie tak.

Jak uważasz, tylko…

Nagle jakaś siła wypchnęła ich z umysłu kobiety tak gwałtownie, że obaj, w jednej chwili wybudzili się z transu. Takyn otworzył oczy i usiadł, napotykając równie zaskoczone spojrzenie brata. Zmarszczyli brwi niemal w tym samym czasie.

– Co to było? – odezwał się pierwszy Takyn.

Navana miał spokojny wyraz twarzy, choć gdzieś na dnie oczu czaił się niepokój.

– Bez wątpienia inny Śniący.

– Ale tutaj? – Takyn uniósł brwi, szczerze zaskoczony. – Przecież jesteśmy jedynymi…

– Najwyraźniej już nie.

– Myślałem, że Elderolczycy nie posiadają takich umiejętności.

– Więc albo jednak je posiadają, albo to ktoś z Nammiru i dobrze się maskuje. – Navana wstał i przeciągnął się.

– Co z tym zrobimy? – Takyn patrzył na brata z wyczekiwaniem.

– Nic. Przynajmniej z nim. Ten ktoś najwyraźniej znajduje się w pobliżu tej kobiety i ją chroni. To może skomplikować trochę sprawę.

Takyn westchnął cicho.

– Więc jednak zamierzasz to zrobić?

– Oczywiście. – Navana podszedł do drzwi z lekkim uśmiechem. – Mała zmiana planów. Przygotuj się do drogi, braciszku. Niech Cyrret sam martwi się o ich króla, my zabieramy tę kobietę i wracamy do domu. – Otworzył drzwi, wpuszczając do izby podmuch świeżego powietrza i ostatnie promienie zachodzącego słońca. Z oddali dobiegał szum morza przemieszany z gwarem rozmów i krzyków. W progu mężczyzna odwrócił głowę. – Prześpij się teraz. Niedługo opuszczamy wioskę.

– A ty gdzie idziesz? – Takyn posłusznie opadł na poduszki i przekręcił się na bok. Zamknął oczy, ale kiedy usłyszał cichy śmiech brata, otworzył jedno i spojrzał na niego.

– Idę odwiedzić pewną interesującą niewolnicę. Wypatrzyłem też jedną dla ciebie, ale wiem, że takie rzeczy cię nie interesują.

– Czy mam na ciebie czekać?

– Nie. Jeśli coś by się działo, wezwij mnie.

Navana wyszedł, zamykając za sobą drzwi. Izba pogrążyła się w ciszy i mroku. Takyn przewrócił się na drugi bok i prychnął pod nosem. Zamknął oczy, wyrównując oddech. Szybko namierzył brata kierującego się do domu kobiet.

Dlaczego z góry założyłeś, że się nie zgodzę? Trzeba było najpierw zapytać. Wysłał ku niemu myśli, niemal brutalnie wpychając się do jego umysłu. Wyczuł rozbawienie Navany, co jeszcze bardziej go zirytowało.

A chcesz?

Nie – odpowiedział obrażonym tonem.

Drogi bracie, bezkarne korzystanie z przyjemności jest jedną z zalet przebywania w tym kraju.

Żebyś tylko przypadkiem się nie zakochał.

Chodziło mi raczej o przyjemność fizyczną. W Elderolu kobiety są całkiem inne. Uległe i posłuszne.

Z pewnością. Pamiętaj jednak, że nie wolno nam się w nikim zakochać.

I kto to mówi. O ile dobrze pamiętam, zostawiłeś swojego kochanka w kompletnej rozsypce. Żegnałeś się z nim stanowczo za długo. Gdyby ktoś was przyłapał, obaj byśmy za to zapłacili. Pamiętaj, braciszku, że narażam dla ciebie życie, więc czasem też mi się coś należy.

Takyn wycofał się z jego umysłu, wściekły i naburmuszony. Skulił się na swoim posłaniu i szybko zapadł w głęboki, pozbawiony marzeń sen.

Taki był najlepszy na zmęczenie i troski.

Rozdział XXXVIII

airi stanęła na trawiastym zboczu i zmarszczyła brwi. Południowy wiatr wydął jej zgniłozieloną suknię i potargał włosy. Wybrała niezbyt odpowiednią pogodę na odwiedziny, ale kto mógł przypuszczać, że poranne słońce całkowicie zniknie pod ciężkimi deszczowymi chmurami. Burza wisiała w powietrzu i kobieta miała nadzieję, że zdąży się przed nią schronić.

Ale czy to, co miała przed sobą, aby na pewno było celem jej wyprawy?

Osłonięta z jednej strony ścianą lasu, z dala od głównego traktu, stała przycupnięta posiadłość. A właściwie stara rudera.

Rairi z niesmakiem pokręciła głową i cmoknęła. Zdecydowanie ich gusta bardzo od siebie odbiegały. Ona nigdy, nawet tymczasowo, nie zamieszkałaby w tak zaniedbanym i zniszczonym miejscu. Stary ceglany dom nie miał części dachu, liczne dziury w ścianach i niemiłosiernie brudne, wręcz czarne okna. Cała okolica porośnięta była wysoką trawą i chaszczami, a z dawnego muru pozostały jedynie walające się wokół gruzy.

Sama właściwie nie wiedziała, dlaczego akurat dzisiaj postanowiła go w końcu odwiedzić. Może dlatego, że chwilowo nie miała nic do roboty i się nudziła. Tyle tygodni zwlekała z tą wizytą, że chyba każdy pretekst był dobry.

Uniosła lekko głowę, spoglądając w brudne, ciemne okna. W jednym, na najwyższym piętrze, mignęła czyjaś sylwetka. Jej wargi rozciągnęły się w drwiącym uśmiechu. Płynnym, pełnym gracji ruchem, ruszyła wolno w stronę posiadłości. Wysłała w stronę Balara myśli, wyczuwając, jak jej magia sprawia mu ból, kiedy wdarła się do jego umysłu.

Wiem, że mnie widziałeś.

Cieszę się, że jesteś taka spostrzegawcza – zakpił.

Nie masz za grosz dobrych manier, Balarze. Jako pan domu powinieneś wyjść na spotkanie damie.

Nie zauważyłem tutaj nigdzie damy.

Jesteś dzisiaj niemiły.

Wybacz, że twój widok nie napawa mnie optymizmem.

Chciałam zrobić ci niespodziankę. Myślałam, że je lubisz.

To zależy od niespodzianki. Mogłaś mnie uprzedzić, że przybędziesz.

Następnym razem na pewno tak zrobię – odpowiedziała oschle. Ze skwaszoną miną rozglądała się wokół. Przy głównych drzwiach zatrzymała się na schodku i uniosła wzrok. *A więc nie przywitasz mnie na progu?*

Nie. Wiesz, gdzie mnie znaleźć.

Rairi westchnęła cicho. Spojrzała na zardzewiałe dwuskrzydłowe drzwi. Zaczerpnęła odrobinę Mocy i pchnęła ją lekko przed siebie. Jedno skrzydło uchyliło się bezgłośnie. Zaledwie przestąpiła próg, znalazła się w mrocznym, rozległym holu. Przez wysokie podłużne okna wpadało niewiele światła dnia, a co dopiero mówić o słońcu. Wyblakła posadzka odbijała każdy krok zwielokrotnionym echem. Aż trudno uwierzyć, że w tych warunkach w ogóle da się mieszkać.

Z miną wyrażającą głęboki wstręt Rairi weszła na schody i nie dotykając poręczy, zaczęła wspinać się na sam szczyt. Teraz jakoś nie potrafiła sobie tego wyobrazić, ale kiedyś ta rezydencja z pewnością musiała być jeśli nie olśniewająca, to przynajmniej elegancka. Na pokrytych pajęczynami ścianach wciąż odcinały się jaśniejsze plamy po obrazach, a co kilka kroków można było dostrzec żelazne obręcze na świece.

Na najwyższym piętrze zatrzymała się w mrocznym korytarzu i rozejrzała. Każde zamknięte drzwi wyglądały tak samo. Nie dochodził zza nich żaden dźwięk, jednak bez problemu wybrała odpowiednie.

Kierowała się słyszalnym tylko dla niej biciem serca. Nie dziwiła się, że dom wyglądał jak wymarły, bo słyszała, że cała służba znajduje się w kuchni.

Bez pukania weszła do komnaty i zamknęła za sobą drzwi. Pokoik był wręcz niestosownie brudny i skromny. Wnętrze oświetlała niewielka kula światła zawieszona tuż pod sufitem. W jej sztucznym żółtym świetle na ścianach rysowały się wyolbrzymione cienie stołu i ludzkiej sylwetki. Balar stał przy oknie, odwrócony do niej plecami. Miał na sobie czarne spodnie i długą, luźną tunikę. Zarys mięśni pod materiałem wzbudził w niej znajome ciepło gdzieś w okolicach brzucha. Bez płaszcza i miecza mężczyzna wyglądał całkiem zwyczajnie. Wciąż dystyngowanie, ale zwyczajnie.

Chciała wniknąć w głąb jego myśli, ale jak zawsze napotkała barierę. Uśmiechnęła się lekko. Żadnym ruchem mięśni nie dał po sobie poznać, że wie o jej obecności, choć z pewnością tak było.

– Dlaczego nie zamieszkasz w czymś porządniejszym? Albo przynajmniej nie wyremontujesz tej rudery?

– Nie mam na to czasu – odpowiedział krótko. Wpatrywał się gdzieś przed siebie, nie zaszczyciwszy jej ani jednym spojrzeniem.

Na gładkim czole Rairi pojawiła się pojedyncza bruzda niezadowolenia.

– Mężczyźni – prychnęła. – Nie macie za grosz dobrego smaku.

Nie odpowiedział, jakby w ogóle nie usłyszał jej słów. Zbliżyła się bezgłośnie i zatrzymała krok przed nim. Wpatrywała się w zarys jego pleców i mięśni ramion pod cienką tuniką. Musnęła palcami jego kark i powędrowała niżej, wzdłuż kręgosłupa. Jego mięśnie natychmiast się napięły.

– Jesteś spięty – wymruczała.

Objęła go w talii i przytuliła się do niego całym ciałem. Syknął cicho i drgnął niespokojnie.

– Czy mój dotyk już tak bardzo cię odrzuca? Myślałam, że moje pieszczoty sprawiają ci przyjemność.

– Za dużo myślisz, Rairi – odparł spokojnie, z nutą napięcia w głosie.

– A więc nie zaprzeczysz?

– Nie o to chodzi.

– A o co? Ze mną w końcu możesz być szczery. Stęskniłam się za tobą, a ty traktujesz mnie tak oschle – pożaliła się ze smutkiem.

– Znowu chcesz wzbudzić we mnie poczucie winy?

– Nigdy nie chciałam od ciebie litości.

– Może i nie. Tylko ślepego posłuszeństwa. A to wyklucza coś takiego jak współczucie czy zaufanie.

– Więc mi nie ufasz?

Parsknął krótkim śmiechem.

– Sama powtarzałaś, żebym nikomu nie ufał, nie pamiętasz?

– Nie wiedziałam, że tak poważnie traktujesz wszystkie moje słowa.

– Nie wszystkie. Ale z pewnością większość. Tylko dlatego jeszcze żyję.

Rairi odsunęła się, urażona jego odpowiedzią.

– Przykro mi, że kiedykolwiek pomyślałeś, że mogłabym cię zabić.

Odwrócił się w końcu i spojrzał na nią. Jego czarne oczy jarzyły się w magicznym świetle niepokojącym blaskiem. Na wargach igrał mu ponury uśmieszek.

– A tak nie jest?

Spojrzała prosto w te czarne punkciki i przechyliła lekko głowę.

– Jeśli nie dasz mi powodu. – Zbliżyła się do niego i położyła smukłą dłoń na jego torsie. – Dzisiaj mnie zawiodłeś. Wciąż oczekuję właściwego powitania.

Naparła na niego całym ciałem, aż cofnął się i przysiadł na parapecie. Zmusiła go, by nie odwracał wzroku. Wodziła dłońmi po jego ramionach i karku, wyczekując z jego strony jakiejkolwiek reakcji.

Intrygował ją i jednocześnie irytował. Jeszcze żaden śmiertelny mężczyzna nigdy jej się nie oparł. Sama wybierała sobie kochanków i jeszcze żaden jej nie odmówił. Nigdy nikomu nic nie obiecywała i zawsze była wobec nich brutalna i agresywna. Przeważnie porzucała ich po jednej lub kilku nocach i natychmiast o nich zapominała.

Tak. To były tylko zabawki, którymi bawiła się, gdy miała ochotę. Nienawidziła ludzi i elfów. Obie rasy zasługiwały na zagładę i do tego dążyła.

Wpatrując się teraz w jego zaciśnięte, ale tak kusząco zmysłowe wargi, zastanawiała się, co tym razem robi nie tak. Balar był tylko kolejną zabawką. Pionkiem w rozgrywce między potęgami tego świata.

Był też spadkobiercą Mocy Kruka i niedoszłym królem.

Stanowił fascynujący obiekt do zdobycia. Bawiły ją jego opór i dystans, choć zawsze w końcu i tak jej ulegał. Poświęcała mu i tak zbyt dużo uwagi i czasem irytował ją ten bijący od niego chłód. Bo przecież każdy człowiek ma swoje potrzeby, nawet ona nie była z kamienia.

Tymczasem były chwile, kiedy naprawdę zastanawiała się, czy Balar nie ma zimnego kawałka głazu zamiast serca.

Coś zakłóciło jej rozważania. Na granicy umysłu pojawiło się wrażenie bólu. Z pewnością nie jej.

Uważnie przyjrzała się twarzy Balara. Dopiero teraz dostrzegła nienaturalną bladość i napięcie. Na zmarszczonym czole widniało kilka kropel potu. Odsunęła się nieznacznie, nie zdejmując dłoni z jego ramion.

– Byłeś tam – stwierdziła tylko.

Skinął głową.

– Dlaczego nic nie mówiłeś? I jak ci poszło?

Kącik jego warg drgnął nieznacznie.

– Wszystko przebiegło po myśli Gathalaga. Jormung był dla mnie wyjątkowo uprzejmy i chętny do współpracy.

Skinęła z aprobatą głową, po czym spuściła wzrok. Dostrzegła pod tuniką zarysy czerwonych podłużnych ran. Zmarszczyła brwi i zacisnęła usta.

– Jesteś ranny.

– To nic takiego.

– Uleczę cię.

– To naprawdę...

Położyła mu palec na ustach, po czym wzięła za rękę i pociągnęła w stronę pryczy.

– Tylko nie waż mi się protestować. – Nie przestając mówić, popchnęła go lekko na łóżko, sama usiadła obok i zaczęła zdejmować z niego tunikę. – Wiesz, że my, elfy, jesteśmy niezastąpione w uzdrawianiu. Gdybyś nie był taki dumny, mógłbyś mnie wezwać od razu, a nie bez sensu się torturować. Och...

Rairi rzuciła tunikę na podłogę. Na widok ran otworzyła szeroko oczy i wydała z siebie głębokie westchnienie.

Były dosłownie wszędzie. Zdawało się, że pokrywały każdy milimetr jego ciała. Długie, czerwone pręgi wyglądały naprawdę paskudnie. W wielu miejscach nakładały się na siebie i przecinały. Wszystkie niezagojone i głębokie, rozcinały skórę w brzydki sposób.

Powoli wyciągnęła rękę i jak w transie delikatnie musnęła palcami rany na plecach. Syknął cicho i wzdrygnął się z bólu. Była zaskoczona siłą jego cierpienia. Drugą dłoń położyła na jego barku i odetchnęła głęboko.

– Nie ruszaj się. Spróbuję coś z tym zrobić.

Zamknęła oczy i razem z Mocą zanurzyła się w jego ciele. Wysłała umysł głębiej, by zorientować się w ogólnej kondycji organizmu. Wszystkie organy, tkanki i mięśnie funkcjonowały prawidłowo, więc skupiła się na miejscach pokrytych ranami. Było ich jednak tak wiele, że z początku nie wiedziała, od czego zacząć. Żadna nie zagrażała bezpośrednio jego życiu i żadna nie krwawiła, ale wszystkie miały wspólną cechę: były szarpane i nierówne. Jakby zadane pazurami wyjątkowo brutalnej bestii.

Takie rany z pewnością były bolesne, trudno się goiły i zawsze pozostawiały po sobie blizny. Jednak nie było to coś, czego nie potrafiłaby uleczyć. W końcu w swoim życiu miała do czynienia z poważniejszymi urazami.

Całkowicie otworzyła umysł, ściągając ku sobie więcej magii. Wysłała ją w pierwszą ranę, którą uważała za najpoważniejszą. Oczyściła ją z zakrzepłej krwi, potem naprawiła cienką błonę wokół obrażenia. Za pomocą magii napięła skórę i wygładziła jej postrzępione brzegi. Poszczególne tkanki połączyła ze sobą w taki sposób, by pozostawić jak najmniejszy ślad.

Cała operacja zajęła jej więcej niż dziesięć minut. Proces zszywania był bardziej męczący, niż z początku się spodziewała, więc kiedy skończyła, czuła się naprawdę zmęczona. Mimo większego zużycia Mocy była zadowolona z efektu. Ostrożnie wycofała umysł z jego ciała i otworzyła oczy.

Tak jak się spodziewała, jedna z ran była niemal niewidoczna. Tylko słaby różowawy ślad świadczył, że kiedyś tutaj była. Z uśmiechem podziwiała swoje dzieło i już gromadziła kolejną wiązkę magii, kiedy stało się coś dziwnego i niespodziewanego.

Rana, którą właśnie uleczyła... pojawiła się na nowo. Czerwona pręga przecięła skórę dokładnie w tym samym miejscu, po czym jej brzegi otworzyły się w ten sam sposób.

Rairi zamrugała gwałtownie i zmarszczyła czoło. Nie zamykając oczu, skupiła Moc i ponownie posłała ją w to miejsce. Rozpoczęła cały proces od początku, tym razem szybko i niedbale łącząc włókna skóry.

Nie zdążyła się wycofać, kiedy blizna na powrót oszpeciła jego lewą łopatkę. Elfka zaklęła pod nosem, powtarzając całą operację. Po czwartej próbie była już sfrustrowana i nie tyle wykończona, co wściekła. Nawet jej elfia magia była tu bezużyteczna.

To na nic. Chciałem ci wytłumaczyć, ale nie dałaś mi dojść do słowa – odezwał się, gdy jej umysł wciąż dryfował w pobliżu rany.

Wycofała się i zapatrzyła na jego plecy z widoczną konsternacją. Zacisnęła wargi w wąską kreskę.

– To dziwne. Moja Moc powinna je uleczyć.

– Jormung ostrzegł, że te blizny pozostaną już na zawsze.

– Och. Przykro mi.

Zaśmiał się ochryple.

– Wątpię.

– Naprawdę mi przykro. Zapłaciłeś wysoką cenę.

– Nie potrzebuję twojego współczucia.

Pochylił się, by sięgnąć po tunikę, jednak powstrzymała go. Zacisnęła palce na jego ramieniu.

– Pozwól mi chociaż ulżyć ci w bólu. To potrafię zrobić.

Zamarł i popatrzył jej uważnie w oczy, jakby nad czymś się zastanawiał. W końcu skinął głową i odwrócił się.

Rairi ponownie wysłała ku niemu myśli, ale tym razem skupiła się na nerwach bezpośrednio połączonych z obrażeniami na ciele. Było ich naprawdę dużo, toteż musiała działać powoli i metodycznie. Jedne po drugim, blokowała funkcje odpowiadające za wysyłanie sygnałów bólowych do mózgu. Nie były one trwałe, bo nie chciała uszkodzić przypadkiem jakiegoś nerwu. Na pewien czas jednak powinno wystarczyć.

Otworzyła oczy i usłyszała ciche westchnienie. Odwrócił się do niej i uśmiechnął lekko. Od razu rozpoznała wyraz ulgi na jego twarzy, choć starał się to ukryć.

– Dziękuję – powiedział szczerze.

Ponownie schylił się po tunikę i ponownie go powstrzymała.

– Poczekaj.

Wyprostował się z uniesionymi brwiami. Rairi przejechała dłonią po jego ramieniu i torsie, ale tym razem nie wyczuła od niego fali bólu. Spiął mięśnie, choć z całkiem innego powodu. Uśmiechnęła się znacząco, kiedy jej ręka zatrzymała się na moment na jego kolanie, a potem zaczęła wędrować po wewnętrznej stronie uda. Przeniosła wzrok z jego oczu na usta.

– Należy mi się teraz chyba jakieś podziękowanie?

Wyraz jego twarzy pozostał niewzruszony, choć kącik ust drżał ledwo dostrzegalnie.

– Już ci podziękowałem. Masz jakieś nowe rozkazy od Gathalaga?

Wyślizgnął się z jej objęcia, chwycił tunikę i wstał. Rairi rozparła się na łóżku, zmrużyła oczy i obserwowała, jak się ubiera.

– Właściwie to nie – odpowiedziała dopiero po chwili. – Jest zadowolony z naszych działań. Twój wybór nowego dowódcy również przypadł mu go gustu.

– Cieszy mnie to.

– Czy pomysł z przeciągnięciem na swoją stronę Ortisa i nammijskich braci był całkowicie twój?

Balar stanął na środku komnaty i odwrócił się do niej. Skrzyżował ramiona na piersi i skinął głową.

– Tak. Uważasz, że to nierozsądne posunięcie?

Wzruszyła lekko ramionami.

– Może trochę ryzykowne. Ortis może i na coś nam się przyda, ale wydaje mi się, że poza własnym celem nic innego go nie interesuje. Może to i dobrze, że będzie po naszej stronie, jednak lepiej mieć go na oku. A co do tych braci... Dowiedziałeś się czegoś o nich?

– Przybyli na zwiady. Niedługo nas opuszczą.

– Ach – wyprostowała się na łóżku, poprawiając fałdy sukni. – A więc Nammir chce wojny. I to w takim momencie.

– Myślę, że ich królowa chętnie się zgodzi, że to nie najlepszy pomysł. Więcej zyska, jeśli przyłączy się do naszego Pana.

Uniosła brwi, a potem rozpromieniła się z zadowoleniem.

– Świetny pomysł. Jeśli będzie chciała ochronić swój lud, nie będzie miała wyjścia. A to dla nas oznacza wsparcie silnych wojowników i wojowniczek. – Po krótkim namyśle sposępniała. – Tylko jak ją przekonamy? Nammir leży daleko, na niegościnnej pustyni. Mało kto zna ich język, a tamtejsze kobiety są bardzo nieufne i wrogo nastawione do cudzoziemców. Szczególnie królowa.

Balar uśmiechnął się chłodno.

– Nie martw się, coś wymyślę.

– Co byśmy bez ciebie zrobili? – westchnęła teatralnie. – Nikt jeszcze nie pomyślał, by prowadzić jakiekolwiek układy z Nammirem. Ale czego innego spodziewać się po niedoszłym królu?

Nachmurzył się i zmarszczył brwi.

– Najważniejsze sprawy mamy omówione. Czy coś jeszcze?
Rairi przyglądała mu się w milczeniu. Za oknami zerwał się wiatr, szumiąc w gałęziach drzew. Pierwsze krople zaczęły bębnić o szyby starej rezydencji. Sztuczne światło unoszące się nad ich głowami sprawiało, że wyolbrzymione cienie poruszały się na ścianach jak żywe.

– Zwerbowaliśmy już zwierzołaki, Zielonych Ludzi i centaury. Nasz Pan chce jeszcze, by krasnoludy włączyły się do walki – powiedziała po chwili, jakby przypomniała sobie o tym dopiero teraz.

– Już się tym zająłem.

– Doskonale. Chcę jeszcze jak najszybciej spotkać się z Potomkiem.

Skinął głową z lekkim roztargnieniem.

– Jak tylko wydobędę od niej potrzebne informacje.

– Myślisz, że ona cokolwiek wie? Sam mówiłeś, że straciła pamięć.

– Ktoś mógł zakodować wcześniej w jej umyśle potrzebną wiedzę, a potem zablokować to wspomnienie.

– Dzięki bogom, że jej umysł nie jest dla ciebie tajemnicą. Możesz dotrzeć do każdej jej myśli?

– Tak.

– I każdego wspomnienia?

– Tak.

– To ciekawe – wstała bezszelestnie. Bez słowa obserwował, jak się zbliża, i nawet nie drgnął, kiedy objęła go w pasie. Położyła głowę na jego ramieniu. Musnęła ustami jego ucho, a potem kark. Tym razem jego ciało zareagowało, jakby wbrew woli, i zadrżał pod tą drobną pieszczotą. Uśmiechnęła się do siebie szeroko. – W takim razie dlaczego jeszcze nie wydobyłeś z niej tych informacji?

Ich twarze znalazły się tak blisko, że czuła jego oddech na policzku.

– Mówiłem już – odparł ochrypłym, przyciszonym głosem. – Otacza je silna bariera. Potrzebuję czasu, by ją złamać.

– Rozumiem.

Brutalnie popchnęła go w stronę ściany. Kiedy przylgnął do niej plecami, naparła na niego całym ciałem. Z satysfakcją zauważyła, że jego oczy pociemniały od tłumionego pożądania, choć było to dość nieprawdopodobne, skoro i tak były już czarne. W tym momencie zdała sobie sprawę, że Balar naprawdę ją pociąga. Był niedostępny, ponury, tajemniczy i intrygujący... I dlatego tak bardzo jej się podobał. Może nawet za bardzo, ale teraz się tym nie przejmowała. Zdradził swój lud, służy Gathalagowi i jest jej posłuszny. Dlaczego by więc trochę się nim nie zabawić? I tak w ostateczności kiedyś umrze, a ona będzie żyła kolejne tysiąclecia. Wobec takiego ogromu czasu mogła sobie pozwolić na odrobinę przyjemności. To, że nienawidziła ludzi, nie znaczyło, iż nie mogła ich użyć do własnych celów.

Musnęła wargami jego usta. Wbrew pozorom były ciepłe i uległe. Odsunęła się, by spojrzeć mu w oczy. Przywołała na usta ten zmysłowy uśmieszek, który nigdy jej nie zawiódł. Bo któż ze śmiertelnych mógłby oprzeć się tak potężnej i pięknej Nieśmiertelnej?

Balar stał sztywno w jej objęciach, z rękami zwieszonymi wzdłuż ciała. Zmrużył oczy, patrząc na nią z nieodgadnionym wyrazem twarzy.

– Zapomniałem się spytać, jak tam twoje sprawy. Mam nadzieję, że się nie nudziłaś?

– Skądże. Z trudem znalazłam czas, by cię odwiedzić. Miałam niezwykle miłe spotkanie z centaurami. Właśnie teraz kierują się w stronę prowincji Serini.

– Chyba nie powiesz, że tak liczna armia maszeruje za dnia?

– Za kogo mnie masz? – parsknęła. – Oczywiście, że ludzie nie wiedzą o ich istnieniu. Mam na to swoje sposoby. Wprawdzie dowiedział się o nich Zakon, ale to nie stanowi problemu.

– Jesteś zbyt pewna swojej siły. Nie lekceważ wroga – ostrzegł.

– Nie – odparła. – Jestem pewna ich głupoty. Nawet przez myśl im nie przejdzie, że armia, która była tak blisko stolicy, zaatakuje miasta najbardziej wysunięte na południe. Będą zbyt zajęci wzmacnianiem obrony Malgarii, żeby przejmować się małymi wioskami.

Balar milczał przez chwilę, a potem zapytał:

– Czego ty właściwie chcesz, Rairi?

Zaśmiała się głośno, wzmacniając uścisk, niemal wbijając palce w jego plecy. Skrzywił się ledwo dostrzegalnie.

– Teraz? Ciebie, oczywiście.

Objął ją w talii jedną ręką, zaś drugą wplótł w jej włosy.

– Trudno nie zauważyć – mruknął. – Chodziło mi o to, dlaczego Najstarsza zadaje się z Gathalagiem. O ile wiem, elfy wyznają jedynie boga Paraldę. Jakie masz z tego korzyści?

– Ja nie wyznaję już żadnego boga – odpowiedziała z niezwykłą u niej szczerością. – Chcę jedynie zagłady ludzi i elfów.

– Jest ku temu jakiś konkretny powód, czy kieruje tobą jedynie nuda?

– Wiesz, że ciekawość to pierwszy stopień do piekła.

Balar roześmiał się cicho.

– Jeśli zapomniałaś, to już tam byłem. I powiem ci, że to bardzo zabawne miejsce.

– Naprawdę? – Na twarzy Rairi odbiło się szczere zainteresowanie. – Chyba ci, którzy trafiają tam na wieczność, mają odmienne zdanie na ten temat.

– Bo patrzą na to ze złej perspektywy.

– Może nie mają wyboru.

– Może. A wracając do tematu, nie wiedziałem, że tak bardzo nas nienawidzisz.

– Nawet nie wiesz jak bardzo – uśmiechnęła się cierpko. – Są wśród was jednak wyjątki.

– Na przykład ja.

– Na przykład ty – zgodziła się. – Dopóki się tobą nie znudzę.

– Wiesz, że szczerość jest chyba twoją jedyną zaletą?

– Jedyną? Naprawdę?

Pochyliła się i pocałowała go. Był to naprawdę długi i namiętny pocałunek i tym razem bez oporów go odwzajemnił. Kiedy w końcu się odsunęła, oboje mieli przyspieszone oddechy. Jego wargi rozciągnęły się w uśmiechu, który zawsze przyprawiał jej serce o lekkie drżenie. Właśnie tak uśmiechnął się do niej tylko kilka razy. Swobodnie i naturalnie.

– No… może nie jedyną.

Schylił się, by kontynuować, ale powstrzymała go, kładąc palec na jego usta. Uśmiechnęła się niewinnie.

– Skoro jesteśmy już przy szczerości…

Oczywiście wolałaby teraz całkowicie zająć się jego ciałem, które aż się prosiło o jej uwagę. Ale nie potrafiła w takiej chwili odmówić sobie przyjemności, by przedłużyć ten moment i potrzymać go trochę w niepewności. Zawsze to on ją zagadywał i zawsze dawała się w to wciągnąć. Musiała też przyznać, że w odróżnieniu od innych był inteligentnym, ciekawym partnerem. W jego obecności nigdy się nie nudziła, a ich słowne przepychanki zawsze ją bawiły. Ich spotkania zazwyczaj odbywały się w pośpiechu i w różnych niesprzyjających miejscach. Tak rzadko mieli okazję pobyć sam na sam, że po prostu nie potrafiła sobie tego odmówić. Dzięki niemu odkrywała, że w towarzystwie mężczyzn można również robić inne ciekawe rzeczy. W granicach rozsądku oczywiście.

– Wyjaśnisz mi, czemu tak uparcie nie chcesz wynieść się z tej rudery?

Przewrócił oczami.

– Po prostu jest mi tu dobrze. Z dala od ludzi i kłopotów.

– Tylko dlatego? – mrużąc oczy, przekrzywiła lekko głowę.

– A co chcesz jeszcze usłyszeć?

– Na przykład o pewnym incydencie sprzed lat, o którym najwidoczniej trudno ci zapomnieć.

– Tamto? Zdarzyło się dawno temu, ale masz rację. Zginęło wtedy zbyt dużo moich ludzi. Doświadczonych wojowników. I to przez moją nieuwagę. Oczywiście, że trudno o tym zapomnieć.

Uniosła brwi.

– Coś o tym słyszałam. Czy to prawda, że załatwiło je dziecko?

Skinął ponuro głową. Jego wzrok leniwie wodził po jej twarzy, ustach i szyi.

– Córka dawnych właścicieli tego domu.

– Co właściwie się wtedy stało? – zapytała z ciekawością. – Jak tego dokonała?

– Nie wiem. Nie było mnie przy tym, bo pewnie teraz też bym był martwy. Kiedy się zjawiłem, moi ludzie leżeli we własnej krwi, przebici własną bronią. Dzieciaka nigdzie nie było. Nie mogła zabić ich gołymi rękami, musiała użyć do tego Mocy. Jak na ten wiek jej dar okazał się silnie rozwinięty. Pewnie już nie żyje, bo z chęcią bym się z nią zmierzył.

Przytuliła się do niego, kiwając ze zrozumieniem głową.

– W takim razie możesz już o tym zapomnieć. Ta mała miała wyjątkowy, ale niebezpieczny dar i nie wiadomo, co by z niej wyrosło. Lepiej, że już jej nie ma, bo śmiertelni potrafią narobić wiele szkód, jeśli da im się więcej władzy.

– Pewnie masz rację – westchnął cicho.

– Czy zatem – uniosła głowę i popatrzyła na niego z chytrym uśmieszkiem – przeprowadzisz się w jakieś milsze miejsce, żebym mogła częściej cię odwiedzać?

Zmrużył swoje czarne oczy.

– Zastanowię się.

Rairi przechyliła lekko głowę i zamknęła w oczekiwaniu oczy. Kiedy poczuła na wargach ciepłe, miękkie usta, oplotła rękami jego szyję i odpowiedziała na pocałunek. Gdyby nie ściana, na której opierał cały ich ciężar, już dawno poleciałby do tyłu. Jego ręce błądziły po jej ciele już bez żadnych zahamowań, więc nie pozostawała mu dłużna. Wsunęła dłonie pod jego tunikę, rzeźbiąc palcami każdy mięsień i każdą wypukłą linię rany. Jeśli na początku grał niedostępnego, to teraz całkowicie i bezgranicznie jej się oddał. Jego ciało reagowało na każdy, nawet najmniejszy dotyk, było niecierpliwe, a ona cieszyła się, że tak bardzo jej pożądał. Przemknęło jej przez myśl, że gdyby nie te paskudne blizny byłby naprawdę pięknym mężczyzną. Najpiękniejszym, jakiego spotkała w całym swoim długim życiu. Nigdy mu jednak tego nie powie. Bo pomimo tego, co ich łączyło, nadal był tylko człowiekiem. Marnym, grzesznym śmiertelnikiem, którego ciało dawno zgnije w ziemi, kiedy ona będzie jeszcze młoda i niezmiennie piękna. Jego puls przyspieszył gwałtownie, a oddech stał się gorączkowy, urywany. Również jego pocałunki stały się bardziej gorące i niecierpliwe. Na chwilę pozwoliła mu przejąć inicjatywę, choć już nie mogła się doczekać, by zabawić się z nim po swojemu. Droczenie się z nim uważała za swój obowiązek. Testowała jego uległość i przywiązanie. W końcu odkrywała, że nawet wielki Balar nie był ze stali.

Nagle zamarł w jej objęciach, a po chwili pochylił się nad jej uchem.

– Mamy kolejnego niezapowiedzianego gościa – wyszeptał, wpatrując się w uchylone drzwi.

Wyczuła w nim zmianę sekundę wcześniej, zanim wypowiedział te słowa. Jego ciało naprężyło się jak u drapieżnika, który wytropił ofiarę. Na powrót otoczył się lodowym murem, w jednej chwili niwecząc cały jej wcześniejszy trud, by go stopić. Potem wyczuła rozbawienie, jakby prowadził jakąś wewnętrzną rozmowę. Cmoknęła cicho z poirytowania. To właśnie czasem ją w nim drażniło. Jego wieczne rozbawienie i cyniczne podejście do życia.

Skoro w tym pokoju była tylko ona i z pewnością to nie z nią rozmawiał, to znaczyło jedno. Tę bezgłośną konwersację prowadził telepatycznie, a za drzwiami mogła stać tylko jedna osoba. Bo na całym świecie tylko jej umysł był dla niego całkowicie otwarty.

Nie od razu wyślizgnęła się z jego ramion. Pocałowała kącik jego ust, gryząc lekko dolną wargę.

– W takim razie bądź dobrym gospodarzem i zaproś ją do środka – wymruczała cicho. – Chyba nie pozwolisz, by umiłowane dziecko bogów stało na korytarzu i tak bezwstydnie nas podglądało.

Trochę zawiedziona, że im przerwano, odsunęła się niespiesznie i wdzięcznym ruchem odrzuciła do tyłu włosy. Poprawiając na sobie suknię, obserwowała, jak Balar podchodzi do drzwi i otwiera je szeroko. Na widok stojącej w progu dziewczyny uśmiechnął się chłodno i wskazał dłonią wnętrze komnaty.

– Wejdź, Ariel – zaprosił ją wypranym z emocji głosem.

Dziewczyna zastygła w bezruchu z rumieńcem na twarzy, ale na dźwięk jego głosu drgnęła niespokojnie i na sztywnych nogach przekroczyła posłusznie próg. Rairi nie mogła powstrzymać się od lekkiego uśmiechu, gdy przyglądała się Balarowi. Obserwował wchodzącą Ariel nieruchomym, beznamiętnym wzrokiem. A jeszcze przed chwilą jego oczy nie były tak zimne. Była z siebie dumna, że potrafiła wykrzesać z niego trochę wewnętrznego ognia, który choć na moment topił tę lodową ścianę.

Oderwała od niego wzrok i przyjrzała się dziewczynie. Była niska jak na swoje lata i jak dla niej zbyt chuda. Na sobie miała okropną workowatą sukienkę nijakiego koloru, a na nogach brzydkie stare trzewiki. Jej bladą twarz okalała burza rudych, wypłowiałych i skołtunionych włosów. Rairi od razu dostrzegła tak charakterystyczne dla jej rodu dwa kolorowe pasemka nad czołem i skrzywiła się. Podeszła do niej wolno, z pogardą lustrując ją z góry na dół. Z uśmiechem obserwowała, jak pod jej uważnym spojrzeniem dziewczyna spuszcza głowę. Stała przy ścianie nieruchoma i czujna, ale nie przerażona. Przynajmniej nie tak, jak każdy inny człowiek w jej sytuacji.

Rairi stanęła przed nią i uniosła palcem jej podbródek, zmuszając, by te duże, zielone oczy spojrzały wprost na nią.

– Nareszcie się spotykamy. Więc to ty jesteś Ariel – odezwała się z uprzejmą ironią. – Potomek samej potężnej Liry i ukochana bogów. – Drugą dłonią dotknęła miejsca między jej piersiami, a potem powędrowała niżej, na brzuch. – Może zobaczymy te twoje rozsławione Kamienie? Masz tylko dwa, prawda?

Zaczęła unosić fałdy jej sukienki, kiedy Ariel wyrwała się gwałtownie i odsunęła, zakrywając się ramionami. Przylgnęła do ściany, ale zaraz potem wyprostowała się z dumą, zacisnęła szczęki, a jej wzrok stwardniał.

– A ty...?

Rairi zaśmiała się głośno, po czym odsunęła o krok.

– Gdzie moje maniery. Jestem Rairi z Zielonego Lasu. Najstarsza.

– Jesteś elfem tak? Co to znaczy, że jesteś Najstarszą?

– To znaczy, że żyłam jeszcze długo przed twoim narodzeniem. Byłam świadkiem jak bogowie chodzili po tej ziemi i jak tworzyli was – słabą rasę śmiertelnych.

Jej słowa wyraźnie zaskoczyły Ariel, która otworzyła szeroko oczy. Po chwili jednak opanowała się i zmrużyła je, zerkając przelotnie na Balara. Na jej wargach pojawił się cierpki uśmiech.

– To teraz nie dziwię się, że jest tobie tak posłuszny. Jest dla ciebie pieskiem, którego możesz głaskać i karać, kiedy zechcesz, prawda?

Rairi uniosła brwi.

– W dodatku jest bezczelna – mruknęła do siebie. Zerknęła kątem oka na Balara, który przyglądał im się z lekko zmarszczonym czołem. Uśmiechnęła się, po czym pochyliła ku Ariel, nawijając sobie jej złote pasemko na palec. – Dam ci dobrą radę, Ariel – odezwała się przyciszonym, słodkim głosem. – Chociaż pewnie i tak z takim wyglądem i manierami nie znajdziesz sobie męża. Jeśli jednak chcesz, by jakikolwiek mężczyzna zwrócił na ciebie uwagę, musisz spotulnieć i zmienić swoje nastawienie.

– Ty za to, jak widzę, starasz się aż za bardzo. Też jesteś taka potulna, czy tylko innym dajesz takie dobre rady? Bo coś mi się wydaje, że zawsze stawiasz na swoim i z nikim się nie liczysz.

Rairi parsknęła śmiechem. Dostrzegła, jak jej wzrok wędruje ku Balarowi, i szarpnęła ją za włosy, ściągając jej uwagę ku sobie. Zbliżyła usta do jej ucha i wyszeptała:

– Gdybyś była choć trochę ładniejsza, może Balar zainteresowałby się tobą. W końcu spędzacie teraz ze sobą dużo czasu, a w przyszłości być może będziecie razem współpracować. A uwierz mi, że wbrew pozorom wie, jak sprawić kobiecie przyjemność.

Wyprostowała się z uśmiechem na widok jej płonącej z zażenowania twarzy. Ariel zacisnęła wargi i spuściła wzrok z nieco mniejszą pewnością siebie. Rairi odwróciła się w stronę Balara.

- Czy mogę spróbować? Może mnie uda się coś ujrzeć.

Wzruszył lekko ramionami.

- Jak chcesz. I tak cię nie powstrzymam.

Zadowolona, spojrzała na Ariel. Jeśli by zdobyła potrzebne informacje już teraz, zaoszczędziłaby im czasu. Kto wie? Może we trójkę wyruszyliby na wyspę. Wprawdzie ta dziewczyna byłaby tylko balastem, ale i ją by ścierpiała, jeśli dzięki temu mogłaby spędzić kilka dni z Balarem. Ich intymne spotkania zawsze trwały stanowczo za krótko. Wysłała magię w głąb jej umysłu. Myśli tej dziewczyny obracały się wokół tego dworu i życia tutaj. Jako więzień nieźle sobie radziła. Większość czasu spędzała na zwiedzaniu domu, siedziała w bibliotece albo w kuchni. Zdążyła zdobyć kilku przyjaciół i wrogów. Wyczuwała także, jak bardzo nienawidzi Balara i pragnie go zabić.

Rairi zmrużyła oczy, próbując dostać się jeszcze głębiej. Ariel skrzywiła się z bólu, a potem osunęła na kolana. Jednak nie wydała z siebie ani jednego dźwięku. To było zadziwiające, ale ta dziewczyna naprawdę nie miała o niczym pojęcia. Przeszukując jej umysł, natrafiła w końcu na barierę. Tak silną barierę, że jej świadomość została niemal wypchnięta na zewnątrz, jakby jej umysł sam bronił się przed intruzami.

Rairi wycofała się powoli z zamyślonym wyrazem twarzy. Nigdy jeszcze nie spotkała się z taką osłoną u śmiertelnika. Była perfekcyjna. Żadnej luki, przez którą można by się przedrzeć. A jeśli chciałaby sięgnąć dalej, odnalazłaby jedynie pustkę. Właśnie tak działała bariera. Otaczała wspomnienia pustką, która nie miała widocznego początku ani końca. Wyglądało to tak, jakby ktoś świadomie ukrył wspomnienia dziewczyny. Ktoś wyjątkowo potężny i dokładny. Mógł to być ktoś z jej otoczenia, komu bardzo zależało na tym, by nic nie pamiętała.

Mogła to też zrobić sama Ariel, choć Rairi w to nie wierzyła. Dziewczyna była na to za słaba i za głupia. Kto zresztą chciałby świadomie pozbawiać się wspomnień?

Trochę nawet zrobiło jej się żal tej dziewczyny. Nie pamiętała niczego do momentu przebudzenia się w tym domu. Jej życie było jedną wielką pustką. Nie pamiętała rodziny ani przyjaciół, a jedyne co miała, to stara sukienka i ochłapy z kuchni. Była całkowicie zależna od Balara i nawet jeśli jeszcze stawiała opór, kiedyś będzie musiała ulec. Jeśli będzie chciała przeżyć i nie oszaleć, sama odkryje, że to jedyne wyjście. Bo przecież innej możliwości nie miała.

Mieć przy sobie Potomka w takim stanie oznaczało dla nich połowę sukcesu. Jeszcze nigdy nie osiągnęli takiej przewagi.

Rairi podeszła do Balara i obdarzyła go szybkim, ale głębokim pocałunkiem. Kątem oka zerknęła na Ariel, która zdążyła już wstać i odwróciła głowę, zaciskając pięści. Elfka uśmiechnęła się złośliwie.

– Zostawiam ją tobie – zwróciła się do Balara. – Powinieneś trochę utemperować jej charakterek. Myślę, że czas już, byś pokazał jej coś ciekawego. Z pewnością jej się spodoba.

Skinęła mu głową, mrugnęła do Ariel i wyszła z komnaty lekkim krokiem. Opuszczając rezydencję, uśmiechała się pod nosem. Do tej pory wszystko samo się układało. Mieli w rękach Potomka Liry, który okazał się słabą, bezbronną dziewczynką. Teraz już nic nie mogło zniweczyć jej planów.

* * *

Balar patrzył, jak za elfką zamykają się drzwi. Gdy zostali sami, odwrócił się do Ariel z ponurym grymasem. Przyjrzał się jej spod zmarszczonych brwi, splatając za plecami dłonie.

– Co masz na swoje usprawiedliwienie?

– Ja… – Ariel wpatrywała się w jego zagniewaną twarz, jakby nie potrafiła oderwać od niej wzroku. Nerwowo splatała i rozplatała przed sobą palce.

– Wiesz, że to nieładnie podglądać dorosłych – wtrącił, podchodząc bliżej.

Wyczuwał jej strach, tak wyraźny, że aż namacalny. A mimo to wciąż trzymała się prosto, jakby przyjęła za punkt honoru, by nie opuszczać wzroku. Jej blada twarz i zaciśnięte szczęki odzwierciedlały jej desperacką determinację, a właściwie jej marne resztki, których trzymała się kurczowo jak tonący kawałka drewna. Ciekawiło go, jak długo wytrzyma w takim stanie. Co zrobi, kiedy już cała nadzieja utonie, pociągając ją w dół? Czy będzie potrafiła jeszcze walczyć z całą świadomością i ciężarem przegranej?

– Wiesz też, że nie znoszę wtykania nosa w nie swoje sprawy. Cofnęła się i oparła plecami o ścianę, kiedy postąpił ku niej kolejny krok. Musiała unieść wyżej głowę, by na niego spojrzeć. W jej oczach odbijała się głęboka odraza i aż dziwne, że jej spojrzenie nie zabiło go na miejscu.

Czekał.

– Widziałam, co robiliście – powiedziała w końcu hardo, zmieniając temat. – Ona cię wykorzystuje.

Uniósł brwi.

– I co z tego? – zapytał spokojnie.

– Chciałam cię tylko uświadomić, gdybyś przypadkiem ją kochał. Na pierwszy rzut oka widać, że to wredna…

Przerwał jej w pół zdania głośnym śmiechem.

– Och, Ariel, Ariel… – Pochylił się nad nią tak, że ich oczy znajdowały się teraz na tym samym poziomie. – Czyżbym wyczuwał w twoim głosie nutkę zazdrości?

Ariel spłonęła rumieńcem i odwróciła wzrok.

– To niedorzeczne – warknęła. – Jesteś moim…

– Ach tak, wrogiem – dokończył z rozbawionym uśmieszkiem i wyprostował się. – Więc chyba nie powinno cię obchodzić, z kim się spotykam. Skoro w tej kwestii doszliśmy do porozumienia, możemy przejść do sedna twojej wizyty.

Spojrzała na niego szybko, z lękiem na twarzy.

– Nie – odezwał się głośno, gdy wyczytał jej myśli. – Chcę cię tylko zabrać na małą wycieczkę.

– Wycieczkę? – powtórzyła niepewnie.

Jakby przyciągała ją jakaś magnetyczna siła, odnalazła jego czarne oczy. A gdy już to zrobiła, zatonęła w głębinie jego tęczówek.

– Nie bój się, to nie będzie bolało.

Nie miała jak przed nim uciec. Wyciągnął obie ręce i położył chłodne palce na jej skroniach. Zimny dreszcz wstrząsnął jej ciałem, ale nie cofnęła się.

– Zamknij oczy – rozkazał.

Nie potrafiła przeciwstawić się sile jego głosu. Odnalazł jej świadomość i przyciągnął do siebie, pozwalając, by ich umysły stopiły się w jeden. Wyczuł jej zdezorientowanie i zaskoczenie, a potem już trudno było określić, czyje myśli są czyje. Zajęło mu chwilę, nim przejął nad nimi kontrolę. W jej głowie panował chaos, jej uczucia wirowały wokół i oplotły go, próbując wydostać się na wolność. To musiał być jej pierwszy raz, gdyż nie spotkał jeszcze nikogo, kto byłby tak bardzo zagubiony podczas tak prostej operacji. Westchnął w duchu, choć spodziewał się, że nie będzie to proste zadanie. Jeśli chciał przejść dalej, musiał ją najpierw jakoś uspokoić i wytłumaczyć podstawy.

Szybko zwizualizował jasne pomieszczenie, a potem umieścił tam Ariel i siebie w ich fizycznej, rzeczywistej postaci. Rozglądała się wokół szeroko otwartymi oczami, a gdy w końcu na niego spojrzała, ciekawość zastąpiła nawet niechęć do niego.

Gdzie jesteśmy?

Z lekkim uśmiechem rozłożył ramiona, jakby chciał objąć całą przestrzeń.

Witaj w moim umyśle. Zawsze chciałaś tu zajrzeć, mam rację?

Nie odpowiedziała, obracając się w miejscu i oglądając uważnie jasne ściany.

A więc tak wygląda wnętrze umysłu?

Nie. To tylko stworzony przeze mnie obraz. Ode mnie zależy, jaki kształt i wygląd przybierze. Może stać się wszystkim, czego zapragniesz. Czyż to nie wspaniałe?

Raczej przerażające.

Zaśmiał się, a dźwięk jego głosu odbił się echem od ścian i zakończył gdzieś w jej głowie. Obserwował ją uważnie spod przymrużonych powiek. Tak jak się spodziewał, szybko się uczyła. Za chwilę zrozumie, że umysł w całej swej wspaniałości posiada również mroczne, niebezpieczne zakamarki. Mógł przynieść rozkosz i zapomnienie w słodkich wspomnieniach lub grozę sennych koszmarów.

To, co zamierzał jej pokazać, z pewnością na zawsze zapadnie w jej pamięć. Z chłodnym uśmieszkiem obserwował ją zamyślonym wzrokiem.

– Hej, a to co?

Ocknął się na dźwięk jej głosu, ale nie zdążył zareagować w porę. Zaklął pod nosem, kiedy w ścianach pojawiły się liczne drzwi. Ariel właśnie zmierzała w ich kierunku. Otworzyła pierwsze drzwi i zamarła na progu.

Za nimi nie było ścian ani kolejnego pomieszczenia. Tylko bezdenna, czarna otchłań.

Z tej pustki wyłaniały się obrazy, wijąc się w jakimś skomplikowanym oślepiającym tańcu. Z dłonią zaciśniętą na klamce dziewczyna mrugała gwałtownie powiekami, aż jej wzrok przyzwyczaił się do tych błysków. Bijące od nich światło powoli przeradzało się w pojedyncze obrazy, a następnie w całe sceny.

To są twoje wspomnienia – wyrwało się jej zupełnie bezwiednie. Jak oczarowana, wpatrywała się w chłopca, może pięcioletniego, który niezdarnie próbował utrzymać miecz i ciągle się przewracał. Mimo porażki śmiał się wesoło do kogoś poza obrazem. Ta scena pojawiała się na każdym błysku i powtarzała się wciąż od nowa. Ariel zrozumiała w końcu, że to tylko pojedyncze wspomnienie. Podeszła więc do następnych drzwi i bez wahania je otworzyła.

Ten sam czarnowłosy chłopiec był już nieco starszy. Bawił się z kimś nad rzeką. Tej osoby również nie było tu widać, jakby jego przyjaciel istniał tylko w wyobraźni. Scena nie była długa, więc przeszła do kolejnej.

Chorobliwie blady nastolatek siedział w ciemnej komnacie nad opasłym tomem. Lśniące kropelki potu spływały po jego czole, jakby był chory lub coś sprawiało mu nadludzki wysiłek.

Dość!

Błyskawicznie znalazł się za jej plecami. Zatrzasnął jej drzwi przed nosem, wbijając boleśnie palce w jej ramię.

Nie zagląda się do cudzych myśli bez pozwolenia – warknął nad jej uchem. Z trudem opanował falę wściekłości i wziął głęboki wdech. Zlikwidował wszystkie drzwi, na powrót otaczając ich bielą pustych ścian.

Zerknęła na niego przez ramię z niewinnym uśmiechem.

Ale przecież sam mnie tu zaprosiłeś. Poza tym ty ciągle siedzisz w mojej głowie, choć cię tam nie chcę.

Parsknął krótkim śmiechem.

To coś innego. Zaprosiłem cię tutaj, bo chcę ci pokazać coś konkretnego.

Spojrzał gdzieś przed siebie i po chwili wskazał jej coś podbródkiem.

Patrz teraz.

Przeniosła wzrok we wskazane miejsce i usłyszał, jak wciąga ze świstem powietrze, a potem wstrzymuje oddech w prawdziwym zdumieniu. Uśmiechnął się blado. Właśnie takiej reakcji oczekiwał.

Białe ściany gdzieś zniknęły. Nie było też czarnej pustki. Znaleźli się na polu. Soczyście zielona trawa falowała pod ich stopami w letnim, ciepłym wiaterku. Stali na niewielkim wzniesieniu, a dalej rozciągała się bezkresna łąka. Gdzieś niedaleko słychać było szum przepływającej rzeki, a w górze śpiew ptaków. Mogli nawet poczuć na twarzy ciepłe promienie słońca.

Ariel spojrzała na niego z zaskoczeniem i trudnym do ukrycia podziwem.

Wszystko to sam stworzyłeś?

To tylko wspomnienie. Już się nie uśmiechał, przybierając ponury wyraz twarzy. To, co zamierzał jej pokazać, wymagało większej niż zwykle koncentracji. *Spójrz.*

Razem popatrzyli w dół.

Na łące pojawiły się trzy postacie. Jedną z nich był on sam, tylko nieco młodszy i w swoim czarnym płaszczu. Drugą była kobieta o długich rudych włosach, a trzecią szczupły, wysoki mężczyzna. W promieniach słońca jego pasemka na brązowych włosach jarzyły się intensywnie, niemal zlewając ze sobą. Pod białą tuniką wyraźnie odcinały się okrągłe znamiona w tych samych mieniących się barwach.

To moi... rodzice?!

Ariel wpatrywała się w nich szeroko otwartymi oczami. To musiał być dla niej prawdziwy szok. W końcu widziała ich po raz pierwszy.

Tak. Areel i Sara. Tworzyli naprawdę zgraną parę. Oboje walczyli doskonale. Byli trudnymi przeciwnikami.

Co...?

Ariel próbowała obrócić głowę, by na niego spojrzeć, ale nie pozwolił jej. Stanął za jej plecami, położył obie dłonie na jej twarzy i unieruchomił głowę, zmuszając, by patrzyła przed siebie. Gdy potem zaczęła krzyczeć i się wyrywać, wysłał odrobinę Mocy, by unieruchomiła jej ciało. Nie pozwolił jej nawet zamknąć powiek.

Wydobył z pamięci wszystkie szczegóły, nadając całej scenerii realności. Utrzymanie obrazu utrudniała mu obecność Ariel, której myśli i uczucia galopowały wokół nich coraz szybciej, aż czasami brał je za własne. Z początku wzięły nad nią górę niedowierzanie i szok spowodowany widokiem rodziców. Wciąż analizowała i zastanawiała się, czy to naprawdę oni czy tylko wymysł jego wyobraźni. Potem wszystko: ból, rozpacz i wściekłość, targnęły jej ciałem. Aż w końcu przestała się szarpać i tylko patrzyła, a jej ciałem co chwila szarpał spazmatyczny dreszcz.

Mężczyzna o pociągłej, przystojnej twarzy atakował szybko i brutalnie. Każdy jego ruch wydawał się nieprzemyślany i przypadkowy. Atakował ogniem, kamieniami i pociskami czystej Mocy. Jego towarzyszka, kobieta o dumnych zielonych oczach, ubrana w długą zieloną suknię, nie pozostawała w tyle. Jej ataki były bardziej subtelne, ale wcale nie mniej groźne. Wprawdzie nie posiadała żadnej mocy, ale z niezwykłą wprawą posługiwała się dwoma sztyletami, była szybka i zwinna. Balar ze wspomnienia wydawał się niewzruszony ich wysiłkami. Robił uniki i kontratakował swoją Mocą, zdawało się, że bez żadnego wysiłku. Kiedy oboje atakowali jednocześnie, on odskakiwał w górę lub na boki, czasem zmuszony walczyć z obojgiem naraz.

W pewnej chwili z nieba sfrunęło kilka czarnych kruków. Ptaki natarły na kobietę z przerażającą siłą i brutalnością. Nie minęło wiele czasu, kiedy upadła na trawę, bezskutecznie próbując zasłaniać się rękami. Ptaki biły ją skrzydłami po całym ciele i dziobały, gdzie się dało, pozostawiając krwawiące rany. W końcu Sara znieruchomiała w kałuży własnej krwi. Kruki wciąż nad nią wisiały, niszcząc jej piękne ciało i całymi płatami wyrywając skórę.

Ariel drżała, a jej ciałem wstrząsały konwulsje, jakby zaraz miała wymiotować. Balar wpatrywał się w kreowaną przez siebie scenę, jedynie mocniej zaciskając dłonie na policzkach dziewczyny. Poczuł, jak między palcami spływa mu coś mokrego, i domyślił się, że ona płacze. Jeszcze nie pokazał jej wszystkiego, a już zaczynała rozumieć. Już wiedziała, jak zakończy się ta walka.

Areel był potężnym przeciwnikiem, ale nie niezwyciężonym. Zaraz po tym, jak kruki zostawiły resztki kobiety, Balar zyskał miażdżącą przewagę. Tylko na moment Areel odwrócił od niego wzrok i zaprzestał walki, porażony tak brutalną śmiercią ukochanej. Wahał się, czy biec do niej, czy walczyć dalej.

Wahał się o całą sekundę za długo.

Z dłoni Balara wyskoczyły czarne sznury czystej Mocy, oplatając nogi, ręce, biodra, a nawet szyję przeciwnika. Jedno szarpnięcie i ciało potężnego Potomka zostało rozerwane na kawałki, które potoczyły się po trawie na wszystkie strony. Każda cząstka krwawiła obficie, barwiąc szkarłatem trawę i czarny płaszcz mężczyzny.

Tamten Balar obrócił głowę i spojrzał wprost na Ariel. Uśmiechnął się zimnym, okrutnym uśmiechem.

Nie! Nie! NIE!!!

Spokojnie wyprowadził ich z jego umysłu.

– Nie!!! – krzyknęła już na głos w małej, brudnej komnacie.

Balar cofnął się w ostatniej chwili. Jak tylko powrócili do rzeczywistości, Ariel osunęła się na kolana i zwymiotowała. Zdawało się, że czas zatrzymał się w miejscu, kiedy trwała w takiej pozycji, a jej ciałem wciąż wstrząsały dreszcze. Patrzył na nią z politowaniem. Nie musiała nic mówić. Nie musiała nawet unosić głowy. Jej myśli wciąż dryfowały spokojnie, mieszając się z jego myślami.

W końcu wyczuł w niej lekką zmianę. Uniosła głowę, a potem wzrok. Jej chorobliwie blada twarz wyrażała jedynie pustkę. Pociemniałym wzrokiem spojrzała mu prosto w oczy. Jej źrenice zwęziły się do malutkich szparek, nadając im niemal zwierzęcy wygląd.

– Ty – wychrypiała ociekającym nienawiścią głosem. – Zabiłeś ich. Zabiłeś moich rodziców. Jesteś mordercą... Nie... Potworem!

W nagłej furii zerwała się z klęczek i rzuciła w jego stronę z zaciśniętymi pięściami. Z łatwością zablokował jej nieporadne ciosy, a potem popchnął do tyłu, aż upadła na plecy. Zaczerpnął odrobinę Mocy i wysłał w głąb jej ciała. Z beznamiętnym wyrazem twarzy przyglądał się, jak wije się z bólu u jego stóp. Wiedział, jakie przeżywa katusze, czuł ten sam przerażający ból. Była na granicy agonii, a mimo to z jej ust nie padło ani jedno słowo. Ani jeden krzyk. Zacisnęła tylko mocniej szczęki i skuliła się na brudnej podłodze.

Nie mógł powstrzymać się od słabego uśmiechu, kiedy wyłapał jej myśli. W tej chwili naprawdę była gotowa umrzeć. Po tym, co zobaczyła, zapragnęła, by ten ból nie ustał. Wręcz krzyczała, by pozwolił jej odejść z tego świata.

W końcu kucnął obok i położył dłoń na jej mokrym czole. Natychmiast znieruchomiała, nie przestając bezgłośnie łkać.

– Gdzie są pozostałe Kamienie? – zapytał spokojnie.

Dopiero teraz otworzyła oczy, jakby wcześniej zapomniała o jego obecności. Spojrzała na niego trudnym do opisania wzrokiem. Po jej brudnych policzkach ciekły łzy, z których pewnie nawet nie zdawała sobie sprawy. Było w niej tyle samo bólu, co nienawiści, przepełniały każdy skrawek jej ciała i udręczonej duszy.

Zamiast odpowiedzi splunęła mu prosto twarz.

Balar zacisnął usta i wytarł się rękawem drugiej ręki.

– Jesteś uparta. – Chwycił ją za skraj sukienki i postawił na nogi. – Gdyby to ode mnie zależało, twoja śmierć nie byłaby tak łagodna jak twoich rodziców. – Pochylił się nad jej uchem i dodał ciszej: – Wiem, jak sprawić, by umieranie było bardzo długie i bardzo bolesne.

Wyprostował się z cierpkim uśmieszkiem. Zacisnął palce na jej karku i wyprowadził z pokoju. Przeszli kawałek korytarzem, po czym zatrzymali się przy następnych drzwiach. Otworzył je jedną ręką, popchnął ją do środka i zatrzasnął drzwi, zanim zdążyła się obrócić.

Wrócił do swojego pokoju i stanął przy oknie. Poprzez strugi deszczu dostrzegł samotną postać przycupniętą na skraju lasku. Krople deszczu odbijały się z sykiem od jej tarczy, tworząc na niej rozchodzące się koliście kręgi.

Jej magia popłynęła ku niemu, tworząc subtelną więź między ich umysłami.

Myślałem, że będziesz nas obserwować.

Nie chciałam przeszkadzać w waszej prywatnej rozmowie. A to dowód, że ci ufam.

Zrobiłem, jak prosiłaś. Mam nadzieję, że jesteś zadowolona.

O tak – zamruczała w jego umyśle.

Postać za oknem odwróciła się i po chwili zniknęła całkiem między drzewami. Jej głos rozległ się jeszcze cicho, kiedy razem z nią opuszczała go jej magia.

Bądź pewny, że nie ominie cię nagroda.

Rozdział XXXIX

Piętnastoletni chłopiec skradał się cicho wąskim, długim korytarzem. Nie potrzebował żadnego światła, by rozproszyć ciemność nocy. Szalejąca za oknami burza przynosiła głuche pomruki grzmotu, ale też błyskawice, które raz za razem rozświetlały mroczny korytarz.

Chłopiec nie był już tak dziecinny, by bać się zwykłych błysków. To nie burza wyrwała go ze snu, lecz przeczucie. To właśnie ono napełniło jego serce dziwnym lękiem, wyciągnęło z wygodnego łoża i kazało włóczyć się po korytarzach.

Z sercem w gardle stanął na bosych stopach przed dwuskrzydłowymi drzwiami, na których widniały złote zdobienia i symbole królestwa. Przyglądał im się w błyskach światła i nerwowo zaciskał pięści. Paniczny strach wstrząsnął jego ciałem. To już nie było zwykłe przeczucie, ale pewność. Ta noc była dziwnie gęsta i dławiąca. Powietrze przesiąknięte było niepokojem, napięciem i czymś jeszcze...

Wziął głęboki wdech, by się uspokoić. Ze zmarszczonym czołem rozejrzał się na boki. Nieobecność strażników obudziła w nim najwyższą czujność. Serce biło mu jak szalone, zagłuszając grzmoty na zewnątrz. Lewa ręka pulsowała od gromadzącej się wokół niego Mocy.

Miał wrażenie, że powietrze zgęstniało jeszcze bardziej. Zmarszczył nos, próbując przypomnieć sobie, skąd zna ten zapach, który wypełnił mu nozdrza. Oddychał głęboko i powoli, starając się zapanować nad rosnącym strachem. Drugą rękę zacisnął na małym sztylecie, który wziął z sypialni. Nie był najlepszym szermierzem, ale z bronią zawsze czuł się pewniej.

Deszcz zacinał w okna, a grzmoty wstrząsały całym zamkiem, kiedy wtargnął do komnaty z wyciągniętym przed sobą ostrzem. Kolejna błyskawica rozświetliła wnętrze na kilka zaledwie sekund. Tyle jednak starczyło, by jednym spojrzeniem ocenił całą sytuację.

Ziemia usunęła mu się spod nóg. Upadł na kolana, a sztylet wypadł mu z ręki i z rozdzierającym ciszę brzękiem uderzył o posadzkę. Chłopiec pobladł śmiertelnie, rozszerzonymi oczyma wpatrując się w leżące na środku sypialni dwa nieruchome ciała.

Minęła dłuższa chwila, nim uniósł wzrok i ujrzał ciemną postać. Błysk światła oświetlił jej twarz…

Fala wściekłości prawie go oślepiła. Zaczął płakać bezgłośnie, ale chwila odrętwienia minęła. Zacisnął palce na swoim sztylecie, zerwał się z posadzki i z dzikim wrzaskiem rzucił na mężczyznę.

– Panie! Riva?!

Ocknął się gwałtownie, aż zabrzęczały łańcuchy wokół jego dłoni i stóp. Gorączkowym wzrokiem rozejrzał się po ciasnym boksie. W końcu spojrzał na pochylającego się nad nim mężczyznę, ale choć jego twarz wydała mu się znajoma, nie potrafił skupić myśli na tyle, by przypomnieć sobie jego imię. Przymknął oczy, czując, jak ogarnia go senność. Gęsta, lepka mgła przysłaniała mu umysł, dlatego wszystko mu się mieszało. Powinien trochę odpocząć, zanim przybędzie Areel. Wszystko jest już przygotowane, więc nic się nie stanie, jak trochę się zdrzemnie. Tak. Odpocznie i będzie jak nowy przed polowaniem…

* * *

– Riva?

Ceron po raz kolejny potrząsnął ramieniem młodzieńca, ten jednak nawet nie otworzył oczu, mamrocząc do siebie w gorączce. Hrabia wyprostował się i pokręcił z niepokojem głową. Przyjrzał się przyjacielowi i jego licznym ranom na torsie i plecach. Nie wyglądały dobrze i ktoś jak najszybciej powinien się nimi zająć. Niektóre już zaschły, ale wiele wciąż jeszcze krwawiło. On sam, choć nie prezentował się lepiej, mógł się uważać za szczęściarza. Bo to nie jego torturowano i biczowano.

Jego zwichnięta noga, głęboka rana na prawym ramieniu i świeża blizna biegnąca przez połowę twarzy były niczym. Żył. To było najważniejsze. Przypłacił swoją wolność krwią i teraz nie zamierzał odpuścić. Jego wieloletnie doświadczenie na coś się w końcu przydało. Wciąż był przytomny, sprawny i zdolny do działania. Ból i zmęczenie go osłabiały, ale starał się nie zwracać na nie uwagi. Teraz najważniejszy był Riva. Jego stan był poważny i jeśli szybko ich stąd nie wydostanie, może nastąpić najgorsze. I tak był pełen podziwu dla tego młodzieńca. Uważał wręcz za cud, że król jeszcze żyje. Tak brutalne tortury złamałyby najtwardszego wojownika. Ale Riva nie był zwyczajnym śmiertelnikiem. Może wciąż był młody i niedoświadczony, jednak posiadał Moc Kruka i twarde, niezłomne serce. Ceron naprawdę go podziwiał i był z niego dumny jak z rodzonego syna.

Syknął cicho, gdy pochylając się, stanął na zwichniętej nodze. Wyciągnął zdrową rękę, w której pobrzękiwał pęk kluczy. Wybrał z nich odpowiedni i ostrożnie otworzył żelazną obręcz. Rozległo się ciche kliknięcie i jedna ręka króla opadła bezwładnie na ziemię. Ceron wyprostował się z jękiem i kulejąc, przeszedł na drugą stronę, gdzie powtórzył całą operację. Zwisające luźno łańcuchy zabrzęczały o ścianę i mężczyzna zamarł na krótką chwilę, nasłuchując uważnie. Ignorując ból, ukląkł i oswobodził stopy młodzieńca.

— Riva. Musimy iść — odezwał się cicho, łagodnie.

Tak jak się spodziewał, nie doczekał się żadnej reakcji. Riva wciąż siedział nieruchomo, oparty plecami o ścianę, uwięziony w trawionym gorączką umyśle.

Ceron westchnął głęboko i przeciągle. To była najłatwiejsza część zadania. Obawiał się jedynie, że może jeszcze natrafić na jakiegoś strażnika. Zanim tu dotarł, zabił wszystkich stojących mu na drodze i nie miał ochoty walczyć ponownie, tym bardziej w takim stanie. Mieli dużo szczęścia. Ta, która ich uwięziła, nie wzięła pod uwagę tego, że taki starzec może jeszcze walczyć. Jej błąd, że go nie doceniła. Hrabia przyjrzał się swojej ranie na ramieniu, która nadal krwawiła. Zdrową ręką oberwał skraj tuniki i pomagając sobie zębami, mocno i staranie obwiązał to miejsce. Dla pewności poruszył ręką w różne strony. Ostry ból przeszył jego ciało. Ceron zaklął i zacisnął zęby. No nic. Będzie musiał skupić się na swoim celu i nie myśleć o bólu.

Dźwignął nieprzytomnego przyjaciela i przerzucił go sobie przez ramię. Dodatkowy ciężar sprawił, że na chwilę musiał się oprzeć na zwichniętej nodze. Syknął z bólu i zachwiał się niebezpiecznie, jednak zdołał jakoś utrzymać równowagę. Poprawił bezwładne ciało i kulejąc, wyszedł z boksu.

Minął zwłoki strażników i szybkim krokiem ruszył szerokim przejściem między boksami. Każdy ruch kosztował go więcej wysiłku, niż przypuszczał. Był tak skoncentrowany na utrzymaniu jednakowego tempa, że już po chwili oblepił go gorący pot, który spływał po twarzy i wdzierał się do oczu. Mimo to z determinacją upartego wojownika parł naprzód, wytrwale stawiając kolejne kroki. Starał się nie myśleć o tym, że jego naprędce obmyślony plan może nie wypalić. Upewnił się wcześniej, że kobieta gdzieś wyruszyła, a wokół nie kręcą się dodatkowi strażnicy. Wiedział, że w razie niepowodzenia jest już całkowicie niezdolny do walki. Mógł tylko posuwać się do przodu i liczyć na cud. Cóż, nawet gdyby mieli zginąć, to przynajmniej do końca okazał wierność swojemu królowi.

Kiedy w końcu dotarł do drewnianych drzwi stodoły, dyszał ciężko i słaniał się na nogach. Przystanął na chwilę, by złapać oddech i dać odpocząć nodze. W końcu jednak pchnął ciężkie skrzydło wrót i wyszedł na zalane słońcem podwórze.

Musiał zamrugać parę razy, by przyzwyczaić wzrok do jaskrawego światła. Ciepły wietrzyk musnął mu policzki i przyjemnie schłodził rozgrzane ciało. Riva poruszył się niespokojnie na jego ramieniu, ale wciąż nie odzyskał przytomności.

Znajdowali się w opuszczonym gospodarstwie, z dala od ludzkich siedzib i głównego traktu. Obok stodoły stała stara chata, a dalej rozpościerała się już tylko łąka i kawałek suchej, jałowej ziemi. Ceron nie znał tej okolicy i nie wiedział nawet, w jakiej prowincji się znajdują, ale jeśli tylko uda im się dotrzeć do najbliższej wioski, będą uratowani.

Ciągnąc za sobą niesprawną nogę, ruszył wolno w stronę roztaczającego się przed nimi zagajnika. Liczył na to, że będzie mógł tam trochę odpocząć i zastanowić się nad kierunkiem dalszej wędrówki. Dosięgnął pierwszych drzew, gdy słońce przebyło połowę drogi na niebie. Był ledwo przytomny z wyczerpania, a jego twarz wykrzywiał grymas bólu, gdy zmuszał swoje sztywne ciało do przejścia jeszcze kilku kroków. Kiedy uznał, że drzewa i krzaki stanowią wystarczającą ochronę, delikatnie ułożył Rivę na ziemi przy rozłożystym drzewie i sam zwalił się ciężko tuż obok.

Poprzez korony drzew spojrzał na fragmenty nieba. Promienie słoneczne nieśmiało przebijały się przez splątany gąszcz, tworząc delikatne smugi światła. Ceron przymknął powieki, wsłuchując się w śpiew ptaków i niespokojny, urywany oddech przyjaciela. Gwałtowniejszy podmuch wiatru przyniósł ze sobą zbawienny chłód i odległy zapach dymu. A więc niedaleko musiała znajdować się jakaś wioska. Mógł zaryzykować i sam odnaleźć drogę, poprosić o pomoc, a potem wrócić po towarzysza. Zaraz jednak odrzucił ten pomysł. Nie mógł przecież zostawić tu Rivy samego. Jeśli mieli uciec, to tylko razem.

Stary hrabia zerwał się gwałtownie, gdy w pobliskich krzakach coś zaszeleściło. Tępy ból przyprawił go o mdłości. Mimo to błyskawicznym ruchem dobył miecza, naprężając każdy i tak nadwerężony mięsień. Kątem oka spojrzał na Rivę, ale młodzieniec leżał spokojnie, nadal pogrążony w niespokojnym półśnie.

Ceron ściągnął brwi i skupił wzrok na gęstych krzakach przed sobą. Gdy ponownie zaszeleściły liście, hrabia wyciągnął przed siebie miecz i mocniej zacisnął na nim palce obu dłoni. Jego serce biło szybko i niespokojnie w oczekiwaniu na najgorsze. Czyżby coś przeoczył i na tym miała się zakończyć ich ucieczka? Może jednak został jakiś strażnik, który ich wytropił? Teraz nawet z jednym Ceron nie dałby sobie rady. Był zbyt słaby, otępiały z bólu i tylko cudem trzymał się jeszcze na nogach. Jeśli teraz ktoś ich złapie, to niechybnie zginą. Ranni i ledwo żywi nie mieli żadnych szans na ucieczkę. W myślach przeklął swoją starość i kalectwo. Gdyby był w lepszej kondycji, już dawno byliby bezpieczni.

Zacisnął zęby, gdy rana na ramieniu ponownie się otworzyła, a krew szybko przesiąkła przez prowizoryczny opatrunek. Uważnie wpatrywał się w krzaki, oczekując każdego ruchu. Kłykcie zbielały mu od kurczowego trzymania rękojeści miecza, który w jego dłoniach i tak był teraz w zasadzie bezwartościowy.

Po raz trzeci coś poruszyło się w krzakach i w następnej chwili przed nogi mężczyzny wyskoczył biały królik. Kucnął na tylnych łapkach i rozejrzał się czujnie, strzygąc uszami, po czym jak gdyby nigdy nic, skoczył w bok i zniknął w gęstwinie drzew.

Ceron ze zdumieniem wpatrywał się w królika, aż ten nie zniknął mu z oczu. Oprócz śpiewu ptaków nic nie zakłócało teraz ciszy. Starzec odprężył się dopiero po kilku sekundach, odrzucił do tyłu głowę i ryknął histerycznym śmiechem. Właściwie to powinien raczej płakać nad swoją głupotą. Chyba rzeczywiście potrzebował wypoczynku, bo zaczynał tracić zmysły.

Ten nagły dźwięk wypłoszył ukryte w gałęziach ptaki, które z szumem poderwały się do lotu. Śmiech hrabiego urwał się tak nagle, jak się zaczął. Miecz wypadł z jego ręki, mężczyzna zachwiał się i runął nieprzytomny na ziemię.

Ocknął się po kilku godzinach, gdy słońce chyliło się ku zachodowi. Lekko zdezorientowany, potrzebował chwili, by przypomnieć sobie ostatnie wydarzenia. Jego wzrok powędrował pospiesznie ku leżącemu obok Rivie. Westchnął głośno z ulgą. A więc to nie był sen. Naprawdę byli wolni.

Zaraz jednak zaklął, gdy zorientował się, jak wiele stracili czasu. Lada moment nadejdzie noc i w każdej chwili może zjawić się tamta kobieta. Wstał niezgrabnie, wydając przy tym nieartykułowane dźwięki. Otrzepał się z trawy i ziemi i ostrożnie wyjrzał zza drzewa. W chatach nie paliło się żadne światło, a wokół nie było widać żywej duszy. Odetchnął i wrócił do Rivy. Ponownie spróbował go obudzić, ale bez rezultatów. Niepokoił go stan przyjaciela, który już zbyt długo pogrążony był w gorączkowym śnie. Ceron wciąż miał słabą nadzieję, że jednak Riva w końcu się ocknie i będzie w stanie iść o własnych siłach.

Tymczasem zanosiło się na długą i żmudną wędrówkę z nieprzytomnym towarzyszem na ramieniu, który nie tylko spowalniał hrabiego, ale też odbierał mu cenną energię. Tępy ból nogi nie osłabł, nawet po tak długim odpoczynku, a dodatkowe rany jeszcze pogarszały jego stan.

– Daj mi siłę, Launo – mruknął do siebie, po czym podniósł ciężkie ciało króla i przerzucił sobie przez ramię.

Przez chwilę balansował na jednej nodze, próbując utrzymać równowagę. Jednak oparcie się na zwichniętej kończynie było nieuniknione, więc przygotował się na kolejną falę ostrego bólu. Jak bardzo w tej chwili żałował, że nie posiada żadnej Mocy. Z trudem przedarł się przez gęste zarośla i wyszedł z zagajnika prosto na pusty trakt. Ruszył wolno w stronę zachodzącego słońca, mając nadzieję, że obrał dobry kierunek i że wkrótce natrafią na jakąś wieś. Najważniejsze było to, że w końcu oddalali się od więzienia.

Ta część Elderolu wydawała mu się obca i dziwnie opustoszała. Po jednej stronie droga biegła wzdłuż linii drzew, które dawały sporo cienia i przepuszczały niewiele słońca. Po drugiej zaś stronie jak okiem sięgnąć rozpościerała się zielona dolina przechodząca w górzyste tereny i hektary uprawnej ziemi.

Już tylko siłą woli Ceron zmuszał swoje ciało do wysiłku, gdyż nie pozostała w nim ani kropla siły. Czuł zbliżający się koniec tak, jak czuje się kamienie pod stopami. Każdy nierówny oddech i każdy ruch odrętwiałego ciała kosztowały go mnóstwo nadludzkiego wysiłku. Co chwila przymykał oczy i prawie zasypiał na stojąco, a kiedy nagle powracał do rzeczywistości, przez chwilę nie wiedział, gdzie się znajduje. Ciężar towarzysza przywracał mu świadomość, ale tylko na moment, gdyż zaraz znów jego umysł zapadał w dziwne odrętwienie. Nie czuł już nawet bólu, tylko otępiającą pustkę. Wzbijając za sobą tumany piachu, spojrzał w jasnogranatowe niebo, na którym pojawiły się już pierwsze gwiazdy. Zapadła noc, a on ledwo to zarejestrował. Jakby całkowicie pozbawiony woli życia, spuścił głowę i mozolnie posuwał się naprzód.

Nie zauważył, że droga skręca gwałtownie w prawo i że niknie w cieniu gęstego lasu. Dopiero gdy ciszę przerwał tętent końskich kopyt, Ceron ocknął się z odrętwienia i przytomniejszym wzrokiem spojrzał przed siebie. Usłyszał zbliżających się jeźdźców, zanim jeszcze ich dostrzegł. Zatrzymał się parę metrów od wejścia do lasu i rozejrzał dookoła. Ktoś się zbliżał i nie wiedział, czy to wróg, czy przyjaciel. Ziemia drżała lekko pod jego stopami i wiedział, że ma tylko kilka sekund na decyzję.

Jego umysł stał się czysty i wolny od bólu. Błyskawicznie ocenił sytuację i przeanalizował swoje położenie. Nie miał szans na walkę, to jasne. Liczył się tylko Riva i wiedział, co musi zrobić.

Po raz ostatni zmusił swoje ciało do posłuszeństwa i w dwu krokach znalazł się przy kępie krzewów rosnących gęsto tuż przy skraju drogi. Rzucił Rivę wprost w zielony gąszcz i ułożył tak, by nie było go widać.

Udało mu się dokonać tego heroicznego wręcz czynu w ostatniej chwili. Zdążył jeszcze się obrócić, gdy zza drzew wyłoniło się około dziesięciu jeźdźców galopujących prosto na niego. Nie przyjrzał im się nawet lepiej, gdy pierwsza strzała świsnęła w powietrzu i utkwiła w jego ciele, tuż poniżej serca.

Ceron otworzył szeroko oczy, a siła pchnięcia o mało nie powaliła go na ziemię. Cofnął się kilka kroków i drżącą ręką sięgnął po miecz.

Kolejna strzała utkwiła tuż powyżej pierwszej. Klinga wypadła mu z dłoni, a z jego gardła wydobyło się ostatnie westchnienie. Martwe ciało zwaliło się ciężko na piaszczystą drogę. Na nieruchomych wargach Cerona zamarł nikły uśmiech.

Rozdział XL

yrret nie wiedział nawet, co mu się śniło, kiedy został nagle wybudzony. W każdym razie było to coś przyjemnego, gdyż od razu wezbrała w nim złość, że nie dano mu spać w spokoju. Przez ostatni tydzień zbyt łatwo przyzwyczaił się do miękkiego łoża oraz otaczających go luksusów. Był więc podwójnie zły, że ktoś ośmielił się zburzyć jego ostatnie chwile w ciepłym etterze. Na wyspie Aznar nie będzie miał możliwości, żeby chociaż wyprostować plecy na twardej pryczy. Przeczuwał nawet, że to ostatni raz, kiedy może otoczyć się bogactwem.

Jego wzrok powędrował do okna, za którym niebo wciąż miało odcień ciemnego granatu. Do świtu pozostało jeszcze dobrych kilka godzin. Cyrret zaklął pod nosem, jednak nie było mu dane powrócić do słodkiego snu. Jakiś ruch po lewej stronie przyciągnął jego uwagę, więc odwrócił głowę. Natychmiast przeturlał się po łóżku, po czym zeskoczył na podłogę, w ostatniej sekundzie unikając sztyletu, którego stal błysnęła w mdłym świetle księżyca, po czym wbiła się w materac. Zimny pot oblepił ciało wojownika, kiedy zdał sobie sprawę z tego, że o włos uniknął śmierci. Nagle chwyciła go czyjaś dłoń w rękawiczce. Dostrzegł napastnika dopiero po chwili, gdyż był ubrany na czarno i stapiał się z mrokiem niczym cień. Tylko jego oczy jarzyły się w ciemności, gdyż nawet głowę ukrył pod maską.

Nieźle się maskuje – przemknęło mu przez głowę, kiedy w końcu odzyskał zimną krew. Już wiele razy ocierał się o śmierć, ale jeszcze

679

nigdy nikt nie próbował go zamordować w łóżku. Być może dlatego jego serce dudniło jak wściekłe.

Zacisnął dłonie w pięści, żałując, że nie ma pod ręką swojego miecza. Niestety leżał oparty o krzesło pod przeciwległą ścianą, którą zagradzał mu nocny intruz. Cyrret zaklął pod nosem. Przez ostatnie miesiące rozleniwił się i stracił czujność. A gdy zyskał swój mały oddział, poczuł się zbyt bezpieczny. Zapomniał, że kiedyś nawet do przyjaciół nie odwracał się plecami. Wyznawał zasadę, żeby ufać wyłącznie sobie. I co? Został zaatakowany w czasie snu jak jakiś podrzędny rzezimieszek. I to przez kogo? Tylko ktoś z jego ludzi miał taką postawę, szybkość i siłę.

– Kim jesteś? – zapytał, jednocześnie dyskretnie przesuwając się w bok.

W odpowiedzi usłyszał jedynie krótki śmiech, zbyt wysoki, by mógł rozpoznać, do kogo należy. Postać wybiegła z komnaty tak cicho, że ledwo to zauważył. Napastnik musiał mieć na nogach miękkie buty, gdyż wojownik nawet nie słyszał jego kroków na korytarzu. Spośród jego ludzi niewielu umiało poruszać się tak cicho i zwinnie.

Cyrret bez wahania puścił się za nim pędem, pokonując po dwa stopnie na raz. Mężczyzna właśnie dosięgał frontowych drzwi. Przez jedno uderzenie serca mignął mu jeszcze rąbek jego czarnego płaszcza. Przeklinając pod nosem, wybiegł za nim na zewnątrz. Dysząc ciężko, stanął przed domem. Gdy zimne powietrze wstrząsnęło jego ciałem, uzmysłowił sobie, że wciąż ma na sobie jedynie lekkie spodnie.

Rozejrzał się uważnie na wszystkie strony, ale nikogo nie dostrzegł. Żadnego ruchu ani nawet przemykającego cienia między chatami. Bladoniebieski sierp księżyca i rozstawione wokół pochodnie dawały tyle światła, że nawet mysz by się nie prześlizgnęła. W całej wiosce panowała nocna cisza, przerywana jedynie pohukiwaniem sowy i cichym kołysaniem fal obijających się o brzeg. Cyrret wciągnął głęboko w płuca wilgotne, słone powietrze i rzuciwszy w przestrzeń ostatnie przekleństwo, wrócił do sypialni. Obawiał się, że zły humor odbierze mu chęć na spanie i będzie się męczył z własnymi myślami do świtu. Zaledwie jednak przyłożył głowę do poduszki, zasnął twardym snem, w którym wciąż gonił cień napastnika za każdym razem wymykającego się z jego objęć.

Obudził się o pierwszym brzasku, z potwornym bólem głowy i w podłym nastroju. Zaledwie sekundę zajęło mu przypomnienie sobie nocnego zdarzenia. I kolejną, że nocny napastnik nie był tylko złym snem. Z przekleństwem na ustach zerwał się z posłania i narzucił na siebie pierwszą z brzegu pomiętą tunikę. Darował sobie mycie i śniadanie, przeczesał tylko palcami włosy, przelotnie zerkając na siebie w lustrze. Wyglądał paskudnie, ale to akurat nie zmieniło się przez wiele lat. Te same szerokie bary i gruba szyja, a na niej zarośnięta twarz, pobrużdżona głębokimi zmarszczkami i kilkoma bliznami. W jego osadzonych głęboko małych oczach wciąż odbijało się zimne okrucieństwo. Balar słusznie wybrał go na dowódcę, a on musi zrobić wszystko, by nikt nie zagroził jego pozycji.

Wychodząc z komnaty, nagle zatrzymał się jak wryty. Odwrócił się błyskawicznie i doskoczył do niskiej komody tuż przy łóżku. Mrugając powiekami, gapił się na pusty blat, na którym jeszcze wczoraj leżał złoty kompas – pamiątka po Jeonie.

Cyrret zaklął siarczyście i walnął pięścią w szafkę, aż zaskrzypiała niebezpiecznie. Zacisnął szczęki, powoli wypuszczając powietrze z płuc. A więc w nocy odwiedził go nie tylko niedoszły zabójca, ale też złodziej.

W końcu cię dopadnę, kimkolwiek jesteś, i zabiję.

Zbiegł po schodach i otworzył gwałtownie drzwi, nawet nie fatygując się, by je zamknąć. Chyba jeszcze nigdy w całym swoim życiu nie był tak wściekły. I to nie dlatego że ktoś próbował go zabić i ukradł najcenniejszą rzecz, jaką posiadał. W tej chwili coś innego doprowadzało go do szału.

W jego obozie był zdrajca i żeby go usunąć, musiałby pozabijać wszystkich swoich ludzi. Kimkolwiek był ten głupiec, przekona się w końcu, że z Cyrretem Krwawym lepiej nie zadzierać.

Wioskę i wody oceanu musnęły pierwsze nieśmiałe promienie słońca, które leniwie wynurzały się zza wysokich drzew. Cyrret szybkim krokiem przemierzył pogrążoną jeszcze we śnie wioskę, stawiając długie, zamaszyste kroki, jakby chciał dogonić własny cień tuż przed sobą. Myśli wirowały w jego głowie w szaleńczym tempie, przyprawiając go o bolesne pulsowanie w skroniach. Nie znosił, gdy nie potrafił rozwikłać jakiejś zagadki, gdy przed jego nosem działy się rzeczy, o których nie miał pojęcia. Nie na darmo jednak zwano go Krwawym. W końcu złapie drania i pokaże mu, skąd wziął się ten przydomek.

Dom, który wybrali sobie Kyrel i Ortis, znajdował się po drugiej stronie piaszczystej drogi, trzy budynki dalej. Prosty, ze spróchniałego drewna i z mocno podziurawionym dachem, wyglądał na opustoszały. Ani z daleka, ani z bliska nie prezentował się zbyt okazale. Prawdę mówiąc, był koszmarny i w każdej chwili groził zawaleniem. Cyrret załomotał pięścią w drzwi. Walił tak długo, aż w końcu zawiasy zaskrzypiały przeraźliwie. W progu stanął rozespany Kyrel, drapiąc się po rozwichrzonej czuprynie i mrugając gwałtownie. Łypnął nieprzyjemnie na Cyrreta, jednak nie zdążył nawet otworzyć ust, bo mężczyzna brutalnie przepchnął się do środka i rozejrzał po szerokiej izbie. Pośrodku znajdowało się palenisko, zaś po przeciwnej stronie stał dębowy stół i krzesła. Drewniane szafki opierały się ciężko o mocno złuszczoną i spróchniałą ścianę. Wewnątrz panował jeszcze półmrok i nie było tu widać ani jednej lampy. Przynajmniej takiej, której by używano.

Kyrel zamknął drzwi i odwrócił się z nieprzyjemnie wykrzywioną twarzą.

– Gdzie on jest? – zapytał szorstko Cyrret, nerwowo rozglądając się na wszystkie strony. Wciąż miał mocno ściśnięte szczęki, a jego oczy błyszczały niebezpiecznie.

– Kto? – Kyrel był najwyraźniej poirytowany tą niespodziewaną wizytą z samego rana.

Cyrret zmierzył go drapieżnym spojrzeniem i warknął ostro:

– Ortis, matole.

Mężczyzna pozostał obojętny na obraźliwy ton i gniew. Niedbale wzruszył ramionami i wskazał ręką gdzieś za jego plecami. Cyrret poszedł za jego wzrokiem. Dopiero teraz dostrzegł w prawym kącie niewielką kwadratową niszę, oddzieloną od reszty pomieszczenia dziurawą kotarą.

Bez słowa podszedł tam szybko i gwałtownym ruchem odsunął zasłonę. Za nią znajdował się jedynie prosty siennik, który zajmował większość przestrzeni. Żaden inny mebel nie zmieściłby się w tej klitce. Ciężki zaduch ludzkiego potu i pleśni przyprawił wojownika o mdłości. Na łóżku leżał rozwalony Ortis, pogrążony w głębokim śnie. Kołdra leżała w nogach łóżka, a on w samych tylko spodniach spał na plecach z szeroko rozrzuconymi rękami i nogami. Mógłby nawet wyglądać na martwego, gdyby nie równomierne wznoszenie się i opadanie klatki piersiowej.

Cyrret podszedł do łóżka i brutalnie trącił nogą bok śpiącego. Gdy ten zamruczał tylko coś niewyraźnie i odwrócił się do niego plecami, sapnął ze złością. Spróbował ponownie, tym razem wkładając w to więcej siły.

Ortis krzyknął głośno i zerwał się gwałtownie, chwytając się za żebra

– Co? Kto? Kyrel?

Cyrret trzepnął go w głowę. Ortis uchylił się o sekundę za wolno i znów jęknął głucho. Mrużąc oczy, rozejrzał się i dopiero teraz dostrzegł pochylającego się nad nim dowódcę.

– To ty – mruknął z wyraźną niechęcią. – Podaj sensowny powód tej brutalnej pobudki o tak wczesnej porze, a może cię nie zabiję.

Starszy wojownik zaśmiał się szyderczo.

– Nie wiem, co ci się śniło, ale w tej rzeczywistości to ja jestem twoim dowódcą. Nie dałbyś rady mnie zabić, nawet jeśli bardzo byś się starał.

Ortis zmierzył go nieodgadnionym spojrzeniem, ale nic nie powiedział. Spuścił nogi na brudne drewniane deski i przeciągnął się.

– Czego więc chcesz? – Ziewając, potarł dłonią nieogoloną twarz.

– Ktoś w nocy próbował mnie zabić – oznajmił wprost Cyrret, nie zdejmując uważnego spojrzenia z mężczyzny. – W moim łóżku.

Ortis uniósł na niego oczy, całkiem przebudzony. Po chwili zmarszczył brwi i przybrał zaniepokojony wyraz twarzy.

– Czy wiesz, kto to mógł być?

Cyrret zaczął przechadzać się niespokojnie po małej klitce. Przyszedł tu, bo w pierwszej chwili podejrzewał właśnie tego drania. Dochodził jednak do wniosku, że gdyby to był rzeczywiście on, nie zachowywałby się tak spokojnie. Ale skoro to nie Ortis, to kto? Kto mógł chcieć jego śmierci i dlaczego? Czyżby naprawdę nie mógł nikomu tutaj ufać?

Wyglądało na to, że Ortis przespał smacznie całą noc. Cyrret postanowił zaryzykować i szczerze z nim pogadać. Gdy się odezwał, jego głos nieco złagodniał, choć wciąż wyczuwało się w nim napięcie.

– Było ciemno, a ten napastnik dobrze się zakamuflował. Jestem jednak pewny, że to jeden z moich ludzi. Jak na wieśniaka poruszał się za cicho i za szybko. Poza tym miał sztylet.

– Chcesz więc powiedzieć, że mamy zdrajcę? – zapytał spokojnie Ortis, z lekką nutą zaskoczenia.

Cyrret posłał mu zamyślone, ponure spojrzenie.

– W dodatku ukradł mi coś cennego. Znajdę moją własność, to wtedy dowiem się, kto był tak głupi. – W jego oczach błysnęły groźne płomyki. – Ktokolwiek to jest, pożałuje, że w ogóle się urodził.

Ortis chwycił leżącą na poręczy łóżka tunikę i wsunął ją przez głowę.

– Co z nim zrobisz? – zapytał obojętnym tonem.

– Zabiję go.

Młody wojownik wyszczerzył zęby, przeczesując palcami włosy.

– Przydomek „Krwawy" rzeczywiście do ciebie pasuje.

– Oczywiście. Czy miałeś kiedyś wątpliwości?

Ortis potrząsnął głową z nikłym uśmiechem błądzącym w kącikach warg.

– Przyznaję, że gdy cię poznałem, nie sądziłem, że taki staruszek może być jeszcze zdolny do walki.

Mężczyzna zatrzymał się i spojrzał na niego z lekko dostrzegalnym rozbawieniem.

– A teraz?

– Teraz już wierzę we wszystkie historie na twój temat. Jesteś okrutny i bezwzględny. Potrafisz ładnie machać mieczem i podejmować szybkie decyzje.

– Znowu próbujesz mi się przypodobać?

– Nie. Mówię tylko to, co widzę. Myślę też, że Balar podjął słuszną decyzję. Szkoda, by ktoś z twoimi zdolnościami marnował się na przymusowym zesłaniu.

Cyrret przyjrzał mu się uważnie spod przymrużonych powiek.

– Powinienem cieszyć się z tych komplementów, ale jakoś nie potrafię. Gdybym cię nie znał, powiedziałbym, że próbujesz się przypochlebić.

Ortis zaśmiał się krótko i odsunął kotarę. Przeszli do dużej izby, gdzie drobiny kurzu tańczyły w smugach wpadającego przez okno światła. Mężczyzna podszedł do paleniska, na którym stał miedziany kocioł, i podniósł pokrywę. Cyrret usiadł na krześle przy dębowym stole. Był zadowolony, że Kyrel wyszedł. Dowódca nie lubił rozmawiać o kimś w jego obecności. Ortis zakręcił się przy szafkach, zgarnął resztki jakiejś wodnistej zupy i usiadł przy stole.

– Wybacz, że cię nie poczęstuję – wskazał palcem na zawartość talerza – ale jak sam widzisz, zostały nam jedynie resztki. Dzisiaj może wybierzemy się na polowanie.

Cyrret nie odpowiedział. Przyglądał się, jak wojownik obrywa kawałek czerstwego chleba na małe kawałeczki i wrzuca je do zupy, a potem zgarnia łyżką i zjada. Sam nie był szczególnie głodny. Kiedy coś trapiło jego umysł, nie potrafił tak po prostu spokojnie usiąść i delektować się posiłkiem. W tej chwili jego noga drgała nerwowo z tłumionej furii. Zmusił się jednak do siedzenia bez ruchu. Pojedynczy promień osiadł na jego lewym oku, obnażając jego bliznę przecinającą naznaczoną zmarszczkami twarz.

Ortis pochłonął swoje śniadanie w błyskawicznym tempie. Wytarł twarz rękawem, westchnął i wyprostował się na krześle.

– To po co właściwie do mnie przyszedłeś?

Żeby zapytać, czy to ty próbowałeś mnie zabić.

A na głos zapytał:

– Wiesz, co robił w nocy Kyrel?

– Kyrel?

– Tak. – Cyrret z trudem zmuszał się do spokoju. – Wiesz, gdzie był?

– Pewnie spał. – Ortis wzruszył ramionami. – Dlaczego o niego pytasz?

– Ale nie jesteś pewny? Widziałeś go w łóżku? – Cyrret nie ustępował. Prawa powieka drgała mu nerwowo. W jego oczach odbijało się gorączkowe zniecierpliwienie. Zmarszczki na czole i wokół oczu pogłębiły się znacznie, gdy ściągnął brwi.

– Nie rozumiem, dlaczego o niego pytasz. – Ortis patrzył bezmyślnie, aż w końcu otworzył szerzej oczy w nagłym zrozumieniu. – Sądzisz, że to on…?

Cyrret otworzył usta, ale nie zdążył odpowiedzieć. W tej chwili trzasnęły drzwi i do środka wpadł zdyszany Navana. Obrzucił szybkim spojrzeniem obu mężczyzn, po czym wydyszał:

– Statek. Balar przypłynął.

Starszy wojownik zerwał się z krzesła z bijącym radośnie sercem.

– W końcu – powiedział i ruszył pierwszy do drzwi. Ortis dreptał mu po piętach, a za nim Navana. Wszyscy czekali na dalsze rozkazy i pozwolenie na jakieś działania. Bo przecież wojna nie polegała na bezczynnym siedzeniu, ale na walce i zabijaniu. A Cyrret nie marzył o niczym innym.

We trójkę wyszli na skąpane w słońcu podwórze. Mrużąc oczy, przekonali się, że reszta mężczyzn gromadziła się już na trawiastym brzegu. Cyrret uniósł głowę i ujrzał majaczący w oddali statek, kołyszący się majestatycznie na spokojnych wodach oceanu. Na błękitnym tle powiewała czarna chorągiew zawieszona na długim drewnianym maszcie.

– Czy to nie „Czarna Pani"? – szepnął Ortis.

Cyrret zerknął na niego kątem oka. Mężczyzna z zachwytem przyglądał się okrętowi, chłonąc każdy widoczny z tej odległości szczegół.

– To statek widmo. Nie widziano go na wodach od setek lat. Słyszałem pogłoski, że służył do przewożenia zmarłych – dodał Navana. Cyrret prychnął, ale teraz uważniej przyjrzał się okrętowi. W całym swoim życiu nie widział jeszcze takiego giganta. Był naprawdę imponujący. Z całą pewnością można było stwierdzić, że jest jedyny w swoim rodzaju – statek, który służy do wielkich czynów. Cyrret już widział siebie na pokładzie i snuł piękne, odległe plany. Oczywiście nie dał po sobie poznać, jakie wrażenie zrobiła na nim „Czarna Pani". Była tajemnicza, mroczna i piękna, niczym prawdziwa kobieta. Kołysała się lekko na wodzie, jakby nic nie ważyła. Takiego statku z pewnością nie wybudowali ludzie.

– I co o nim myślisz? – Navana, widząc rozmarzony wyraz twarzy dowódcy, wymienił z Ortisem porozumiewawcze spojrzenia.

Cyrret drgnął zaskoczony i szybko się otrząsnął. Popatrzył na jednego, potem na drugiego i odchrząknął, na powrót przybierając surową minę.

– Może być – stwierdził. – Balar nie musiał się popisywać swoją nową zabawką.

– Zabawką? Z całym szacunkiem, kapitanie, ale nie obrażałbym tego statku nawet w myślach. Krążą plotki, że „Czarna Pani" ma w sobie duszę bogów i własną świadomość. Nie trzeba nią nawet sterować, bo sama wybiera sobie kapitana i zawsze wie, gdzie płynąć. – Ortis mówił ściszonym głosem, jakby to była zakazana historia.

Navana pokiwał głową.

– Słyszałem też, że ten statek przewoził na swoim pokładzie pierwsze stworzenia i Prastare Elfy. Potem słuch o nim zaginął.

Cyrret spojrzał na niego z uniesionymi brwiami.

– Co się więc z nim stało?

– Ponoć sto lat temu zniknął bez śladu i niektórzy twierdzą, że zatonął. Zdarzało się jednak, że w czasie sztormu żeglarze widzieli na wodzie coś czarnego, jakby przemykający cień i towarzyszące mu dziwne odgłosy przypominające skrzypienie pokładowych desek. Słyszałem te opowieści w Nammirze, a przecież mój lud nie ma nic wspólnego z wodą. Ortis wzdrygnął się, a Cyrret ponownie prychnął i spojrzał przed siebie. Przy brzegu kołysała się łódka, a przy niej stała postać w czarnym płaszczu. Jego ludzie zebrali się w pewnej odległości i dyskutowali ze sobą zawzięcie. Na widok swojego dowódcy zamilkli równocześnie. Przed tłum wystąpił Kyrel, a jego niezadowolona mina odzwierciedlała nastrój całej grupy.

Zbliżył się do Cyrreta tak gwałtownie, jakby chciał go zaatakować.

– O co tu chodzi? Miał nam przysłać posiłki. – Wskazał palcem na dwuosobową łódkę. – Lepiej szybko to wyjaśnij, bo ludzie zaczynają się niecierpliwić. Dla kogo budujemy te wszystkie chaty i statki?

Cyrret wysłuchał go ze spokojem, obdarzył przelotnym spojrzeniem, po czym zwrócił się do Ortisa i Navany:

– Uspokójcie ich, a ja pogadam z naszym gościem.

Mężczyźni skinęli głowami. Nammijczyk oddalił się w poszukiwaniu swojego brata, zaś Ortis odciągnął na bok Kyrela, tłumacząc mu coś ściszonym głosem. Cyrret tymczasem zbliżył się do przybysza w czarnym płaszczu. Jego miękkie buty chrzęściły na złotym piasku porośniętym gdzieniegdzie sięgającą łydek trawą. Gwałtowny wiatr płynący od oceanu wydymał jego luźną tunikę i targał włosami, które wdzierały się do oczu. Odgarnął ciemne kosmyki z czoła i spojrzał na wyższego od siebie mężczyznę. Nasunięty do tej pory na głowę kaptur zsunął się na plecy, ukazując bladą, naznaczoną drobnymi bliznami twarz. Ludzie cofali się pod zimnym spojrzeniem czarnych oczu. Ale Cyrret nawet nie mrugnął okiem, nienawykły do okazywania strachu. Przyglądał się spokojnie mężczyźnie i stwierdził, że gdyby nie te blizny, Balar byłby całkiem przystojny. Pewnie był również znacznie młodszy, niż na to wyglądał, ale otaczająca go aura dostojeństwa i Mocy dodawała mu wieku.

– Słyszałeś, Balarze – powiedział oschle, stojąc naprzeciwko i wyzywająco patrząc mu w oczy. – Moi ludzie chcą wiedzieć, czemu przybyłeś sam. Inaczej się umawialiśmy.

Balar powiódł obojętnym wzrokiem po okolicy. Kącik jego ust wygiął się lekko ku górze, jednak pozostała część twarzy pozostała bez wyrazu, podobnie jak przeszywające wojownika czarne oczy.

– Mała zmiana planów – odpowiedział spokojnie. – Gathalag chce się z tobą widzieć.

Cyrret uniósł brwi na dźwięk tego imienia. Nie znał człowieka, który śmiałby wypowiedzieć prawdziwe imię Niezwyciężonego. Nawet jego przeszył teraz dreszcz. Tymczasem Balar mówił to z taką swobodą i naturalnością, jakby wspominał o przyjacielu, który chce się z nim spotkać po latach.

Albo jest tak szalony, albo rzeczywiście tak potężny.

– Czego może ode mnie chcieć sam bóg śmierci? – zapytał z autentyczną ciekawością. Wybrano go na dowódcę armii, ale nie śmiał nawet myśleć, że kiedykolwiek osobiście stanie przed Niezwyciężonym. I właściwie sam nie wiedział, co o tym myśleć. Powinien się bać czy czuć zaszczycony?

– Sądzisz, że mi powiedział? Kazał mi jedynie przyprowadzić cię do Czarnej Wieży. Twoi ludzie mają na razie pozostać tutaj i czekać na dalsze rozkazy.

Cyrret zerknął za siebie, na swoich ludzi. Potem jego spojrzenie powędrowało w kierunku „Czarnej Pani" i jego humor nieco się poprawił. Nawet najbardziej zatwardziały szczur lądowy pokusiłby się o rejs takim statkiem.

Z niechęcią odwrócił wzrok od okrętu, przybierając najbardziej obojętną minę, na jaką było go stać. Skrzyżował ramiona na piersi i wyprostował się.

– Skoro przypłynąłeś tylko po mnie, to po co ci taki duży statek? Chciałeś się pochwalić, że „Czarna Pani" należy teraz do ciebie?

Balar wykrzywił usta w uśmiechu, który jeszcze bardziej go oszpecił.

– Mając do dyspozycji taki okręt, nie skorzystałbyś z okazji, żeby sobie trochę popływać, Cyrrecie?

Nie zdążył jednak odpowiedzieć, gdy ktoś dotknął jego ramienia. Odwrócił się gwałtownie, zły, że im przeszkodzono. Za nim stał Ortis, a nieco dalej Navana ze swoim bratem i Kyrelem. Wszyscy wpatrywali się w niego niecierpliwie i wyczekująco. Pozostali wojownicy zbili się w grupę w bezpiecznej odległości, usilnie starając się nie patrzeć na Balara. Ich lęk wzbudził w nim jedynie rozbawienie.

– O co chodzi? – Dowódca zwrócił się szorstko do Ortisa.

Mężczyzna jako jedyny w ogóle nie okazywał strachu, zachowując irytującą, wręcz niedbałą postawę.

– Twoi ludzie chcą wiedzieć, co robimy. Chcą konkretnych rozkazów.

– Co robimy?

Cyrret patrzył na niego dłuższą chwilę, wstrzymując się z odpowiedzią. Czuł na sobie spojrzenia wielu par oczu. Gdzieś głęboko w swoim twardym sercu poczuł lekkie wyrzuty sumienia. Jednak miał wsiąść na pokład „Czarnej Pani" i spotkać się z samym Niezniszczalnym. Bez skrupułów zostawi tych wyrzutków, którzy przy pierwszej nadarzającej się okazji bez mrugnięcia okiem poderżnęliby mu gardło.

Choć wciąż miał co do Ortisa mieszane uczucia, pochylił się ku niemu i wyszeptał:

– Płynę do Czarnej Wieży na wyspie Aznar razem z Balarem. Podczas mojej nieobecności masz dopilnować moich ludzi i pracy niewolników. To, że powierzam ci moje stanowisko, nie znaczy, że cię zaakceptowałem. Naciesz się chwilową władzą. Jak wrócę, będę miał dla was nowe rozkazy. Możesz przekazać to reszcie. Aha – dodał jeszcze ciszej. – Miej oko na Kyrela i uważaj na niego.

Ortis zerknął na Balara, a potem znów na Cyrreta i uśmiechnął się ledwo dostrzegalnie.

– Jak sobie życzysz, kapitanie – odpowiedział tylko.

Cyrret skinął głową i odwrócił się do Balara.

– Ruszamy?

– Nie pożegnasz się ze swoimi ludźmi?

Wojownik prychnął w odpowiedzi i wsiadł do łodzi, sadowiąc się na drewnianej ławce. Balar popatrzył na niego, jakby chciał coś powiedzieć, ale w końcu w milczeniu chwycił za wiosła. Jego czarny płaszcz wydął się niczym żagiel, gdy odbił od brzegu i bez wysiłku skierował łódkę na pełne morze. Przez chwilę obserwował, co się dzieje na brzegu. Na ustach igrał mu lekki, tajemniczy uśmieszek.

Cyrret milczał długo, zapatrzony w unoszące ich fale. Im dalej byli od brzegu, tym bardziej wiatr przybierał na sile, a łódka kołysała się coraz gwałtowniej, jakby próbowała zrzucić ich prosto w głębiny oceanu. Wojownik zaciskał kurczowo palce na burcie, a jego blada twarz przybrała niepewny wyraz. Gdy uniósł wzrok, napotkał rozbawione spojrzenie czarnych oczu.

– Nie mówiłeś, Cyrrecie, że masz chorobę morską.

Mężczyzna zacisnął szczęki i odwrócił wzrok.

– Oczywiście, że nie mam – burknął ostro, usilnie starając się nie patrzeć na coraz gwałtowniejsze fale. Kołysanie również przybierało na sile.

– Skoro tak uważasz.

By nie myśleć o mdłościach, Cyrret skierował wzrok na zakotwiczony statek. Zbliżali się do niego zaskakująco szybko, więc teraz mógł lepiej mu się przyjrzeć.

„Czarna Pani" nie została tak nazwana bez powodu. Wszystko na niej, począwszy od lśniących desek, a skończywszy na przybudówce i masztach – miało głęboki czarny odcień. Dzięki temu z daleka było widać jedynie kontury statku, a w nocy niemal całkowicie stapiała się z tłem. Pojedyncze elementy nabierały wyrazistości dopiero z bliska.

Zupełnie jak piekielny statek – pomyślał ponuro wojownik. *I może ta nazwa lepiej by do niego pasowała. Chyba tylko głupcy mieli odwagę postawić nogę na tym pokładzie.*

Cyrret dopiero teraz zwrócił uwagę na dziób statku, na którym widniała czarna rzeźba przedstawiająca zwiniętego węża połykającego własny ogon. Imponujących rozmiarów ślepia jarzyły się drapieżnie czerwienią rubinów. Śmierć pożerająca życie.

– To naprawdę „Czarna Pani"? – zapytał po długim milczeniu.

Balar odwrócił głowę, nie przestając wiosłować, i poszedł za jego spojrzeniem. W jego pozbawionych wyrazu oczach mignął trudny do zinterpretowania płomień.

– Ta sama.

– Słyszałem, że ten statek zatonął wiele lat temu.

– To tylko część prawdy, bo jak widzisz, jest w doskonałym stanie. – Jego ramiona pracowały równomiernie i niestrudzenie, bez jednej oznaki zmęczenia.

– Co masz na myśli?

– „Czarna Pani" to nie tylko drewno i gwoździe. – Po jego wargach przesunął się blady uśmiech. – Jeśli ją obrazisz, może się zdenerwować, a wtedy... Cóż, po prostu bym uważał.

– Słucham? – Cyrret roześmiał się głośno. – Nie żartuj sobie. Chyba mi nie wmówisz, że ten kawałek drewna w ogóle coś czuje. To przecież tylko...

Balar oderwał jedną rękę od wioseł i przyłożył palec do ust.

– Ostrożnie ze słowami – wyszeptał, zerkając na boki ze śmiertelnie poważną miną. – Jeśli cię usłyszy, może nie wpuścić na swój pokład. Jak nie chcesz wylądować w zimnej wodzie, to lepiej zamilcz.

Cyrret pokręcił z niesmakiem głową, ale na wszelki wypadek postanowił jednak posłuchać rady. Aby zmienić nieco temat, wskazał podbródkiem na dziób statku.

– Nie wiedziałem, że ten symbol jeszcze istnieje.

Balar i tym razem poszedł za jego spojrzeniem. Po jego twarzy przemknął cień. Jego oczy stały się jeszcze twardsze i chłodniejsze, jakby wykute z lodu.

– Jormung jest wieczny jak czas. Ktoś musi wytknąć ludziom ich grzechy i trochę potorturować, zanim zdecyduje, czy ich dusze mogą iść dalej.

– Śmierć pożerająca życie – tym razem Cyrret wyrecytował to na głos.

Balar popatrzył na niego ponuro.

– Masz rację. To właśnie Jormung. Śmierć odbiera życie i żywi się nim. Życie na fundamentach śmierci.

Cyrret zmarszczył brwi i przygryzł wargę, próbując zrozumieć zawiłość tych słów.

– Możesz to dokładniej wyjaśnić?

Balar schował wiosła na dno i wstał, wprawiając łódkę w gwałtowne kołysanie.

– Za chwilę się dowiesz. Jesteśmy na miejscu.

Cyrret uniósł wzrok i aż się zachłysnął. Rzeczywiście znajdowali się tuż przy burcie czarnego giganta. Z bliska mógł dostrzec każdą szczelinę w deskach i każdą nierówność. Błyszcząca czerń niemal raziła w oczy, jakby patrzyło się na bezdenną nicość.

Zamrugał gwałtownie i również wstał, próbując nie patrzeć wprost na statek ani na wodę. Balar wspinał się już po sznurkowej drabince. Gdzieś pośrodku drogi zatrzymał się i obejrzał przez ramię.

– Idziesz?! – rzucił, przekrzykując szum fal.

Cyrret spojrzał w górę i westchnął. Naprawdę nigdy niczego się nie bał. Ale wręcz nie cierpiał wody, statków i wysokości. A teraz miał to wszystko naraz. Miał nadzieję, że jego słabości nadal pozostaną dla świata tajemnicą. Balansując na łódce, podszedł do huśtającej się drabinki splecionej z białych lin. Balar był już prawie na pokładzie, a przecież Cyrret Krwawy nie zamierzał być gorszy. To była jego chwila, coś, na co czekał całe życie. Przecież głupia woda czy drabinka nie mogły przekreślić jego marzeń o chwale.

Chwycił kurczowo schodek drabinki i nie czekając, aż najdą go ponowne wątpliwości, wskoczył na niższą linkę. Przez chwilę kołysał się w powietrzu na boki, aż jego twarz przybrała niezdrowy zielonkawy odcień. Zacisnął szczęki i niepewnie przesunął najpierw jedną, potem drugą rękę o kilka milimetrów. Potem zrobił to samo z nogami. Znów znieruchomiał, by nabrać tchu, i powtórzył całą operację. Robił wszystko, by jak najmniej kołysać grabinką, a i tak czuł się coraz gorzej. Tak bardzo skoncentrował się na pracy mięśni i mozolnym posuwaniu w górę, że cały się spocił, a tunika przykleiła mu się do pleców.

Minęło dobre dziesięć minut, gdy w końcu roztrzęsiony i mokry postawił nogi na pokładzie. Balar stał zaledwie dwa kroki dalej, a widoczne na jego twarzy pobłażliwe rozbawienie było niczym cios w żebra. Cyrret łypnął na niego krzywo.

– Ani słowa – warknął.

Oparł się o reling i kilka razy wciągnął głęboko w płuca powietrze. Wciąż odczuwał lekkie mdłości, na solidnym statku nie kołysało jednak tak bardzo jak na małej łódce. Świeże morskie powietrze powoli uspokajało tłukące się w piersi serce… Chwileczkę. Tak z pewnością nie pachnie morskie powietrze!

Dopiero teraz dokładnie rozejrzał się po pokładzie. Otworzył mimowolnie usta, nie do końca wierząc w to, co widzi. Balar tymczasem spokojnie stanął obok niego i oparł się leniwie o reling. Cyrret pobladł gwałtownie, zerkając na niego z konsternacją. To niepojęte, że ten człowiek stał sobie niewzruszenie na upiornym statku, otoczony powietrzem, którego nie dało się nawet wdychać.

Cyrret wyraźnie czuł śmierć. Śmierć i coś jeszcze, jakby smród rozkładających się ciał. Nic zresztą dziwnego, kiedy w skład załogi wchodziły takie przerażające istoty. Nibyludzie snuli się po pokładzie i dziobie statku, bez szemrania wykonując swoje obowiązki. W ich ruchach brakowało energii, a na twarzach malowały się pustka i obojętność. Cyrret naliczył ich około setki, choć podejrzewał, że w nadbudówce i pod pokładem może być ich więcej. Zajmowali się żaglami i takielunkiem, a na sterburcie stał jeden, który najwyraźniej pełnił obowiązki kapitana: na głowie miał marynarską czapkę, a na wietrze powiewały strzępy tego, co kiedyś mogło być mundurem. Sprawnie posługiwał się sterem i nawigował statkiem, jakby to było posłuszne, wytresowane zwierzę. Nawet z tej odległości Cyrret widział jego puste, zapadnięte oczodoły i martwy wyraz twarzy. Istoty, które ciągnęły za sobą strzępki ubrań i odór zgnilizny, trudno było nazwać ludźmi. Tylko silna wola pozwalała mu jeszcze patrzeć na te chodzące trupy, choć jego twarz robiła się coraz zieleńsza, a do gardła podchodziła żółć. W pewnym momencie jeden z umarłych potknął się o kawałek liny i gdy statek przechylił się lekko na bok, poleciał prosto na nich. Cyrret z sykiem wciągnął w płuca powietrze. Zacisnął palce na metalowej poręczy i zastygł w kompletnym bezruchu. To coś, co było kiedyś człowiekiem, miało na sobie tylko kilka płatów odpadającej skóry. W czarnych oczodołach kłębiło się robactwo.

Balar błyskawicznym ruchem chwycił umarłego za szyję i ścisnął tak mocno, aż w jego dłoni pozostały jedynie skruszone kości, a istota rozypała się u ich stóp.

Mężczyzna skrzywił się, z odrazą wycierając dłoń o płaszcz. Cyrret natomiast gapił się na szczątki pod swoimi nogami i czuł, jak jego żołądek wywraca się do góry nogami. Dłużej już nie zamierzał się powstrzymywać. Odwrócił się gwałtownie i przechyliwszy przez burtę, zwrócił to, co pozostało mu po wczorajszej kolacji. Jeszcze nigdy nie cieszył się tak bardzo z tego, że nie zjadł śniadania.

– Nie miałem pojęcia, że wielki Cyrret Krwawy jest taki delikatny – zaszydził Balar. Choć w jego głosie można było wyczuć rozbawienie, w tych czarnych jak noc tęczówkach nie płonęła ani jedna iskierka emocji. Gdyby nie zwyczajny wygląd i ludzki zapach, mógłby być jedną z tych istot. Żywym trupem bez duszy i serca.

Cyrret odetchnął głęboko, upewniając się, że mdłości nie powrócą, i łypnął groźnie na towarzysza. Na wszelki wypadek stał twarzą do oceanu i trzymał się kurczowo relingu. Uparcie starał się ignorować tłukące się o jego stopy i burtę kości, które wydawały przy tym nieprzyjemne, drażniące odgłosy.

– Zabiłeś go – wychrypiał niewyraźnie, gdy uznał, że może już mówić.

Z gardła Balara wyrwał się dźwięk przypominający krótki śmiech.

– On już dawno nie żył. Podobnie jak pozostała część załogi.

Wojownik odwrócił głowę tak gwałtownie, że końcówki włosów smagnęły go po karku i lewym policzku.

– Więc chcesz powiedzieć, że...

– To nephile. Dzieci świata umarłych.

Cyrret odwrócił się w stronę pokładu, kierowany ciekawością. Obrzydzenie na jego twarzy mieszało się z przymuszonym spokojem, gdy obserwował umarłych przy pracy. Cały statek przesiąknięty był mroczną atmosferą śmierci i ponurą grozą. Aż trudno było uwierzyć, że na pokładzie tylko oni należeli do świata żywych. Jeszcze.

– Myślałem, że to tylko bajki.

– Każda bajka ma w sobie ziarno prawdy – odparł Balar suchym jak drewno głosem. – Nephile są dziećmi Jormunga. Przeważnie chowają się w podziemnym królestwie, więc faktycznie większość uważa je za wymyślone istoty.

Cyrret oderwał wzrok od przechodzącego obok nich nephila, który ciągnął za sobą złamaną, pozbawioną skóry nogę, i spojrzał na Balara. Mężczyzna patrzył gdzieś przed siebie, jakby myślami był daleko stąd. Jego pusty, nieobecny wzrok przypominał oczodoły umarłego. Wzdłuż kręgosłupa Cyrreta przebiegł zimny dreszcz.

– Dlaczego więc teraz opuściły podziemie?

Balar drgnął ledwo dostrzegalnie i leniwie przeniósł na niego spojrzenie.

– Ponieważ Gathalag ich potrzebuje. Chce zebrać potężną armię, jakiej nie widział jeszcze ten świat, a nephile mają to do siebie, że nie umierają.

– A potrafią chociaż walczyć?

– Owszem. – Balar uśmiechnął się ponuro. – Kiedy wyda im się polecenie, potrafią bardzo wiele. Mają również dodatkową zaletę. Żywią się życiem. – Widząc niezrozumienie na twarzy wojownika, wyjaśnił: – Czerpią swoją siłę ze śmierci żywej istoty. Jednym słowem, gdy kogoś zabiją, dostają nową porcję energii. Nephile są jak marionetki, ale zdarza się, że któryś zachowuje wolną wolę. Odkrywa wtedy, że pijąc krew, sam staje się na powrót człowiekiem. Wprawdzie jego serce nie bije, ale wszystkie organy regenerują się i może śmiało wtopić się między ludzi. Musi jednak systematycznie pić krew, by zachować wolność i pozory człowieczeństwa. Inaczej na powrót przemieni się w szkielet i wróci do podziemi.

Cyrret słuchał go z niedowierzaniem. Jak to się stało, że sam wpakował się w to bagno? Miał jedynie porozkazywać kilku tępym wojownikom. Nawet do głowy mu nie przyszło, że będzie miał do czynienia z takim szaleństwem. Statek widmo pełny żywych trupów? Już sam fakt, że tutaj stoi, jest z jego strony albo nadzwyczajną odwagą, albo najwyższą głupotą.

– Więc nephile należą do Jormunga?

– Tak. Poruszają się dzięki jego woli. Są jego marionetkami. Nie uważasz, że to wymarzona armia? Ślepo posłuszna, nieśmiertelna i bezmyślna.

– To ma być armia? Nie ma ich nawet setki.

Balar wyjął spod płaszcza zgrabny sztylet o błękitnej rękojeści. Wypolerowana nieskazitelna stal błyszczała w słońcu, gdy zaczął bawić się nim od niechcenia. Wojownik dostrzegł wyryty na gładkiej rączce inicjał „R".

– Ta broń nie pasuje do ciebie – stwierdził. – Ale elfka zapewne wybrała go, kierując się swoim gustem.

Jego ręka na chwilę znieruchomiała, ale już po chwili powrócił do zajęcia, rysując czubkiem ostrza okręgi i skomplikowane wzory na wewnętrznej stronie dłoni.

– To dobry sztylet – mruknął do siebie, lecz na tyle głośno, że wojownik również go usłyszał. – A co do twojego pytania, to już ostatni transport. Pod pokładem są co najmniej dwie setki. Około tysiąca znajduje się już pod Czarną Wieżą. – Widząc lekkie oszołomienie u wojownika, wzruszył ramionami. – Nie chcę przeciążać statku. Poza tym ten smród ciężko z siebie usunąć, a trudno utrzymać władzę, gdy się śmierdzi trupem.

Cyrret mimo zaciśniętego gardła z trudem powstrzymał śmiech.

– Więc po to wam „Czarna Pani". Wykorzystujecie statek do przewożenia żywych trupów.

– Owszem. Właściwie to jest własność Jormunga. Jednak był tak miły, że dał mi go w prezencie.

– To Jormung go zbudował? – Cyrret bezwiednie przyglądał się sztyletowi w rękach Balara, który ani wyglądem, ani kolorem zupełnie do niego nie pasował. Za wszelką cenę chciał choć na chwilę przestać zwracać uwagę na dziwaczną załogę statku. Gdyby jeszcze tylko mógł jakoś odciąć się od tego smrodu.

– Nie wiem dokładnie. Z pewnością nie zbudował tego człowiek. Ten statek ma w sobie za dużo inteligencji i wolnej woli. „Czarna Pani" jest kapryśna, dlatego nie każdy może zostać jej kapitanem. Jeśli nie akceptuje załogi, po prostu ją zrzuca.

Cyrret zamrugał gwałtownie, jakby nie był pewny, czy dobrze usłyszał.

– Zrzuca?

Balar skinął głową, z uwagą wpatrując się w stal sztyletu, jakby dostrzegł tam jakąś rysę.

– Możesz spróbować i przekonać się na własnej skórze, ale nie radzę.

– Cóż, pewnie na tym świecie jest jeszcze wiele rzeczy, których nie zrozumiem – mruknął, po czym zadał kolejne pytanie: – Dlaczego w ogóle Jormung pomaga Niezniszczalnemu? Władca podziemia nigdy nie opowiadał się po żadnej stronie.

– Owszem. Jednak tym razem skusiła go propozycja Gathalaga.

– Jaka?

Balar przestał bawić się sztyletem, jednak wciąż trzymał go w dłoni. Odwrócił się twarzą do oceanu i zmrużywszy oczy, utkwił wzrok gdzieś w oddali. Pochylił się do przodu, opierając łokciami o reling, a poły jego płaszcza wydymały się niczym balon. Podmuchy wiatru chłostały go w twarz i targały włosami. Pod nimi spienione fale morskiej bryzy tłukły się o gładkie deski „Czarnej Pani", która szybko i gładko pędziła w wyznaczonym kierunku. W ciszy, która zawisła między nimi szum fal zagłuszał nawet bicie ich serc.

Jedynych bijących serc w promieniu dobrych kilkunastu kilometrów – pomyślał z wisielczym humorem Cyrret.

– Gathalag obiecał mu wolność – odezwał się w końcu Balar beznamiętnym tonem. – W zamian za pomoc w bitwie. Przyrzekł, że gdy wygra, Jormung będzie mógł wyjść na powierzchnię i rządzić razem z nim tym, co zostanie z tego świata. – Odwrócił głowę i spojrzał na Cyrreta takim wzrokiem, że ktoś inny na jego miejscu po prostu zdrętwiałby z przerażenia. – Wieczną ciemnością.

Minęła dłuższa chwila, nim Cyrret zareagował. Z jego gardła wyrwało się coś jak prychnięcie, kiedy przechylił się przez burtę, by spojrzeć na uciekające pod nimi spienione fale. Nowa fala mdłości zaatakowała jego żołądek, ale przynajmniej czuł, że żyje i przez jakiś czas wszystko pozostanie na swoim miejscu.

– Po co więc oni wszyscy idą za Niezwyciężonym, skoro nie zostaną po nich nawet prochy?

Balar wyprostował się i schował sztylet pod płaszcz.

– Bardzo dobre pytanie, Cyrrecie – powiedział z uznaniem, po czym popatrzył na niego uważnie. – A ty dlaczego zgodziłeś się zostać dowódcą jego armii?

Cyrret odpowiedział dopiero po kilku chwilach, jakby dalsze słowa wymagały od niego głębszego przemyślenia.

– Skoro i tak mam zginąć, to przynajmniej wcześniej stoczę porządną walkę. I tak nie mam nic do stracenia.

Balar skinął głową, jakby właśnie takiej odpowiedzi oczekiwał.

– Jutro z samego rana powinniśmy przybić na wyspę. – rzekł, ucinając temat. – Odpocznij trochę.

Odwrócił się, by odejść, a deski pokładu zaskrzypiały głucho pod jego butami.

– Balarze.

Zatrzymał się w pół kroku i odwrócił głowę, patrząc na Cyrreta z uniesionymi brwiami. Wojownik odsunął się od zapewniającego mu stabilność relingu i pewnie zrobił krok do przodu.

– Jeszcze tylko jedno pytanie.

Balar uniósł wyżej brwi i milczał, więc Cyrret odważył się w końcu wydusić:

– Jak tam było? No wiesz... w piekle?

– Gorąco – odpowiedział z dziwnym błyskiem w oczach i odszedł.

Cyrret patrzył za nim – czarnowłosym mężczyzną otoczonym martwymi sługami, i czuł, że naprawdę lepiej mieć go za przyjaciela niż za wroga. Przechodząc koło masztu, jeden z członków załogi potknął się i wylądował na jego ramieniu. Balar odrzucił go ze wstrętem na bok i zanim tamten upadł na deski, wyciągnął swój sztylet i uciął mu szyję, lub raczej tkwiące w tym miejscu kości pozbawione skóry. Nie czekając aż całość szczątków rozsypie się po pokładzie, odwrócił się na pięcie i zniknął w drzwiach prowadzących do kajut.

Cyrret jakoś nie miał na razie ochoty schodzić pod pokład. Nie był nawet zmęczony i czuł, że nie usiedziałby w małym, ciasnym pomieszczeniu, wiedząc, że wokół niego krążą te obrzydliwe nephile. Przeszedł więc na najbardziej wysuniętą cześć dziobu, gdzie przynajmniej mógł być sam. Usiadł na deskach pokładu i wbił wzrok w horyzont, gdzie bezkresne błękitne niebo stykało się z wzburzoną taflą oceanu. Pod sobą miał figurkę węża Jormunga, za sobą jego dzieci z podziemnego królestwa, zaś przed sobą wieżę Aznar, w której spoczywał Niezwyciężony. Choć jeszcze niedawno bał się spotkania z nim oko w oko, teraz z niecierpliwości nie potrafił znaleźć sobie miejsca. Starał się nie myśleć o tym, że wszystko i tak zmierza do ostatecznego końca.

– Głupi statek. Już dawno powinieneś gnić na dnie oceanu – mruknął pod nosem.

Zaledwie skończył mówić, stało się to, przed czym ostrzegał go Balar. Zupełnie jakby ta drewniana łajba miała uszy i rozum. Najpierw coś zaskrzypiało i zadrżało pod nim niebezpiecznie. Następnie całym statkiem zatrzęsło tak, jakby próbował zrzucić z siebie całą załogę. *Świetnie!* Cyrret, którego wstrząsy powaliły na plecy, dźwignął się ciężko i powrócił na swoje miejsce. Przysiągł sobie, że nigdy więcej nie wejdzie na ten nawiedzony okręt.

* * *

Tymczasem na brzegu Ortis przyglądał się przez chwilę oddalającej łódce, po czym odwrócił niespiesznie. Zmrużył od słońca oczy i uniósł głowę. Suchy piasek chrzęścił pod jego stopami, gdy ruszył w stronę wioski. Dopiero teraz na jego twarzy pojawiło się znużenie i coś jeszcze. Coś mrocznego i ponurego…

Po chwili dołączył do niego Kyrel. Mężczyzna milczał, jakby wyczuwał podły nastrój towarzysza. Reszta wojowników rozeszła się do swoich zajęć. Niedaleko stał Navana ze swoim bratem. Kyrel zmarszczył brwi, uznał jednak, że ich obecność nie jest szkodliwa.

– Co teraz zrobisz? – zapytał po chwili ciszy.

Ortis drgnął, jakby dopiero teraz zdał sobie sprawę z jego obecności. Odwrócił głowę i posłał mu ponury uśmiech.

– Poczekam.

– A potem?

Ortis sięgnął pod tunikę i wyciągnął przyczepiony do paska złoty przedmiot. Przez chwilę przyglądał się, jak kompas mieni się w słońcu, odbijając się w jego oczach jakimś nieziemskim blaskiem. Potem zacisnął na nim palce i uniósł głowę. Na jego wargi wypłynął okrutny uśmieszek.

– Potem go zabiję.

Rozdział XLI

Ląd. To było pierwsze, co Cyrret ujrzał po przebudzeniu. Teraz stał przy relingu i podziwiał wieżę Aznar, górującą nad wyspą niczym strzegący ją dumny strażnik. Na czarny przysadzisty dach padały niepewnie pierwsze promienie słońca, jakby czuły, że robią coś zakazanego. Woda chlupotała wesoło pod „Czarną Panią", poranek był ciepły, a błękitne bezchmurne niebo zapowiadało kolejny piękny dzień. Mewy krążyły nad statkiem, skrzecząc z zapamiętaniem. Pogoda jakby dopasowała się do nastroju wojownika. Cyrret oparł się o barierkę, zerkając na spokojną wodę, potem znów skupił wzrok na przybliżającej się wyspie. Uśmiechnął się sam do siebie.

Dzisiaj wszystko było inne. Czuł w sobie zmianę, jakby świadomość zbliżającej się chwały dodawała mu skrzydeł. Dobrego humoru nie psuła mu nawet obecność nephilów ani otaczający ich smród śmierci. Ich widok już nie robił na nim wrażenia, choć marzył, by znaleźć się od nich jak najdalej. Nie mógł doczekać się spotkania z Niezniszczalnym. Uznałby nawet siebie za szalonego, skoro nie boi się boga śmierci, ale wolał raczej napawać się myślą, że po prostu staje się tak odważny jak Balar. Albo tak bezduszny.

Zaledwie o nim pomyślał, Balar pojawił się obok niego, jakby wyrósł spod ziemi. Jak zwykle miał na sobie długi czarny płaszcz zapięty pod szyją ciemnozieloną broszką przedstawiającą zawiniętego węża Jormunga. Pod spodem widać było skraj ciemnoszarej tuniki oraz czarne obcisłe spodnie. Przy szerokim pasie miał przewieszony miecz, zaś po drugiej stronie krótki sztylet o błękitnej rękojeści. Czarne włosy związał z tyłu głowy, odsłaniając w okazałości oszpeconą twarz. W jego oczach Cyrret jak zwykle nie potrafił dostrzec zupełnie niczego. *Może nie ma nie tylko serca, ale i duszy* – przemknęło wojownikowi przez myśl.

Balar zmrużył oczy, jakby mógł usłyszeć jego myśli.

– Widzę, że jesteś dzisiaj w dobrym humorze.

Cyrret skinął z uśmiechem głową. Nephile już uwijały się przy żaglach i kotwicy, gdy „Czarna Pani" zawijała do małej zatoczki przy południowym brzegu.

– Czuję, że to będzie bardzo dobry dzień.

Obaj spojrzeli na wyspę, na jej jałową ziemię i rzadki las oraz pozornie bezludną okolicę. Wojownik był tutaj po raz pierwszy. Za to wiele słyszał o tym miejscu z różnych opowieści i był go naprawdę ciekaw. Wysepka miała z tej strony owalny kształt, dalej zaś rozchodziła się niczym dwa nierówne rogi. Jej powierzchnia była zupełnie płaska. Żadnych wzgórz ani wzniesień. Cyrret wyobraził sobie, że Aznar z góry musi wyglądać jak ciemny kleks pośrodku oceanu. Centrum wyspy stanowiła Czarna Wieża, jakby to ona była jej sercem i duszą. Ta masywna budowla przetrwała już tyle lat, że musiała oglądać pierwszych ludzi. Wokół wieży ziemia była sucha i popękana. Nie rosło na niej ani jedno źdźbło trawy, jakby to miejsce było przeklęte czy skażone. Dopiero po drugiej stronie wyspy można było znaleźć karłowate powykręcane groteskowo drzewa.

Cyrret poczuł, jak przenika go atmosfera tego miejsca – chłód oraz niemal namacalna groza.

Moja armia – pomyślał, gdy dostrzegł blade kontury namiotów wokół wieży.

Zapomniał zapytać, jak liczna już jest i jakie jeszcze stworzenia wchodzą w jej skład. Do tej pory miał do czynienia jedynie z ludźmi, ale kiedyś to musiało się zmienić. Dobry dowódca potrafi zmusić do posłuszeństwa nawet zwierzęta. Obawiał się tylko jednego: że będzie miał do czynienia z centaurami. Na samą myśl o tych tępych stworzeniach wezbrała w nim fala nienawiści i obrzydzenia. To przecież przez nie jego życie legło w gruzach. Splamił ręce krwią własnych ludzi, towarzyszy i przyjaciół. Wyrzekł się swojego pochodzenia i całego klanu Belthów dla jednej rzeczy, która trzymała go jeszcze przy życiu. Zemsty. Nie zastanawiał się nad tym lub może nie chciał przyjmować do wiadomości, że sam jest sobie winien. Bo wtedy wszystko, w co wierzył i o co walczył, straciłoby sens. Jego życie straciłoby sens.

Jakiś ruch zwrócił jego uwagę, sprowadzając na ziemię. Tuż obok ujrzał balansującego na relingu nephila. Stał tak blisko, że Cyrret mógł dostrzec pojedyncze łączenia między wystającymi kośćmi prawej nogi i ręki. Prawa połowa twarzy umarłego również nie miała skóry i mięśni. Za to wielkie płaty skóry wisiały z jego pleców i szyi. Ten nephil miał na sobie krótkie postrzępione spodnie, co jeszcze bardziej uwydatniało jego upiorny wygląd.

Cyrret zmarszczył nos z obrzydzeniem, gdy dotarł do niego odór zgnilizny i śmierci. Na szczęście istota zaskakująco zgrabnie skoczyła za burtę i wylądowała na nogach na drewnianym pomoście. Mężczyzna obserwował go uważnie z uniesionymi brwiami. Kiedy nephil przywiązał cumę do wbitego w deski szerokiego kołka, z powrotem wskoczył na pokład. Inni zwijali żagle i przygotowali trap.

Balar właśnie zmierzał po nim na brzeg. W połowie drogi obejrzał się przez ramię na wojownika.

– Nie każmy Gathalagowi czekać. – Jego warga zadrżała w posępnym półuśmieszku.

Cyrret otworzył usta, jakby zamierzał coś powiedzieć, jednak bez słowa ruszył za Balarem, z ulgą opuszczając pokład „Czarnej Pani".

W obozie panował względny ład i cisza. Wśród tysięcy rozłożonych w rzędach namiotów kręcili się niedbale ubrani mężczyźni. Gdzieniegdzie można było dostrzec kobietę, a nawet biegające dzieci. W pierwszej chwili miało się wrażenie, że ci ludzie przyjechali tu z rodzinami w celach wypoczynkowych, a nie po to, by stoczyć krwawą bitwę o Elderol.

Podążając za Balarem wyznaczoną między namiotami ścieżką, Cyrret rozglądał się uważnie na boki, próbując oszacować liczbę zgromadzonego wojska. Już teraz jednak czuł, że czeka go sporo pracy, nim uzna, że te żółtodzioby będą zdatne do walki. Jednym uchem słuchał wyjaśnień swojego przewodnika.

– W obozie znajduje się około trzech tysięcy zwierzołaków i tysiąc Zielonych Ludzi. Nie wszyscy mieli okazję do wielu walk, toteż będziesz musiał na początek ich wyszkolić. Będą przybywać kolejni, więc nie musisz się spieszyć. – Gdy Balar mówił, nie patrzył na niego, tylko gdzieś przed siebie, jakby wypatrywał czegoś na horyzoncie. Bruzdy wokół ust i między brwiami sugerowały, że lepiej mu nie przerywać. – Zostaniesz tu kilka dni, a potem wrócisz do Reed. Kiedy nadejdzie czas, przeprowadzisz się tu ze swoimi ludźmi.

Przerwał dla zaczerpnięcia tchu, więc Cyrret postanowił to wykorzystać.

– Kto jeszcze się zjawi? – zapytał, z trudem dotrzymując kroku wyższemu od siebie mężczyźnie. – Ludzie?

– Nie tylko. Centaury i krasnoludy już wyruszyły ze swoich kryjówek, ale od razu zaczną atakować miasta, więc pewnie nawet tu nie dotrą. Sądzę jednak, że najwięcej przybędzie zwierzołaków. Wyszkolisz ich tutaj, a potem przetransportujemy ich do Elderolu.

– Myślałem, że krasnoludy nie mieszają się już do naszych spraw.

Balar zerknął na niego kątem oka i skinął nieznacznie głową.

– Owszem, tak było.

Cyrret z uwagą przyjrzał się Balarowi. Przemknęło mu przez głowę, że jego postać idealnie pasuje do mrocznego krajobrazu wyspy.

– Słyszałem, że bardzo ciężko się z nimi negocjuje. Przypuszczam, że musiałeś użyć niepodważalnych argumentów.

Kącik ust Balara uniósł się nieznacznie.

– Wystarczająco niepodważalnych.

Nic już nie powiedział, dając wyraźnie do zrozumienia, że nie ma ochoty na dalszą rozmowę. Przez resztę drogi po prostu ignorował

Cyrreta, jakby był zaledwie jego cieniem. Taki właśnie był Balar. Lekceważył innych. Wykorzystywał do swoich celów tylko wybrańców, a potem deptał i wyrzucał. Cyrret jednak nie czuł się przy nim jak wybraniec, a raczej jak żałosny sługa, który powinien całować ziemię przed swoim panem z radości, że w ogóle raczył zwrócić na niego uwagę. Balar – dumny i budzący lęk. Jak prawdziwy król. Ta myśl mu się nie spodobała, była jednak niepokojąco prawdziwa. *Ciekawe, co zrobi, gdy spotka osobę, która ośmieli się rzucić mu wyzwanie. Ten śmiałek będzie albo szalony, albo niezwykle odważny.* Bo Cyrret pomimo całej swojej odwagi i okrucieństwa nie ośmieliłby się nawet podnieść na Balara ręki. To tak, jakby chciał zaatakować boga.

Zdawało mu się, że obóz ciągnie się przez całą długość wyspy. Lawirując krętą ścieżką między szarymi namiotami, próbował dotrzymać kroku swojemu towarzyszowi. Jednak wciąż pozostawał za jego plecami, jakby ten niewielki wysiłek, by się z nim zrównać, był ponad jego możliwości. Aby nie wpatrywać się tak bezmyślnie w plecy Balara i powiewający za nim płaszcz, obserwował toczące się w obozie życie.

Od razu rzuciło mu się w oczy, w jaki sposób ci ludzie patrzyli na Balara. Gdy ich mijali, kobiety zaganiały swoje dzieci do namiotów, zaś mężczyźni odwracali głowy lub pospiesznie wynajdywali sobie jakieś zajęcie. Zaś na kamiennej twarzy Balara dostrzegał głęboką odrazę. To tylko utwierdziło go w przypuszczeniach, że ten człowiek był zimny i niewzruszony niczym głaz. Cyrret jednak darzył go szacunkiem. Bo w sumie, jak zdał sobie z tego sprawę, byli do siebie bardzo podobni. Obaj odwrócili się od swoich rodzin i sprzymierzyli przeciw całemu Elderolowi. Ale w przeciwieństwie do niego Balar dopuścił się o wiele większej zbrodni.

Niespodziewanie poranną ciszę przerwał głośny krzyk. Kręcący się między namiotami mężczyźni, od razu pognali w kierunku, skąd dochodziły podniesione głosy. Nawet kobiety i dzieci opuściły namioty i z czystej ciekawości dołączyły do tłumu.

Balar westchnął głęboko, tłumiąc narastające poirytowanie. Spojrzał na Czarną Wieżę, a z jego piersi ponownie wyrwało się ciche westchnienie.

– Lepiej to sprawdźmy – rzucił sucho.

Skręcili w prawo. Cyrret podążał tuż za nim, niemal depcząc mu po piętach, kiedy ruszyli między namiotami na niewielką piaszczystą arenę pośrodku obozu. Właśnie tam zgromadził się już spory tłum ciekawskich. Rozpychając brutalnie ludzi na boki, udało im się przedrzeć do pierwszego szeregu. Cyrret rozejrzał się dyskretnie. Cała ta sytuacja wydawała mu się bardzo zabawna. Stał tutaj między nimi, a ci kretyni pewnie nawet nie wiedzieli, kim on jest. Ale niedługo na zawsze zapamiętają Cyrreta Krwawego. Za to na widok Balara najbliżej zgromadzeni cofnęli się gwałtownie, zaś niektórzy odeszli pospiesznie, nagle straciwszy zainteresowanie widowiskiem. Kiedy wokół została tylko garstka najodważniejszych, Cyrret skrzyżował ramiona na piersi i zwrócił wzrok na arenę.

Tymi, którzy wywołali to zamieszanie, byli dwaj mężczyźni, a dokładnie zwierzołaki, którzy kłócili się zawzięcie nad dogasającym ogniskiem. Ich ciała nie uległy od razu przemianie, przez co wyglądali groteskowo i komicznie w futrach zamiast skóry i z twarzami o zwierzęcych rysach. Już na pierwszy rzut oka widać było, że należą do dwóch różnych klanów. Niższy miał rudą sierść i wydłużony pysk lisa, zaś drugi brązowe futro niedźwiedzia.

Nieliczne świeże rany świadczyły o tym, że właśnie zakończyli pierwszą rundę walki. Sądząc po ich wykrzywionych wściekłością twarzach, nie był to jeszcze koniec sporu.

Gdy zjawił się z Balarem, ci dwaj wciąż kłócili się zażarcie, nie zwracając najmniejszej uwagi na otoczenie.

– Nie masz prawa obrażać mojej żony! – krzyczał półlis.

– Mam, dopóki nie przeprosisz mojej! – Jego przeciwnik w skórze niedźwiedzia wyszczerzył groźnie zęby i warknął. – Nie masz za grosz honoru! Ukradłeś mi sprzed nosa najlepszą zwierzynę i teraz w dodatku śmiesz wyzywać moją rodzinę!

– Twoją zwierzynę?! – parsknął mniejszy i postąpił krok naprzód z groźnie uniesioną pięścią. – Ja pierwszy ją wytropiłem, a ty nagle wyskoczyłeś zza drzew i zabrałeś moją zdobycz! Jesteś zwykłym złodziejem!

– Jak śmiesz! Przestań łgać! Ona należała do mnie! Moja żona od miesięcy nie jadła porządnego mięsa!

– To jej wyjdzie na zdrowie! Jest tak gruba, że ledwo mieści się w namiocie!

– Bo jest w ciąży, kretynie! Chciałem, byś uczestniczył w pierwszej przemianie mojego dziecka, ale nie mam zamiaru dłużej zadawać się z kłamliwym lisem!

– I bardzo dobrze! – wrzasnął mniejszy, czerwony na twarzy. – Dziecko pewnie będzie tak samo nadęte i brzydkie jak tatuś i głupie jak cały twój klan! Nie chcę mieć z wami nic do czynienia!

– My przynajmniej mamy dumę i honor! A Lisy? – prychnął pogardliwie. – Jedyne, co potraficie robić, to kłamać i kraść! Jesteście niczym więcej jak kundlami uganiającymi się za własnym ogonem! Wasze kobiety są chude jak kije i głupie jak niemowlaki!

– Zabiję cię za to, ty przerośnięta kupo futra!

Półniedźwiedź zaśmiał się głośno.

– Rozszarpię twoje wątłe ciałko, zanim mnie dosięgniesz. Jesteś mocny w gębie, ale nie potrafisz walczyć.

– To się jeszcze okaże!

Rzucili się na siebie z pazurami i obnażonymi zębami. Jednak wojownik z Klanu Niedźwiedzia okazał się szybszy. Pierwszy zadał cios, gdy tylko półlis znalazł się wystarczająco blisko. Pazurami rozorał mu pół twarzy i zdążył jeszcze zadać cios w brzuch, zanim ten odskoczył na bezpieczną odległość. Mężczyzna zachwiał się do tyłu i zawył z bólu. Lecz taka rana nie była w stanie go powstrzymać, jedynie jeszcze bardziej rozpaliła w nim wściekłość i furię. Wojownik z Klanu Lisa rzucił się na przeciwnika, gdy nagle zamarł i wybałuszył oczy. Chciał podnieść ręce, ale te odmówiły mu posłuszeństwa. Z jego ust wyciekła strużka śliny, zacharczał głośno, jakby ze zdziwieniem, i z szeroko otwartymi oczami zwalił się ciężko na ziemię.

– Nan! – Mężczyzna o wyglądzie niedźwiedzia natychmiast znalazł się przy nim i padł na kolana obok nieruchomego ciała.

Było jasne, że jego przyjaciel nie żyje, jednak musiał się sam o tym przekonać. Przyłożył ucho do jego serca i przez chwilę trwał nieruchomo, podczas gdy jego twarz wracała do normalnego wyglądu. Spojrzał w jego szkliste oczy i zbladł.

– To nie ja cię zabiłem, przyjacielu… – szepnął, jakby ten mógł go jeszcze usłyszeć. – To niemożliwe. To nie ja…

Nie zdążył nic więcej powiedzieć. Nie było mu dane poznać przyczyny śmierci przyjaciela. Czyjaś blada dłoń spoczęła na jego gardle i już w następnej chwili bez żadnego dźwięku ze skręconym karkiem upadł na ciało kompana.

Cyrret nawet nie mrugnął. Ze spokojem przyglądał się temu, jak Balar zabił obu mężczyzn, a potem niedbale machnął ręką. Czarny prosty płomień strzelił w niebo i zgasł równie gwałtownie, pozostawiając po sobie jedynie kupkę popiołów.

Wokół rozległo się parę cichych westchnień i jęków. Balar popatrzył na zebranych z kamiennym wyrazem twarzy.

– Mam nadzieję, że to był ostatni taki incydent – powiedział głośno przerażająco spokojnym tonem. Zwrócił głowę w stronę Cyrreta, który mimo woli drgnął niespokojnie, i wskazał go palcem. – Przyprowadziłem waszego nowego dowódcę. Cyrret Krwawy odpowiednio się wami zajmie.

Wszystkie głowy natychmiast zwróciły się ku niemu. Dostrzegł na ich twarzach niedowierzanie i nagły lęk. Wpatrywali się w niego, jakby był duchem, zupełnie zapominając o obecności Balara. Niektórzy, słysząc jego imię, wychynęli z namiotów. Jednak jego sława dotarła nawet do tych tępych istot, które śmiały nazywać się wojownikami.

A *więc się zaczęło* – pomyślał ponuro, wychodząc na środek areny i stając obok Balara. Wcześniej, kiedy wyobrażał sobie tę chwilę, obawiał się zwątpienia, a nawet tremy. Tymczasem czuł jedynie dreszczyk satysfakcji i rozpierającą go euforię. To już nie był trzydziestoosobowy oddziałek, ale kilkutysięczna armia, którą to on miał poprowadzić do wielkiej walki o Elderol.

Z trudem powstrzymał cisnący się na usta uśmiech. Świadomy, że wszystkie oczy wpatrują się teraz w niego, przybrał surową minę. Ściągnął brwi tak mocno, że niemal zetknęły się u nasady nosa.

– Cieszę się, że nie muszę się przedstawiać – odezwał się głośno mocnym, ochrypłym barytonem. – Jak już Balar wspomniał, jestem waszym nowym dowódcą. Oczekuję od was jedynie bezwzględnego posłuszeństwa i wzajemnego zaufania. – Wodził wzrokiem od twarzy do twarzy, spodziewając się jakiejś reakcji z ich strony.

Będzie ciężko. To gorsze tumany, niż się spodziewałem.

Trochę inaczej wyobrażał sobie tych ludzi. Krzepkich i nieustraszonych, a nie jeszcze chłopców z wytrzeszczonymi oczami i wiecznie zadziwioną miną.

– Naprawdę jesteś TYM Cyrretem?

Natychmiast zwrócił głowę w kierunku, skąd padło to idiotyczne pytanie. Odnalazł tego, który to powiedział, i wbił w niego lodowate spojrzenie, jakby chciał zabić samym wzrokiem. Chudy mężczyzna koło trzydziestki, z krótkimi szczeciniastymi włosami i ogorzałą od wiatru twarzą, dosłownie zamarł pod tym wzrokiem i spłonął rumieńcem niczym jakaś cnotliwa damulka.

Cyrret nie odpowiedział. Zamiast tego wyciągnął zza pasa krótki miecz i rzucił go niedbałym szybkim ruchem. Ostrze ze świstem przecięło powietrze tuż przy lewym uchu wojownika, po czym wbiło się w wyschnięty pień drzewa.

Zszokowany mężczyzna nawet nie drgnął, gdy kilka włosków nad jego uchem zawirowało w powietrzu i opadło na ziemię. Po placu przeszedł nerwowy szmer. Cyrret z niechęcią pokręcił głową i zerknął na

Balara. Ich oczy spotkały się na sekundę i Balar skinął nieznacznie głową, nie wiadomo, czy w geście aprobaty, czy przyzwolenia, Cyrret jednak uznał to za wystarczający dowód akceptacji. Ponownie zwrócił się twarzą do zebranych. Wskazał palcem mężczyznę, który śmiał się odezwać.

– Ty – rzucił ostro. – Przynieś mój miecz.

Wojownik drgnął jakby wybudzony z letargu i pobiegł od razu spełnić polecenie. Gdy zbliżył się do Cyrreta, dowódca zmierzył go od stóp do głów pogardliwym spojrzeniem, po czym odebrał od niego miecz i z powrotem zatknął go sobie za pas. Następnie uderzył go pięścią w twarz, aż nieszczęśnik zatoczył się do tyłu, a z wargi pociekła krew. Natychmiast odbiegł na bezpieczną odległość.

– Wielu z was może nie wierzy, że jestem tym, za kogo się podaję – krzyknął, nie starając się nawet ukryć gniewu. – Sądzę jednak, że nikt nie ośmieliłby się nawet podawać za Cyrreta Krwawego – rozłożył szeroko ramiona i dumnie wypiął pierś. – Stoję tu przed wami i jak widać, jeszcze żyję! Niedługo przekonacie się, że z Cyrretem Krwawym nie ma żartów! – Dla podkreślenia swoich słów uderzył pięścią w otwartą dłoń. – Skończyła się zabawa! Zrobię z was prawdziwych mężczyzn! Koniec z jękami i użalaniem się nad sobą! – Nie zwracał uwagi na dobiegające zewsząd żałosne jęki. – Kiedy z wami skończę, będziecie mi całkowicie posłuszni. Jeśli każę wam skoczyć w ogień, zrobicie to! A jeśli każę wam przestać oddychać, wykonacie mój rozkaz bez głupich jęków! Nauczę was zabijać bez mrugnięcia okiem, sprawię, że o każdej porze dnia i nocy będziecie bać się własnego cienia. Tak! – wrzasnął nagle tak głośno, że parę osób podskoczyło.

Poczuł lekki dotyk na barku, ale nie zwrócił uwagi na ostrzeżenie Balara. Musiał mówić. Musiał dać do zrozumienia tym głupcom, że nie pozwoli sobie na żadną pomyłkę. Musiał uświadomić im, że nie będzie się z nimi bawił. W jednej chwili zrozumiał, że ich życie należy do niego, i ta świadomość była podniecająca.

– Sprawię, że z przyjaciół staniecie się wrogami. W moim oddziale nie będzie przyjaźni! Nie będzie układania się za plecami! Jedyną osobą, której macie ufać, jestem ja! Słyszycie?! Od dzisiaj jestem waszym bogiem! Każde moje słowo jest święte! Czy to dociera do tych waszych tępych mózgów?!

Jego słowa potoczyły się po obozie, po czym zapadła głucha cisza. Nikt się nie odezwał. Zebrani wokół placu wstrzymali oddech, jakby każdy najmniejszy szmer groził śmiercią. Mężczyźni popatrywali na siebie w milczeniu. Jedynie ich blade twarze wyrażały strach i niepewność.

I dobrze. Chyba w końcu zaczęli się mnie bać bardziej niż Balara – pomyślał z zimną satysfakcją.

I wtedy poczuł na ramieniu zaciskające się boleśnie szczupłe, długie palce. Blada twarz Balara pochyliła się ku niemu, aż poczuł chłód jego oddechu tuż nad uchem. Cała jego euforia gdzieś wyparowała, a zamiast tego zesztywniał z niemiłym uczuciem gdzieś w środku. Przeszył go dreszcz, od którego dostał gęsiej skórki.

– Wystarczy już, Cyrrecie. Nie zapominaj, że Gathalag czeka.

Po tych słowach Balar ruszył ścieżką prosto do Czarnej Wieży. Cyrret zmrużył oczy i zacisnął wargi, ale posłusznie podążył za nim. Po chwili jednak zatrzymał się w pół kroku i odwrócił, jakby coś sobie przypomniał. Z przyjemnością obserwował, jak wojownicy wiją się ze strachu pod jego spojrzeniem.

– Jak wrócę, chcę tu widzieć cały oddział. Kobiety i dzieci również – powiedział ostro i dobitnie. – Zanim zrobię z was żołnierzy, musimy trochę się poznać – wyszczerzył zęby i przyspieszył kroku, by dogonić Balara.

Kamienne schodki ledwo utrzymały ich ciężar, drżąc pod nimi niebezpiecznie. Balar wszedł na balkon, gdzie znajdowały się kwadratowe żelazne drzwi prowadzące do wieży, jednak nie otworzył ich od razu. Cyrret już chciał zrobić to sam, jednak gdy stanął obok niego, osłupiał i ze świstem wciągnął powietrze w płuca.

Po drugiej stronie wyspy znajdował się drugi obóz. Nieco mniejsze namioty z góry wyglądały niczym ciemnoszary las płótna między zielonymi karłowatymi drzewami. Obóz ciągnął się niemal do północnego brzegu wyspy i od jego wielkości Cyrretowi aż kręciło się w głowie.

– Więc… to jest obóz… – wyjąkał w końcu, przeklinając siebie za okazanie słabości.

Balar zerknął na niego z rozbawieniem, po czym spojrzał w dół. Jego twarz jak zwykle nie zdradzała żadnych uczuć. Szybkim ruchem odgarnął z czoła pojedynczy kosmyk włosów, gdy nagły podmuch zachodniego wiatru smagnął ich po twarzy.

– Twoi ludzie nie chcieli zaakceptować nephilów, więc przenieśli się tutaj. Jest im tu jednak całkiem dobrze. Nie musisz się nimi kłopotać. Nie potrzebują niczego poza krwią, a tej wkrótce będą mieli pod dostatkiem.

Cyrret stanął obok Balara tuż przy barierce i spuścił głowę. Obóz wydawał się opustoszały. Nie słychać było żadnych rozmów, kłótni czy śmiechu. Nic. Nienaturalna cisza wyzierała z każdego namiotu i z każdej szczeliny między nimi. Wiatr świstał między płótnami, wydymając je niczym żagle na statku.

Śmierć. Oto co zamieszkiwało ten obóz.

Cyrret z trudem przełknął ślinę. Groza śmierci była tu wręcz namacalna, jakby samo wyciągnięcie ręki w tamtą stronę groziło dołączeniem do grona nephilów. To przenikające go uczucie było jeszcze gorsze niż na statku. Dowódca z trudem zachował spokój.

– Nimi też będę dowodził?

– Nie. – Ta krótka odpowiedź sprawiła, że odetchnął głęboko w nagłym uczuciu niewysłowionej ulgi. – Kto inny się nimi zajmie.

Bez dalszych wyjaśnień Balar w końcu otworzył ciężkie drzwi i od razu znaleźli się w niewielkiej, okrągłej niszy. Przed nimi były dwie drogi do wyboru: schody prowadzące w górę lub w dół. Balar wybrał drugie wyjście i łopocząc swoim płaszczem, zaczął schodzić w dół, wprost w bezdenną pustkę. Cyrret przez chwilę patrzył za nim jakby z wahaniem, po czym szybko ruszył jego śladem.

Nie potrafił stwierdzić, jak głęboko są pod ziemią. Schody zdawały się nie mieć końca, wciąż zwijały się niczym ogon olbrzymiego smoka. Kiedy otoczyła ich absolutna ciemność, miał wrażenie, że oślepł. Jedynie dotyk chropowatej zimnej skały dawał mu jakieś oparcie. W pewnym momencie potknął się na stopniu i wpadł na Balara. Usłyszał przed sobą niewyraźnie mamrotane przekleństwa.

– Nic nie widzę – rzucił oskarżycielskim tonem Cyrret, jakby to jego towarzysz był wszystkiemu winien.

Balar bez słowa uniósł dłoń i nad ich głowami pojawiła się kula światła. Dalej schodzili już otoczeni jej łagodnym blaskiem, a ich cienie na ścianach wydłużyły się i dziwnie wyginały, jakby żyły własnym życiem.

W końcu pokonali schody i stanęli przed litą czarną ścianą. W granicie widniał wyryty mały symbol. Balar położył prawą dłoń ze znamieniem dokładnie w tym miejscu i przedstawił się głośno.

Zaledwie zamilkło echo jego głosu, ściana zadrżała. Wydała z siebie cichy pomruk i w następnej chwili pojawił się przed nimi otwór, niewiele większy od zwykłych drzwi. Zdążyli przekroczyć próg, gdy ściana na powrót się zasklepiła. Znaleźli się w wysokiej i przestronnej sali, a Cyrret od razu poczuł, jakby to jego zamknęli w podziemnym grobowcu. Zrozumiał też, że wieża tak naprawdę była po prostu więzieniem. Gdy kula światła rozpłynęła się w powietrzu, ciemność rozjaśniał jedynie słaby blask pochodzący z samego środka komnaty.

Na marmurowym podwyższeniu leżała szklana trumna, długa i biała niczym lodowy kryształ. Jarzyła się delikatnym światłem, a w jej wnętrzu ...

Więc tak wygląda bóg śmierci.

Cyrret zadrżał, natomiast Balar obrzucił obojętnym wzrokiem kłębiącą się w środku sarkofagu czarną masę. Podszedł bliżej i ukląkł na jedno kolano. Wojownik poszedł za jego przykładem, nie spuszczając zafascynowanego spojrzenia z trumny. Zauważył, że wieko szklanego więzienia jest uchylone zaledwie na pół palca.

– Jesteśmy, Panie – odezwał się cicho Balar.

– Balar. Mój wierny sługa.

Potężny głos rozszedł się po komnacie, aż ściany zadrżały w posadach. Balar nawet nie drgnął, ze wzrokiem utkwionym w sarkofagu.

– Tak, Panie – odparł bezbarwnie.

– Jak miewa się moja nowa armia?

– Wszystko idzie po naszej myśli. Cztery tysiące zwierzołaków i buntowników czekają na twoje rozkazy. Centaury i krasnoludy już podjęły wymarsz i niedługo powinni zaatakować pierwsze miasta. Tak jak prosiłeś, przyprowadziłem ze sobą nowego dowódcę.

– Ach, dobrze się spisałeś. Cieszę się, Cyrrecie, że postanowiłeś do mnie dołączyć.

– To dla mnie zaszczyt. – Wojownik z trudem wydobył z siebie głos, pochylając głowę, ale nie odwracając wzroku od centrum komnaty. Czuł się jak zahipnotyzowany, jakby ogromne pokłady energii napierały na niego z każdej strony, odbierając zdolność myślenia i zagłuszając zmysły.

– Liczę, że poprowadzisz moją armię prosto do zwycięstwa. – Potężny głos zdawał się rozlegać jednocześnie z każdego zakamarka komnaty i z jego głowy. – Twoja reputacja cię wyprzedza. Wprawdzie nie posiadasz żadnej Mocy, ale myślę, że twój zapał wystarczy.

– Dziękuję, Panie. – Cyrret oderwał w końcu oczy od sarkofagu i zerknął na Balara, szukając u niego wsparcia, ten jednak patrzył gdzieś przed siebie, jakby nieobecny duchem. Wojownik zatem odetchnął głęboko, próbując zapanować nad nerwami. W takim momencie nie mógł się wycofać. – Dlaczego chciałeś mnie widzieć? – wyrzucił z siebie i poczuł raczej niż zobaczył, że nawet Balara zaskoczyła jego śmiałość. Brnął jednak dalej. – Zostawiłem moich ludzi na lądzie, a już nie mogą się doczekać, by walczyć. Kiedy połączymy się z resztą armii? Dlaczego oni są tutaj, a my tam? Balar ma statek, którym można by przewieźć armię na ląd i rozpocząć intensywne szkolenie. Na co mamy czekać?

Przez chwilę w komnacie zapanowała mroczna, dudniąca w uszach cisza. W tym bezruchu Cyrret słyszał jedynie bicie własnego serca, które brzmiało niczym pochodzący gdzieś z wnętrza ziemi głuchy odgłos. Przestraszył się, że przypłaci tę chwilę nierozwagi własnym życiem. Może trzeba było siedzieć cicho i czekać na rozkazy? Nigdy nie rozmawiał z bogiem i nie miał pojęcia, co może, a czego nie w jego obecności. Ale jedno wiedział na pewno. Nie należał do tych osób, które bezmyślnie robią tylko to, co im się każe. A już tym bardziej nie zamierzał być czyjąś marionetką.

Napiął wszystkie mięśnie i zacisnął pięści. Klęcząc na jednym kolanie, uniósł dumnie głowę i wyprostował się, gotowy stawić czoła wszelkiej sile. To była jego chwila, jego czas i nie zamierzał go marnować. Myśli miał przejrzyste jak nigdy dotąd, bo przecież nie bał się śmierci.

Jeśli umrę i tak nikt nie będzie za mną płakał.

Wpatrywał się w czarną masę kłębiącą się niespokojnie za lodowym szkłem. Właśnie próbował wyobrazić sobie, jak to jest tak tkwić przez wieki w trumnie, kiedy całą komnatą wstrząsnął potężny, ogłuszający huk. Cyrret otworzył szeroko oczy i próbował utrzymać równowagę na drżącej posadzce. Balar nawet nie drgnął, jakby był wykutym z kamienia posągiem, jednak wyraz jego twarzy uległ zmianie. Zmarszczki wokół oczu i ust pogłębiły się, gdy napiął mięśnie i zmarszczył brwi. Nie wyglądał na ani trochę wystraszonego czy zaskoczonego. Wyglądał raczej jak ktoś, kto... patrzy na niesforne dziecko.

I wtedy Cyrret zrozumiał, czym był ten grzmiący odgłos: bóg śmierci się śmiał. Z początku nie mógł tego zrozumieć. Jak Niezniszczalny mógł się śmiać? Czy to w ogóle możliwe? A potem zdał sobie sprawę z dwóch rzeczy.

Nie umrze. Przynajmniej jeszcze nie dzisiaj. I przy okazji rozśmieszył boga. On, którego zwą Krwawym, rozśmieszył samego boga.

Najpierw spłynęła na niego ulga i pozwolił sobie na rozluźnienie mięśni. W następnej jednak chwili poczuł się upokorzony i w jakiś sposób poniżony. Spojrzał na Balara, ale ten zgromił go takim wzrokiem, jakby mówił: „Sam sobie jesteś winien".

– A jednak, Cyrrecie – zagrzmiał rozbawiony głos – jesteś dokładnie taki, jak myślałem.

– To znaczy?

– Jesteś odważny i konkretny. Lubię takich ludzi. Będziesz doskonałym dowódcą.

Gniew, urażona duma lub wszystko jednocześnie sprawiło, że wojownik przestał już obawiać się czegokolwiek. A komplement od Niezwyciężonego całkiem pozbawił go oporów.

– Więc co mamy teraz robić? – powtórzył pytanie wprost do ciemnej masy w sarkofagu.

– Spokojnie. Balar wszystkim się zajmie. Na razie zostaniesz na wyspie i trochę rozruszasz moją armię. Daję ci miesiąc na wyszkolenie ludzi. Potem zaczniecie atakować Elderol. Pewnie ci głupi ludzie będą stawiać opór i próbować walczyć. Nie miejcie litości. Możecie grabić, palić i robić, co tylko chcecie. Zabawcie się, a kiedy się narodzę, dokończę dzieła zniszczenia. Żaden człowiek nie ma prawa przeżyć. Jeśli elfy będą chciały walczyć, możecie je nastraszyć, ale nie zabijać. Jeszcze mi się przydadzą.

Cyrret słuchał i trwał w bezruchu, nie wiedząc, czy w tej chwili powinien czuć lęk, czy radość. Niezniszczalny emanował energią zdolną wysadzić tę wyspę w powietrze. Biła od niego namacalna żądza krwi... bólu... śmierci... zemsty.

– Już wiesz, Cyrrecie, czego od ciebie żądam. Resztę rozkazów będziesz dostawał od Balara. Skoro już nie masz więcej pytań, to możesz odejść. Muszę porozmawiać z moim sługą.

Cyrret chciał coś jeszcze powiedzieć, ale zamknął usta, kiedy napotkał spojrzenie czarnych tęczówek mężczyzny klęczącego tuż obok.

– Idź już – syknął cicho Balar.

Wojownik westchnął w duchu, skłonił się czarnej masie i wstał posłusznie. Urażony, że wykluczają go z najważniejszych spraw, odwrócił się i wyszedł tym samym przejściem, którym tu przyszli.

Balar został sam w mrocznej, rozległej komnacie. Nie poruszył się, przez co w swoim czarnym płaszczu niemal zlewał się z otoczeniem. Uniósł jedynie wzrok na sarkofag, a jego czarne oczy były równie nieprzeniknione, co kłębiąca się w środku czarna masa. Ledwo zauważalnie rozluźnił mięśnie, zadowolony, że w końcu pozbył się Cyrreta. Wojownik imponował mu pod wieloma względami, jednak jego obecność była dla niego irytującym ciężarem.

– Dlaczego milczysz, Balarze?

Kącik ust mężczyzny drgnął lekko.

– Zamyśliłem się, Panie. Twój plan ataku z pewnością zaskoczy wroga. Spodziewają się otwartej wojny, a nie frontowych ataków.

– Tym razem nie mogę sobie pozwolić na błąd. Bez ciebie moje plany zgniłyby wraz z moim marnym ciałem. Widzisz, co ze mną zrobił ten przeklęty Potomek?! Miną miesiące, nim opuszczę moje więzienie i odzyskam siły. Przeklinam dni, w których spłodziłem Lirę.

– Panie, nie ma sensu wspominać przeszłości. Dla ciebie czas nie ma znaczenia. Nie zapominaj, że wciąż jesteś nieśmiertelny, a twoja armia jest coraz większa. Obecny król Elderolu nie jest godzien naszej uwagi. Może i jest dorosły, ale nic nie wie o strategii i wojnie. Nie stanowi dla nas żadnego zagrożenia.

– To tylko słowa – zagrzmiał głos z głębi sarkofagu. – Pochlebiasz mi, lecz chciałbym na własne oczy ujrzeć moje dzieci. Ogarnia mnie furia na myśl o tym, że ktoś mógłby zniweczyć moje plany.

– Nie martw się, Panie. Zadbam o wszystko.

– Czy aby na pewno? Wciąż nawiedzają mnie złe przeczucia, a to osłabia mego ducha. Każdy dzień w tym lodowym więzieniu to prawdziwe tortury. – W głosie pojawiła się irytacja i złość. – Przeklęty Potomek! Gdybym mógł, to sam bym go zabił.

– Panie, przypominam ci, że potrzebujemy jego Kamieni i Mocy.

– To prawda, lecz jej śmierć bardziej by mnie uradowała. – Ciemna masa zakotłowała się w gniewie. – Przez tysiące lat patrzyłem, jak moje plany giną wraz z narodzinami kolejnego Potomka. Sam stworzyłem istotę, która zniszczyła moje piękne, idealne ciało, a teraz więzi moją duszę. Jestem Gathalag. Piąty bóg zniszczenia i chaosu. Nikt ani nic nie ma prawa stawać mi na drodze!

Balar poczuł, jak od gniewnego głosu drży podłoga. Uśmiechnął się leciutko, wciąż tkwiąc z pochyloną głową.

– I tak będzie. Tym razem nie masz się czego obawiać, Panie – zerknął na trumnę, w której ciemna masa uspokoiła się jakby w zaciekawieniu. Jego uśmiech stał się szerszy. – Obecnym Potomkiem jest młoda dziewczyna. Ledwo osiągnęła odpowiedni wiek, nie posiadła jeszcze wszystkich Kamieni i nie ma pojęcia, jak korzystać z Mocy. W dodatku nie zna tego świata. Zabicie jej nie sprawi najmniejszego kłopotu, jednak uważam, że wciąż może nam się przydać. Myślę, że Zaklęcie Posłuszeństwa powinno ją utemperować i sprawi, że stanie się uległa i wielce pomocna.

Przez chwilę w komnacie panowała cisza, nim głos odezwał się nieco spokojniej:

– Dobrze więc. Raz udało mi się nawiązać z nią kontakt i wierzę ci. Jest uparta, krnąbrna i w dodatku posiada Trzecie Oko. Czas, by przerwać ród Liry. Powierzam to zadanie tobie. Zabij Potomka Liry, kiedy uznasz za słuszne, i Władcę Kruków, nim znów zniweczą moje plany. Możesz powoli podbijać miasta, resztę pozostawiam twojej woli. Kiedy odzyskam siły, zrównam te marne ludzkie istnienia z ziemią. Potem zbudujemy moje królestwo od podstaw.

Balar wstał i skłonił się lekko.

– Jak sobie życzysz, Panie.

Opuścił komnatę z ponurym wyrazem twarzy.

aledwie zniknął w otworze, z mrocznego kąta komnaty wyłoniła się postać całkowicie ukryta pod czarną opończą. Głęboko nasunięty kaptur dokładnie skrywał twarz przybysza. Postać zbliżyła się lekkim krokiem na środek. Jednak nie uklękła, a jedynie złożyła niski ukłon, śmiało spoglądając w czarną masę uwięzioną w lodowym krysztale.

– Jakie rozkazy, Panie? – Dźwięczny kobiecy sopran napełnił komnatę śpiewnym echem.

– Pilnuj go – odezwał się głos, którego potęga nie zrobiła najmniejszego wrażenia na kobiecie. – Wciąż mu nie ufam. Jeśli będzie sprawiał problemy, zabij go.

– Tak, Panie. – Kobieta skłoniła lekko głowę. – Czy coś jeszcze?

– Po prostu rób swoje. W gruncie rzeczy nasze pragnienia są takie same. Chcę również, byś rozejrzała się za nowym ciałem, w którym będę mógł zamieszkać.

Kobieta skłoniła się, przykładając rękę do serca, po czym odwróciła się i wyszła tym samym przejściem co wcześniej mężczyzna. Kiedy znalazła się na zewnątrz, powiodła wzrokiem po ciągnącym się aż do morza obozie i uśmiechnęła pod nosem. Banda kretynów. Masa bezmyślnych śmiertelników, którzy znaczyli mniej niż kamyki pod jej stopami. Całe szczęście nie musiała martwić się ich losem ani tym bardziej patrzeć, jak bezmyślnie marnują ostatnie chwile swojego życia. Takie robaki nie potrafią nawet umrzeć z godnością.

Tylko jeden człowiek nie był jej całkiem obojętny. Na całym tym gnijącym świecie tylko jeden śmiertelnik przykuwał jej uwagę. Podporządkowanie go sobie było dla niej prawdziwym wyzwaniem. Nigdy żaden człowiek tak wytrwale i długo jej się nie opierał. Czekało ją jeszcze trochę pracy, ale czuła, że w końcu osiągnie swój cel. Jak zawsze.

Balar czekał na nią przy schodach. Opierał się plecami o mury wieży i ze skrzyżowanymi na piersi ramionami wpatrywał się gdzieś w dal. Kiedy stanęła na ostatnim schodku, spojrzał na nią spod zmrużonych powiek. Jak zwykle ponury i obojętny. Ani śladu po tym czułym uśmiechu, który czasem udaje jej się z niego wykrzesać.

– Znowu mnie śledzisz? – odezwał się chłodno.

Uśmiechnęła się lekko i położyła dłoń na jego torsie. Spojrzała wprost w czarne oczy bez wyrazu.

– Skąd ci to przyszło do głowy? Kiedy mój Pan mnie wzywa, zawsze się zjawiam. To czysty przypadek, że się spotkaliśmy akurat tutaj. Jednak cieszę się, że tak szybko mogłam cię zobaczyć.

Uniósł lekko brwi, ale nic nie powiedział. Odwróciła się i lekkim krokiem ruszyła ścieżką w stronę obozu. Już po chwili szedł u jej boku, posłuszny niczym tresowany pies. Właśnie tak. Uśmiechnęła się do siebie z dumą. Lubiła tak o nim myśleć. Jak o swoim tresowanym zwierzątku, które jeszcze musi wiele nauczyć. Szczególne zastrzeżenia miała do posłuszeństwa, ale w końcu i to da się wypracować. Metodą kar i nagród można czasem zdziałać cuda.

– Dostałaś jakieś nowe zadanie? – zapytał.

Wolnym krokiem mijali rzędy namiotów i kręcących się po obozie ludzi. Hałas, smród i widok tych wszystkich paskudnych mieszańców napawał ją obrzydzeniem. Przyspieszyła, marszcząc lekko nos i zerkając na niebo. Ciężkie ołowiane chmury zwiastowały nadchodzącą burzę. Jeśli chcieli zdążyć dotrzeć na ląd, będą musieli się pospieszyć. Nie lubiła podróżować w deszczu. Jej zielonozłota suknia była cienka i nie chroniła przed zimnem. Nie lubiła jednak nosić płaszczy ani niczego, w czym nie wyglądała idealnie. A ciągłe podtrzymywanie ciepła i bariery było bardzo kłopotliwe.

Zerknęła przez ramię na swojego towarzysza.

– Na razie mamy robić swoje i mobilizować ludzi. Słyszałam, że masz zabić dziewczynę. Przynajmniej pozbędziemy się Potomka raz na zawsze, a ty będziesz mógł się zająć innymi sprawami. Nasz Pan liczy, że tym razem się postarasz.

Balar prychnął cicho, obdarzając ją chłodnym spojrzeniem.

– Ariel wciąż może nam się przydać i przynajmniej na razie nie zamierzam jej zabijać. Nie musisz mi mówić, co mam robić. Słyszałem jednak, że twój więzień uciekł. Gathalag o tym wie?

Skrzywiła się nieznacznie i odwróciła głowę. Przyspieszyła jeszcze kroku, kiedy w zasięgu ich wzroku zamajaczyła ciemna tafla wzburzonego morza. Wiatr się nasilał i robiło się coraz chłodniej. Dzięki tarczy jej włosy pozostawały w nienagannym stanie, a ciało utrzymywało właściwą temperaturę.

– Przyznaję, że to był mój błąd – odpowiedziała z niechęcią. – Nie doceniłam tego starucha, hrabiego. Nie sądziłam, że w takim stanie uda im się uciec.

– Zamierzasz coś z tym zrobić?

– O ile mi wiadomo, to zadanie spadło na ciebie. Mówiłam, że sam powinieneś to załatwić. Niepotrzebnie się upierałeś.

– Doprowadzę sprawę do końca. Możesz być pewna, że Kruczy Król nie sprawi nam problemów.

– To dobrze. Pan ma nadzieję, że wykonasz zadanie jak najszybciej.

Balar przystanął i popatrzył na nią ostro.

– Gathalag wciąż mi nie ufa, dlatego cię tu przysłał, tak? Co takiego mam jeszcze zrobić, żeby uwierzył w moją wierność?

Rairi zmierzyła go uważnym spojrzeniem, a potem uśmiechnęła się leciutko i smukłą dłonią pogłaskała po policzku. Stał sztywno i mierzył ją nieruchomym wzrokiem, kiedy delikatnie wodziła palcami po jego twarzy, skroniach i czole. Odgarnęła kilka kosmyków, które opadły na policzek.

– Żeby zasłużyć na całkowite zaufanie swojego boga, wystarczy, że zrobisz jedną drobną rzecz, mój drogi Balarze. Zabij Kruczego Króla, Potomka i cały Zakon. Bez nich świat padnie do stóp naszemu Panu i nikt już nie będzie w stanie mu przeszkodzić.

Balar odwrócił się w stronę morza i zapatrzył na spienione fale. Zmarszczył lekko brwi, jakby czymś poirytowany.

– Obiecałem to już Gathalagowi – odpowiedział po chwili oschłym tonem. – Nie musisz więc stosować na mnie tych swoich sztuczek. Zabiję każdego, kto stoi nam na drodze. Robię to jednak dla niego, nie dla ciebie.

Rairi skinęła krótko głową.

– Cieszę się, że stoisz po naszej stronie. Chciałabym jednak zadać ci teraz jedno pytanie. – Stanęła przed nim, zasłaniając cały widok i zmuszając, by spojrzał jej prosto w oczy. Zrobił to bez mrugnięcia powieką. – Dlaczego ciągle jesteś taki ponury? Nikt cię nie ukarze, jeśli czasem się uśmiechniesz. To w końcu nasz czas. Jesteśmy silni i niepokonani. Niedługo zapanujemy nad całym Elderolem, a potem nad kolejnymi wyspami.

Patrzył na nią bez słowa, z zupełnie obojętnym wyrazem twarzy. Po chwili uniósł wzrok ponad jej głowę.

– Do tego czasu czeka nas jeszcze dużo pracy. Jeśli nie potrafisz się na niej skupić, to lepiej wracaj do swojego ludu – odparł spokojnie, po czym dodał: – Wracajmy, zanim zaczniesz narzekać na złą pogodę.

Kiedy się odwróciła, na obmywanych przez wodę kamieniach stał już duży czarny kruk. Jego paciorkowate oczy zwróciły się w jej stronę ponaglająco. Rairi pokręciła lekko głową z cichym westchnieniem. Wskoczyła lekko na jego grzbiet, a wtedy rozłożył ogromne skrzydła i wzbił się w ciemne niebo. Lecieli wysoko razem z chłodnym prądem, więc otoczyła ich szczelną barierą i podgrzała nieco powietrze. Woda pod nimi była niespokojna i głośna jak armia przed natarciem na wroga. Kotłujące się nad nimi chmury zapowiadały, że tak szybko nie ujrzą słońca. A gdy pierwsza błyskawica przecięła niebo na pół, w jej oślepiającym błysku Rairi pochyliła się do przodu i oparła głowę na jedwabiście miękkim upierzonym grzbiecie. Jej tarcza chroniła ich przez kapryśną pogodą, więc nie było powodu do zmartwień. Absolutnie żadnego powodu. Głaszcząc czarne pióra, przymknęła oczy, wsłuchując się w otaczające ich odgłosy świata.

– Słyszysz, Balarze? – wymruczała cicho. – Ten brudny świat nas potrzebuje. Krzyczy o pomoc, więc nie możemy mu odmówić. Razem oczyścimy go z robactwa i grzechu. Przywrócimy pokój i stworzymy własne królestwo.

Odpowiedział jej odległy grzmot, a potem lunął rzęsisty ciężki deszcz.

* * *

Przez następne dni Ariel nie robiła absolutnie nic i to jej nie przeszkadzało. Nikt jej nie pilnował i nadal mogła wychodzić z pokoju, ale nie robiła tego. Kiedy znudziło jej się krążenie od ściany do ściany lub wpatrywanie się w skrawek nieba za oknem, kładła się na pryczy i zwijała w kłębek. Mogła leżeć w takiej pozycji wiele godzin i nie myśleć o niczym, zapadając w coś pomiędzy jawą i snem, gdzie czas zupełnie nie miał znaczenia.

Martwiła się o Sato i zastanawiała się, co się z nim stało. Czy został ranny? Dlaczego już jej nie odwiedza? Podejrzewała, że to przez Balara, więc była na niego jeszcze bardziej wściekła. Jak tylko wyczuwała, że jest w pobliżu, skupiała wszystkie myśli na tym, jak bardzo pragnie go zabić. Z ponurą satysfakcją wymyślała najbardziej okrutne i bolesne tortury. Od ich ostatniego spotkania właściwie go nie widywała, ale wiedziała, że obserwuje ją uważnie i śledzi każdą myśl.

Ariel wiedziała, że jej czas się kończy. Przestała się bać śmierci, bo wiedziała, że i tak tego nie uniknie. Już raz próbował ją zabić, a potem zrobił coś jeszcze gorszego, atakując jej serce i duszę. Naprawdę nie miała się już czego bać, więc tym bardziej trwała w swoim niezłomnym postanowieniu, by walczyć do samego końca.

Kilka dni po incydencie w pokoju Balara na tyle doszła do siebie, że zdecydowała się opuścić pomieszczenie. Jak zwykle w całym domu panowała cisza i wszechobecny mrok, choć na zewnątrz był środek słonecznego dnia. Od razu udała się do jedynego miejsca, gdzie czuła się w miarę bezpiecznie. Do biblioteki.

Nie miała ochoty na czytanie, więc tylko skuliła się wygodnie w fotelu i przymknęła oczy. Ostatnio zbyt długie myślenie wprawiało ją w depresyjny nastrój, więc starała się wyciszać i oczyszczać umysł. Jej nieudana ucieczka, walka Balara z Sato, a potem jeszcze spotkanie z tą elfką i wspomnienie Balara o tym, jak zabija jej rodziców…

To wszystko było zbyt przytłaczające. Zbyt bolesne i nierzeczywiste.

I wciąż czekała na Sato. Martwiła się, ale nie traciła nadziei. Uparcie na niego czekała, bo tylko on mógł przynieść jej zranionej duszy ukojenie. Jego złote oczy i ciepły uśmiech.

Gdzie jesteś, Sato?

Bała się, że Balar mógł go zranić. Może nawet zmusił go, by więcej się z nią nie widywał. Może Sato kochał ją jak siostrę, ale Przysięga nakazywała mu posłuszeństwo. Cała ta sytuacja była absurdalna i nic nie mogli na to poradzić. Oboje znaleźli się w pułapce bez wyjścia. Przez jednego człowieka. Mordercę. Potwora.

Pewnego dnia cię zabiję, Balarze, za to, co nam zrobiłeś. I zrobię to tak, że będziesz mnie błagał o szybki koniec – pomyślała najgłośniej, jak się dało, i naprawdę miała nadzieję, że gdziekolwiek jest, usłyszał ją i zrozumiał, że to nie tylko puste pogróżki.

Dźwięk otwieranych drzwi prawie przyprawił ją o zawał. Skoczyła na równe nogi i schowała się za jeden z regałów, przyciskając dłonie do serca, jakby w ten sposób chciała je uciszyć. Kiedy usłyszała kroki, zamarła, bojąc się nawet wyjrzeć. O tak wczesnej porze wszyscy powinni jeszcze spać, więc była pewna, że to Balar.

Kroki nagle ucichły, więc odważyła się w końcu wychylić głowę. Na widok siedzącego na fotelu Sato wyszła ze swojego ukrycia i stanęła niepewnie parę kroków od niego. Wojownik miał ponury wyraz twarzy i ze zwieszoną głową wpatrywał się w swoje buty. Dopiero teraz zauważyła bandaż na jego prawej nodze, tuż powyżej kolana.

– Jesteś ranny – stwierdziła tylko cicho. Serce śpiewało jej z radości, że widzi go całego, ale zmiany, jakie w nim zaszyły, napełniły ją trudnym do opisania lękiem.

Dopiero teraz uniósł głowę i spojrzał na nią w zamyśleniu. Po chwili uśmiechnął się jak dawniej, tyle że teraz ten uśmiech nie dosięgał oczu, które nadal pozostawały nieobecne i przygaszone.

– To nic takiego – odparł pogodnie. Na sobie miał czystą luźną tunikę, która zakrywała jego ramiona, przy pasie zaś tkwił niewielki sztylet, być może ten sam, którym ranił Balara. Tak jak ostatnio, nie nosił już kolczugi ani miecza, przez co wyglądał bardziej jak chłopiec niż wojownik.

– Bardzo cię boli? – zapytała, wpatrując się w niego z troską.

– Ani trochę – zaprzeczył może ze zbyt dużym entuzjazmem.

Ariel przysiadła na brzegu fotela i niepewnie dotknęła jego ramienia. Ujął delikatnie jej dłoń i schował w swoich, przytykając do niej wargi. Ten czuły gest napełnił jej serce przyjemnym ciepłem, ale od przyjaciela bił taki smutek, że nie wiedziała, jak powinna zareagować. Sato westchnął cicho jak ktoś bardzo stary i zmęczony. Przymknął powieki.

– Dziękuję, że uratowałeś mi życie.

– Drobiazg – mruknął, nie zmieniając pozycji. – Żałuję tylko, że go nie zabiłem – dodał ostrzej.

– Wiesz, Sato, że to niemożliwe. Nie miałeś z nim żadnych szans. Dziękuję niebiosom, że nic ci nie jest. Już odchodziłam od zmysłów. Co się z tobą działo? – W jej oczach zaślniły łzy.

Spojrzał na nią i pogładził ją po policzku, wycierając palcem samotną łzę. W jego oczach zamigotała złość.

– Nie ma prawa tak z tobą postępować. Jesteś dla nas zbyt ważna – powiedział, ignorując jej pytanie.

– Ja?

– Tak. Jesteś… – zmarszczył brwi i pokręcił nagle głową. – Nie powinnaś w ogóle tu być.

Spróbowała uśmiechnąć się smutno, wpatrując się w jego dłonie, w których wciąż ściskał jej rękę.

– Widziałeś, jak skończyła się moja próba ucieczki. Już więcej nie da mi takiej szansy. Muszę się przyzwyczaić, że spędzę tu ostatnie chwile życia.

– Nie – wyrwało mu się zbyt głośno, po czym przybliżył do niej twarz i dodał ciszej z błąkającym się na ustach przebiegłym uśmieszkiem: – Chcesz stąd uciec?

– Oczywiście, że tak, tylko…

Nie zdążyła dokończyć, gdyż zerwał się szybko i kulejąc lekko, pociągnął ją za rękę gdzieś między regały.

– Co robisz? – spytała, próbując za nim nadążyć.

– Pomagam ci uciec – odparł wesoło, zerkając na nią przez ramię.

– Jak to?

Zatrzymali się przed ścianą, przy której stała wysoka komoda. Nad nią wisiał sporych rozmiarów obraz przedstawiający jakiś nieokreślony pejzaż. Ariel patrzyła to na przyjaciela, to na ścianę, nic nie rozumiejąc.

– Wiedziałem o tym miejscu, ale dopiero teraz przypomniało mi się, że istnieje – gdy otwierała usta, by zadać pytanie, dodał pospiesznie, bardzo z czegoś zadowolony: – To tajne przejście prowadzące prosto do lasu. Tunel jest nieużywany od bardzo dawna, ale kiedy ostatni raz tu zaglądałem, widziałem na końcu wyjście.

Ariel coraz szerzej otwierała oczy, a w jej sercu na nowo rozpaliła się iskierka nadziei. Tajne przejście? Uśmiechnęła się szeroko, ale zaraz stłumiła podekscytowanie i zapytała ostrożnie:

– Jesteś pewny, że to przejście nadal tu jest?

– Tak. Niewiele osób o nim wie, a zresztą nikt oprócz nas nie zagląda do biblioteki.

Zaparł się nogami i zaczął przesuwać ciężką komodę wzdłuż ściany. Ariel chciała mu pomóc, jednak Sato dał sobie radę sam.

Nawet nie wiedziałam, że jest taki silny – pomyślała, wpatrując się w niego z uniesionymi brwiami.

Ich oczom ukazały się niewielkie kwadratowe drzwiczki. Ariel zalśniły oczy, gdy wojownik bez trudu je otworzył i odsunął się z zachęcającym uśmiechem.

Zawahała się na moment, wpatrując się w bezdenną ciemność przed sobą. Musiał dostrzec malujący się na jej twarzy strach, gdyż chwycił jej dłoń i pierwszy przekroczył próg.

– Nie bój się. Przecież jesteś ze mną.

Kiwnęła głową. Jakieś odległe, zamazane wspomnienie na krótki moment przypomniało jej, że już kiedyś stała przed taką ciemnością i że wtedy serce waliło jej równie mocno. Teraz jednak zarówno w głębokiej czerni, jak i w miodowych oczach przyjaciela czaiła się obietnica wolności, która zabiła w niej cały niepokój.

Musiała pochylić głowę, gdy przekraczała próg. Gdy znalazła się w wąskim tunelu, drzwi zamknęły się za nimi, pogrążając ich w bezdennej pustce. W nagłym przypływie paniki przylgnęła kurczowo do Sato, który zaśmiał się cicho w ciemności. Wyciągnął rękę i w następnej chwili nad ich głowami pojawiła się magiczna kula światła, miniaturowe słońce odpędzające mrok w tunelu. Ariel wpatrywała się w kulę z otwartymi ustami, po czym zerknęła szybko na wojownika, który wzruszył tylko ramionami.

– Przecież mówiłem, że ze mną nie musisz się bać.

Miała wiele gotowych pytań, ale w milczeniu rozejrzała się tylko wokół z zaciekawieniem. Wąski korytarz ciągnął się bez końca, choć gdzieś tam daleko Ariel dostrzegła nikłe, blade światełko. Tunel pokrywały odłamki cegieł, piach zmieszany z kurzem i pajęczyny.

– Idziemy?

Skinęła głową. Ramię w ramię, ledwo mieszcząc się w wąskim przejściu, ruszyli wolno ku odległemu wyjściu. Dzięki płynącej posłusznie nad ich głowami kuli Ariel widziała, gdzie stawia kolejny krok i nie musiała się bać, że nagle o coś się potknie. Im dalej pozostawiali za sobą bibliotekę i resztę domu, tym wstępowała w nią coraz większa nadzieja. Jeśli znajdzie się w lesie, łatwiej będzie im uciec. Tym razem był jasny dzień, miała dobrego przewodnika i trochę czasu, zanim zauważą jej nieobecność. No i nie było w pobliżu Balara.

Nie mogła się już doczekać, by ponownie znaleźć się na wolności, odetchnąć świeżym powietrzem i poczuć nad sobą ogrom nieba. A przede wszystkim – by być po prostu wolną.

Gdzieś w połowie drogi zdała sobie sprawę z tego, że zapomniała zapytać o najważniejsze. Spojrzała na Sato, którego oświetlona sztucznym światłem twarz wydawała się jeszcze bledsza niż zazwyczaj.

– Uciekniesz ze mną, prawda? Nie zostawisz mnie?

Nie odpowiedział od razu i Ariel wiedziała już, co oznacza ta cisza. Coś twardego ścisnęło ją za gardło.

– Przykro mi, Ariel, ale to niemożliwe – odparł w końcu głucho.

– Dlaczego? Nie możesz czegoś zrobić? – uwiesiła się jego ramienia, z trudem opanowując drżenie w głosie. Przecież nie mogła opuścić tego miejsca bez niego. Nie mogła go tu zostawić.

– Nie mogę przeciwstawić się jego woli. Jestem związany Przysięgą – zacisnął szczęki i popatrzył na nią ze smutkiem. – Odprowadzę cię do wyjścia, ale dalej będziesz musiała radzić sobie sama.

– Nie odejdę bez ciebie – zaprotestowała gwałtownie. – Nie znam tego świata i nie poradzę sobie bez ciebie.

Ścisnął jej dłoń, a potem odsunął się i szedł teraz dwa kroki przed nią, ukrywając twarz w mroku.

– Dasz sobie radę, Ariel. Każdy w Elderolu da ci schronienie, a poza tym nie będziesz sama. Z pewnością ktoś już cię szuka. Być może następnym razem, gdy się spotkamy, będziemy musieli ze sobą walczyć – dodał gorzko.

Ariel przypomniała sobie złowróżbne słowa Balara i zaprotestowała gwałtownie.

– Nawet tak nie mów. Nie dopuszczę do tego, by kiedykolwiek do tego doszło, słyszysz?

Nie odpowiedział i zrozumiała, że nie chce już o tym rozmawiać. Choć zapewniała samą siebie, że Sato nigdy jej nie skrzywdzi, zaniepokoił ją lęk czający się gdzieś na samym dnie serca.

Byli już naprawdę blisko wyjścia, gdy Sato zatrzymał się niespodziewanie i ruchem ręki nakazał jej to samo. Zrobił to w ostatniej sekundzie. Nagle ziemia zadrżała pod ich nogami, aż stracili równowagę i wpadli na siebie, o mało się nie wywracając. Kiedy drżeć zaczęły również ściany i sufit, wokół posypał się piach i ziemia. Odpadające cegły od razu zasypały drogę do wyjścia, wzbijając przy tym chmurę duszącego pyłu.

Sato pierwszy odzyskał zimną krew. Odwrócił się błyskawicznie i ciągnąc za sobą Ariel, pobiegł z powrotem. Tuż za nimi zapadał się sufit. Huk towarzyszący zawalaniu się korytarza prawie ich ogłuszył. Ariel oślepił dym i łzy, toteż dała się prowadzić, ufając wyostrzonym zmysłom przyjaciela.

Dopadli drzwi i wskoczyli do biblioteki, po czym zatrzasnęli wejście, odcinając się od gryzącego dymu.

Ariel osunęła się na ścianę i ciężko dysząc, zgięła się wpół. Sato nie wydawał się zmęczony, choć jego oddech był lekko przyspieszony. Oboje od stóp do głów pokrywał szary pył.

– Co to było? – wydyszała, kiedy w końcu doszła do siebie.

Sato otarł pot z czoła i przejechał dłonią po twarzy.

– Nie wiem, ale chyba powinniśmy stąd jak najszybciej znikać – odparł nerwowo. – To nie było naturalne trzęsienie.

– Chcesz powiedzieć, że ktoś to zrobił specjalnie? – popatrzyła na niego z zaskoczeniem.

– Tak.

Ariel zrozumiała w jednej chwili i bez zbędnego ociągania ruszyli szybko do wyjścia. Minęli regały, a wtedy ich najgorsze obawy się potwierdziły. Na czerwonym fotelu siedział rozparty wygodnie Balar. Ariel chwyciła Sato za rękę, który zamarł przy jej boku z napiętą twarzą.

Balar zmierzył ich lodowatym spojrzeniem, po czym zmrużył oczy i zerknął krótko na wojownika, jakby nie był wart uwagi.

– Wyjdź – padł z jego ust krótki rozkaz.

Sato zmarszczył czoło, na którym zalśniły kropelki potu. Nie spojrzawszy nawet na Ariel, wyswobodził swoją dłoń z jej uścisku i bez protestu skierował się do drzwi. Zanim wyszedł, Ariel dostrzegła na jego twarzy ponurą determinację.

– Nie powinnaś ponownie próbować ucieczki – wycedził Balar, kiedy zostali sami.

Jego obecność sprawiła, że wszystkie wcześniejsze plany i groźby wydały jej się wręcz śmieszne. Czując na sobie jego przenikliwy wzrok, poczuła się malutka, słaba i całkowicie bezbronna.

Jak mogłam w ogóle pomyśleć, że dam radę go zabić?

– W końcu to zrozumiałaś – odpowiedział sucho.

Przez chwilę bawił się czarnym sygnetem, w zamyśleniu obracając go w palcach, po czym jego usta wykrzywił grymas gniewu i irytacji. Wstał i ruszył w jej stronę, a długi płaszcz powiewał za nim przy każdym kroku.

Odwróciła wzrok, by nie patrzeć na jego oszpeconą twarz. Gdy zatrzymał się tuż przed nią, złapał ją za podbródek i uniósł głowę tak, że musiała spojrzeć w czarną otchłań jego oczu. To, co tam ujrzała, przyprawiło ją o mdłości.

– Zbyt długo zwlekałem – wysyczał. – Do tej pory byłem miły, ale nie dajesz mi wyboru. Moja cierpliwość też ma swoje granice.

– Nie – zdołała tylko wyszeptać, zbyt przerażona, by próbować się stawiać. Wiedziała, co zaraz nastąpi. Widziała tatuaż na ramieniu Sato i znała jego siłę.

Puścił ją brutalnie, aż zatoczyła się do tyłu, o mało nie wpadając na pobliski regał. Bez sił opadła na kolana i spuściła głowę. Miała wrażenie, że ściany pokoju przybliżają się i wirują wokół niej. Zacisnęła powieki z nadzieją, że nieznośny, tępy ból w głowie w końcu minie. Mięśnie odmówiły jej posłuszeństwa, jakby nad ciałem przejął kontrolę ktoś inny. Mimo to odezwała się słabym głosem:

– Dlaczego mnie teraz nie zabijesz? Nawet jeśli mnie naznaczysz jak Sato, to nie pozwolę traktować się jak niewolnicę. Wystarczy, że nie spełnię rozkazu i sama zginę. Nie boję się tego.

Zaklął cicho, lecz po chwili jego usta wykrzywił ponury uśmiech. Kucnął i zacisnął palce na jej przedramieniu.

– Dopóki nie zbierzemy Kamieni, nie mogę dopuścić do twojej śmierci. Myślisz, że możesz mnie przechytrzyć? Obdaruję cię specjalnym znamieniem. Sprawię, że nie będziesz mogła umrzeć, dopóki sam ci nie rozkażę. Jednak możesz być pewna, że za nieposłuszeństwo kara będzie naprawdę dotkliwa. Sądzę, że kiedy pierwszy raz zakosztujesz takiego bólu, od razu odechce ci się głupstw.

Lewe ramię zapiekło boleśnie. Jego dłoń parzyła, jakby była z ognia. Ariel zacisnęła szczęki, byle tylko nie krzyczeć. Miała wrażenie, że tam, gdzie ją ściskał, coś powstawało. Jakby wypalał na jej skórze tatuaż. Każda linia wnikała w nią najgłębiej, jak się dało, łączyła się z krwią, każdą komórką i każdym nerwem.

Zacisnęła powieki i napięła mięśnie, próbując jeszcze walczyć z pętającą ją siłą. Obca potężna wola wtargnęła do jej umysłu, a nawet duszy. Dalszy opór nie miał sensu. Jego świadomość rosła w niej i pęczniała, jakby chciała pochłonąć jej wolną wolę i wyrwać z niej duszę.

Ariel powoli opuszczały siły, była gdzieś na granicy jawy i całkowitej ciemności. To już był koniec. Kiedy to do niej dotarło, poczuła już tylko obojętność. Trwała w bezruchu, kiedy gdzieś na korytarzu rozległ się huk, a potem dziwne odgłosy, jakby coś dużego biegało po skrzypiących schodach.

Balar przerwał i odwrócił głowę, nasłuchując ze zmarszczonym czołem. Poczuła, jak wiążące ją zaklęcie słabnie. Bardzo ostrożnie poruszyła dłońmi. Następnie zaczerpnęła w płuca powietrza, oblizując zaschnięte wargi. Wciąż czuła w głowie jego obecność, ale przynajmniej odzyskała nad sobą kontrolę. Nie zastanawiała się ani sekundy. To była jej jedyna szansa i po prostu musiała z niej skorzystać. Na myśl o tym, co by się z nią stało, gdyby Balar dokończył zaklęcie, wstąpiła w nią nowa odwaga. Energia wlała się w jej zmęczone, obolałe ciało niczym cudowny nektar. Zaskoczyło ją to tak bardzo, że na jedno uderzenie serca po prostu zamarła. A potem przystąpiła do działania.

Nigdy się nie spodziewała, że może być tak szybka. Nawet Balar nie był w stanie jej tym razem powstrzymać. W jednej sekundzie zerwała się na nogi, wyminęła mężczyznę, wypadła z pokoju i niczym strzała pomknęła ciemnym korytarzem, a potem schodami na sam dół. Nie zastanawiała się co dalej. Po prostu biegła ile sił, przeskakując po dwa stopnie na raz. Kątem oka dostrzegła jakiś ruch na końcu korytarza, jakby coś dużego przebiegło jej drogę, ale nie miała czasu się zatrzymywać.

W połowie drogi cudowna siła zaczęła ją opuszczać. Ariel zwolniła nieco, a jej oddech stał się cięższy, urywany. Usłyszała za sobą zbliżające się szybko kroki. Zaklęła pod nosem, próbując choć trochę przyspieszyć. Była już na pierwszym piętrze i zbliżała się do marmurowych schodów. Choć nie miała żadnego planu, liczyła, że gdy znajdzie się na dole, to coś wymyśli. Może Sato albo Gebra przyjdą jej z pomocą, w końcu...

Poczuła z tyłu głowy mocne uderzenie, jakby ktoś rozpłatał jej czaszkę. Na moment przestała cokolwiek widzieć. Zachwiała się w miejscu, po czym runęła do tyłu, prosto w czyjeś objęcia. Na wpółprzytomna poczuła, jak mężczyzna przerzuca ją sobie brutalnie przez ramię. Chciała zaprotestować, wyrwać się, ale jej umysł całkiem utracił kontrolę nad ciałem. Zdołała tylko wydać z siebie cichy jęk rozpaczy. Uchyliła lekko powieki, ale prócz przesuwających się pod nią stopni nie była w stanie dostrzec nic więcej. W głowie szumiało jej tak bardzo, że każda myśl wdzierająca się do jej otępiałego umysłu wywoływała jeszcze większy ból w skroniach. Ta jakże szaleńcza i odważna próba ucieczki po raz kolejny zakończyła się niepowodzeniem. Zresztą nie mogło być inaczej. Może teraz przynajmniej Balar ją zabije i nareszcie to wszystko się skończy.

Znaleźli się na szerokich schodach prowadzących do rozległego holu. Poznała to po dziennym świetle wpadającym przez podłużne wysoko zawieszone okna. Ponownie otworzyła oczy i uniosła głowę tylko na tyle, by zerknąć na wyblakłą posadzkę i obdrapane ściany holu. Nie spodziewała się, że ktoś tam może być. Nie od razu go zauważyła, jakby pojawił się znikąd. Zamrugała kilka razy, gdyż postać zdawała się jakby przywidzeniem – drżała i rozmazywała się w powietrzu, powodując tylko, że jeszcze bardziej kręciło jej się w głowie. Lecz gdy ponownie na niego spojrzała, mężczyzna był całkowicie realny. Stał niedaleko schodów, ukryty pod czarnym płaszczem, z głęboko nasuniętym na głowę kapturem. Ariel spróbowała zmusić swój umysł do pracy i zrozumieć, czemu niosący ją wojownik nie reaguje na widok przybysza. Nadal zdawał się nie dostrzegać mężczyzny. Choć przecież znaleźli sie teraz naprzeciwko siebie, tak blisko, że nawet ona mogła go dotknąć, gdyby tylko wyciągnęła rękę. Uniósł głowę zakrytą kapturem i na krótką chwilę błysnęły w mroku jego intensywnie zielone oczy. Przez jej otępiałą świadomość przebiło się niewyraźne wspomnienie, lecz równie szybko zniknęło. Mężczyzna poruszył nieznacznie ręką i wojownik zachwiał się nagle, po czym runął do tyłu, a Ariel razem z nim. Nie padł żaden cios ani żadne słowo. Zbyt zaskoczona, nie nadążała za tym, co się wokół niej działo. Wiedziała tylko, że leci i że zaraz zderzy się z krawędzią marmurowych schodów. Zacisnęła mocno powieki w oczekiwaniu na bolesne zderzenie, lecz silne ręce złapały ją w ostatniej chwili. Zakapturzony mężczyzna ostrożnie wziął ją w ramiona i szybko wyprowadził na zewnątrz.

Powiew świeżego powietrza musnął jej twarz i potargał klejące się do skóry włosy. Intensywne światło zalało jej zaciśnięte powieki i otępiały umysł. Ostry ból nieco ją otrzeźwił. Mężczyzna posadził ją na koniu, sam wskoczył na jego grzbiet i bez słowa pognał przed siebie. Podskakując w rytm galopującego wierzchowca, Ariel przylgnęła kurczowo do pleców swego wybawcy, i by utrzymać równowagę, oplotła ramionami jego talię. Wiatr smagał ją po twarzy i gwizdał w uszach, a kopyta jednostajnie uderzały o trawiastą ziemię. Wciąż jej się zdawało, że to tylko sen. Otwierała i zamykała oczy, a po jej policzkach płynęły łzy. Zieleń trawy i drzewa rozmywały się w jednolitą plamę. Zanim straciła przytomność, w jej obolałym umyśle pojawiła się jedna, jedyna myśl: *Jestem wolna.*

* * *

Półelf siedział na gałęzi drzewa w pobliżu starego rozpadającego się dworu. Nie spuszczał wzroku z głównych wrót, a ręką kreślił w powietrzu skomplikowany wzór. Na jego gładkiej twarzy malowało się ogromne skupienie, gdy w myślach tkał niezwykle delikatną sieć iluzji. Słońce przebijające się przez konary tworzyło na jego zielonej tunice jasne smugi migoczące przy najlżejszym ruchu liści. W całkowitym bezruchu czekał spokojnie, swobodnie kontrolując uwalnianą Moc i podtrzymując zaklęcie.

Po jakichś dziesięciu minutach z dworu wynurzyła się zakapturzona postać, szybko zmierzając do pobliskiego drzewa. Wskoczyła na konia i ruszyła galopem w stronę traktu. Młodzieniec zeskoczył lekko na ziemię. Równie zgrabnie dosiadł drugiego wierzchowca i pognał za swym towarzyszem, obserwując tańczącą w powietrzu aureolę płomiennorudych włosów.

Rozdział XLIII

ęsta mlecznobiała mgła była dosłownie wszędzie. Wypełniała całą przestrzeń, nie pozwalając dojrzeć absolutnie niczego. Przylepiała się do ciała i pozostawiała na włosach i czole drobniutkie kropelki wody. Nawet powietrze miało dziwną konsystencję, trzeba było oddychać bardzo ostrożnie i wolno, by się nie udusić.

Ariel miała wrażenie, jakby sama stała się lekka i przezroczysta jak ta otaczająca ją biała zasłona. Rozglądała się na wszystkie strony, próbując zrozumieć, gdzie się znajduje. Czyżby to był kolejny dziwny świat, którego nie pamiętała? Właściwie to nie było tu nic poza mgłą i zastanawiała się, czy to nie jest jeden z tych wyjątkowo realistycznych snów. Panowała tu tak dojmująca cisza i spokój, że bez wątpienia była tu jedyną żywą istotą. Ale nie czuła strachu. Ostatnio tyle rzeczy ją przerażało lub dziwiło, że teraz sama była zaskoczona własnym opanowaniem. Czuła się tak, jakby zdjęto z jej ramion wszelkie troski i w końcu pogodziła się z losem i całym wszechświatem.

Odkąd otworzyła oczy, ani razu się nie poruszyła. Bała się, że gdy zrobi krok, to wpadnie w bezdenną przepaść. Poruszyła tylko rękami i przestąpiła z nogi na nogę, po czym westchnęła cicho.

Ariel.

Jakiś dźwięczny głos wewnątrz niej wezwał ją łagodnie. Coś kazało jej ruszyć się z tego bezpiecznego miejsca. Nawet jeśli targały nią lęk i wątpliwości, to nie potrafiła oprzeć się temu wezwaniu. Nienazwane pragnienie było zbyt silne.

Jeszcze długo się wahała, nim w końcu postanowiła zaryzykować. Wzięła głęboki oddech i zacisnęła kurczowo pięści. Powoli, nieśmiało zrobiła krok do przodu... Nic.

Mlecznobiała mgła, z pozoru tak lekka i delikatna, bez trudu utrzymała jej ciężar.

Ariel zrobiła następny krok, uważnie patrząc pod nogi. A potem kolejny. Przekonała się, że może chodzić po tej mglistej podłodze równie pewnie jak po twardej ziemi. W końcu całkowicie wyzbyła się lęku i swobodnie ruszyła przed siebie, popychana czystą ciekawością. Szła właściwie na oślep i mogła mieć tylko nadzieję, że nie zboczy z właściwego kursu. Coś jej jednak mówiło, że ta sama siła, która ją wezwała, doprowadzi ją bezpiecznie do celu. Cisza towarzyszyła jej przy każdym kroku, kryła się w każdej cząsteczce otaczającego ją gęstego powietrza. Ariel przywykła do ciszy, ale innego rodzaju. Ta była dobra i nie wywoływała demonów z głębi umysłu. Niosła wytchnienie. Po raz pierwszy myśli Ariel były tak czyste i jasne. Z ufnością małego dziecka zanurzyła się w tym nowym świecie i po raz pierwszy poczuła się całkowicie bezpieczna.

Po jakimś czasie nagle się zatrzymała. Tuż przed nią wyrosły ogromne wrota. Mgła jakby nieco się przerzedziła. Ariel zadarła głowę, jednak nie potrafiła ocenić, jak wysokie są drzwi, gdyż niknęły w mlecznobiałej zasłonie. Postąpiła jeszcze krok i mgła opadła jeszcze bardziej, odsłaniając przed nią podwójne masywne skrzydła wrót. Mogła teraz spokojnie dotknąć ich białej, prawie przezroczystej powierzchni. Nie zrobiła jednak tego, jakby kierowana jakimś nabożnym lękiem. Jej uwagę przykuły dziwne symbole wyryte na skrzydłach. Z początku myślała, że ma omamy, i przetarła gwałtownie oczy, zanim znów spojrzała na drzwi. A jednak wzrok jej nie zawodził. Symbole poruszały się i pulsowały tęczą kolorów, jakby żyły własnym życiem.

Nie minęło dużo czasu, gdy ponownie usłyszała swoje imię. I wtedy przyszło zrozumienie. Ariel nie próbowała tego pojąć, tylko po prostu zrobiła to, co musiała. Położyła prawą dłoń na powierzchni prawego skrzydła, czując, jak przenika ją ciepło emanujące z symboli. Z jej ust popłynęły słowa w języku, którego nie znała i nie rozumiała.

– Jam jest Ariel, Potomek Liry i Strażniczka Światła.

W tym momencie zarówno znaki na wrotach, znamiona na jej ciele, jak i pasemka rozjarzyły się jednocześnie całą gamą kolorów. Prawe skrzydło uchyliło się bezszelestnie, zapraszając ją do środka. Ariel czuła się tak, jakby robiła to wiele razy.

Jakby wchodziła do domu. Coś pchnęło ją delikatnie do przodu. Ostrożnie przecisnęła się przez szparę w skrzydle, które natychmiast zamknęło się za nią cicho.

Znalazła się w zupełnie innym świecie. Stała na trawiastym wzniesieniu, zaś nad nią rozpościerało się błękitne niebo bez ani jednej chmurki.

Ariel podeszła na skraj wzniesienia i spojrzała w dół... Z wrażenia aż zaparło jej dech. Poniżej rozciągała się łąka pełna zielonej soczystej trawy i kwiatów tak różnych i kolorowych, że nie znalazłaby odpowiednich słów, by oddać całe ich piękno. Tuż nad nimi latały beztrosko barwne motyle, a nieco wyżej równie piękne ptaki, napełniając ciszę nieziemską muzyką. Jak okiem sięgnąć, rozciągał się gęsty las, który zdawał się nie mieć ani końca, ani początku.

Ariel chłonęła ten widok, wciągając w płuca powietrze, przesycone słodkim zapachem kwiatów i leśnego mchu. Miała ochotę po prostu stać tutaj i rozkoszować się tym pięknem, jednak ponownie usłyszała wezwanie.

Trochę zbiegając, trochę ślizgając się na piętach, zeszła ze skarpy. Z lekkim sercem zwróciła twarz w stronę czystego nieba i z rozmarzeniem przymknęła oczy. Miała wrażenie, jakby ona, niebo i wszystko dookoła stanowiło jedność. Poczuła, że naprawdę jest wolna. Zaśmiała się głośno i pobiegła przed siebie, rozkładając szeroko ramiona, jakby na przywitanie serdecznego przyjaciela.

Jej uszy wypełniała cudowna muzyka wydobywająca się z każdego źdźbła trawy, każdego drzewa i każdego trzepotu maleńkiego skrzydełka. A Ariel chłonęła ją całą sobą, śmiała się, tańczyła i robiła piruety.

Rude gęste włosy tańczyły razem z nią, z każdą sekundą nabierając blasku i dawnego koloru. Kiedy poczuła w końcu znużenie, przystanęła na chwilę z bukietem kwiatów w dłoni, po czym z niegasnącym uśmiechem ruszyła wolno w stronę lasu. Mogłaby zostać już tu na zawsze. Ta myśl bardzo jej się spodobała. Tylko ona i piękna dzika natura, bez zamieszania i ludzi, którzy mogliby ją zranić. Mogłaby spać na łące pośród kwiatów, pod gołym niebem, jeść owoce leśne, a potem słuchać ptasich koncertów, tańczyć i upajać się spokojem.

Zatrzymała się tuż przed ścianą drzew. Przed nią niczym rzeczka wiła się wąska dróżka i ginęła w głębi lasu. Ariel zerknęła tylko na potężne drzewa i pewnym krokiem weszła na szlak. Między gęstymi konarami prześwitywały promienie słoneczne, tworząc na ściółce jasne smugi światła. Wszystko miało kolor soczystej zieleni, a wokół rozbrzmiewały zwykłe odgłosy leśnego życia.

Nie zaszła daleko, gdy niespodziewanie drzewa rozstąpiły się przed nią i znów znalazła się na polanie w samym sercu lasu. Zatrzymała się w zdumieniu i zamrugała kilkakrotnie, choć właściwie chyba powinna się tego spodziewać.

Na zwalonym pniu siedziała kobieta... Piękna kobieta, otoczona świetlistą aurą. Miała długie złote włosy, porcelanową twarz o idealnych rysach i oczy błękitne jak niebo. Była ubrana w białą suknię sięgającą ziemi, a jej włosy ozdabiało pięć pasemek. Pod suknią prześwitywały kolorowe Kamienie, które teraz jarzyły się delikatnie.

Kiedy Ariel znalazła się na polanie, kobieta-anioł obdarzyła ją spokojnym, radosnym spojrzeniem, jakby od dawna oczekiwała jej przybycia. Lekki uśmiech zagościł na jej twarzy, gdy skinieniem ręki zaprosiła ją bliżej. Zafascynowana Ariel od razu usłuchała, niezdolna odwrócić od niej wzroku.

– Podejdź bliżej, moje dziecko. Zbyt długo wyczekiwałam twego przybycia – odezwała się dźwięcznym, czystym głosem.

Ariel odwzajemniła nieśmiało uśmiech i przysiadła obok.

– Co to za miejsce? – odważyła się w końcu zapytać.

– To świat, który stworzyłyśmy wewnątrz twojego umysłu.

– Nie rozumiem.

Kobieta uśmiechnęła się łagodnie. Ariel spojrzała w jej oczy i na moment zatonęła w ich świetle.

– Ty jesteś Lira – powiedziała po chwili z niezachwianą pewnością.

Kobieta skinęła głową.

– Wybacz, że dopiero teraz się spotykamy. Wcześniej nie byłaś jeszcze gotowa na tę rozmowę.

– Jak to właściwie możliwe? Przecież… To znaczy wiem, że… nie żyjesz. – Ariel zmieszała się lekko i spuściła oczy. To nie było zbyt taktowne z jej strony.

Lira zaśmiała się cicho, napełniając polanę oszałamiającym dźwiękiem tysiąca dzwoneczków. Serce Ariel przepełniło się trudnym do opisania szczęściem.

– Możemy rozmawiać dzięki tobie. – Gdy w zdumieniu uniosła na nią oczy, Lira wyciągnęła dłoń i dotknęła ją w miejscu, gdzie znajdowało się szare znamię. – Dlatego że jesteś tak wyjątkowa, udało nam się stworzyć to miejsce. Jesteś pierwszą z mego rodu, która odziedziczyła Moc Trzeciego Oka. Tylko ja posiadałam piąty Kamień i sądziłam, że zginął razem ze mną. Trzecie Oko nie tylko pozwala widzieć przyszłość, ale także wzmacnia Moc pozostałych Kamieni. To naprawdę zdumiewające. Nawet nie zdajesz sobie sprawy z tego, jak wielką posiadasz Moc.

– Te Kamienie naprawdę są tak potężne?

– Tak. Dają kontrolę nad żywiołami. Są naszym dziedzictwem i nadzieją tego świata.

– Skąd właściwie się wzięły?

Lira odsunęła się i popatrzyła na nią w milczeniu, z ciepłym, matczynym uśmiechem. Ariel poprawiła się na pniu, z większą śmiałością odwzajemniając spojrzenie kobiety. A właściwie swojej prapraprababki. Zdumiewające. Jakie musiały tu podziałać Moce, by mogły się spotkać?

I gdzie? Wewnątrz jej umysłu? Chyba miała większą wyobraźnię, niż sądziła.

– Obserwowałam cię i wiem, w jakiej jesteś sytuacji – podjęła łagodnie Lira, bez cienia niecierpliwości. – Nawet jeśli straciłaś pamięć, musisz wiedzieć o pewnych podstawowych rzeczach. Tylko wtedy będziesz w stanie podejmować właściwe decyzje i skutecznie walczyć ze złem. Przede wszystkim powinnaś być świadoma, kim jesteś i jakie jest twoje zadanie. Najprościej będzie, jeśli opowiem ci swoją historię i jednocześnie historię powstania Elderolu. Ostrzegam jednak, że to dość długa opowieść.

– Jestem gotowa. Domyślam się zresztą, że właśnie dlatego tu się znalazłam. Postanowiłam zabić Balara i walczyć z jego bogiem, ale ciężko mi się do tego zabrać, kiedy nie znam nawet samej siebie.

Lira pokiwała głową i pogładziła ją czule po policzku.

– Naprawdę ci współczuję, moje drogie dziecko. Wiele przeszłaś i wiele jeszcze przed tobą. W ogóle nie powinnaś opuszczać tego świata, a już tym bardziej tracić wspomnień. Twoje życie potoczyłoby się całkiem inaczej, jednak nawet bogowie nie potrafią cofnąć czasu.

– Więc wcześniej byłam w innym świecie? – zapytała z przejęciem Ariel. – Tak przeczuwałam, ale przez tego drania ... – ugryzła się w język i odchrząknęła. – To znaczy Balara. Jestem pewna, że to on odebrał mi wspomnienia. Mówił, że jesteśmy zdrajcami, że kiedyś służyliśmy jego bogu – potrząsnęła głową. – Nie wierzę w ani jedno jego słowo, ale ...

– Doprawdy? – Lira spojrzała na Ariel, a potem na skrawek nieba prześwitujący przez gałęzie wysokich drzew. – To rzeczywiście niezwykłe stwierdzenie, tym bardziej że wypłynęło z jego ust. – W zamyśleniu znów przeniosła na nią oczy. Po chwili powróciła otaczająca ją spokojna radość. – To tylko jeden punkt widzenia. Rozumiem twój gniew i niepewność. Jeśli nie będziesz mi przerywać, opowiem ci wszystko od początku i sama ocenisz, czy postąpiłam właściwie. Bardzo chciałabym odpowiedzieć na wszystkie twoje pytania, obawiam się jednak, że nie mamy aż tyle czasu.

Ariel zarumieniła się lekko i spuściła wzrok. Nie chciała rozgniewać Liry ani tym bardziej zepsuć tak ważnej chwili.

– Przepraszam – wymruczała. – Już więcej się nie odezwę.

Lira tylko popatrzyła na nią z uśmiechem. Przez kilka chwil na polanie zapanowała cisza, aż w końcu Lira rozpoczęła swoją opowieść.

– Narodziłam się w czasach, gdy bogowie dopiero kształtowali ten świat, a pierwsze rasy przesiedlały się z miejsca na miejsce. Jak już zapewne wiesz, jest czterech bogów, którzy odpowiadają za cztery żywioły: Launa, Paralda, Nikos i Gain. Wspólnie ukształtowali ziemię z ognia, powietrza, wody i ziemi. Po jakimś czasie uznali jednak, że taki pusty krajobraz jest nudny i bez przyszłości. Stworzyli więc wszelkie zwierzęta lądowe, wodne i latające. To wciąż jednak było za mało. Bogowie to byty niematerialne, a potrzebowali kogoś, kto zaopiekuje się zwierzętami i roślinami. Potrzebowali istoty z wolną wolą, obdarzonej zdolnością rozwoju i przeżywania emocji.

Jako pierwsze na tym świecie pojawiły się Najstarsze Elfy. Piękne, nieśmiertelne istoty, obdarzone Mocą zdolną zmieniać rzeczy materialne i niematerialne. Jednak elfy schowały się w lasach i zajęły swoimi sprawami, zupełnie obojętne na resztę świata. Ale to one nazwały tę wyspę Elderolem. Bogowie uznali, że muszą stworzyć takie istoty, które będą bliżej ziemi, będą ją bardziej kochać i opiekować się każdym żywym stworzeniem.

Tak powstała rasa krasnoludów. Długowiecznych, ale śmiertelnych. Z początku osiedliły się w różnych częściach Elderolu i posłuszne bogom, uprawiały ziemię i żyły ze zwierzętami. Ponieważ były niewielkiego wzrostu i ciężkiej postury, wciąż były narażone na liczne ataki drapieżników oraz kaprysy natury, przez co ich liczba gwałtownie spadała. Odkryły więc w końcu, że o wiele lepiej czują się pod ziemią i pod skałami, gdzie mogą kopać długie tunele i spokojnie wychowywać potomstwo.

Bogowie i tym razem czuli, że ponieśli porażkę. Jednak postanowili spróbować trzeci, ostatni raz. Narodził się człowiek. Śmiertelny, ułomny człowiek, z licznymi wadami i niedoskonałościami. Zdolny do kochania i nienawiści. Obdarzony krótkim życiem, ale za to pełen pasji i wewnętrznej siły. Ludzie szybko zasiedlili cały Elderol. Powstawały wioski i miasta. Rozwijało się rolnictwo i handel. Ludzie podzielili się na klany i prowincje. Wznosili świątynie i modlili się do wybranego boga, choć przecież każda żywa istota ma w sobie cząstkę czterech żywiołów. Jednak bogowie w końcu byli usatysfakcjonowani i przestali wtrącać się do ziemskiego życia. Skoro obdarzyli swe dzieci wolną wolą, zostawili ten świat w ich rękach. Choroby, wojny i śmierć stały się naturalnym zjawiskiem, częścią życia. Bo człowiek został właśnie tak stworzony. Jako istota niedoskonała. Przeciwieństwo Nieśmiertelnych i bogów. Ludzie zazdrościli elfom ich piękna i nieśmiertelności, a krasnoludom, siły i odporności. Zaczęły się wojny między rasami, człowiek stawał się jeszcze bardziej chciwy, nienawistny i uwięziony we własnych żądzach. To właśnie wtedy krasnoludy pochowały się w najgłębszych wnętrzach gór, a elfy uciekły za morze, izolując się od reszty świata.

Lira przerwała na chwilę i westchnęła cicho. Spojrzała smutno na Ariel, która w milczeniu chłonęła każde słowo. Kiedy nie padło żadne pytanie, skinęła głową z bladym uśmiechem i kontynuowała:

– Skoro już wiesz, jak wyglądały początki, przejdę do własnej historii. Mało kto dzisiaj wie, kim właściwie jest Gathalag. Jedni mówią, że jest upadłym bogiem, a inny, że to brat Jormunga, boga śmierci i ciemności. W rzeczywistości Gathalag lub Niezniszczalny, jeśli wolisz, był elfem. Nieśmiertelnym.

– Elfem?! – wyrwało się Ariel, ale zaraz ugryzła się w język. Otworzyła szeroko oczy, na co Lira roześmiała się cicho.

– Zgadza się. Był pierwszym elfem, pierwszą istotą, jaką stworzyli bogowie. Można powiedzieć, że był eksperymentem, najbardziej piękną, doskonałą i najbliższą bogom. Leczył zwierzęta i uzdrawiał rośliny. Rozmawiał z bogami i przemierzał ten świat, dzieląc się z nimi swoimi spostrzeżeniami i uwagami. Nazywali go Młodszym Bratem, bo w rzeczywistości był niemal bogiem.

Po jakimś czasie pojawiły się inne elfy i Gathalag stał się ich pośrednikiem pomiędzy bogami. Nawet wśród swojej rasy uchodził za odmieńca, bo był zbyt doskonały. Uważał siebie za władcę ziemi, jedynego króla, przez którego usta przemawiają bogowie. Chciał rządzić wszystkim i wszystkimi, aż w końcu miał bogom za złe, że wtrącają się do jego decyzji. W tym czasie spotkał piękną elfkę. Nie wiem, czy ją kochał, ale z ich związku narodziłam się ja.

– Więc też jesteś elfką? A ja? – Ariel tak bardzo zdumiewały te wiadomości, że na jej policzki wystąpiły rumieńce i bezwiednie zaciskała pięści. Była naprawdę wdzięczna, że Lira była wobec niej tak cierpliwa i wyrozumiała.

– Tak. Byłam elfką. Choć w moim rodzie płynie krew Nieśmiertelnych, w każdym pokoleniu jest jej coraz mniej. Jednak wracając do mojej historii, miałam matkę tylko przez kilka lat. Gathalag popadał w coraz większe szaleństwo i stawał się coraz bardziej zachłanny. Uznał, że matka ma na mnie za duży wpływ i ją zabił. Byłam jego córką, ale nie miałam jego Mocy. Byłam raczej słabym, delikatnym dzieckiem. Gathalag stworzył dla mnie magiczny kamień, Trzecie Oko, który miał mnie wzmocnić i ustrzec przed chorobami. Dzięki niemu zaczęłam widzieć przyszłość. Wtedy jeszcze kochałam ojca i uważałam, że to on ma rację, a cały świat jest przeciwko nam. Dzieliłam się z nim swoimi wizjami, stałam się jego przewodniczką i służką. Chyba zapomniał, że jestem też jego córką. Wysługiwał się mną, posyłał na różne misje, kazał szpiegować, a nawet zabijać. Byłam mu ślepo posłuszna, a kiedy się buntowałam, brutalnie mnie karał. Kiedy bogowie stworzyli ludzi, od razu ich znienawidził. Coraz bardziej łaknął krwi i władzy. Nie wiem jak, ale śmierć i cierpienie dodawały mu sił. Stał się czystym złem, żywił się nieszczęściem i bólem tego świata. A ja stałam się jego prawą ręką.

Gathalag nie mógł walczyć z bogami, ale mógł im się przeciwstawiać i niszczyć to, co stworzyli. Wmówił mi, że człowiek to podła, przesiąknięta złem kreatura, która była pomyłką bogów. Zapragnął usunąć ludzi z tej ziemi i wydał rozkaz, bym ja to zrobiła. Miałam podesłać mu kilku najsilniejszych jako sługi, a resztę pozabijać. Myślisz, że bym tego nie zrobiła? Stokroć bardziej bałam się jego gniewu niż gniewu bogów. Poszłam do wioski nad morzem, upodobniłam się do człowieka i zaczęłam ich obserwować. Szybko pokochałam te kruche istoty. Kiedy zamieszkałam wśród nich, zrozumiałam, jak ojciec bardzo mnie okłamał. Patrzyłam na kobiety i dzieci, widziałam ich radosne uśmiechy, ciepłe spojrzenia, miłość i współczucie. Widziałam, jak zakładają rodziny, budują piękne domy i troszczą się o siebie. Pewnie dlatego, że tak szybko umierają, żyją tak intensywnie. To właśnie od ludzi nauczyłam się pokory i prostej radości.

Pewnego dnia poznałam mężczyznę i zakochałam się. – Lira spojrzała gdzieś w górę i uśmiechnęła się do siebie z rozmarzeniem. – Wiedziałam, że to zakazane uczucie. Nieśmiertelny Elf i człowiek. Mój ojciec i bóg czekał, aż wykonam zadanie i do niego wrócę. Ale... już tego nie zrobiłam.

Kochałam Seereta głęboko i bezgranicznie. Dla niego opuściłam ojca i sprzeciwiłam się jego woli. Seeret wiedział, że jestem elfką i poznał moje liczne zbrodnie. A mimo to przyjął mnie i zaakceptował. Zamieszkaliśmy razem na uboczu miasta i wtedy po raz pierwszy zakosztowałam prawdziwego szczęścia.

Jak się domyślasz, Gathalag nie wybaczył mojej zdrady. Zaczął mnie prześladować, zabijać ludzi i palić wioski. Wszystko po to, by wzbudzić we mnie poczucie winy i nakłonić do powrotu. Nie zamierzałam do niego wrócić i gdy to zrozumiał, zranił mnie najbardziej. – Lira popatrzyła na swoje smukłe palce zaciśnięte lekko na kolanach. Ariel dostrzegła jej błyszczące od łez oczy. Jednak gdy kobieta znów się odezwała, mówiła spokojnym tonem.

– Zabił Seereta. Zabił go na moich oczach, a potem sprowadzał na mnie wizje swoich brutalnych morderstw. Zabijał moich ukochanych ludzi tak długo, aż w moim sercu po raz pierwszy zawrzały gniew i nienawiść. Zwróciłam się o pomoc do bogów i błagałam tak długo, aż w końcu mnie wysłuchali. Podarowali mi cztery Kamienie wypełnione ich Mocą,które pozwalają kontrolować żywioły. Ironia losu sprawiła, że szary kamień od ojca wzmocnił moją energię i wyostrzył zmysły. Walczyłam z Gathalagiem wiele dni. Już wtedy byłam w ciąży, ale udało mi się przeżyć i zwyciężyć. Jednak nie zdołałam go zabić. Zniszczyłam jego fizyczne ciało i dzięki Kamieniom zapieczętowałam jego czarną duszę w kryształowej trumnie, która do dziś spoczywa w Czarnej Wieży na wyspie Aznar. Umarłam przy porodzie, ale bogowie pozwolili, by moje dziecko przejęło Kamienie i Moc żywiołów, a po nich każdy w moim rodzie. Kiedy umieramy, Gathalag zaczyna się budzić i na nowo szukać zemsty, dopóki kolejny Potomek nie zapieczętuje jego duszy. I tak w kółko przez kolejne stulecia. To nasze przeznaczenie i przekleństwo przekazywane z pokolenia na pokolenie. – Spojrzała na Ariel uważnie. – Tak wygląda moja historia. Czy również uważasz, że jesteśmy zdrajcami?

Ariel gwałtownie potrząsnęła głową. Opowieść Liry tak bardzo nią wstrząsnęła, że od pewnego czasu po jej policzkach bezgłośnie płynęły łzy.

– Oczywiście, że nie – odparła dobitnie. – Postąpiłabym tak samo, gdybym miała takiego ojca. Więc nie ma sposobu na zabicie Gathalaga?

– Stał się bogiem, Ariel. A boga nie da się zabić. Jego dusza jest nieśmiertelna i wieczna. Już kiedy z nim walczyłam, powinien trafić do piekła. Jednak tak bardzo nasiąkł złem i żądzą władzy, że jego wola wciąż trzyma go na ziemi. Jesteśmy jedyną nadzieją bogów i ludzi. Tak długo, jak żyje kolejny Potomek, Gathalag śpi w swojej trumnie, a w Elderolu panuje pokój. Jednak ty, Ariel – czułym gestem dotknęła dłonią jej policzka – jesteś wyjątkowa. Czuję, że dokonasz wielkich czynów i zmienisz historię. Może nawet uda ci się zdjąć z naszych ramion ten ciężar.

Ariel otworzyła szeroko oczy.

– Co masz na myśli?

Kobieta uśmiechnęła się tajemniczo i pocałowała ją w policzek.

– Miej oczy i uszy otwarte, a przekonasz się, że nie wszystko jest takie, jakie się wydaje. Z pewnością jeszcze się spotkamy, a tymczasem będę obserwować twoje czyny. Pokładam w tobie wiele nadziei i liczę, że mnie nie zawiedziesz.

* * *

Falen już od godziny siedział za biurkiem i zmuszony był czytać te wszystkie raporty i sprawozdania. A przed nim piętrzył się jeszcze stos dokumentów, które musiał podpisać. Nie minęło południe, a on już marzył o odpoczynku. Zdecydowanie wolał rozstrzygać spory między ludźmi niż siedzieć zakopany w nudnej papierkowej robocie. Na przykład, z samego rana zjawili się w zamku dwaj bracia, którzy zażądali, by wydał jednemu z nich akt własności ziemi, na której razem mieszkali. Przez pół godziny obaj tłumaczyli, dlaczego to jemu należy się ta ziemia, a nie bratu. Falen łaskawie wysłuchał ich do końca, choć akurat nie widział tutaj żadnego problemu. Potem każdemu z nich wręczył akt własności połowy ziemi i powiedział, że jeśli to im nie odpowiada, przejdzie ona w ręce króla i będzie po kłopocie. Do tej pory pamiętał ich nietęgie miny, ale przynajmniej czuł satysfakcję z dobrze podjętej decyzji. Zupełnie nie rozumiał, dlaczego wieśniacy nie potrafią sami rozwiązywać swoich problemów. Czyżby byli na tyle tępi, że z każdym głupstwem natychmiast gnali do króla? No cóż, przynajmniej miał tutaj jakąś rozrywkę.

Nadal uśmiechał się mimowolnie na wspomnienie zdarzenia, które miało miejsce parę dni wcześniej. Udało mu się wyrwać z zamku, więc postanowił trochę się przejść. Pomimo parnego popołudnia nie zdjął płaszcza, gdy ruszył do miasta. Przeciskając się przez tłum na głównej ulicy, przyglądał się rozstawionym po bokach straganom, otoczony zewsząd kakofonią dźwięków i zapachów. Ludzie patrzyli na niego z zaciekawieniem i podziwem, co czasem wprawiało go w zakłopotanie. Najpierw dostrzegali czarny płaszcz Zakonu i szybko kłaniali się z szacunkiem, a potem podnosili wzrok na jego twarz. Jego niezwykle delikatna uroda budziła zachwyt zarówno wśród mężczyzn, jak i kobiet. Gdy wstępował do miasta i wtapiał się między ludzi, zawsze był wśród nich niczym jaśniejące słońce w pochmurny dzień. Tak określił go kiedyś Arwel i to porównanie było zadziwiająco trafne.

Falen nie mógł dłużej znieść napierającego tłumu i dobiegających ze wszystkich stron hałasów, więc skręcił w najbliższą uliczkę. Chłód cienia przyniósł mu prawdziwą ulgę, gdyż było niemiłosiernie gorąco. Złote kosmyki przykleiły się do czoła, zakrywając czarne znamię w kształcie pióra. Falen otarł rękawem pot z twarzy, marząc, by wejść teraz do chłodnej rzeki. Zamiast tego skierował kroki do najbliższej tawerny. Był już niedaleko, gdy nagle drzwi odskoczyły z hukiem. Wypadła z nich kobieta, która z krzykiem upadła na brukowaną ulicę. Zaraz za nią wyszedł potężnie zbudowany mężczyzna. Po jego zaczerwienionej twarzy i chwiejnym kroku można było poznać, że jest już mocno pijany. Podszedł do kobiety, brutalnie złapał ją za skraj sukienki i przyciągnął do siebie, aż ta krzyknęła z protestem.

– Oddawaj pieniądze! – wrzasnął na całą ulicę, aż niektórzy przechodnie zatrzymali się z ciekawości.

Mężczyzna wymierzył kobiecie mocny policzek i bezceremonialnie zaczął macać ją jedną ręką. Falen, ukryty w cieniu uliczki, podrapał się po głowie, rozważając co powinien zrobić. W końcu wsadził ręce do kieszeni płaszcza i ruszył w ich stronę. Gdy znalazł się na słońcu, jego jasne włosy zamieniły się w płynne złoto, otaczając jego twarz świetlistą aureolą.

Mężczyzna puścił kobietę, która ciężko wylądowała na ziemi i zwrócił czerwoną twarz ku nadchodzącemu. Spokój malujący się na twarzy wojownika musiał nieco zbić z tropu pijaka, gdyż opuścił ręce, które do tej pory zaciskał w pięści.

– Czego chcesz? – warknął ostro, przewiercając go przekrwionym wzrokiem.

Falen przeszedł obok kobiety, całkowicie ją ignorując. Musnął palcami ramię mężczyzny i spojrzał mu głęboko w oczy.

– Wrócisz teraz do domu i już nigdy nie podniesiesz na nikogo ręki. Przestaniesz również pić i znajdziesz sobie porządną pracę.

Oczy pijaka na moment pokryły się mgłą, a ciało zesztywniało. Nie był w stanie oderwać wzroku od błękitu tęczówek Noszącego Znak Kruka.

– Tak, panie – odezwał się pustym głosem, po czym ciężkim krokiem oddalił się ulicą.

Falen dopiero teraz odwrócił się do siedzącej na ziemi kobiety.

– Nic ci nie jest? – zapytał, podając jej dłoń.

Przyjęła pomoc i gdy przed nim stanęła, okazało się, że była od niego wyższa co najmniej o głowę.

– Nie – odpowiedziała, poprawiając na sobie sukienkę. – Dzięki za pomoc, ale sama bym sobie z nim dała radę. Jeżeli jeszcze raz tu zajrzy, to poczęstuję go moją pięścią.

Falen zachichotał cicho.

– Widzę więc, że niepotrzebnie się wtrącałem.

Uniosła wzrok i przyjrzała mu się lepiej. Długo wpatrywała się w jego twarz, aż w końcu dostrzegła czarne znamię ukryte między jasnymi kosmykami włosów. Jej słodki uśmiech stał się jeszcze szerszy. W jej oczach dostrzegł znajomy błysk całkowitego zauroczenia.

– Pracuję w tej tawernie. Może wejdziesz i napijesz się czegoś? – zaproponowała, wsuwając rękę pod jego ramię.

– Z przyjemnością.

W obszernej sali było mało klientów. Kobieta posadziła go przy pustym stole, a sama zniknęła w innych drzwiach. Falen przez ten czas rozsiadł się wygodnie na ławie i oparłszy podbródek na dłoni, przyjrzał się pozostałym. Dostrzegł, że wśród klientów nie było ani jednej kobiety. Mężczyźni siedzieli pojedynczo lub w grupach i sączyli swoje trunki wśród szmeru przyciszonych rozmów. Parę osób przyjrzało mu się bacznie, ale dostrzegając znamię na czole, nagle tracili nim zainteresowanie. Nigdy nie lubił takich miejsc, bo zawsze źle mu się kojarzyły. Tutaj jednak nie było tak okropnie.

Kobieta wróciła po pięciu minutach, niosąc duży kufel ciemnego piwa. Falen skrzywił się, ale gdy postawiła trunek na stole, podziękował swobodnym tonem i zmusił się do upicia małego łyka. Tylko dzięki dużej sile woli udało mu się przełknąć to cierpkie i gorzkie świństwo.

– To najlepszy trunek, jaki mamy – pochwaliła się kobieta, siadając naprzeciwko i przypatrując mu się z uwagą.

Falen odstawił kufel i uśmiechnął się.

– Wyśmienity.

Na jej twarzy pojawiły się ulga i zadowolenie. Po chwili pochyliła się nad stołem, znacząco wskazując na znamię na czole.

– Jesteś jednym z członków Zakonu Kruka, prawda? – zapytała konspiracyjnym szeptem.

Skinął głową. Zanurzył usta w ciemnym płynie, ledwo go smakując. Z chęcią poprosiłby o wodę, by ugasić męczące go pragnienie, nie zamierzał jednak sprawiać jej przykrości. Musiał zadowolić się piwem, które przynajmniej było chłodne.

– Jestem Ereta, a ty…

– Falen.

– A więc to, co zrobiłeś tamtemu…

– Kazałem mu tylko wracać do domu i się poprawić – zrobił niewinną minę. – To całkiem prosta sztuczka.

– Och – uniosła brwi. – I każdy cię słucha? Możesz rozkazywać ludziom, by zrobili, co tylko zechcesz?

– Właściwie to tak.

– Mógłbyś na przykład podporządkować sobie króla lub innych członków Zakonu?

– Mógłbym. Ale nigdy tego nie zrobię.

Przekrzywiła lekko głowę i zmrużyła oczy.

– A więc mógłbyś też rozkazać kobiecie, by była ci posłuszna – to było bardziej stwierdzenie niż pytanie.

Falen pochylił się do przodu, wbijając w nią chłodne spojrzenie.

– Sugerujesz, że korzystam ze swojej Mocy, by zaspokajać własne pragnienia?

Ereta ze zmysłowym uśmiechem ujęła jego dłoń i zaczęła wodzić po niej palcami.

– Czyżbyś, Falenie, był takim grzecznym chłopcem? – Gdy nie odpowiedział, podniosła na niego zaciekawione spojrzenie. – A może masz już kobietę, która oddała ci nie tylko serce…

Falen zmarszczył brwi, zabrał dłoń i schował ją pod stół.

– Owszem, mam kogoś.

W jej oczach mignęło rozczarowanie.

– Liczyłam, że zaprzeczysz.

– Przykro mi, Ereto. – Wstał i pochylił się w jej stronę. – Jesteś piękną kobietą, ale nie w moim guście. – Zniżył głos do szeptu. – Wolę inny typ urody, jeśli wiesz, co mam na myśli…

– Och – wyrwało jej się głośno, gdy wyprostował się i ruszył do drzwi.

Na zewnątrz słońce kryło się już za horyzontem, barwiąc niebo na jasny pomarańcz. Przyjemny wietrzyk zmierzwił mu włosy i wydął poły płaszcza. Falen westchnął ciężko, ukrywając twarz w cieniu kaptura. Ruszył szybkim krokiem w stronę zamku, jednak w następnej uliczce zmienił się w kruka i wzbił niebo. Pęd powietrza nieco poprawił mu humor.

Teraz siedział nad stosem papierów, ziewnął po raz kolejny i zastanawiał się, pod jakim pretekstem opuścić duszną i nagrzaną słońcem komnatę. Zbyt często odpływał myślami daleko poza mury zamku i kompletnie nie miał głowy do pracy. Było mu gorąco, śmiertelnie się nudził i w dodatku coraz bardziej doskwierała mu samotność. Choć ze wszystkich stron otaczała go służba, straże i doradcy, nigdy jeszcze zamek nie wydawał mu się tak wielki i pusty.

Ciekawe, co robi teraz Arwel. Jak mogłem dać się w to wplątać?

Bębniąc palcami o blat biurka, spojrzał ukradkiem na stojącego u jego boku Welrada. Królewski doradca uśmiechnął się do niego nieznacznie.

– Skończyłeś już, Falenie?

Pokręcił głową z ciężkim westchnieniem. Przeniósł wzrok na dokumenty przed sobą. Literki rozmazywały się przed jego oczami, więc przymknął powieki i przytknął pięści do skroni.

Nie miałem pojęcia, że król ma aż tyle obowiązków. Riva nigdy nie wyglądał na tak zajętego, więc dlaczego to wszystko zajmuje mi tak strasznie dużo czasu? Arwel pewnie bawi się lepiej ode mnie. Drań.

W końcu z irytacją podpisał raport, nawet go nie czytając. Odłożył papier na bok i sięgnął po następny dokument z ogromnej sterty po lewej. Próbując się na nim skoncentrować, zasłonił usta dłonią, gdy ponownie wzięło go na ziewanie. Wytarł z oka samotną łzę, gdy rozległo się pukanie do drzwi.

– Proszę.

Zadowolony, że mu przerwano, wyprostował się na krześle, poprawiając poły płaszcza. Do komnaty wszedł strażnik, zbliżył się do biurka i skłonił lekko.

– Panie, mamy kłopot.

– O co chodzi?

Mężczyzna zerknął na niego niepewnie.

– Nie wiem, czy powinienem zwracać się z tym do ciebie. Zastanawiałem się, czy nie lepiej poczekać z tym na króla...

– Rivy na razie tu nie ma – przerwał mu ze zniecierpliwieniem. – A ja go zastępuję. Więc mów. – Nie lubił, gdy nie traktowano go poważnie.

Strażnik spuścił wzrok, jednak posłusznie wyjaśnił, o co chodzi.

– Wczoraj złapaliśmy mężczyznę. Twierdzi, że był kiedyś wojownikiem na służbie Balara. Kręcił się w pobliżu miasta i robił zamieszanie, więc moi ludzie go zatrzymali. Próbujemy wyciągnąć od niego jakieś informacje, ale milczy jak zaklęty. Mamy go dalej przesłuchiwać czy zabić?

Falen zmarszczył brwi i sposępniał. Przez chwilę zastanawiał się nad czymś głęboko, po czym zapytał:

– Gdzie go trzymacie?

– W podziemnym lochu.

– W takim razie zaprowadź mnie tam.

– Słucham? – Wojownik spojrzał na niego z zaskoczeniem.

Falen wstał i obszedł biurko.

– Sam spróbuję go przesłuchać. Mam na to swoje sposoby.

Mężczyzna zerknął na jego znamię i skinął krótko głową.

– Welradzie – w drzwiach zerknął przelotnie na doradcę. – Zajmij się resztą dokumentów, proszę.

Wojownik poprowadził go schodami do głównego holu, a potem korytarzami do sali tronowej. Falen szedł za nim pospiesznie, aż długi płaszcz plątał mu się między nogami. Milczał przez całą drogę, zadowolony, że mógł w końcu opuścić gabinet i uwolnić się od piętrzących się na biurku dokumentów.

Zatrzymali się przed niewielkimi drzwiami za salą tronową. Strażnik otworzył je i zszedł po kamiennych schodkach, pochylając nisko głowę. Falen poszedł jego śladem, zamykając za nimi drzwi.

Długi korytarz oświetlały liczne pochodnie. W ich migotliwym świetle widać było ciągnące się wzdłuż ścian cele. Falen nie lubił tu zaglądać ze względu na przerażające dźwięki, jakie wydawali więźniowie. Nawet nie chciał wiedzieć, co się tutaj działo za plecami króla.

Ruszył za mężczyzną mrocznym tunelem, zmuszając się, by patrzeć przed siebie i nie zwracać uwagi na dziwne odgłosy wydobywające się z mijanych cel. Panująca tu ciężka mroczna atmosfera wywoływała gęsią skórkę. Wiedział, że nawet ten strażnik uważa, że ktoś taki jak on nie powinien nigdy tu zaglądać. Jednak teraz działał w imieniu króla i nie mógł uchylać się od swoich obowiązków. Zresztą ludzie zawsze brali go za delikatniejszego, niż był w rzeczywistości.

Kilka razy skręcali w kolejne odnogi podziemnego labiryntu, nim w końcu strażnik zatrzymał się przed jedną z ukrytych w mroku cel. Falen podszedł do krat i w wytworzonej przez siebie niewielkiej kuli światła dostrzegł siedzącego w kącie więźnia.

– Wpuść mnie do niego – zażądał.

– On może być niebezpieczny. To zwierzołak. Nie powinieneś…

Falen obdarzył go lodowatym spojrzeniem.

– Otwórz.

Strażnik skrzywił się, ale posłuchał. Z pęku kluczy wiszącego u pasa wybrał odpowiedni i przekręcił zardzewiały zamek. W podziemiu rozległ się nieprzyjemny zgrzyt otwieranych krat. Falen minął stojącego na baczność wojownika i wszedł do celi.

Mrok panujący w pomieszczeniu rozświetliła kula, która zawisła nad jego głową. Mężczyzna w kącie zamrugał gwałtownie i uniósł głowę. Falen zbliżył się i spojrzał na niego z góry. Z pewną satysfakcją dostrzegł na jego nagim torsie liczne czerwone pręgi. Spodnie ledwo trzymały się na jego biodrach, a pomarszczona, umazana brudem i krwią twarz wywołała u niego falę mdłości.

– Służyłeś Balarowi?

Nie doczekał się odpowiedzi. Mężczyzna patrzył na niego tępo, jakby pogrążony w amoku. Falen zacisnął szczęki. Jego znamię na czole rozjarzyło się czarnym światłem.

– Jeśli nadal będziesz taki uparty, to sam wyciągnę z ciebie potrzebne informacje. I możesz mi wierzyć, że nie będzie to miłe doświadczenie.

Mężczyzna wstał powoli, opierając się plecami o mur. Wyzywająco spojrzał mu w oczy i zaśmiał się gardłowo.

– O tak. Wiem o twoim szczególnym darze. Możesz zrobić ze mną, co zechcesz, ale nie wymażesz swoich czynów. – Nagle zaczął się drzeć jak opętany, aż na jego czole zalśniły kropelki potu. – Wiem, kim jesteś! Nigdy nie zapomnę tej rzezi! Potwór! Mój pan powinien cię wtedy zabić...!

Falen pobladł ledwo dostrzegalnie. Wykonał ruch, jakby zamierzał złapać mężczyznę za szyję, ale cofnął rękę. Wyciągnął spomiędzy płaszcza swój miecz, którego stal rozbłysła na sekundę w sztucznym żółtawym świetle. Bez słowa błyskawicznym ruchem poderżnął mężczyźnie gardło. Jego wrzaski ustały raptownie i teraz ciszę wypełnił jedynie cichy charchot, który również w końcu zamilkł. Gdy martwe ciało osunęło się na klepisko, Falen schował miecz i wyszedł z celi.

– Problem z głowy – rzucił sucho strażnikowi i nie czekając na niego, ruszył szybko wąskim tunelem.

* * *

Obudził ją śpiew ptaków i promienie słońca wdzierające się pod powieki. Otworzyła powoli oczy, z trudem przypominając sobie ostatnie wydarzenia. Potarła ręką twarz i jęknęła.

– W końcu się obudziłaś, pani.

Usiadła gwałtownie i spojrzała wprost w duże granatowe oczy chłopaka, a właściwie...

– Jesteś elfem – stwierdziła z zaskoczeniem, wpatrując się w jego spiczaste uszy, gładką twarz i śnieżnobiałe włosy.

Zaśmiał się z rozbawieniem.

– Ściślej mówiąc, półelfem.

– Półelfem? – powtórzyła, marszcząc przy tym brwi.

– W połowie jestem człowiekiem – wyjaśnił spokojnie. – Jestem Nox z Zielonego Lasu. – Wstał i podszedł do dogasającego ogniska, po czym wrócił z miską. – Powinnaś coś zjeść, zanim wyruszymy.

Kiwnęła głową i wzięła od niego naczynie, szybko pochłaniając zawartość. Była tak głodna, że nawet nie zastanawiała się nad tym, co jest w misce. Ważne, że było ciepłe, pożywne i smakowało nie najgorzej.

Dopiero gdy zaspokoiła głód i podziękowała elfowi, z ciekawością rozejrzała się po niedużej łące otoczonej z jednej strony ścianą drzew. Gdzieś niedaleko szumiała rzeka, a lekki wiatr kołysał gałęziami nad jej głową. Wciągnęła głęboko w płuca świeże powietrze, nie mogąc uwierzyć, że to wszystko prawda. *Nareszcie jestem wolna.* Ta myśl była tak cudowna, że aż nieprawdopodobna.

Wstała, otrzepała się z liści i poprawiła splątane włosy.

– Co się właściwie stało? – zwróciła się do Noxa, który kręcił się po obozie, zwijając koce i chowając naczynia.

Zamarł i zwrócił się w jej stronę. Choć jego oczy były tak duże i przejrzyste, zdawały się przygaszone, jakby smutne.

– Odbiliśmy cię z rąk Balara, pani – wzruszył ramionami, jakby nie było czego opowiadać. – Jesteś teraz bezpieczna.

– Ale jak wam się to udało? Przecież Balar…

– Nawet on nie jest w stanie wykryć magii elfów – uśmiechnął się znacząco. – Zresztą Argon nawet bez mojej pomocy wdarłby się tam siłą i cię uratował.

– Argon – mruknęła do siebie, próbując przypomnieć sobie, skąd zna to imię. Po chwili dodała głośno: – Powinnam wam zatem podziękować.

Elf nie zdążył odpowiedzieć, bo zza pobliskich drzew wyłonił się potężny mężczyzna w kolczudze i w płaszczu. W jednej ręce trzymał niedbale łuk, zaś w drugiej martwego królika. Na plecach miał przewieszony kołczan pełen strzał.

Ariel przyjrzała mu się ze zmarszczonym czołem. Choć wydał jej się znajomy, nie potrafiła przywołać jego obrazu z panującego w jej głowie chaosu. Mężczyzna tymczasem podszedł do Noxa i bez słowa oddał mu łuk i swoją zdobycz. Dopiero potem zwrócił się ku Ariel, taksując ją surowym spojrzeniem. Jego wygląd, a szczególnie ta brzydka blizna na policzku nie zrobiły na niej dobrego wrażenia. Choć nie odezwał się jeszcze ani słowem, poczuła bijący od niego chłód i dystans.

– Ty zapewne jesteś Argon? – odezwała się pierwsza, z rezerwą.

Zerknął na Noxa z uniesionymi brwiami, jakby przekazując jakieś bezgłośne informacje. Gdy ponownie spojrzał na Ariel, w jego zielonych oczach pojawił się trudny do zinterpretowania błysk.

– Nie mamy czasu na wyjaśnienia, dopóki stąd nie odejdziemy – odezwał się w końcu szorstko. – Jestem Argon z Malgarii, kapitan straży króla. Wiesz chociaż, kim jesteś?

Ariel zmieszała się jego bezpośredniością, ale szybko przywołała swoje opanowanie. Wyprostowała się i spojrzała na niego hardo, dumnie unosząc głowę.

– Oczywiście, że wiem. Jestem Potomkiem Liry – odparła wyniośle. – Nie musicie się trudzić, bo znam najważniejsze fakty. Lira wszystko mi wytłumaczyła.

– Lira? – zapytał z uniesionymi brwiami.

– Tak – uśmiechnęła się delikatnie. – Wciąż nie wiem wielu rzeczy, ale mam nadzieję, że w końcu odzyskam pamięć. – Skrzyżowała ramiona na piersi, przyglądając się Argonowi z lekko zmarszczonym czołem. – Czy powinnam ciebie pamiętać?

Wojownik odwrócił wzrok i odchrząknął. W końcu wzruszył obojętnie ramionami.

– Na razie tym się nie przejmuj – mruknął tylko i zaraz potem po prostu ją zignorował.

Ugasił resztki ogniska, podczas gdy Nox oprawił królika, podzielił na części i schował do torby przytroczonej do siodła. Ariel obserwowała ich w milczeniu. Spojrzała na błękitne niebo, na którym słońce wisiało dokładnie nad ich głowami. Ciekawe jak długo spała i ile minęło czasu od momentu, gdy Balar próbował wyryć na niej tatuaż.

Na myśl o Balarze przeszedł ją dreszcz, a potem spłynęła na nią ulga, że w końcu udało jej się od niego uwolnić. Jednak gdzieś w środku pozostało maleńkie ziarnko niepokoju. Może jeśli nie będzie o tym myślała, to nie wykiełkuje i nie urośnie. Nie mogła przecież wszystkim martwić się na zapas.

Ostrożnie musnęła palcami lewe ramię, tuż poniżej łokcia. W tym miejscu wciąż czuła lekkie pulsowanie ciepła i pamięć dotyku jego dłoni. Odetchnęła głęboko, wyrzucając z myśli wspomnienie tamtej sceny. Potem przełknęła ślinę i odważyła się spojrzeć na rękę.

Na skórze widniała zaledwie lekko czerwona szrama. Ledwo widoczne kontury tego, co miało być piórem. Gdyby nie ci ludzie, zostałaby naznaczona Przysięgą Posłuszeństwa. Jak Sato.

Potarła szybko ramię i potrząsnęła głową. Z pewnością ślad zniknie po kilku dniach, a ona zapomni, że kiedykolwiek coś takiego się zdarzyło.

– Nie stój tam jak kołek. Musimy ruszać, zanim się ściemni.

Głos Argona przywrócił ją do rzeczywistości. Wzdrygnęła się i rozejrzała po obozie, którego już nie było. Nox stał w pobliżu, trzymając w dłoni wodze dwóch koni. Nawet ślady ogniska całkowicie zniknęły. Musieli mieć w tym naprawdę dużą wprawę, skoro w tak krótkim czasie i niemal niezauważalnie zatarli po sobie wszelkie ślady.

– Dokąd jedziemy? – zapytała w końcu, widząc, że Argon podchodzi do jednego z koni.

– Na początek wrócimy do Malgarii. Zostaniesz tam, a my wyruszymy dalej na poszukiwania Rivy.

Ariel pokręciła gwałtownie głową, na co obaj popatrzyli na nią z uniesionymi brwiami i lekkim zaskoczeniem.

– Nie ruszę się stąd, dopóki nie odzyskam swojego medalionu. *I nie uwolnię Sato* – dodała w myślach.

Epilog

Zmierzch zastał ją wśród rozłożystych krzewów uginających się od leśnych malin. Promienie słońca, które do tej pory przebijały się przez gęstą siatkę gałęzi, teraz skryły się za horyzontem. Nagle znalazła się w świecie cieni, które bezlitośnie otoczyły ją ze wszystkich stron. Nastała kolejna noc w obcym świecie.

Przestała jeść maliny, które do tej pory łapczywie wpychała garściami do ust. Wytarła umazane sokiem usta brudnym rękawem, po czym spojrzała poprzez gałęzie drzew na skrawek ciemnego nieba.

Podniosła się ciężko z ubłoconych kolan i rozejrzała po pobliskich zaroślach i wysokich drzewach. Odgarnęła z czoła splątane kosmyki brudnych włosów i szczelniej opatuliła się swoim płaszczykiem, który nie był w stanie ustrzec jej przed chłodem nadchodzącej nocy.

Który to już minął dzień? Próbowała obliczyć, jak długo znajdowała się na tej dziwnej ziemi, jednak ostatnio wszystko jej się mieszało i w końcu straciła rachubę czasu. Odkąd obudziła się w tym lesie, nie potrafiła znaleźć z niego wyjścia. Zdawało jej się, że wciąż krąży w kółko. Każdy krzak i każde źdźbło trawy były identyczne. Nie przypominała sobie, żeby w Londynie były takie lasy i zupełnie nie wiedziała, gdzie jest. Czuła jednak jakoś instynktownie, że ta ziemia, po której chodzi, i to powietrze, którym oddycha, nie są takie same. Nie potrafiła określić, na czym ta różnica polega, ale była niemal pewna, że przebywa w miejscu, w którym kategorycznie nie powinna się znaleźć. Miała nadzieję, że kiedy w końcu znajdzie wyjście z tego przeklętego lasu, znajdzie też sposób, by wrócić do domu. O ile w ogóle jej się to uda. Starała się o tym nie myśleć, ale naprawdę bała się, że utknęła tu na zawsze. Może to była kara za jej podłe zachowanie. Może jeśli wszystko sobie przemyśli i poczuje prawdziwą skruchę, to wtedy na powrót znajdzie się w swoim łóżku, a ta dziwna przygoda okaże się tylko złym snem.

Tymczasem musiała zmagać się z własnym strachem i pragnieniem. Jadła wszystko, co się nawinęło i co uznała za jadalne. Piła brudną wodę ze strumyczków i kałuż, a czasem zlizywała poranną rosę z trawy. Od wschodu do zachodu słońca szła wciąż przed siebie, robiąc tylko niewielkie postoje. Była na skraju wyczerpania, ale nie zamierzała się poddawać. Gdy zapadał zmierzch, znajdowała sobie kryjówkę, zakopywała się w stertę liści i tak przeczekiwała noc. Czasem potrafiła przespać kilka godzin, czasem czuwała z szeroko otwartymi oczami i nasłuchiwała różnorodnych leśnych odgłosów. Ciągle było jej zimno i burczało w brzuchu. Nie myślała już o takich luksusach jak kąpiel w gorącej wodzie czy miękkie łóżko. Nawet nieprzyjemny zapach niemytego ciała przestał jej tak bardzo przeszkadzać. Jej uwaga była skupiona głównie na tym, żeby zdobyć pożywienie i wodę. Nie potrafiła już płakać za domem i wygodami, bo przez pierwsze dni wypłakała już chyba wszystkie łzy. Nauczyła się nie myśleć za dużo o niepotrzebnych sprawach, które tylko ją rozpraszały i odbierały energię. Kiedy świeciło słońce, cieszyła się, że jest ciepło. A kiedy znalazła jakieś owoce, jak maliny czy dzikie jagody, cieszyła się, że ma co jeść.

Stała się niczym zwierzę, które żyje, by przetrwać. Zagubione, przestraszone zwierzę, które mimo wszystko wciąż jest człowiekiem.

Odległe pohukiwanie sowy sprawiło, że podskoczyła z sercem w gardle. Rozszerzonymi ze strachu oczami powoli lustrowała okolicę, przywierając plecami do pnia drzewa. Objęła się ramionami, a z jej gardła wydobyło się ciche łkanie. Każda noc była straszliwą walką nie tylko z mrokiem, ale również z istotami, które czaiły się na nią za gęstymi zaroślami. Do tego jednego nie potrafiła jeszcze przywyknąć. Do własnego strachu, który paraliżował ciało i zatruwał umysł dziwnymi obrazami.

Robiło się coraz chłodniej. Na atramentowym niebie ukazały się pierwsze gwiazdy i wąski sierp księżyca, którego blade światło nie było jednak w stanie przedrzeć się przez gęste konary. Zadrżała z zimna, żałując, że nie potrafi rozniecić ogniska. Zaburczało jej w brzuchu, co w nocnej ciszy zabrzmiało jak odległy grzmot. Pożądliwym wzrokiem popatrzyła na znajdujące się kilka metrów przed nią krzewy malin, które przed chwilą pochłonęła z taką łapczywością. Usta wciąż miała pomazane różowym sokiem, a w gardle czuła odległy, słodki smak, który tylko wzmagał jej apetyt. Już za późno, żeby szukać innych krzaków i chyba znowu będzie musiała położyć się z pustym żołądkiem.

Nagle pośród ciemności rozległo się wycie, które wydobyło się z kilku gardeł. Ten ogłuszający dźwięk przyprawił ją o mdłości. Wilki. Pojawiły się cicho i znienacka. Najpierw usłyszała szelest, a potem dostrzegła błysk żółtych ślepiów. Trzy bestie obnażyły kły i zawarczały głucho. Powoli, łapa za łapą, zbliżyły się do niej i osaczyły. Mimo chłodu pot oblepił jej brudne ciało, serce waliło jej jak młotem, a oddech przyspieszył gwałtownie, kiedy cofała się na sztywnych nogach.

Nagle uderzyła plecami o chropowaty pień i wiedziała już, że to koniec. Nie miała dokąd uciec, a wilki były coraz bliżej. Patrzyła im w ślepia i widziała w nich ostatnie sekundy swojego życia. Ze strachu przestała nawet oddychać. Miękkie łapy śmierci nie wydawały żadnego odgłosu, były coraz bliżej. Za chwilę ostre pazury i zęby zagłębią się w jej ciele, wysysając całe życie. Drżała na całym ciele i już nie wiedziała, co robi. Strach odebrał jej zdolność myślenia. Wyciągnęła przed siebie obie ręce i rozcapierzyła palce, jakby próbowała zatrzymać rozpędzony samochód.

– Jesteście tylko snem – wyszeptała ochrypłym głosem. – To tylko sen. Słyszycie?! – wrzasnęła, aż jej głos potoczył się echem po uśpionym lesie. – Nie istniejecie!

Nagle poczuła w palcach gorąco. Jej dłonie wypełniły się energią, która domagała się uwolnienia. Z początku sądziła, że ma omamy, więc zamrugała gwałtownie. Jej wzrok jednak działał, jak należy. Wokół jej dłoni wirowały złote drobinki. Maleńkie kropeczki pulsowały delikatnie w ciemności w rytm jej serca. Unosiły się w powietrzu i gromadziły przy jej dłoniach, jakby przyciągane magnetyczną siłą. Wpatrywała się w to zjawisko jak urzeczona, kiedy głośne warknięcie przywróciło ją do rzeczywistości. Spojrzała na wilka i już wiedziała, co musi zrobić. Bez namysłu napięła mięśnie rąk i jednym ruchem posłała nagromadzoną energię w stronę zwierząt. Gwałtowny podmuch wiatru wzniósł je w powietrze i rzucił o drzewa parę metrów dalej. Usłyszała skowyt i odgłos łamanych kości. Potem znów zapanowała cisza.

Dysząc ciężko, popatrzyła na swoje dłonie. Wciąż była roztrzęsiona i nie rozumiała, co się właśnie stało. Czy to ona zrobiła? Czy to wydarzyło się naprawdę? Jednak nieruchome ciała wilków były niezaprzeczalnym dowodem tego, że jednak nie zwariowała, a to nie jest sen.

– Niemożliwe – wyszeptała do siebie. Tak długo milczała, że jej własny głos wydał się jej obcy i nienaturalny. Jednak kiedy znów wydała z siebie dźwięk, jakby otrząsnęła się z amoku. Znów była sobą. Człowiekiem z krwi i kości. Dziewczyną z dobrego domu i z dobrej szkoły.

– Dlaczego uważasz, że to niemożliwe? Ja jestem pod wrażeniem. Słodki sopran rozległ się bardzo blisko. Przestraszona, przywarła do drzewa i rozejrzała się szybko wokół. Czekała w napięciu, aż z mroku wyłoniła się jakaś postać. Kobieta. Piękna kobieta o czarnych włosach w długiej, zielono-złotej sukni. Uśmiechała się lekko, miała idealnie skrojone usta, a jej twarz przywodziła na myśl maskę z porcelany.

– Masz niezwykły talent – odezwała się znowu łagodnie.

– Ja? – wyjąkała ostrożnie, wciąż przyglądając się nieufnie przybyłej i obejmując drzewo, przy którym czuła się w miarę bezpiecznie. Mięśnie miała napięte jak postronki i w każdej chwili była gotowa do ucieczki. Nawet z tej odległości była wręcz pewna, że kobieta słyszy, jak mocno wali jej serce.

Nieznajoma skinęła głową. Powoli zbliżyła się do niej i wyciągnęła dłoń. Wszystko w niej było idealne i pełne wdzięku. Każdy ruch kojarzył się z tańcem. Kiedy szła, zdawało się, że ledwo dotyka stopami ziemi. Jakby płynęła. Ta piękna istota chyba nie zamierzała zrobić jej krzywdy.

– Chciałabym cię poznać bliżej. Pozwól, że się tobą zajmę. Na pewno jesteś głodna i zmęczona. Przy mnie niczego ci nie zabraknie.

Gdy kobieta mówiła, coś się zaczęło z nią dziać. Nagle jej serce się uspokoiło i przestała się trząść. Spłynął na nią błogi spokój, a całe ciało się rozluźniło. Oderwała się od drzewa i stanęła prosto, nie mogąc oderwać wzroku od oczu kobiety, która z tym samym łagodnym uśmiechem zapytała:

– Jak masz na imię?

– Kiiri.

– Kiiri – powtórzyła kobieta, po czym zbliżyła się i ujęła jej dłoń. Jej palce były ciepłe i miękkie. – To imię nie pasuje do ciebie. Mogę wybrać ci inne?

– Tak.

Kobieta wyciągnęła drugą rękę i przez chwilę wodziła palcami po jej twarzy, wciąż ściskając jej dłoń. Zmrużyła oczy, jakby się nad czymś zastanawiała.

– W takim razie od dzisiaj będziesz nazywać się Kira. Może być?

– Tak – odpowiedziała mechanicznie. Wszystko wydawało jej się obojętne i jednocześnie takie naturalne. Umysł miała czysty, a serce pozbawione wszelkiego strachu.

Kobieta skinęła krótko głową.

– W takim razie chodź ze mną, Kira. Zajmę się tobą.

Kiedy posłusznie szła za kobietą leśną ścieżką, gdzieś tam głęboko była świadoma, że w końcu zostanie wyprowadzona z lasu. Będzie miała jedzenia i wody pod dostatkiem. Zdawało jej się, że to jest najważniejsze. Ta piękna kobieta uratowała ją od śmierci.

Kira zapomniała już, że kiedyś miała inne imię i inne życie. Zapomniała również, dlaczego tyle dni błądziła po lesie. Wpatrywała się w dłoń kobiety, która była tak przyjemnie ciepła i czuła, niczym dłoń matki.

Po pewnym czasie uświadomiła sobie, że nie zadała najważniejszego pytania.

– Jak masz na imię?

Kobieta spojrzała na nią przez ramię.

– Rairi.

Koniec części I

Redakcja: Barbara Kaszubowska
Korekta: Karolina Kaźmierska
Okładka, mapa: Krystian Żelazo
Skład: Monika Burakiewicz
Druk i oprawa: Elpil

Wydanie pierwsze
ISBN 978-83-7942-081-0

Novae Res – Wydawnictwo Innowacyjne
al. Zwycięstwa 96/98, 81-451 Gdynia
tel.: 58 698 21 61, e-mail: sekretariat@novaeres.pl, http://novaeres.pl

Publikacja dostępna jest w księgarni internetowej zaczytani.pl.

Wydawnictwo Novae Res jest partnerem
Pomorskiego Parku Naukowo-Technologicznego w Gdyni.

Pomorski Park Naukowo-Technologiczny